le Guide du routard

Directe[...]
Philipp[...]

C[...]
Philippe GLOAG[...]

Rédacteur en chef
Pierre JOSSE

Rédacteur en chef adjoint
Benoît LUCCHINI

Directrice de la coordination
Florence CHARMETANT

Rédaction
Yves COUPRIE, Olivier PAGE,
Véronique de CHARDON, Amanda KERAVEL,
Isabelle AL SUBAIHI, Anne-Caroline DUMAS,
Carole FOUCAULT, Bénédicte SOLLE
et André PONCELET

QUÉBEC & PROVINCES MARITIMES

2000
2001

Hachette

Hors-d'œuvre

Le *GDR*, ce n'est pas comme le bon vin, il vieillit mal. On ne veut pas pousser à la consommation, mais évitez de partir avec une édition ancienne. D'une année sur l'autre, les modifications atteignent et dépassent souvent les 40 %.

Chaque année, en juin ou juillet, de nombreux lecteurs se plaignent de voir certains de nos titres épuisés. À cette époque, en effet, nous n'effectuons aucune réimpression. Ces ouvrages risqueraient d'être encore en vente au moment de la publication de la nouvelle édition. Donc, si vous voulez nos guides, achetez-les dès leur parution. Voilà.

Nos ouvrages sont les guides touristiques de langue française le plus souvent révisés. Malgré notre souci de présenter des livres très réactualisés, nous ne pouvons être tenus pour responsables des adresses qui disparaissent accidentellement ou qui changent tout à coup de nature (nouveaux propriétaires, rénovations immobilières brutales, faillites, incendies...). Lorsque ce type d'incidents intervient en cours d'année, nous sollicitons bien sûr votre indulgence. En outre, un certain nombre de nos adresses se révèlent plus « fragiles » parce que justement plus sympas ! Elles réservent plus de surprises qu'un patron traditionnel dans une affaire sans saveur qui ronronne sans histoire.

Spécial copinage

– *Restaurant Perraudin :* 157, rue Saint-Jacques, 75005 Paris. ☎ 01-46-33-15-75. Fermé le samedi midi, le dimanche, le lundi midi et la 2e quinzaine d'août. À deux pas du Panthéon et du jardin du Luxembourg, il existe un petit restaurant de cuisine traditionnelle. Lieu de rencontre des éditeurs et des étudiants de la Sorbonne, où les recettes d'autrefois sont remises à l'honneur : gigot au gratin dauphinois, pintade aux lardons, pruneaux à l'armagnac. Sans prétention ni coup de bâton. D'ailleurs, c'est notre cantine, à midi.

– Un grand merci à *Hertz*, notre partenaire, qui facilite le travail de nos enquêteurs, en France et à l'étranger. Central de réservations : ☎ 01-39-38-38-38.

IMPORTANT : le 36-15, code ROUTARD, a fait peau neuve ! Pour vous aider à préparer votre voyage : présentation des nouveaux guides ; « Du côté de Celsius » pour savoir où partir, à quelle saison ; une boîte à idées pour toutes vos remarques et suggestions ; une messagerie pour échanger de bons plans entre routards. Nouveau : notre rubrique « Bourse des vols » permet désormais d'obtenir en un coup d'œil tous les tarifs aériens (charters et vols réguliers). On y recense tous les tarifs de 80 voyagistes et 40 compagnies pour 400 destinations. Fini le parcours du combattant pour trouver son billet au meilleur prix ! Et notre rubrique « Docteur Routard » ! Vaccinations, protection contre le paludisme, adresses des centres de vaccination, conseils de santé, pays par pays.
Et toujours les promos de dernière minute, les voyages sur mesure, les dates de parution des *GDR*... et une information détaillée sur Routard Assistance.

Hôtels, pensions, restos... mode d'emploi

En raison de l'inflation galopante dans une majorité de pays, il n'est plus possible d'indiquer les prix des hôtels et des restos. Souvent, en moins d'un an, la différence entre les prix relevés et ceux en vigueur au moment de la première diffusion du guide peut être très importante. Aussi avons-nous adopté le système des fourchettes de prix en instituant des catégories : bon marché, prix moyens et plus chic. Ces catégories varient selon les pays. Si les hôtels pas chers d'un pays se situent autour de 15 F (2,3 €), ceux qui s'affichent à 50 F (7,6 €) appartiendront bien sûr à la rubrique « Prix moyens », et ceux qui coûtent 100 F (15,2 €) et au-delà à celle « Plus chic ». Il est évident que pour un pays débutant à 100 F (15,2 €) pour ses hôtels les moins chers, les autres rubriques seront décalées d'autant.

Avantage : l'inflation étant la même pour tout le monde, s'il y a élévation globale du coût de la vie, les prix augmentent simultanément. La seule chose imprévisible, c'est qu'un hôtel ou un restaurant change de standing (en bien ou en mal) et passe donc dans une autre catégorie. Dans ce cas de figure, assez rare il faut le dire, nous sollicitons bien sûr l'indulgence légendaire de nos lecteurs.

TABLE DES MATIÈRES

COMMENT ALLER AU CANADA ?

- Par lignes régulières....... 20
- Les organismes de voyages 22

GÉNÉRALITÉS

- Avant le départ............ 66
  • Adresses utiles • Carte internationale d'étudiant • Carte FUAJ internationale des auberges de jeunesse
- Argent, banques, change... 70
- Achats, souvenirs 71
- Budget.................. 71
  • Hébergement • Repas • Visites
- Carte d'identité du Canada . 72
- Carte d'identité du Québec . 73
- Climat.................. 73
  • Hiver et contre tout • L'été indien • Le (très) Grand Nord
- Cuisine.................. 76
  • Quelques infos en vrac • Spécialités • Boissons
- Décalage horaire 78
- Droits de l'homme 78
- Électricité................ 79
- Fêtes et jours fériés 79
- Forêt québécoise.......... 79
- Handicapés.............. 80
- Hébergement 80
  • Auberges de jeunesse • Hôtels et motels • Résidences d'étudiants • Gîtes, *B & B*, chambres d'hôte • Campings • Échange de résidence
- Institutions.............. 83
- Langue.................. 83
  • Faux-amis • Quelques petits conseils pour finir
- Livres de route............ 85
  • Librairies
- Musique, danse 87
- Offices du tourisme 87
- Parcs nationaux et provinciaux 87
- Poste 87
  • Poste restante
- Santé 88
  • Assurances • Antimoustiques
- « Spécial fumeurs » 90
- Taxes et tips.............. 90
- Téléphone 92
  • Appels locaux • Appels interurbains • Appels internationaux • Indicatifs des villes
- Transports intérieurs 95
  • Train (VIA) • Auto-stop • Location de motos • Location de voitures • Achat d'une voiture d'occasion • Transport de véhicules • Transporter votre équipement? • Location de motorhomes • Autocar • Avion • Péniches et bateaux
- Travail au Québec......... 99
  • Stages agricoles • Organismes susceptibles de procurer un stage ou un job • Formalités pour ceux qui ont un job temporaire • Séjour au pair (1 an maximum) • Travail bénévole

HISTOIRE ET SOCIÉTÉ

- La nuit des temps 101
- L'arrivée des premiers colons 102
- La redécouverte........... 102
- Il était une fois... l'Amérique francophone 102
- La réaction britannique..... 103

– La défaite, l'abandon et l'oubli 104
– Petites conséquences linguistiques 104
– Les problèmes recommencent 105
– Le modèle américain....... 106
– Le Canada et le XXe siècle . 106
– L'influence des États-Unis .. 106
– « Nègres blancs d'Amérique » 107
– Je me souviens.... 107
– La question du Québec 108
– « Vive le Québec libre! » .. 108
– Trudeau et le F.L.Q. 109
– Oui-oui, non-non... 109
– Les nouveaux enjeux 110
– La « spécificité » québécoise 111
– Québécois et Français aujourd'hui................ 112
– Les peuples autochtones dans l'histoire canadienne .. 112
• Sauvages, Indiens ou autochtones? • Une classification difficile • L'arrivée des colons... et des problèmes • Prise de conscience et mea culpa • Combien sont-ils? • Qu'est-ce que la loi sur les Indiens? • ...et les négociations continuent • La question autochtone aujourd'hui • La crise du golf d'Oka • Droits constitutionnels et avantages • Organisation politique et sociale
– Présentation des groupes autochtones au Québec.... 117
• Les Amérindiens : les nations algonquiennes (les Abénaquis, les Algonquins, les Attikameks, les Cris, les Malécites, les Micmacs, les Montagnais, les Naskapis); les nations iroquoiennes (les Hurons, les Mohawks) • Les Inuit : des autochtones différents; des effets indésirables de la modernité; prise en main et renouveau culturel

LE QUÉBEC

– MONTRÉAL 122
• Le mont Saint-Hilaire • Fort Chambly • Le parc du mont Tremblant • Le parc linéaire du « Ptit train du Nord » • Le parc Omega • Le musée canadien des Civilisations à Hull • Les Cantons de l'Est
– BERTHIERVILLE.......... 171
– SOREL.................. 172
– TROIS-RIVIÈRES 172
• La cité de l'Énergie à Shawinigan • Le parc national de La Mauricie • La route 138 entre Trois-Rivières et Québec : Grondines, Batiscan, Sainte-Anne-de-la-Pérade, Deschambault, Portneuf, Cap-Santé, Donnacona, Neuville, Saint-Augustin-de-Desmaures
– QUÉBEC................. 179
• IMAX • Le village de sports
– DANS LES ENVIRONS DE QUÉBEC................. 212
• Wendake-le village des Hurons • La chute Montmorency • Le parc du Mont-Sainte-Anne • Sainte-Anne-de-Beaupré
– LE PARC DES LAURENTIDES 216
– L'ÎLE D'ORLÉANS......... 217
• Saint-Pierre • Sainte-Famille • Saint-François • Saint-Jean • Saint-Laurent • Saint-Pétronille

Charlevoix

– BAIE-SAINT-PAUL 225
• Le domaine Charlevoix • Le parc des Grands-Jardins
– SAINT-JOSEPH-DE-LA-RIVE................. 233
– L'ÎLE AUX COUDRES 235
– LES ÉBOULEMENTS...... 240
• Cap-aux-Oies
– SAINT-IRÉNÉE 241
– POINTE-AU-PIC........... 242
– LA MALBAIE.............. 244
• Les chutes Fraser

– CAP-À-L'AIGLE 246
– PORT-AU-PERSIL......... 247
• Le centre écologique de Port-au-Saumon
– SAINT-SIMÉON 248
• La baie des Rochers
– L'INTÉRIEUR DE CHARLEVOIX............. 250
• Le parc régional des Hautes-Gorges-de-la-Rivière-Malbaie • Monts-Grands-Fonds • Saint-Aimé-des-Lacs • Notre-Dame-des-Monts • Saint-Urbain

Le Saguenay - Le lac Saint-Jean

– L'ANSE-SAINT-JEAN 252
– LE PARC DU SAGUENAY . 255
– LA BAIE.................. 257
– CHICOUTIMI.............. 259
– JONQUIÈRE.............. 269
– METABETCHOUAN 271
– LE LAC SAINT-JEAN 272
– LE VILLAGE FANTÔME DE VAL-JALBERT 274
– ROBERVAL............... 275
– MASHTEUIATSH (POINTE-BLEUE) 276
– SAINT-FÉLICIEN.......... 278
• La Doré • Les Grands Jardins de Normandin
– CHIBOUGAMAU 281
– SAINTE-JEANNE-D'ARC ... 281
– PÉRIBONKA.............. 281
– LE PARC DE LA POINTE TAILLON 283
– SAINTE-ROSE-DU-NORD .. 285
• Zec de la rivière Sainte-Marguerite • Sacré-Cœur
– TADOUSSAC 288
• La maison des Dunes
– GRANDES-BERGERONNES................. 301

Vers le Nord

– LES ESCOUMINS......... 304
– SAULT-AU-MOUTON 305
• Saint-Paul-du-Nord
– BAIE-COMEAU 305

chaudière-Appalaches

• Montmagny
– SAINT-JEAN-PORT-JOLI... 307
– Visiter une érablière 308

Le Bas-Saint-Laurent

– RIVIÈRE-OUELLE......... 310
– KAMOURASKA 310
– NOTRE-DAME-DU-PORTAGE................ 312
– RIVIÈRE-DU-LOUP........ 312
– L'ÎLE VERTE 315
– TROIS-PISTOLES......... 317
– LE PARC DU BIC 319
– RIMOUSKI................ 321
• Sainte-Luce • Saint-Gabriel-de-Rimouski • Le musée de la Mer • Le canyon des Portes de l'Enfer

La Gaspésie

– GRAND-MÉTIS 329
– MATANE 331
• La seigneurie du Chevreuil • Les monts Chic-Chocs • Les Méchins • Cap-Chat • Sainte-Anne-des-Monts
– LE PARC DE LA GASPÉSIE 336
– MONT-SAINT-PIERRE..... 338
• Rivière-au-Renard
– LE PARC FORILLON 340
– GASPÉ................... 342
• Barachois • Coin-du-Banc
– PERCÉ................... 345
– L'ÎLE BONAVENTURE 352
– LA BAIE DES CHALEURS . 354

La route jusqu'à Matapédia

• Le Centre d'interprétation du bourg de Pabos • Le site Mary-Travers, dite « la Bolduc » • Port-Daniel • Paspébiac • New Carlisle • Bonaventure • New Richmond

De New Richmond au fleuve Saint-Laurent

• Maria
– CARLETON-SUR-MER..... 360
• Le parc de Miguasha
– POINTE-À-LA-GARDE 363
– RESTIGOUCHE........... 364
– LA VALLÉE DE LA MATAPÉDIA............... 364
• Causapscal • Amqui
– SAINT-VIANNEY 365

Les îles de la Madeleine

– Comment s'y rendre? 367
– GROSSE-ÎLE ET L'ÎLE DE LA GRANDE ENTRÉE 368
– HAVRE-AUX-MAISONS 370
– CAP-AUX-MEULES 371
• Cap-aux-Meules • Fatima • L'Étang-du-Nord
– HAVRE AUBERT ET L'ÎLE D'ENTRÉE 374
• Havre-Aubert • Bassin • L'île d'Entrée

LE NOUVEAU-BRUNSWICK

– L'Acadie 379
– DE LA GASPÉSIE À CARAQUET 380
• Campbellton • Dalhousie • Grande-Anse • Le Village historique acadien
– CARAQUET 382
• Shippagan • L'île de Lamèque • L'île de Miscou • L'intérieur de la péninsule acadienne : Paquetville, Rang-Saint-Georges, Saint-Isidore
– TRACADIE-SHEILA 386
• Tabusintac • Néguac • Miramichi • Bartibog
– LE PARC NATIONAL DE KOUCHIBOUGUAC 388
– ROGERSVILLE 389
– BOUCTOUCHE 390
– SHÉDIAC 391
• Barachois • Cap-Pelé et Petit-Cap
– MONCTON 394
• Saint-Joseph • Dorchester • Sackville • Le parc historique national du fort de Beauséjour • Cape Tormentine • Hopewell Rocks • Le parc national de Fundy
– LE VILLAGE HISTORIQUE DE KINGS LANDING 399
– SAINT JOHN (Saint-Jean) .. 400

LA NOUVELLE-ÉCOSSE (NOVA SCOTIA)

– PICTOU 406
– SAINT PETERS 407
– LOUISBOURG 409
– SYDNEY 412
• Lieu historique national Marconi à Glace Bay
– BADDECK 414
– LE CAP BRETON 416
• De Chéticamp à Ingonish par le Cabot Trail : Cap-le-Moine, Chéticamp, la randonnée du Skyline, le lac Benjies, Lone Shieling, Dingwall, Scenic Loop et White Point, New Haven, Ingonish
– HALIFAX 419
– WINDSOR 423
– GRAND-PRÉ 424
– WOLFVILLE 425
– ANNAPOLIS ROYAL 426
• L'Habitation de Port-Royal

– **INDEX GÉNÉRAL** 444
– **INDEX DES CARTES ET DES PLANS** 447

LES GUIDES DU ROUTARD 2000-2001

(dates de parution sur le 36-15, code ROUTARD)

France

- Alpes
- Alsace, Vosges
- **Aquitaine (nouveauté)**
- Auvergne, Limousin
- Banlieues de Paris
- **Basse-Normandie (nouveauté)**
- Bourgogne, Franche-Comté
- **Bretagne Nord (nouveauté)**
- **Bretagne Sud (nouveauté)**
- Châteaux de la Loire
- Corse
- Côte d'Azur
- **Haute-Normandie (nouveauté)**
- Hôtels et restos de France
- Junior à Paris et ses environs
- Languedoc-Roussillon
- **Lyon et ses environs (nouveauté)**
- Midi-Pyrénées
- **Nord, Pas-de-Calais (mai 2000)**
- Paris
- **Paris à vélo (nouveauté)**
- Paris exotique
- **Pays basque (France, Espagne) (avril 2000)**
- Pays de la Loire
- Poitou-Charentes
- Provence
- Restos et bistrots de Paris
- **Le Routard des amoureux à Paris (nouveauté)**
- Tables et chambres à la campagne
- **Vins à moins de 50 F (nouveauté)**
- Week-ends autour de Paris

Amériques

- Argentine, Chili et île de Pâques
- Brésil
- **Californie et Seattle (nouveauté)**
- Canada Ouest et Ontario
- Cuba
- États-Unis, côte Est
- Floride, Louisiane
- Guadeloupe, Saint-Martin, Saint-Barth
- Martinique, Dominique, Sainte-Lucie
- Mexique, Belize, Guatemala
- New York
- **Parcs nationaux de l'Ouest américain et Las Vegas (avril 2000)**
- Pérou, Équateur, Bolivie
- Québec et Provinces maritimes
- **Rép. dominicaine (Saint-Domingue) (nouveauté)**

Asie

- Birmanie
- **Inde du Nord (nouveauté)**
- **Inde du Sud (nouveauté)**
- Indonésie
- Israël
- Istanbul
- Jordanie, Syrie, Yémen
- Laos, Cambodge
- Malaisie, Singapour
- **Népal, Tibet (nouveauté)**
- **Sri Lanka (Ceylan) (nouveauté)**
- Thaïlande
- Turquie
- Vietnam

Europe

- Allemagne
- Amsterdam
- Angleterre, pays de Galles
- Athènes et les îles grecques
- Autriche
- **Barcelone, Catalogne (nouveauté)**
- Belgique
- Écosse
- Espagne du Centre
- Espagne du Sud, Andalousie
- Finlande, Islande
- Grèce continentale
- Hongrie, Roumanie, Bulgarie
- Irlande
- Italie du Nord
- Italie du Sud, Rome
- Londres
- Norvège, Suède, Danemark
- Pologne, République tchèque, Slovaquie
- Portugal
- Prague
- **Sicile (nouveauté)**
- Suisse
- Toscane, Ombrie
- Venise

Afrique

- Afrique noire
  Mali
  Mauritanie
  Burkina Faso
  Niger
  Côte-d'Ivoire
  Togo
  Bénin
  Cameroun
- Égypte
- Île Maurice, Rodrigues
- Kenya, Tanzanie et Zanzibar
- **Madagascar (avril 2000)**
- Maroc
- Réunion
- **Sénégal, Gambie (nouveauté)**
- Tunisie

et bien sûr...

- **Le Guide de l'expat**
- Humanitaire
- Internet
- **Des Métiers pour globe-trotters**

NOS NOUVEAUTÉS

PAYS BASQUE (FRANCE, ESPAGNE) (avril 2000)

Pour la première fois, le *Guide du routard* a décidé de réunir les sept provinces historiques basques, aussi bien françaises qu'espagnoles. Depuis longtemps, nous savons que les États ne peuvent effacer une histoire, une langue et une culture communes. Désormais, ici, nous réunifions des montagnes dont les contours n'ont jamais cessé d'être parcourus par les mêmes moutons, foulés librement par les pottoks, ces fiers et énergiques chevaux basques. Les ruisseaux couleront enfin ensemble et les nuages fusionneront sans remords... Bref, du nord au sud, vous traverserez des villages d'opérette, vous arpenterez une nature magnifique qui sait proposer des nuances de verts introuvables ailleurs et nombre de chemins de randonnée qui étaient déjà transfrontaliers !

AQUITAINE (paru)

Ambassadrices du savoir-vivre et de la bonne chère, le Bordelais et le Périgord sont des régions que le voyageur aborde avec une seule devise en tête : *carpe diem* (profite du jour). Car si la Gironde, la Dordogne et le Lot-et-Garonne revendiquent depuis longtemps leurs différences, c'est un art de vivre unique et une divine gastronomie qui les unissent incontestablement. Confits, cruchards, demoiselles, foies gras, magrets, noix, piballes, sauce Périgueux, truffes... accompagnés d'un bergerac ou d'un saint-émilion, comment résister ? Mais allez aussi, entre Adour et bas Armagnac, goûter la véritable gastronomie landaise : salmis, viande de Chalosse et tourtière arrosés par de renversants armagnacs !
Pour garder la ligne, prenez-vous pour l'homme de Cro-Magnon aux grottes de Lascaux, et sortez des sentiers battus en découvrant les merveilleuses randonnées du Lot-et-Garonne. Parcourez les Landes, pays d'eau et de pins, avec ses 106 kilomètres de côtes, la plus grande forêt d'Europe et la dune du Pyla, la plus haute d'Europe. Partez ensuite en Béarn, ce petit pays indépendant depuis 6 siècles, qui, des coteaux du Madiran aux Pyrénées, allie savoir-vivre et caractère bien trempé à l'image du célèbre roi Henri et de sa poule au pot. Peuplé de montagnards et de vignerons, il vous livrera volontiers sa langue et ses chants, ses trésors gourmands et ses paysages d'une rare beauté.
Une région aux paysages aussi variés que romantiques qui vaut aussi, et surtout, pour la douceur de son climat...

NOS NOUVEAUTÉS

BASSE-NORMANDIE (paru)

La Basse-Normandie semble prête à poser pour la photo souvenir : des ports débordant de charme (Honfleur, Barfleur), l'inimitable silhouette du Mont-Saint-Michel, une litanie de stations balnéaires qui traversent les siècles sans se départir de leur élégance (Deauville, Cabourg, Granville). Et, dans une campagne pur jus, des chaumières qui croulent sous les années et les fleurs, des prairies piquetées de pommiers, des vaches placides et des pur-sang un brin snobs, des petits réconfortants de derrière les fagots (calva, pommeau) et des villages dont rien que le nom embaume (Camembert, Livarot, Pont-l'Évêque). Enfoncez-vous dans le bocage, les marais ou au plus profond des forêts du Perche encore sauvages, poussez jusqu'au bout de la pointe de la Hague, Irlande en miniature. Et, du cimetière américain d'Omaha Beach à Saint-Lô, « capitale des ruines », ne pas oublier que cette région a été marquée dans sa terre et dans sa chair pour que l'Europe recouvre sa liberté.

HAUTE-NORMANDIE (paru)

Laissez-vous séduire par cette région si proche de la capitale qu'elle en est déjà considérée comme la banlieue. Pourtant, quelle personnalité ! Quelle virtuosité ! Belle, avec ses majestueuses demeures seigneuriales, ses cités médiévales aux maisons à colombages, ses imposantes falaises d'albâtre, ses abbayes quasi millénaires, son fleuve qui la traverse de bout en bout dessinant une vallée romantique et épousant ses méandres, ses petites routes de campagne ondulantes qui, au détour d'un pré et sous le regard impassible de vaches pas si folles que ça, nous a-t-il semblé, surprennent encore le conducteur urbain...

Au-delà de ses clichés et de ses sites « à ne pas manquer », la Haute-Normandie est aussi un pays de cocagne où la gastronomie au goût prononcé de crème fraîche, de beurre doux et de pomme flambée au calva le plus souvent, se débusque et se savoure sur un coin de toile cirée dans un estaminet perdu loin des grands axes.

Il y a mille manières de visiter cette Normandie, quelle que soit votre méthode, elle sera la bonne ! Bonne route...

NOS NOUVEAUTÉS

PARIS À VÉLO (paru)

Ça y est, faire du vélo à Paris va enfin devenir facile. Connaître les itinéraires les plus pratiques pour aller au boulot, dénicher les balades dans les coins les plus secrets de Paris, faire la tournée des grands monuments avec le cousin de province... Choisir un vélo (bi-cross pour le petit, course pour papa, VTC pour maman, à assistance électrique pour mamie), apprendre à le bichonner, réparer une crevaison sous la pluie, trouver un loueur ouvert le dimanche. Apprendre que, oui, sur une piste cyclable vous êtes prioritaire sur l'ahuri qui tourne à droite, mais que non, vous n'avez pas le droit de griller un feu rouge, surtout pas devant un agent. Ne pas confondre RER-SNCF (autorisé) et RER-RATP (interdit aux vélos). Le vélo, ce n'est pas si dangereux et puis, ça donne le teint frais. Enfin un guide qui dit tout sur la petite reine à Paris. Tout ? Non, il manque encore la descente sans côte, mais ça, ce sera pour la prochaine édition !

LE ROUTARD DES AMOUREUX À PARIS (paru)

Parce que les amoureux suivent distraitement des chemins tranquilles, s'émerveillent de la taille d'un arbre ou de la singularité d'une maison, toujours à la recherche d'un banc public, le *Guide du routard* se devait d'explorer, à la lueur d'une bougie, l'intimité d'un Paris romantique en diable. Venelles, passages, îlots de verdure et cités d'artistes révèlent leurs charmes sous de nouveaux auspices, car la promenade enchante. Nous avons sélectionné des hôtels croquignolets, des restaurants qui incitent aux confidences, trouvé des lieux bucoliques pour pique-niquer et recensé les adresses utiles à tous ceux dont le cœur bat pour de tendres attentions.

BRETAGNE SUD (paru)

Ouvrez grand vos yeux et laissez-vous surprendre par les diversités démographiques et géographiques de cette Bretagne légendaire qui a vaillamment lutté pour conserver intactes la pureté et la force de ses paysages. Avec sa campagne séduisante et ses interminables kilomètres de côtes tantôt déchiquetées, tantôt souriantes et mélancoliques, ses îles aguicheuses, ses richesses archéologiques, le Sud de la Bretagne ne manque pas d'arguments : de la pointe de la Torche dans le Finistère au marais breton-vendéen, en passant par Belle-Île, la perle du Morbihan, et la marqueterie de petits pays qui caractérise la Loire-Atlantique, elle offre la vision d'une Bretagne à l'état brut, sans maquillage ni concession... Sauvage, violente et belle, la Bretagne du Sud enthousiasmera indéniablement tous les amoureux de la nature.

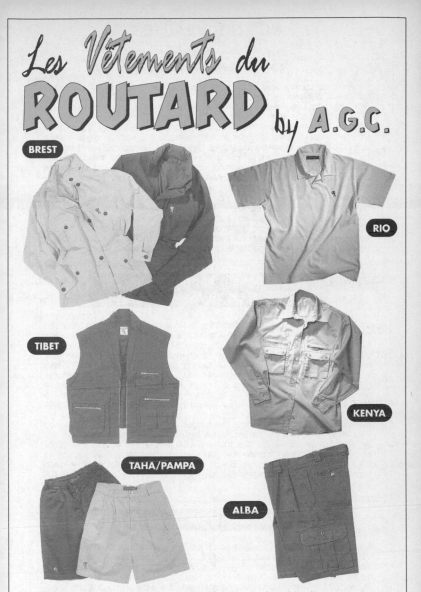

NOS NOUVEAUTÉS

MADAGASCAR (avril 2000)

Séparée du continent africain il y a 200 millions d'années, Madagascar cultive sa différence. Dix-huit ethnies venues d'Afrique et d'Indonésie composent une mosaïque de croyances et de cultures entièrement tournées vers les ancêtres. Le sens de l'hospitalité n'y est pas un vain mot, même si les inénarrables trajets en taxis-brousse vous obligent à vivre au rythme du mora-mora (doucement-doucement)... En route, on découvre une incroyable diversité de paysages. Les Hautes Terres, rouges de latérite (qui lui donne son surnom d'île Rouge), ses maisons traditionnelles de pisé ou ses rizières et ses montagnes où fruits et légumes poussent. À l'est, les forêts tropicales et l'île Sainte-Marie, ancien repaire de pirates aujourd'hui fréquenté par des centaines de baleines ! Dans le Sud, un paysage de savane semi-désertique. Le long de la côte ouest, un peuple de pêcheurs, les Vezo, qui nous fait découvrir une côte de toute beauté. Et au nord, Diego-Suarez, ancien poste de la colonisation française, superbe de décrépitude... Ajoutez à cela une faune et une flore uniques au monde, dont ces joyeux lémuriens. Rajoutez une petite pincée d'aventure, et vous découvrirez une île totalement à part et encore préservée du tourisme de masse.

PARCS NATIONAUX DE L'OUEST AMÉRICAIN ET LAS VEGAS (paru)

Go West ! L'Utah, le Colorado, l'Arizona, le Nouveau-Mexique et le Nevada : ces noms d'États de l'Ouest des États-Unis ont forgé les images les plus folles du rêve américain. L'Ouest, le vrai, c'est bien là : les chevaux, les diligences, les pionniers, les cow-boys et les Indiens, les saloons, mais aussi les aventuriers, les chercheurs d'or, les marginaux fuyant la civilisation des villes. Dans les grands parcs nationaux, du Grand Canyon au Yellowstone, de Yosemite à Zion, le Big Bang des origines a bel et bien laissé sa marque dévastatrice. C'est à la fois la Genèse et l'Apocalypse. Tout y est démesuré et d'une étrange beauté. La sauvagerie des paysages, les routes interminables, les déserts arides comme ceux d'Afrique, les forêts de Yellowstone vieilles comme le monde, les gorges de terre rouge, les montagnes Rocheuses plus hautes que les Alpes, les cactus géants, les séquoias, les geysers. Terre ancestrale des Indiens, l'Ouest reste le plus grand décor naturel de cinéma au monde. Ce film époustouflant est à suivre jusqu'au bout de la piste sans oublier Bryce Canyon, Zion, Capitol Reef, Arches National Park, Moab, et le grand lac salé. C'est dans l'Ouest et nulle part ailleurs !

CALIFORNIE ET SEATTLE (paru)

Ah, la Californie ! Le mythe américain par excellence ! Du désert de Death Valley aux kilomètres d'autoroutes de Los Angeles, des studios de la Metro Goldwyn Mayer au Golden Gate, des *cables-cars* de San Francisco aux *body-builders* de Venice Beach ou de Malibu en passant par les stars siliconées d'Hollywood, les clichés ne sont jamais très loin, mais la légende est toujours au rendez-vous. La Californie, c'est aussi le bon vin (ne soyons pas chauvins), que vous pourrez déguster en attendant le prochain tremblement de terre, et le berceau des technologies de pointe, la Silicon Valley et ses firmes mondialement connues : Apple, Hewlett Packard et consorts.

Au bord du Pacifique, à l'ouest de l'Ouest, l'Eldorado des pionniers du siècle dernier fait aujourd'hui encore rêver les routards... et les businessmen du monde entier.

Et puis surtout, poussez votre périple jusqu'à Seattle, ville souvent oubliée mais pleine de charme avec ses maisons victoriennes calées dans un écrin de verdure côtoyant les plus grands buildings. Allez-y, ça vaut vraiment le détour.

NOS NOUVEAUTÉS

BARCELONE ET CATALOGNE (paru)

La plus branchée des villes espagnoles, Barcelone la chaleureuse, la bouillonnante, vous emportera dans un tourbillon de sensations, d'odeurs et d'émotions. Des sombres ruelles du quartier gothique au bord de mer qui s'ouvre sur l'horizon, en passant par les *ramblas* ombragées et effervescentes, le port, le passeig de Gràcia (les Champs-Élysées de la ville). Partout, des palais extraordinaires cachés derrière les façades décrépies des immeubles marqués par l'architecture incroyable de Gaudí, des terrasses, des places arborées et pleines d'un charme propre à cette merveilleuse cité qui se visite à pied. Et puis, il y a aussi la vie nocturne. Ah! la vie nocturne à Barcelone! Ce n'est plus un secret, la nuit, la capitale catalane s'éclate comme une folle.
L'arrière-pays catalan contraste merveilleusement avec les plages bondées de la Costa Brava. Bourré de charme, il renferme un époustouflant éventail de trésors artistiques, alliant les délicieuses églises romanes aux plus grands noms de l'art moderne et de l'architecture : Dalí, Picasso, Miró, Taples et Gaudí, pour ne citer qu'eux. C'est avant tout cette culture, d'une richesse étonnante, qui a façonné l'identité catalane, et les Catalans sont ravis de la partager avec ceux qui savent l'apprécier.

SICILE (paru)

La Sicile, c'est la plus grande île de la Méditerranée. Ce fut aussi le point de rencontre de nombreuses cultures, ce qui lui vaut de s'être forgé une atmosphère bien à elle. Sous un même soleil éclatant, se retrouvent de fabuleux vestiges grecs, des cathédrales et des châteaux normands, des jardins arabes, des palais et des églises au baroque hispanisant. Les artistes siciliens ont su enrichir ces courants artistiques venus d'ailleurs, créant un art propre à cette île, et très original. La Sicile, c'est également un art de vivre particulier, une façon décalée de voir les choses, parfois bien déroutante pour un étranger. Une âme profonde et secrète. Et puis, en vrac, c'est l'Etna, les anchois, le marsala...

SRI LANKA (CEYLAN) (paru)

« Le paradis terrestre existe, je l'ai rencontré. » Marco Polo. Quand on évoque cette île magique, des images surgissent immédiatement : plages d'une beauté à couper le souffle, véritable paradis pour ceux qui aiment la mer, éléphants, jungle, ventilateurs, sourires, chaleur, rizières, varans, temples, cannelle, arcs-en-ciel, pluie chaude, thé, cocotiers... La nature est magnifique et abondante, les gens sont beaux, généreux et accueillants. Une fleur de lotus en guise de bienvenue, un rayon de soleil pour sourire... Voilà, le décor est planté. Autant de trésors qui vous donneront envie de partir à la découverte de ce merveilleux pays. Comme ils ont, de la même façon, donné envie à toute l'équipe de lui consacrer un guide entier.

NOS NOUVEAUTÉS

ALPES (paru)

Malgré le massacre des bétonnières et des planteurs de pylônes, les Alpes françaises continuent de culminer par-dessus les petits soucis de notre quotidien. La Nature y joue de son charme, déchaînant la sauvagerie des aiguilles, des chaos et des éboulis pour mieux s'apaiser dans les alpages immaculés et les neiges éternelles. Sur ces abrupts, aux couleurs du Grand Nord, la vie se lit en vertical, au fil de balcons successifs surplombant des abîmes où l'homme, qui s'échine sur ses prés pentus, reste en contact avec la vie sauvage. La mystique des cimes, l'amour de l'oxygène se vivent aussi l'hiver avec les sports de glisse, où l'effort ne se vit plus dans l'ascension, mais dans la descente souvent sublime.

DES MÉTIERS POUR GLOBE-TROTTERS (paru)

Ingénieur pétrolier sur une plate-forme en mer du Nord, enseignant dans un lycée français à Addis Abeba, médecin dans une organisation humanitaire au Soudan, coopérant du service national au Yémen, l'aventure est encore possible tout en travaillant. Le guide des métiers pour globe-trotters est là pour vous aider à réaliser vos rêves d'enfant. Il vous donnera tous les conseils, formations et adresses utiles sur les secteurs qui recrutent à l'international : l'humanitaire, le tourisme, l'enseignement, la diplomatie, le transport, la recherche, le journalisme, l'industrie, le commerce, etc. Et pour ceux qui n'ont pas froid aux yeux, un chapitre pour créer son entreprise à l'étranger. Un guide qui ouvre de nouveaux horizons.

GUIDE DE L'EXPAT (paru)

Pas un jour où la mondialisation n'est pas sur le devant de la scène. Et si on s'arrachait aux jérémiades quotidiennes pour enfin se servir de cette mondialisation dans le bon sens ? Partir vers des taux de croissance plus prometteurs n'est pas si difficile mais encore faut-il s'affranchir des clichés touristiques. En Europe, rien ne vous retient. De Dublin à Athènes, de Lisbonne à Oslo, il ne faut plus être bardé de diplômes pour pouvoir gagner le pari de l'adaptation et de la réussite. En revanche, le chemin n'est pas aussi aisé lorsqu'il s'agit de partir à Buenos Aires, Abidjan ou Chicago. Soit vous avez suffisamment de cran pour gravir à la force du poignet les barreaux de l'échelle sociale, soit vous peaufinez, mûrissez votre projet de départ à l'aide des multiples conseils du *Guide de l'expat.* Pour se mettre dans le bain, rien ne vaut une bonne expérience scolaire « sponsorisée » par l'Union européenne. Mais pour les autres, une foule d'institutions, de fondations et d'associations peuvent vous informer. À celles-ci on a ajouté les contacts de quelques-uns des 2 millions de Français (quitte à bousculer quelques vieilles habitudes) qui sont aptes à vous informer quand ce n'est pas à vous aider. Histoire de se rendre compte que la solidarité aux antipodes est encore une valeur sûre...

Remerciements

Pour cette édition, nous remercions tout particulièrement la Commission Canadienne du Tourisme pour son aide et son efficacité, notamment Bernard Couet, Thierry Journé et Anne Zobenbuhler, ainsi que Militya Matijevitch.

Nous dédions cette nouvelle édition à François-Xavier Magny, notre Fanfan trop tôt disparu.
Nous tenons à remercier tout particulièrement Thierry Brouard, François Chauvin, Michèle Georget, Jérôme de Gubernatis, Fabrice Jahan de Lestang, Pierrick Jégu, Bernard-Pierre Molin, Patrick de Panthou, Jean-Sébastien Petitdemange, Benjamin Pinet et Philippe Rouin pour leur collaboration régulière.

Et pour cette chouette collection, plein d'amis nous ont aidés :

Cécile Abdesselam
Isabelle Alvaresse
Didier Angelo
Marie-Josée Anselme
Émilie Barian
Arnaud Bazin
Nathalie Bec
Clémentine Belanger
Cécile Bigeon
Anne Boddaert
Philippe Bordet et Edwige Bellemain
Gérard Bouchu
Hervé Bouffet
Jacques Brunel
Sandrine Cabioche
Vincent Cacheux et Laure Beaufils
Guillaume de Calan
Danièle Canard
Jean-Paul Chantraine
Bénédicte Charmetant
Laurent de Chavagnac
Claire Chiron
Gavin's Clemente-Ruiz
Sandrine Copitch
Christian dal Corso
Maria-Elena et Serge Corvest
Sandrine Couprie
Valentine Courcoux et Jean-Christian Perrin
Grégory Dalex
Franck David
Laurent Debéthune
Agnès Debiage
Christelle Deshayes
Monica Diaz
Sophie Duval
Hervé Eveillard
Didier Farsy
Mathieu Faujas
Perrine Fernagut
Alain Fisch
Lisa Foucard
Carole Fouque
Laetitia de Froidefond
Dominique Gacoin
Bruno Gallois
Cécile Gauneau
Adelie Genestar
Edouard Genestar et Guillaume de Bourgoing
Alain Gernez
Hubert Gloaguen
Colline Godard
Hélène Gomer
Isabelle Grégoir
Jean-Marc Guermont
Axelle Halfon
Xavier Haudiquet
Claude Hervé-Bazin
Bernard Houlat
Christian Inchauste
Carine Isambert
François Jouffa
Anne-Sophie Kaeppelin
Jacques Lanzmann
Grégoire Lechat
Raymond et Carine Lehideux
Géraldine Lemauf-Beauvois
Jean-Claude et Florence Lemoine
Juliette Lepeu
Valérie Loth
Marie Lung
Aymeric Mantoux et François-Régis Gaudry
Pierre Mendiharat
Anne-Marie Minvielle
Xavier de Moulins
Alain Nierga et Cécile Fischer
Michel Ogrinz et Emmanuel Goulin
Franck Olivier
Alain et Hélène Pallier
Martine Partrat
Odile Paugam et Didier Jehanno
Bernard Personnaz
Anne Poinsot
Jean-Alexis Pougatch
Michel Puysségur
Jean-Luc Rigolet
Anne Riou
Guillaume de Rocquemaurel
Martine Rousso
Frédérique Scheibling-Sève
Jean-Luc et Antigone Schilling
Régis Tettamanzi
Marie Thoris et Julien Colard
Christophe Trognon
Thu-Hoa-Bui
Isabelle Vivarès
Cyril Voiron
Anne Wanter

Direction : Isabelle Jeuge-Maynart
Contrôle de gestion : Dominique Thiolat et Martine Leroy
Direction éditoriale : Catherine Marquet
Édition : Catherine Julhe, Anne-Sophie du Cray, Yannick Le Bihen et Fabienne Travers
Préparation-lecture : Nicolas Veysman
Cartographie : Fabrice Le Goff et Cyrille Suss
Fabrication : Gérard Piassale et Laurence Ledru
Direction artistique : Emmanuel Le Vallois
Direction des ventes : Francis Lang, Éric Legrand et Ségolène de Rocquemaurel
Direction commerciale : Michel Goujon, Cécile Boyer, Dominique Nouvel, Dana Lichiardopol et Sylvie Rocland
Informatique éditoriale : Lionel Barth
Relations presse : Danielle Magne, Martine Levens et Maureen Browne
Régie publicitaire : Carole Perraud-Cailleaux et Monique Marceau
Service publicitaire : Frédérique Larvor et Marguerite Musso

LA CHARTE DU ROUTARD

À l'étranger, l'étranger c'est nous ! Avec ce dicton en tête, les bonnes attitudes coulent de source.

– ***Les us et coutumes du pays***

Respecter les coutumes ou croyances qui semblent parfois surprenantes. Certains comportements très simples, comme la discrétion et l'humilité permettent souvent d'éviter les impairs. Observer les attitudes des autres pour s'y conformer est souvent suffisant. S'informer des traditions religieuses est toujours passionnant. Une tenue vestimentaire sans provocation, un sourire, quelques mots dans la langue locale sont autant de gestes simples qui permettent d'échanger et de créer une relation vraie. Tous ces petits gestes constituent déjà un pas vers l'autre. Et ce pas, c'est à nous visiteurs de le faire. Mots de passe : la tolérance et le droit à la différence.

– ***Visiteur / visité : un rapport de force déséquilibré***

Le passé colonial ou le simple fossé économique peut entraîner parfois inconsciemment des tensions dues à l'argent. La différence de pouvoir d'achat est énorme entre gens du Nord et du Sud. Ne pas exhiber ostensiblement son argent. Éviter les grosses coupures, que beaucoup n'ont jamais eues entre les mains.

– ***Le tourisme sexuel***

Il est inadmissible que des Occidentaux utilisent leurs moyens financiers pour profiter sexuellement de la pauvreté. De nouvelles lois permettent désormais de poursuivre et juger dans leur pays d'origine ceux qui se rendent coupables d'abus sexuels, notamment sur les mineurs des deux sexes. C'est à la conscience personnelle et au simple respect humain que nous faisons appel. Combattre de tels comportements est une démarche fondamentale. Boycottez les établissements favorisant ce genre de relations.

– ***Photo ou pas photo ?***

Bien se renseigner sur le type de rapport que les habitants entretiennent avec la photo. Certains peuples considèrent que la photo vole l'âme. Alors, contentez-vous des paysages, ou bien créez un dialogue avant de demander l'autorisation. Ne tentez pas de passer outre. Dans les pays où la photo est la bienvenue, n'hésitez pas à prendre l'adresse de votre sujet et à lui envoyer vraiment la photo. Un objet magique : laissez-lui une photo Polaroïd.

– ***À chacun son costume***

Vouloir comprendre un pays pour mieux l'apprécier est une démarche louable. En revanche, il est parfois bon de conserver une certaine distanciation (on n'a pas dit distance), en sachant rester à sa place. Il n'est pas nécessaire de porter un costume berbère pour montrer qu'on aime le pays. L'idée même de « singer » les locaux est mal perçue. De même, les tenues dénudées sont souvent gênantes.

– ***À chacun son rythme***

Les voyageurs sont toujours trop pressés. Or, on ne peut ni tout voir, ni tout faire. Savoir accepter les imprévus, souvent plus riches en souvenirs que les périples trop bien huilés. Les meilleurs rapports humains naissent avec du temps et non de l'argent. Prendre le temps. Le temps de sourire, de parler, de communiquer, tout simplement. Voilà le secret d'un voyage réussi.

– ***Éviter les attitudes moralisatrices***

Le routard « donneur de leçons » agace vite. Évitez de donner votre avis sur tout, à n'importe qui et n'importe quand. Observer, comparer, prendre le temps de s'informer avant de proférer des opinions à l'emporte-pièce. Et en profiter pour écouter, c'est une règle d'or.

– ***Le pittoresque frelaté***

Dénoncer les entreprises touristiques qui traitent les peuples autochtones de manière dégradante ou humiliante et refuser les excursions qui jettent en pâture les populations locales à la curiosité malsaine. De même, ne pas encourager les spectacles touristiques préfabriqués qui dénaturent les cultures traditionnelles et pervertissent les habitants.

COMMENT ALLER AU CANADA ?

PAR LIGNES RÉGULIÈRES

▲ **AIR FRANCE :** 119, av. des Champs-Élysées, 75008 Paris. M. : George-V. Renseignements et réservation : ☎ 0-802-802-802 (de 8 h à 21 h) • www.airfrance.fr • Minitel : 36-15 ou 36-16, code AF et dans les agences de voyages.
– *À Montréal :* 2000, rue Mansfield, 15e étage. ☎ 514-847-1106.
– *À Toronto :* 151, Bloor Street West, Suite 810. ☎ 416-922-52-67.
Air France dessert le Canada avec 1 vol quotidien vers Montréal et 1 vol quotidien vers Toronto (sans escale) au départ de Roissy-Charles-de-Gaulle, aérogare 2.
Air France propose une gamme de tarifs très attractifs sous la marque *Tempo*, accessibles à tous : *Tempo 1* (le plus souple), *Tempo 2, Tempo 3, Tempo 4* (le moins cher). Plus vous réservez tôt, plus il y a de choix de vols et de tarifs aux meilleures conditions. La compagnie propose également le tarif *Tempo Jeunes* (pour les moins de 25 ans) vers des destinations long-courriers (en aller-retour). Ce tarif est accompagné d'une garantie assistance rapatriement gratuite ainsi que de la mise à disposition, 24 h/24, d'une ligne téléphonique « Air France assistance jeunes » en cas de difficultés durant le voyage ou pour transmettre un message à sa famille.
Les bonnes affaires de dernière minute : Air France propose également les tarifs « Coups deCoeur » disponibles uniquement le mercredi sur Minitel (36-15, code AF) et Internet avec une sélection de vols métropole et Europe pour les 7 jours suivants.

▲ **AIR CANADA :** 106, bd Hausmann, 75008 Paris. M. : Saint-Augustin. ☎ 01-44-50-20-20 ou 0820-870-871 (n° indigo). Fax : 01-42-60-99-99. • www.aircanada.ca •
– *À Lyon :* 57, bd Vivier-Merle, immeuble Le Gemmelyon-Nord, 5e étage, 69003. ☎ 04-37-91-39-91 Fax : 04-37-91-39-99.
– *À Toulouse :* 81, bd Carnot, 31000. ☎ 05-61-12-62-00.
– *À Nantes:* 2, rue Crébillon 44000. ☎ 02-40-35-82-32. Fax : 02-40-35-82-31.
Air Canada dessert quotidiennement Montréal et Toronto au départ de Paris, et offre, grâce à ses transporteurs régionaux, des correspondances au Québec et dans les Provinces Maritimes. Sa filiale *Vacances Air Canada* est à votre disposition pour étudier votre séjour. ☎ 01-40-15-15-15.

▲ **AIR TRANSAT :** représenté en France par *Vacances Air Transat,* est devenu le plus important transporteur aérien du Canada dans le secteur des vols affrêtés internationaux avec 35 vols par semaine de la France vers le Canada. L'été, Vacances Air Transat propose des vols sur sa propre compagnie aérienne, à destination de Montréal, Québec, Toronto (au départ de Paris) et à destination de Montréal (au départ de Bâle-Bordeaux-Lyon-Marseille-Nantes-Nice-Toulouse).

▲ **KLM :** BP 49508, 75366 Paris cedex 08. ☎ 01-44-56-18-18. Fax : 01-44-56-18-98. • www.klm.fr • Minitel : 36-15, code KLM (2,23 F/mn). Réservation ouverte du lundi au vendredi de 9 h à 18 h.

KLM et Northwest Airlines desservent 2 fois par jour Montréal via Detroit, au départ de Paris. Départs également possibles de 10 villes de France via Amsterdam : Paris, Clermont-Ferrand, Le Havre, Lyon, Marseille, Mulhouse, Nantes, Nice, Strasbourg et Toulouse.

LES ORGANISMES DE VOYAGES

Encore une fois, un billet « charter » ne signifie pas toujours que vous allez voler sur une compagnie charter. Bien souvent, sur des destinations extra-européennes, vous prendrez le vol régulier d'une grande compagnie. En vous adressant à des organismes spécialisés, vous aurez simplement payé moins cher que les ignorants pour le même service.
Nous ne faisons plus de distinction, comme les années précédentes, entre les organisateurs de « charters », les vols réguliers à prix réduits ou les associations pour étudiants. En effet, les agences dont les noms suivent proposent un peu de tout, pour tous les voyageurs. Ce n'est pas un mal : ça va dans le sens de la démocratisation du voyage.
Ne pas croire que les vols à tarif réduit sont tous au même prix pour une même destination à une même époque : loin de là. On a déjà vu, dans un même avion partagé par deux organismes, des passagers qui avaient payé 40 % plus cher que les autres... Authentique ! Donc, contactez tous les organismes et jugez vous-même.
Les organismes cités sont classés par ordre alphabétique, pour éviter les jalousies et les grincements de dents.

EN FRANCE

▲ **ANY WAY :** ☎ 0803-008-008 (0,99 F/mn). Fax : 01-49-96-96-99. • www.anyway.fr • Central téléphonique accessible du lundi au samedi, de 9 h à 19 h. Minitel : 36-15, code ANYWAY.
Ne vous déplacez pas, Anyway vient à vous ! Avec ses 10 ans d'expérience, le spécialiste de la vente à distance s'adresse à tous les routards, que vous soyez Marseillais, Lillois ou Parisien. Ses conseillers dénichent en un temps record les meilleurs prix du marché : plus d'un million de tarifs réduits, de vols réguliers vers 850 destinations dans le monde sur 60 compagnies régulières et l'ensemble des vols charters. C'est aussi l'accès à 3 500 hôtels pour tous les budgets, des locations de voiture, des séjours à prix négociés... Pour réserver, Any Way offre le choix : téléphone, Minitel ou Internet avec la possibilité sur le 36-15, code ANYWAY et sur le web de connaître la disponibilité des vols, de les réserver et de payer avec votre carte de crédit en toute sécurité, même sur les tarifs les plus bas : une exclusivité Any Way. Les meilleurs prix sont garantis, la disponibilité sur les vols est donnée en temps réel et les places réservées sont définitives : cliquez, vous décollez ! Voyageant « chic » ou « bon marché », tous les routards profiteront des plus Any Way ; simplicité, service, conseil... la garantie d'un spécialiste.

▲ **BACK ROADS :** 14, pl. Denfert-Rochereau, 75014 Paris. ☎ 01-43-22-65-65. Fax : 01-43-20-04-88. M. et RER : Denfert-Rochereau. Ouvert du lundi au vendredi de 10 h à 19 h et le samedi de 10 h à 18 h.
Depuis 1975, Jacques Klein et son équipe sillonnent chaque année les routes américaines et canadiennes pendant plusieurs semaines, ce qui fait de ces fous d'Amérique les grands connaisseurs de la destination, des Provinces maritimes à l'Alaska en passant bien sûr par le Québec. Pour cette raison (mais aussi pour proposer les tarifs les plus compétitifs), ils ne proposent leurs produits qu'en direct. Dans leur Club du Grand Voyageur, ils vous feront partager leurs expériences et vous conseilleront sur les circuits

les plus adaptés à vos points d'intérêt. Spécialistes des autotours, ils sont à peu près les seuls à programmer des itinéraires particulièrement étudiés pour la clientèle française (par exemple des circuits centrés sur la culture acadienne), au lieu de se contenter de revendre des circuits mis au point par des agences canadiennes. En été, ils proposent de nombreuses activités de plein air comme le canoë-kayak, le rafting, l'observation des baleines, l'équitation ou la randonnée pédestre, tandis qu'en hiver, ce sont des programmes variés de motoneige, ski, pêche blanche, traîneaux à chien, randonnées à raquettes et enfin au printemps, l'observation des bébés phoques.
De plus, Back Roads représente deux centrales de réservation américaines lui permettant d'offrir les tarifs les plus bas :
– *Amerotel :* un seul coup de téléphone pour réserver aux meilleurs prix plus de 3 000 hôtels, motels, hôtels de villégiature et lodges des parcs nationaux, plus de 20 chaînes d'hôtels et motels allant des économiques. « Motel 6 » aux Hilton en passant par les gîtes du passant (chambres chez l'habitant), les auberges, les manoirs et même les locations de cottages et chalets.
– *Car discount :* un broker en location de voitures, motos, camping-cars et même de voiliers, proposant les grands loueurs (Hertz, National Tilden, Avis, Alamo, Cruise America, etc.) à prix discount à travers toute l'Amérique du Nord.

▲ **BOURSE DES VOLS**
Le 36-17, code BDV est un serveur Minitel sur le marché des voyages qui présente en permanence plus de 2 millions de tarifs aériens : vols réguliers et charters, mais aussi promotions et ventes de dernière minute. Mis à jour en permanence, le 36-17, code BDV couvre 500 destinations dans le monde au départ de 25 villes françaises et recense l'essentiel des tarifs aériens vers l'étranger, soit ceux de plus de 80 compagnies et voyagistes. Sur le 36-17, code BDV, après avoir fait le tour du marché et arrêté son choix, il est possible de se faire faxer tous les tarifs sur une destination. Il est également possible de commander et régler son billet en ligne et de se faire livrer à domicile.
Le site internet • www.bourse-des-vols.com • offre, lui, des informations pratiques du voyage sur 180 pays : visas, vaccins, coordonnées des ambassades, conseils sanitaires...
Pour connaître les derniers « Bons Plans » de la Bourse Des Vols, il suffit de composer le ☎ 08-36-69-89-69 (2,23 F/mn)

▲ **CANADA CONSEIL :** ☎ 01.45.46.51.75. Fax : 01-45-47-55-53. • usa tour@club-internet.fr •
Canada Conseil s'adresse particulièrement aux familles ainsi qu'à toutes les personnes désireuses de visiter le Canada dans les meilleures conditions de qualité et de budget.
Canada Conseil vous propose : vols réguliers et charters, hôtels de charme, auberges, lodges, location de chalets, circuits variés et modulables en voiture avec hôtels réservés, week-ends festivals et événements spéciaux, séjours à la carte, voitures, motorhomes, circuits accompagnés d'excellente qualité, et également, l'hiver : séjours ski, motoneige, randonnées en traîneau à chiens, séjours multi-activités. Renseignements et devis gratuits.

▲ **CANYON :** 94, route Nationale, 91800 Brunoy. ☎ 01.69.39.28.28. Fax : 01-60-47-00-00. • canyontour@aol.com • Ouvert du lundi au samedi de 10 h à 19 h.
Le Canada, les USA : Canyon est un spécialiste de ces destinations. Depuis 1988, les responsables de ce tour-opérateur sillonnent l'Amérique du Nord et les hôtels, locations de voiture, circuits seuls ou avec guide, bus, vols transatlantiques n'ont plus de secrets pour eux.
Montréal, Québec, New York, Los Angeles, San Francisco ou Miami : télé-

phonez, passez les voir, ils savent de quoi ils parlent, ils l'ont vécu, c'est leur passion.
Toutes les formules sont possibles pour un voyage inoubliable.

▲ **CLUB AVENTURE :** 18, rue Séguier, 75006 Paris. ☎ 01-44-32-09-30. Fax : 01-44-32-09-59. • www.clubaventure.fr • infos@clubaventure • M. : Saint-Michel ou Odéon. ☎ 0-803-306-032 (n° Indigo).
Club Aventure, depuis 19 ans, est le spécialiste du voyage actif et innovant et privilégie le trek comme le moyen idéal de parcourir le monde. Le catalogue offre 170 itinéraires dans 80 pays différents en 4x4, en pirogue ou à dos de chameau. Ces voyages sont conçus pour une dizaine de participants, encadrés par des accompagnateurs professionnels et des grands voyageurs.
L'esprit est résolument axé sur le plaisir de la découverte des plus beaux sites du monde souvent difficilement accessibles. Une intendance et une logistique pointues permettent des bivouacs inoubliables en plein désert, en montagne. Mais refuges andins, funduks yéménites, carbets de passage abriteront vos nuits.
Le soin apporté aux repas préparés par des cuisiniers locaux accroît la convivialité.
La formule reste malgré tout confortable dans le sens où le portage est confié à des chameaux, des mulets, des yaks et des lamas. Les circuits en 4 x 4 ne ressemblent en rien à des rallyes mais laissent aux participants le temps de flâner, contempler et faire des découvertes à pied. Le choix des hôtels en ville privilégie le charme et le confort.
Club Aventure, c'est un contact unique et privilégié avec les grands espaces québécois à ski, en canot ou lors de randonnées dans les Monts Chic-Chocs.

▲ **CLUB MED DECOUVERTE**
Pour se renseigner, recevoir la brochure et réserver : ☎ 0-801-802-803 (n° Azur : prix appel local en France). Agences Club Med Voyages et agences agréées. • www.clubmed.com • Minitel : 36-15, code CLUB MED (1,29 F/mn).
Département des circuits et escapades organisés par le Club Méditerranée depuis plus de 30 ans. Présence dans le monde : Afrique du Sud, Argentine, Birmanie, Brésil, Cambodge, Canada, Chine, Costa Rica, Corse, Cuba, Égypte, Espagne, États-Unis, Grèce, Inde, Irlande, Indonésie, Israël, Italie, Malaisie, Maroc, Mexique, Norvège, Polynésie Française, La Réunion, Russie, Sénégal, Sicile, Singapour, Sri Lanka, Thaïlande, Tunisie, Turquie, Vietnam. L'esprit Club Med Découverte, c'est :
– voyager en petits groupes, en ayant le français pour langue commune, avec des moyens de transport et des étapes confortables ou originaux selon la destination, aussi loin que possible des cohues touristiques, être accompagné par des guides francophones sélectionnés et se sentir un voyageur privilégié.
– Vivre des expériences incomparables et inoubliables : descendre une rivière à bord d'une pirogue ou d'un raft, dormir chez des descendants des coupeurs de tête en pays Dayak, dîner chez l'habitant, visiter les chutes Victoria au Zimbabwe, découvrir la Cappadoce à bord d'une charrette...
– Pouvoir prolonger son circuit par un séjour dans un village du Club Méditerranée.

▲ **COMPAGNIE DES ÉTATS-UNIS ET DU CANADA :** 3, av. de l'Opéra, 75001 Paris. ☎ 01-55-35-33-55 (pour les USA) et 01-55-35-33-50 (pour le Canada). Fax : 01-55-35-33-59. M. : Palais-Royal. Ouvert de 9 h à 20 h du lundi au vendredi, et le samedi de 9 h à 19 h.
Après 20 ans d'expérience, un passionné de l'Amérique du Nord a ouvert à

Paris, en février 1997, le centre des voyages et de l'information sur les États-Unis et le Canada.
D'un côté, la compagnie propose 1 500 vols négociés sur les États-Unis et le Canada, avec toutes les compagnies régulières.
De l'autre, 2 brochures, l'une sur les États-Unis, l'autre sur le Canada, offrent toutes les formules de voyages à imaginer : des circuits thématiques (en Harley Davidson, en trains panoramiques, en avions privés, en camping, en trekking, etc.), des circuits en groupes et de nombreux circuits individuels en voiture. De nombreux clients viennent aussi les voir pour des circuits ou séjours à la carte.
La société vient de lancer une nouvelle brochure appelée Compagnie de l'Amérique latine (☎ 01-55-35-33-57), dans laquelle elle propose des départs garantis en groupes et des circuits individuels organisés sur le Mexique, le Guatemala, l'Équateur et les Gallapagos, le Pérou, la Bolivie, le Brésil et l'Argentine.
Une brochure Caraïbes est également disponible.

▲ **COMPAGNIE DES VOYAGES (LA) :** 28, rue Pierre-Lescot, 75001 Paris. ☎ 01-45-08-44-88. Fax : 01-45-08-03-69. Infos sur répondeur 24/24 h au ☎ 01-45-08-00-60. • info@lcdv.com • www.lcdv.com • M. : Étienne-Marcel ou Les Halles.
Créé il y a près de 20 ans, ce spécialiste du transport aérien long-courrier pratiquant le circuit court de distribution étend sa production à l'Europe et au Moyen-Orient. Plus de 250 000 tarifs vers plus de 900 destinations ! Point fort : le 1er site interactif français opérationnel sur Internet permettant la consultation comparative des prix au départ de la France mais aussi de l'étranger, horaires, disponibilités et réservations en temps réel (paiements sécurisés). Les prix communiqués à l'inscription sont fermes et définitifs au moment du paiement de l'acompte. Destinations phares : Bangkok, l'Indonésie, Amériques et Tours du Monde. Pour la province : vente par téléphone ou par correspondance.

▲ **COMPTOIR DES ÉTATS-UNIS ET DU CANADA** : 344, rue St-Jacques, 75005 Paris. ☎ 01-53-10-21-70. Fax : 01-53-10-21-71. • ameriques @comptoir.fr • M. : Port-Royal. Minitel : 36-15, code COMPTOIRS (2,23F/mn). Ouvert du lundi au vendredi de 10 h à 18 h, et le samedi de 11 h à 18 h.
Spécialiste de l'Amérique du Nord, Comptoir des États-Unis et du Canada propose mille et une façons de composer votre voyage : tarifs aériens préférentiels sur lignes régulières, location de voitures, Harley Davidson et motorhomes. Pour ceux qui préfèrent les voyages individuels : voiture + hôtel, des itinéraires accompagnés et d'excellents circuits sur mesure, adaptés à votre budget et à vos goûts.
Comptoir des États-Unis et du Canada s'intègre à l'ensemble des Comptoirs organisés autour de thématiques : Afrique, Déserts, Maroc, États-Unis, Canada et Islande.

▲ **CONTACTS :** 27, rue de Lisbonne, 75008 Paris. ☎ 01-45-63-35-53 et 01-56-59-66-70. Fax : 01-56-59-66-35. • info@contacts.org • www.contacts.org • Bureaux ouverts au public du lundi au vendredi de 9 h 30 à 12 h 30 et de 14 h à 17 h. S'adresser à Catherine Mathews ou Letizia Delfini qui reçoivent sur rendez-vous.
L'association Contacts propose toute l'année pour les 18-30 ans un large éventail de stages, jobs, perfectionnements linguistiques en Europe, aux États-Unis et au Canada : écoles de langue pour adultes ; hébergement en famille ou en résidence étudiante (en Grande-Bretagne, Irlande, Espagne, Allemagne, Canada et aux États-Unis) ; stages en entreprise (aux États-Unis, au Canada, en Grande-Bretagne, en Allemagne et en Espagne) ; « jobs » en hôtellerie (en Grande-Bretagne) ; séjours chez le professeur

(hébergement dans une famille d'accueil dont l'un des membres est enseignant et donne des cours à son hôte : en Grande-Bretagne, Irlande, Espagne et Allemagne) ; séjours en immersion totale en famille (en Grande-Bretagne, en Allemagne, en Espagne et aux États-Unis).

▲ DEGRIFTOUR-RÉDUCTOUR

Le Groupe Dégriftour, spécialiste de la vente de prestations touristiques à prix dégriffés par Minitel ou Internet, c'est plus de 150 personnes à votre service pour organiser vos vacances et vous conseiller.
La formule idéale pour satisfaire votre envie soudaine d'évasion pour partir le plus loin possible tout en valorisant votre budget vacances ! Dégriftour propose de 15 jours à la veille du départ, des billets d'avion, des chambres d'hôtel, des séjours, des circuits, des thalassos... jusqu'à 40 % de réduction sur le tarif public. Environ 2 000 offres de voyages sont présentées chaque jour et actualisées 3 fois par jour.
– Minitel : 36-15, code DÉGRIFTOUR ou DT • www.degriftour.fr •
Réductour est un tour-opérateur à part entière qui vend en direct sa propre production. Il garantit à ses clients des réductions jusqu'à 20 % par rapport au tarif public, de 6 jours à 11 mois avant le départ. Réductour est donc destiné à ceux qui souhaitent préparer leurs vacances à l'avance et propose toutes les formules de voyage en France et dans le monde entier, avec un très grand choix de produits.
– Minitel : 36-15, code RÉDUCTOUR ou RT • www.reductour.fr • Et pour connaître les Coups de Cœur et les Super Affaires de Réductour, il vous suffit de composer le ☎ 08-36-68-28-27.

▲ ESPACES DÉCOUVERTES VOYAGES-CAMÉLIA WELCOME

– *Paris :* 38, rue Rambuteau, 75003. ☎ 01-42-74-21-11. Fax : 01-42-74-76-77. M. : Rambuteau ou RER : Châtelet-les-Halles.
– *Paris :* 377 *bis*, rue de Vaugirard, 75015. ☎ 01-56-56-74-44. Fax : 01-56-56-74-49. M. : Convention.
Deux équipes dynamiques vous accueillent tous les jours du lundi au samedi. Espaces Découvertes vous offre un vaste choix de tarifs aériens très compétitifs, ainsi qu'un éventail de séjours et de circuits sélectionnés pour leur bon rapport qualité-prix. De nombreuses formules « nuit d'hôtel à l'arrivée » et locations de voitures, toujours à prix réduits, sont proposées en complément des vols. Également un service de réservation et de vente par téléphone (paiement par Carte Bleue) uniquement pour les vols, en appelant le ☎ 01-42-74-21-11.

▲ EXPERIMENT : 89, rue de Turbigo, 75003 Paris. ☎ 01-44-54-58-00. Fax : 01-44-54-58-01. M. : Temple ou République. Ouvert du lundi au vendredi de 9 h à 18 h sans interruption.
Partager en toute amitié la vie quotidienne d'une famille pendant 1 à 4 semaines, aux dates que vous souhaitez, c'est ce que vous propose l'association Experiment. Cette formule de séjour en famille à la carte existe dans une trentaine de pays à travers le monde (Amériques, Europe, Asie, Afrique ou Océanie).
Aux États-Unis, Experiment offre également la possibilité de suivre des cours intensifs d'anglais sur 10 campus pendant 1 à 9 mois. Les cours d'anglais avec hébergement en famille existent également en Irlande, en Grande-Bretagne, à Malte, au Canada et en Australie. Experiment propose aussi des cours d'espagnol, d'allemand, d'italien et de japonais dans les pays où la langue est parlée. Ces différentes formules s'adressent aux adultes et adolescents.
Sont également proposés : des jobs aux États-Unis, en Grande Bretagne et en Espagne; des stages en entreprise aux USA, Angleterre, Irlande, Espagne et Allemagne; des programmes de bénévolat aux USA, Équateur

et Togo ; du volontariat en Europe. Service *Départs à l'étranger* : ☎ 01-44-54-58-02.
Pour les 18-26 ans, Experiment organise des séjours « au pair « aux États-Unis (billet aller-retour offert, rémunération de 128 US$ par semaine, formulaire IAP-66, etc.). Service *Au Pair Homestay USA* : ☎ 01-44-54-58-05.

▲ **FLÂNERIES AMÉRICAINES :** 7, rue Rouget-de-Lisle 75001 Paris. ☎ 01-44-77-30-30. Fax : 01-44-77-30-37. M. : Concorde.
Aux États-Unis, Canada, Mexique, Caraïbes, toutes les formules de voyages sont dans une brochure très complète qui propose circuits accompagnés, autotours, programmes à la carte, pass aériens, location de villas. Flâneries Américaines est l'agent général du réseau ferroviaire Amtrak et du spécialiste du voyage en autocar de luxe Tauck Tours. L'agence est également le représentant de Trek America, leader dans l'organisation de circuits en camping.
Excellente offre de tarifs aériens sur vols réguliers avec extensions vers Hawaii, l'Alaska, les Bahamas et la Jamaïque.

▲ **FLEUVES DU MONDE :** 17, rue de la Bûcherie, 75005 Paris. ☎ 01-44-32-12-85. Fax : 01-44-32-12-89. M. : Maubert-Mutualité.
Spécialisé dans l'exploration des pays par les fleuves, Fleuves du Monde propose toute une gamme de voyages, type expédition / sportif / plaisance ou grand luxe au rythme des grands cours d'eau de la planète. En petits groupes encadrés de guides professionnels, ou en individuels, ces voyages de 1 à 3 semaines se font à l'aide d'embarcations traditionnelles et spécifiques du pays, tels que : budgerow sur le Gange (Inde) ; pirogue à la rencontre des Pygmées ou Yekwana (Centrafrique ou Vénézuéla) ; pinasse sur le Niger (Mali) ; sampan sur le Mékong (Laos) ; felouque et sandal sur le Nil (Égypte) ; motorlaunch sur l'Irrawady (Birmanie) ; canoë dans le Manitoba (Canada) ; raft sur le Colorado (USA) ; lancha en Amazonie (Brésil) ; houseboat sur le Shannon (Irlande) ; péniche de Paris à Amsterdam, etc. Au Canada, Fleuves du Monde vous propose un circuit de 15 jours sur le Manitoba avec les trappeurs du Katunigan.
Vivre une expérience hors du commun, rentrer en contact direct avec les ethnies, la culture et la nature environnante de lointaines contrées constitue le leitmotiv de Fleuves du Monde.

▲ **FORUM VOYAGES**
– *Paris :* 11, av. de l'Opéra, 75001. ☎ 01-42-61-20-20. Fax : 01-42-61-39-12. M. : Palais-Royal.
– *Paris :* 28, rue Monge, 75005. ☎ 01-43-25-54-54. Fax : 01-44-07-36-20. M. : Cardinal-Lemoine.
– *Paris :* 81, bd Saint-Michel, 75005. ☎ 01-43-25-80-58. Fax : 01-44-07-22-03. RER : Luxembourg.
– *Paris :* 1, rue Cassette (angle avec le 71, rue de Rennes), 75006. ☎ 01-45-44-38-61. Fax : 01-45-44-57-32. M. : Saint-Sulpice.
– *Paris :* 140, rue du Faubourg-Saint-Honoré, 75008. ☎ 01-42-89-07-07. Fax : 01-42-89-26-04. M. : Saint-Philippe-du-Roule.
– *Paris :* 55, av. Franklin-Roosevelt, 75008. ☎ 01-42-56-84-84. Fax : 01-42-56-85-69. M. : Franklin-Roosevelt.
– *Paris :* 11, rue Auber, 75009. ☎ 01-42-66-43-43. Fax : 01-42-68-00-81. M. : Opéra.
– *Paris :* 69, rue du Montparnasse, 75014. ☎ 01-42-79-87-87. Fax : 01-45-38-67-71. M. : Edgar-Quinet.
– *Paris :* 49, av. Raymond-Poincaré, 75116. ☎ 01-47-27-89-89. Fax : 01-47-27-24-00. M. : Victor-Hugo.
– *Paris :* 75, av. des Ternes, 75017. ☎ 01-45-74-39-38. Fax : 01-40-68-03-31. M. : Ternes.

– *Paris :* 114, rue des Flandres, 75019. ☎ 0803-833-803. Fax : 01-55-26-71-74. M. : Crimée.
– *Neuilly :* 120, av. Charles-de-Gaulle, 92200. ☎ 01-40-88-38-38. Fax : 01-40-88-07-20. M. : Sablons ou Pont-de-Neuilly.
– *Amiens :* 40, rue des Jacobins, 80000. ☎ 03-22-92-00-70. Fax : 03-22-91-05-72.
– *Caen :* 90-92, rue Saint-Jean, 14000. ☎ 02-31-85-10-08. Fax : 02-31-86-24-67.
– *Lyon :* 10, rue du Président-Carnot, 69002. ☎ 04-78-92-86-00. Fax : 04-78-38-29-58.
– *Melun :* 17, rue Saint-Étienne, 77000. ☎ 01- 64-39-31-07. Fax : 01-64-39-86-12.
– *Metz :* 10, rue du Grand-Cerf, 57000. ☎ 03-87-36-30-31. Fax : 03-87-37-35-69.
– *Montpellier :* 41, bd du Jeu-de-Paume, 34000. ☎ 04-67-52-73-30. Fax : 04-67-60-77-34.
– *Nantes :* 20, rue de la Contrescarpe, 44000. ☎ 02-40-35-25-25. Fax : 02-40-35-23-36.
– *Reims :* 14, cours J.-B.-Langlet, 51100. ☎ 03-26-47-54-22. Fax : 03-26-97-78-38.
– *Rouen :* 72, rue Jeanne-d'Arc, 76000. ☎ 02-35-98-32-59. Fax : 02-35-70-24-43.
– *Strasbourg :* 49, rue du 22-Novembre, 67000. ☎ 03-88-32-42-00. Fax : 03-88-75-99-39.
– *Toulouse :* 23, place Saint-Georges, 31000. ☎ 05-61-21-58-18. Fax : 05-61-13-75-49.
Forum Voyages à travers ses brochures :
– Une brochure générale qui propose séjours et circuits : États-Unis, Canada, Mexique, Brésil, Pérou, Thaïlande, Birmanie, Vietnam, Laos, Cambodge, Malaisie, Indonésie, Chine, Inde, Sri Lanka, Afrique du Sud, Namibie et Égypte.
– « *Trek America* » *:* des circuits camping 18-38 ans, aux États-Unis, au Canada, en Alaska et au Mexique.
– *« Vols Discount Réguliers » :* plus de 1 500 destinations sur des compagnies aériennes régulières.
Trois grands types de séjours et de circuits :
– *le voyage à la carte :* ce sont des séjours ou itinéraires en départ quotidien que vous construisez avec l'un des vendeurs en vous servant des milliers d'hôtels, des locations diverses et autres prestations de la brochure.
– *le voyage individuel organisé :* ce sont des itinéraires variés, conçus avec attention et pré-établis avec une voiture, parfois un chauffeur, des guides, des hôtels, des excursions et une documentation très complète de ce que vous allez découvrir.
– *les circuits groupes accompagnés :* ce sont des circuits pour individuels regroupés au départ garanti (à dates fixes), de Paris ou de la ville de votre destination, qui offrent l'encadrement de guides-accompagnateurs parlant le français, des hôtels de qualité et des autocars ultramodernes. Ce sont également des circuits de groupes pour les comités d'entreprise ou associations.
Centrale de réservation : vente par téléphone (règlement par Carte Bleue) au ☎ 0803-833-803. Fax : 01-55-26-71-74, du lundi au vendredi de 9 h 30 à 19 h, le samedi de 10 h à 18 h. Minitel : 36-15, code FV ou FORUM VOYAGES.
Pour les groupes, comités d'entreprise et associations (20 personnes minimum) : ☎ 01-55-26-71-67 ou 68 ou 69. Fax : 01-55-26-71-47.

▲ FRAM

– *Paris :* 128, rue de Rivoli, 75001. ☎ 01-40-26-20-00. Fax : 01-40-26-26-32. M. : Châtelet.

– *Toulouse :* 1, rue Lapeyrouse, 31008. ☎ 05-62-15-16-17. Fax : 05-62-15-17-17.
• www.fram.fr • Minitel : 36-16, code FRAM.
L'un des tout premiers tours-opérateurs français pour le voyage organisé, FRAM programme désormais plusieurs formules qui représentent « une autre façon de voyager «. Ce sont :
– les *auto-tours* (en Andalousie, au Maroc, en Tunisie, en Sicile, à Malte, à Chypre, en Grèce, en Crète, en Guadeloupe, à la Réunion) ;
– les *locations d'appartements* (dans les Pyrénées, aux Baléares, en Andalousie, à Madère, à Malte, en Guadeloupe, en Martinique et à la Réunion) ;
– des *avions en liberté* ou vols secs ;
– des *circuits aventures* (comme la saharienne en 4x4 en Tunisie, des randonnées pédestres au Maroc, le safari au Kenya, la découverte sportive de l'île de Madère et de la Réunion) ;
– des *voyages au long cours* (Chine, Inde, Ceylan, Thaïlande, Vietnam, Indonésie, Birmanie, Réunion, Maurice, Cuba, Saint-Domingue, États-Unis, Canada et Mexique) ;
– les *FRAMISSIMA :* c'est la formule de «Clubs Ouverts». Marrakech, Fès, Ouarzazate, Andalousie, Djerba, Monastir, Tozeur, Majorque, Sicile, Crète, Égypte, Grèce, Turquie, Sénégal, Canaries, Guadeloupe... Des sports nautiques au tennis, en passant par le golf, la plongée et la remise en forme, des jeux, des soirées qu'on choisit librement et tout compris, ainsi que des programmes d'excursions pour visiter la région.

▲ **FRANCE-ONTARIO :** allée de Clotomont, 77183 Croissy-Beaubourg. ☎ 01-60-06-44-50. Fax : 01-60-05-03-45.
Cette association spécialisée sur le Canada et la France élabore elle-même ses voyages, dans un juste équilibre entre sites célèbres et régions méconnues mais surprenantes pour leur histoire et/ou leur nature. Quelques exemples de séjours à thème : hiver, été indien, ski, pêche, route des pionniers, safari-photo. Pour une découverte hors des sentiers battus et une rencontre avec des francophones.

▲ **FUAJ**
– *Centre national :* 27, rue Pajol, 75018 Paris. ☎ 01-44-89-87-27. Fax : 01-44-89-87-49 ou 10. M. : La Chapelle, Marx-Dormoy ou Gare-du-Nord.
– *FUAJ île-de-France :* 60, rue Vitruve, 75020 Paris. ☎ 01-55-25-35-00. Fax : 01-43-56-36-32. M. : Porte-de-Bagnolet.
Renseignements dans toutes les auberges de jeunesse et les points d'information et de réservation en France. Serveur vocal : ☎ 08-36-68-86-98 (2,23 F/mn). • www.fuaj.org •
La FUAJ (Fédération Unie des Auberges de Jeunesse) accueille ses adhérents dans 200 Auberges de Jeunesse en France. Seule association française membre de l'IYHF (International Youth Hostel Federation), elle est le maillon d'une chaîne de 6 000 Auberges de Jeunesse dans le monde. Des voyages et des activités sportives sont aussi proposés (plus de 50 destinations à travers le monde et autant de séjours sportifs en France). La FUAJ organise, pour ses adhérents, des activités sportives, culturelles et éducatives ainsi que des voyages. Les adhérents de la FUAJ peuvent obtenir les brochures « Go as you please », « Activités été » et « hiver », le « Guide Français » pour les hébergements. Les Guides Internationaux regroupent la liste de toutes les Auberges de Jeunesse dans le monde. Ils sont disponibles à la vente ou en consultation sur place.

▲ **GO VOYAGES :** 6, rue Troyon, 75017 Paris. Réservations : ☎ 0-803-803-747. Minitel : 36-15, code GO. Serveur vocal promo : ☎ 08-36-69-28-48. • www.govoyages.com • Et dans toutes les agences de voyages.
Spécialiste du vol sec, Go Voyages propose des tarifs sur 600 destinations

dans le monde entier. Où que vous alliez, n'hésitez pas à les contacter, ils vous feront des offres tarifaires des plus intéressantes.

▲ **JETSET** : ☎ 01-53-67-13-00. Fax : 01-53-67-13-29. • www.jetset@jetset-voyages.fr • Et dans les agences de voyages.
Jetset édite une brochure annuelle exclusivement consacrée au Canada. Choix important de circuits individuels au volant, sur le Québec et les Provinces maritimes, en hôtellerie traditionnelle et B & B. Accent mis sur la Gaspésie et l'Estrie. Ces circuits sont modulables (on peut ajouter des nuits aux étapes) selon le choix des voyageurs. Quelques séjours en auberges et pourvoiries avec activités sportives. Nombreuses possibilités de séjours à la carte dans toutes les provinces de l'Est. En hiver : plusieurs propositions de circuits à motoneige, randonnées en ski de fond ou traîneau à chiens, séjours multi-activités et séjours de ski à Mont-Tremblant. Vols à prix négociés sur les principales compagnies aériennes.

▲ **JUMBO**
Jumbo s'adresse à tous ceux qui ont envie de se concocter un voyage unique, en couple, entre amis, ou en famille, mais surtout pas en groupe. À la carte : vol, location de voiture, hôtels de charme 2 étoiles, itinéraires tout faits ou à composer soi-même, des escapades aventure ou des sorties en ville. Jumbo organise votre voyage où l'insolite ne rime pas avec danger et où l'imprévu ne se conjugue pas avec galère.
Jumbo, les voyages à la carte de Jet tours, c'est aussi de nombreuses propositions aux États-Unis, Canada, Maroc, Tunisie, Mexique, Andalousie, Grèce, Turquie, à Madère, aux Antilles, en Thaïlande, Indonésie, Afrique du Sud et dans l'océan Indien.
• www.jettours.com • Minitel : 36-15, code JUMBO (1,29 F/mn).
– *Paris : Boiloris Voyages*, 38, av. de l'Opéra, 75002. ☎ 01-47-42-06-92. M. : Opéra.
– *Paris : Trajectoire Voyages*, 9, rue Jacques-Cœur, 75004. ☎ 01-42-74-30-20. M. : Bastille.
– *Paris : Boiloris Voyages*, 62, rue Monsieur-le-Prince, 75006. ☎ 01-46-34-19-79. M. : Odéon.
– *Paris : Étampes Voyages*, 113, rue de Rennes, 75006. ☎ 01-45-44-53-10. M. : Rennes.
– *Paris : Boiloris Voyages*, 29 av. de la Motte-Picquet, 75007. ☎ 01-47-05-01-95. M. : École-Militaire.
– *Paris : Antipodes Découvertes*, 16, rue Notre-Dame-de-Lorette, 75009. ☎ 01-44-91-99-00. M. : Notre-Dame-de-Lorette.
– *Paris : Cama Voyages*, 112, av. du Général-Leclerc, 75014. ☎ 01-45-42-03-87. M. : Alésia.
– *Paris : Boiloris Voyages*, 165, rue de la Convention, 75015. ☎ 01-42-50-83-83. M. : Boucicaut ou Convention.
– *Paris : Denn Voyages*, 123, av de Versailles, 75016. ☎ 01-42-88-13-88. M. : Exelmans.
Retrouvez également Jumbo à :
– *Agen :* ☎ 05-53-87-74-74.
– *Aix-en-Provence :* ☎ 04-42-26-04-11.
– *Angoulême :* ☎ 05-45-92-07-94.
– *Annecy :* ☎ 04-50-10-02-02.
– *Arras :* ☎ 03-21-71-42-42.
– *Aubagne :* ☎ 04-42-03-19-24.
– *Bois Colombes :* ☎ 01-42-42-40-00.
– *Bordeaux :* ☎ 05-56-00-79-79.
– *Boulogne-Billancourt :* ☎ 01-46-99-64-64.
– *Bourg-la-Reine :* ☎ 01-46-61-31-02.
– *Brest :* ☎ 02-98-46-58-00.

– *Cagnes-sur-Mer :* ☎ 04-93-20-76-44.
– *Cannes :* ☎ 04-93-68-45-45.
– *Carqueiranne :* ☎ 04-94-12-95-95.
– *Chambéry :* ☎ 04-79-33-17-64.
– *Clermont-Ferrand :* ☎ 04-73-93-29-15.
– *Colmar :* ☎ 03-89-41-66-80.
– *Corbeil-Essonnes :* ☎ 01-60-89-31-21.
– *Dinan :* ☎ 02-96-39-12-30.
– *Grenoble :* ☎ 04-76-47-01-05.
– *Hyères :* ☎ 04-94-35-22-22.
– *Lille :* ☎ 03-28-38-11-28.
– *Limoges :* ☎ 05-55-32-79-29.
– *Lorient :* ☎ 02-97-21-17-17.
– *Lyon :* ☎ 04-78-38-45-60 et 04-78-89-34-34.
– *Marseille :* ☎ 04-91-22-19-19 et 04-91-55-50-51.
– *Meaux :* ☎ 01-60-09-64-64.
– *Metz :* ☎ 03-87-63-60-08.
– *Mulhouse :* ☎ 03-89-56-00-89.
– *Nantes :* ☎ 02-40-48-66-19.
– *Nice :* ☎ 04-92-17-65-00.
– *Nogent-sur-Marne :* ☎ 01-48-72-76-77.
– *Orléans :* ☎ 02-38-62-75-25.
– *Pérols :* ☎ 04-99-52-65-65.
– *Pontault-Combault :* ☎ 01-60-28-42-36.
– *Le Pradet :* ☎ 04-94-08-08-07.
– *Quimper :* ☎ 02-98-95-40-41.
– *Rambouillet :* ☎ 01-34-83-06-18.
– *La Roche-sur-Yon :* ☎ 02-51-36-15-07.
– *Royan :* ☎ 05-46-39-97-76.
– *Saint-Brieuc :* ☎ 02-96-61-88-22.
– *Saint-Étienne :* ☎ 04-77-32-39-81.
– *Strasbourg :* ☎ 03-88-21-52-40.
– *Torcy :* ☎ 01-60-17-58-20.
– *Toulouse :* ☎ 05-61-23-35-12.
– *Troyes :* ☎ 03-25-43-66-00.
– *Versailles :* ☎ 01-39-49-98-98.
– *Varenne St Hilaire (La) :* ☎ 01-43-97-28-28.

▲ **LOOK VOYAGES :** les brochures et produits LOOK VOYAGES sont disponibles dans toutes les agences de voyages. • www.look-voyages.fr • Informations et réservations sur le 36-15, code LOOK VOYAGES (2,23 F/mn).
Ce tour opérateur généraliste vous propose une grande variété de produits et de destinations pour tous les budgets : des séjours en clubs Lookéa, des séjours classiques en hôtels, des safaris, des circuits découverte, des croisières, des autotours et sa nouvelle formule Look Accueil qui vous permet de silloner une région ou un pays en toute indépendance en complétant votre billet d'avion par une location de voiture et 1 à 3 nuits d'hôtel.
Look Voyages est un grand spécialiste du vol sec aux meilleurs prix avec 800 destinations dans le monde sur vols charters et réguliers.

▲ **MAISON DES AMÉRIQUES**
– *Paris :* 34, bd Sébastopol, 75004. ☎ 01-42-77-50-50. Fax : 01-42-77-50-60. • www.maisonameriques.com • M. : Châtelet-les-Halles. Esc. B, 2e étage. Minitel : 36-15, code MDA. Ouvert de 9 h à 19 h du lundi au jeudi, et de 9 h à 18 h le vendredi et le samedi.
Maison des Amériques est, comme son nom l'indique, spécialiste du continent américain. Son équipe est constituée de gens de terrain, français, sud ou nord-américains, et donc particulièrement aptes à vous conseiller

pour établir votre itinéraire, qu'il s'agisse des grands parcs de l'ouest des États-Unis, du désert de l'Atacama ou de passer le cap Horn à la voile.
Grand choix de vols secs à petits prix vers les États-Unis, l'Amérique centrale et l'Amérique du Sud, les Caraïbes. Circuits en petits groupes, et surtout, toutes les possibilités de voyage à la carte, réservations de vols intérieurs, d'hôtels, de voitures de location.

▲ NOUVEAU MONDE
– *Paris :* 8, rue Mabillon, 75006. ☎ 01-53-73-78-80. Fax : 01-53-73-78-81. M. : Mabillon. Ligne directe pour les voyages moto : ☎ 01-53-73-78-90.
– *Bordeaux :* 57, cours Pasteur, 33000. ☎ 05-56-92-98-98. Fermé le samedi.
– *Marseille :* 8, rue Haxo, 13001. ☎ 04-91-54-31-30. Fermé le samedi.
– *Nantes :* 20 *bis*, rue Fouré, 44000. ☎ 02-40-89-63-64. Fermé le samedi.
Toujours passionnée par l'Amérique latine, en particulier par la Bolivie, l'équipe de Nouveau Monde s'intéresse également à l'Amérique du Nord, essentiellement au Canada, aux Caraïbes, mais aussi au Pacifique et à l'Asie. Proposant vols à tarifs réduits, hôtels et circuits sur toutes ces destinations, il était inévitable que Nouveau Monde devienne une référence pour les globe-trotters qui trouvent dans sa brochure Voyages autour du Monde, plus de 30 circuits aériens autour de la planète.
Sa vocation de découvreur s'affirme encore lorsqu'il s'agit de concocter des virées d'enfer pour motards aux quatre coins du monde, des États-Unis à la Nouvelle-Zélande, en passant par Madagascar et même la France depuis cette année.

▲ NOUVELLES FRONTIERES : 87, bd de Grenelle, 75015 Paris. M. : La Motte-Picquet-Grenelle. Renseignements et réservations dans toute la France : ☎ 0-803-33-33-33 (0,99 F/mn). • www.nouvelles-frontieres.fr • Minitel : 36-15, code NF (à partir de 0,65 F/mn).
Plus de 30 ans d'existence, 2 500 000 clients par an, 250 destinations, une chaîne d'hôtels-clubs et de résidences Paladien, 2 compagnies aériennes, *Corsair* et *Aérolyon*, des filiales spécialisées pour les croisières en voilier, la plongée sous-marine, la location de voiture... Pas étonnant que Nouvelles Frontières soit devenu une référence incontournable, notamment en matière de tarifs. Le fait de réduire au maximum les intermédiaires permet d'offrir des prix « super-serrés ».
Un choix illimité de formules vous est proposé : des vols sur les compagnies aériennes de Nouvelles Frontières, *Corsair* et *Aérolyon*, au départ de Paris et de province, en classe Horizon ou Grand Large, et sur toutes les compagnies aériennes régulières, avec une gamme de tarifs suivant confort et budget. Sont également proposés toutes sortes de circuits, aventure ou organisés ; des séjours en hôtels, en hôtels-club et en résidence, notamment dans les Paladiens, les hôtels de Nouvelles Frontières avec « vue sur le monde » ; des week-ends, des formules à la carte (vol, nuits d'hôtels, excursions, location de voiture...) mais aussi des croisières en voilier ou en paquebot, des séjours et des croisières plongée sous-marine.
Avant le départ, des permanences d'information sont organisées par des spécialistes qui présentent le pays et répondent aux questions. Les 13 brochures Nouvelles Frontières sont disponibles gratuitement dans les 200 agences du réseau, par Minitel, par téléphone et sur Internet.

▲ OTU VOYAGES
OTU Voyages propose le fameux billet d'avion SATA pour les jeunes et les étudiants, l'ensemble des titres de transports en émission immédiate : train, location de voiture, bus, billets d'avions réguliers... mais aussi des hôtels en France et dans le monde, des séjours hiver et été, des week-ends en Europe, des assurances de voyage, etc .
OTU Voyages propose l'ensemble de ces prestations à des tarifs étudiants

(autrement dit à des tarifs bas) tout en assurant souplesse d'utilisation et sécurité de prestations.
OTU Voyages est également responsable de la distribution et du développement de la carte d'étudiant internationale (carte ISIC).
Un numéro de renseignement et de réservation national : ☎ 01-40-29-12-12.• www.otu.fr et www.isic.tm.fr •
– *Paris :* 119, rue Saint-Martin, 75004. ☎ 01-40-29-12-12. Fax : 01-40-29-12-25. M. : Rambuteau ou Châtelet.
– *Paris :* 39, av. Georges-Bernanos, 75005. ☎ 01-44-41-38-50. Fax : 01-46-33-19-98. RER : Port-Royal. Ouvert de 10 h à 18 h 30.
– *Paris :* 2, rue Malus, 75005. ☎ 01-40-29-12-12. Fax : 01-43-36-29-47. M. : Place Monge.
– *Paris :* resto U de l'université Paris IX-Dauphine, 1, place De Lattre-de-Tassigny, 75016. ☎ 01-47-55-03-01 ou 01-44-05-49-85. Fax : 01-47-55-03-07.
– *Aix-en-Provence :* cité universitaire Les Gazelles, av. Jules-Ferry, 13621. ☎ 04-42-27-76-85. Fax : 04-42-93-09-16.
– *Amiens :* 53, rue du Don, 80000. ☎ 03-22-72-18-29. Fax : 03-22-72-14-42.
– *Angers :* CROUS, jardin des Beaux-Arts, 35, bd du Roi-René, BP 5128, 49051. ☎ 02-41-88-45-57. Fax : 02-41-88-09-55.
– *Besançon :* 40, rue Megevand, 25000. ☎ 03-81-83-03-03. Fax : 03-81-83-10-11.
– *Bordeaux :* campus de Talence, restaurant universitaire n° 2 « Le Vent Debout », 33405. ☎ 05-56-80-71-87 ou 05-56-37-40-93. Fax : 05-56-37-44-60.
– *Caen (Cedex 5) :* CROUS, Maison de l'étudiant, av. de Lausanne, BP 5153, 14070. ☎ 02-31-56-60-93 ou 94. Fax : 02-31-56-60-91.
– *Clermont-Ferrand :* CROUS, 25, rue Étienne-Dolet, bât. A, 63037. ☎ 04-73-34-44-14. Fax : 04-73-34-44-70.
– *Compiègne :* 27, rue du Port-aux-Bateaux BP 124, 60201. ☎ 03-44-86-43-41. Fax : 03-44-92-15-19.
– *Créteil :* Maison de l'étudiant, université Paris XII, 61, av. du Général-de-Gaulle, 94000. ☎ 01-48-99-75-90. Fax : 01-48-99-74-01.
– *Dijon :* campus Montmusard, 6 B, rue du Recteur-Marcel-Bouchard, 21000. ☎ 03-80-39-69-33 ou 34. Fax : 03-80-39-69-43.
– *Grenoble :* CROUS, 5, rue d'Arsonval, BP 187, 38000. ☎ 04-76-46-98-92. Fax : 04-76-47-78-03.
– *Grenoble :* campus Saint-Martin-d'Hères, domaine universitaire Gières, 421, av. de la bibliothèque Saint-Martin-d'Hères Cedex, 38406. ☎ 04-76-51-27-25. Fax : 04-76-01-18-57.
– *Le Mans :* campus universitaire du Maine, 20, rue Laennec, 72000. ☎ 02-43-23-55-50. Fax : 02-43-25-55-53.
– *Lille campus :* brasserie « Les 3 Lacs », domaine universitaire du Pont-de-Bois, Université Lille III, 59650 Villeneuve d'Ascq. ☎ 03-20-67-27-45. Fax : 03-20-91-90-29.
– *Limoges :* CROUS Université de Vanteaux, 39 G, rue Camille-Guérin, 87036. ☎ 05-55-49-00-73. Fax : 05-55-43-88-93.
– *Lyon :* CROUS, 59, rue de la Madeleine, 69365 Cedex 07. ☎ 04-72-71-98-07 ou 04-78-72-55-59. Fax : 04-78-72-35-02.
– *Montpellier :* 43, rue de l'Université, 34000. ☎ 04-67-66-74-20. Fax : 04-67-66-30-72.
– *Nancy Vandoeuvre :* « Le Vélodrome », 8, rue Jacques-Callot, 54500. ☎ 03-83-54-49-63. Fax : 03-83-56-62-11.
– *Nantes :* 14, rue de Santeuil, 44000. ☎ 02-40-73-99-17. Fax : 02-40-69-69-93.
– *Nantes :* 2, bd Guy-Mollet, BP 52213, 44322. ☎ 02-40-74-70-77. Fax : 02-51-86-25-91.

– *Nice :* restaurant universitaire Carlone, 80, bd Édouard-Herriot, 06200. ☎ 04-93-96-85-43. Fax : 04-93-37-43-30.
– *Pau :* restaurant universitaire, av. Poplawski, 64000. ☎ 05-59-02-26-98. Fax : 05-59-02-20-26.
– *Poitiers :* CROUS, cité Rabelais, rue de la Devinière, 86000. ☎ 05-49-45-10-79 Fax : 05-49-45-10-81.
– *Poitiers ville :* 35, rue Cloche-Perse, place Charles-VII, 86000. ☎ 05-49-37-25-55. Fax : 05-49-39-26-46.
– *Rennes :* 10, rue Saint-Mélaine, 35000. ☎ 02-23-20-52-05. Fax : 02-23-20-52-06.
– *Rouen :* campus de Mont-Saint-Aignan, cité universitaire du Panorama, bd Siegfried, BP 218 76136. ☎ 02-35-70-21-65. Fax : 02-35-10-00-59.
– *Strasbourg :* CROUS, 3, bd de la Victoire, 67000. ☎ 03-88-25-53-99. Fax : 03-88-52-15-70.
– *Toulon :* résidence campus international, BP 133, 104, impasse A.-Picard, 83957 La Garde Cedex. ☎ 04-94-21-24-00. Fax : 04-94-21-25-99.
– *Toulouse :* CROUS, 58, rue du Taur, 31070. ☎ 05-61-12-18-88. Fax : 05-61-12-36-79.
– *Villeurbanne :* campus universitaire Doua, 43, bd du 11-Novembre, 69622. ☎ 04-78-93-11-49. Fax : 04-78-94-99-03.

▲ **PLEIN VENT VOYAGES**
Minitel : 36-15, code PLEIN VENT. Réservations et brochures dans les agences du Sud-Est de la France.
Premier tour opérateur du Sud-Est, Plein Vent assure toutes ses prestations au départ de Lyon, Marseille, Nice et Genève. Ses destinations phares : l'Espagne, l'Égypte, le Maghreb et tout particulièrement la Tunisie avec 3 circuits, mais également l'Europe du Nord avec l'Irlande, l'Écosse et la Norvège. Plein Vent propose aussi le Canada, le Mexique, la Thaïlande, les USA et 2 circuits accompagnés : l'Afrique du sud en circuit 12 jours et Cuba en circuit 9 jours. Nouveauté : croisières fluviales sur le Danube et la Russie. Plein Vent garantit ses prix, ses départs, et propose un système de « garantie annulation » performant.

▲ **R.A. MARKETING** : 68, rue de Lourmel, 75015 Paris. ☎ 01-45-77-10-74. Fax : 01-45-77-78-51. M. : Charles-Michels.
Représente en France plusieurs sociétés américaines :
– *Eagle Airlines*, *Scenic Airlines* et *Grand Canyon Airlines* proposent des survols et des excursions aériennes, avec ou sans hébergement (du Grand Canyon, de Monument Valley, Lake Powell et Bryce Canyon). Nouveautés : survol de Las Vegas la nuit, sorties en 4x4 dans le désert, découverte du territoire indien Hualapai.
– *Heli USA :* survols en hélicoptère de Las Vegas et du Grand Canyon. La seule compagnie autorisée à atterrir au fond du Grand Canyon, sur les rives du mythique fleuve Colorado. Une des excursions aériennes offre la possibilité de faire une demi-journée de rafting sur le Colorado.
– *Anglo-Continental :* c'est une école de langue réputée qui permet d'apprendre l'américain aux États-Unis. Séjours en campus à Boston, New-York et Los Angeles. Cours de vacances, cours intensifs et préparation au TOEFL. Pour juniors, étudiants et adultes.
– Les compagnies de croisières *Royal Caribbean International* et *Celebrity Cruises* (commercialisées en France sous la marque *Vacances Fabuleuses Croisières*, ☎ 01-45-75-80-80) : 18 navires modernes et luxueux, plus de 50 destinations et 150 escales à travers le monde (Europe, Méditerranée, Scandinavie et Russie, fjords de Norvège, Proche et Moyen-Orient, Asie du Sud-Est, Hawaï, Alaska, Riviera mexicaine, Basse Californie, Caraïbes, Bahamas, Bermudes, Transatlantiques, Est canadien et Québec).

▲ **RÉPUBLIC TOURS**

– *Paris :* 1 *bis*, av. de la République, 75011. ☎ 01-53-36-55-55. Fax : 01-48-07-09-79. M. : République.
– *Lyon :* 4, rue du Général-Plessier, 69002. ☎ 04-78-42-33-33. Fax : 04-78-42-24-43.
Minitel : 36-15, code REPUBLIC (2,23 F/mn). Et dans les agences de voyages.
Républic Tours, c'est une large gamme de produits et de destinations tous publics et la liberté de choisir sa formule de vacances :
– Séjours détente en hôtel classique ou club.
– Circuits en autocars, voiture personnelle ou de location.
– Croisières en Égypte, Irlande, Hollande ou aux Antilles.
– Insolite : randonnées en 4x4, vélo, roulotte, randonnées pédestres...
– Week-ends : plus de 50 idées d'escapades pour se dépayser, s'évader au soleil ou découvrir une ville.
Républic Tours, c'est encore :
– Le Bassin Méditerranéen : Égypte, Espagne, Grèce, Crète, Malte, Maroc, Portugal, Sicile, Tunisie, Liban.
– Les longs courriers sur les Antilles françaises, le Canada, les États-Unis, la Réunion, l'île Maurice, le Sénégal, les Seychelles et la Polynésie.
– L'Europe avec l'Autriche, la Grande-Bretagne, la Hollande, les îles anglo-normandes (Guernesey, Aurigny, Herm, Jersey, Sercq), l'Irlande du Sud et du Nord, ainsi que l'Allemagne.

▲ **LA ROUTE DES VOYAGES :** 59, rue Franklin, 69002 Lyon. ☎ 04-78-42-53-58. Fax : 04-72-56-02-86. La Route des Voyages organise des voyages à la carte sur tout le continent américain, de l'Alaska à la Terre de Feu. Elle propose un catalogue sur les USA et le Canada, et bien d'autres sur l'Amérique du Sud. Elle s'est spécialisée plus particulièrement sur le Costa Rica et le Pérou. Vaste choix de vols secs à bas prix. Privilégiant les formules très souples pour 2, 4 personnes ou en petit groupe, sur la base d'un des itinéraires qu'elle suggère ou que les passagers ont imaginés, elle réserve vols internationaux, vols intérieurs, hôtels, voitures ou excursions.

▲ **SCANDITOURS-CELTICTOURS :** 36, rue de Saint-Petersbourg, 75008 Paris. ☎ 01-42-85-64-30. Fax : 01-42-85-64-34. M. : Place-Clichy.
Scanditours est une véritable institution sur la Norvège, la Finlande, la Suède, le Danemark, l'Islande, le Groenland, les îles Féroé, le Spitzberg et le Canada.
Celtictours consacre sa programmation à l'Irlande, la Grande-Bretagne et l'Écosse. Les formules Scanditours-Celtictours proposent des circuits accompagnés et des voyages individuels : transport aérien, location de voiture, autotours, séjour à la ferme, en maisons de pêcheur, les « Rorbus » (Norvège), chez l'habitant, en auberges, en hôtels, en manoirs ou location de chalets.
Formules intéressantes l'hiver (expéditions à motoneige ou séjours en Laponie et au Canada).

▲ **UCPA**

Informations et réservations : ☎ 0-803-820-830. Minitel : 36-15, code UCPA. Bureaux de vente à *Paris, Bordeaux, Lille, Lyon, Marseille, Nancy, Strasbourg, Toulouse* et *Bruxelles.*
Voilà plus de 30 ans que 5 millions de personnes de 7 à 40 ans font confiance à l'UCPA pour réussir leurs vacances sportives. Et ceci, grâce à une association dynamique toujours à l'écoute des attentes de ses clients, une approche souple et conviviale de plus de 60 activités sportives, des séjours en France et à l'étranger en formule tout compris (moniteurs professionnels, pension complète, matériel, animations, assurance et transport pour les séjours à l'étranger) et à des prix toujours très serrés. Choix entre

un séjour Sport Passion ou Sport Détente dans l'un des 130 centres en France (dont 5 aux Antilles) et à l'étranger (Crète, Cuba, Égypte, Espagne, Maroc, Tunisie, Turquie, Thaïlande, Vietnam...) auxquels s'ajoutent près de 300 programmes en Sport Aventure pour voyager à pied, à cheval, en VTT, en catamaran... dans 50 pays d'Europe, d'Asie, du Proche-Orient, d'Afrique, d'Amérique latine et d'Amérique du nord.

▲ **VACANCES AIR CANADA :** 10, rue de la Paix, 75002 Paris. ☎ 01-40-15-15-15. Fax : 01-42-61-68-81. M. : Opéra. Et dans toutes les agences de voyages.
Voyagiste spécialiste du Canada, Vacances Air Canada propose des voyages à la carte à travers tout le pays, des plus simples (vols secs) aux plus élaborés, pour tous les types de budgets, pour les individuels comme pour les groupes. Découverte ou aventure, plusieurs formules sont proposées dans deux brochures annuelles (hiver et été). Au programme : vols Air Canada, circuits accompagnés, séjours multi-activités, voyages à la carte, circuits aventure, hébergements variés, locations de voitures et de motorhomes, week-ends thématiques à prix très attractifs...

▲ **VACANCES AIR TRANSAT**
Filiale du plus grand groupe de tourisme au Canada. Vacances Air Transat possède sa propre compagnie aérienne Air Transat, qui vient au second rang des transporteurs réguliers entre la France et le Canada.
Vacances Air Transat propose une large gamme de voyages en Amérique du Nord (Canada, USA), en Amérique latine (Mexique, Costa Rica, Brésil, Pérou) et aux Caraïbes (Cuba, République Dominicaine). Vous trouverez dans leurs brochures des circuits accompagnés, des autotours, des forfaits à thème avec activité, des forfaits aventure, des excursions, des croisières, des locations de voiture, de camping-cars, ainsi que différentes formules de séjours (hôtels de villégiature ou de charme, location de chalet, logement chez l'habitant), le tout à des prix très compétitifs. Les brochures Vacances Air Transat sont disponibles dans toutes les agences de voyages. Vous pouvez également obtenir des informations et demander des brochures sur Minitel : 36-15, code VATF.

▲ **VACANCES FABULEUSES**
– *Paris :* 22 *bis*, rue Georges-Bizet, 75116. ☎ 01-53-67-60-00. Fax : 01-47-23-68-31. M. : Alma-Marceau ou Étoile.
– *Nice :* 2, rue de Rivoli, 06000. ☎ 04-93-16-18-10. Fax : 04-93-87-87-88. Et dans toutes les agences de voyages.
Vacances Fabuleuses, c'est « l'Amérique à la carte ». Ce spécialiste de l'Amérique du Nord (États-Unis, Canada, Mexique et Caraïbes) vous propose de découvrir le Canada de l'intérieur, avec un choix de formules infini : locations de voitures, une grande sélection d'hôtels (plus de 250), des mini-séjours à Montréal, Québec, Toronto et Vancouver ; des circuits individuels de 6 à 15 jours au départ de Montréal ou de Vancouver ; des circuits accompagnés au Canada, ou combinés États-Unis et Canada. Le transport est assuré à des prix charter, sur compagnies régulières, avec *Air France*, *British Airways*, *KLM* et *Air Canada*. Le tout, proposé par une équipe de vrais spécialistes.

▲ **VOYAGEURS AU CANADA**
– *Paris : La Cité des Voyageurs*, 55, rue Sainte-Anne, 75002. ☎ 01-42-86-16-00. Fax : 01-42-86-17-88. *Voyageurs au Canada :* ☎ 01-42-86-17-30 Fax : 01-42-86-17-89 M. : Opéra ou Pyramides. Bureaux ouverts du lundi au samedi de 9 h 30 à 19 h.
– *Toulouse :* 12, rue Gabriel-Péri, 31000 (1er étage). ☎ 05-62-73-56-46. Fax : 05-62-73-56-45.
– *Lyon :* 5, quai Jules-Courmont, 69002. ☎ 04-72-56-94-56. Fax : 04-72-56-94-55.

– *Fougères* (ex-agence *Rallu*) : 19, rue Chateaubriand, BP 441, 35304. ☎ 02-99-94-21-91. Fax : 02-99-94-53-66.
– *Rennes* (ex-agence *Rallu*) : 2, rue Jules-Simon, BP 7501, 35075. ☎ 02-99-79-16-16. Fax : 02-99-79-10-00.
– *Saint Malo* (ex-agence *Rallu*) : 17, av. Jean-Jaurès, BP 206, 35409. ☎ 02-99-40-27-27. Fax : 02-99-40-83-61.
• www.vdm.com (panorama complet des activités et services proposés par Voyageurs).Minitel : 36-15, code VOYAGEURS ou VDM.
Toutes les destinations de Voyageurs du Monde se retrouvent en un lieu unique, sur 3 étages, réparties par zones géographiques.
Tout voyage sérieux nécessite l'intervention d'un spécialiste. D'où l'idée de ces équipes, spécialisées chacune sur une destination, qui vous accueillent à la Cité des Voyageurs Paris, 1er espace de France (1 800 m²) entièrement consacré aux voyages et aux voyageurs ainsi que dans les agences régionales. Leurs spécialistes vous proposent : vols simples, voyages à la carte et circuits culturels « civilisations » et « découvertes » sur les destinations du monde entier à des prix très compétitifs puisque vendus directement sans intermédiaire.
La Cité des Voyageurs, c'est aussi :
– Une librairie de plus de 15 000 ouvrages et cartes pour vous aider à préparer au mieux votre voyage ainsi qu'une sélection des plus judicieux et indispensables accessoires de voyages : moustiquaires, sacs de couchage, couverture en laine polaire, etc. ☎ 01-42-86-17-38.
– Des expositions-vente d'artisanat traditionnel en provenance de différents pays. ☎ 01-42-86-16-25.
– Un programme de dîners-conférences : certains mardi et jeudi sont une invitation au voyage et font honneur à une destination. ☎ 01-42-86-16-00.
– Un restaurant des cuisines du monde. ☎ 01-42-86-17-17.

▲ VOYAGES WASTEELS (JEUNES SANS FRONTIÈRE)
– *Paris* : 5, rue de la Banque, 75002. ☎ 0-803-88-70-01. M. : Bourse.
– *Paris* : 8, bd de l'Hôpital, 75005. ☎ 0-803-88-70-02. M. : Gare-d'Austerlitz.
– *Paris* : 113, bd Saint-Michel, 75005. ☎ 0-803-88-70-03. RER : Luxembourg.
– *Paris* : 11, rue Dupuytren, 75006. ☎ 0-803-88-70-04. M. : Odéon.
– *Paris* : 12, rue La Fayette, 75009. ☎ 0-803-88-70-05. M. : Le Peletier.
– *Paris* : Gare du Nord (bulle), 18, rue de Dunkerque, 75010. ☎ 0-803-88-70-06.
– *Paris* : 11, rue Oberkampf, 75011. ☎ 0-803-88-70-07. M. : Oberkampf.
– *Paris* : 2, rue Michel-Chasles, 75012. ☎ 0-803-88-70-08. M. : Gare-de-Lyon.
– *Paris* : Gare de Lyon (salle des Fresques), 20, bd Diderot, 75012. ☎ 0-803-88-70-09.
– *Paris* : Gare d'Austerlitz, 55, quai d'Austerlitz, 75013. ☎ 0-803-88-70-10.
– *Paris* : 16, rue Jean-Rey, bât. UIC, 75015. ☎ 0-803-88-70-11. M. : Bir-Hakeim.
– *Paris* : 6, chaussée de la Muette, 75016. ☎ 0-803-88-70-12. M. : Muette.
– *Paris* : 58, rue de la Pompe, 75016. ☎ 0-803-88-70-13. M. : Rue-de-la-Pompe.
– *Paris* : 150, av. de Wagram, 75017. ☎ -803-88-70-14. M. : Wagram.
– *Paris* : 3, rue Poulet, 75018. ☎ 0-803-88-70-15. M. : Château-Rouge.
– *Paris* : 146, bd de Ménilmontant, 75020. ☎ 0-803-88-70-16. M. : Ménilmontant.
– *Versailles* : 4 *bis*, rue de la Paroisse, 78000. ☎ 0-803-88-70-17.
– *Sartrouville* : 88, av. Jean-Jaurès, 78500. ☎ 0-803-88-70-18.
– *Livry-Gargan* : 17, bd de la République, 93190. ☎ 0-803-88-70-19.
– *Noisy-le-Grand* : 10, bd du Mont-d'Est, 93192. ☎ 0-803-88-70-20.
– *Saint-Denis* : 15, place Victor-Hugo, 93200. ☎ 0-803-88-70-21.

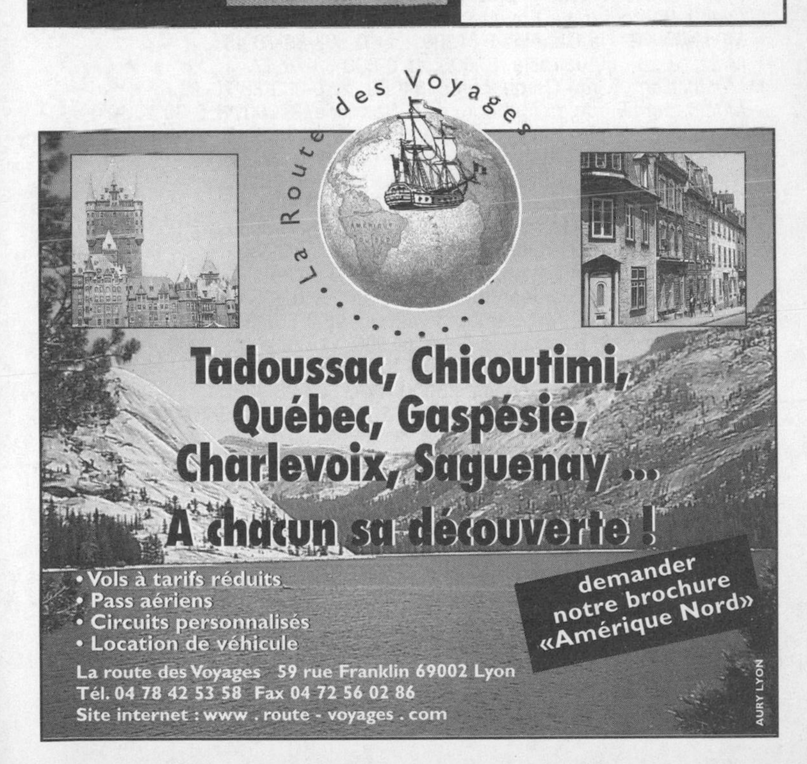

La Route des Voyages
Tadoussac, Chicoutimi, Québec, Gaspésie, Charlevoix, Saguenay ...
A chacun sa découverte !
• Vols à tarifs réduits
• Pass aériens
• Circuits personnalisés
• Location de véhicule
demander notre brochure «Amérique Nord»
La route des Voyages 59 rue Franklin 69002 Lyon
Tél. 04 78 42 53 58 Fax 04 72 56 02 86
Site internet : www . route - voyages . com
AURY LYON

– *Saint-Denis :* 5, place Victor-Hugo, 93200. ☎ 0-803-88-70-22.
– *Drancy :* 68, av. Henri-Barbusse, 93700. ☎ 0-803-88-70-23.
– *Le Kremlin-Bicêtre :* 36-38, av. de Fontainebleau, 94270. ☎ 0-803-88-70-24.
– *Villiers-sur-Marne :* 4, rue du Puits-Mottet, 94350. ☎ 0-803-88-70-25.
– *Vitry-sur-Seine :* 31, av. Paul-Vaillant, 94400. ☎ 0-803-88-70-26.
– *Champigny-sur-Marne :* 38, av. Jean-Jaurès, 94500. ☎ 0-803-88-70-27.
– *Aix-en-Provence :* 5 *bis*, cours Sextius, 13100. ☎ 0-803-88-70-28.
– *Angoulême :* 2, place François-Louvel, BP 113, 16000. ☎ 0-803-88-70-29.
– *Béziers :* 66, allées Paul-Riquet, 34500. ☎ 0-803-88-70-30.
– *Bordeaux :* 65, cours d'Alsace-Lorraine, 33000. ☎ 0-803-88-70-31.
– *Bordeaux :* résidence Étendard, 13, place Casablanca face à la gare St Jean, 33800. ☎ 0-803-88-70-32.
– *Chambéry :* 44, faubourg Réclus, 73000. ☎ 0-803-88-70-33.
– *Clermont-Ferrand :* 69, bd Trudaine, 63000. ☎ 0-803-88-70-34.
– *Compiègne :* 10, rue des Bonnetiers-Cour-le-Roi, 60200. ☎ 0-803-88-70-35.
– *Dijon :* 20, av. du Maréchal-Foch, 21000. ☎ 0-803-88-70-36.
– *Forbach :* 72, av. Saint-Rémy, 57600. ☎ 0-803-88-70-37.
– *Grenoble* : 20, av. Felix-Viallet, 38000. ☎ 0-803-88-70-38.
– *Grenoble :* 50, av. Alsace-Lorraine, 38000. ☎ 0-803-88-70-39.
– *Hagondange :* 119, rue de Metz, 57300. ☎ 0-803-88-70-40.
– *Lille :* 25, place des Reignaux, 59800. ☎ 0-803-88-70-41.
– *Longwy :* 15, rue du Général-Pershing, 54400. ☎ 0-803-88-70-42.
– *Lyon :* 5, place Ampère, 69002. ☎ 0-803-88-70-43.
– *Lyon :* centre d'échanges de Lyon-Perrache, 69002. ☎ 0-803-88-70-44.
– *Lyon :* 162, cours La Fayette, 69003. ☎ 0-803-88-70-45.
– *Marseille :* 67, la Canebière, 13001. ☎ 0-803-88-70-46.
– *Metz :* 3, rue d'Austrasie, 57000. ☎ 0-803-88-70-47.
– *Montpellier :* 1, rue Cambacères, 34000. ☎ 0-803-88-70-48.
– *Montpellier :* 6, rue du faubourg de la Saunerie, 34000. ☎ 0-803-88-70-49.
– *Moyeuvre Grande :* 15, rue Fabert, 57250. ☎ 0-803-88-70-50.
– *Mulhouse :* 14, av. Auguste-Wicky, 68100. ☎ 0-803-88-70-51.
– *Nancy :* 1 *bis*, place Thiers, 54000. ☎ 0-803-88-70-52.
– *Nantes :* 6, rue Guépin, 44000. ☎ 0-803-88-70-53.
– *Nice :* 32, rue de l'Hôtel-des-Postes, 06000. ☎ 0-803-88-70-54.
– *Reims :* 26, rue Libergier, 51100. ☎ 0-803-88-70-55.
– *Roubaix :* 11, rue de l'Alouette, 59100. ☎ 0-803-88-70-56.
– *Rouen :* 111 *bis*, rue Jeanne-d'Arc, 76000. ☎ 0-803-88-70-57.
– *Saint-Étienne :* 28, rue Gambetta, 42000. ☎ 0-803-88-70-58.
– *Strasbourg :* 13, place de la Gare, 67000. ☎ 0-803-88-70-59.
– *Thionville :* 21, place du Marché, 57100. ☎ 0-803-88-70-60.
– *Toulon :* 3, bd Pierre-Toesca, 83000. ☎ 0-803-88-70-61.
– *Toulon :* 3, rue Vincent-Courdouan, 83000. ☎ 0-803-88-70-62.
– *Toulouse :* 1, bd Bonrepos, 31000. ☎ 0-803-88-70-63.
– *Toulouse :* 23, av. de l'U.R.S.S., 31400. ☎ 0-803-88-70-64.
– *Tours :* 8, place du Grand-Marché, 37000. ☎ 0-803-88-70-65.
– *Valenciennes :* 14, passage de la Paix, 59300. ☎ 0-803-88-70-66.

Info Vente : 01-43-62-30-00. Audiotel : 08-36-68-22-06 (2,23 F/min). • www.voyages-wasteels.fr • Minitel : 36-15, code WASTEELS (2,23 F/mn). Tarifs réduits spécial jeunes et étudiants. En train : pour tous les jeunes de moins de 26 ans en France jusqu'à 50 % de réduction, en Europe, avec le BIGE c'est la possibilité de se balader dans tous les pays et même au Maroc à tarif réduit, sans oublier les super tarifs sur Londres en *Eurostar* et sur Bruxelles et Amsterdam en *Thalys*. En avion : les billets « Tempo Air France » mettent à la portée des jeunes de moins de 26 ans toute la France aux meilleurs tarifs. Sur plus de 450 destinations, *Student Air Sta Travel* pro-

pose aux étudiants de moins de 30 ans de voyager dans le monde entier sur les lignes régulières des compagnies aériennes à des prix très compétitifs et à des conditions d'utilisation extra souples. En bus : des prix canons. Divers : séjours de ski, séjours en Europe (hébergement, visite, surf...), séjours linguistiques et location de voiture à tout petits prix.

EN BELGIQUE

▲ **BELGIUM INTERNATIONAL TRAVEL :** Lozenberg, 20, ST Stevens 1932 . ☎ 02-716-1787. Fax : 02-716-19-89. Avec une cinquantaine de points de vente, BIT est le plus important réseau d'agences de voyages en Belgique. Le Canada mais surtout le Québec font l'objet d'un catalogue spécial avec notamment des autotours.

▲ **CANADA CONSULT TRAVEL :** rue Saint-Michel, 16, Bruxelles 1000. ☎ 02-219-95-26. Fax : 02-218-30-87. Agence créée par un amoureux du Canada et plus particulièrement du Québec, Canada Consult Travel propose un grand choix de prestations sur cette destination y compris des programmes avec chasse et pêche.

▲ **CARIBOU CLUB-ALE TRAVEL :** rue du Framboisier 35, Bruxelles 1180. ☎ 02-375-15-39. Fax : 02-375-90-18.

▲ **C.J.B... L'AUTRE VOYAGE :** chaussée d'Ixelles, 216, Bruxelles, 1050. ☎ 02-640-97-85. Fax : 02-646-35-95. Ouvert tous les jours de la semaine, sauf samedi et dimanche, de 9 h 30 à 18 h. Association sans but lucratif, C.J.B. organise toutes sortes de voyages scolaires, individuels ou en groupe, de la randonnée au grand circuit. Vacances sportives ou séjours culturels.

▲ **CONNECTIONS**
Telesales au ☎ 02-550-01-00. Fax : 02-514-15-15. • www.connections.be •
– *Alost :* Kattestraat, 48, 9300. ☎ 053-70-60-50. Fax : 053-70-18-38.
– *Anvers :* Melkmarkt, 23, 2000. ☎ 03-225-31-61. Fax : 03-226-24-66.
– *Bruges :* Sint Jacobstraat 30, 8000. ☎ 050-34-10-11. Fax : 050-34-19-29.
– *Bruxelles :* rue du Midi, 19-21, 1000. ☎ 02-550-01-00. Fax : 02-512-94-47.
– *Bruxelles :* av. Adolphe-Buyl, 78, 1050. ☎ 02-647-06-05. Fax : 02-647-05-64.
– *Gand :* Nederkouter, 120, 9000. ☎ 09-223-90-20. Fax : 09-233-29-13.
– *Hasselt :* Botermarkt, 8, 3500. ☎ 011-23-45-45. Fax : 011-23-16-89.
– *Liège :* rue Sœurs-de-Hasque, 7, 4000. ☎ 04-223-03-75. Fax : 04-223-08-82.
– *Louvain :* Tiensestraat, 89, 3000. ☎ 016-29-01-50. Fax : 016-29-06-50.
– *Louvain-la-Neuve :* rue des Wallons, 11, 1348. ☎ 010-45-15-57. Fax : 010-45-14-53.
– *Malines :* Ijzerenleen, 41, 2800. ☎ 015-20-02-10. Fax : 015-20-55-56.
– *Mons :* rue de la Coupe, 30, 7000. ☎ 065-35-35-14. Fax : 065-34-79-19.
– *Namur :* rue Saint-Jean, 21-23, 5000. ☎ 081-22-10-80. Fax : 081-22-79-97.
– *St-Nicolas :* Plezantstraat 71, 9100. ☎ 03-760-00-00. Fax : 03-760-00-01.
– *Turnhout :* Grote Markt, 54, 2300. ☎ 014-43-86-86. Fax : 014-43-76-56.
– *Zaventem :* aéroport national, Airport promenade, 4th floor. 1930. ☎ 02-753-25-00. Fax : 02-753-25-03.
– *Zaventem :* Weidveldlaan 35a. ☎ 02-711-03-90. Fax : 02-711-03-99.
Au *Luxembourg :* 70, Grande-Rue, 1660. ☎ (352) 22-99-33. Fax : (352) 22-99-13.
Spécialiste du voyage pour les étudiants, les jeunes et les « Independent tra-

vellers », Connections est membre du groupe USIT, groupe international formant le réseau des USIT Connection Centres. Le voyageur peut ainsi trouver informations et conseils, aide et assistance (revalidation, routing...) dans plus de 80 centres en Europe et auprès de plus de 500 correspondants dans 65 pays.
Connections propose une gamme complète de produits : des tarifs aériens spécialement négociés pour sa clientèle (licence IATA) et, en exclusivité pour le marché belge, les très avantageux et flexibles billets SATA réservés aux jeunes et étudiants ; toutes les formules rails et, en particulier, les *Explorers Pass* (Europe, Asie, USA), les billets BIJ et l'Eurodomino ; le bus avec plus de 300 destinations en Europe (un tarif exclusif pour les étudiants) ; toutes les possibilités d'arrangement terrestre (hébergement, locations de voiture, « self drive tours », circuits accompagnés, vacances sportives, expéditions...) principalement en Europe et en Amérique du Nord ; de nombreux services aux voyageurs comme l'assurance-voyage « Protections » ou les cartes internationales de réductions (la carte internationale d'étudiant ISIC et la carte jeune Euro-26).

▲ CONTINENTS INSOLITES
– *Bruxelles :* rue de la Révolution, 1 B, 1000. M. : Madou. ☎ 02-218-24-84. Fax : 02-218-24-88.
– *En France :* ☎ 03-24-54-63-68 (renvoi automatique et gratuit sur le bureau de Bruxelles). • continents@arcadis.be • www.voyages.insolites.be •
Association créée en 1978, dont l'objectif est de promouvoir un nouveau tourisme à visage humain, Continents Insolites regroupe plus de 20 000 sympathisants, dont le point commun est l'amour du voyage hors des sentiers battus.
Continents Insolites propose des circuits à dates fixes dans plus de 60 pays, et cela en petits groupes de 7 à 12 personnes, élément primordial pour une approche en profondeur des contrées à découvrir. Avant chaque départ, une réunion avec les participants au voyage est organisée pour permettre à ceux-ci de mieux connaître leur destination et leurs futurs compagnons de voyage. Voyages encadrés par des guides francophones, spécialistes des régions visitées.
Une gamme complète de formules de voyages (demander la brochure gratuite) :
– *Voyages lointains :* de la grande expédition au circuit accessible à tous ;
– *Aventure Jeune 2000 :* des circuits pour jeunes de 18 à 31 ans ;
– *Circuits taillés sur mesure :* organisation de voyages sur mesure (groupes, voyages de noces...). Fabrication artisanale jour par jour en étroite collaboration entre le guide-spécialiste et le voyageur afin de répondre parfaitement aux désirs de ce dernier ;
– *Voyages incentive :* voyages pour les entreprises sur les traces des grands voyageurs.
De plus, Continents Insolites propose un cycle de diaporamas-conférences à Bruxelles et au Luxembourg. Les conférences de Bruxelles se déroulent à l'Espace Senghor, place Jourdan, 1040. Elles se tiennent le lundi à 20 h 15 (demander les dates exactes).

▲ DESTINATION AMERICA CONNECTIONS : rue des Pierres, 35, Bruxelles 1000. ☎ 02-550-01-50. Fax : 02-512-68-01. Ce tour opérateur propose des prestations sur l'ensemble du Canada tout particulièrement adaptées aux jeunes soucieux de leur budget.

▲ EXPRESS TOURS : De Keyserlei, 45, Anvers 2018. ☎ (03) 232-18-90. Fax : (03) 232-00-43. Ce voyagiste très connu des Anversois présente le Canada et les États-Unis dans une brochure qui met particulièrement l'accent sur le Canada ouest avec des circuits, des idées d'hébergement, des locations de voitures et de camping-car, etc.

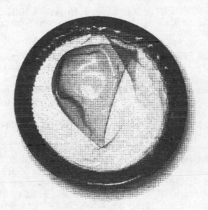

▲ **GLOBE-TROTTERS (KILROY) :** rue Victor-Hugo, 179, Bruxelles 1030. ☎ 02-732-90-70. Fax : 02-736-44-34. Vols à prix réduits. Circuits aventures à la carte : Thaïlande, USA, Canada, Japon.

▲ **JOKER**
– *Bruxelles :* bd Lemonnier, 37, 1000. ☎ 02-502-19-37. Fax : 02-502-29-23. • brussel @joker.be •
– *Bruxelles :* av. Verdi, 23, 1083. ☎ 02-426-00-03. Fax : 02-426-03-60. • ganshoren@joker.be •
– Adresses également à *Anvers, Bruges, Gand, Courtrai, Louvain, Schoten* et *Wilrijk*.
Joker est « le » spécialiste des voyages d'aventure et des billets d'avion à des prix très concurrentiels. Vols allers-retours au départ de Bruxelles, Paris et Francfort. Voyages en petits groupes avec accompagnateur compétent. Circuits souples à la recherche de contacts humains authentiques, utilisant l'infrastructure locale et explorant le vrai pays. Voyages organisés avec groupes internationaux (organismes américains, australiens, hollandais et anglais). Joker établit également un circuit de Café's pour voyageurs dans le monde entier : à Louvain (*ViaVia Joker*, Naamsesteenweg 227), à Anvers (Wolstraat 86), ainsi qu'à Yogyakarta, Dakar, Barcelone, Copan (Honduras) et Goa (Inde).

▲ **LET'S GO TRAVEL :** av. de Messidor, 203, Bruxelles 1180. ☎ 02-343-65-18. Fax : 02-346-12-44.

▲ **NOUVEAU MONDE :** rue Van Eyck, 1, Bruxelles 1050. ☎ 02-649-55-33. Fax : 02-646-43-32. Ouvert de 9 h à 18 h. Fermé le samedi (voir texte France).

▲ **NOUVELLES FRONTIERES :** n° d'appel général pour la Belgique au ☎ 02-547-44-22. • mailbe@nouvellesfrontieres.be • www.nouvellesfron tieres.com •
– *Anvers :* Nationalestraat 14, 2000. ☎ 03-213-20-20. Fax : 03-226-29-50.
– *Bruges :* Sint-Jakobsstraat 21, 8000. ☎ 050-34-05-81. Fax : 050-18-34-55.
– *Bruxelles :* (siège) bd Lemonnier, 2, 1000. ☎ 02-547-44-44. Fax : 02-547-44-99.
– *Bruxelles :* chaussée d'Ixelles, 147, 1050. ☎ 02-540-90-11.
– *Bruxelles :* chaussée de Waterloo, 746, 1180. ☎ 02-626-99-99.
– *Bruxelles :* rue des Tongres, 24, 1040. ☎ 02-738-99-99.
– *Charleroi :* bd Audent, 8, 6000. ☎ 071-30-76-46. Fax : 071-30-76-23.
– *Gand :* Nederkouter 77, 9000. ☎ 09-269-95-59. Fax : 09-224-36-47.
– *Liège :* bd de la Sauvenière 32, 4000. ☎ 04-221-56-99. Fax : 04-223-46-92.
– *Louvain :* Franz Thielemanslaan, 6, 3000. ☎ 016-31-95-20. Fax : 016-23-94-90.
– *Mons :* rue d'Havré, 56, 7000. ☎ 065-84-24-10. Fax : 065-84-15-48.
– *Namur :* rue Émile-Cuvelier, 20, 5000. ☎ 081-25-19-99. Fax : 081-22-10-37.
– *Wavre :* rue Charles-Sambon, 16, 1300. ☎ 010-24-49-40. Fax : 010-24-49-43.
Également ***au Luxembourg :*** rue des Bains, 16, L 1212. ☎ (352) 46-41-40.
30 ans d'existence, 250 destinations, 1 chaîne d'hôtels-club et de résidences *Paladien*, des filiales spécialisées pour les croisières en voilier, la plongée sous-marine, la location de voitures... Pas étonnant que Nouvelles Frontières soit devenu une référence incontournable, notamment en matière de prix. Le fait de réduire au maximum les intermédiaires permet d'offrir des prix « super-serrés ». Un choix illimité de formules vous est proposé.

▲ **PAMPA EXPLOR :** av. Brugmann, 250, Bruxelles, 1180. ☎ 02-340-09-09. Fax : 02-346-27-66. • pampa@arcadis.be •
Ouvert de 9 h à 19 h en semaine et de 9 h à 17 h le samedi. Également sur rendez-vous, dans leurs locaux ou à votre domicile.
Spécialiste des vrais voyages « à la carte », Pampa Explor propose plus de 70 % de la « planète bleue », selon les goûts, attentes, centres d'intérêt et budgets de chacun. Du Costa Rica à l'Indonésie, de l'Afrique Australe à l'Afrique du Nord, de l'Amérique du Sud aux plus belles croisières, Pampa Explor tourne le dos au tourisme de masse pour privilégier des découvertes authentiques et originales, pleines d'air pur et de chaleur humaine. Pour ceux qui apprécient la jungle et les pataugas ou ceux qui préfèrent les cocktails en bord de piscine et les fastes des voyages de luxe. En individuel ou en petits groupes, mais toujours « sur mesure ».
Possibilité de paiement par carte de crédit. Sur demande, envoi gratuit de documents de voyages.

▲ **SERVICES VOYAGES ULB**
– *Bruxelles* : campus ULB, av. Paul-Héger, 22, CP 166, 1000. ☎ 02-648-96-58.
– *Bruxelles* : rue Abbé-de l'Épée, 1, Woluwe, 1200. ☎ 02-742-28-80.
– *Bruxelles* : hôpital universitaire Érasme, route de Lennik, 808, 1070. ☎ 02-555-38-49.
Ouvert de 9 h à 17 h sans interruption du lundi au vendredi. Services Voyages ULB, c'est le voyage à l'université. L'accueil est donc très sympa. Billets d'avion sur vols charters et sur compagnies régulières à des prix hyper compétitifs.

▲ **TAXISTOP**
Pour toutes les adresses *Airstop*, un seul n° de téléphone : ☎ 070-233-188. • www.airstop.be • air@airstop.be • Ouvert de 10 h à 17 h 30 du lundi au vendredi.
– *Taxistop Bruxelles* : rue Fossé-aux-Loups, 28, 1000, Bruxelles. ☎ 02-223-23-10. Fax : 02-223-22-32.
– *Airstop Bruxelles* : rue Fossé-aux-Loups, 28, Bruxelles 1000. Fax : 02-223-22-32.
– *Airstop Bruges* : Dweersstraat, 2, Bruges 8000. Fax : 050-33-25-09.
– *Airstop Courtrai* : Wijngaardstraat 16, Courtrai 8500. Fax : 056-20-40-93.
– *Taxistop Gand* : Onderbergen 51, Gand 9000. ☎ 09-223-23-10. Fax : 09-224-31-44.
– *Airstop Gand* : Onderbergen 51, Gand 9000. Fax : 09-224-31-44.
– *Taxistop Louvain-la-Neuve* : place de l'Université, 41, 1348. ☎ 010- 45-14-14. Fax : 010-45-51-20.
– *Airstop Anvers* : Sint Jacobsmarkt, 86, Anvers 2000. Fax : 03-226-39-48.
– *Airstop Louvain* : Maria Theresiastraat, 125, Louvain 3000. Fax : 016-23-26-71.

▲ **TERRES D'AVENTURES (VITAMIN TRAVEL SPRL) :** place St-Géry, 17. Bruxelles 1000. ☎ 02-512-74-64. Fax : 02-512-69-60. Tous les types de voyage... à pied !

▲ **TOURING CLUB VOYAGES :** rue de la Loi,44, Bruxelles 1040. ☎ 02-232-22-47. Fax : 02-232-22-44. Institution bien connue, le Touring Club développe également une activité de voyagiste court, moyen et long courrier avec entre autres le Canada. Il est représenté dans 21 points de vente en Belgique.

▲ **UCPA :** rue du Marché-aux-Herbes, 82, Bruxelles 1000. ☎ (02)-511-97-83. Fax : (02) 502-82-92-53. Voir texte en France.

▲ **VTB VAB :** Sint Jacobsmarkt, 45-47, Anvers 2000. ☎ (03) 220-32-99. Fax : (03) 220-32-50. Ce tour operator propose le Canada et le Québec aussi bien l'été que l'hiver ainsi que des produits spéciaux pour les jeunes. Il possède ses propres points de vente en Flandre mais est également revendu dans de nombreuses autres agences en Belgique.

EN SUISSE

C'est toujours assez cher de voyager au départ de la Suisse, mais ça s'améliore. Les charters au départ de Genève, Bâle ou Zurich sont de plus en plus fréquents ! Pour obtenir les meilleurs prix, il vous faudra être persévérant et vous munir d'un téléphone. Les billets au départ de Paris ou Lyon ont toujours la cote au hit-parade des meilleurs prix. Les annonces dans les journaux peuvent vous réserver d'agréables surprises, spécialement dans le *24 heures* et dans *Voyages Magazine.*
Tous les tours-opérateurs sont représentés dans les bonnes agences : Hotelplan, Jumbo, le TCS et les autres peuvent parfois proposer le meilleur prix, ne pas les oublier !

▲ **ARTOU**
– *Fribourg :* 24, rue de Lausanne, 1700. ☎ (026) 322-06-55.
– *Genève :* 8, rue de Rive, 1204. ☎ (022) 818-02-00. Librairie : ☎ (022) 818-02-40.
– *Lausanne :* 18, rue Madeleine, 1003. ☎ (021) 323-65-54.
– *Sion :* 44, rue du Grand-Pont, 1950. ☎ (027) 322-08-15.
– *Neuchâtel :* 2 Grand-Rue, 2000. ☎ (032) 724-64-06.
– *Lugano :* via Pessina, 14ª. ☎ (091) 921-36-90.
Demandez leur documentation (très bien faite) et leurs tarifs spéciaux sur les billets d'avion. Une librairie du voyageur complète les prestations de chaque agence.

▲ **CLUB AVENTURE :** 51, rue Prévot Martin, 1205 Genève. ☎ (022)-320-50-80. Fax : (022)-320-59-10. (Voir texte en France).

▲ **CONTINENTS INSOLITES :** APN Voyages, 3, rue Saint-Victor, 1227 Carouge. ☎ (022) 301-04-10. (Voir texte en Belgique).

▲ **JERRYCAN :** 11, rue Sautter, 1205 Genève. ☎ (022) 346-92-82. Fax : (022) 789-43-63. Propose des séjours à thème hauts de gamme et originaux.

▲ **NOUVELLES FRONTIERES :** Voir texte en France.
– *Genève :* 10, rue Chantepoulet, 1201. ☎ (022) 906-80-91. Fax : (022) 906-80-90.
– *Lausanne :* 19, bd de Grancy, 1006. ☎ (021) 616-88-91.

▲ **S.S.R. VOYAGES**
– *Bienne :* quai du Bas 23, 2502. ☎ (032) 328-11-11. Fax : (032) 328-11-10.
– *Fribourg :* rue de Lausanne 35, 1700. ☎ (026) 322-61-62. Fax : (026) 322-64-68.
– *Genève :* rue Vignier 3, 1205. ☎ (022) 329-97-34. Fax : (022) 329-50-62.
– *Lausanne :* bd de Grancy 20, 1006. ☎ (021) 617-56-27. Fax : (021) 616-50-77.
– *Lausanne :* à l'université, bât. BF SH2, 1015. ☎ (021) 691-60-53. Fax : (021) 691-60-59.
– *Montreux :* av. des Alpes 25, 1820. ☎ (021) 961-23-00. Fax : (021) 961-23-06.
– *Nyon :* rue de la Gare 17, 1260. ☎ (022) 361-88-22. Fax : (022) 361-68-27.

S.S.R. Voyages appartient au groupe *STA Travel*, regroupant 10 agences de voyages pour jeunes étudiants et réparties dans le monde entier. Gros avantage si vous deviez rencontrer un problème : 150 bureaux *STA* et plus de 700 agents du même groupe disséminés dans le monde entier sont là pour vous donner un coup de main (*Travel Help*).
S.S.R. propose des voyages très avantageux : vols secs (*Skybreaker*), billets *Euro Train*, hôtels 1 à 3 étoiles, écoles de langues, voitures de location, etc. Délivre les cartes internationales d'étudiants et les cartes Jeunes Go 25. S.S.R. est membre du fonds de garantie de la branche suisse du voyage ; les montants versés par les clients pour les voyages forfaitaires sont assurés.

AU QUÉBEC

Revendus dans toutes les agences de voyages, les voyagistes québécois proposent une large gamme de vacances. Depuis le vol sec jusqu'au circuit guidé en autocar, en passant par la réservation d'une ou plusieurs nuits d'hôtel, ou la location de voiture. Sans oublier bien sûr, l'économique formule « achat-rachat », qui permet de faire l'acquisition temporaire d'une auto neuve (Renault et Peugeot en Europe, en ne payant que pour la durée d'utilisation (en général, minimum 17 jours, maximum 6 mois). Ces grossistes revendent également pour la plupart des cartes de train très avantageuses : *Eurailpass* (acceptée dans 17 pays), *Europass* (5 pays maximum), *Visit Pass* Europe Centrale (5 pays, mais aussi *Visit Pass* France, ou encore Italie, Espagne, Autriche, Suisse, Hollande... À signaler : les réductions accordées pour les réservations effectuées longtemps à l'avance et les promotions nuits gratuites pour la 3e, 4e ou 5e nuit consécutive.

▲ **AMERICANADA** : ce voyagiste publie différents catalogues : États-Unis/ Canada, Floride, croisières et circuits. Pour les voyageurs individuels, il offre un véritable service sur mesure, avec tous les indispensables : vols secs, sélection d'hôtels et locations de voitures.

▲ **NOUVELLES FRONTIERES - VACANCES TOUR MONT ROYAL** : comptoir service accueil, 1180, rue Drummond, H3G 2S1 Montréal. ☎ (514) 871-30-60. Ce comptoir est essentiellement réservé à la vente de billets d'avion. Pour tous les autres produits, se procurer les catalogues dans les agences de voyages.
Les deux voyagistes ont fusionné en 1998 et font désormais brochures communes : Europe, destinations soleils d'hiver et d'été, Polynésie française, croisières ou circuits accompagnés. Au programme, pour les voyageurs indépendants : locations de voitures, pass de train, bonne sélection d'hôtels et de résidences, excursions à la carte...

▲ **TOURS CHANTECLERC** : Tours Chanteclerc publie différents catalogues de voyages : Europe, Amérique, Floride, Asie + Pacifique sud, Soleils d'hiver (Côte d'Azur, Costa del Sol, Tunisie, Portugal) et golf prestige. Il se présente comme l'une des « références sur l'Europe » avec 2 brochures : groupes (circuits guidés en français) et individuels. « Mosaïques Europe » s'adresse aux voyageurs indépendants (vacanciers ou gens d'affaires), qui réservent un billet d'avion, un hébergement (toute l'Europe), des excursions, une location de voiture ou des cartes de train. Spécialiste de Paris, le grossiste offre une vaste sélection d'hôtels et d'appartements dans la Ville Lumière, que l'on peut aisément choisir sur vidéo (à demander à votre agent de voyages).

▲ **VACANCES AIR CANADA** : le voyagiste de la compagnie aérienne est surtout présent sur les destinations « soleil » (Barbade, Aruba, Jamaïque, St-Martin, St-Vincent, Ste-Lucie...). Sur le Vieux Continent, sa production est beaucoup moins importante qu'auparavant : la brochure « Europe, Irlande et Israël » offre un petit choix d'hôtels dans les grandes villes avec vols Air Canada bien sûr et locations de voiture.

▲ **VACANCES AIR TRANSAT :** filiale du plus grand groupe de tourisme au Canada, qui détient la compagnie aérienne du même nom, Vacances Air Transat s'affirme comme le 1er voyagiste québécois. Ses destinations : États-Unis, Mexique, Caraïbes, Amérique centrale et du Sud, Europe. Vers le Vieux Continent, le grossiste offre des vols secs avec Air Transat bien sûr (Paris, province française, grandes villes européennes), une bonne sélection d'hôtels à la carte, des bons d'hôtels en liberté ou réservés à l'avance, des appartements. Également : cartes de trains, locations de voitures (simple ou en achat-rachat) et de camping-cars. Original : les vacances vélo bateau aux Pays-Bas, et les B & B en Grande-Bretagne, Irlande et Irlande du Nord. Vacances Air Transat est revendu dans toutes les agences de la province, et notamment dans les réseaux lui appartenant : Club Voyages, Voyages en Liberté et Vacances Tourbec.

▲ **VACANCES ESPRIT :** ce voyagiste propose essentiellement des circuits guidés en autocar (Tunisie, Maroc, Grèce) et des séjours en hôtels ou en appartements (Espagne, Côte d'Azur, Canaries, Baléares, Tunisie, Maroc, Polynésie française). Également : brochure ski en France.

▲ **VACANCES SIGNATURE - ROYAL VACANCES :** les deux voyagistes sont désormais associés et offrent une brochure Europe estivale (France, Angleterre, Allemagne) avec vols (Royal, bien sûr), locations de voitures, cartes de train et sélection d'hôtels. Pour l'hiver, les destinations soleil ont la vedette : Mexique, Cuba, Floride, République Dominicaine, en séjours tout compris.

▲ **VACANCES TOURBEC**

– *Montréal :* 3419, rue Saint-Denis, H2X-3L2. ☎ (514) 288-4455. Fax : (514) 288-1611.
– *Montréal :* 3506, rue Lacombe, H3T-1M1. ☎ (514) 342-2961. Fax : (514) 342-8267.
– *Montréal :* 595, bd de Maisonneuve Ouest, H3A-1L8. ☎ (514) 842-1400. Fax : (514) 287-7698.
– *Montréal :* 1887 rue Beaubien Est, H2G-1L8. ☎ (514) 593-1010. Fax : (514) 593-1586.
– *Montréal :* 309, bd Henri-Bourassa Est, H3L-1C2. ☎ (514) 858-6465. Fax : (514) 858-6449.
– *Montréal :* 6363, rue Sherbrooke Est, H1N-1C4. ☎ (514) 253-4900. Fax : (514) 253-4274.
– *Montréal :* 545, bd Crémazie Est, H2M-1V1. ☎ (514) 381-7535. Fax : (514) 381-7082.
– *Saint-Laurent :* 776, bd Décarie, H4L-3L5. ☎ (514) 747-4222. Fax : (514) 747-4757.
– *Beloeil :* Mail Montenach, 600, Sir Wilfrid-Laurier, J3G 4J2. ☎ (450) 464-9523. Fax : (450) 464-9709.
– *Blainville :* 1083, bd Curé-Labelle, J7C-3M9. ☎ (450) 434-2425. Fax : (450) 434-2427.
– *Granby :* 247, rue Principale, J2G 2V9. ☎ (450) 372-4545. Fax : (450) 372-38-00.
– *île Bizard :* 11, rue Lachapelle, n° 202, H2C-1S6. ☎ (514) 620-7777. Fax : (514) 620-1100.
– *Laval :* 155-E, bd des Laurentides, H7G-2T7. ☎ (450) 662-7555. Fax : (450) 662-7552.
– *Laval :* 1658, bd Saint-Martin Ouest, H7S-1M9. ☎ (450) 682-5453. Fax : (450) 682-3095.

– *Longueuil :* 117, rue Saint-Charles, J4H-1C7. ☎ (450) 679-3721. Fax : (450) 679-3320.
– *Québec :* 30, bd René-Lévesque Est, G1R-2B1. ☎ (418) 522-2791. Fax : (418) 522-4536.
– *Repentigny :* 261, rue Notre-Dame, J6A-2R8. ☎ (450) 657-8282. Fax : (450) 657-8283.
– *Rimouski :* 23, rue Saint-Jean-Baptiste Ouest, G5L-4J2. ☎ (418) 725-5454. Fax : (418) 725-4848.
– *Saint-Basile-le-Grand :* 267, Sir Wilfrid-Laurier, J3N-3M8. ☎ (450) 461-3960. Fax : (450) 461-2033.
– *Saint-Lambert :* 2001, rue Victoria, J4S-1H1. ☎ (450) 466-4777. Fax : (450) 466-9128.
– *Saint-Romuald :* 2089, bd Rive-Sud, G6W-2S5. ☎ (418) 839-3939. Fax : (418) 839-7070.
– *Saint-Sauveur-des-Monts :* 94, rue de la Gare, J0R-1R6. ☎ (450) 227-8811. Fax : (450) 227-8791.
– *Sainte-Foy :* place des Quatre-Bourgeois, 999, rue de Bourgogne, G1W-4S6. ☎ (418) 656-6555. Fax : (418) 656-6996.
– *Sherbrooke :* 779, rue King Est, Terrasse 777, J1G-1C5. ☎ (819) 563-4474. Fax : (819) 822-1625.
– *Valcourt :* 1191, rue Saint-Joseph, J0E-2J0. ☎ (450) 532-3026. Fax : (450) 532-3353.
– *Valleyfield :* 45, rue Nicholson, J6T-4M7. ☎ (450) 377-2511. Fax : (450) 377-4221.

Montréal Infotouriste : 1001, rue du Square-Dorchester, Bureau 100, Montréal, H3B-4V4. ☎ (514) 866-3637.
Cette association, bien connue au Québec, organise des vols vers l'Europe, l'Asie, l'Afrique ou l'Amérique. Sa spécialité : la formule avion + auto. Elle offre également des forfaits à la carte et des circuits en autocar pour découvrir le Québec.

GÉNÉRALITÉS

Pour la carte générale du Canada, se reporter aux planches II-III du cahier couleur.

La mythologie du Grand Nord a encore de beaux jours devant elle. Forêts, chiens de traîneau, lacs, igloos, saumons, baleines et ours. Érables, queues de castors, bûcherons et hydravions... Cette imagerie fantasmagorique (mais vraie), aussi étroite que la terre canadienne est immense, n'a jamais été autant ancrée qu'aujourd'hui dans les esprits européens...
Les routards accourent au Canada depuis quelques années. Viennent-ils y chercher ce qui manque de plus en plus chez nous – la nature ? Ici, l'homme s'incline devant elle. Même s'il a eu à en combattre l'ardeur, il l'a toujours aimée, qu'il soit indien ou blanc. Parce que l'immensité force le respect. C'est ce respect – perdu chez nous – qui nous en impose, aussitôt débarqués au Canada.
Au point qu'on l'aime en toute saison. En hiver (destination de plus en plus courue), quand la nature revêt tout le pays de blanc ; en automne, quand les érables trouent les collines de leur palette incandescente ; au printemps, quand la douceur du ciel anime les chants et les danses des festivals de rue ; ou en été, quand les plages se découvrent et que de féeriques baleines montrent le bout de leur queue...
Bien sûr, il n'y a pas que faune et paysages au Canada : il y a les hommes et les femmes qui y vivent et en prennent beaucoup de soin, construisent des maisons aux couleurs si gaies, des villes où la culture domine... Des habitants presque toujours d'une très grande gentillesse, que vous n'aimerez pas seulement pour leur accent chantant !

Avant le départ

ADRESSES UTILES

En France

■ ***Commission canadienne du tourisme :*** 35, av. Montaigne, 75008 Paris. ☎ 01-44-43-29-00 (ne répond que de 14 h à 17 h pour les infos touristiques) et ☎ 01-44-43-25-04 (répondeur 24 h/24). Fax : 01-44-43-25-13. M. : Franklin-Roosevelt. Minitel : 36-15, code CANADA. Ouverte de 10 h à 17 h du lundi au vendredi. Très efficace et bien documentée. Une foule d'adresses utiles.
■ ***Tourisme Québec :*** ☎ 0800-90-77-77. N° gratuit d'accès direct à l'office du tourisme de Montréal. Ouvert de 15 h à 23 h (heure française). La ligne est, hélas, souvent occupée.
■ ***Destination Québec :*** ☎ 0-800-90-77-77 ou ☎ et fax : 01-44-77-87-86. • dquebec@club-internet.fr • www.bonjour-quebec.com • S'adresse aux agences de voyages. Pour tout renseignement ou toute documentation touristique sur le Québec, appelez entre 15 h et 23 h (appel gratuit, tous les jours). Minitel : 36-15, code QUÉBEC (1,29 F/mn). Pour obtenir une documentation écrite en France ou en Belgique, écrire à *Tourisme Québec,* Mercure Prest Service, BP 90, 67162 Wissembourg Cedex France.
■ ***Ambassade :*** 35, av. Montaigne,

75008 Paris. M. : Franklin-Roosevelt. Même téléphone que la Commission canadienne du tourisme.

■ ***Délégation générale du Québec :*** 66, rue Pergolèse, 75016 Paris. ☎ 01-40-67-85-00. M. : Argentine.

■ ***Centre culturel canadien :*** 5, rue de Constantine, 75007 Paris. ☎ 01-44-43-21-90. M. : Invalides. Ouvert du mardi au vendredi de 14 h à 18 h. Sur rendez-vous. À la même adresse, ***Association nationale France Canada***. ☎ et fax : 01-45-55-83-65. Bureaux ouverts de 14 h à 18 h.

■ ***Amitiés acadiennes :*** 2, rue Ferdinand-Fabre, 75015 Paris. ☎ 01-48-56-16-16. Fax : 01-48-56-19-00. M. : Convention. Ouvert du mardi au vendredi de 10 h 30 à 18 h. Fonds de documentation, petite librairie sur l'Acadie. Échanges scolaires, informations concernant les régions francophones des provinces atlantiques (Nouveau-Brunswick, Nouvelle-Écosse, île du Prince-Édouard).

■ ***France-Québec :*** 24, rue Modigliani, 75015 Paris. Petite rue piétonne à la hauteur du 126, av. Félix-Faure. ☎ 01 45-54-35-37. M. : Lourmel. Ouvert du lundi au vendredi de 10 h à 13 h et de 14 h à 17 h. 61 antennes régionales. Propose des échanges de jeunes entre les 2 pays.

■ ***Association Lil'Nord Québec :*** 53, bd Carnot (locaux *Sté Mondial Traductions*), BP 137, 59001 Lille Cedex. ☎ 03-20-13-12-72. Fax : 03-20-13-09-19. • tmondial@aol.com ou france-quebec@club.voila.fr • Son but est le développement des échanges entre la métropole lilloise et le Québec. Elle organise aussi des expos, soirées à thème, voyages...

■ ***Fédération Unie des Auberges de Jeunesse (FUAJ) :*** 27, rue Pajol, 75018 Paris. ☎ 01 44-89-87-27. Fax : 01-44-89-87-49. M. : La Chapelle, Marx-Dormoy, ou Gare-du-Nord (RER B). Ouvert de 9 h 30 à 18 h sans interruption du lundi au vendredi et le samedi de 10 h à 17 h.

■ ***Centre de coopération interuniversitaire franco-québécoise :*** université Paris-VII, tour centrale, bureau 613, 2, place Jussieu, 75251 Paris Cedex 05. ☎ 01-44-27-68-85. M. : Jussieu. Appelez pour connaître les horaires de permanence.

En Belgique

■ ***Ambassade du Canada :*** av. de Tervueren, 2, Bruxelles 1040. ☎ 02-741-06-11. Fax : 02-741-06-94. L'attaché de douane canadien pour l'Union européenne se trouve au siège de l'ambassade.

■ ***Délégation générale du Québec :*** av. des Arts, 46, 7e étage, Bruxelles 1000. ☎ 02-512-00-36. Fax : 02-514-26-41.

■ ***Centrale wallonne des auberges de jeunesse :*** voir la rubrique « carte FUAJ internationale des auberges de jeunesse » ci-après.

En Suisse

■ ***Ambassade du Canada :*** Kirchenfelstrasse 88, 3005 Berne. ☎ (31) 357-32-00. Fax : (31) 357-32-10. Adresse postale : 3000 Berne 6.

■ ***Welcome to Canada :*** Freihofstrasse 22, 8700 Küsnacht. ☎ (41) 1913-32-30. Du lundi au vendredi de 14 h à 17 h.

Formalités d'entrée

– ***Passeport*** valide. Pas de *visa* si le séjour ne dépasse pas 3 mois pour les Français, Belges et Suisses. Autres nationalités, se renseigner. Pour se rendre ensuite aux États-Unis du Canada, pas besoin d'un visa si le séjour

est inférieur à 3 mois. Demandez tout de même à l'ambassade américaine si c'est toujours vrai avant de partir...
– Quand on passe la frontière en voiture, en général, aucun problème. On vous fera remplir un questionnaire et on vous demandera en principe 6 US$ (5,5 €) par personne.
– Pas de vaccination obligatoire.

CARTE INTERNATIONALE D'ÉTUDIANT

Elle permet de bénéficier des avantages qu'offre le statut étudiant dans le pays où l'on se trouve. Cette carte ISIC donne droit à des réductions (transports, musées, logements...).

Pour l'obtenir en France

– Se présenter dans l'une des agences des organismes mentionnés ci-dessous.
– Donner un certificat prouvant l'inscription régulière dans un centre d'études donnant droit au statut d'étudiant ou élève, ou votre carte du CROUS.
– Prévoir 60 F (9,2 €) et une photo.
On peut aussi l'obtenir par correspondance (sauf au C.T.S.). Dans ce cas, il faut envoyer une photo, une photocopie de votre justificatif étudiant, une enveloppe timbrée et un chèque de 60 F (9,2 €).

■ ***O.T.U. :*** centrale de réservation, 119, rue Saint-Martin, 75004 Paris. ☎ 01-40-29-12-12. M. : Rambuteau ou Châtelet.
■ ***USIT :*** 6, rue de Vaugirard, 75006 Paris. ☎ 01-42-34-56-90. Ouverture de 10 h à 19 h.
■ ***C.T.S. :*** 20, rue des Carmes, 75005 Paris. ☎ 01-43-25-00-76. Ouverture de 10 h à 18 h 45 du lundi au vendredi et jusqu'à 13 h 45 le samedi.

En Belgique

Elle coûte environ 350 Fb (8,7 €) et s'obtient sur présentation de la carte d'identité, de la carte d'étudiant et d'une photo auprès de :

■ ***C.J.B. l'Autre Voyage :*** chaussée d'Ixelles, 216, Bruxelles 1050. ☎ 02-640-97-85.
■ ***Connections :*** renseignements au ☎ 02-550-01-00.
■ ***Université libre de Bruxelles*** (service « Voyages ») : av. Paul-Héger, 22, CP 166, Bruxelles 1000. ☎ 02-650-37-72.

En Suisse

Dans toutes les agences S.S.R., sur présentation de la carte d'étudiant, d'une photo et de 15 Fs (9,3 €).
■ ***S.S.R. :*** 3, rue Vignier, 1205 Genève. ☎ (22) 329-97-35.
■ ***S.S.R. :*** 20, bd de Grancy, 1006 Lausanne. ☎ (21) 617-56-27.

Sur internet

Les sites Internet • www.isic.tm.fr (français) et www.istc.org (international) • vous fourniront un complément d'informations sur les avantages de la carte ISIC.

CARTE FUAJ INTERNATIONALE DES AUBERGES DE JEUNESSE

Cette carte, valable dans 62 pays, permet de bénéficier des 6 000 auberges de jeunesse du réseau *Hostelling International* réparties dans le monde entier. Les périodes d'ouverture varient selon les pays et les AJ. À noter : la carte AJ est surtout intéressante en Europe, aux États-Unis, Canada, Moyen-Orient et en Extrême-Orient (Japon...). Voir aussi la rubrique « Hébergement ».

Pour l'obtenir en France

■ ***Fédération Unie des Auberges de Jeunesse (FUAJ) :*** 27, rue Pajol, 75018 Paris. ☎ 01-44-89-87-27. Fax : 01-44-89-87-10/49. M. : La Chapelle, Marx-Dormoy, ou Gare-du-Nord (RER B).

Et dans toutes les auberges de jeunesse, points d'information et de réservation FUAJ en France. • www.fuaj.org •

Sur place : présenter une pièce d'identité et 70 F (10,7 €) pour la carte moins de 26 ans et 100 F (15,2 €) pour les plus de 26 ans.
Par correspondance : envoyer une photocopie recto-verso d'une pièce d'identité et un chèque correspondant au montant de l'adhésion. Ajouter 5 F (soit 0,8 €) pour les frais de transport de la FUAJ.
On conseille de l'acheter en France car elle est moins chère qu'à l'étranger.
La FUAJ propose aussi une *carte d'adhésion « Famille »,* valable pour les familles de 2 adultes ayant un ou plusieurs enfants âgés de moins de 14 ans : 150 F (22,9 €). Fournir une fiche familiale d'état civil ou une copie du livret de famille.

En Belgique

Son prix varie selon l'âge : entre 3 et 15 ans, 100 Fb (2,5 €) ; entre 16 et 25 ans, 350 Fb (8,7 €) ; après 25 ans, 475 Fb (11,8 €).

Renseignements et inscriptions :

■ ***LAJ :*** rue de la Sablonnière, 28, Bruxelles 1000. ☎ 02-219-56-76. Fax : 02-219-14-51. • auberges.jeunesse@gate71.be • www.planet.be/asbl/aubjeun •

■ ***VJH (Vlaamse Jeugdherbergcentrale) :*** Van Stralenstraat 40, B 2060 Antwerpen, Anvers. ☎ 03-232-72-18. Fax : 03-231-81-26.

En Suisse (SJH)

Renseignements et inscriptions :

■ ***Schweiser Jugendherbergen (SH) :*** service des membres des Auberges de jeunesses suisses, Schasfhauserstr. Postfach 161, 14, 8042 Zurich. ☎ (1) 360-14-14. Fax : (1) 360-14-60 • www.youthhostel.ch • bookingoffice@youthhostel.ch •

Au Canada

■ ***Canadian Hostelling Association :*** 205, Catherine Street, bureau 400, Ottawa, Ontario, Canada K2P 1C3. ☎ (613) 237-78-84.

Au Québec (Tourisme Jeunesse)

La carte coûte 25 US$ pour 1 an, 35 US$ pour 2 ans et 175 US$ à vie (22,9, 32 et 160 €). Pour les moins de 18 ans, « carte junior » (12 US$ ou 9,2 €).
■ ***Tourisme Jeunesse :*** 4008 Saint-Denis, Montréal CP 1000, H1V 3R2. ☎ (514) 844-02-87.

Argent, banques, change

Avant tout, savoir que le Canada est un pays cher pour les routards, surtout l'hébergement. Contrairement à une idée reçue, les chambres d'hôte (gîtes du Passant et autres *B & B*) ne sont pas bon marché (200 à 300 F – 30,5 à 45,8 € – la nuit pour deux en moyenne). Et la nourriture y est plus chère qu'aux États-Unis. De plus, la majorité des parcs et musées est payante... Bref, prévoir un budget large...
– *Le **dollar canadien*** ($Ca) est différent du dollar américain. Si vous envisagez d'acheter des chèques de voyage, il est préférable de les prendre en dollars canadiens (acceptés par la plupart des commerçants).
– Sachez que les Québécois ont tendance à dire *piastre* (prononcez « piass ») pour dollar, *sous* et *cennes* pour cents. On en profite pour vous rappeler que 1 dollar canadien = 100 cents.
– Les prix affichés ne correspondent pas aux prix réels. Cela varie selon les provinces mais une ***taxe*** de 10 à 15 % majore le prix à acquitter, ainsi que le ***service*** qui n'est pas inclus dans les restos. Voir, plus loin, le chapitre « Taxes ».
– La plupart du temps, pour changer des ***chèques de voyage,*** une commission est perçue. De plus en plus de commerçants les acceptent, sans commission.
– Dans les magasins au Québec, on vous demandera souvent si vous voulez payer « cash » ou « comptant », c'est-à-dire en argent liquide.
– ***Horaires des banques :*** elles sont toutes ouvertes du lundi au vendredi de 10 h à 15 h, et la plupart les jeudi et vendredi soir jusqu'à 20 h (soirs d'ouverture tardive des magasins).

Cartes bancaires

La carte de crédit est un moyen bien pratique pour retirer de l'argent dans la plupart des banques. Bien se renseigner avant car certaines banques prennent des commissions (2 $Ca, soit 1,3 € par transaction quel qu'en soit le montant) et d'autres non. Dans certaines régions (Montréal et Québec ville, entre autres), on peut payer les séjours dans les AJ avec la carte *Visa*. La carte *MasterCard* permet d'obtenir des liquidités à la Banque de Montréal. L'une et l'autre permettent de régler des achats dans de nombreux magasins, hôtels ou restaurants, mais les cartes de crédit ne sont jamais acceptées dans les supermarchés ! Il existe également des distributeurs acceptant les deux cartes, mais une commission est systématiquement prélevée à chaque retrait.
– La carte ***Eurocard MasterCard*** permet à son détenteur et à sa famille (si elle l'accompagne) de bénéficier de l'assistance médicale rapatriement. En cas de problème, contacter immédiatement : ☎ (00-33) 1-45-16-65-65. En cas de perte ou de vol (24 h/24) : ☎ (00-33) 1-45-67-84-84 en France (PCV accepté) pour faire opposition. Sur Minitel, 36-15 ou 36-16, code EM (1,29 F/mn) pour obtenir toutes les adresses de distributeurs par pays et villes dans le monde entier. • www.mastercardfrance.com •
– Pour la carte ***Visa,*** en cas de vol ou de perte : ☎ 08-36-69-08-80 (2,23 F/mn) ou le n° communiqué par votre banque.
– Pour la carte ***American Express,*** téléphonez en cas de pépin au : ☎ 01-47-77-72-00.

Dépannage

– ***Western Union Money Transfer :*** en cas de besoin urgent d'argent liquide (perte ou vol de billets, chèques de voyage, cartes de crédit), vous pouvez être dépanné en quelques minutes grâce au système *Western Union Money Transfer*. Il faut pour cela qu'un de vos proches contacte, en France, le : ☎ 01-43-54-46-12, afin de déposer l'argent qui vous sera ensuite transmis. En cas de nécessité, renseignements au : ☎ 1-800-235-00-00.

Achats, souvenirs

– *Le sirop d'érable :* le sirop d'érable (et tous ses dérivés comme le sucre et le beurre à tartiner) est (enfin) redevenu abordable. Principales régions productrices : la Beauce, qui se proclame « pôle mondial de l'acériculture » (exploitation d'érablières), et les Bois-Francs. On peut acheter du sirop d'érable dans presque toutes les fermes et dans les magasins d'alimentation. Les plus pressés peuvent s'en procurer à Montréal (marchés), dans la région de Québec et à Saint-Jean-Port-Joli, sur le chemin de la Gaspésie, à la limite du Bas-Saint-Laurent. Si vous n'avez pas eu l'occasion d'en avoir du vrai auprès d'un producteur, achetez-le en boîte ou en bouteille. Choisissez une bonne qualité (le plus « clair » est le plus apprécié) pour ne pas vous faire refiler du « sirop de poteau », une pâle imitation à base de sirop de maïs, servie dans certains restaurants.
– *Le vin de bleuet* (du Bleuet ou Minaki) *:* apéro super, relativement bon marché. Fabriqué à partir d'une petite baie bleue, cousine de notre myrtille. À boire très frais. Produit dans la région du lac Saint-Jean, notamment à Mistassini (où se déroule un festival du bleuet, en juillet). À essayer aussi : le *ricaneux*, un vin à base de fraises et framboises produit dans la région de Chaudière Appalaches. Et encore : le *caribou*, mélange d'alcool fort et de vin rouge, que les Québécois boivent surtout pour se réchauffer durant le carnaval d'hiver de Québec, à même une gourde ou une longue cane en plastique. On peut trouver ces produits du terroir, et d'autres notamment à base de sirop d'érable, dans tous les magasins de la Société des alcools du Québec (SAQ).
– *Les bières* du cru, dont la *Maudite* et la *Fin du Monde* produites par Robert Charlebois, chanteur et désormais brasseur.
– *Les raquettes de trappeur :* comme souvenir ou cadeau. La spécialité des Indiens (surtout Hurons).
– *Les canards en bois :* pour la décoration, promis ! Pas pour la chasse...
– *Les catalognes en guenilles :* couvertures tissées avec de vieux bouts de tissu de toutes les couleurs, en bandes de 2 à 3 cm. C'est en Gaspésie (entre le parc Forillon et Percé) qu'il faut les acheter.
– *L'artisanat indien :* il est assez cher quand il est beau. On trouve des fanfreluches bon marché aussi. Achetez dans les réserves, l'argent ira directement aux Indiens et, de plus, c'est moins cher (car détaxé) ! Au choix : calumets, mocassins, statuettes, bijoux et peaux tannées.
– *Bonnes affaires :* les disques sont moins chers, de même que les vêtements (notamment les jeans), le matériel de pêche ou l'électronique (fax, ordinateurs, téléphones portables, appareils photo...). Pensez tout de même à vous faire rembourser la taxe (voir plus loin). Surveillez les soldes et promotions (largement annoncés dans les journaux), fréquents dans de très nombreux magasins et souvent hyper intéressants.

Budget

Pour vous aider à préparer votre budget et mieux cerner notre échelle de prix concernant le Canada, voici une grille indicative classée, comme dans le guide, par tranches de prix. Ce ne sont que des estimations moyennes. Comme toute estimation, elles ne prétendent nullement refléter précisément la réalité. Inutile de nous écrire une flopée d'injures si un restaurant vend des plats 3 F (0,4 €) de plus que la fourchette que nous indiquons ! En revanche, si un établissement classé par exemple dans la rubrique « Bon marché » a doublé ses prix (ou l'inverse) et n'est incontestablement plus à classer dans la tranche donnée, nous remercions par avance ceux qui auront la gentillesse de nous le faire savoir...

Hébergement

Chaque établissement est classé dans une fourchette de prix. Nous vous donnons les tarifs hors taxes que le propriétaire affiche la plupart du temps. Attention : les prix indiqués peuvent être cependant et malgré nous sujets à changement. En effet il se peut, mais c'est assez rare, que certains établissements (hôtels, motels ou chambres d'hôte) échappent, en pleine saison touristique (vacances d'été et de Noël surtout), aux tranches de prix que nous leur avons octroyées, les tarifs ayant été revus à la hausse pendant cette période...

– ***Bon marché*** (voire « Assez bon marché » quand le plancher est plus élevé) ***:*** d'environ 15 $Ca (9,7 €, 60 F) par personne (par exemple, dans certaines AJ) à 45 $Ca (29 €, 240 F) la nuit pour deux (par exemple, dans certaines chambres d'hôte moins chères que la moyenne).
– ***Prix moyens :*** à partir de 50 $Ca (38,7 €) et jusqu'à 80 $Ca (51,6 €) la nuit pour deux (c'est le cas dans la plupart des *B & B* et des motels).
– ***Plus chic :*** dès 80 $Ca (51,6 €) la nuit pour deux.

Repas

Attention, ces estimations de prix s'entendent hors taxes (ajouter environ 15 %) et sans le service (15 %). Ces menus sont de type canadien (appelés dans le pays « spécial du jour » à midi et « table d'hôte » le soir). Ce que nous appelons « plat » va du simple snack à l'assiette chaude garnie, généralement accompagnée d'une salade. Sachez que le serveur est imposé sur le service qui fait partie de son salaire. Beaucoup d'Européens ne donnent que 5 % et les restaurateurs se voient obligés de réclamer pour leur personnel... Il n'est pas possible de répertorier tous les plats proposés dans un resto et d'en donner tous les prix. Sachez que ceux indiqués équivalent à une moyenne des tarifs appliqués dans l'établissement. Ils correspondent au prix d'un menu. Vous pouvez donc vous retrouver avec une note beaucoup plus élevée si vous prenez un apéritif, du vin, ou un digestif...

– ***Bon marché :*** entre 10 et 13 $Ca (6,5 € et 8,4 €) le menu.
– ***Prix moyens :*** de 13 à 18 $Ca (8,4 € à 11,6 €) le menu.
– ***Plus chic :*** de 18 à 22 $Ca (11,6 € à 14,2 €) le menu.
– ***Très chic :*** plus de 22 $Ca (14,2 €) le menu.

Visites

Nous indiquons les tarifs par adulte, mais, dans la très grande majorité des cas, il existe des réductions pour les enfants, les étudiants (sur présentation de la carte) et les seniors ainsi que des « forfaits famille ».

Carte d'identité du Canada

– ***Superficie :*** 9 976 139 km^2 (soit près de 20 fois la France).
– ***Population :*** 29,7 millions d'habitants.
– ***Capitale :*** Ottawa.

– ***Langues officielles :*** l'anglais et le français.
– ***Monnaie :*** le dollar canadien ($Ca).
– ***Régime politique :*** démocratie parlementaire.
– ***Chef du gouvernement :*** Jean Chrétien (Premier Ministre)

Carte d'identité du Québec

– ***Superficie :*** 1 540 700 km² (3 fois la France !).
– ***Population :*** 7 millions d'habitants, dont 3 millions vivent dans la région de Montréal.
– ***Capitale :*** Québec.
– ***Langue officielle :*** le français.
– ***Monnaie :*** le dollar canadien.
– ***Régime politique :*** démocratie parlementaire.
– ***Chef du gouvernement :*** Lucien Bouchard (parti québécois souverainiste).
– ***Religions :*** catholique (90 %) et protestante.

Climat

– Il peut faire très chaud en été, mais un pull pour les soirées et un imper en cas de pluie sont nécessaires. Pas la peine de débarquer avec *moonboots* et moufles de mai à septembre ! À savoir, pour ceux qui comptent entreprendre une excursion en Zodiac pour observer les baleines : il fait très froid sur l'eau, même en été ! Donc : pulls, grosses chaussettes et écharpes.
– Voici en gros quelques indications valables pour la partie sud du pays : en mai et septembre, jours chauds mais nuits fraîches. En juin, chaud. En juillet et août, très chaud. À Montréal, les climatiseurs tournent à plein régime. En octobre, de frais à très frais. En novembre, assez froid et début du gel. En décembre, janvier et février, très très froid, avec de superbes journées ensoleillées. C'est la saison du ski, des randonnées à motoneige ou des courses en raquettes. Attention au *barbier,* ce vent qui transforme les moustaches en stalactites. En mars et avril, c'est le temps du redoux tant espéré. Si le dégel transforme généralement les villes en vaste étendue de « slush » (gadoue de neige fondue), la période n'en est pas moins souvent agréable et ensoleillée, avec, certains jours, l'ouverture providentielle des cafés-terrasses.

Hiver et contre tout

Des Québécois vous diront que leur rêve est de devenir suffisamment riches pour passer l'hiver en Floride, éviter ces mois sombres où les arbres se déguisent en chandeliers de cristal extravagants, même au cœur de Montréal, fuir ces longs mois devant lesquels, il y a bien longtemps, le pays tout entier se repliait le long des berges du Saint-Laurent en attendant la débâcle. Malgré le froid, les Québécois aiment l'hiver. Pourtant, ils sont près de 1 million à quitter leur pays à cette période, pour quelques semaines ou pour tout l'hiver (300 000 possèdent une résidence secondaire ou tertiaire là où il fait chaud) et partent « dans le Sud, au soleil, se baigner dans la mer » (Charlebois).
Pour comprendre les Québécois, il faut mesurer l'hiver. Le souvenir des hivers sans les facilités du monde moderne est encore inscrit dans la mémoire collective. Imaginez l'arrivée des colons français : vingt morts sur vingt-huit immigrants au cours du premier hiver passé sur les rives du Saint-Laurent ! Parmi eux, un certain Louis Hébert (un Parisien), resté célèbre pour avoir abattu la première « épinette » (conifère local) et tracé le premier sillon

pour tenter de donner une agriculture à la colonie. Aujourd'hui, dans un monde de chauffage central, de couvertures chauffantes électriques et d'isolation thermique, l'hiver québécois reste un défi, mais il a depuis longtemps su être apprivoisé par les habitants.

L'été indien

L'automne est ponctué par un phénomène propre au continent nord-américain : l'été indien. Après les premiers frissons, il se produit une petite semaine (parfois plus, parfois moins) de grandes chaleurs : l'ultime sursaut de l'été avant la neige. Cette extravagance de la météo déclenche chez les Québécois une sorte d'euphorie collective. La végétation suspend sa marche vers le dénuement et offre des couleurs, des nuances uniques et propres au Nouveau Monde (un spectacle célébré dans une symphonie par un immigrant illustre : Dvorák). Puis, comme la lame d'une guillotine, la neige tombe du jour au lendemain.
Si, traditionnellement, Paris se visite au printemps, le Québec, lui, se visite au moment magique de l'été indien (vers la mi-octobre). Au fait, savez-vous pourquoi on appelle ainsi cette période ? Parce que les Amérindiens d'autrefois profitaient de cette période de redoux pour s'enfoncer dans les bois et constituer des réserves.

Le (très) Grand Nord

En dehors de l'hiver, la taille du pays est là pour rappeler à l'homme qu'il n'est que peu de chose : dans sa province d'une superficie trois fois supérieure à la France (pour une population d'à peine 7 millions d'habitants), le Québécois se cherche comme une aiguille dans une botte de foin dès que l'on quitte les rives du Saint-Laurent. Là aussi se situent nos différences. Nous autres « Français de France » avons modelé notre pays comme de la pâte. Il se plie, se manipule au gré de nos désirs, à part quelques recoins comme certains sommets des Alpes ou une paire de villages corses ou bretons qui restent indomptables... et encore ! Cette facilité rappelant celle d'une femme trop soumise nourrit notre orgueil national. Nous n'aimons pas vraiment notre pays : nous en sommes fiers, comme d'un chien bien dressé. Alors que le Québécois est humble, son pays est une immensité où l'homme n'est qu'un petit point sur l'horizon. Il aime son pays comme on aime une cathédrale. Pas étonnant que l'autosatisfaction des ressortissants du Vieux Monde l'agace un tant soit peu.
Cette immensité a pourtant engendré des projets colossaux, qu'illustrent bien ces mots de Félix Leclerc : « J'ai deux montagnes à traverser, deux rivières à boire, et une ville à construire avant la nuit. » L'immense complexe de la Baie James est un incroyable défi à la géographie. Au début des années 70, le gouvernement québécois y a démarré « le projet du siècle » : en 25 ans, on y a construit 8 centrales hydroélectriques, dont 5 sur la rivière La Grande. Aujourd'hui, l'ensemble génère plus de la moitié de l'énergie produite au Québec. Imaginons le tableau : dans une région où jusqu'à présent l'hiver imposait ce silence propre aux solitudes enneigées, 17 000 hommes, par - 60 °C en hiver et + 30 °C en été, ont construit 215 digues et 11 évacuateurs de crues débitant chacun jusqu'à 16 400 m^3 d'eau à la seconde ! Un lac artificiel sept fois plus vaste que le lac Léman, bref... de la science-fiction ! Terrifiant. Les Canadiens auraient-ils oublié cette chanson de Gilles Vigneault : « Le père apprit à ses fils qu'il fallait creuser pour trouver le pays. Ses fils le prirent au mot et creusèrent... l'Indien regarda... après avoir tout retourné, les fils désemparés demandèrent à l'Indien : «Où est le pays ?» et l'Indien répondit : «Tu me l'as pris, maintenant va savoir ce que t'en as fait !»

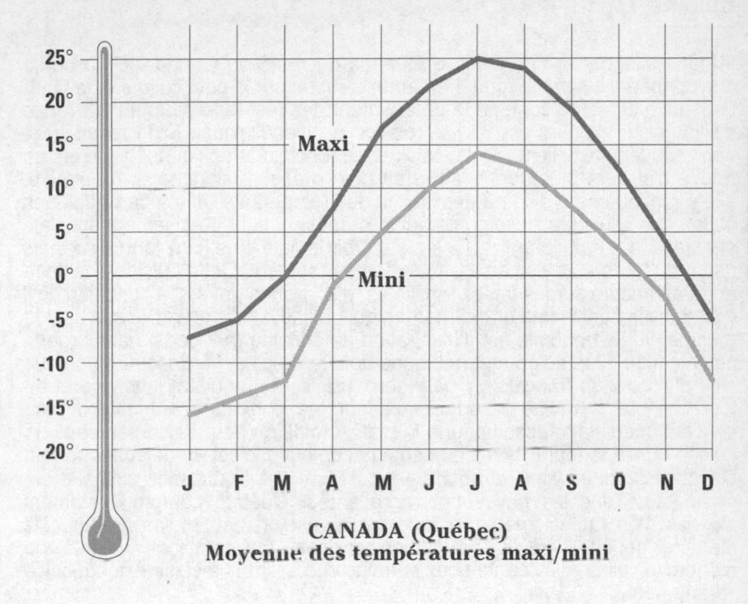

CANADA (Québec)
Moyenne des températures maxi/mini

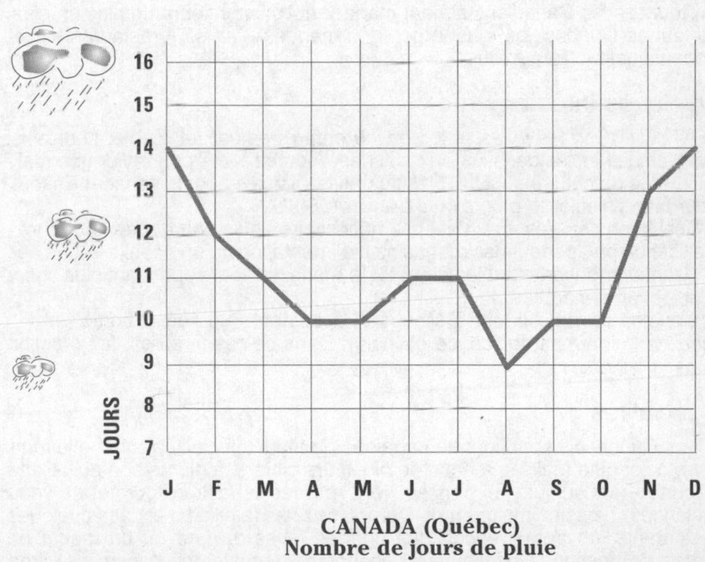

CANADA (Québec)
Nombre de jours de pluie

MOYENNE DES TEMPÉRATURES ET NOMBRE DE JOURS DE PLUIE

Cuisine

Il faut distinguer sur ce sujet le Québec du reste du Canada. Si la partie anglophone est somme toute très américanisée sur le plan culinaire, le Québec, qui n'a pas pu contenir le déferlement des fast-food (comme la France d'ailleurs), a toujours essayé de relever le niveau global. Et le résultat est bon, souvent excellent. Si la cuisine québécoise traditionnelle, qu'on ne trouve d'ailleurs plus guère, s'avérait bien grasse, calorique et roborative, elle a pratiquement disparu des cartes des restaurants (mis à part quelques plats). Les seuls établissements qui la proposent sont précisément spécialisés dans le « traditionnel ». Ces plats (voir la liste plus loin) font désormais partie du folklore et les cars de touristes en raffolent. Cette cuisine ancienne apparaît encore sur les tables familiales, aux grands jours et à condition qu'il y ait dans la famille une grand-maman qui puisse la préparer. Dans le bas de gamme, la gastronomie est d'inspiration américaine (hot-dogs, hamburgers, poulets frits). Dès qu'on met quelques dollars de plus, on découvre une cuisine d'inspiration française, plus légère, équilibrée, souvent inventive et en tout cas moins radine qu'en France sur les portions. Tant mieux. Bien souvent une salade accompagne le plat. À midi, on peut se contenter d'une quiche ou d'une tourte. Avec une salade copieuse, c'est un déjeuner parfait. Dans les grandes villes et notamment à Montréal, la diversité culinaire est étonnante. Tous les pays sont représentés. Québec compte également d'excellentes tables, même si la diversité est un peu moins grande. De manière générale, depuis quelques années, on note une volonté de recherche culinaire évidente chez certains chefs, tirant la cuisine québécoise vers le haut.
En tout cas les Canadiens aiment manger et l'on voit fleurir de plus en plus, surtout au Québec, les « auberges gourmandes » et les « restaurants gastronomiques ». Tant mieux!

Quelques infos en vrac

– ATTENTION, les *taxes* et le *service* sont rarement (et même, pour ainsi dire, jamais) inclus dans les prix affichés. Ajoutez 15 % pour avoir une meilleure idée du coût réel, plus 15 % du prix hors taxes pour le service! En tout, pour bien calculer le prix, ajoutez environ 30 %.
– Lorsqu'on est pressé, il n'est pas nécessaire de se charger de nourriture : il existe un peu partout des magasins d'alimentation qu'on appelle là-bas des *dépanneurs,* ouverts tard le soir et tôt le matin. Ils sont cependant plus chers que les supermarchés.
– Certains restos, surtout à Montréal, acceptent que l'on apporte son vin (ceux qui n'ont pas de licence d'alcool). Dans ce cas, il en est fait mention dans la vitrine.

Spécialités

– Les Québécois sont fiers de certaines de leurs spécialités comme la *tourtière,* à l'origine réalisée à base de plusieurs gibiers, à plume et à poil. Cette « tourte » est aujourd'hui plus souvent réalisée à base de porc et de veau mélangés. Très bon malgré tout. Durant les fêtes familiales et dans quelques restaurants, on trouve encore les bonnes fèves au lard ou un ragoût de pattes de cochon. Plus souvent, on pourra déguster un canard au sirop d'érable ou une gibelote de lapin au cidre (hmm...). Excellents encore, la tarte au sucre ou le pudding chômeur (avec de la cassonade ou du sirop d'érable). L'une des spécialités du Québec, mais qu'on ne peut qualifier de traditionnelle parce qu'apparue récemment, est la *poutine*. Alors là, accrochez-vous : il s'agit de frites sur lesquelles on ajoute des « crottes » de fromage, le tout nappé de sauce brune. Loin de faire l'unanimité mais à essayer au moins une fois. Sinon, les soupes sont très populaires, servies en entrée le soir dans la « table d'hôte » des restos : gratinées, aux pois, aux légumes ou aux crustacés (bisques). Elles font toujours du bien. D'autres spécialités courantes, mélange de traditions anglaises et françaises. Essayez aussi les *cretons,* sorte de terrine ressemblant aux rillettes, souvent servis au petit déjeuner. Les *sous-marins,* qu'on trouve au Québec, désignent de simples sandwiches bien garnis, et les *œufs miroirs,* des œufs sur le plat non retournés.

– À noter encore le *pâté chinois,* gratin à base de purée de pommes de terre, de maïs et de viande hachée. Sa composition n'a rien d'exotique, mais l'origine du nom correspond à une réalité historique : c'est le plat qui donnait le plus d'énergie aux nombreux travailleurs asiatiques qui ont construit la célèbre ligne de chemin de fer « transcanadienne » !

– Les îles de la Madeleine et la Gaspésie sont très connues pour leurs *homards*. Ils débarquent en mai et juin essentiellement ! Plus petits (les mauvaises langues disent aussi moins bons) que ceux de Bretagne mais nettement moins chers ! D'ailleurs, les routards ne s'y trompent pas : ils ne mangent plus que ça au Québec... De très nombreux restaurants font des promotions (genre deux pour le prix d'un), et servent des *surf and turf* (plats de homard et de viande).

– *Party d'huîtres :* on se réunit entre copains et on les déguste crues ou cuites (durant les mois en « r »). Toujours avec de la bière.

– Ceux qui auront la rare chance d'assister à une *épluchette de blé d'Inde* ne doivent pas la rater. Réunion familiale typiquement québécoise, elle ponctue la cueillette du blé d'Inde (maïs consommable par l'homme, par opposition à celui réservé au bétail) et se termine parfois par une fête. On achète de gros sacs de maïs, on fait bouillir les épis puis on les déguste avec du beurre salé... et de la bière. Après ce festin, amis et parents organisent parfois toutes sortes de jeux et de spectacles joyeux. C'est « l'fun » !

Boissons

– *Les vins* étrangers sont très chers (surtout les français). Moins chers, les vins chiliens et argentins ont beaucoup de succès. Profitez aussi des vins californiens de bonne qualité et moins chers que les français. Bonne sélection de vins dans les magasins de la Société des Alcools du Québec, mais, en cas d'urgence, on peut également en acheter chez les dépanneurs (moins de choix, plus cher et banal). Mais le Canada produit aussi du vin, essentiellement dans la péninsule de Niagara, la vallée de l'Okanagan, en Colombie britannique, et la vallée d'Annapolis en Nouvelle-Écosse. Les superficies occupent 6 500 ha, dont 85 ha seulement au Québec, mais la production est pleine d'avenir. Les Québécois apprécient de plus en plus le bon vin.

– *La bière* est beaucoup plus abordable et le Québec notamment en est un gros producteur (marques Labatt, Molson, O'Keefe...). Servies à la bouteille ou à la pression dans les bars, ces bières titrent à 5° et existent souvent en version légère. Très branchées : les (nombreuses) bières artisanales produites localement dans des « micro-brasseries », comme la Belle Gueule, la Boréale, la Chaudière, la Blanche de Chambly. La Maudite et la Fin du Monde sont excellentes. Ces deux dernières sont produites par Robert Charlebois. Quant à la Cheval Blanc, elle existe depuis près d'un siècle. Toutes ces bières artisanales sont un peu plus chères que les autres, servies en bouteille ou à la pression.

– Quant au *café*, tous les bons restaurants et cafés (ils sont légion) se sont dotés depuis plusieurs années de machines à *espresso* et *cappuccino*. Ailleurs, on sert un café filtre pas toujours génial !

– Parmi les quelques curiosités : le *vin de bleuet* (cousin de notre myrtille), qui a vaguement le goût du porto, le *whisky canadien* (Canadian Club, etc.), le *caribou* (mélange fulgurant d'alcool fort et de vin), etc.

Se méfier du vocabulaire des francophones canadiens, qui n'a rien à voir avec les termes utilisés par les Français. Les quiproquos fleurissent et sont souvent amusants...
– *Breuvage* désigne une boisson chaude ou froide, non alcoolisée.
– *Boisson* signifie boisson alcoolisée uniquement.
– *Liqueur* s'applique aux boissons gazeuses.
Quiproquo type entre une serveuse québécoise et un consommateur français :
– Monsieur, désirez-vous une liqueur?
– Non merci, je souhaiterais simplement un verre de vin rouge...
– Mais, monsieur, nous ne servons pas de boisson ici!

Décalage horaire

Quand il est 18 h en France, il est midi au Québec (donc – 6 h) et 13 h au Nouveau-Brunswick et en Nouvelle-Écosse. Petite subtilité : il est 13 h 30 au Labrador et à Terre-Neuve!

Droits de l'homme

Le Québec, comme les autres provinces du Canada, souffre des maux malheureusement commun à nombre de pays démocratiques. En janvier 1999, en effet, le « Protecteur du citoyen » (organisme équivalent en France, au Médiateur de la République) a rendu public un rapport qui dénonce la situation inquiétante des prisons au Québec. Selon Denis Langlois, rédacteur de ce rapport, « les mesures exceptionnelles de confinement ou de réclusion (sont) utilisées de manière plus répandu qu'auparavant » (cf. La Lettre de la FIDH n° 12). Plus grave encore, de nombreuses plaintes émanant de détenus font état d'un « non respect de prescription médicales, parfois même dans le cas de personnes atteintes du SIDA ». Ce durcissement des conditions de détention s'observe surtout dans les quatre établissements de grande dimension que compte le Québec. Il est étroitement lié – cause et conséquence à la fois – à un accroissement de la violence et de la surpopulation en milieu carcéral.
En 1997, les autochtones constituaient près de 3 % de la population du Canada, mais 12 % des détenus dans les prisons canadiennes (cette surreprésentation des autochtones en prison est particulièrement élevée dans certaines provinces : ainsi au Manitoba, ils représentent 55 % des admissions dans les établissements correctionnels, 72 % en Saskatchewan).
En 1996, la Ligue des droits et Libertés du Québec (LDL, affiliée à la FIDH) a rendu un imposant rapport sur toutes les formes de discriminations existantes en matière de droit des autochtones. Ces problèmes sont bien souvent liés aux traités inégaux datant du XIXe siècle.
En octobre dernier, néanmoins, le parlement canadien a entamé l'examen d'un traité liant le Canada à la tribu des Nisga'a, qui, s'il est signé, devrait ouvrir la voie à d'autres accords similaires.
Très active sur le plan des droits économiques et sociaux, la LDL a également présenté un contre-rapport au Comité des droits économiques et sociaux de l'ONU dans lequel elle dénonce le problème de la pauvreté, les coupures dans les programmes sociaux et la discrimination dans les domaines de l'emploi, de l'administration, de la justice, de l'éducation, etc.

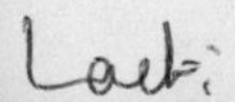

■ ***La Fédération Internationale des Droits de l'homme :*** 17, passage de la Main-d'Or, 75011 Paris. ☎ 01-43-55-25-18. Fax : 01-43-55-18-80. • fidh@csi.com • www.fidh.imaginet.fr •

■ ***Amnesty International*** (section française) : 76, bd de la Villette, 75019 Paris. M. : Belleville. ☎ 01-53-38-65-65. Fax : 01-53-38-55-00. • admin@amnesty.asso.fr • www.amnesty.asso.fr (site français) ou www.amnesty.org (site anglais). Minitel : 36-15, code AMNESTY.

Électricité

La tension électrique étant de 110 volts alternatif et les prises de type américain, munissez-vous d'un adaptateur-transformateur international si besoin est.

Fêtes et jours fériés

- Congés du Nouvel An (1er et 2 janvier).
- Vendredi saint.
- Lundi de Pâques.
- Fête de Dollard-des-Ormeaux, officier français tué par les Iroquois ; le même jour, fête de la Reine (3e lundi de mai).
- Fête nationale du Québec (24 juin).
- Fête nationale de la Confédération (1er juillet).
- Fête du Travail (1er lundi de septembre) : date charnière puisque, au-delà de la fête, de nombreux musées et attractions du pays adoptent des horaires restreints ou sont carrément fermés. Si vous voyagez après cette date, il est bon de vérifier les horaires auprès des offices du tourisme. Attention, ce week-end-là, beaucoup d'hôtels et de *Bed & Breakfast* sont complets car les Québécois en profitent pour voyager. Alors, pensez à réserver !
- Action de grâces (2e lundi d'octobre).
- Congés de Noël (25 et 26 décembre).

Forêt québécoise

La forêt québécoise constitue 20 % du territoire forestier canadien et comprend 4 zones de végétation du sud au nord : feuillue mélangée (sapins et bouleaux jaunes), boréale (épinettes, sapins et bouleaux blancs), taïga et toundra. La production forestière, qui emploie directement et indirectement 200 000 personnes, est exportée à 28 % et représente environ 20 % de la valeur des exportations. Plus de cinquante espèces d'arbres sont recensées, aucune n'est menacée à l'exception de l'orme, comme partout en Amérique. On constate un dépérissement des érables, dont on ne connaît pas encore bien la cause.
Le gouvernement québécois gère 90 % des ressources forestières. Depuis la loi de 1986, les coupes sont sévèrement réglementées. Il est en principe interdit de toucher aux lisières des lacs et des cours d'eau. L'auteur interprète Richard Desjardins a réalisé, en 1998, un documentaire choc (Office national du Film) intitulé « L'erreur boréale », qui traite de la déforestation au Québec... À voir absolument (disponible en vidéo) !

Handicapés

Pays très bien équipé en général. La France pourrait prendre exemple... Attention toutefois, certains *B & B*, dans les maisons anciennes notamment, ne sont pas vraiment adaptés, contrairement aux motels.

Hébergement

Ici, tout se négocie, surtout le prix des chambres. Il est très fréquent que les hôteliers accordent des réductions, en particulier si vous arrivez en fin de journée et si vous payez en liquide.

Auberges de jeunesse

Les AJ canadiennes sont dans l'ensemble formidables (chaleureuses, mixtes, sans corvées...). Vous y obtiendrez des tas de renseignements sur la région où vous séjournez. C'est un peu un office de tourisme *bis* local. De plus, elles sont moins chères que les terrains de camping ! D'ailleurs, on peut souvent y camper. Malheureusement, des mesures d'austérité ont provoqué la fermeture d'un certain nombre d'entre elles... On ne sait jamais : vérifiez tout de même si celles que nous indiquons existent encore !
Info pratique : nous avons noté les prix pour une personne.
La carte de membre (genre FUAJ) est désormais obligatoire pour les Européens qui doivent se la procurer au coût de 25 $Ca (16,1 €) + taxes, à moins qu'ils n'achètent un timbre pour chaque nuit au coût de 4 $Ca (2,6 €) + taxes : après 6 nuits, on leur remettra alors une carte. Mais ceci ne vaut que pour les provinces anglophones. Au Québec, ce système de carte n'est pas obligatoire. Les AJ acceptent tout le monde sans limite d'âge.
N'oubliez pas de rendre visite à nos amis du *Regroupement Tourisme Jeunesse* (représentant officiel des AJ du Québec), qui édite une revue pleine d'infos pour les routards *(Temps Libre)*, vend la carte de membre et prend les réservations, entre autres services : 4545, av. Pierre-de-Coubertin, C.P. 1000, succursale M, Montréal H1V-3R2. ☎ (514) 252-3117. À Ottawa : *Hostelling International,* 400-205 Catherine Street. ☎ (613) 237-7884.
Voir aussi la rubrique «Avant le départ».
– Il n'y a pas de limite d'âge pour séjourner en AJ sauf en Bavière (27 ans). Il faut simplement être adhérent.
– La FUAJ (association à but non lucratif, eh oui ça existe encore) propose trois guides répertoriant les adresses des AJ : France, Europe et le reste du monde, payants pour les deux derniers.
– La FUAJ offre à ses adhérents la possibilité de réserver depuis la France, grâce à son système IBN (International Booking Network) 6 nuits maximum et jusqu'à 6 mois à l'avance, dans certaines auberges de jeunesse situées en France et à l'étranger (la FUAJ couvre près de 50 pays). Gros avantage, les AJ étant souvent complètes, votre lit (en dortoir, pas de réservation en chambre individuelle) est réservé à la date souhaitée. Vous réglez en France, plus des frais de réservation (environ 17 F, soit 2,6 €). L'intérêt, c'est que tout cela se passe avant le départ, en français, et en francs ou en euros ! Vous recevrez en échange un reçu de réservation que vous présenterez à l'AJ une fois sur place. Ce service permet aussi d'annuler et d'être remboursé. Le délai d'annulation varie d'une AJ à l'autre (comptez 33 F, soit 5 € pour les frais).
– *Paris :* FUAJ, centre national, 27 rue Pajol, 75018. ☎ 01-44-89-87-27. Fax : 01-44-89-87-49/10. M. : Marx-Dormoy, Gare-du-Nord (RER B et D) ou La Chapelle. Serveur vocal : ☎ 08-36-683-693 (2,23 F/mn soit 0,3 €).
• www.fuaj.org •

– *Paris :* AJ D'Artagnan, 80, rue Vitruve, 75020. ☎ 01-40-32-34-56. Fax : 01-40-32-34-55. • paris.le-dartagnan@fuaj.org • M. : Porte-de-Bagnolet.

Hôtels et motels

Les *hôtels* ressemblent à ceux qu'on trouve aux États-Unis : confortables, fonctionnels mais ne dégageant aucune chaleur.
Dans les gares routières de toutes les grandes villes se trouvent des panneaux avec téléphone directement relié à des hôtels dont la présentation est faite sous forme d'affichettes. Certains gérants d'hôtels ou de motels offrent le prix de la course en taxi de la gare routière à l'hôtel.
Quant aux *motels,* ils sont parfois bien utiles. Pas dans les grandes villes, bien sûr, car ils se situent toujours en périphérie. Mais dans la cambrousse, chaque patelin a son motel. Si on le déconseille au routard solo, parce que c'est cher, il faut bien reconnaître qu'à partir de trois l'hébergement en motel est très intéressant (à quatre, cela revient parfois moins cher qu'en AJ). À noter aussi que les prix sont plus bas à partir de septembre.
Attention : en règle générale, dans les hôtels, gîtes ou restaurants, les chiens ne sont pas toujours acceptés.

Résidences d'étudiants

Attention, l'hébergement dans les universités l'été n'est pas forcément une bonne solution. Les facs sont souvent éloignées du centre (nous l'indiquons quand c'est le cas) et les piaules ne sont pas vraiment bon marché. L'intérêt, c'est qu'elles possèdent souvent une cuisine collective et que l'on y trouve des chambres confortables, souvent avec salle de bains.

Gîtes, *B & B*, chambres d'hôte

Pour les plus fortunés (les routards de l'*establishment*), nous conseillons les *Bed & Breakfast* (*Couette et Café* au Québec) plutôt que l'hôtel. Dans tout le pays, il existe une kyrielle d'associations sympas qui s'occupent de loger les voyageurs dans de chouettes familles où l'accueil et la convivialité le disputent à l'abondance du petit déjeuner (compris dans le prix). À prix égal par rapport à l'hôtel, n'hésitez pas. Cependant, vous comprendrez qu'il faut aussi respecter la vie de vos hôtes et que vous n'aurez pas les mêmes rapports avec eux qu'avec le personnel d'un hôtel. Ce sera d'ailleurs mille fois plus sympa ! Pour réserver, passez vos coups de fil à l'office du tourisme. Si nos adresses sont complètes, ils en ont d'autres.
Au Québec, les *Gîtes du Passant* ne sont pas une appellation générale pour les chambres d'hôte mais une enseigne réputée (et recherchée), attribuée par l'Association *Agricotours,* qui contrôle régulièrement les adresses. Pour avoir droit à l'appellation, il faut obéir à de sévères critères de sélection : propreté, confort, sécurité, qualité de l'accueil, etc. Autant dire que chaque *Gîte du Passant* est une adresse de qualité ! Les prix ne sont pourtant pas forcément plus élevés que ceux des autres *B & B*. Nous en indiquons bien sûr de nombreux au Québec, mais il y en a beaucoup d'autres, tout aussi sympas...
On peut se procurer dans certains offices du tourisme le petit bouquin édité par l'association, qui recense toutes les adresses en les situant sur des cartes. Le guide des *Gîtes du Passant* (*B & B,* gîtes à la ferme, maisons de campagne et de ville, promenades à la ferme, tables champêtres) est disponible en France dans les grandes librairies. Il existe enfin une autre association, très sérieuse elle aussi, celle des *Gîtes classifiés,* du Québec et du Nouveau Brunswick • www.gîtes-classifiés.qc.ca • Carte des Gîtes classifiés diffusée gratuitement. Classification sybolisée par des cœurs.
Info pratique : le prix d'une nuitée en gîte est indiqué pour deux personnes. La plupart des gîtes appliquent une taxe de 15 %. Certains possèdent moins de chambres, et de ce fait n'ont pas de tarifs taxés.

■ ***Agricotours :*** 4545, av. Pierre-de-Coubertin, C.P. 1000, succursale M, Montréal GC, H1V-3R2. ☎ 252-3138.

■ ***Gîtes classifiés :*** 808, Bellevue Ouest, route 132, Les Méchins, Québec, CANADA GOJITO. ☎ et fax : (418) 729-3483 • aggite@gites-classifés.qc.ca • Vous pouvez y obtenir gratuitement la carte des Gîtes classifiés. Également site Internet « Nos gîtes en photo » • www.gites-classifés.qc.ca. •

Campings

L'un des pays les mieux organisés pour le camping, même si l'on ne voit pas bien pour quelle raison un certain nombre d'entre eux sont fermés à partir de la fête du Travail (en septembre). Grands espaces préservés et isolés, tables en bois, propreté du site... la liste n'est pas complète. Assez souvent, chaque emplacement dispose d'un foyer pour faire des feux de bois, celui-ci étant vendu à l'accueil des campings. La plupart des campings disposent de lave-linge séchants, d'abris ou de salles aménagées en cas d'intempéries. Les parcs nationaux possèdent plusieurs campings régis selon les mêmes règles.

Les prix sont modestes et varient un peu selon l'emplacement, la présence de douches, de l'électricité... On paie par emplacement entre 50 et 80 F (7,6 et 12,2 €), soit une tente, une voiture et 4 personnes (dont 2 enfants, en principe, mais à 4 adultes dans la même tente, ça passe). Les places sont en nombre limité, ce qui évite la foule. Mais il est conseillé de réserver en été... Dans certains campings très retirés, on paie grâce à un système d'enveloppe à déposer dans une boîte. Un *ranger* vient plus tard faire les comptes. Très pratique.

Attention, en mai-juin, il fait encore très froid pour camper. Pour ceux qui veulent être en pleine nature sans forcément dormir sous la tente, plusieurs campings louent des « mini-chalets », avec ou sans sanitaires, mais généralement équipés de vaisselle, plaques chauffantes, et barbecue extérieur.

Enfin, dernier détail : se munir de « Muskol » ou de « Région Sauvage », produits miracles pour lutter contre mouches et moustiques.

La liste des campings, avec localisation sur des cartes, est disponible (par province) dans les offices du tourisme. Un guide regroupant toutes les provinces est également disponible à l'office du tourisme de Montréal.

Échange de résidence

■ ***Intervac :*** 230, bd Voltaire, 75011 Paris. M. : Boulets-Montreuil. ☎ 01-43-70-21-22. Fax : 01-43-70-73-35. • www.intervac.org • Cet organisme international propose une formule originale d'échange de logement : pour un prix raisonnable, il intégrera votre annonce avec une photo de votre maison dans 5 catalogues (au choix). Ensuite, à vous de choisir, par l'intermédiaire de ces mêmes catalogues, le logement de vos rêves. Une solution pratique, sympathique et généralement assez économique.

■ ***Vacances Amitiés Internationales :*** 2242, Cartier, Montréal. Fax : (514) 525-0115. Envoie à ses clients l'adresse d'une personne ou famille qui accepte de faire avec eux soit l'expérience de l'hospitalité réciproque, soit l'échange de sa résidence principale ou secondaire. Écrire ou faxer à V.A.I., qui envoie un questionnaire, avec les conditions (400 F de forfait, soit 60,9 €). Vous pouvez également laisser vos coordonnées par téléphone à Paris.

Institutions

Les citoyens canadiens élisent un parlement fédéral et, dans chaque province, un parlement provincial qui s'occupe de tout ce qui n'implique pas de grands choix nationaux. Jusqu'en 1993, aux élections fédérales, deux grands partis politiques dominaient : le parti libéral (modéré et réformiste) et le parti progressiste conservateur (vous noterez le paradoxe). Le scrutin fédéral de 1993 a bouleversé le jeu du bipartisme de façon spectaculaire : le parti conservateur a été laminé et l'on a assisté à l'émergence de deux partis « régionalistes » : le Reform Party (originaire de l'Ouest, populiste et ultraconservateur) et le Bloc Québécois (parti « souverainiste » qui prône l'indépendance du Québec). Les élections fédérales de 1997 ont confirmé ces résultats : le premier ministre libéral Jean Chrétien a été réélu pour un second mandat et les deux partis « régionalistes » sont toujours présents en force. À cette différence près : c'est désormais le Reform Party qui est le parti d'opposition officielle à Ottawa, et non plus le Bloc Québécois.

Langue

L'anglais et le français sont tous deux langues officielles au Canada. Mais le français est la seule langue officielle au Québec depuis 1977. Voici une petite liste d'expressions que l'on peut entendre de la bouche des Québécois. Attention, selon les villes ou les campagnes ces expressions diffèrent énormément. À Montréal ou au Québec, nombre de gens nous ont dit ne pas en connaître certaines. Pourtant dans Charlevoix ou en Gaspésie, on pourra les entendre. Toutes ne sont donc pas présentes partout, certaines ne sont même plus guère utilisées aujourd'hui, mais la plupart sont encore de mise, quelque part. Enfin, ne soyez pas surpris si un restaurateur, un marchand, ou même... un policier vous tutoie : au Québec, sachez-le, le tutoiement est roi.

- *Charger :* faire payer.
- *C'est dispendieux :* c'est cher.
- *C'est dull :* c'est ennuyeux.
- *Présentement :* maintenant.
- *Jaser, placoter :* bavarder.
- *Chum* (prononcer « tchom ») : petit ami.
- *Blonde :* petite amie.
- *Peinturer au fusil :* peindre au pistolet.
- *Bicycle à gazoline :* moto.
- *Un dépanneur :* épicier ouvert quasiment tout le temps, qui vend des produits de première nécessité (souvent contigu à une station-service).
- *Virer dans le beurre :* tourner à vide (moteur).
- *Prendre une brosse :* prendre une cuite.
- *Être paqueté* ou *chaud :* être soûl.
- *Se taper une broue :* se payer une bière.
- *Être en crisse* ou *en maudit :* être en colère.
- *Courir la galipote :* faire la fête.
- *Le mal de bloc :* le mal de tête.
- *De quoi c'est que tu parles? :* de quoi parles-tu?
- *Ils voudront-tu venir :* le *tu* indiquant la forme interrogative.
- *C'est l'fun* (prononcer « fone ») *:* c'est super.
- *Mêlant :* compliqué.
- *Toffe :* pénible; *un toffe :* un dur, un costaud.

– *Déjeuner :* petit déjeuner.
– *Dîner :* déjeuner.
– *Souper :* dîner.
– *Cannes :* conserves.
– *Chaudron (ou chedronne) :* casserole.
– *Suce :* tétine.
– *Suçon :* sucette.
– *Un bec :* un petit baiser.
– *Breuvage :* boisson non alcoolisée.
– *La renverse, le reculon :* la marche arrière.
– *Peser sur le gaz :* appuyer sur l'accélérateur.
– *Souffler un tire :* gonfler un pneu.
– *Une congestion :* un embouteillage.
– *Char :* voiture.
– *Une roulotte :* une caravane.
– *Lumières :* feux tricolores.
– *VTT :* ce n'est pas un vélo, mais un véhicule tout-terrain motorisé à 4 roues.
– *Faire du pouce :* faire de l'auto-stop.
– *Être badlucké :* être malchanceux.
– *Être branleux :* être indécis.
– *J'ai mon voyage :* j'en ai marre.
– *Ç'a pas d'allure, ç'a pas de bon sens* (prononcer « sans ») : ne pas avoir la classe.
– *Une bonne toune :* un bon morceau de musique.
– *C'est heavy :* presque incroyable.
– *C'est au boutte :* c'est le pied.
– *S'essayer :* tenter sa chance.
– *Crouser :* draguer.
– *S'enfarger :* buter dans quelque chose.
– *Magasiner :* faire des courses.
– *Barrer la porte :* fermer la porte à clé.
– *S'acoter :* vivre en concubinage.
– *Une agace-pissette :* une allumeuse.
– *C'est bon en maudit* ou *en titi :* c'est très bon.
– *C'est pas pire :* c'est pas mal.
– *Y mouille :* il pleut.
– *Faire le train :* traire les vaches.
– *Il va passer au feu :* il va brûler.
– *J'aime pas chauffer dans la noirceur :* je n'aime pas conduire de nuit.
– *Sacrer son camp :* foutre le camp.
– *La sloche :* la sale neige fondue.
– *Un ruine-babines :* un harmonica.
– *Tabarnak* ou *crisse* (de « Christ »), ou *hestie* (hostie) ou *calvaire*... (lorsque les Québécois sont en colère, ils peuvent conjuguer chacun de ces blasphèmes avec des variantes très imaginatives !) *:* merde.
– *Deux de pique :* entendez par là que l'on ne vous aime pas beaucoup... c'est l'injure suprême.
– *Tabagie :* bureau de tabac.
– *Courir les érables :* faire la tournée d'érables pour en recueillir la sève ; notez que l'on dit souvent « une belle érable ».
– *C'est coulant :* se dit d'une route glissante.
– *Avoir un kick* ou *avoir le kick sur :* avoir le béguin pour quelqu'un.
– *Astheure :* maintenant.
– *Beurre de pinotes :* beurre d'arachides (de *peanuts :* cacahuètes).
– *C'est tiguidou :* c'est super.
– *Chialer :* se plaindre.
– *Frapper* (ou *pogner*) *un nœud :* tomber sur un os.

– *Icitte :* on le dit parfois pour « ici ».
– *Joual :* argot québécois (vient du mot « cheval »).
– *Robineux :* ivrogne.
– *Être fucké :* être mélangé, sentir que ça ne tourne pas rond; se dit aussi pour tout un tas de choses, par exemple : *avoir fucké son char.*
– *Menteries :* mensonges.
– *Niaiseux (niaiseuses) :* bête, stupide (« maudit niaiseux ») ou facile à faire.
– *Niaise-moi pas :* ne me fais pas marcher, ne te fous pas de moi.
– *Boutique de sexe :* sans commentaire.
– *Se faire passer un sapin :* se faire avoir.
– *Entreprise de débosselage :* carrossier.
– *Tannant :* fatigant; *être tanné :* en avoir assez.
– *T'as pas d'affaire à faire ça :* tu ne dois pas faire ça.
– *Pogner :* avoir du succès (avec les filles ou les garçons) ; *pogner les nerfs :* s'énerver.

Faux-amis

Les *claques,* qui ne sont que les couvre-chaussures, et les *gosses* (les mecs en ont deux, comme papa, mais ce ne sont pas des jumeaux). Donc, ne jamais dire, même si vous êtes éducateur, que vous aimez jouer avec les gosses.
D'autres faux-amis, tout aussi amusants : *se faire emmancher* (se faire avoir), *brassière* (soutien-gorge). Dans un autre genre : *malin* veut dire méchant, *fin* s'utilise pour gentil, et *poche* pour nul. *Être cassé* ne veut pas dire être fourbu ou avoir trop fumé mais tout simplement être fauché. Et *c'est écœurant* signifie... que l'on adore! Pour rester dans le même domaine, sachez que la *turlute* n'est pas ce que l'on imagine mais une onomatopée musicale (*cf.* la chanson « Tam ti delam » de Gilles Vigneault), que les *bibites* sont des insectes, qu'*être chaud* ne veut pas dire être « en forme » mais soûl. Enfin, *être bourré* signifie avoir trop mangé, et *être choqué,* être fâché.

Quelques petits conseils pour finir...

N'essayez pas d'utiliser ces termes en imitant l'accent (en général, les Québécois détestent). Vous ne réussirez jamais à l'imiter parfaitement (nous, Français, avons la fâcheuse tendance à prendre l'accent belge ou des campagnes françaises, et cela n'a strictement rien à voir).
Si vous voulez en savoir plus, il existe des dictionnaires de langue québécoise. Notamment : *Dictionnaire des canadianismes,* de Gaston Dulong, Larousse Canada (1989; disponible en France); *Dictionnaire pratique des expressions québécoises,* d'André Dugas et Bernard Soucy, Montréal, Éditions Logiques (1991); *Dictionnaire québécois d'aujourd'hui,* Dico Robert (1992; disponible en France).

Livres de route

– ***Voyages au Canada*** (1565 et 1612), de Jacques Cartier; récit de voyage. La Découverte Poche : La Découverte n° 35 (272 p.). Cartier s'est rendu plusieurs fois au Canada sur ordre du roi; les voyages relatés ici furent effectués entre 1502 et 1543, et concernent essentiellement Terre-Neuve, l'embouchure du Saint-Laurent et l'actuel Québec. Cartier n'est pas un écrivain, c'est un aventurier; son témoignage est brut, sans fioritures.
– ***Les Chroniques du Plateau-Mont Royal*** (six tomes édités entre 1978 et 1977), de Michel Tremblay. Chez Babel et Léméac/Actes-Sud. De « La grosse femme d'à côté est enceinte » à « Un objet de beauté », une plongée captivante et savoureuse dans le Montréal des années 50, en compagnie de l'un des plus grands auteurs québécois. À lire aussi, du même auteur : *Un ange cornu avec des ailes de tôle, Le cœur découvert, C't'à ton tour Laura Cadieux...*

GÉNÉRALITÉS

– ***Les Derniers Rois de Thulé*** (1955), de Jean Malaurie ; ethnographie. Plon Poche : Presses-Pocket n° 3001 (655 p.). À mi-chemin entre le récit de voyage et l'essai ethnographique, cet ouvrage témoigne des civilisations en mouvement. Au cours de plusieurs missions et hivernages, Jean Malaurie a partagé la vie des derniers Esquimaux, au moment crucial où leur société archaïque était soumise au choc de la modernité.
– ***Les Fous de Bassan*** (1984), d'Anne Hébert ; roman. Le Seuil Poche : Points-Roman n° 141 (248 p.). Une poignée de loyalistes, restés fidèles au gouvernement anglais durant la guerre d'Indépendance, émigrent vers une terre côtière, située entre cap Sec et cap Sauvagine, où les autorités canadiennes leur concèdent un droit de chasse et de pêche. Ce lieu providentiel, baptisé Griffin Creek par une communauté fervente, cache en vérité une fureur sauvage derrière son aura sacrée.
– ***Aventures dans le commerce des peaux en Alaska*** (1986), de John Hawkes ; roman. Le Seuil Poche : Points-Roman n° R308 (497 p.) ; traduit par M. Doury. Le roman de John Hawkes est une version satirique des grands récits historiques et initiatiques sur l'aventure du Grand Nord. La narratrice, une prostituée, raconte l'épopée de son père, Oncle Jack, émigré de souche française parti en quête d'un Alaska fantasmatique.
– ***La Route bleue*** (1983), de Kenneth White ; récit. Grasset Poche : Le Livre de Poche n° 5988 (191 p.) ; traduit par M.-C. White. Kenneth White, membre de la horde des voyageurs-voyants, couve un vieux rêve de trente ans : suivre le chemin ascensionnel vers le plateau désolé du Labrador, dans un voyage doublement initiatique de renaissance et de reconnaissance. *La Route bleue* mène aux réalités lumineuses que notre civilisation d'aujourd'hui a escamotées.
– ***Red Fox*** (1986), d'Antony Hyde ; polar. Le Seuil Poche : Points-Roman n° R277 (413 p.) ; traduit par F. et G. Casaril. C'est à Halifax, petite ville portuaire à l'est du Canada, qu'arrive Robert Thorne, un journaliste spécialiste de la Russie, à la recherche d'un riche importateur de fourrures qui a subitement disparu. Son enquête va l'entraîner bien plus loin qu'il ne le pensait, et l'amènera à remonter dans le passé, jusqu'aux débuts de la révolution russe.
– ***Une enfance à l'eau bénite*** (1985), de Denise Bombardier ; autobiographie. Le Seuil Poche : Points-Roman n° R387 (220 p.). Denise Bombardier, journaliste à la télévision, nous fait revivre son enfance et son adolescence, dans les années 1940-1950, au sein d'une famille de Canadiens français de Montréal. Enfance triste, douloureuse, dans un univers clos qui subit l'humiliation face à la réussite et à la vénération de l'argent.
– ***L'Appel de la forêt*** (1903), de Jack London ; roman. Presses de la Cité Poche : 10/18 n° 827 (442 p.) ; traduit par F. Lacassin. C'est l'histoire d'un chien, dans l'Alaska de la fin du XIXe siècle, vendu à des chercheurs d'or du Klondike. Il éprouvera après la mort de ceux-ci l'appel de la forêt, et partira rejoindre les loups, ses frères sauvages, dans les montagnes.
– ***Maria Chapdelaine*** (1914), de Louis Hémon ; roman. Grasset Poche : Presses Pocket n° 1770 (185 p.). Maria Chapdelaine fait partie d'une famille de paysans. Elle est tombée amoureuse d'un jeune homme qui est obligé de partir au loin, mais lui promet de revenir. Elle l'attend, ignorant qu'il est mort dans une tempête de neige. Ce roman a constitué pendant longtemps l'un des points de repère de la littérature sur le Canada.
– ***Prise de bec au Québec*** (1999), de Hervé Mestron. Éditions Hachette, collection Le Polar du Routard, 31 F (4,7 €). Puisque vous partez au Québec, pourquoi ne liriez vous pas ce roman, de notre nouvelle collection, « Le Polar du Routard », qui met en scène Edmond Benakem, un jeune reporter du guide. Edmond, à la découverte du Québec, se retrouve happé dans un imbroglio où son job passe au second plan, pour sauver Marjolaine, une jeune écorchée vive, chanteuse de son état. On découvre ainsi Québec et Montréal *by night*.
– ***Le Matou*** (1982), de Yves Beauchemin. Julliard et Pocket (au Québec :

chez Québec Amérique). Une histoire abracadabrante, pleine d'humour et de fantaisie, qui se déroule à Montréal, et notamment à la désormais célèbre Binerie Mont Royal. À lire aussi, du même auteur : *Juliette Pomerleau.*

Librairies

Deux bonnes adresses à Paris :

■ ***Librairie du Québec :*** 30, rue Gay-Lussac, 75005. ☎ 01-43-54-49-02. RER : Luxembourg. Ouvert de 9 h 30 à 19 h tous les jours, et jusqu'à 21 h le jeudi. Fermée le dimanche. Plus de 8 000 ouvrages représentant l'édition québécoise et qui incluent des traductions d'ouvrages canadiens anglais ; toutes commandes possibles. Accueil très sympa.

■ ***Librairie canadienne :*** *Abbey Book Shop,* 29, rue de la Parcheminerie, 75005. ☎ 01-46-33-16-24. Fax : 01-46-33-03-33. M. : Saint-Michel. Cartes routières, cartes de rando également disponibles.

Musique, danse

Dans le Canada anglais, les boîtes de nuit sont ouvertes aux plus de 19 ans seulement.

Offices du tourisme

Pas difficiles à repérer dans le pays : ils sont signalés par un « ? ». Ils sont tout bonnement géniaux. L'accueil est la plupart du temps chaleureux. Le personnel est compétent, parle le français (même à l'extérieur du Québec) ; ils fournissent cartes, plans des villes, infos générales, mini-guides régionaux (très utiles), adresses de gîtes et campings... et tout cela gracieusement. Un peu plus, ils nous feraient pointer à l'ANPE !
Se procurer pour chaque région le « Guide touristique » extrêmement bien fait, très complet, et réédité chaque année. Il en existe pour Montréal, la région de Québec, le Bas-Saint-Laurent, Charlevoix, la Gaspésie... Très clairs et bien utiles. Avoir cependant en tête que ces guides sont promotionnels et que les annonces sont payantes.

Parcs nationaux et provinciaux

Actuellement, il y a plus de 30 parcs nationaux sur le territoire canadien, ainsi que de nombreux parcs provinciaux dépendant des gouvernements locaux. Les parcs ont pour objectif d'assurer la protection des ressources naturelles (faune et flore), tout en permettant au visiteur de découvrir les richesses de la nature. Mission accomplie lorsque l'on voit la qualité des services mis en place dans chaque parc. Au Québec, dans les centres d'accueil, des naturalistes vous fourniront toutes les indications nécessaires pour choisir vos promenades, en fonction de vos goûts et du temps dont vous disposez. N'hésitez pas à jaser avec eux, ils sont passionnés par leur métier. Vous trouverez également dans les parcs des installations de camping, des aires de pique-nique, etc. Ici, la protection de l'environnement n'est pas un vain mot.

Poste

Attention, à la poste, il n'y a pas de téléphone. Les deux services sont séparés en Amérique du Nord. Dans les grandes villes du Québec, les postes sont souvent très excentrées, mais on trouve des « minipostes » dans les pharmacies, les dépanneurs, voire chez les nettoyeurs (« pressing », en France!) et dans les chaînes de pharmacie, tels les *Pharmaprix* ou les magasins *Jean Coutu*.

Poste restante

Tout envoi fait à la poste restante doit être réclamé par le destinataire lui-même dans les 15 jours au plus tard, sinon il est retourné à l'expéditeur. Il est donc préférable de faire envoyer son courrier aux agences de l'*American Express*.

Santé

Assurances

Au Canada, les frais de santé sont très élevés pour les étrangers. Le système de santé de chaque province canadienne ne profite pas aux Français, même au Québec, car il ne concerne que les salariés expatriés. Les hôpitaux et cliniques sont plus formalistes que ceux des États-Unis et exigent la présentation d'une carte personnelle d'assurance pour accepter une admission. Il est donc indispensable de prendre avant votre départ une ASSURANCE VOYAGE INTÉGRALE pour la durée de votre séjour au Canada! L'assurance maladie et frais d'hôpital doit couvrir au moins 500 000 F SANS FRANCHISE.

– L'assureur *AVA* propose des services adaptés aux exigences de la destination Amérique du Nord, avec des contrats comme *Carte santé* ou *AVAssist*, un package Assistance et Assurance. L'admission, dans l'hôpital de votre choix, est immédiate et la prise en charge au premier franc est automatique sur présentation de votre carte.

– *ROUTARD ASSISTANCE* propose des garanties complètes avec une assurance maladie et hôpital de 2 000 000 F sans franchise (un record). La carte personnelle d'assurance « ROUTARD ASSISTANCE », avec un texte en anglais, comprend une prise en charge des frais d'hôpital; c'est la formule : « Hospitalisé! rien à payer. »

■ ***A.V.A.*** **:** 24, rue Pierre-Sémard, 75009 Paris. ☎ 01-53-20-44-20. Fax : 01-42-85-33-69. • contact@ava.fr • www.ava.fr • M. : Cadet ou Poissonnière. Ouvert de 8 h 30 à 19 h sans interruption. Et dans toutes les agences de voyages. Souscription à effet immédiat, paiement par carte bleue. ☎ 01-48-78-11-88.

■ ***Routard Assistance*** **:** 28, rue de Mogador, 75009 Paris. ☎ 01-44-63-51-01. M. : Chaussée-d'Antin.

■ ***Air Monde Assistance*** **:** 5, rue Bourdaloue, 75009 Paris. ☎ 01-42-85-26-61. Fax : 01-48-74-85-18. M. : Notre-Dame-de-Lorette. L'assurance-assistance ***monde entier*** des voyageurs, stagiaires et boursiers. Frais médicaux, chirurgicaux, rapatriement, etc., de 15 jours à 2 ans (assistance effectuée par *AXA Assistance*).

Antimoustiques

Dès le printemps, les moustiques et autres arthropodes piqueurs (comme les simulies) prolifèrent massivement dans ce pays d'eaux et de forêts. Même s'ils transmettent très peu de maladies, il convient de s'en protéger car ils peuvent vite, par leur nuisance, transformer votre séjour en véritable cauchemar. Notez que de très nombreux sprays, crèmes, lotions vendus en grandes surfaces et même en pharmacie sont très peu ou pas du tout effi-

caces contre les moustiques. Les spécialistes reconnaissent comme les plus efficaces les produits contenant l'une ou l'autre des substances actives suivantes :
– DEET à 50 %. Nom commercial : *Insect Ecran Peau*. Attention : ne pas utiliser chez l'enfant de moins de 36 mois.
– 35/35. Nom commercial : *Cinq sur Cinq Tropic*. D'efficacité sans doute similaire, mais utilisable chez l'enfant.
Dans tous les cas, s'enduire les parties découvertes du corps toutes les 4 h au maximum.

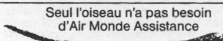

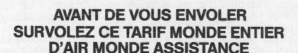

« Spécial fumeurs »

Les accros doivent savoir que la majorité des *Bed & Breakfast* et des gîtes sont « non-fumeurs ». Ceux qui ne peuvent pas se retenir d'en griller une le soir ont donc intérêt à se renseigner avant de réserver une chambre d'hôte. L'interdiction est généralement stricte, pour une simple raison de sécurité : la plupart des maisons sont en bois !
De plus, la loi interdit de fumer dans tous les édifices publics et les établissements commerciaux ainsi que sur tous les vols des compagnies canadiennes. Dans les restos, il existe une section « fumeurs » et une section « non-fumeurs ».

Taxes et tips

Les prix affichés ne sont pas ceux que vous paierez réellement. En passant à la caisse (et quel que soit le produit ou le service), le client doit payer en plus deux taxes : une taxe de vente provinciale, appelée ***TVQ*** au Québec (elle porte d'autres noms dans les autres provinces), qui s'élève à 7,5 % ; plus la ***TPS*** (taxe sur les produits et services) qui s'élève à 7 %. En tout, comptez 14,5 % de plus que les prix indiqués. Au resto, il faudra encore ajouter le service, environ 15 % du prix hors taxes. 15 + 15 = 30 %. Ami lecteur, quand vous entrez dans un resto, pensez-y ! Un menu à 100 F (15,2 €) coûte en fait 130 F (19,8 €). Mais bon, le gouvernement a eu la bonne idée de ne pas tuer dans l'œuf (d'or) la poule que représente la manne touristique : on peut se faire rembourser cette TPS et la TVQ (au Québec) si on ne réside pas dans le pays, sous certaines conditions. C'est assez compliqué à vue de nez mais on finit par s'en sortir grâce à la petite brochure remise au bureau des douanes à l'aéroport, ou dans la plupart des offices du tourisme.
Sans entrer dans trop de détails, voici quelques indications : la TPS et la TVQ sont remboursées sur les logements provisoires (hôtels, *B & B*, etc., à l'exception du camping et à condition de ne pas avoir payé depuis l'étranger, via une agence) et sur la plupart des produits de consommation courante que l'on rapporte chez soi. Ne sont donc pas pris en compte, entre autres : les repas, l'alcool, les tabacs, la location de voitures, l'essence, les produits alimentaires et les objets usagés de valeur. Sur 3 semaines de voyage, on peut tout de même récupérer, par exemple, dans les 500 F (76,2 €)...
Pour se faire rembourser, ne jamais oublier de demander à chaque fois une facture aux commerçants et hôteliers (être spécialement vigilant dans les *B & B*), en leur faisant préciser le montant de la TPS et le nombre de nuits. ***Il faut que le montant de vos achats sur les biens, avant les taxes, atteigne 50 $Ca (32,3 €) minimum pour chacun des reçus*** (on a donc intérêt à grouper ses achats dans un même magasin) ***et que le montant total de vos achats avant les taxes totalise au moins 200 $Ca (129 €).*** Il faut ensuite remplir le petit formulaire encarté dans la brochure TPS

Somme	*Pourboire (environ 15 %)*	*Somme*	*Pourboire (environ 15 %)*
1.00 $Ca	0,15 $Ca	39.00 $Ca	5,85 $Ca
2.00 $Ca	0,30 $Ca	40.00 $Ca	6,00 $Ca
3.00 $Ca	0,45 $Ca	41.00 $Ca	6,15 $Ca
4.00 $Ca	0,60 $Ca	42.00 $Ca	6,30 $Ca
5.00 $Ca	0,75 $Ca	43.00 $Ca	6,45 $Ca
6.00 $Ca	0,90 $Ca	44.00 $Ca	6,60 $Ca
7.00 $Ca	1,05 $Ca	45.00 $Ca	6,70 $Ca
8.00 $Ca	1,20 $Ca	46.00 $Ca	6,90 $Ca
9.00 $Ca	1,35 $Ca	47.00 $Ca	7,05 $Ca
10.00 $Ca	1,50 $Ca	48.00 $Ca	7,20 $Ca
11.00 $Ca	1,65 $Ca	49,00 $Ca	7,35 $Ca
12,00 $Ca	1,80 $Ca	50.00 $Ca	7,50 $Ca
13.00 $Ca	1,95 $Ca	51.00 $Ca	7,65 $Ca
14.00 $Ca	2,10 $Ca	52.00 $Ca	7,80 $Ca
15.00 $Ca	2,25 $Ca	53.00 $Ca	7,95 $Ca
16.00 $Ca	2,40 $Ca	54.00 $Ca	8,10 $Ca
17.00 $Ca	2,55 $Ca	55.00 $Ca	8,25 $Ca
18.00 $Ca	2,70 $Ca	56.00 $Ca	8,41 $Ca
19.00 $Ca	2,85 $Ca	57.00 $Ca	8,55 $Ca
20.00 $Ca	3,00 $Ca	58.00 $Ca	8,70 $Ca
21.00 $Ca	3,15 $Ca	59.00 $Ca	8,85 $Ca
22.00 $Ca	3,30 $Ca	60.00 $Ca	9,00 $Ca
23.00 $Ca	3,45 $Ca	61.00 $Ca	9,15 $Ca
24.00 $Ca	3,60 $Ca	62.00 $Ca	9,30 $Ca
25.00 $Ca	3,75 $Ca	63.00 $Ca	9,45 $Ca
26.00 $Ca	3,90 $Ca	64.00 $Ca	9,60 $Ca
27.00 $Ca	4,05 $Ca	65.00 $Ca	9,75 $Ca
28.00 $Ca	4,20 $Ca	66.00 $Ca	9,90 $Ca
29.00 $Ca	4,35 $Ca	67.00 $Ca	10,05 $Ca
30.00 $Ca	4,50 $Ca	68.00 $Ca	10,20 $Ca
31.00 $Ca	4,65 $Ca	69.00 $Ca	10,35 $Ca
32.00 $Ca	4,80 $Ca	70.00 $Ca	10,50 $Ca
33.00 $Ca	4,95 $Ca	71.00 $Ca	10,65 $Ca
34.00 $Ca	5,10 $Ca	72.00 $Ca	10,80 $Ca
35.00 $Ca	5,25 $Ca	73.00 $Ca	10,95 $Ca
36.00 $Ca	5,40 $Ca	74.00 $Ca	11,10 $Ca
37.00 $Ca	5,55 $Ca	75.00 $Ca	11,25 $Ca
38.00 $Ca	5,70 $Ca		

(remise à la douane ou dans les offices du tourisme) et l'expédier avec l'original des factures. Le chèque met ensuite plusieurs semaines à vous parvenir. Plus rapide : se faire directement rembourser dans les boutiques hors taxes du pays, mais elles ne participent pas toutes à l'opération et ne remboursent qu'une somme inférieure à 500 $Ca (322,6 €).

On peut aussi se faire rembourser au bureau Mable Leaf, au niveau galerie (4e) du centre Eaton de Montréal. Frais de service de 15 % pour chaque demande. Votre demande de remboursement de taxes doit équivaloir à un minimum de 200 $Ca (129 €) en achat admissibles (avant taxes) et à 50 $Ca (32,3 €) par facture avant taxes. Le bureau Maple Leaf exige la présentation de deux pièces d'identité (l'une avec l'adresse complète de votre domicile,

l'autre avec une photo), de votre billet d'avion (une nouvelle loi prévoit que si vous quittez le Canada en voiture, vous devez absolument vous faire rembourser par la poste), mais aussi de la marchandise achetée (vêtements, souliers, bijoux, jouets...). Le bureau Maple Leaf ne rembourse pas les taxes sur les achats de matériel électronique ou d'objets de valeur, pour lesquels il est indispensable de faire une demande par courrier.
Pour tout renseignement ☎ (514) 847-09-82. Fax : (514) 847-10-19.
Pour encaisser le chèque de remboursement en France, la plupart des banques prennent une commission forfaitaire, parfois élevée par rapport au montant du chèque. Les agences ***Multi Change*** à Paris ne prennent pas de commission et pratiquent un taux de change correct. Il y en a une au 8, bd de la Madeleine, 75009 (☎ 01-49-24-96-62). M. : Madeleine. Et une autre au 7, rue Marbeuf, 75008 (☎ 01-47-20-23-57) M. : Franklin-Roosevelt.

Les TIPS

Ce sont les pourboires. Et c'est la suite logique de la taxe dans les restos, bars... Les serveurs ont un salaire fixe ridicule, et la majeure partie de leurs revenus provient de leurs pourboires. C'est une institution à laquelle vous ne devez pas déroger. Un oubli vous fera passer pour le plouc total. Les Français possèdent la réputation d'être particulièrement radins et de laisser plutôt moins de 10 % que les 15 % traditionnels (à leur décharge, en France, le service est compris, ce qui explique les réticences). Dans certains restos, le service *(gratuity)* est parfois ajouté d'office sur la note, après la taxe. C'est rare, mais dans ce cas, évidemment, ne payez pas le *tip*. On peut marquer son désaccord si la prestation n'est pas à la hauteur, après tout la qualité du service reste à l'appréciation du client ! Si vous payez une note de resto avec une carte de crédit, n'oubliez pas de remplir vous-même la case «tip», car il arrive parfois que le serveur remplisse cette case lui-même. S'il est malhonnête, il peut y inscrire n'importe quelle somme. Et vous ne vous en apercevrez qu'à votre retour, en épluchant votre relevé de compte bancaire. En règle générale, le pourboire doit être au moins égal à une fois et demie le montant de la taxe. Idem pour les taxis : il est de coutume de laisser 10 à 15 % en plus de la somme au compteur. Là, gare aux insultes d'un chauffeur mécontent. Il ne se gênera pas pour vous faire remarquer ouvertement votre oubli.

Téléphone

Appels locaux

Les appels locaux au Québec sont assez simples : il suffit d'avoir une pièce de 25 cents, et vous aurez droit à 3 mn de communication. Vous pouvez également utiliser les cartes *La puce* de *Bell,* prépayées (5 ; 10 ou 20 $Ca ; de 3,2 à 12,9 €), et il vous en coûtera le même prix par communication. On les trouve principalement dans les compagnies de téléphone, les téléboutiques *Bell,* les principales gares de *Via Rail,* ainsi que dans certains bureaux d'information touristique et dans de rares auberges de jeunesse. Attention cependant, il existe encore des cabines qui ne sont pas équipées pour recevoir ces petites cartes. Rappelons aussi que pour les appels locaux, il est inutile de composer l'indicatif de la région (exemple : 514 pour Montréal). Enfin, les numéros commençant par le 1-800 sont gratuits.

Appels interurbains

Là, ça se complique un peu. En premier lieu, vous devez toujours composer l'indicatif régional lorsque vous effectuez un appel interurbain, même si cet indicatif est le même que celui de l'endroit où vous vous trouvez (exemple : un appel à Berthierville de Montréal ? Composez le 450 d'abord). Le prix est variable selon la distance qui vous sépare de votre interlocuteur, mais c'est en tout cas toujours cher. Ensuite, il est fortement recommandé d'avoir une carte, car cela vous coûtera encore plus cher si vous n'avez que des pièces de monnaie, et il vous en faudra alors une montagne. D'autant plus que cela file très vite. Sachez cependant que de plus en plus de cabines acceptent les pièces de 1 $Ca (0,6 €). Mais cela ne vous dispensera pas de devoir insérer le montant exact en monnaie, qui vous sera annoncé une fois votre numéro composé. Vous a-t-on convaincu qu'il était préférable d'acheter une carte ? Enfin, pas mal de cabines acceptent aujourd'hui les cartes de crédit, mais vous aurez de mauvaises surprises en recevant votre relevé de compte... Le mieux sans doute est d'acheter une carte type *Globo*, pré-payée que l'on trouve chez les marchands asiatiques de Montréal, par exemple (voir la fin de la rubrique suivante).

Appels internationaux

Les moyens précédents peuvent être employés, mais c'est cher et peu pratique. On vous conseille plutôt les suivants :
Joindre la France ou même le Canada depuis une cabine au Canada relève en général du calvaire si l'on n'a pas de carte de téléphone. En effet, la plupart des compagnies n'acceptent pas les cartes de crédit, les cartes à puce ne sont pas encore installées au Canada et les hôtels pratiquent des tarifs assez impressionnants qui ne laissent que le choix du PCV (c'est papa qui va être content quand il va recevoir la note !). Sachez que dans certains hôtels, on peut vous facturer une communication téléphonique même si l'appel n'a pas abouti ! Il suffit parfois de laisser sonner 7 ou 8 coups dans le vide pour que le compteur tourne.
Une compagnie de téléphone privée a mis au point un système qui permet d'avoir accès à des tarifs américains réduits sans autre instrument que votre doigt et votre carte et crédit. Le principe est simple : cette compagnie achète de très grosses quantités de minutes téléphoniques aux 3 grands du marché américain ; elle bénéficie ainsi de tarifs ultraréduits qu'elle peut ensuite revendre à très bas prix. Il suffit de composer le numéro gratuit ☎ 1-800-836-9067 en arrivant au Canada, et le reste des informations vous est donné par un opérateur qui parle le français. Le paiement est prélevé sur votre carte de crédit. Deux montants possibles : 10 US$ donnant droit à 25 mn de communication avec la France ou 20 US$ pour 50 mn de communications.
Vous pouvez également préparer votre carte en appelant directement depuis la France le ☎ 00-1-416-643-70-78. On tombe sur le même service francophone. Vous pouvez alos prépayer votre carte ou celle de vos enfants s'ils partent sans vous ; ils pourront ainsi vous donner des nouvelles en appellant de n'importe quelle cabine ou poste privé.
Pour vous simplifier la vie dans tous vos déplacements, les ***Cartes France Télécom*** vous permettent de téléphoner en France et de plus de 80 pays étrangers à partir de n'importe quel téléphone, d'une cabine ou de chez des amis, sans souci de paiement immédiat. Les communications sont portées directement sur votre facture téléphonique personnelle.
Pour appeler, vous composez le numéro d'accès au service, le numéro de votre carte, puis votre code confidentiel, suivi du numéro de votre correspondant.

Plusieurs formules sont proposées. Par exemple, vous pourrez ainsi opter pour la *Carte France Télécom* qui vous permettra de limiter le montant mensuel de vos communications.

Les *Cartes France Télécom* s'obtiennent sans abonnement. Une avance sur consommation de 40 F (6,1 €) est demandée, amortie sur les premières communications.

Pour tout renseignement ou pour obtenir une *Carte France Télécom*, composez le numéro vert : ☎ 0-800-202-202.

– ***Calling Card AT & T :*** pratique et proposée gratuitement à tous les détenteurs de comptes *American Express, MasterCard* et *Visa,* elle permet d'appeler plus de 200 pays à partir des États-Unis. Elle peut aussi être employée dans les 72 pays qui proposent le service « AT & T World Connect ». Cependant, contrairement à la *carte France Télécom,* elle ne marche pas de partout lorsqu'il s'agit d'appeler du Canada vers la France. Le montant de la communication est débité directement sur le compte de l'utilisateur en France. Enfin, celui-ci a accès aux services internationaux AT & T : *Language Line* (interprète), *Message Service* (laisser un message), renseignements, numéros verts, multitélécopie et téléconférence. Pour l'obtenir, numéro vert : ☎ 0800-90-82-93, ou Minitel : 36-15, code USA + AT & T (3 semaines de délai).

Une autre compagnie a mis au point un système qui permet d'avoir accès à des tarifs nord-américains réduits sans autre instrument que votre doigt et votre carte de crédit. Le principe est simple : cette compagnie achète de très grosses quantités de minutes téléphoniques aux trois grands du marché américain, elle bénéficie ainsi de tarifs ultra-réduits qu'elle peut ensuite revendre à très bas prix. Il suffit de composer le n° gratuit ☎ 1-800-836-9067 en arrivant au Québec et le reste des informations vous est donné par un opérateur qui parle le français. Le paiement est prélevé sur votre carte de crédit.

Enfin, on peut toujours se procurer une carte pré-payée, de type *Globo*; le prix de la communication se compose d'un forfait en début de communication puis d'un prix fixe à la minute très faible. Utilisation très simple : on compose le numéro de *Globo* puis celui, confidentiel, de la carte, et enfin celui du correspondant. On vous indique au début le crédit disponible en minutes. Temps global d'utilisation de la carte d'autant plus important que le nombre de communications est faible (donc que la durée moyenne des communications est élevée). Les bavards qui appellent en Europe seront ravis.

– ***CANADA*** → FRANCE
011 + 33 + numéro du correspondant (sans le « 0 » par lequel débute le numéro à 10 chiffres).

– ***FRANCE*** → CANADA
00 (tonalité) + 1 + indicatif de la ville + numéro du correspondant.

Indicatifs des villes

Barrie (Ont.)	705	Niagara Falls	416	Sault Ste Marie	705
Calgary	40	Ottawa	613	Stratford	519
Chatham	519	Peterborough	705	Toronto	416
Edmonton	403	Québec	418	Vancouver	604
Halifax	902	Regina	306	Victoria	604
Montréal	514	Saskatoon	306	Winnipeg	204

Transports intérieurs

Train (VIA)

Les trains canadiens sont lents, très lents, mais plutôt confortables (repas et boissons offerts pendant le trajet). Les *voitures coach* sont les moins chères. Le *Canrailpass* est une carte permettant des trajets illimités pendant un mois sur toutes les lignes canadiennes. On peut acheter un *Canrailpass* par courrier ou par fax, en France, auprès de ***Express Conseils :*** 5 *bis,* rue du Louvre, 75001 Paris. ☎ 01-42-60-05-45, ou bien dans les agences *Jet Set, Vacances Air Canada* et *Vacances Air Transat*. Réduction supplémentaire pour les jeunes (en principes moins de 25 ans). Inutile si vous restez dans la partie est du Canada. Horaires peu pratiques.

Auto-stop

Faire du pouce en québécois, *hitch-hiking* en anglais.
Sensiblement les mêmes conditions qu'aux États-Unis. Beaucoup de concurrence en été sur la transcanadienne. Compter une bonne semaine pour aller de Montréal à Vancouver (nombreuses auberges de jeunesse tout au long du chemin). Pour la sortie des villes, on conseille de prendre un bus urbain. Le stop est facile dans le nord du Québec, dans les endroits fréquentés par les forestiers, ainsi que sur les grands axes. Attention toutefois : le stop est toléré sur les autoroutes au Québec, mais interdit dans les provinces anglophones. Les relais routiers *(truck stops)* sont de bons points de rencontre. Demander directement aux chauffeurs leur destination.
Le système de covoiturage *Allo-Stop*, qui permet de mettre en contact les stoppeurs et les « transporteurs », fonctionne dans de nombreuses villes (pas de bureaux au-delà de Rimouski). Il existe des bureaux Allo-Stop à : Montréal, Ottawa, Toronto, Sherbrooke, Québec, Rimouski, Jonquière et Chicoutimi. À Montréal : covoiturage Allo-Stop, 4317 rue Saint-Denis, ☎ 985.3032. Il suffit simplement de payer un droit d'inscription pour faire partie du réseau.
Beaucoup de Québécois partent en vacances les deux semaines qui suivent le 15 juillet. Ce sont les « vacances de la construction ». Les villes sont moins animées et il y a beaucoup plus de monde sur les routes.

Location de motos

Nouveau Monde a une formule novatrice très attirante qui consiste non seulement à louer des motos mais aussi à organiser des « virées » entre motards expérimentés connaissant bien la région. Les itinéraires durent de quelques jours à un mois et couvrent beaucoup de régions du Canada, dans des styles toujours différents, de la balade nature au circuit pour motard chevronné.

■ ***Nouveau Monde :*** 8, rue Mabillon, 75006 Paris. ☎ 01-53-73-78-80. Fax : 01-53-73-78-81. M. : Mabillon. Pour tous renseignements.

Location de voitures

Toujours téléphoner avant et demander si la compagnie propose un « spécial ». Donc, ne pas hésiter à en interroger plusieurs pour connaître la moins chère. Si vous longez la frontière Canada-États-Unis, les locations aux États-Unis sont un peu moins chères.
Dans tous les cas de figure, pour louer une voiture au Canada, il faut avoir au moins 18 ans, le plus souvent 21 ans et parfois même 25 ans en fonction des exigences des compagnies qui réclament la plupart du temps une carte

GÉNÉRALITÉS

TABLEAU DES DISTANCES ENTRE LES PRINCIPALES VILLES

	CALGARY	CHICOUTIMI	EDMONTON	GASPÉ	HALIFAX	JASPER	MONCTON	MONTRÉAL	OTTAWA	QUÉBEC	REGINA	SAINT JOHN'S	TORONTO	VANCOUVER	VICTORIA	WHITEHORSE	WINNING
CALGARY		4220	299	4694	4973	415	4756	3743	3553	4014	764	6334	3434	1057	1162	2385	1336
CHICOUTIMI	4220		3294	679	977	4609	760	476	666	206	3455	2338	1015	5277	5382	6326	2884
EDMONTON	299	3294		4715	5013	369	4788	3764	3547	4035	785	6367	3455	1244	1349	2086	1357
GASPÉ	4694	679	4715		945	5084	669	951	1141	703	3930	2248	1490	5752	5856	6801	3359
HALIFAX	4973	977	5013	945		5382	275	1249	1439	982	4228	1503	1788	6050	6154	7099	3656
JASPER	415	4609	369	5084	5382		5156	4133	3943	4403	1154	6735	3824	875	980	2247	1725
MONCTON	4756	760	4788	669	275	5156		1024	1213	784	4002	1579	1563	5824	5929	6874	3431
MONTRÉAL	3743	476	3764	951	1249	4133	1024		190	270	2979	2602	539	4801	4905	5850	2408
OTTAWA	3553	666	3547	1141	1439	3943	1213	190		460	2789	2792	399	4611	5126	5660	2218
QUÉBEC	4014	206	4035	703	982	4403	784	270	460		3249	2363	809	5071	5176	6120	2678
REGINA	764	3455	785	3930	4228	1154	4002	2979	2789	3249		5581	2670	1822	1926	2871	571
SAINT JOHN'S	6334	2338	6376	2248	1503	6735	1579	2 602	2792	2363	5581		3141	7403	7775	8452	5010
TORONTO	3434	1015	3455	1490	1788	3824	1563	539	399	809	2670	3141		4492	4596	5528	2099
VANCOUVER	1057	5277	1244	5752	6050	875	5824	4801	4611	5071	1822	7403	4492		105	2697	2232
VICTORIA	1162	5382	1349	5856	6154	980	5929	4905	4615	5176	1926	7775	4596	105		2802	2337
WHITEHORSE	2385	6326	2086	6801	7099	2247	6874	5850	5660	6210	2871	8452	5528	2697	2802		3524
WINNIPEG	1336	2884	1357	3359	3656	1725	3431	2408	2218	2678	571	5010	2099	2232	2337	3524	

TABLEAU DES DISTANCES

de crédit au nom du conducteur. Le permis de conduire français rose à 3 volets est valable au Canada, et est le seul valable au Québec. Attention, les assurances sont chères si l'on inclut les taxes.
L'hiver, exigez des véhicules équipés de pneus-neige, les pneus « 4 saisons » sont totalement inefficaces. Les distances étant grandes, prenez évidemment l'option kilométrage illimité. Vous aurez une voiture avec boîte automatique. Pas de panique, on s'y habitue vite.
Attention : vitesse limitée à 50 km/h en ville et 100 km/h sur autoroute. Quant aux feux, ils sont situés de l'autre côté de l'intersection ; attention de ne pas vous arrêter en plein milieu du carrefour !
À retenir : quand un bus scolaire s'arrête pour faire descendre ou monter des élèves, des clignotants s'allument et un petit panneau « ARRÊT » s'affiche sur la portière du conducteur. Toutes les voitures doivent s'arrêter (celles qui suivent ou celles qui viennent d'en face), jusqu'à ce que les clignotants s'éteignent (même s'il n'y a pas d'enfants... *the law is the law!*), sinon, l'addition est particulièrement salée !
La plupart des parkings sont payants et assez chers, surtout dans les grandes villes. Prévoyez donc un budget en conséquence. Il faut obligatoirement enlever sa voiture aux horaires indiqués sur les panneaux réglementant le stationnement, notamment dans les grandes villes. Les mises en fourrière sont hyper rapides. D'autre part, il est interdit de stationner devant une borne incendie, même si aucun panneau ne le stipule.
– ***Hertz*** vous propose un grand choix de véhicules au départ de toutes les grandes villes et des principaux aéroports. Service assistance *Hertz* 24 h/24 et en français. Vous pouvez réserver à partir de la France : ☎ 01-39-38-38-38.
– L'agence ***Auto Escape*** propose un nouveau concept dans le domaine de la location de voitures : elle achète aux loueurs de gros volumes de location, obtenant en échange des remises importantes dont elle fait profiter ses clients. Leur service ne coûte rien puisqu'ils sont commissionnés par les loueurs. C'est une vraie centrale de réservation (et non un intermédiaire) qui propose un service très flexible : aucun frais de modification après réservation, remboursement intégral en cas d'annulation, même à la dernière minute. Kilométrage illimité sans supplément de prix dans presque tous les pays. Surveillance quotidienne du marché international permettant de garantir les meilleurs tarifs. N° gratuit : ☎ 0-800-920-940 et 04-90-09-28-28. Fax : 04-90-09-51-87. • info@autoespace.com • www.autoespace.com • 5 % de réduction supplémentaire aux lecteurs du *Routard*. Il est préférable de réserver la voiture avant le départ, pour bénéficier d'un meilleur tarif et pour s'assurer de la présence du véhicule souhaité dès l'arrivée.

Achat d'une voiture d'occasion

Il faut compter *grosso modo* entre 25 et 30 % de plus que l'achat simple pour avoir les plaques d'immatriculation, l'assurance, etc. Le processus le plus courant est de passer par les annonces de journaux. C'est tout simple : on voit le vendeur et la voiture, on décide de l'achat (un contrat écrit est établi), on paie une avance (en liquide), puis on va ensemble au Bureau des véhicules automobiles où l'on raque pour obtenir le certificat d'immatriculation et les nouvelles plaques. À la sortie, on paie au vendeur le solde (toujours en liquide).
Pour l'assurance, le *Club automobile du Québec-CAA* offre des prix avantageux. Se renseigner.

Transport de véhicules (voitures, motos, camping-cars)

■ Une adresse : ***Allship :*** 93, rue Jean-Lolive, 93100 Montreuil. Sur rendez-vous. ☎ et fax : 01-48-70-04-45. Demander le jovial Charlie.
Si vous y restez moins de deux mois, mieux vaut louer sur place, mais pour un plus long séjour, le transport de véhicule se révèle avantageux.

Les véhicules seront transportés en rouliers réguliers (pas de passagers!) vers la côte Est du Canada. Aucune taxe douanière à l'arrivée au Canada. Les motos sont prises telles quelles, sans emballage coûteux, sur toutes les destinations *Allship*. Dans tous les cas, indiquer à Charlie les dimensions du véhicule ! Les voitures achetées là-bas peuvent revenir sur l'Europe du Nord dans les mêmes conditions depuis l'est du Canada, même si les droits et taxes et les Mines alourdissent l'ardoise, ça reste très supportable.

Transporter votre équipement ?

Expédition du matos sur toutes les villes canadiennes : consultez *Allship* si vous avez plus que les 2 valises maxi (ou une malle) acceptées gratuitement par les compagnies aériennes non charters.

Location de motorhomes

Bonne idée pour partir en famille ou à plusieurs. Dites plutôt « roulotte », ou « motorisé », que « motorhome »... Le réseau est étendu, avec des départs de Québec, Montréal, Toronto, Calgary, Vancouver, Whitehorse, Edmonton, ainsi que des États-Unis. Nombreuses formules (aller simple ou circuit en boucle, kilométrage illimité ou pas). Idéal pour vivre au rythme de la nature canadienne.
Pour tous renseignements supplémentaires, s'adresser à la ***Société d'Assurance Automobile du Québec :*** ☎ (514) 873-76-20. Location possible hors saison chez ***Vacances Air Transat.*** Renseignements sur Minitel : 36-15, code VATF, et dans toutes les agences de voyages. Réservez tôt !

Autocar

Au Québec, la compagnie *Orléans-Express* assure de nombreuses liaisons quotidiennes entre les différentes villes (notamment entre Montréal et Québec). Se présenter 45 mn, avant le départ pour acheter le billet. D'autres compagnies effectuent également des liaisons régionales. Beaucoup offrent des réductions étudiants.
– ***Orléans Express*** propose un *Tour Pass,* forfait de 7, 14 ou 18 jours consécutifs (uniquement l'été), valable pour le Québec et l'Ontario sur toutes les compagnies d'autobus. Pour toutes informations, à Montréal : ☎ (514) 842-22-81 ; à Toronto : ☎ (416) 393-79-11 ; à Québec : ☎ (418) 525-30-00 ; à Ottawa : ☎ (613) 238-59-00. Malgré cela, certains de nos lecteurs se sont plaints du système *Tour Pass,* trop limité dans le temps pour être intéressant. Si on ne veut pas perdre la somme investie, on en vient à visiter le pays à un rythme rapide et frustrant. À chacun de juger en fonction de son planning. Si on compte rester assez longtemps, ce n'est bien sûr pas rentable.
Les bus sont souvent plus vieux qu'aux États-Unis, et moins confortables. Il n'y a jamais de douches dans les terminaux (sauf dans le Winnipeg), parfois un « lavabo privé » pour 25 cents. Pour les autocars et le train, n'oubliez pas les tarifs *Excursion* (30 à 40 % de réduction). Sachez enfin que la compagnie américaine ***Greyhound*** est présente à Montréal : ☎ (514) 842-22-81. Tarifs corrects dans l'ensemble, mais attention cependant : les horaires ne sont pas toujours respectés.

Avion

Air Canada ne possède guère de tarifs intéressants sur ses lignes intérieures. Mais pour un billet aller et retour acheté en Europe, toutes les compagnies proposent des *pass* intérieurs avec 30 % de réduction. *Canadian International* possède un bon réseau de lignes.

Péniches et bateaux

■ ***Blakes Bourry Service :*** 70, rue des Martyrs, 75009 Paris. ☎ 01-48-78-70-00. Fax : 01-48-78-78-00. M. : Pigalle. Centrale de réservation pour la location de pénichettes (sans permis) en Europe, en Amérique du Nord et notamment au Québec.

Travail au Québec

Stages agricoles

■ ***Sésame :*** 9, square Gabriel-Fauré, 75017 Paris. ☎ 01-40-54-07-08. Fax : 01-40-54-06-39. • www.agriplanete.com • sesame@agriplanete.com • Minitel : 36-15, code ESME. M. : Villiers. Pour les jeunes agriculteurs entre 18 et 30 ans. Stages de 3 mois à 1 an. Formation agricole et expérience (stage ou emploi) requises.

■ ***France-Québec :*** voir « Adresses utiles ». Récolte de fruits. Pour la cueillette des pommes (mi-septembre-mi-octobre), contactez *France-Québec* à Paris dès le mois de février : ☎ 01-45-54-35-37.

Organismes susceptibles de procurer un stage ou un job

■ ***Office Franco-Québécois pour la Jeunesse :*** 11, passage de l'Aqueduc, 93200 Saint-Denis. ☎ 01-49-33-28-50. Fax : 01-49-33-28-88. • info@ofqg.org • www.integra.fr/ofqj • M. : Saint-Denis. Ouvert du lundi au vendredi de 9 h 30 à 12 h 30 et de 14 h à 18 h (centre de documentation uniquement l'après-midi). Cet organisme bigouvernemental, créé en 1968, a permis à plus de 80 000 jeunes Français et Québécois de découvrir l'autre communauté. L'OFQJ s'adresse aux jeunes de 18 à 35 ans porteurs de projets s'inscrivant dans deux grands volets – immersion dans le monde du travail, séjours à thèmes ou rencontres professionnelles –, et couvrant divers secteurs : intégration-insertion, métiers et techniques, sciences et technologie, tourisme, management, commerce, droit international, environnement, etc.

L'aide de l'OFQJ se situe à différents niveaux : accès au centre de documentation, conseils et aides personnalisés à l'élaboration de projets, obtention des autorisations légales de séjours, logistique aérienne et hôtelière... Une contribution forfaitaire de 2 200 F (335,3 €) est demandée aux participants.

Un programme spécifique « Formation et Emploi » concerne exclusivement les jeunes demandeurs d'emploi (les frais de participation peuvent être adaptés sur présentation d'un justificatif), susceptibles de bénéficier de stages qualifiants au Québec.

■ ***Council Exchanges :*** 1, place de l'Odéon, 75006 Paris. M. : Odéon. Réunions d'information très régulièrement (en province également). Brochures sur demande. ☎ 01-44-41-74-99. Minitel : 36-15, code COUNCIL.

Si vous êtes étudiant et âgé de 18 ans au moins et de 30 ans maximum, Council peut vous aider à trouver un travail sur le territoire canadien. Outre l'autorisation légale de travailler au Canada pour une durée de 4 mois, Council vous fournit une assurance, l'assistance si nécessaire et bien sûr des conseils dans le cadre de réunions d'information. Council propose deux nuits d'hébergement et une réunion d'orientation à l'arrivée. Coût du programme : 2 950 F (449,7 €). Excellente solution pour un séjour de plusieurs mois car le fait de bosser sur place rembourse tous vos frais. Les secteurs qui embauchent le plus

restent l'hôtellerie, la restauration, la vente, les parcs nationaux, les parcs d'attractions.
Ce programme permet donc de partir soit « job en poche », soit de trouver l'emploi sur place. En fait, cette dernière solution compte de plus en plus d'adeptes chaque année, qui profitent ainsi des multiples offres d'emplois saisonniers existants au Canada. Et surtout, travailler au Canada est une expérience vraiment intéressante, très appréciée sur un C.V. mais qui demande, bien sûr, un maximum de mobilité et de souplesse.

Formalités pour ceux qui ont un job temporaire

– Passeport valide.
– Posséder une attestation d'emploi et un visa obligatoire à demander à *l'ambassade du Canada :* 35, av. Montaigne, 75008 Paris. ☎ 01-44-43-29-00. M. : Franklin-Roosevelt.
Enfin, au Canada, vous devez vous rendre au *Service de main-d'œuvre et d'immigration*. À Montréal : 5167, Jean-Talon Est. ☎ 864-91-91. M. : Jean-Talon.
– Toute personne qui n'est ni citoyen canadien, ni immigrant « reçu » et qui veut travailler ou étudier au Canada doit être en possession d'une autorisation spéciale, avant même d'entrer au Canada. Pour de plus amples renseignements, s'adresser à l'ambassade ou au consulat canadien le plus proche.
Sachez tout de même qu'il est de plus en plus difficile d'obtenir un job au Canada si vous n'êtes pas spécialiste dans un domaine particulier.
– Ceux qui obtiennent un visa de travailleur temporaire reçoivent une « carte fédérale », fournie par le gouvernement du Canada et qui donne droit à un numéro d'assurance sociale... et c'est tout. Une « carte provinciale » obtenue à la Régie de l'assurance maladie du Québec (pour le seul Québec, évidemment !) donne un autre numéro qui permet, lui, d'obtenir les soins gratuits.

Séjour au pair (1 an maximum)

■ ***Association nouvelle franco-québécoise :*** 4, quai du Port, 94130 Nogent-sur-Marne. ☎ 01-43-24-34-66. • anfq@wanadoo.fr • Permis de travail et conditions de formation requis.

■ ***France-Canada*** et ***France-Québec :*** voir, plus haut, « Adresses utiles ».

Travail bénévole

■ ***Concordia :*** 1, rue de Metz, 75010 Paris. ☎ 01-45-23-00-23. Fax : 01-47-70-68-27. M. : Strasbourg-Saint-Denis. Travail bénévole (entre 2 et 3 semaines). Frais d'inscription : 1 000 F (152,4 €) environ. Réservé aux moins de 25 ans au Québec. Logé, nourri. Chantiers très variés : restauration du patrimoine, valorisation de l'environnement, travail d'animation... Places limitées. Attention, voyage à la charge du participant.

HISTOIRE ET SOCIÉTÉ

« Mon pays, ce n'est pas un pays, c'est l'hiver... »

Gilles Vigneault.

Pour les Français, le Canada c'est avant tout le Québec. Depuis que Félix Leclerc nous a rappelé que les habitants des « quelques arpents de neige » d'outre-Altantique ont su garder le « parler » français, nous sommes fascinés par ces francophones nord-américains. Francophones oui, Français certainement pas. Car trois siècles d'isolation et de luttes ont forgé un caractère national tout à fait distinct chez ces sujets abandonnés de Louis XV. Et si les Québécois ont tendance à nous appeler – nous autres Français de France – les « maudits Français », il faut avouer qu'ils ont parfois raison. Outre l'aspect historique, notre nombrillisme légendaire fait de nous des touristes relativement pénibles, surtout dans ce pays dont nous partageons la langue. Nos cousins québécois fatiguent devant les éternels « en France, nous... »! Ils aiment et admirent le pays de leurs ancêtres; mais s'ils ne représentent pas encore un État souverain (ils ne quitteront peut-être jamais la confédération canadienne), ils ne sont certainement pas non plus les gérants d'une lointaine province française!
Entre la France et le Québec, il n'y a pas seulement le fossé des siècles et de l'Atlantique, mais aussi une différence d'état d'esprit. Les Québécois ont une mentalité nord-américaine, forgée par des ancêtres pionniers qui ont lutté pour s'implanter dans un paysage de neige où il gèle à pierre fendre. Nous autres du Vieux Monde avons parfois du mal à appréhender les Nord-Américains, car nos valeurs et nos références sont ancrées dans une continuité historique. Alors que chez eux cet « esprit pionnier » ne s'efface pas encore devant leur histoire.

La nuit des temps

L'état actuel des connaissances laisse supposer que les Indiens d'Amérique, les Amérindiens, sont d'origine asiatique et auraient pris pied sur le continent au départ de l'Asie du Nord via l'Alaska. La première vague remonterait à environ 40 000 ans. C'est en suivant les troupeaux de cervidés en migration que se serait tout naturellement effectuée la traversée du détroit de Béring asséché par ces chasseurs-cueilleurs nomades, sans cesse à la recherche d'un abondant gibier. L'essaimage sur l'ensemble du territoire des Amériques s'est ensuite effectué graduellement et a donné lieu à de nombreuses civilisations autochtones originales et, parfois, remarquablement brillantes. Sur le territoire canadien, le nomadisme a perduré dans de nombreux cas jusque bien après l'arrivée des colons européens. Dans d'autres cas, la sédentarisation et l'agriculture ont dominé. Avant l'arrivée de l'Européen, toutes ces civilisations avaient en commun d'être dotées de religions animistes, de perpétuer la culture ancestrale au moyen d'une tradition essentiellement orale, et de croire à l'importance du respect d'un équilibre constant entre l'homme et la nature qui l'entoure et le nourrit. Elles ne croyaient pas à l'appropriation de la terre et ne reconnaissaient que le droit d'usage d'un territoire.

L'arrivée des premiers colons

Vers la fin du IXe siècle, des Irlandais chassés d'Islande s'implantent sur la rive nord du golfe du Saint-Laurent. Deux siècles plus tard, ce fut au tour d'Islandais, venus cette fois-ci du Groenland, de s'installer sur le littoral de Terre-Neuve et du Labrador. Certains ethnologues pensent que les Vikings ont occupé la côte est des États-Unis jusqu'en Virginie.
Ces premières migrations ont vraisemblablement donné naissance à un certain métissage, mais leur importance fut trop réduite pour ne pas être assimilée par le peuple indien.

La redécouverte

Découvert « officiellement » par Jean Cabot en 1497, le Canada va connaître par la suite un tas de découvreurs : Verrazano qui ne fit qu'une courte visite en 1524, mais réussit à magouiller et à donner son nom à un pont de New York. Jacques Cartier, le Malouin, y vint trois fois. C'est lui qui prendra possession du Canada au nom du roi de France, François Ier, en 1534. Quand il pénètre l'estuaire du Saint-Laurent, il croit qu'enfin la Chine est à portée de voile! Il remonte le fleuve jusqu'à l'actuel emplacement du village Hochelaga et appelle la colline *mont Réal* (mont Royal) en l'honneur de son roi. Il est très vite arrêté par des rapides qu'il désigne comme ceux de *Lachine,* croyant fermement trouver l'Empire Céleste juste en amont! Le type asiatique des indigènes pouvait laisser croire que l'on commençait à s'approcher sérieusement de l'Orient. Cartier, un peu à court d'imagination, baptise le fleuve *Saint-Laurent*... parce qu'on célébrait cette fête ce jour-là! Jacques Cartier allait faire trois voyages vers le Canada; le dernier eut lieu en 1541. Quant à l'origine du nom *Québec*, elle est controversée : certains prétendent que c'est un mot des Indiens algonquins qui signifie « contraction »; effectivement, le fleuve se rétrécit à cet endroit.

Il était une fois... l'Amérique francophone

Imitant la politique des Anglais dans leurs colonies américaines, Richelieu fonde la Compagnie des Cent-Associés. À partir de 1629 et pendant 15 ans, cette compagnie allait jouir du monopole du commerce dans toute la vallée du Saint-Laurent, et importer ses produits libres de toute taxe en métropole. En échange, la compagnie s'engageait à faire venir en Nouvelle-France 300 colons par an (catholiques exclusivement), et à fournir trois prêtres pour chaque « installation ». Le Canada devint très vite la cible préférée des missionnaires français qui, eux-mêmes, devinrent la cible préférée des Indiens! Mais la colonisation, du point de vue commercial, n'apporta pas les fruits escomptés : la compagnie périclita et, plus de 30 ans après sa fondation, il n'y avait que 2 000 âmes françaises perdues dans l'immensité nord-américaine. Les raisons de cet échec sont liées à la rigueur du climat, mais aussi au fait que, contrairement aux Britanniques (pour la plupart des quakers ou des puritains mal vus chez eux), les catholiques français n'étaient pas persécutés en métropole. Ils avaient même l'exclusivité lors des départs. Donc les raisons d'immigration reposaient uniquement sur l'appât d'un gain... très éventuel! De plus, le pouvoir en métropole n'était en fait pas très encourageant... Colbert, par exemple, déclara qu'« il ne serait pas prudent de dépeupler le royaume de France pour peupler le Canada ». En 1663, Louis XIV dissout la compagnie et la Nouvelle-France devient une province royale administrée par un gouverneur et un intendant, comme les provinces de France.

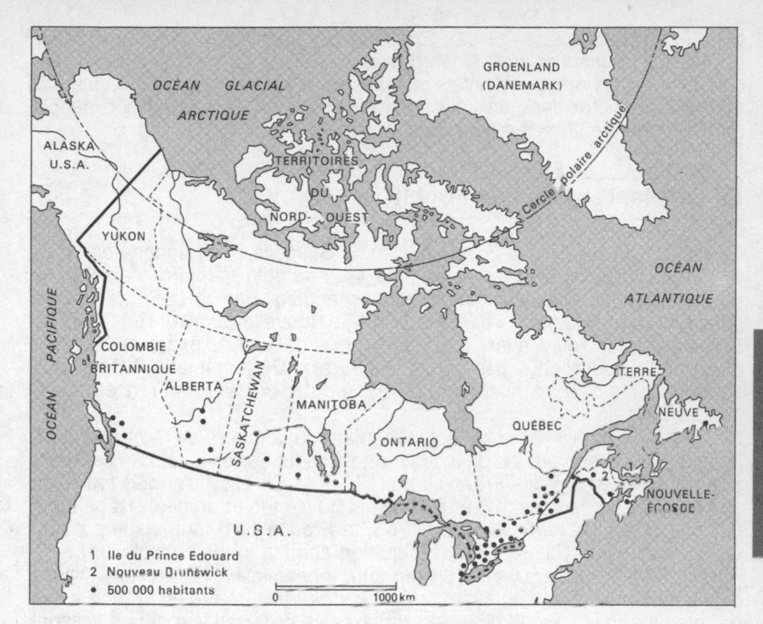

PROVINCES ET POPULATIONS

La réaction britannique

Les Français ne sont pas les seuls à s'intéresser au Nouveau Monde, l'ennemi héréditaire est aussi sur les rangs. Deux ans après Champlain, le navigateur anglais Henry Hudson s'arrête extasié devant une baie immense, regarde à droite, puis à gauche, constate qu'il est seul et lui donne son nom. C'est une manie, quoi ! Il est lui aussi persuadé d'avoir découvert le fameux « passage » vers la Chine. Mais la vie d'aventurier se paie parfois très cher. L'année 1611 lui est fatale : son équipage se révolte et, sans grande cérémonie, le largue dans un canoë au milieu des glaces du Grand Nord ! Hudson laissa ainsi sa vie (et son nom) dans cette baie.

Par ailleurs, l'implantation française – même maigre – le long des rives du Saint-Laurent, et surtout les territoires conquis inquiètent énormément les Anglais. Maîtres de la côte est des États-Unis, ils se voient cernés de l'intérieur des terres. Les Français avaient tracé une voie du Saint-Laurent au golfe du Mexique, et les Anglais mesurèrent certainement mieux que le roi de France les possibilités qu'offrait une telle situation. Les colonies anglaises se comportaient comme des démocraties à part entière, et chacune poursuivait ses propres intérêts. La Couronne britannique savait qu'elle ne pourrait pas compter sur elles pour se battre contre la France. En revanche, l'implantation française s'étant faite au nom du roi, ses membres étaient fidèles à la Couronne française.

Pour contrecarrer une éventuelle mainmise française sur le continent nord-américain, les Anglais attaquèrent par le nord. Sir William Phips, parti de Boston en 1690, conquit l'Acadie qui devint la Nova Scotia (la Nouvelle-Écosse) puis, à la tête d'une flottille de bateaux (dont certains n'étaient que des barques de pêche !), il remonta le Saint-Laurent pour aller exiger la reddition de la ville de Québec. Le gouverneur Louis de Buade, comte de Frontenac, ne céda pas. Phips attaqua mais perdit la bataille... Malgré cette victoire et l'avantage énorme des Français sur l'échiquier géographique, le déclin était pourtant proche. Que pouvaient faire les 70 000 Canadiens français face au 1,5 million d'Anglais installés dans le Sud ? De plus, Louis XIV était trop empêtré dans sa lutte de domination en Europe, et son peuple montrait peu d'enthousiasme à l'émigration...

La défaite, l'abandon et l'oubli

Le traité d'Utrecht, qui mit fin à la guerre de Succession d'Espagne en 1700-1713, fut l'occasion pour les Anglais de faire admettre aux Français l'échec de leur politique sur le continent nord-américain. Par ce traité, la France cédait la baie d'Hudson, Terre-Neuve et la Nouvelle-Écosse. En 1755, les Britanniques, toujours aussi machiavéliques, décident d'expatrier les Acadiens de la Nouvelle-Écosse : c'est le « Grand Dérangement ». Beaucoup sont déportés, d'autres fuient en Louisiane ou retournent en France et peupleront Belle-Île.

Cet événement pèsera sur le déclenchement de la guerre de Sept Ans, pendant laquelle la suprématie de la flotte anglaise fut décisive. Les Anglais sont alliés aux Iroquois et les Français aux Hurons. En 1759, l'armée française commandée par Montcalm (sûr qu'il aurait dû s'énerver un peu) est battue à Québec et, au Traité de Paris en 1763, la France perd toutes ses possessions, mais garde Saint-Pierre-et-Miquelon comme lot de consolation.

Après 150 ans d'occupation d'un territoire inhospitalier, la Nouvelle-France est abandonnée. L'armée, ayant brûlé ses drapeaux, rentre en France suivie par presque tous les notables et commerçants de la colonie qui ne laissent derrière eux que les Français les plus démunis (une majorité évidemment), livrés aux Anglais.

Les colons britanniques ne se précipitent pas pour autant vers l'hiver québécois, et le nouveau gouverneur James Murray doit sympathiser avec les Québécois, dont il avait admiré le courage. L'« Acte du Québec » (1774) rétablit les privilèges et les dîmes du clergé catholique (bien que l'Église officielle soit dorénavant anglicane). Il donne aussi des sièges au conseil gouvernemental pour les francophones.

Petites conséquences linguistiques

Les rapports de tout temps ambigus entre les Québécois et le Canada anglophone, illustrés par le « Je veux, moi non plus » qui caractérisait leur désir d'autonomie, trouvent leurs racines dans cette époque troublée. Le fait d'avoir été abandonnés par leur classe bourgeoise et leur patrie a laissé les 70 000 Canadiens français orphelins. Et puis, tout compte fait, ces Britanniques « n'étaient pas pires », surtout au début de leur histoire commune, après la démission de la métropole. D'ailleurs, les expressions populaires ont souvent des racines « émotionnelles » précises. Chez les Québécois, l'expression « C'est pas pire » est utilisée aussi bien littéralement que pour exprimer une grande satisfaction.

Cette ambiguïté est illustrée dès 1775, quand les insurgés américains envahissent le Québec en pensant le rallier à leur cause (l'indépendance). Mais les Canadiens français se rangent du côté des Anglais ! La révolution américaine marqua profondément le Canada : des milliers de réfugiés « américano-britanniques » ont traversé la frontière pour rester loyaux à la Couronne britannique, laquelle donnera plus de 4 millions de livres en compensation des pertes subies aux États-Unis. Ce jeu du chat et de la souris auquel se livrent les francophones et les anglophones a eu des répercussions culturelles dans les deux communautés.

L'un des exemples les plus frappants est le *joual,* c'est-à-dire le patois québécois. Par exemple, avec l'expression « magasiner » (et non pas faire du « shopping » ou de bêtes « courses »), le fait de décliner le mot magasin comme un verbe est un détournement francophone de la grammaire anglaise ! Tout comme le « je suis en amour » (« I am in love »), le « prendre une marche » (« take a walk ») et tant d'autres... On ne peut pas accuser les Québécois de parler franglais, mais ils ont détourné des mots en les francisant d'une telle manière qu'un Anglais n'y retrouverait pas... son latin ! Le mot « chum », qui est de l'argot britannique d'avant-guerre (complètement tombé en désuétude depuis) et désigne un copain, devient au Québec « tchumme ». On « jobe », « jobine », ou « jobette » selon l'importance du travail qui nous est confié...

Bref, 300 ans de liberté à l'écart de l'austère et intraitable Académie française a donné une langue française vivante (n'en déplaise aux puristes), nettement plus pratique dans le monde moderne, et qui a gardé toute la puissance poétique et imagée que l'on rencontre encore aujourd'hui dans le parler des provinces de Loire. Il suffit de lire le romancier Félix Leclerc (bien que peu de ses livres aient été publiés en France) pour s'en convaincre !

HISTOIRE ET SOCIÉTÉ

Les problèmes recommencent

La colonisation anglaise devient effective en 1783 avec l'afflux des loyalistes, colons américains fidèles à la Couronne. En 1791, la colonie est divisée en deux par le Constitutional Act ; le Bas-Canada, à majorité française, qui conserve ses lois et un gouvernement indépendant, et le Haut-Canada, construit et administré sur le modèle britannique. La guerre anglo-américaine donne une nouvelle occasion aux Américains d'espérer englober le Canada dans les États-Unis. Les combats sont particulièrement vigoureux à la frontière, autour du Niagara, où Français, Indiens et Anglais confondus tiennent tête aux Américains. Mais « l'invasion » américaine est un échec. Un traité est signé à Ghent en 1814 : la frontière avec les États-Unis est définitivement établie.

En 1838, les deux provinces se révoltent contre l'autoritarisme de Londres, mais elles sont écrasées. Les parlements provinciaux sont remplacés par un parlement unique avec égale représentation des deux communautés, mais la langue française perd toute existence légale. Il faudra huit ans de lutte, avec l'aide des libéraux anglais, pour qu'elle retrouve ses droits.

La première tentative d'indépendance du Bas-Canada (le Québec) est menée par Louis-Joseph Papineau. Il souhaite établir une république française sur les rives du Saint-Laurent. La même année, dans le Haut-Canada, William Lyon Mackenzie mène une révolte contre les Britanniques, avec l'idée d'y établir une deuxième république, mais avec comme modèle... les États-Unis ! Que de fil à retordre pour la pauvre Couronne britannique qui, jamais en manque d'hommes forts, envoie « Radical Jack ». Le comte de Durham (c'est lui) n'aime pas les Québécois, ce « peuple sans histoire et sans littérature » qui constitue une menace pour le Canada anglophone. Il préconise une réunion des deux Canada afin que les anglophones dominent les francophones. C'est chose faite en 1840 : un million d'habitants et un seul gouvernement.

Cette union ne fonctionna pas et n'amena pas plus de stabilité politique entre les deux communautés. Les Français et les Anglais étaient suffisamment égaux en force et en nombre pour rendre le pays ingouvernable. Qui dit « union » dit une seule et même capitale. Or choisir la ville de Québec aurait donné l'avantage aux francophones, et préférer Toronto aurait privilégié les anglophones. En désespoir de cause, la reine Victoria fut consultée. Elle regarda la carte géographique du pays incriminé et choisit une toute petite ville, Bytown, située sur la rivière Outaouais, à la frontière du Haut et du Bas-Canada. Bytown fut alors rebaptisée *Ottawa*.

Le modèle américain

En 1864, l'idée d'une fédération refait surface avec pour partenaires le Nouveau-Brunswick, la Nouvelle-Écosse et l'île du Prince-Édouard. Une conférence est tenue à Québec en octobre de la même année. Il y est décidé que le Canada serait la première confédération de l'Empire britannique. Le 1er juillet 1867, le Canada devient donc « dominion britannique » (confédération de provinces) et cette date marque officiellement la fête nationale.
À cette époque, avec l'apport de l'émigration écossaise et irlandaise, la population du Haut-Canada dépasse pour la première fois celle du Canada français.
Cette confédération est née, en fait, d'une nécessité économique : le chemin de fer. Il devenait impératif de relier le Canada d'est en ouest et d'avoir le pouvoir financier nécessaire pour réaliser un tel projet. Mais la confédération n'est pas un succès instantané. Ainsi Terre-Neuve ne la rejoint qu'en 1949. Cependant, le fameux chemin de fer est quand même achevé dès 1885.
En 1931, le pays acquiert l'indépendance, mais est toujours partie prenante du Commonwealth britannique.
Le drapeau canadien, rouge et blanc avec une feuille d'érable, n'a été finalement choisi qu'en 1965, en remplacement de l'Union Jack.

Le Canada et le XXe siècle

Le Canada est aujourd'hui une monarchie constitutionnelle au sein du Commonwealth britannique. La reine est représentée par un gouverneur général, mais à titre purement honorifique. Chaque province jouit d'une grande autonomie en matière d'éducation, de logement et de ressources. La souplesse qui caractérise une confédération ouvre aussi la porte aux contestations... légales. Par exemple, certains politiciens anglophones, lassés des turbulences « francophonesques », préconisent l'expulsion pure et simple du Québec de la confédération tandis qu'un ancien ministre libéral québécois prône la séparation... du Canada anglais du Québec ! L'arroseur arrosé en quelque sorte...
La première guerre à laquelle les Canadiens participent en dehors de leur territoire fut la guerre des Boers, en Afrique du Sud, contre les Afrikaners. Elle fut suivie par la Première Guerre mondiale. À cette occasion Henri Bourassa, un chef politique québécois, déclara que « les vrais ennemis des Canadiens français ne sont pas les Allemands, mais les Canadiens anglais angliciseurs, les Ontariens intrigants et les prêtres irlandais » (les Irlandais étant certes catholiques, mais anglophones...). Et il est vrai que, par la suite, beaucoup de Québécois sont allés à la guerre à reculons. Pendant la Seconde Guerre mondiale, la menace nazie paraissait bien trop loin pour le Nouveau Monde, et les attaches européennes, tant françaises que britanniques, étaient devenues douteuses. Mais, malgré ses réticences, le Canada paya le prix fort durant les deux guerres mondiales : 60 000 morts pour la Première et 43 000 pour la Seconde.

L'influence des États-Unis

Le « grand voisin d'à côté » est omniprésent dans l'histoire économique du pays, et le Canada subira la Grande Dépression ainsi que tous les flux, reflux et autres avatars financiers des États-Unis. Si chaque communauté a gardé une identité spécifique, l'influence américaine est néanmoins considérable. Les fast-food, le Coca, et les aspirations de l'*American way of life* sont partout, à chaque coin de rue. Dans la communauté francophone, l'impact de l'*American dream* était tel que déjà, dans les années 20, on avait interdit le cinéma aux adolescents !

« Nègres blancs d'Amérique »

L'ancien empire industriel anglophone qui s'étendait sur les rives du canal de Lachine n'est plus qu'un souvenir et, durant ces trois dernières décennies, on a vu les francophones prendre peu à peu le pouvoir économique. C'est ce qui a été appelé la « révolution tranquille ». Jadis aux mains des quelques grandes familles anglophones qui tenaient le Golden Square Mile (le Mile Carré Doré, situé sur les pentes du Mont-Royal à Montréal), l'industrie lourde employait la main d'œuvre française bon marché. Surnommés les « Nègres blancs d'Amérique » par l'écrivain Pierre Vallières, les francophones, assujettis par une minorité anglophone et le clergé, vivalent une situation proche de celle des Irlandais au siècle passé : domination britannique et misère économique pour des familles nombreuses (très !) et catholiques pratiquantes.

Je me souviens...

La « révolution tranquille » fut précédée par la « revanche des berceaux ». Un peu comme dans une ambiance de « multiplication des pains », les Québécois francophones, avec leurs familles de douze (voire quinze, voire même vingt enfants !), ont littéralement noyé la communauté anglophone. Cette révolution-là, les Québécois la doivent au clergé qui voyait dans la fécondité des femmes le moyen le plus sûr, non pas de résister au pouvoir anglophone, comme on a tendance à la suggérer, mais d'implanter solidement l'Église romaine dans le Nouveau Monde. On était pauvre mais pieux...
L'emprise du clergé fut telle que, dans les années 60, le Québec francophone continuait à se mettre à genoux devant le poste de radio tous les jours à 19 h pour réciter en chœur les prières du chapelet avec le cardinal !
Le diocèse de Montréal formait encore à cette époque 700 à 800 prêtres par an. Aujourd'hui, il en sort à peine 7 ou 8 ! Cette frénésie religieuse s'est éteinte brutalement au début des années 70, dans la foulée de la génération « peace and love ». Par ailleurs, avec l'arrivée de près de 50 000 immigrés par an, les milieux francophones parlent aujourd'hui de menace linguistique. Car ces nouveaux immigrants italiens, grecs, libanais, asiatiques et autres apprennent – ou maîtrisent déjà en seconde langue – l'anglais, et moins du tiers parlent le français. Le gouvernement du Québec s'est néanmoins fixé pour objectif d'accueillir 40 % d'immigrants francophones, qu'il recrute, en France notamment, en multipliant les séances d'information...
Le Québec du XXIe siècle est une interrogation. Va-t-on aujourd'hui vers une évolution multiculturelle avec l'anglais ou le français comme langue dominante ? État souverain ou province canadienne ? Autant de questions qui rendent la devise du Québec, *Je me souviens,* plus que jamais d'actualité.

La question du Québec

Nous n'avons surtout pas la prétention ici de tout expliquer en quelques lignes. Nous souhaitons seulement fournir quelques éléments d'histoire pour aborder cette situation compliquée, mais qui sera présente tout au long de votre voyage, dans vos rencontres, dans les manifestations culturelles, dans tous les aspects de la vie sociale.

On l'a vu, le Québec a une histoire qui se confond avec celle du Canada. Historiquement, les Canadiens français auraient dû être largement assimilés. Cela n'a pas été le cas. Pour plusieurs raisons : d'abord, en 1763, les Anglais n'étaient pas assez nombreux pour imposer vraiment la langue et les lois britanniques. Puis, en 1774, Londres accorda une certaine autonomie aux Canadiens français pour les empêcher de s'allier aux colons américains en révolte. On les laissa donc vivre en « Français ». Ensuite, il y eut la « revanche des berceaux ». Le Québec connut un taux de natalité beaucoup plus fort que les autres provinces canadiennes. De 1760 à 1850, la population québécoise doubla tous les vingt-cinq ans. La structure sociale, essentiellement rurale, ne favorisa pas l'assimilation. À plusieurs périodes même, les Canadiens français trouveront dans les libéraux anglais du Haut-Canada un soutien à leurs revendications.

En 1867, les Québécois obtiennent enfin, avec le *British North-America Act,* la garantie du maintien de leur langue, de l'organisation de la scolarité et la maîtrise de leur administration. Le système confédéral, avec la création de quatre provinces, permet cette relative autonomie. Les leviers de l'industrie et du commerce restent cependant entre les mains des Anglais. De 1867 à 1960, le Québec va vivre sous le signe de l'affirmation de son identité et de l'acquisition de nouveaux droits.

Une période marquera profondément la « Belle Province » : le *duplessisme*. De 1936 à 1960, Maurice Duplessis, leader de l'Union nationale, régnera avec une autorité teintée de paternalisme sur le pays. Sa devise aurait pu être « Travail, Famille, Patrie ». La province pendant un quart de siècle n'évoluera presque pas, unifiée autour de ces valeurs traditionnelles.

Cependant, une fois de plus, l'aspect positif d'une telle organisation sociale fut de rendre le Québec imperméable à l'idéologie et au mode de vie anglo-saxons. Il se dota même à cette époque d'un drapeau bien à lui : le drapeau bleu et blanc fleurdelisé.

« Vive le Québec libre ! »

Depuis 1960, tout a bien changé : la société québécoise a connu une mutation très importante. Grands programmes énergétiques, industrialisation et mouvement des idées l'ont fait émerger sur la scène internationale.

En 1967, le centenaire du Canada est fêté avec en toile de fond l'organisation de l'Exposition universelle de Montréal. C'est une occasion pour le Québec de prendre le pas sur les autres provinces et de s'imposer internationalement. Si cette fin de décennie, extrêmement agitée partout dans le monde, voit les séparatistes québécois luttant lors des élections, les activistes vont plus loin et commettent des attentats. Et c'est dans ce climat de grande agitation que de Gaulle (oubliant un instant que le Québec avait soutenu Vichy) lâche la petite phrase qui allait couper le souffle du monde : « Vive le Québec libre ! » De Gaulle, homme respecté et figure « respectable » de la politique internationale, soutient publiquement ce que certains considèrent comme une idée terroriste émise par de jeunes agitateurs ! Beaucoup d'encre a coulé pour tenter d'expliquer cette phrase ou plutôt ce cri. Mais avec le recul, l'explication la plus plausible reste que de Gaulle a saisi une occasion de semer une certaine perturbation chez les Britanniques

et les Américains... N'oublions pas qu'il ne leur avait pas pardonné Yalta et qu'il avait tout de même un esprit franc-tireur !
Mais, en dehors du choc psychologique créé, cette phrase n'a pas été suivie de la moindre aide concrète de la part de la France pour aider les Québécois à obtenir une quelconque indépendance...
Malgré tout, un an après cet appel, un dissident du parti libéral, René Lévesque, journaliste influent de la télévision québécoise, fonda le *Parti québécois*. En 1970, sa formation obtint 24 % de voix et quelques sièges. C'est à cette époque que de jeunes Québécois, impatients et peu confiants dans les voies institutionnelles, créèrent le *FLQ* (Front de Libération du Québec) et se lancèrent dans le terrorisme.

Trudeau et le FLQ

Entre-temps, en 1968, Pierre Elliott Trudeau, un avocat originaire de Montréal, bilingue et raffiné, devient, à 49 ans, le plus jeune Premier ministre (libéral) du Canada après avoir été un ministre très progressiste. En effet, durant son passage à la Justice, il réforma les lois sur l'homosexualité, le divorce, le contrôle des naissances et l'avortement. Trudeau était l'incarnation du Canadien français que les Canadiens anglais pouvaient aimer. Mais la nature des réformes l'avait rendu particulièrement impopulaire au Québec, où l'emprise de l'Église était encore plus que tenace. Bien que Trudeau accueillît presque avec sympathie la requête pour une égalité linguistique, il était farouchement opposé à toute idée d'indépendance. De leur côté, les membres du FLQ accentuèrent les actions terroristes. Ils enlevèrent le commissaire aux Affaires britanniques James Cross et assassinèrent le ministre québécois du Travail Pierre Laporte en octobre 1970 (on appelle d'ailleurs cette période la « crise d'octobre »). Le FLQ fut déclaré hors la loi, puis Trudeau invoqua la « loi de mesures de guerre » et envoya 10 000 hommes au Québec pour y effectuer plusieurs centaines d'arrestations. Le choc émotionnel causé par le FLQ eut d'importantes conséquences par la suite.
Félix Leclerc a écrit une très belle chanson, *L'Alouette en colère,* dans laquelle un père raconte comment et surtout pourquoi « son fils » était devenu un assassin. Cette chanson eut un impact important, surtout auprès de la population âgée du Québec, qui, suite aux événements, était devenue hostile à toute idée d'indépendance. Ce climat, pour le moins agité, eut une autre conséquence : l'exode de beaucoup d'anglophones du Québec vers Toronto, qui prit le pas sur Montréal dans les secteurs financiers, démographique et culturel.

Oui-oui, non-non...

Aux élections provinciales de 1976, le Parti québécois l'emporta avec 41 % des voix. C'est cela qui donna confiance à René Lévesque et l'incita à organiser le référendum de 1980 sur la « Souveraineté-Association » : mandat politique de négociation visant à assurer au Québec la maîtrise totale de son destin dans un État souverain, associé au Canada dans une sorte de Marché commun. Malgré le soutien de personnalités telles que Félix Leclerc, Gilles Vigneault ou Robert Charlebois, cette proposition n'obtint que 41 % des voix et fut rejetée. Lui étaient opposés les milieux d'affaires et du commerce, une large partie de la minorité anglophone (20 % de la population du Québec), ceux qu'effrayait un processus trop rapide à leurs yeux et tous ceux, bien sûr, qui souhaitaient rester dans la confédération. En revanche, les jeunes et les ouvriers votèrent majoritairement oui. Au vu du résultat négatif, certains pensaient qu'aux élections provinciales suivantes ce « désaveu » se confirmerait dans les urnes et que le « PQ » serait battu. Ce fut le contraire qui se produisit, il obtint plus de voix et de sièges qu'au scrutin précédent !

La leçon de ce feuilleton politique à rebondissement montre à l'évidence que, si la majorité des Québécois n'était pas à un moment donné prête pour un changement politique trop radical, elle tenait néanmoins à manifester sa propre spécificité. Il est significatif qu'à Montréal certains quartiers de forte immigration grecque et italienne aient délaissé le parti libéral provincial pour le PQ et que deux candidats péquistes élus aient été... anglophones. Le vote refléta aussi, d'une certaine manière, autant la volonté des Québécois de marquer leur refus de l'américanisation du Canada que d'affirmer leur identité propre.

Une fois de plus, et malgré le vote puis l'adoption en 1977 de la « loi 101 » (qui faisait du français la seule langue officielle du Québec), la province marqua sa différence en 1982 en refusant de ratifier un amendement de la Constitution qui devait sceller une fois pour toutes l'identité politique canadienne. Pourtant, cet amendement libérait le Canada de l'obligation de devoir en référer à Londres pour chaque changement de ladite Constitution. Et une Charte des droits et libertés, semblable à la Déclaration des droits de l'homme française, y était ajoutée...

Au niveau fédéral, après avoir été au pouvoir pendant pratiquement 15 ans (avec une seule interruption de courte durée), le parti libéral de Trudeau a dû céder la place au parti conservateur en septembre 1984 (victoire de Mulroney) tandis qu'au Québec le parti québécois a perdu les élections en décembre 1985 au profit du parti libéral (Premier ministre, Robert Bourassa). Il vit aussi disparaître René Lévesque, l'un de ses fondateurs, décédé le 1er novembre 1987.

René Lévesque, figure politique haute en couleur, restera l'initiateur du droit à la différence. Il sut se faire respecter même de ses adversaires. Brian Mulroney, l'ex-Premier ministre conservateur, promit au Québec de lui permettre d'adhérer à la Constitution canadienne avec « enthousiasme et dignité » : ce qu'il fit en avril 1987, en signant les « accords du lac Meech » en compagnie des dix Premiers ministres provinciaux. En gros, ces accords prévoyaient 7 amendements à la Constitution de 1982, dont la reconnaissance du Québec comme « société distincte »... Pour être entérinés, ces accords devaient être adoptés par les onze parlements avant juin 1990 ; or dans l'intervalle, trois des Premiers ministres signataires furent remplacés par des successeurs qui ne l'entendaient pas de cette oreille !

À signaler qu'il existe plus d'un million de Canadiens francophones dans les autres provinces, surtout en Ontario et au Nouveau-Brunswick, toujours menacés d'assimilation par le milieu anglophone. Ce danger se trouverait évidemment accentué par un quelconque changement de statut du Québec, car c'est celui-ci qui maintient un rapport de force linguistique au niveau de la confédération.

Les nouveaux enjeux

Les interminables querelles constitutionnelles ont d'ailleurs largement influencé le résultat des élections fédérales d'octobre 1993. Certes, le libéral Jean Chrétien, Premier ministre du Canada (et Québécois de surcroît), dispose dès lors d'une forte majorité à la Chambre des communes d'Ottawa. Mais il doit compter avec deux nouvelles forces « régionalistes ». À l'ouest du pays, le *Reform Party,* parti populiste et ultra-conservateur, considéré comme francophobe et qui milite notamment pour la suppression du bilinguisme des institutions fédérales (imposé par Pierre Elliott Trudeau), jugé comme un facteur de gaspillage. Dans la « Belle Province », le *Bloc québé-*

cois, parti d'opposition officielle, qui défend la cause de la souveraineté du Québec.
Si Jean Chrétien entend démontrer que le Canada « est toujours la meilleure solution pour les Québécois », les « bloquistes » de Lucien Bouchard sont fermement convaincus qu'« il y a deux pays dans ce pays ». En 1994, le parti québécois indépendantiste de Jacques Parizeau remporte les élections législatives provinciales. L'année suivante, celui-ci perd néanmoins le référendum sur la souveraineté, mais il s'en est fallu de peu : 49,6 % de oui contre 50,4 % de non. Parizeau donne alors sa démission, remplacé par Lucien Bouchard (ancien chef du Bloc québécois à Ottawa), à la tête du parti indépendantiste québécois et du gouvernement de la Province.
Lors des élections fédérales anticipées du 2 juin 1997, qui ont vu la relative victoire du parti libéral, 60 % de la population du Québec ont voté pour un autre parti que le leur. Le Bloc Québécois a perdu son statut d'opposition officielle du Canada, remplacé dans ce rôle par le Reform Party, originaire de l'ouest du pays.
Lors des dernières élections provinciales, en novembre 1998, le parti québécois de Lucien Bouchard a été reporté au pouvoir, mais de justesse. Parti libéral et parti québécois se trouvent donc désormais au coude à coude. Comme Lucien Bouchard affirme ne pas vouloir de référendum perdant, il a pour l'instant mis ce projet en veilleuse. Un référendum comparable à celui de 1995 aurait-il quelque chance d'aboutir aujourd'hui ? La question obsède les Québécois comme les Canadiens anglais, et pas un jour ne se passe sans que les médias ne s'emparent une énième fois du sujet. Résultat : la population commence à se lasser sérieusement et tous les sondages indiquent que les Québécois ne veulent tout simplement plus de référendum...

La « spécificité » québécoise

Les Français du Canada échappèrent aux phénomènes de désintégration sociale parce que beaucoup émigrèrent par groupes de familles et par village. Les dangers de l'environnement leur commandant de s'unir, ils constituèrent rapidement un groupe homogène bien plus, en vérité, que la France aux provinces si différentes, et une mentalité nouvelle en naîtra. À cet égard, il est intéressant de mentionner le rôle d'une institution bien propre aux Québécois : le *rang,* qui sert d'adresse à la campagne. Lorsque les Québécois s'installèrent, ils disposèrent partout leurs maisons en ligne, le long d'une rivière ou d'une route, à faible distance l'une de l'autre. Ils découpèrent ensuite leurs parcelles de terre devant et derrière leur maison, perpendiculairement à la rivière ou à la route. Ce qui transformait en fait chaque propriété en une longue bande de terrain, et chaque villageois pouvait ainsi trouver rapidement du secours chez ses premiers voisins en cas de nécessité. Cette politique du rang tissa la solidarité et l'unité des villages, à la différence de l'implantation dans l'Ouest américain qui se fit souvent de façon isolée et individualiste.
Très vite, la trilogie classique du village français, seigneur, curé et administration civile, se retrouva dans le village québécois limitée au seul curé. Les paroisses firent office d'administration, s'occupèrent de la scolarité et de tous les problèmes touchant à la vie sociale.
De plus, le Canadien français, beaucoup plus que son homologue anglo-saxon, noua des relations d'amitié et de bon voisinage avec les tribus indiennes. Il est certain que, s'il n'y eut pas véritablement d'échanges culturels, l'Indien transmit en tout cas au Québécois son goût de l'indépendance, de la liberté et son amour pour la nature. On peut affirmer donc qu'au traité de Paris, qui cède le Canada à l'Angleterre, les Canadiens français ont déjà largement leurs traits spécifiques, leur propre organisation sociale, et que

celle-ci va leur permettre de survivre pendant deux siècles en préservant leur identité.
Bougainville, aide de camp de Montcalm, dira d'eux : « Le Canadien est haut, glorieux, obligeant, affable, honnête, paresseux pour la culture des terres. Il consomme extrêmement d'eau-de-vie et s'adonne de bonne heure à la chasse... Malgré ce défaut d'éducation, il faut convenir qu'ils ont de l'esprit naturellement, ils parlent avec aisance, leur diction est remplie de phrases empruntées à la langue des sauvages. Il semble, conclut-il, que nous soyons d'une nation différente... »
À remarquer que les « Français de France », l'élite, marchands et membres de l'Administration, se cantonnaient dans les villes. Ils furent les premiers à partir en 1763, ne laissant plus sur place que l'organisation villageoise et son curé tout-puissant. La population, cimentée par la religion, préservera ainsi son héritage culturel, sa langue, ses coutumes. Ce qui explique un certain égalitarisme et la sociabilité des Québécois.

Québécois et Français aujourd'hui

Je dis tu à tous ceux que j'aime
Même si je ne les ai vus qu'une seule fois
Je dis tu à tous ceux qui s'aiment
Même si je ne les connais pas
Jacques Prévert

Les Québécois appliquent cette maxime tous les jours..., même les flics! C'est bien de cette façon que vous serez accueilli si vous savez faire preuve d'un peu d'humilité et d'ouverture d'esprit.
Mais attention, à notre avis, l'erreur à ne pas commettre serait donc d'imaginer que parce qu'il parle le français, le Québécois est proche des Français. Nous l'avons vu dans le développement historique, au cours des siècles les Québécois se sont forgé une personnalité collective largement différente. Même si le Québécois a parfois tendance à vous faire comprendre qu'on pénètre difficilement dans les problèmes du Québec, ça ne sera jamais du mépris. Il croira toujours qu'aucun étranger ne peut vraiment appréhender la question nationale de son pays.
Raison de plus pour ne pas débarquer en donneur de leçons. Nous possédons à ce sujet un lourd passif de néocolonisation culturelle et de paternalisme insupportable. Pour un Français, il est souvent difficile d'admettre qu'une bouture de son propre peuple ait pu prendre un visage différent à travers l'histoire, et qu'à certains moments elle paraisse si proche, à d'autres si éloignée... Ne soyez pas trop rapide à émettre des jugements (ô Descartes!) et n'oubliez jamais qu'ici... c'est vous qui avez l'accent... français. Avec beaucoup de savoir-vivre et de modestie, vous vous donnerez l'occasion de rencontres extraordinairement chaleureuses et d'amitiés durables. Et si des jeunes vous accueillent par un « maudit Français », c'est bien souvent pour tester votre sens de l'humour et de la réplique. Leur attitude révèle, en général, plus d'affection rentrée pour un cousin (ou un arrière-grand-père) abusif que d'agressivité réelle. En tout cas, routard complexé et timide, vous ne serez jamais seul sur la route, les Québécois adorent « jaser », rire et chanter.

Les peuples autochtones dans l'histoire canadienne

Sauvages, Indiens ou autochtones?

Après des siècles de cohabitation, les rapports entre les Québécois et les autochtones demeurent chargés d'incompréhension, d'ignorance (souvent

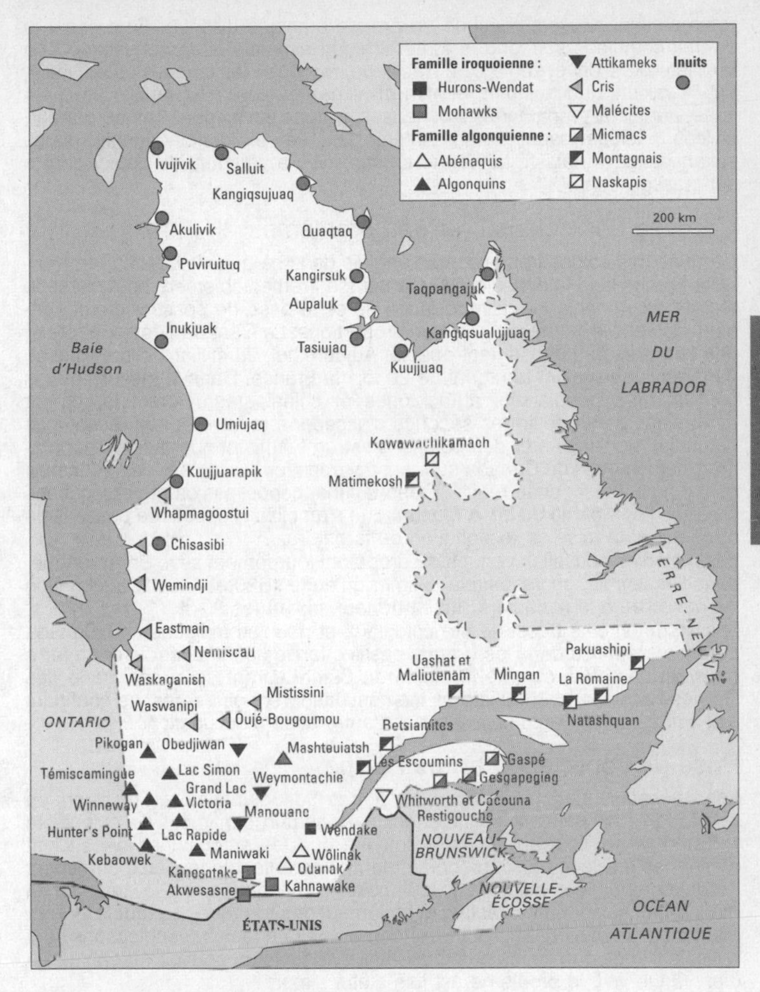

LES COMMUNAUTÉS AUTOCHTONES DU QUÉBEC

assortie de préjugés) et de ressentiment mutuels... Symbolique, même l'utilisation des termes pour définir les uns et les autres est problématique ! Durant les premières décennies de ce siècle, on employait (notamment dans les manuels d'histoire) le mot « Sauvages » pour parler des « Peaux-Rouges » ou des « Indiens » (ainsi baptisés par les premiers navigateurs qui croyaient avoir trouvé la route des Indes). Puis on les a nommés « Amérindiens », pour faire plus local. Aujourd'hui, on dit « autochtones », terme qui présente l'avantage d'englober les Inuit (car ceux-ci ne sont pas des Amérindiens).

Une classification difficile

Sur le territoire du Canada moderne, on dénombre une dizaine de familles linguistiques autochtones, subdivisées en une multitude de sous-familles (représentant souvent chacune un groupe ethnique distinct). En dresser le portrait complet serait long et téméraire. Un exemple de la complexité ? La famille wakaskenne, sur la côte Pacifique, regroupe les langues haisla, heiltsuk, kwakiutl, nuuchalnulth, nootka et nitinat ! Encore ? La famille athapaskane, autour des montagnes Rocheuses, groupe les langues castor, porteur, chilcotin, tcippewayan, flan-de-chien, han, lièvre, kaska, kutchin, sarsi, sakani, esclave, tagish, tahitan et tutchoni. Il y a vraiment de quoi y perdre son nassgitksan...

L'arrivée des colons... et des problèmes

L'arrivée des colons français, puis anglais dans ce qui allait devenir la Nouvelle-France puis le dominion du Canada, a irrémédiablement bouleversé le régime de vie indigène. L'importance de cette prise de possession, cependant, doit être évaluée à ses justes proportions. Le Canada a toujours été et demeure très peu densément peuplé. Aujourd'hui, 28 millions d'individus se partagent l'équivalent territorial de 20 fois la France. Dans la mesure où les conflits entre populations autochtones et colonisateurs furent largement déterminés par le désir des seconds d'accéder à la terre et aux ressources naturelles et d'implanter des colons, c'est un fait historique que les populations autochtones du Canada subirent diverses formes de sévices. Plus personne ne conteste cette réalité. Déportations, dépossession et persécutions diverses firent partie du lot, à mesure que s'amplifiait l'appétit de possession du Blanc et la mise en exploitation de la nature.

Les maladies nouvelles venues d'Europe ont lourdement sévi. En Amérique, dans l'ensemble, on va jusqu'à estimer qu'entre 1520 et 1700 la décimation indigène liée à la maladie a atteint un taux frisant les 90 %.

Les affrontements directs entre coloniaux et peuples indigènes au Canada eurent surtout lieu dans les grands bassins fertiles où le contrôle de la terre devenait un enjeu, comme la plaine du Saint-Laurent ou la périphérie des Grands Lacs. À l'écart du littoral, les contacts furent plus rares, se confinant souvent à l'échange commercial sans autre désir d'occupation.

Prise de conscience et mea culpa

Les Québécois (comme d'ailleurs les autres Canadiens) savent qu'ils ont eu des torts et ne peuvent se défendre d'un certain sentiment de culpabilité « historique ». Tout en estimant souvent que les autochtones bénéficient d'énormes privilèges (fiscaux notamment). Les autochtones, eux, cherchent à sauvegarder leur différence, leur culture (malmenée, on le sait, par la modernité), se sentent exploités et réclament des territoires auxquels ils estiment toujours avoir droit. Tout en faisant valoir que leurs revendications sont aussi légitimes que celles des Québécois vis-à-vis du pouvoir fédéral canadien. On le voit, le problème est loin d'être simple !

Un récent rapport du secrétariat québécois aux Affaires autochtones souligne que « le bouleversement vécu par les autochtones depuis l'arrivée des Européens sur le continent a laissé des séquelles dont ils souffrent encore aujourd'hui ». Les dernières décennies ont provoqué des changements sociaux particulièrement rapides et profonds. Par exemple, il y a 50 ans à peine, les Inuit et une grande partie des Amérindiens menaient une vie nomade.

Les autochtones ont en effet durement ressenti le choc de la modernité, perdant leurs repères, leur identité vis-à-vis des Québécois. Un écart important demeure encore entre leurs conditions de vie et celles de la population du Québec en général.

Qu'en est-il exactement ? D'après des statistiques gouvernementales établies en 1987, le taux de suicide est 3 fois supérieur chez les autochtones, le taux de mortalité infantile 3,5 fois plus élevé, l'espérance de vie de ceux vivant dans des réserves de 8,6 ans inférieure.

Combien sont-ils ?

Les « Indiens inscrits » sont aujourd'hui environ 500 000 répartis à travers le Canada, soit environ 1,9 % de la population totale. Rappelons qu'au moment de l'arrivée du Blanc il y avait environ un demi-million d'autochtones, soit une croissance démographique nulle sur 4 siècles. Aujourd'hui, plus de la moitié d'entre eux ont moins de 25 ans. On estime que d'ici l'an 2001, le nombre d'Indiens inscrits atteindra 623 000 personnes et représentera 2,1 % de la population canadienne.
Ce taux de croissance démographique élevé s'explique notamment par la modification de 1985 de la loi sur les Indiens, qui a permis la réintégration, ou l'inscription pour la première fois, de 85 000 d'entre eux.

Qu'est-ce que la loi sur les Indiens ?

Au terme de la Constitution canadienne, le gouvernement fédéral est habilité à légiférer en ce qui concerne les « Indiens et les terres réservées pour les Indiens ». La première « loi sur les Indiens » a été adoptée en 1876. Celle-ci a été modifiée de nombreuses fois.
Ainsi, avant 1960, les « Indiens inscrits » (c'est-à-dire enregistrés comme tels en vertu de la loi) et vivant dans les réserves n'avaient pas le droit de vote aux élections fédérales. Par ailleurs, ce n'est qu'en 1969 que les Amérindiens ont obtenu le droit de vote aux élections provinciales.
Mais ce n'est qu'en 1985 que cette loi est (enfin) devenue conforme aux dispositions contenues dans la Charte canadienne des droits et libertés ! Auparavant, les « Indiens » (puisque c'est encore le terme qu'utilise la loi) pouvaient perdre leur statut d'« Indiens inscrits ». Cela s'appelait l'« émancipation ». Elle leur enlevait leurs droits en tant qu'Indiens mais leur accordait tous les droits des Canadiens. Vous avez compris ? Non ? Alors reprenez lentement en mâchant bien tous les mots.

... et les négociations continuent

Malgré tous ces pas en avant, le gouvernement fédéral reconnaît explicitement qu'aujourd'hui encore la loi sur les Indiens « continue d'entraver le développement social, économique et politique » et qu'« elle ne peut satisfaire les aspirations contemporaines des Indiens ». Voilà pourquoi les dirigeants autochtones et les ministères de la Justice et des Affaires indiennes et du Nord canadien sont actuellement en train de modifier profondément la loi afin de trouver des solutions, notamment sur les questions de la gestion des terres, de l'imposition et des pouvoirs administratifs.

La question autochtone aujourd'hui

La question autochtone au Canada d'aujourd'hui est complexe et commande une réflexion plus appuyée qu'une indignation bruyante. La reconnaissance des autochtones comme étant des citoyens à part entière s'est faite tardivement : on les a d'abord gardés à distance en traitant avec eux de façon impérialiste, en les considérant cependant comme des sujets de « Sa Majesté ». Quand le besoin en territoire se fait sentir, on convoque les chefs, auxquels on reconnaît une existence politique, et on « propose » de céder des droits par traité. Le système des réserves encadre les populations elles-mêmes et les sédentarise, et restreint les droits d'usage de territoires de chasse ancestraux (dans certains cas, grands comme la France).
Au Québec, on reconnaît légalement en 1912 des droits territoriaux aux « habitants sauvages », ce qui permet ensuite de traiter la cession de ces droits contre dédommagement financier, comme c'est encore le cas aujourd'hui. Dans ce processus, le conquérant dépossède « légalement » l'occupé de ses biens avant même qu'il ne réalise ce qui lui arrive. Un système social parallèle s'est mis en place, conférant aux membres des « Pre-

mières Nations », comme se désignent eux-mêmes maintenant les autochtones, des droits particuliers qu'on ne peut s'empêcher de considérer comme une tentative malhabile de réparer les erreurs du passé.

La crise du golf d'Oka

Si la majorité des Canadiens sont souvent ignorants de toute la question « indienne », il n'en va pas de même au Québec. Ceux qui n'étaient pas particulièrement intéressés *a priori* par le sujet en ont malgré tout beaucoup entendu parler pendant l'été 1990. Origine de l'affaire : le projet de transformer une pinède amérindienne en terrain de golf. Farouchement opposés à cette idée et focalisant toutes leurs rancœurs sur cette nouvelle violation de territoire, les *warriors* mohawks de la réserve de Kahnesatake (au sud de l'île de Montréal) ont déterré la hache de guerre. Ils se sont emparés de quelques maisons appartenant à des Blancs, les ont saccagées et ont, en outre, forcé les habitants écœurés à faire des dizaines de kilomètres de détour pour se rendre à leur travail à Montréal, le pont Mercier étant totalement bloqué durant deux mois, sans aucune négociation possible. Un policier a été tué lors du premier assaut.

Personne n'a encore oublié cet été brûlant, qui a ravivé l'incompréhension et le ressentiment de part et d'autre... Mais surtout, ce fut un véritable détonateur. Désormais, chacun a le sentiment que la situation doit évoluer pour qu'enfin les uns et les autres puissent vivre ensemble.

Au Québec comme ailleurs au Canada, la négociation semble ainsi avoir pris le pas sur l'affrontement. Certes, la tension demeure. La question épineuse des droits de pêche et de chasse, comme celle des revendications territoriales, font régulièrement les gros titres des journaux. Mais les gouvernements fédéral et provinciaux préfèrent discuter et fumer le calumet de la paix plutôt que de déterrer la hache de guerre.

Droits constitutionnels et avantages

Les autochtones bénéficient de tous les droits et avantages des autres Canadiens. Voici en quelques lignes les avantages auxquels donne droit le fait d'être un « Indien inscrit » : en tant qu'« inscrit », on a le droit de vivre dans une réserve. On compte 2 300 réserves à travers le Canada, où vivent environ 60 % des « Indiens inscrits ». Le fait de vivre en réserve permet de bénéficier de l'exemption fiscale sur les revenus gagnés dans les réserves, l'exemption de certaines taxes provinciales, la gratuité des soins médicaux, des subventions au logement dans les réserves, des subventions aux études postsecondaires ainsi que d'autres allocations.

Organisation politique et sociale

Avec la scolarisation obligatoire et l'accès à la richesse collective sont venus le régime des droits égaux et le modèle administratif moderne. Les villages autochtones élisent des représentants politiques, ils s'administrent eux-mêmes. Le conseil de bande est l'organisation politique de chaque village autochtone au Québec. Formé d'un chef (ou « une » chef, comme c'est maintenant le cas au village huron près de Québec) et de conseillers élus, le conseil de bande gère sa communauté et veille à l'application de différents programmes gouvernementaux. Il prend également de plus en plus la charge de l'éducation et du développement économique et culturel local. Le chef est le porte-parole du village pour l'extérieur. Des autochtones se présentent à la députation provinciale et fédérale, et ils sont parfois élus. Les revendications autochtones trouvent maintenant le chemin des tribunaux et sont défendues par des avocats membres des communautés. On rouvre les vieux traités, on négocie les nouvelles cessions contre services et capitaux. Le lobby autochtone est devenu important, et les gains sont notables.

Depuis quelques années, les Inuit du Québec ont le plein contrôle de leur

développement sur leur territoire, ils ont leur gouvernement, élisent leurs représentants, mettent sur pied leurs lignes aériennes et contrôlent leurs chaînes de télévision. Les Cris, également, ont fait valoir jusque dans les corridors de l'ONU leurs revendications territoriales et leur opposition aux nouveaux projets hydroélectriques. Ils ont d'ailleurs remporté une bataille importante : après moult discussions, le projet de complexe hydro-électrique de Grande-Rivière de la Baleine a récemment été totalement abandonné par Hydro-Québec.
Mais toutes ces batailles juridico-politiques, parfois gagnées, parfois perdues, ne seront jamais que la revanche du vaincu qui prend le vainqueur à son propre jeu. Les pertes culturelles irréversibles, les problèmes sociaux liés à l'identité bouleversée, le désœuvrement, la délinquance et l'alcoolisme conséquents à la difficulté de trouver sa place dans un monde qui n'est plus celui des ancêtres et où on n'arrive pas encore à se situer, ne pourront jamais être compensés. Le seul objectif accessible est de faire cesser l'hémorragie culturelle et de revendiquer avec acharnement la reconnaissance des droits ancestraux, dans un processus irréversible d'ajustement à une société blanche, industrielle et résolument moderniste.

Présentation des groupes autochtones au Québec

Sur le territoire du Québec, grand comme trois fois la France, on compte environ 63 000 membres reconnus de groupes autochtones. C'est à peu près 1 % de la population totale de la province. En termes ethnologiques, ces groupes autochtones comptent dix nations divisées en deux grandes catégories : les Amérindiens et les Inuit.

LES AMÉRINDIENS

Ce sont les plus nombreux. Ils regroupent environ 90 % de tous les autochtones du Québec. Les nations qui forment le groupe amérindien sont réparties entre deux aires culturelles et linguistiques : *les Algonquins,* traditionnellement nomades et associés aux espaces forestiers qui incluent les Algonquins proprement dit, les Abénaquis, les Attikameks, les Cris, les Malécites, les Micmacs, les Montagnais et les Naskapis ; et *les Iroquoiens,* agriculteurs des terres fertiles de la vallée du Saint-Laurent qui, au Québec, incluent les Mohawks et les Hurons (d'autres groupes iroquoiens sont présents en Ontario et dans quelques États américains limitrophes du Canada).

Les nations algonquiennes

Les Abénaquis (Wabanaki, « terre de l'aurore »)

Autrefois installés dans ce qui est aujourd'hui le nord-est des États-Unis, ces chasseurs-cueilleurs d'alors se sont tôt associés aux colons français contre les Anglais, et l'on croit que ce sont eux qui auraient enseigné aux Européens l'art de la fabrication du sirop d'érable. Repoussés vers le nord, ils se sont fixés sur la rive sud du Saint-Laurent, face à Trois-Rivières. On compte environ 1 600 Abénaquis au Québec.

Les Algonquins (Nishnabi, « vrais hommes »)

Vraisemblablement originaires de la côte atlantique, près de 4 000 Algonquins habitent 9 communautés situées en Outaouais et en Abitibi-Témiscamingue. Vivant de chasse et de collecte sur ces territoires dès avant l'arrivée des Européens, ils tirèrent bénéfice du commerce des fourrures notamment en taxant les Hurons qui empruntaient la rivière Outaouais pour se rendre dans les comptoirs de Nouvelle-France. La transhumance hivernale vers les territoires de chasse se pratique toujours, et la langue algonquine est bien vivante. Une station de radio communautaire émet en langue algonquine.

Les Attikameks

Décrits comme pacifiques par les premiers missionnaires jésuites et récollets français, les Attikameks ont été décimés au XVIIe siècle tant par les maladies européennes que par les guerres avec les Iroquois liées à la question du commerce des fourrures. En instance de disparition, les survivants se sont réfugiés chez les bienveillants voisins Cris et Montagnais, ce qui leur permit de se perpétuer jusqu'à aujourd'hui sous une forme culturelle mixte. Malmenés au cours du XXe siècle par les projets d'exploitation forestière et de barrages hydroélectriques, les Attikameks se retrouvent concentrés en 3 communautés totalisant 4 000 habitants dans la haute Mauricie.

Les Cris

Les Cris, soit 10 500 personnes réparties entre 9 villages au cœur de la forêt boréale, chassent et collectent dans la région de la baie James depuis 4 000 ans. Également impliqués dans la traite des fourrures avec le Blanc, ils restèrent suffisamment à l'écart des centres de peuplement européens pour moins souffrir de la colonisation. Du moins était-ce vrai jusqu'à la seconde moitié du XXe siècle. Avec l'implantation des programmes étatiques d'éducation et, surtout, la construction depuis des années 1970 de grands barrages hydroélectriques et l'inondation considérable de milliers de kilomètres carrés de territoire, les Cris ont réagi, et vite ! Leur organisation politique actuelle est un modèle d'efficacité qui leur vaut aujourd'hui la reconnaissance de droits territoriaux ancestraux, l'obtention de compensations financières pour la perte d'usage des territoires inondés, le droit d'administrer leur population et leur territoire, le droit exclusif de pratiques ancestrales sur 150 000 km de forêts et de lacs. Les Cris ont toujours sur ces territoires d'importantes activités de chasse et de pêche. Le Grand Conseil cri, allié avec les voisins Inuit, a compris la règle du jeu politique, et il met souvent le gouvernement québécois dans l'embarras par des actions médiatiques imposantes. La langue cri est parlée par la majorité de la population.

Les Malécites

Les 270 Malécites du Québec, plus nombreux au Nouveau-Brunswick, sont dispersés parmi la population blanche et ne disposent que d'un minuscule territoire pour exercer leurs droits ancestraux. Ils ne parlent plus que le français.

Les Micmacs (Mig'mawag, « peuple de l'aurore »)

15 000 Micmacs habitent l'est maritime du Canada, dont 3 850 sont répartis entre 3 villages de Gaspésie. Gens de la mer mais pratiquant aussi une agriculture sommaire, connus de Jacques Cartier, alliés des Français, les Micmacs ont notamment participé dans la baie de Restigouche à une bataille contre les Anglais, en 1760. Un navire français coulé lors de cette bataille, *le Marquis-de-Malauze,* a été remonté du fond récemment par les résidents de la réserve de Restigouche et constitue aujourd'hui une attraction touristique.

Les Montagnais (Innuat)

Forte de 12 000 membres, la nation montagnaise du Québec, est aussi présente au Labrador terre-neuvien. L'histoire orale montagnaise se souvient d'avoir vu et, parfois, pris contact avec des pêcheurs blancs venus en bateau bien avant Cabot et Cartier. Actifs dans la traite des fourrures avec les Blancs, les chasseurs-cueilleurs montagnais alternaient entre campements d'été pour la collecte et campements d'hiver pour le piégeage. Cette transhumance immémoriale tend aujourd'hui à revivre. Les Montagnais possèdent dans chaque communauté, en association avec les Attikameks, une station radio qui émet en langue montagnaise ainsi qu'un journal. Ils ont même un groupe rock autochtone, « Kashtin », qui a percé récemment sur les radios.

Les Naskapis (du montagnais Unaskahpiwaki, « gens de l'endroit où ça disparaît »)

Le seul village naskapi du Canada est situé près de Shefferville au Nouveau-Québec. 488 résidents y disposent en exclusivité d'un droit de chasse et de pêche sur un territoire de 4 000 km. Chasseurs émérites du caribou, ils ont longtemps vécu des produits de cette chasse : nourriture, vêtements et outils. Une source inattendue et importante de revenus a fait récemment son apparition chez les Naskapis : le tourisme d'aventure et le guidage d'expéditions nordiques (traîneaux à chiens, motoneige, longues expéditions de chasse, etc.).

Les nations iroquoiennes

Les Hurons (Wendat, « habitants de la péninsule »)

C'est l'une des nations les plus urbanisées du Québec. 950 Hurons-Wendat habitent une unique communauté en banlieue de Québec, et plus de 1 500 autres sont mêlés à la population blanche. Cette faible représentation démographique n'est pourtant pas proportionnée au rôle joué par leurs ancêtres dans l'histoire.

Venus du sud-est de l'Ontario où ils formaient une confédération de 4 nations pratiquant l'agriculture sédentaire, la Huronie (18 000 habitants en 1640 répartis en une vingtaine de villages fortifiés), les Hurons-Wendat prirent le parti des Français dont ils furent pendant longtemps les plus importants partenaires commerciaux dans la traite des fourrures. Par effet de retour du balancier, le déclin du pouvoir français a mis fin à la prospérité huronne, les guerres iroquoises et les épidémies faisant le reste pour décimer la population. 300 Hurons-Wendat christianisés et réfugiés à Québec en 1649 sous protection jésuite sont responsables de la survie de la nation au Québec.

Très métissés avec le Blanc, ayant perdu leur langue et adopté le français, les Hurons-Wendat s'adonnent à une florissante industrie manufacturière de l'artisanat prisée des touristes qui se rendent sur la réserve en grand nombre. Utilisant habilement les lois canadiennes, une décision récente de la Cour suprême du Canada a reconnu au groupe le droit d'usage sur un territoire beaucoup plus important que celui actuellement occupé. Les négociations se basent sur un traité remontant au premier gouverneur anglais, James Murray, qui l'a signé en... 1760!

Les Mohawks (Kanienkehaka, « peuple du silex »)

Avec les Hurons-Wendat, les Mohawks sont les plus urbanisés des autochtones du Québec, conséquence de leur habitat situé dans la plaine du Saint-Laurent où se fixèrent également la plus grande partie des colons européens. La quasi-totalité des 12 000 Mohawks du Québec sont installés dans trois villages de la périphérie montréalaise.

La société Mohawk avait déjà, à l'arrivée du Blanc, une réputation d'indépendance et de dynamisme qui persiste aujourd'hui. Dotés depuis longtemps d'une organisation politique sophistiquée, célèbres pour leur architecture en « maison longue », ces agriculteurs accomplis et commerçants habiles participaient d'une emprise commerciale et guerrière sur un territoire allant de Québec à Chicago. Tour à tour ennemis ou alliés des Français, profitant également de la demande en fourrure du côté des Anglais et des Hollandais, et en raison même de cette collaboration plutôt tiède avec la Nouvelle-France, les Mohawks traînent avec eux dans les livres d'histoire simpliste une mauvaise réputation que ne font que confirmer les « horreurs » qu'on leur a attribuées sans procès : massacres de colons, torture de missionnaires, etc. Bref, le rôle du méchant.

Depuis que la pratique de l'agriculture traditionnelle n'est plus possible dans la périphérie montréalaise, les communautés mohawks se sont tournées presque exclusivement vers une économie fondée sur les petites activités commerciales. Si bien qu'à traverser un village mohawk en voiture, on peut difficilement le distinguer de la banlieue environnante. C'est sur le territoire mohawk que s'est développée la « crise du golf d'Oka » de l'été 90, dans la banlieue montréalaise.

LES INUIT (les « Hommes », pluriel de Innu en langue inuktitut)

Des autochtones différents

Autrefois connus sous le nom d'Eskimos, ils forment la seconde grande catégorie d'autochtones présents en territoire québécois. Leurs 14 villages sur les rives des baies d'Hudson et d'Ungava, au septentrion, abritent une communauté composée pour l'essentiel de 6 850 Inuit proprement dit, plus quelques autochtones de groupes limitrophes et quelques Blancs venus du Sud.

S'ils méritent à eux seuls une division particulière, c'est en raison de leur distinction culturelle. En effet, les Inuit ne sont apparus dans le nord-est du Canada qu'il y a 4 500 ans, ce qui est relativement peu, comparé aux quelques dizaines de milliers d'années des Amérindiens. Jusqu'à la seconde moitié du XXe siècle, les Inuit du Nord québécois n'ont connu du Blanc que les apparitions occasionnelles de pêcheurs basques et des baleiniers anglais et américains. En plus de l'armée canadienne qui y effectua des séjours de repérages, des ethnologues et un bon nombre d'explorateurs y passèrent, quelques missionnaires chrétiens s'y incrustèrent. Le véritable choc des cultures ne s'effectua qu'avec l'implantation permanente de bases militaires et de services gouvernementaux comme l'éducation et la santé, vers les années 1950.

Aujourd'hui, la plupart des Inuit sont encore nomades. Ils vivent de la chasse et de la pêche, leur lieu de résidence varie selon les saisons, leur maison est de neige l'hiver et de peaux l'été. Toutes les nécessités de la subsistance sont patiemment trouvées dans un environnement avare et un climat extrême, interdisant l'agriculture. Les plus forts seulement survivent, les famines sont fréquentes, la mortalité élevée. Ce qui n'empêche pas l'Innu d'être foncièrement gai et d'une générosité peu commune.

Des effets indésirables de la modernité

En même temps que la vie matérielle s'est considérablement adoucie, les effets désastreux de la sédentarisation rapide sont massifs. L'Innu est doté de gènes qui l'ont pourvu d'un métabolisme extrêmement efficace, il lui faut peu pour survivre. Dans les maisons que lui a données l'État et qui favorisent sa sédentarisation, il a trop chaud, il mange trop, il ne bouge pas assez. Résultat de l'inactivité et de la soudaine abondance, l'espérance de vie s'est accrue, mais la santé de l'Innu s'est aussi considérablement détériorée. Sa culture, fondée sur la migration et le rapport intime à la nature, s'est effritée sous la poussée conjuguée de l'évangélisation et du modernisme promu, entre autres, par le système éducatif des premières années et la télévision.

Prise en main et renouveau culturel

C'est avec les acquis de la convention de la Baie James et du Nord québécois, signée en 1975, que l'Innu a amorcé la reprise en main de sa destinée. Les apports financiers de l'entente lui permirent un développement autogéré ciblé sur ses besoins, dont l'achat de bateaux de pêche modernes, la mise en marche d'une station radio et d'un périodique, la mise sur pied d'une compagnie aérienne régionale, *Air Inuit,* et même l'achat en 1990 d'une autre compagnie régionale, celle-là desservant les Territoires du Nord-Ouest. Dans ces régions qu'aucune route ne relie au reste du monde, c'est un fait d'arme majeur.

L'histoire du peuple inuit a toutefois fait un grand pas le 1er avril 1999 en proclamant la naissance de leur territoire, le Nunavut («notre terre» en inuit), permettant ainsi la formation d'un gouvernement dans la nouvelle capitale Iqaluit, en lien avec le gouvernement fédéral et la mise en place d'institutions totalement inuit, pour veiller à l'administration et au développement de la région dans tous les secteurs d'activité. Ces acquis administratifs et politiques leur permettent maintenant de prendre en charge l'éducation en langue inuktitut, ainsi que le contrôle du développement et de la mise en valeur de tout le territoire québécois au nord du 55e parallèle, le tiers du Québec. En revanche, la justice est rendue par une cour itinérante provinciale, formée de juges qui se déplacent depuis Québec. La société inuit est en pleine mutation, pas encore totalement assimilée, et violence et stupéfiants sont assez présents.

La culture inuit regagne une partie du terrain perdu. Les anciens sont sollicités par les plus jeunes pour enseigner le savoir ancestral. On écrit soi-même ses livres d'histoire et ses dictionnaires, on rapatrie les objets traditionnels qui avaient été emportés vers le sud, on revalorise l'art traditionnel de la sculpture sur os, sur ivoire, sur andouillers de caribou et sur stéatite, et on prend en main sa commercialisation. Ce « succès » des Inuit profite certes du fait que les centres de peuplement du Québec sont très loin, à des milliers de kilomètres au sud. Mais la fierté et le dynamisme sont les premiers moteurs du renouveau au pays du morse, du narval et de l'ours blanc.

LE QUÉBEC

Pour la carte générale du Québec, le métro de Montréal et les plans I, II et III de Montréal, se reporter respectivement aux planches IV et V, VI, VIII et IX, X et XI du cahier couleur.

MONTRÉAL 3,4 millions d'hab. IND. TÉL. : 514

Lorsque le super réseau d'autoroutes vous aura conduit dans le centre-ville, il n'est pas exclu qu'une petite angoisse vous monte à la gorge et que votre pomme d'Adam reste un temps suspendue. Tabernacle ! (Prononcer « tabarnak ».) Est-ce donc cela Montréal ? Cette grande ville aussi typiquement nord-américaine avec ses rues coupées au cordeau, ses gratte-ciel, son trafic... Il est vrai que les projets d'urbanisme malheureux des pouvoirs publics et la boulimie des promoteurs ont pas mal esquinté le centre-ville. Cependant, le premier moment de surprise passé, on constate que Montréal a grandi vite certes, mais en englobant de vieux quartiers qui ont continué à ronronner tranquillement à l'ombre des bétonnières. C'est alors l'heureuse découverte de rues au rythme tout à fait paisible, bordées de petites maisons peintes dans les tons les plus vifs. Chacune d'elles possédant, devant, son petit jardin fleuri ou planté de légumes. La vie y est douce et les gens gais et affables. Ici, tout est libéré des excès propres aux grandes villes américaines. Pas de saleté, ni de concentration d'épaves humaines. Tout paraît raisonnable. Enfin, une ville du Nouveau Monde construite pour les hommes. Chaque quartier, suivant ses habitants, ses couches sociales, ses ethnies, présente un visage original, différent, une divergence heureuse dans le mode de vie.
De plus, une vie nocturne dense, agréable, presque latine. Mais au fond, n'est-on pas à la latitude de Bordeaux ?

Orientation

Montréal est situé sur une île (eh oui !), délimitée par le Saint-Laurent au sud et la rivière des Prairies au nord. Plusieurs quartiers très distincts, avec cependant des frontières qui se recoupent parfois, des zones d'influences qui se superposent, des flux sociaux et culturels qui ont des traits communs.
La *rue Saint-Laurent* divise la ville en deux. Les numéros partent de là. De part et d'autre, une même rue se dénomme Est ou Ouest. Ne vous trompez pas, ça peut coûter un paquet de kilomètres. Du sud au nord, moins de problèmes, tous les numéros partent du fleuve. Les rues verticales se retrouvent toutes aux mêmes numéros aux carrefours importants, en principe de 1000 en 1000, quitte à oublier quelques dizaines de numéros en route pour arriver juste. C'est assez pratique, vous vous y ferez vite !
La rue Saint-Laurent marquait autrefois une sorte de frontière imaginaire. À l'ouest, les beaux quartiers, majoritairement anglophones, le quartier des affaires et *Westmount,* le secteur ultra-résidentiel de la bourgeoisie anglophone. À l'est, les quartiers francophones et les usines. Ces différences ont maintenant nettement tendance à s'estomper avec le brassage des populations et l'immigration nouvelle. Au sud, on trouve un quartier spécifique, le

Vieux-Montréal, définitivement séparé du reste de la ville par la saignée de l'autoroute Ville-Marie, et, plus au nord, sur les pentes du mont Royal, *Outremont,* la zone résidentielle de la bourgeoisie francophone. Plus loin, différents quartiers d'immigrés.

Arrivée à Montréal

Les vols internationaux se posent désormais à Dorval, à 22 km de Montréal; l'aéroport de Mirabel continue d'accueillir les vols cargos et charters.

✈ ***Par l'aéroport international de Mirabel :*** situé à 55 km du centre de Montréal. ☎ (514) 394-7377. Pas de bureau touristique à l'aéroport, mais le kiosque d'information délivre une carte de Montréal et de la région, ainsi que de nombreuses brochures concernant diverses activités. On y trouve également des bureaux de change et les loueurs de voitures habituels. Attention : dans cet aéroport, aucun distributeur de billets n'accepte la *MasterCard*.

– *De l'aéroport de Mirabel à Montréal : Autocar Connaisseur* (kiosque dans le hall d'arrivée). ☎ 934-12-22. Service direct à bord de l'*Express*. Compter 1 h de trajet pour la station centrale d'autobus de Montréal située au 505, bd de Maisonneuve, au coin de Berri (M. : Berri-Uqam), ou bien 50 mn pour l'aérogare Centre-Ville située au 777, rue de la Gauchetière Ouest (M. : Bonaventure). Horaires : 5 h 15, 8 h 15, 11 h 15, 14 h 15, 17 h 15, 20 h 15 et 23 h 15. Tarifs : 8 $Ca l'aller simple et 11 $Ca l'aller-retour (5,2 et 7,1 €). Le taxi est nettement plus cher : environ 60 $Ca (environ 38,7 €). Un service de navettes est offert gratuitement entre l'aérogare Centre-Ville et divers hôtels montréalais.

– *De Montréal à Mirabel :* toujours à bord de l'*Express*, départs de la station centrale d'autobus (horaires : 4 h, 7 h, 10 h, 13 h, 16 h, 19 h et 22 h) et de l'aérogare Centre-Ville (10 mn plus tard). Le taxi est beaucoup plus cher (environ 60 $Ca, soit 38,7 €).

✈ ***Par l'aéroport international de Dorval :*** situé à 22 km. ☎ (514) 394-7377 ou 633-31-05.

– *De l'aéroport de Dorval à Montréal : Autocar Connaisseur*. ☎ 934-12-22. Départs toutes les 30 mn tous les jours de la semaine (1er départ à 7 h 15 et dernier à 1 h) en direction de l'aérogare Centre-Ville (M. : Bonaventure) et de la station centrale d'autobus (M. : Berri-Uqam). Durée du trajet : 30 mn. Tarif : 9,75 $Ca (5,9 €) l'aller simple et 17,50 $Ca (11,3 €) l'aller-retour (oui, oui, c'est plus cher et pourtant moins loin que Mirabel !). Prix du taxi : environ 25 $Ca (16,2 €).

– *De Montréal à Dorval :* toutes les 30 mn de la station centrale d'autobus (premier départ à 5 h et dernier à 23 h ; pas de départ à 22 h 30). Départs 10 mn plus tard depuis l'aérogare Centre-Ville.

Navette entre les aéroports de Mirabel et Dorval : il n'y a plus de liaison directe entre les deux aéroports. Dorénavant, tous les départs sont via Montréal, avec changement de bus obligatoire. Comptez 1 h 15 de trajet. De Dorval vers Mirabel : 9 h 45, 12 h 45, 15 h 45, 18 h 45 et 21 h 45. De Mirabel vers Dorval : 5 h 15, 8 h 15, 11 h 15, 14 h 15, 17 h 15 et 20 h 15. Tarif : 13,50 $Ca l'aller simple et 17,50 $Ca l'aller-retour (8,7 et 11,3 €).

Adresses utiles

Informations touristiques

ℹ ***Infotouriste*** *(plan couleur II, B3) :* 1001, rue du Square-Dorchester, à l'angle de Metcalfe. ☎ 873-20-15. Numéro d'appel gratuit depuis le Canada ou les États-Unis : ☎ 1-800-363-77-77 (en semaine seulement, de 9 h à 17 h). M. : Peel. Ouvert tous les jours de 8 h 30 à 19 h 30, de début juin à mi-septembre ; le reste de l'année, de 9 h à 18 h. Documentation gratuite (sauf les cartes) et une mine de renseignements aussi bien sur la ville de Montréal que sur toutes les régions du Québec. Demandez la brochure *Montréal Guide Touristique,* très complète, ainsi que *La Tournée Pom* qui offre des coupons de réduction pour de nombreux musées, activités culturelles et de loisirs. Fait le change. Agence de voyages également et location de voitures *(Thrifty)* possible. On peut y acheter des cartes de téléphone. Plan des pistes cyclables disponible. On y trouve aussi ***Hospitalité Canada,*** un service de réservation d'hôtels. ☎ 393-15-28. Fax : 393-89-42. Gère 80 établissements hôteliers dont les *Gîtes du Passant*. Un numéro gratuit permet de les appeler de n'importe où au Canada : ☎ 1-800-665-1528.

🛈 ***Kiosque touristique du Vieux-Montréal*** *(plan couleur III, C1, 2)* **:** place Jacques-Cartier, à l'angle de Notre-Dame Est. Ouvert tous les jours de 9 h à 19 h, de fin juin à mi-septembre ; le reste de l'année, du jeudi au dimanche de 9 h à 17 h.

■ ***Hospitalité Canada :*** 505, bd Maisonneuve Est. ☎ 284-22-77. Fax : 523-70-72. M. : Berri-Uquam. Ouvert tous les jours de 9 h à 21 h. Du nouveau au terminus *Voyageur* : une centrale de renseignements touristiques gratuite. *Le Groupe qui Héberge* met à votre disposition plans et guides de la ville. Des cahiers « consultables » sur place proposent tous les types d'hébergement, du plus économique au plus luxueux. Réservations possibles et gratuites.

Représentations étrangères

■ ***Consulat de France*** *(plan couleur II, B3, 1)* **:** 1, place Ville-Marie, bureau 2601, au 26e étage. ☎ 878-43-85. Ouvert de 8 h 30 à 12 h du lundi au vendredi. M. : Mac-Gill.

■ ***Consulat de Belgique :*** 999, bd de Maisonneuve Ouest, 8e étage, suite 850. ☎ 849-73-95. Ouvert de 9 h à 13 h du lundi au vendredi. M. : Peel (sortie Metcalfe).

■ ***Consulat de Suisse :*** 1572, rue du Docteur-Penfield. ☎ 932-71-81. Ouvert du lundi au vendredi de 10 h à 13 h.

■ ***Consulat des États-Unis :*** 1155, rue Saint-Alexandre. ☎ 398-07-03 ou 96-95. Ouvert de 8 h 30 à 14 h 30. Arrivez tôt. Beaucoup d'attente.

■ ***Renouvellement du visa :*** *Canada Immigration,* 1010, rue Saint-Antoine. ☎ 496-10-10. M. : Bonaventure. Ouvert de 8 h 30 à 16 h 30. Fournit les formulaires à remplir pour la demande de renouvellement du visa.

Services

🖂 ***Poste*** *(plan couleur III, B1)* **:** bureau principal, 201, Saint-Antoine. ☎ 393-11-77. M. : Place-d'Armes. Ouverte du lundi au vendredi de 8 h 30 à 17 h 30. Attention, on n'y trouve pas de téléphone ! Il existe un numéro pour obtenir des informations générales en français : ☎ 344-88-22.

■ ***Téléphone :*** très nombreuses cabines dans les rues, centres commerciaux, restos. De la plupart on peut appeler l'étranger. Aucun problème donc. Certaines cabines fonctionnent avec la Carte Bleue, mais attention c'est assez cher. Sinon, P.C.V. possible. Le mieux est d'acheter une carte *La puce (Bell)*. En vente dans certaines stations de métro (dans les *tabagies*), à la gare centrale ou au centre infotouriste, entre autres. Pour tout savoir, reportez-vous à la rubrique « Téléphone » dans « Généralités » en début de guide.

■ ***Bell Canada*** *(plan couleur II, B3, 2)* **:** 700, rue de la Gauchetière Ouest (à l'angle de University).

■ ***Télégrammes :*** *Unitel,* Or-Gold, 800, Victoria Square. Ouvert de 8 h à 16 h du lundi au vendredi. Pour les télégrammes téléphonés : ☎ 861-73-11, 24 h/24.

■ ***Météo :*** ☎ 283-30-10.
■ ***Infos neige et trafic routier :*** ☎ 1-873-41-21.

Urgences

■ ***Numéro d'appel en cas d'urgence :*** ☎ 911. Permet d'être rapidement en contact avec pompiers, police, services de santé.
■ ***Hôpital Saint Mary's :*** 3830, Lacombe (coin Côte-des-Neiges). ☎ 734-26-90. Accepte les touristes dans son service d'urgence. M. : Côte-des-Neiges.

■ ***Pharmacie ouverte 24 h/24 :*** *Pharmaprix,* 5122, chemin de la Côte-des-Neiges, à l'angle de Queen-Mary. ☎ 738-84-64. Une autre, ouverte jusqu'à minuit au 901, rue Sainte-Catherine Est, à l'angle de Saint-André *(plan couleur II, D3).* ☎ 842-49-15.

Argent

On peut retirer du liquide dans la plupart des distributeurs avec une carte *Visa.*

■ ***American Express*** *(plan couleur II, B3, **6**)* ***:*** 1141, bd de Maisonneuve Ouest (angle Peel). ☎ 284-33-00. Ouvert de 8 h 15 à 17 h 15. M. : Peel. Ou au centre Eaton (nouveau sous-sol), 705, Sainte-Catherine Ouest (☎ 282-04-45). Carte perdue : ☎ 1-800-268-98-24.

■ ***Carte Visa :*** *Banque Royale (plan couleur II, A3, 7),* 1100, av. Atwater. Renseignements : ☎ 1-800-463-31-35. Carte perdue : ☎ 1-800-847-29-11.

■ Pour ***changer de l'argent*** ou des chèques de voyage, il faut aller dans les kiosques de change. Il y en a de nombreux dans les quartiers touristiques. En revanche, les banques font peu le change, sauf si l'on a des US dollars, à l'exception des *Caisses Populaires Desjardins* qui changent les francs et que l'on trouve partout. Pour changer des chèques de voyage sans commission : *American Express* (voir adresses plus haut).
ATTENTION : pensez à garder 10 $Ca (6,4 €) pour la « taxe de départ » que l'on paie après avoir passé la douane, quand vous quittez le Québec.

Compagnies aériennes

■ ***Air France*** *(plan couleur II, B3, **8**)* ***:*** 2000, rue Mansfield, bureau 1510. ☎ 847-11-06 et 847-50-00. M. : Peel. Numéro gratuit : ☎ 1-800-667-2747. Dans le centre *ManuVie* (au 15e étage), ouvert du lundi au vendredi de 9 h à 17 h.
■ ***Air Canada*** *(plan couleur II, B3, 9)* ***:*** 979, Maisonneuve Ouest. ☎ 393-33-33 ou 800-361-86-20. M. : Peel. Ouvert du lundi au vendredi.
■ ***Canadien International*** *(Canadian Airlines)* ***:*** 999, Maisonneuve Ouest (bureau 400). ☎ 847-22-11. Appel gratuit : ☎ 1-800-387-34-01.

Tourisme

■ ***Centre de réservation de Montréal :*** 505, bd de Maisonneuve Est, bureau 205. ☎ 28-22-77. Vente de forfaits pour tous les événements sportifs et culturels.

■ ***Tourisme Jeunesse*** *(Tout pour le Voyage; plan couleur II, C2)* ***:*** 4008, rue Saint-Denis (angle Duluth). ☎ 844-02-87. Appel gratuit (hors de Montréal) : ☎ 1-800-461-

MONTRÉAL

85-85. M. : Sherbrooke. Du lundi au mercredi de 10 h à 18 h, les jeudi et vendredi de 10 h à 21 h, le samedi de 10 h à 17 h et le dimanche de 12 h à 17 h. C'est la « vitrine » du dynamique *Regroupement Tourisme Jeunesse* (équivalent de notre Fédération des Auberges de Jeunesse). C'est ici que vous pourrez vous procurer la carte internationale des AJ, qui vous permettra d'économiser environ 3 $Ca (1,3 €) par nuit en AJ. On peut également y effectuer ses réservations pour les AJ québécoises. La boutique propose de nombreux autres services, des accessoires de voyage, sa propre revue et des guides de voyage (dont le fameux *GDR* !). Succursale à Québec (dans la vieille ville).

■ ***Randonnées Plein Air :*** 1260, Sainte-Catherine-Est, bureau 200. ☎ 278-35-77. Ouvert du lundi au vendredi de 9 h 30 à 17 h et le jeudi jusqu'à 18 h. Ils organisent des randonnées pédestres tous les samedis de décembre à mars, ainsi que des randonnées de quelques jours et des voyages combinant tourisme et randonnées. Charlevoix, Saint-Denis, Boston, Montagnes Blanches... Équipe sérieuse et sympathique. Réservez plusieurs jours à l'avance.

■ ***Aux Quatre Points Cardinaux*** *(plan couleur II, D2, **10**)* ***:*** 551, Ontario Est. ☎ 843-81-16. M. : Berri-sortie terminus voyageurs. Ouvert tous les jours sauf le dimanche de 9 h à 18 h (21 h les jeudi et vendredi), le samedi de 10 h à 17 h. Les grands spécialistes des cartes topographiques du Québec et du reste du Canada. Tous les randonneurs et ceux qui partent pour le Nord leur rendront donc utilement visite. Ils vendent également des photos aériennes, très prisées des trappeurs car elles permettent de voir tous les détails du terrain, y compris les barrages à castors. Également des cartes marines des côtes d'Amérique du Nord, des cartes routières de (presque) tous les pays du monde, et des guides de voyages (dont le *GDR*).

■ ***Globe Trotter Aventure Canada :*** 5140, Saint-Hubert, bureau 515, H2J2Y3. ☎ 849-87-68. Appel gratuit : ☎ 1-888-598-7688. Fax : 286-38-66. • www.aventurecanada.com • Ouvert du lundi au samedi de 9 h à 18 h. Deux globe-trotters reconvertis dans le tourisme d'aventure dans les plus beaux parcs nationaux du Québec : canoë, camping, quad, randonnée, équitation. Également motoneige, raquettes, traîneaux à chiens. Pour vivre une aventure hors du commun et découvrir les parcs naturels, des formules où tout est inclus (guide, sac de couchage, transport, nourriture...), histoire de partir l'esprit léger.

■ ***Tourbec :*** 3419, rue Saint-Denis. ☎ 288-44-55. Ouvert du lundi au mercredi de 9 h à 18 h, les jeudi et vendredi jusqu'à 20 h, le samedi de 10 h à 16 h. Uniquement des billets d'avion.

Loisirs

■ ***Journaux français :*** plusieurs Maisons de la presse internationale à Montréal, comme celles du 550, rue Sainte-Catherine Est, ou des 728, 1393 et 1645, rue Sainte-Catherine Ouest, ainsi que celle du 4261, rue Saint-Denis.

■ ***Cinémas – Chaîne Cineplex Odéon :*** tarifs réduits (6 $Ca soit 3,9 €, au lieu de 9,50 $Ca) sur les places de cinéma le mardi et le mercredi, ainsi que tous les jours de la semaine –avant 18 h. ***Ex-Centris :*** 3536, bd Saint-Laurent. M. : Sherbrooke ou Saint-Laurent, ☎ 847-3536 ; inauguré au printemps 1999, ce complexe cinématographique d'avant-garde est l'œuvre du mécène québécois Daniel Langlois (créateur de Softimage) qui y a investi 32 millions de dollars. Le tout-Montréal s'y précipite pour voir les meilleures productions du cinéma indépendant local et international, ainsi que des œuvres utilisant les nouvelles technologies numériques. Cela dans des conditions de présentation dignes des plus grandes salles commerciales. Admission : 8 $Ca (5,2 €), 6 $Ca

(3,9 €) pour les étudiants et l'âge d'or. Sur place également : le très branché café restaurant Méliès (« suggestion de la journée » entre 8 et 13 $Ca – 5,2 et 8,4 € – avec soupe ou salade et plat; petits déjeuners).

– ***Radio :*** excellente musique rock sur la station anglophone CHOM (97.7 FM). En français, on aime bien la station alternative communautaire CIBL (101,5 FM), très éclectique (house, techno, chansons françaises...) et dont tous les animateurs sont bénévoles.

– Dates de ***concerts*** et adresses des ***boîtes*** dans les hebdos gratuits *Voir* et *Ici*. Pour les anglophones, *Mirror* (plus rock) ou *Hour*. Autrement, à la fin du guide gratuit *Pom* (disponible dans tous les lieux touristiques) plusieurs pages de coupons-rabais pour les musées, attractions... de Montréal et sa région.

■ ***Patinoires :*** plusieurs sont en plein air, notamment sur le lac du parc Lafontaine (3819, rue Calixa-Lavallée; apportez vos patins) et au Vieux-Port (bassin Bonsecours, de début décembre à début mars, tous les jours de 10h à 22h, location de patins sur place). On y patine en musique! Patinoire couverte sous la grande verrière lumineuse de l'Amphithéâtre Bell, 1000 rue de la Gauchetière Ouest, ☎ 395-0555. Location de patins sur place.

■ ***Piscines :*** Montréal compte de nombreuses piscines extérieures et intérieures ainsi que des pataugeoires pour les tout-petits (notamment au parc Lafontaine). Les piscines municipales sont gratuites jusqu'à 16 h en semaine et les pataugeoires le sont en tout temps. Renseignements : ☎ 872-2237, code 651. Également, une adresse estivale sympa : la petite piscine de la Terrasse magnétique de l'hôtel de la Montagne (1430, de la Montagne, ☎ 288-5656), située au 20e étage de l'hôtel. La piscine est gratuite pour les consommateurs et la vue sur Montréal est magnifique!

■ ***Plage :*** située sur l'île Notre-Dame, l'agréable plage du parc des îles de Montréal est ouverte entre la mi-juin et la 3e semaine d'août de 10 h à 19 h (entrée payante, ☎ 872-4537; M. : Île-Sainte-Hélène). Rafraîchissant lorsque Montréal fond sous la canicule.

MONTRÉAL

Souvenirs, achats

Montréal se révèle intéressant pour y effectuer des achats. Quelques adresses :

♁ ***L'Échange :*** 3694, rue Saint-Denis. Entre Sherbrooke et le carré Saint-Louis. ☎ 849-19-13. Disques d'occase impeccables. Grand choix de bouquins aussi.

♁ ***Chez Sam, the Record Man :*** angle Sainte-Catherine et Saint-Alexandre. Pendant longtemps le disquaire le moins cher de Montréal. C'est moins vrai maintenant, mais le choix de disques reste très important. Voir aussi ***HMV,*** 1020, rue Sainte-Catherine Ouest. ☎ 875-07-65. Ou encore ***Archambault Musique,*** 500, rue Sainte-Catherine Est. Et pour les fanas de *world music* en tout genre : ***Hibiscus,*** 288, rue Sainte-Catherine Ouest.

♁ ***Jeans Levis :*** les boutiques *Néon* (4251, rue Saint-Denis, 375, rue Sainte-Catherine Ouest, coin Bleury, et 1388, rue Sainte-Catherine Ouest, coin Crescent) offrent des prix intéressants sur les jeans et autres vêtements (*Levi's*, *Calvin Klein*, *Tommy Hillfiger*, *Doc Martens*...). Comptez en principe 8 $Ca (5,2 €) pour l'ourlet, prêt le lendemain. *Néon*, c'est également un immense entrepôt (6565, Saint-Hubert, ☎ 274-1221) avec un vaste choix de vêtements et notamment des fins de série à prix soldés.

♁ ***Le Baron :*** 932, rue Notre-Dame Ouest. ☎ 866-88-48. Ouvert tous les jours sauf le dimanche. Un supermarché qui ne vend que du matériel de camping (dont des recharges de gaz, plutôt rares dans le pays!), de pêche, de marche, etc. Bon accueil.

♁ ***La Capoterie :*** 2061, rue Saint-Denis, à hauteur de Sherbrooke.

☎ 845-00-27. Ouvert tous les jours jusqu'à 21 h. Comme son nom ne le cache pas, cette boutique ne s'intéresse qu'aux préservatifs, tout comme le maître des lieux, le mythique Guillaume Connan, spécialiste *ès* condom, dont la devise est « le plastique, c'est fantastique! ». Toutes les formes, tous les goûts et toutes les couleurs, pour (se) faire des cadeaux rigolos... Autre adresse : 2015, rue Crescent.

♁ ***Pierre Gingras,*** un producteur très sympa, vend ses produits naturels au marché Jean-Talon, ouvert tous les jours en saison (au nord du centre-ville : 7075, av. Cassegrain; M. : Jean-Talon) : miel, sirop d'érable, cire d'érable, jus de fruits bio et vinaigres de cidre aromatisés. Pour les horaires : ☎ 277-21-40 ou sur le lieu de production au ☎ 469-49-54.

♁ ***Plusieurs marchés*** publics à Montréal, recensés dans le guide touristique régional remis à Infotouriste. Le *marché Atwater* est l'un des plus intéressants : 138, av. Atwater; M. : Lionel-Groulx. Super pour ceux qui peuvent faire leur cuisine eux-mêmes : poissons, homards, fruits et légumes du pays. Tous les jours, et jusqu'à 21 h les jeudi et vendredi.

– Ne pas louper les ***encans*** (enchères) annoncées dans les journaux. Affaires intéressantes à réaliser.
– Le ***26 décembre*** est traditionnellement le plus grand jour de soldes dans les grands magasins. *Boxing Day* dure, dans la plupart des boutiques, jusqu'au 31 décembre.
– Éviter tout ce qui se fait passer pour de l'artisanat amérindien : c'est moins cher (car détaxé) dans les réserves.

Laveries automatiques

■ ***Duluth Laundromat and Dry Cleaning :*** 106, Duluth Est. M. : Sherbrooke ou Mont-Royal. Pas loin du boulevard Saint-Laurent. Ouvert tous les jours de 9 h 30 à 18 h (17 h le dimanche). Laverie tenue par un vieux Grec sympa et farfelu, qui vous prêtera des livres pour vous faire patienter et, s'il est en forme, vous offrira même le café ou un jus d'orange. Il ne parle pas le français. Le décor est franchement kitsch. Une drôle de laverie, pas chère et commode.

■ ***Buanderie Net Net :*** 310, Duluth Est. Ouvert de 8 h 20 à 22 h, du lundi au vendredi, et de 9 h à 21 h le samedi et le dimanche. Laverie beaucoup plus conventionnelle, à 100 m de la précédente.

Location de voitures

Les locations sont, en moyenne, meilleur marché à l'extérieur de la ville. Mais, bien sûr, ce n'est pas très pratique... Voici les adresses les moins chères que nous ayons trouvées à Montréal :

■ ***Discount :*** 6740, bd Décarie (☎ 340-15-51), ou 607, bd de Maisonneuve Ouest, centre-ville (☎ 286-15-54). Appel gratuit : ☎ 1-800-263-23-55. Prix intéressants là aussi.

■ ***Hertz :*** 1475, rue Aylmer. ☎ 842-85-37. Appel gratuit : ☎ 1-800-263-06-78. M. : Mac-Gill.

■ ***Budget :*** bureau à l'aéroport de Mirabel, 895, rue de la Gauchetière Ouest (M. : Bonaventure). ☎ 866-76-75. Appel gratuit : ☎ 1-800-268-89-70.

■ ***Via Route :*** 1255, rue Mackay (M. : Guy Concordia; ☎ 871-11-66), ou 6250, bd Saint-Jacques Ouest (M. : Vendôme; ☎ 482-16-60). 10 autres adresses. Également l'un des moins chers.

■ ***Thrifty :*** 1076, De La Montagne (angle Lévesque et L'Allier), H3G-1Y7. ☎ 989-71-00. Fax : 989-72-41. Tarifs intéressants.

Location de motos

■ ***Laval Moto Inc :*** à Laval (rive nord de Montréal), 31, bd des Laurentides. ☎ 662-19-19. Grosses motos uniquement.

Location de vélos

Contrairement à Paris (où la Mairie n'a jamais rien fait pour lutter contre la pollution), à Montréal c'est très dans le coup de circuler à vélo... Profitez-en ! Les pistes cyclables sont merveilleusement bien aménagées (sans trop de risques de collision) et scrupuleusement respectées par les automobilistes comme par les piétons. De plus, la circulation est rarement infernale, à part sur les grandes artères du centre. Le réseau cyclable de l'île de Montréal est relié à celui de la banlieue par des ponts aménagés, par un service de traversiers (bacs) ainsi que par le métro (vélos autorisés en dehors des heures de pointe). L'office du tourisme délivre une excellente carte « voies cyclables » (payante, mais pas le Pérou).

■ ***Bicycletterie J.R.*** *(plan couleur II, C1, **11**)* **:** 151, rue Rachel Est, à l'angle de la rue Bullion. ☎ 843-69-89. M. : Mont-Royal. Et aussi 907, Bélanger Est. ☎ 278-40-16. Toutes sortes de vélos et d'équipements aux prix les plus intéressants de Montréal.

■ ***Vélo-Aventure :*** Vieux-Port de Montréal, quai des Convoyeurs, à 100 m à l'ouest (à droite) du cinéma *Imax*, sur la promenade du Vieux-Port. ☎ 847-06-66. L'été, ouvert de 10 h à 20 h en général. VTT, tandems et patins à roues alignées (rollers).

■ ***La Cordée :*** 2159, rue Sainte-Catherine Est. ☎ 524-15-15. M. : Papineau. Équipement de plein air et location de vélos.

■ ***La Maison du Cycliste :*** contactez l'*Association Vélo Québec,* à la Maison du Cycliste, 1251, rue Rachel Est. ☎ 521-83-56. Ne loue pas de vélos mais fournit itinéraires et conseils. La Maison du Cycliste se trouve à l'angle des pistes cyclables Brébeuf et Rachel, juste en face du parc Lafontaine. Au même endroit, le *Café Bicicletta* (paninis et expressos) est le rendez-vous des mordus de la petite reine. L'été, on y suit le tour de France en direct ! Également : une boutique proposant guides et cartes, et une agence de voyages spécialisée dans le cyclotourisme.

Transports urbains

– ***Métro :*** rapide, moderne et simple. En service de 5 h 30 à 1 h (1 h 30 le week-end). La STCUM (Société des Transports de la Communauté Urbaine de Montréal) propose des cartes touristiques pour un jour (5 $Ca, soit 3,2 €) ou pour 3 jours consécutifs (12 $Ca, soit 7,7 €) valables pour le métro et pour le bus. Très vite rentabilisées. En vente toute l'année à la station de métro Berri-Uqam, et durant la haute saison touristique (15 avril au 30 octobre) dans les stations de métro principales ainsi qu'au kiosque touristique du Vieux-Montréal, sur la place Jacques-Cartier. Également avantageuse si vous séjournez plus longtemps : la carte hebdomadaire (12,25 $Ca, soit 7,9 €) ; valable pour des dates fixes, cette carte est en vente du vendredi au mardi et valide du lundi jusqu'au dimanche suivant. On peut également se procurer des lisières de 6 tickets (8,25 $Ca, soit 5,3 €), ce qui revient moins cher qu'à l'unité (1,90 $Ca, soit 1,2 €).

– ***Bus :*** réseau pratique et étendu. En composant A.U.T.O.B.U.S. sur le cadran d'un téléphone, on peut obtenir tous les renseignements sur les trafics, les itinéraires et les horaires. Attention : l'achat d'un ticket à bord néces-

site l'appoint. Sinon, vous en êtes pour vos frais ! Carte des bus distribuée à l'office du tourisme.
– ***Métro et bus :*** des plans gratuits sont disponibles aux guichets des stations de métro. Également dans les stations de métro, des distributeurs de billets de correspondance offrent la possibilité de finir un trajet en bus, et inversement ; le chauffeur de bus, lui, donne un transfert (billet de correspondance) qui permet de prendre le métro sans avoir à payer une seconde fois et ce, quel que soit le nombre de changements. Limite de validité : 90 mn.
– ***Taxis :*** on trouve facilement des taxis à Montréal, il suffit de lever la main ou de les héler pour les faire s'arrêter. Bon à savoir : contrairement à leurs collègues français, les taxis québécois ne facturent jamais leur trajet jusqu'à votre adresse lorsque vous téléphonez à une centrale : le compteur ne démarre que lorsque vous montez à bord. Parmi les plus efficaces : *COOP*, ☎ 725-98-85. Une petite compagnie d'artisans.
– ***Trains de banlieue :*** gare Windsor. ☎ 395-74-92. M. : Bonaventure. Également gare centrale *(STCUM)*. Dès 6 h 45, du lundi au vendredi.

Où dormir assez bon marché ?

Les campings

Quelque 14 campings près de Montréal. Procurez-vous la liste à l'office du tourisme dès votre arrivée. Très bien faite. Campings assez chers et toujours éloignés de la ville. Quand on n'est pas motorisé, camper à Montréal n'a aucun intérêt.

▲ ***Le camping du parc d'Oka :*** dans le parc même, 2020, chemin Oka, à Oka. ☎ (450) 479-8337. On y accède depuis Montréal par l'autoroute 15 (ou la 13), puis par la 640 en direction ouest. Aménagé au cœur de la végétation, le camping compte 800 emplacements, dont presque 300 sont dotés des 3 services. Un des plus beaux de la région, à 30 mn de Montréal.

▲ ***KOA Montréal-Sud :*** 130, bd Monette, à Saint-Philippe-de-la-Prairie. ☎ 659-86-26. Pour ceux arrivant par l'autoroute 15 Sud. Prendre La sortie 38, tourner à gauche et rouler 3 km.

▲ ***Seigneurie de Soulanges :*** 195, route 338, à Coteau-du-Lac. ☎ 763-53-44. Pour ceux arrivant par la 20 Ouest. Avant de traverser l'île Perrot. Ouvert de mai à fin septembre. Un peu proche de l'autoroute, donc assez bruyant.

▲ ***Camping Camp Alouette :*** à Belœil, 3441, rue de l'Industrie, ☎ 464-16-61. Par l'autoroute 20, sortie 105. Ouvert du 15 avril à début novembre.

– Et pour vos ***recharges de camping-gaz :*** *Blacks Camping International*, 3525, chemin Queen-Mary. ☎ 739-44-51. M. : Côte-des-Neiges (près de l'oratoire Saint-Joseph). L'un des seuls endroits où l'on en trouve à Montréal.

Les auberges de jeunesse

▲ ***Auberge de jeunesse de Montréal*** *(plan couleur II, A-B3, 20)* ***:*** 1030, rue Mackay, H3G-2H1. ☎ 843-33-17. Fax : 934-32-51. • www.ajmontreal.qc.ca • M. : Lucien-L'Allier. Ouverte toute l'année 24 h/24. La nuit par personne en dortoir à partir de 18 $Ca (11,6 €) avec la carte d'adhérent. En chambre privée autour de 25 $Ca (16,1 €). Hébergement gratuit des enfants de moins de 12 ans accompagnés de leurs parents. 264 lits en tout. Chambres de 2, 3, 4, 6 ou 10 lits (chambres de 2 : supplément de 2 $Ca, soit 1,3 €)... normal !) avec chacune une douche. À ceux qui auraient oublié leurs draps... possibilité de location (on ne paie qu'une fois, à l'arrivée) : 2,30 $Ca (1,5 €). Pas de couvre-feu. Attention, AJ non-fumeurs. On peut y faire sa cuisine, mais planquez vos provisions : il semblerait qu'elles aient tendance à se volatiliser... Carte des AJ conseillée. Consigne. Machine à laver séchante. Parking pour les vélos. On y sert le petit déjeuner. On vous conseille de réserver par téléphone, mais il faut avoir un numéro de carte de crédit. Location de vélos à prix très corrects pour le Canada. L'AJ organise des tournées des bars 2 ou 3 fois par semaine.

☗ ***Auberge alternative du Vieux Montréal :*** 358, rue Saint-Pierre, H2Y-2M1. ☎ 282-80-69. Ouverte 24 h/24. La nuit par personne en dortoir à 17 $Ca (11 €). Chambre double avec sanitaires partagés à 50 $Ca (32,2 €). Réservation possible. Près du vieux port, auberge récente, dirigée par Angela (australienne) et Bruno (québécois), propriétaires très chouettes. Chambre double et dortoirs de 6 à 16 lits. Navette gratuite de plusieurs endroits du centre-ville. Cuisine, laverie. Ambiance très sympa. Tout cela pour le même prix qu'en AJ, sans nécessité d'avoir une carte de membre. Ne prend pas les cartes de crédit.

☗ ***Auberge de Paris :*** 901, Sherbrooke Est. ☎ 22-68-61. Ouvert 24 h/24. La nuit en dortoir à partir de 18 $Ca (11,6 €). Chambre double de 65 à 120 $Ca (de 41,9 à 77,4 €). Cet hôtel assez chic, bien situé (à l'angle de Saint-André), dispose, en annexe, dans une vieille maison entièrement rénovée, d'un hébergement d'un genre auberge de jeunesse. Pas cher du tout. Propre. Literie très correcte. Cuisine, buanderie, salle TV et musique à disposition. Quelques chambres privées, dont certaines avec kitchenette (les plus chères), mais cette fois-ci dans la charmante maison à tourelle du début du siècle. Bon accueil. AC, salle de bains, TV et téléphone. Certaines chambres assez luxueuses, avec alcôve ou lit à baldaquin. Plusieurs prix mais surtout intéressant entre novembre et mai, sinon c'est plutôt cher. Minibus gratuit à partir de la gare centrale. Accueil souriant, parfois un peu dépassé, et bonne ambiance générale.

MONTRÉAL

Les centres religieux

☗ ***Centre Maria Goretti :*** 3333, chemin de la Côte-Sainte-Catherine. ☎ 731-11-61. M. : Côte-des-Neiges. Ouvert 24 h/24. La nuit en chambre individuelle à 15 $Ca (9,7 €), la semaine à 60 $Ca (38,7 €). Uniquement pour les filles, à partir de 18 ans. Une bonne adresse, très propre et moins chère que l'AJ. Chambres avec lavabo. Moins cher en chambrettes. Sanitaires dans le couloir. Pas de couvre-feu. On y trouve une cafétéria très bon marché (ouverte aux hommes ; hélas fermée le week-end en été, ainsi que de mi-juillet à mi-août), une bibliothèque, deux salles TV, etc. Tarifs dégressifs pour les séjours prolongés. Accueil très gentil, mais on ne peut pas dire que l'ambiance soit délirante. Pas de carte de crédit.

☗ ***YMCA*** *(plan couleur II, B3,* ***23****) :* 1450, rue Stanley. ☎ 849-83-93. Fax : 849-5863. M. : Peel. Ouverte 24 h/24. Compter 40 $Ca (28,8 €) pour une nuit en chambre individuelle et 56 $Ca (36,1 €) pour une chambre double. Hommes et femmes acceptés. En plein centre. Chambres pour 1, 2, 3 ou 4 personnes. Prix assez élevés, mais intéressants à partir de 3. Très propre. Cafétéria. Piscine. Activités culturelles et sportives. Une vraie ruche. Possibilité de rencontres intéressantes. Réduction avec la carte d'étudiant.

☗ ***YWCA*** *(plan couleur II, B3,* ***24****) :* 1355, bd René-Lévesque Ouest. ☎ 866-99-41. Fax : 861-16-03. M. : Peel, Lucien-L'Allier, ou Guy-Concordia. Ouverte 24 h/24. Chambre simple de 46 à 56 $Ca (de 29,7 à 36,1 €), double de 62 à 72 $Ca (de 40 à 46,4 €), triple autour de 78 $Ca (50,3 €). La nuit par personne en dortoir autour de 22 $Ca (14,2 €). Située près des gares. Central mais sans charme. Un vrai hôtel, avec vraies réceptionnistes en tenue, boutique. Piscine, sauna, cafétéria, biblio, machines à laver, etc. Très très bien tenu. Certaines chambres ont leur salle de bains et la TV (assez cher). Le plus avantageux est le dortoir, mais réserver est indispensable car très demandé. Précisons aussi que les dortoirs ne sont pas mixtes. Cuisine à disposition. En fait, même prix que *YMCA*. Possibilité de réserver par téléphone. Cartes *Visa* et *MasterCard* acceptées.

Les collèges et universités

En été seulement. Pour les fans de ce mode de logement. On vous prévient quand même, c'est assez *bluey,* plutôt cher et moche.

■ ***Collège français*** *(plan couleur II, C1, **25**)* **:** 5155, av. de Gaspé. ☎ 270-44-59. M. : Laurier. À côté du parc du même nom. La nuit par personne à partir de 15 $Ca (9,7 €) en dortoir. Dans un quartier socialement très intéressant (se reporter aux rubriques « Où manger ? » et « À voir »). Téléphonez et demandez M. Stellian. Propose toute l'année des chambres de 4 personnes avec douche et w.-c., ainsi que des dortoirs pour 7 (ceux-ci étant moins chers qu'à l'AJ). Couvre-feu variant selon les saisons. Petit déjeuner bon marché l'été. Pas de confort mais bien pour le petit prix demandé. Rappellera immanquablement des souvenirs de colo, voyages scolaires, etc.

■ ***McGill*** *(plan couleur II, B2, **26**)* **:** 3935, rue de l'Université. ☎ 398-63-67. Fax : 398-67-70. Et le n° 3425 de la même rue. ☎ 398-63-78. Fax : 398-44-45. C'est l'université anglophone. Ouvert du 15 mai au 15 août. On loge dans de hautes tours déprimantes. Assez cher pour le confort proposé : couloirs sombres, peu de douches. Chambres simples uniquement. Pas formidable... Prix élevés pour les étudiants et prohibitifs pour les autres. De plus, un peu excentré. Draps et serviettes fournis.

■ ***Résidence des étudiants de l'Université de Montréal :*** 2350, rue Édouard-Mont-Petit. ☎ 343-65-31. M. : Édouard-Mont-Petit. Ouverte de début mai au 20 août. Université francophone. Un peu moins cher qu'à *McGill* mais plus cher qu'en AJ 10 $Ca (6,5 €) de réduction avec une carte d'étudiant. Chambres pour 1 ou 2 personnes avec lavabo. Sanitaires à l'étage. On y fait des rencontres sympa.

■ ***Résidence de l'Université Concordia :*** 7141, rue Sherbrooke Ouest. ☎ 848-47-56. Ouvert de début mai au 20 août. Vraiment très excentré. Chambres simples ou doubles. Moins cher que les deux universités précédentes.

■ ***Collège Jean-de-Brébeuf*** *(hors plan couleur II par B1)* **:** 3200, Côte-Sainte-Catherine. ☎ 342-13-20. M. : Côte-des-Neiges. Chambres doubles ou individuelles avec lavabo. Très propre. Possibilité de manger pour pas cher.

Chez l'habitant

C'est *grosso modo* le même prix qu'en hôtel, mais avec deux avantages : petit déjeuner (souvent très copieux) inclus dans le prix et accueil bien plus chaleureux. Sachez cependant qu'une taxe d'hébergement de 2 $Ca (1,3 €) par chambre et par nuit s'applique aux *B & B* comme aux hôtels. Voici quelques adresses – entre autres – de *Gîtes du Passant,* où il est vivement recommandé de réserver en été. De toute façon, téléphonez avant d'y aller. Si c'est plein, consulter les autres adresses du guide édité par la Fédération des Agricotours (disponible à Infotouriste). Plusieurs autres associations à contacter qui proposent de nombreuses chambres chez l'habitant :

– *Bed & Breakfast Downtown Network :* 3458, Laval Avenue, près de Sherbrooke. ☎ 289-97-49.

– Chambres d'hôte *Montréal Oasis*. Renseignements : ☎ 935-23-12.
– *Gîte provincial Bed and Breakfast.* ☎ 285-40-60.
– *Bed & Breakfast à Montréal :* CP 575, Succ. Snowd. ☎ 738-94-10. Fax : 735-74-93.
– Outre des chambres chez l'habitant, *Catherine,* une Française émigrée au Québec, propose à ceux qui souhaitent séjourner plus longtemps à Montréal des chambres ou des appartements meublés, appartenant à des particuliers qui s'absentent pour des durées allant de quelques semaines à quelques mois. Elle prodigue de plus pas mal de bons conseils et organise diverses activités. ☎ 524-83-44.

Vous devriez trouver votre bonheur dans les adresses qui suivent. On vous les recommande plus que les hôtels de la catégorie « Plus chic ».

■ ***Auberge Chez Jean*** *(plan couleur II, C2,* ***36****) :* 4136, rue Henri-Julien. ☎ 843-82-79. M. : Mont-Royal. La nuit par personne à partir de 17 $Ca (11 €). Jean Bériou est français, mais québécois d'adoption depuis maintenant pas mal de temps. Chez lui, on vit plus ou moins tous en collectivité (parfois jusqu'à 20 personnes dans la même pièce) dans une grande maison. Et s'il n'a plus de place à l'intérieur, vous pourrez dormir dans ses camionnettes aménagées. Attention cependant : prix imbattables, mais intimité plus que compromise et couche-tôt s'abstenir. Pour vrais routards en bout de course...

Où dormir de prix moyens à un peu plus chic ?

Studios à louer

■ ***Les Studios du Quartier Latin*** *(plan couleur II, D2,* ***49****) :* 2024, rue Saint-Hubert, bureau 5, H2L-3Z5. ☎ 845-09-16 ou 990-40-91. Fax : 840-91-44. • lestudio@microtec.net • M. : Berri-Uqam. Empruntez la sortie Terminus Voyageurs. Nuit pour 2 personnes entre 50 et 60 $Ca (32,2 et 38,7 €) selon la saison. Comme une petite résidence hôtelière. Tarif dégressif selon la durée. 80 studios aménagés dans de vieilles demeures. Très bon accueil. Prix très corrects vu la situation. Cuisine parfaitement équipée et entretien sans reproche. Sanitaires communs. Également des studios à côté du *village*.

Chez l'habitant

DANS LE CENTRE

■ ***B & B Le Zèbre*** *(plan couleur II, C2,* ***50****) :* 367, av. Laval. ☎ 844-98-68. Fax : 844-46-65. • lezebre@mlink.net • Chambre pour 2 personnes à 70 $Ca (45,2 €). Les prix augmentent en saison. Ambiance calme du Plateau, mais vraiment à deux pas du carré Saint-Louis, de Sherbrooke et de Saint-Denis. Une belle maison impeccablement entretenue et superbement décorée dans un style sobre et design. Charmant accueil d'Éric et Jean-François. Ce dernier, montréalais, a vécu quelques années à Bruxelles et Barcelone avant de rentrer au bercail. Belles chambres où rien ne manque. Sanitaires nickel à partager. Travaille avec la clientèle du musée d'art contemporain de Montréal et le milieu artistique. L'acteur Jean-Luc Bideau et son épouse ont séjourné au Zèbre.

■ ***B & B Bed and Banana*** *(plan couleur II, C3,* ***30****) :* 1225, rue Bullion. ☎ 878-98-43. Fax : 878-38-13 • www.corm.org./˜bbanana • Autour de 70 $Ca (45,2 €). À deux pas du centre et pourtant hyper calme. Un *B & B* qu'on aime beaucoup, et

MONTRÉAL

qui ressemble un peu à une maison d'artistes. Pour des prix légèrement inférieurs à la moyenne, Hervé et Tracy, respectivement français et canadienne anglophone, vous proposent des chambres pour 2 personnes superbement décorées et toutes différentes : la petite (2 lits superposés), la marocaine, la mexicaine et la « château » à l'étage, avec une salle de bains très mignonne pour ces 4 chambres ; l'orange (où l'on peut dormir à 3) et la rouge « Shangaï » en bas, avec leur petite salle de bains. Et en prime, un salon aussi coloré que le reste et un petit déjeuner copieux... Terrasse sur le toit. Que demander de plus ! Et bien Hervé et Tracy proposent aussi une multitude de services : cours d'accent québécois, locations de bicyclettes customisées, garde d'enfants... Génial, quoi !

🏠 ***La Maison Jaune*** *(plan couleur II, D2,* ***31****) :* 2017, rue Saint-Hubert. ☎ 524-88-51. Environ 65 $Ca (41,9 €) la nuit pour deux. Bien située, car à deux pas de la station centrale d'autobus de Montréal. Belle demeure victorienne, très joliment redécorée. Beau mobilier en acajou, ambiance feutrée et chic, un rien british. Calme et bien tenu. Accueil chaleureux et excellent petit déjeuner. On vous conseille de réserver à l'avance car il n'y a que 5 chambres : une individuelle (commune) en bas, et 4 à l'étage, dont 3 doubles (dans l'ordre de notre préférence la jaune, la bleue puis la verte) et une pour 4 personnes (la meilleure). Prix raisonnables au vu des prestations, dégressifs après 5 jours. Accueil discret et tout sourire.

🏠 ***Chez Marine Berthou*** *(plan couleur II, C2,* ***42****) :* 3490, rue Jeanne-Mance. ☎ 282-98-61. Chambre double à 75 $Ca (48,4 €). Petite maison typique extérieurement, mais totalement modernisée et repensée à l'intérieur. Monique, dynamique Française, et son chat Saskatchewan, paisible Québécois, vous y accueillent avec le sourire (surtout Monique !). L'intérieur est calme, très clair, et à l'architecture particulièrement réussie avec ce bel atrium. 3 petites chambres, parfaits nids d'amoureux, s'y partagent une mini-salle de bains. Et dans ce havre de paix, les prix sont les mêmes qu'ailleurs, mais on peut garer sa voiture sans supplément de prix.

🏠 ***B & B À l'Adresse du Centre*** *(plan couleur II, D3,* ***51****) :* 1673, rue Saint-Christophe. ☎ 528-95-16. Fax : 879-32-36. M. : Berri-Uqam. Chambre double avec salle de bains commune à 68 $Ca (43,9 €). Bien situé, près du terminus Voyageurs, dans une rue calme et très colorée. Ça y est, Huguette Boileau a pris sa retraite. C'est Nathalie, sa fille, qui prend le relais. Elle travaille avec son chum, et ils réservent aux touristes un accueil chaleureux, la tradition ne se perd pas. Dans la mignonne maison rose, ils mettent à votre disposition des chambres agréablement décorées et confortables. Bon rapport qualité-prix pour deux. Pour trois, demandez la chambre du bas, au fond, la plus spacieuse. La *café-crème*, du côté rue, avec sa cheminée, ses plafonds moulurés et ses boiseries, est notre préférée. Petits déjeuners gastronomiques toujours aussi bons car Huguette a donné toutes ses recettes. Un véritable buffet avec omelettes, crottons, nombreux gâteaux maison, pains aux bleuets, à la banane qui tournent autour de la table et mettent une super ambiance dès le matin. Nathalie donne plein de tuyaux sur Montréal. Le meilleur du Québec. Une adresse A-DO-RA-BLE.

🏠 ***B & B Le Chat Bleu*** *(plan couleur II, D2,* ***56****) :* 4098, Saint-Hubert (entre Duluth et Rachel). ☎ 527-34-21. • www.cybermtl.com/lechatbleu • Chambre double de 67 à 75 $Ca (43,2 à 48,4 €). Sur le Plateau, à deux pas des quartiers commerçants. Belle maison mitoyenne avec 4 chambres (dont une triple) réparties de chaque côté d'un long long couloir. Effort sur la déco, très cosy. Agréable salon pour les petits déjeuners. Accueil amical et spontané, bons conseils sur la ville, les us et coutumes, etc. Attention, allergiques aux poils de chat, bleu ou toute autre couleur, s'abstenir.

B & B Roger Bontemps *(plan couleur II, D3, **55**) :* 1441, Wolfe. ☎ 598-95-87. N° gratuit : ☎ 1-800-634-90-90. Chambre pour 2 personnes de 45 à 65 $Ca (29 à 41,9 €) selon la saison. Appartements équipés pour 2 à 8 personnes à partir de 65 $Ca (41,9 €). En fait plusieurs maisons de briquettes, aux boiseries peintes en bleu Klein, et tournant autour d'une mignonne courette, communiquant par des couloirs ou passerelles. Une dizaine de chambres propres comme tout, à la déco personnalisée et colorée. Toutes ont une salle de bains privée et un grand lit. L'ensemble a beaucoup de charme et ne ressemble en rien à un hôtel. Un vieux fauteuil club, un vieux poste de radio, ou un petit canapé donnent l'impression d'être à la maison. Ambiance fort agréable. Terrasse. Location de bicyclettes. Un endroit où l'on rentre avec plaisir après une journée de tourisme.

Gîte touristique du Centre-Ville *(plan couleur II, C2, **33**) :* 3523, rue Jeanne-Mance (et non Jeanne Mas !), Montréal H2X-2K2. ☎ 845-04-31. Fax : 845-02-62. • www3.sympatico.ca/app • M. : Place-des-Arts. Chambre double autour de 75 $Ca (48,4 €), 85 $Ca (54,8 €) pour un appartement. Maison de pierre dans un quartier résidentiel, en plein centre. On vous propose ici 3 chambres de qualité à prix doux. Salle de bains commune. Une chambre d'une personne également. Atmosphère agréable, tout en douceur. Petit déjeuner superbe. On dispose également d'une cuisine indépendante donnant sur le jardin, à l'arrière. Chambres modernes, équipées de ventilo, TV... Propose également 3 petits appartements avec balcon qui peuvent accueillir jusqu'à 5 personnes, mais situés dans une tour moderne et anonyme (offrant cependant : piscine, sauna et laverie). Cela dit, vue à couper le souffle sur Montréal, ses gratte-ciels et le Mont-Royal, surtout à plus de vingt étages au-dessus de la rue. Le charme d'une maison et des petits déjeuners en groupe, ou d'un appartement indépendant avec vue. À vous de voir. Accepte les cartes de crédit.

B & B chez Christian Alacoque *(plan couleur II, C2, **34**) :* 2091, Saint-Urbain. ☎ 842-09-38. Fax : 842-75-85. • christian.alacoque@sympatico.ca • De 60 à 90 $Ca (38 ,7 à 58 €). Calme et central. Dans une maison assez sympa et agréable, avec un salon de lecture de B.D. et autres bouquins. Des chambres plutôt petites, mais bien décorées, colorées et cosy avec leur vieux parquet. En fait assez québécoises. Ambiance style *guest-house*. Accueil parfois décontracté et propreté... bohème Une salle de bains commune. Super petit déjeuner. Terrasse, cuisine et laverie. Location de meublé au mois. Il est prudent de réserver.

Le Gîte du Parc Lafontaine *(plan couleur II, D2, **41**) :* 1250, Sherbrooke Est. ☎ 522-39-10. Ouvert du 1er juin au 1er septembre. À mi-chemin entre gîte et AJ, propose dortoir ou chambres doubles. Clair et propre, mais les chambres sont un peu petites. Location de serviettes. Possibilité d'utiliser la cuisine de 17 h à 20 h. Le petit déjeuner, inclus, se prend sur la terrasse.

B & B Centre Ville-Downtown-Network *(plan couleur II, C2, 47) :* 3977, av. Laval. ☎ 287-96-35. Fax : 287-10-07. M. : Sherbrooke. La chambre double autour de 55 $Ca (35,5 €). Martha Pearson – qui est artiste-peintre et chanteuse d'opéra – et sa fille possèdent des chambres, dans cette rue calme, parallèle et proche des boulevards Saint-Laurent et Saint-Denis, plus animés. À partir de 35 $Ca (22,6 €) en occupation simple et de 55 $Ca (35,5 €) en occupation double.

La Maison du Jardin *(plan couleur II, D2, **57**) :* 3744, rue Saint-André, H2L-3V7. ☎ 598-88-62. Fax : 598-06-67. • maisonjardin@yahoo.com • M. : Sherbrooke. Une grande chambre double donnant sur le jardin à 100 $Ca (64,5 €), deux autres de 65 à 80 $Ca (41,9 à 51,6 €). Tenue par Nathalie, une Française, et

Jean-Thomas, cinéaste. Logis confortable, 3 chambres doubles dans une maison typique du plateau somptueux. Une des chambres, la plus chère, la plus vaste aussi, donne sur le jardin pour des matins merveilleux. Les deux autres sont plus petites et en étage. Accueil simple et chaleureux.

UN PEU EXCENTRÉ

■ ***Gîte du Passant Chez François*** *(plan couleur II, D2, **53**) :* 4031 et 4037, rue Papineau, H2K 4K2. ☎ 239-46-38. Fax : 596-29-61. De 85 à 100 $Ca (54,8 à 64,5 €) la chambre double. À 10 mn à pied de Saint-Denis par le parc Lafontaine. Solide maison avec typiques escaliers métalliques en façade. Des chambres de standing, toute neuves et méticuleusement entretenues. Parquets de bois blond pour une ambiance chaleureuse et beaux matériaux partout. Salon des petits déjeuners au calme sur l'arrière, avec cuisine à l'américaine. Toutes les chambres donnent sur les arbres du jardin ou du parc. Les chambres les plus dispendieuses sont équipées de salles de bains privées avec jacuzzi, les moins chères doivent partager des sanitaires néanmoins très agréables. Accueil adorable. Faites un petit coucou au petit Pascal de notre part. Quartier calme le soir, parking aisé et gratuit.

■ ***La Dormance*** *(plan couleur II, D1, **32**) :* 4425, rue Saint-Hubert, H2J-2X1. ☎ 529-01-79. M. : Mont-Royal. Chambre double à 72 $Ca (46,4 €). Chez Chantal (une Française, originaire d'Aix-les-Bains) et Eddy, un jeune couple amical. Maison confortable, au calme, à proximité d'un quartier qui bouge. Chambres agréables, grandes et claires, 4 doubles et 1 simple (cette dernière est un peu triste), donnant sur la rue ou sur la cour (pour une seule d'entre elles). À l'étage : 3 chambres doubles (dont l'une peut accueillir sans problème un 3e lit : gratuit pour un enfant, 15 $Ca – 9,7 € – en sus pour un adulte), une salle de bains complète et un spacieux w.-c. séparé (le tout très propre). Au rez-de-chaussée : 1 chambre double, 1 petite chambre simple et 1 autre salle de bains, celle-ci avec w.-c. non séparé. Chaleureux, impeccable et charmant. Nombreuses B.D. et magazines français.

■ ***Gîte La Cinquième Saison*** *(plan couleur II, D1, **54**) :* 4396, rue Boyer, H2J-3E1. ☎ 522-64-39. Fax : 522-61-92. • www.bbanana.com/1952.htl • M. : Mont-Royal. Chambre double entre 60 et 65 $Ca (38,7 et 41,9 €) selon la saison. Sur le plateau, le quartier qui ne cesse de monter, très londonien. Calme et verdoyant. Tenu par Jean-Yves Goupil, hôte très chaleureux et attentionné. 5 chambres confortables et bien décorées, coins lecture, TV et musique. Une salle de bains et une salle de douche à partager. Atmosphère chaleureuse. Bon petit déjeuner sucré-salé avec pâtisseries maison. Prix corrects. Lecture du livre d'or éloquente.

■ ***Le Coteau Saint-Louis*** *(plan couleur II, D1, **35**) :* 5210, rue Berri. ☎ 495-16-81. M. : Laurier. Quartier calme et modeste. 3 jolies chambres légèrement mansardées où le bois domine, dans une traditionnelle petite maison québécoise bien agréable, avec galerie en façade. Charmant jeune couple très accueillant. Petit déjeuner copieux (confitures maison) et plein de docs sur la ville.

■ ***Gîte du Passant L'Urbain*** *(plan couleur II, C1, **48**) :* 5039, rue Saint-Urbain. ☎ 277-38-08. M. : Laurier. Tenu par une dame charmante. 3 chambres douillettes dans une belle maison début de siècle. On dispose d'une chouette terrasse et d'un grand salon (TV, vidéo, piano, journaux). Un poil plus cher qu'ailleurs, mais ça se justifie.

■ ***Au Bonheur d'Occasion :*** 846, rue Agnès. ☎ 935-58-98. M. : Place-Saint-Henri. Chambre double avec salle de bains partagée de 70 à 75 $Ca (de 45,2 à 48,4 €), avec sanitaires privés à 90 $Ca (58 €). Dans une magnifique maison du début du siècle avec un petit jardin où l'on peut prendre son copieux petit déjeuner. Bon accueil et très calme. Demander les chambres du 1er étage, coquettes et refaites à neuf. Au fait, on vous prête même les vélos. Parking gratuit. Bon rapport qualité-prix.

■ ***Monique et Christian :*** 1508, rue Jeanne-d'Arc. ☎ 522-28-69. M. : Pie-IX. Bus n° 139. Plusieurs chambres avec sanitaires à l'intérieur ou en commun. Ambiance familiale, accueil chaleureux. Monique et Christian disposent d'une foule d'informations sur Montréal et le Canada. C'est de toute évidence un bon point de départ pour une première arrivée au Québec. Assez excentré, donc au calme, et seulement à une vingtaine de minutes du centre-ville par les transports en commun.

Les hôtels

À Montréal, les hôtels traditionnels sont tout de même assez onéreux. Bien sûr, il en existe de minables pas très chers. Si vous séjournez assez longtemps, il est préférable de se mettre à la recherche d'une *chambre à louer*. On arrive à en trouver assez bon marché. En principe, il y a toujours un réfrigérateur, une salle de bains sur le palier et un téléphone pour toute la maison. Cherchez du côté de la rue Saint-Denis (sachez cependant que les *Tourist Rooms* sont parfois des hôtels de passe). Allez voir aussi dans le coin de Saint-Hubert, rue Berri, carré Saint-Louis, rues Duluth, Aylmer, Hutchinson, av. du Parc, etc. Un organisme, *Tours Richelieu Tower,* loue des chambres d'hôtel et des appartements avec cuisine équipée. ☎ 844-33-81. Fax : 844-83-61. Rappelez-vous par ailleurs qu'une taxe supplémentaire de 2 $Ca (1,3 €) par nuit et par chambre existe depuis 1997.

■ ***Hôtel Dynastie*** *(plan couleur II, D2, 27)* **:** 1723, rue Saint-Hubert. ☎ 529-52-10. Fax : 529-71-70. • hoteldyn@openface.ca • Chambre double de 45 à 55 $Ca (29 à 35,4 €) selon la saison. À 200 m de la gare routière. Simple, propre, vraiment pas cher et bon accueil. Chambres rénovées (régulièrement), insonorisées, avec TV (câble), AC et salle de bains privées. Également petit frigidaire, bouilloire pour thé ou café. Plein de petites attentions, en fait de gros efforts des proprios pour des prix vraiment bas. Très bon accueil. Excellent rapport qualité-prix.

■ ***Hôtel L'Abri du Voyageur*** *(plan couleur II, C3,* ***28****)* **:** 9, rue Sainte-Catherine Ouest. ☎ 849-29-22. Fax : 499-01-51. • info@abri-voyageur.ca • M. : Saint-Laurent. Chambre double avec ou sans sanitaires privés de 45 à 60 $Ca (29 à 38,7 €). À deux pas du quartier chinois et en pleine section chaude de Sainte-Catherine, avec sex-shops et prostituées. Un petit hôtel qui a entièrement fait peau neuve sans augmenter ses prix. Réception en haut d'une volée de marches, et chambres sur plusieurs étages. Toute simples, mais lumineuses, assez spacieuses, et équipées de ventilo pour l'été. Entretien vraiment correct, douches et toilettes sur le palier souvent nettoyées. Ambiance jeune et sympa. Coin salon avec distributeurs de boissons. La bonne adresse pour loger au coeur de Montréal sans pour autant se ruiner. Accueil pro.

■ ***Hôtel Manoir des Alpes*** *(plan couleur II, D3,* ***37****)* **:** 1245, rue Saint-André, H2L-3T1. Près du terminus Voyageurs et du métro Berri. ☎ 845-98-03. Appel gratuit : ☎ 1-800-465-29-29. Fax : 845-98-86. Chambre double avec café, croissant et parking inclus à 65 $Ca (41,9 €). Une petite adresse familiale bien située. Dans une petite rue calme, un peu triste, aux portes du quartier gay. Accueil parfois inégal mais prestations de bon niveau pour un prix raisonnable. Chambres avec ou sans salle de bains. AC et TV couleur. Café et croissant compris le matin servis dans un salon rose bonbon. Stationnement gratuit. Essayez de réserver assez longtemps à l'avance. Souvent complet.

■ ***Auberge des Glycines*** *(plan couleur II, D3, **44**)* **:** 819, bd Maisonneuve Est. ☎ 526-55-11. La chambre double autour de 75 $Ca (48,4 €) avec petit déjeuner et parking. Cet hôtel à l'engageante façade en brique est situé non loin de la station de métro Berri-Uqam. Chambres propres pour 2, 3 ou 4 personnes avec salle de bains. Rocking-chairs dans l'entrée, déco un peu vieillotte, accueil parfois froid, et prix toujours un peu plus élevés qu'en *B & B*. Bref, une adresse semblable à d'autres du même coin, comme l'hôtel *Le Breton*.

■ ***Hôtel Pierre*** *(plan couleur II, C2, **29**)* **:** 169, rue Sherbrooke Est. ☎ 288-85-19. M. : Sherbrooke ou Saint-Paul. Chambre double de 55 à 95 $Ca (35,5 à 61,3 €) selon la saison, et de 5 à 10 $Ca (3,2 à 6,4 €) par personne supplémentaire. Donnant sur une rue bruyante, cet hôtel offre des chambres doubles sans grand intérêt, mais des chambres pour 4 ou 6 avec salle de bains d'un bon rapport qualité-prix (tout comme l'appartement pour 6). Cher en haute saison. Accueil sympa. Ne sert pas de petit déjeuner.

■ ***Hôtel Le Breton*** *(plan couleur II, D3, **38**)* **:** 1609, rue Saint-Hubert, H2L-3T1. ☎ 524-72-73. La chambre double à partir de 65 $Ca (41,9 €). Très bien situé, à « 50 pieds » du métro Berri-Uqam et du terminus Voyageurs. Une assez bonne adresse : chambres refaites, équipées de TV. Les plus chères disposent d'une salle de bains avec w.-c. Certaines chambres pour 4 personnes à prix avantageux. Le petit déjeuner (tout petit !) est offert l'été ; l'hiver, les prix sont plus bas mais seul le café est offert. En prime, la gérante, Mme Miron, est une dame très aimable qui vous conseillera et, si vous le souhaitez, organisera vos jounées (excursions). Bon rapport qualité-prix. Réservez, car même un peu vieillotte, l'adresse a du succès.

■ ***Castel Saint-Denis*** *(plan couleur II, C-D2, **39**)* **:** 2099, rue Saint-Denis. ☎ 842-97-19. Fax : 843-84-92. Chambre double à partir de 55 $Ca (34,5 €). Au cœur de l'animation. Très bon accueil. Chambres calmes avec ou sans salle de bains. Toutes avec TV et AC ou ventilo. Très propre. Un peu moins cher que les hôtels de même catégorie. Ne sert pas de petit déjeuner, mais Anne-Marie, une sympathique Bretonne, donne de bonnes adresses et fait tout pour aider ses clients : infos, services, conseils... Une de nos très bonnes adresses. Réserver est préférable, mais une ou deux chambres sont souvent conservées jusqu'en fin d'après-midi, pour dépanner.

Où dormir plus chic ?

Dans cette catégorie figurent des hôtels proposant de bonnes chambres à prix convenables et également de véritables petites suites. Les prix varient du simple au double.

■ ***Hôtel Manoir Sherbrooke*** *(plan couleur II, C2, **29**)* **:** 157, Sherbrooke Est. ☎ 845-09-15. Fax : 284-11-26. Chambre double avec sanitaires communs entre 48 et 68 $Ca (31 à 43,9 €), entre 58 et 109 $Ca (37,4 à 70,3 €) avec sanitaires privés. Sur Sherbrooke, large artère bruyante, une grande bâtisse toute blanche avec des coursives. Intérieur plus avenant que la façade. Une vingtaine de chambres rénovées régulièrement, toutes différentes et décorées avec goût (moulures, mobilier de style). Demandez à être sur l'arrière et à choisir votre chambre (si cela est possible), car certaines sont quand même mieux que d'autres. Salles de bains communes ou privées. Dans les chambres les plus chères, déco style victorien, et parfois un jacuzzi pour se délasser après une journée de tourisme. Le petit déjeuner n'est pas compris mais on vous l'offre. La patronne tient à la nuance. Accueil sympa.

Faites une petite caresse au mignon chat noir de notre part.

■ ***Manoir Ambrose*** *(plan couleur II, B2,* ***45****)* **:** 3422, rue Stanley. ☎ 288-69-22. Fax : 288-57-57. M. : Peel. Une bien belle maison de style victorien, typiquement montréalaise, dans un quartier résidentiel. Jolies boiseries, cheminée, bibliothèque, tout cela a du charme. Excellent accueil et chambres impeccables, certaines avec des meubles anciens. Quelques suites spacieuses et magnifiques. Petit déjeuner offert. Plusieurs tarifs en fonction du confort. Les premières (sans salle de bains) sont à prix très acceptables.

■ ***Hôtel de Paris*** *(plan couleur II, D2,* ***46****)* **:** 901, Sherbrooke Est, à l'angle de Saint-André. ☎ 522-68-61. Fax : 522-13-87. La nuit en chambre double avec salle de bains privée de 65 à 120 $Ca (41,9 à 77,4 €). Situé sur la bruyante Sherbrooke. Ont également une section AJ d'une soixantaine de lits, donc moins chère, dans un bâtiment rénové juste en face de l'hôtel (voir texte plus haut *l'Auberge de Paris* dans la rubrique « Où dormir assez bon marché ? Les auberges de jeunesse »).

■ ***Hôtel Saint-André*** *(plan couleur II, D3,* ***37****)* **:** 1285, rue Saint-André. ☎ 849-70-70. Appel gratuit : ☎ 1-800-265-70-71. Fax : 849-8167. M. : Berri-Uqam. Chambre double et petit déjeuner de 58 à 70 $Ca (37,4 à 45,2 €) selon la saison. Dans un quartier central, à deux pas de Sainte-Catherine et de la station centrale d'autobus de Montréal, un hôtel sans charme particulier mais au rapport qualité-prix honnête. Grandes chambres avec salle de bains, TV et AC. Petit déjeuner continental compris, servi uniquement dans les chambres. Accueil dévoué.

■ ***Le Taj Mahal-Thrift Lodge*** *(plan couleur II, D3,* ***40****)* **:** 1600, rue Saint-Hubert. ☎ 849-32-14. N° gratuit : ☎ 1-800-363-52-60. Fax : 849-98-12. Chambre double tout confort à partir de 75 $Ca (78,4 €). Hôtel style chaîne, moderne, sans charme et plutôt pour hommes d'affaires que pour touristes. Mais l'accueil est pro (à défaut d'être sympa), les chambres sont bien entretenues et confortables, toutes avec AC, salle de bains et TV. Prix assez élevés mais honnêtes pour les prestations. À 3 ou 4, ça devient intéressant.

■ ***L'Auberge de La Fontaine*** *(plan couleur II, D1,* ***43****)* **:** 1301, rue Rachel Est. ☎ 597-01-66. Fax : 597-04-96. Chambre double de 130 à 178 $Ca (83,9 à 114,8 €) selon la période, 15 $Ca (9,7 €) par personne supplémentaire. Chambres toutes différentes et très agréables, certaines avec vue sur le parc, ou bain tourbillon, ou coin-salon. Déco de bon goût dans des tons sympas, avec effets de papier peint pour souligner un angle ici ou là. Accueil charmant. Il y a même un coin cuisine où vous pourrez vous préparer une petite collation pour que vous vous sentiez comme chez vous ! Prix un peu élevés, mais largement mérités.

Où dormir dans les environs ?

■ ***Auberge de jeunesse Le Chalet Beaumont*** **:** 1451, rue Beaumont, Val-David. ☎ (819) 322-19-72. À 80 km de Montréal, entre Sainte-Adèle et Sainte-Agathe-des-Monts. On peut y aller en bus, mais c'est la galère. Être véhiculé. Une cinquantaine de places en chambres de 2 ou 4, ou en dortoirs de 6 à 8 lits. On y sert le petit déjeuner. Douches, toilettes et lavabos. Véranda, cuisine équipée. Ce beau chalet tout en bois conviendra tout particulièrement aux sportifs : nageurs (lac à proximité), randonneurs, grimpeurs, cyclistes, skieurs.

■ ***L'Anse du Patrimoine*** **:** chez Mme Mercier, 475, Émile-Nelligan, Boisbriand, J7E-4H4. ☎ (450) 437-69-18. Fax : (450) 434-51-30. Dans la banlieue nord de Montréal, entre les aéroports de Mirabel et Dorval, par l'autoroute n° 15 Sud. À 20 mn de l'aéroport de Mirabel. Une adresse recommandée par de nombreux lecteurs, idéale si l'on arrive de l'aéroport le soir et qu'on n'a pas le courage de chercher une adresse en ville, voire la veille du départ si on veut éviter la route avant de s'envoler. Maison de campagne bicentenaire et pleine de charme, au calme, avec piscine. Accueil chaleureux et petit déjeuner copieux. Très bon rapport qualité-prix.

Gîte du Passant La Belle Vie : 1408, Jacques-Lemaistre, H2M2C1. ☎ 381-57-78. Fax : 381-39-66. • www.bbcanada.com/3399.html • Accès facile des aéroports Mirabel et Dorval. De Dorval, route 520 Est (9 km) vers autoroute 40 direction Est, sortie 73, av. Christophe-Colomb, vers le nord. À 1 km, prendre à droite, rue Legendre, puis André-Grasset à gauche (à 200 m), et c'est la 1re à droite. Ça paraît compliqué, mais c'est très facile à trouver ! Une bonne adresse où passer la nuit après (ou avant) un vol. Quartier résidentiel calme et proche des deux aéroports. Chambres impeccables, claires et agréables. Excellent petit déjeuner à déguster sur la terrasse donnant sur le jardinet. Petite piscine où faire trempette. Accueil charmant et prix très raisonnables.

Gîte du Passant La Villa des Fleurs : 45, rue Gaudreault, Repentigny, J6A-1M3. ☎ (450) 654-92-09. Fax : (450) 654-12-20. Idéal si l'on arrive du nord (Québec ou Trois-Rivières) par l'autoroute 40. Les autres feront un petit détour qu'ils ne regretteront pas tant l'accueil de Denise et Claude est convivial. Chambres douillettes avec lavabo, salle de bains commune. Le petit déjeuner est délicieux, ainsi que le dîner (sur demande) avec de bonnes spécialités. Piscine. Nombreuses activités possibles l'hiver. Une très bonne adresse dans une banlieue résidentielle très agréable.

Où manger ?

Montréal, grande ville gastronomique de l'Amérique du Nord : les restos poussent comme les champignons de rosée mais beaucoup disparaissent presque aussi vite ou ne maintiennent pas longtemps leurs qualités initiales. Cela dit, on peut, à Montréal, faire un véritable tour du monde en passant de table en table. Plus de 85 nations sont, paraît-il, représentées dans plusieurs milliers de restaurants. Nous avons pris bien soin de ne vous révéler que les valeurs sûres, saupoudrées, bien entendu, de quelques branchés ou nouveaux ethniques dont on espère qu'ils tiendront leurs promesses. Ne pas hésiter non plus à remonter vers le nord de la ville. Les quartiers qui se branchent se « touristisent » assez rapidement et perdent évidemment leurs caractéristiques sympas. Il en est ainsi de ceux des rues Prince-Arthur et Saint-Laurent. Aujourd'hui, on n'hésite plus à monter vers Fairmount. Demain, Bernard et Van Horne... Mais, déjà, nombre d'aventuriers gastronomiques errent autour de Jean-Talon !

À noter, pour les fauchés : on trouve de nombreux stands culinaires dans les gigantesques centres souterrains de la ville. Toutes les cuisines du monde pour des prix généralement modiques. On est rapidement servi et c'est bien commode de s'y abriter par mauvais temps... Pour le petit déjeuner, même topo : quelques cafés bon marché dans les stations de métro ! N'oubliez pas que les tarifs affichés par les restaurateurs s'entendent toujours hors taxes et hors pourboire : il faut donc toujours ajouter environ 30 % à la facture (15 % de taxes fédérale et provinciale, et 15 % pour le service). Sachez aussi qu'au Canada, le vin est cher, *a fortiori* dans les restaurants. Avantageux de ce point de vue : certains restaurants de Montréal et d'ailleurs au Québec ne possèdent pas de licence les autorisant à servir de l'alcool mais acceptent volontiers que vous apportiez votre propre bouteille. Ce qui revient évidemment bien moins cher. À condition de passer avant à la Société des alcools (SAQ) la plus proche, ou encore dans un dépanneur ou une épicerie (où la sélection est cependant nettement moins intéressante qu'à la SAQ).

DANS LES QUARTIERS SAINT-LAURENT ET SAINTE-CATHERINE

Quartier animé le jour, relayé par une vie nocturne assez trépidante. À l'intersection de Saint-Laurent et de Sainte-Catherine, vous trouverez le gros des boîtes de strip minables, des cinés porno et le début du quartier chinois. Nombreux restos et snacks pas chers.

Bon marché

🍴 ***Ben's Delicatessen** (plan couleur II, B3, **63**) :* 990, bd de Maisonneuve Ouest (à l'angle de Metcalfe). ☎ 844-10-00. M. : Peel. Ouvert de 7 h à 4 h du matin. De 8 à 15 $Ca (5,2 à 9,7 €) pour un repas. Décor années 50, aux couleurs kitsch, chrome et plastique. Certains serveurs hors d'âge. Pourquoi les gens viennent-ils, nous direz-vous ? Pour le *smoked meat* sur pain de seigle, et aussi parce qu'on peut y manger, bière comprise, pour vraiment pas cher. Et dans deux siècles, les prix n'auront pas changé et il y aura toujours autant de monde... Au mur, les photos de toutes les vedettes qui ont hanté les lieux (dont notre Johnny Hallyday !). Pour les grosses faims, le *Big Ben,* un repas à lui tout seul. Sinon, carte bilingue proclamant « Nos clients sont les gens les plus merveilleux de l'univers », et où l'on peut signaler les soupes du jour, les crêpes aux pommes de terre à la « crème sure », comme celles aux bleuets (myrtilles). Après le repas, on passe à la caisse et on prend une photo, ça fera un chouette souvenir. Tout cela a bien du charme. Y aller aussi en fin de parcours de nuit, pour voir les visages défaits, les rimmels délavés et les tronches verdâtres des consommateurs.

🍴 ***Da Giovanni** (plan couleur II, B3, **61**) :* 690, rue Sainte-Catherine Ouest. ☎ 393-38-08. Ouvert tous les jours de 7 h (7 h 30 le dimanche) à 2 h (3 h les vendredi et samedi, 1 h le dimanche). Formules ou table d'hôte de 8 à 12 $Ca (5,2 à 7,7 €). Une institution de plusieurs décennies. Spécialités italiennes. C'est l'un des restos les moins chers et l'un des plus populaires de la ville. Pourtant, il n'a rien pour plaire avec son immense salle bruyante et son décor très quelconque. Mais on y fait un copieux repas de pâtes sauce viande pas cher, incluant soupe et dessert, et c'est là une raison bien suffisante. Ne pas s'attendre à de la grande cuisine. Vaste choix de pizzas, salades, sandwiches variés, omelettes, poulet, etc. Petit déjeuner très copieux servi avant 11 h. Un vrai repas ! Nourriture à emporter également. Pratique, car le terminal des bus n'est pas loin. Souvent la queue sur le trottoir. Deux autres *Da Giovanni :* 5440, Sherbrooke Est et 572, Sainte-Catherine Est.

🍴 ***Le Commensal** (plan couleur II, B3, **73**) :* 1204, av. McGill-College. ☎ 871-14-80. M. : McGill. Ouvert tous les jours de 11 h 30 à 23 h. Nourriture vendue au poids, comptez entre 7 et 15 $Ca (4,6 et 9,7 €) pour un repas. Système très apprécié de buffet-self-service végétarien, ce qui permet de goûter plein de choses, de choisir la quantité désirée. Vaste choix d'entrées, salades, tartes, pâtes... Également des soupes, un choix de tisanes, thés et cafés, sans oublier les desserts vraiment délicieux. Plein de crudités, de trucs bizarres mais bons, des algues, du tofu, du quinoa, du seitan. Plus couleur locale, de bonnes tourtières qui vous calent pour un moment. Accueil cool, jeune et branché. Pas cher. On peut y aller juste pour un café, pour une soupe ou une assiette de desserts. Salle genre cafétéria *clean* et agréable, située à l'étage avec vue sur la rue. D'autres adresses dans Montréal, parmi lesquelles 2115, Saint-Denis (plusieurs salles très chaleureuses), et 3715, Queen-Mary.

🍽 ***Basha** (plan couleur II, B3, **64**) :* 930, rue Sainte-Catherine Ouest. ☎ 866-42-72. M. : Peel. Au 1er étage. Ouvert tous les jours, de 11 h à minuit du lundi au jeudi (jusqu'à 1 h les vendredi et samedi ; le dimanche, ouvert de 12 h à minuit). Repas entre 10 et 16 $Ca (de 6,4 à 10,3 €). Libanais populaire et pas cher. Cadre archi-nul de cafétéria, particulièrement triste. Bonnes viandes à la broche malgré des photos peu engageantes et, en semaine, plat du jour à des prix années 50.

– Le minuscule ***quartier chinois*** possède plusieurs restos, typiques et bon marché pour la plupart. Ils se situent dans la rue Clarke, autour de la rue de la Gauchetière (au sud de René-Lévesque). Laissez-vous guider par vos narines, vos yeux et vos oreilles. En voici une courte sélection pour manger bon et copieux sans dépasser les 20 $Ca (12,9 €) environ.

🍽 ***Le Jardin de Jade** (plan couleur II, C3, **97**) :* 67, rue de la Gauchetière Ouest. Endroit assez étonnant. Plusieurs salles fréquentées en majorité par une clientèle asiatique. Buffet à volonté. Bon et vraiment pas cher.

🍽 ***Cristal Saigon** (plan couleur II, C3, **98**) :* 1068, Saint-Laurent. ☎ 875-42-75. Un tout petit resto familial où on sert de la cuisine... familiale. Pas de décorum, mais vraiment pas du tout. Ambiance sympa pour des plats simples et copieux, vite servis et vite mangés. Parfois du durion frais en dessert pour les plus courageux (le durion est un fruit qui sent la m.... lorsqu'il est à maturité).

🍽 ***Pho Minh** (plan couleur II, C3, **99**) :* 1021, Saint-Laurent. ☎ 866-82-88. Resto en sous-sol donc sombre et du coup un peu triste, mais de délicieuses spécialités vietnamiennes. Bo bùn, crêpes viet', soupe aux tripes etc. En dessert, fèves rouges à la crème de coco. Service jeune et décontracté.

Prix moyens

🍽 ***Biddle's** (plan couleur II, B3, **66**) :* 2060, rue Aylmer. ☎ 842-86-56. M. : McGill. Ouvert de 11 h 30 à 11 h les lundi et mardi, 11 h 30 les mercredi et jeudi, puis jusqu'à 1 h les fins de semaine. Comptez facilement 20 $Ca (12,9 €) par personne. Décor « rustico-Tiffany anglais chargé » dans lequel vous aurez l'occasion de déguster de bonnes et gigantesques *spare-ribs* (côtes « style Sud ») bien charnues à un prix raisonnable. La demi-portion est déjà copieuse. Pour les très grosses faims, la portion entière ou les *ribs and chicken* sera idéale. Également bonne salade *Caesar*, et d'excellents desserts comme le cheesecake ou le gâteau aux carottes. Le midi, bourré de monde (employés du coin, yuppies, hommes d'affaires anglophones) et bruyant. Le soir, avec le jazz live, tout aussi bondé et encore plus bruyant, surtout les fins de semaine. Terrasse sur Pdt-Kennedy, pour surveiller le balais des limousines. Bonne qualité des plats servis, mais aussi du service et de l'accueil, même au comble du rush. Délicieuse sangria au pichet. Jazz pas trop mal (voir « Où boire un verre? Où s'éclater en musique? »). Vend aussi T-shirts, porte-clés et tabliers sympas.

🍽 ***Quartier Saint-Louis** (plan couleur II, C1, **95**) :* 4723, rue Saint-Denis. ☎ 284-77-23. Fermé le dimanche et le lundi. M. : Laurier. Ce restaurant, ouvert seulement le soir, sert d'excellents plats français, cuisine provençale et d'ailleurs : ris de veau aux nouilles, fricassée de lapin, moules, sanglier. Aussi un bon osso-buco. La cuisine est simple et savoureuse. Déco peut-être un peu triste, toiles cirées sur les tables. On peut apporter son vin. Accueil très sympa.

lel ***Restaurant Place Milton*** *(plan couleur II, C2, **84**) :* 220, Milton Ouest. ☎ 285-00-11. M. : Place-des-Arts. Ouvert de 8 h à 20 h (les samedi et dimanche de 8 h à 16 h). Formules petit déjeuner entre 6 et 10 $Ca (3,9 à 6,4 €). Derrière une devanture des moins tape-à-l'œil se cache un petit trésor pour votre *brunch*. Simplicité et décontraction au programme. On traverse la première salle pour aller sur la terrasse (chauffée en hiver), calme et verdoyante. Rosa a pris une retraite bien méritée mais l'accueil est toujours aussi chaleureux. Ici, on vous propose de délicieuses formules de petits déjeuners sucrés-salés avec toasts, œufs, pommes de terre sautées, saucisses, bacon, roties (toasts grillés) et fruits servis avec le café. Petit resto qui vaut le détour pour la gentillesse du personnel et pour ses prix.

lel ***Cafétéria*** *(plan couleur II, C2, **93**) :* 3581, bd Saint-Laurent. ☎ 849-38-55. Le midi, plats entre 5 et 14 $Ca (3,2 à 9 €), le soir, table d'hôte entre 13 et 17 $Ca (8,4 à 11 €). Cadre original, un peu sophistiqué (rien à voir avec une cafétéria...), moderne et pourtant chaleureux. Lumière douce. On y mange de bonnes pâtes, des omelettes, de bonnes viandes, des œufs Bénédicte et de bons desserts, le tout à des prix raisonnables pour l'endroit et la qualité. À la carte, quelques plats low calories sont repérables grâce à un petit coeur. Sert aussi le petit déjeuner entre 8 h et 11 h 30. Clientèle plutôt jeune et branchée. Adresse à la mode à Montréal, parfaite pour le soir. Côté service, le casting a été bien fait...

lel ***Shed Café*** *(plan couleur II, C2) :* 3515, bd Saint-Laurent. ☎ 842-02-20. Ouvert de 8 h à 23 h en terrasse et jusqu'à 3 h à l'intérieur. L'une des étapes du circuit branché. Un monde fou, plein de jolies filles et une musique puissante ! Décor post-moderne et cuisine sur le pouce de qualité et pas très chère. Sandwiches composés sur pain au blé entier, croques divers, bons hamburgers, salades variées. Bons desserts. On vient quand même ici plus pour la frime que pour la bouffe. Le *Shed Café* serait parfait dans notre rubrique « Où boire un verre ? ».

MONTRÉAL

Plus chic

lel ***Primadonna*** *(plan couleur II, C2, **94**) :* 3479, Saint-Laurent. ☎ 282-66-44. Pour le repas du déjeuner, comptez 25 $Ca (16,1 €), le soir, l'addition double facilement. Restaurant italien à la cuisine originale et inventive. Assiette de légumes grillés à l'huile d'olive et au vinaigre balsamique, mosaïque de poissons et crustacés grillés, grillade de pieuvre aux aromates, pâtes noires aux pétoncles et crevettes, et à toutes les sauces... On en salive encore ! Gravures de mode pour le service, supervisé par un Roberto décontracté qui a pas mal roulé sa bosse de par le monde. Cadre très agréable dans des tons jaune et bleu. En plus, un excellent *sushi-bar*. Dommage que le boulevard Saint-Laurent sur lequel le resto s'ouvre en terrasse soit très passant, donc un peu bruyant. C'est aussi un des endroits branchés où l'on vient pour voir et être vu, puis laisser pas mal d'argent.

lel ***Chez Gautier*** *(plan couleur II, C2, **96**) :* 3487, av. du Parc. ☎ 845-29-92. Comptez 20 $Ca (12,9 €) pour déjeuner, et de 25 à 35 $Ca (16,1 à 22,6 €) pour la table d'hôte du souper. Idéalement situé au carrefour de différents quartiers du centre-ville. L'intérieur de cet élégant restaurant revêt des allures de bistrot parisien à la mode 1900, et sa terrasse (en été) est l'une des plus agréables du coin. Le service, impeccable, est à la hauteur du cadre et de la cuisine. Cher à la carte, mais si l'on se contente des menus, assez abordables, on en a vraiment pour son argent.

DANS LE QUARTIER OUEST

C'est là que s'étend le quartier anglophone. Les vibrations y sont différentes. À vous de voir. Quartier d'affaires plus chicos. Grosses opérations immobilières de prestige et magasins de luxe. Quartier assez mort le soir, à part quelques rues élégantes aux boîtes à la mode. Cependant, animé la journée pendant l'année scolaire autour de l'université McGill.

Prix moyens

🍴 ***Bar B'Barn*** *(plan couleur II, A3,* ***65****)* **:** 1201, rue Guy. ☎ 931-38-11. M. : Guy-Concordia. Ouverture à 11 h en semaine, 11 h 30 le week-end. Fermeture à 22 h 30 du dimanche au jeudi, 24 h les vendredi et samedi. Menu régulier entre 6 et 20 $Ca (3,9 à 12,9 €). Tout près de Sainte-Catherine. On y déguste bien sûr la spécialité de la maison : les *spare-ribs* (travers de porc) avec du riz aux tomates, du poulet et des frites. Plats copieux et excellents pour des prix corrects. Plusieurs tailles de *ribs* et de poulet. De plus, l'intérieur – c'est immense, sur 5 étages – est plutôt sympa, genre campagnard version cabane en bois.

🍴 ***Hard Rock Café*** *(plan couleur II, B3,* ***74****)* **:** 1458, rue Crescent. ☎ 987-14-20. M. : Guy-Concordia. Ne dérogeons pas à la tradition ! Comme à Los Angeles, San Francisco, New York, Stockholm, Londres, Bangkok et Paris (ouf !), on va vous indiquer, en traînant un peu les pieds, cet énième *HRC.* Déco immuable de guitare d'untel, disque d'or d'un autre, poster d'un troisième, petite culotte de celle-ci, bottes de celui-là... Dans l'assiette, du *McDo* amélioré. Nous, blasés ?

DANS LE VIEUX MONTRÉAL

Un quartier plein de charme et bien conservé. Cela dit, les cars de touristes y font la loi et il est bien difficile d'y manger de bonnes choses pour pas cher... Dans ces conditions, autant s'y promener le matin ou aller y boire un verre le soir (voir le chapitre concerné, plus loin), en décidant de se sustenter ailleurs, par exemple dans le tout proche quartier chinois qui regorge de petits restos bon marché...

🍴 ***La Gargote*** *(plan couleur III, B2,* ***67****)* **:** 351, place d'Youville. ☎ 844-14-28. Le midi, menus de 12 à 15 $Ca (7,7 à 9,7 €), et le soir table d'hôte entre 13 et 17 $Ca (8,4 à 11 €). Voilà un restaurant qui n'est loin ni de l'animée rue Saint-Paul, ni du très passant boulevard René-Lévesque. Et pourtant, les seuls véhicules à passer devant sont des carrioles tirées par des chevaux... (celles des touristes romantiques !) L'intérieur, assez intimiste, est très agréable. La cuisine, quant à elle, est française, pas mal du tout et pas très chère. Accueil moyen.

🍴 ***Le Grill*** *(plan couleur III, C1,* ***68****)* **:** 183, rue Saint-Paul Est, presque à l'angle de la place Jacques-Cartier. ☎ 397-10-44. Ouvert tous les jours midi et soir. Table d'hôte au souper entre 20 et 25 $Ca (12,9 et 16,1 €), le midi entre 9 et 15 $Ca (5,8 à 9,7 €). Joli patio où l'on mange en été. Sinon, salles tamisées, tout de pierre et de poutres. Pour un peu, on se croirait en France – d'ailleurs l'équipe est française. Le midi, bonne formule « spécial du jour » à prix doux. La cuisine n'a rien de miraculeux, mais globalement le travail est bien fait. Le soir, table d'hôte idéale pour un tête-à-tête en amoureux... Mais autant être prévenu : l'addition sera lourde !

🍴 ***Menara*** *(plan couleur III, C-D1,* ***69****)* **:** 256, rue Saint-Paul Est. ☎ 861-19-89. Ouvert tous les jours mais on y vient le soir. Table d'hôte au prix unique de 28 $Ca (18 €). Sert jusqu'à 22 h. Pourquoi pas un peu d'exotisme ? Ambiance feutrée et décor typique dans ce resto marocain. Au menu, bien sûr, couscous, méchoui, tajines, pastillas, le tout d'un bon niveau. Et, pour accompagner le dessert, les jeux de voiles des danseuses du ventre tous les soirs) dans un décor de tente berbère. Dépaysant.

DANS LA RUE SAINT-DENIS ET VERS L'EST

La rue Saint-Denis, du n° 1000 au n° 4000, aligne nombre de restos à tous les prix, de la gargote classique au bon resto de standing. Dans le « bas Saint-Denis » que nous traitons ici, ils se serrent les uns contre les autres, tolérant de temps à autre que s'intercalent quelques cafés. Dans la partie comprise entre René-Lévesque et Sherbrooke, atmosphère très commerciale et touristique au plus mauvais sens du terme, à mi-chemin de Montmartre et de Saint-Michel à Paris. Cependant, l'animation pourra plaire à nombre de lecteurs, surtout au moment du festival de Jazz, la première quinzaine de juillet et du festival de l'humour « Juste pour rire » la 2e quinzaine de juillet.

Bon marché

I●I ***Spirite Lounge Restaurant*** *(plan couleur II, D2, 67)* **:** 1201, rue Ontario Est (angle Montcalm). ☎ 529-62-04. Fermé le dimanche soir et le lundi. Menu complet à 13 $Ca (8,4 €). Lorsqu'on voyage, on aime faire, voir, manger des trucs différents. Alors en voiture, Simone ! Direction le *Spirite Lounge*. Roz-Man et Patrice forment le couple de restaurateurs le plus atypique de tout Montréal. Leur accueil, leur cuisine, leur look et le décor de leur resto en font une de nos adresses préférées. Façade graffitée et déco ébouriffante faite exclusivement avec des matériaux récupérés, comme du papier d'alu, des éclats de miroir, des meubles et nappes dépareillés, etc. Le résultat : un cadre mi-bordel, mi-cathédrale qui fait fuir une certaine clientèle (tant pis, tant mieux !) mais qui change des adresses frimeuses d'autres quartiers. Au fourneau, Roz-Man fait une succulente cuisine bio-végétarienne que nous qualifions d'instinctive, car notre chef est un parfait autodidacte (designer, ancien barman). Le jour de notre visite, nous avons été littéralement régalés d'une soupe de carotte au gingembre et à la muscade, puis d'une petite salade aux champignons à l'ail, d'un *burito* farci et accompagné de tout un assortiment de légumes géniaux comme de la banane plantain aux oignons et poivrons rouges, des courgettes au curry, des haricots verts, de la mangue, puis une part de gâteau aux bleuets, etc. Précision d'importance : il est interdit de gaspiller la nourriture, donc on demande une portion adaptée à son appétit et on finit son assiette (l'amende de 1 $Ca (0,6 €) est-elle toujours en vigueur lorsqu'on cale ?). Service attentionné par Patrice qui est aux petits soins avec ses clients et vous donnera toutes explications sur la nourriture bio, et tout un tas de choses. On peut apporter son vin. Voilà ! On a été un peu long, mais ces gars ont des choses à dire, allez-y !

I●I ***Restaurant Iza*** *(plan couleur II, D2, 68)* **:** rue Ontario Est (angle Timothée). Repas autour de 20 $Ca (12,9 €). Sur cette portion un peu *trash* d'Ontario, une petite façade décrépie, avec de traditionnelles briquettes, cette fois-ci peintes en vert et rouge-orangé. Dans la salle, seulement quelques tables, et la cuisine partiellement ouverte derrière le bar. Vous voilà chez Iza, ou plus exactement chez ses parents, car Iza, c'est la petite fille photographiée, encadrée et qui joue les top models sur le mur. Pas peu fiers, les parents, on les comprend, elle est à croquer. C'est donc son papa, originaire de Saint-Domingue, qui cuisine. Il nous a régalés de délicieux *fajitas* au poulet, *enchillada* et *chili con carne*, puis de délicieuses bananes flambées en dessert. Carte courte pour des produits frais et une cuisine familiale, goûteuse et authentique. Excellentes *sangria* et *margerita* qui cognent pas mal ; attention. Bonne musique d'ambiance. Ambiance cool avec beaucoup d'habitués. Service adorable et bons conseils.

Ⓘ ***Chez Gatsé :*** 317, rue Ontario Est. ☎ 985-24-94. Repas entre 7 et 12 $Ca (4,5 et 7,7 €). L'unique resto tibétain au Québec. Si vous en trouvez un autre ailleurs aussi bon marché, dites-le nous. Déco certes un peu triste pour une petite adresse discrète, pas chère, et où on découvre en se régalant d'étonnantes spécialités : *thupkas*, *shapalès*, *shaptas*, et *momos*. On a particulièrement adoré les *momos*, sortes de brioches cuites à la vapeur, fondantes et légères, garnies de fromage, légumes, ou viande. Accueil doux et souriant de Gatsé. Cette dernière a aussi une boutique au 1er étage au-dessus du resto où elle vend des produits importés du Tibet : bijoux, livres, encens, tapis...

Ⓘ ***La Paryse*** *(plan couleur II, C2-3,* ***70****)* ***:*** 302, rue Ontario Est (à l'angle de Sanguinet). ☎ 842-20-40. Ouvert de 11 h à 23 h (le dimanche, de 14 h à 22 h 30). Repas autour de 7 $Ca (4,5 €). Pour ceux que la rue Saint-Denis rebute, voici, à quelques pas, l'occasion de manger le meilleur hamburger de Montréal. Atmosphère agréable, déco années 50, tables serrées, etc. Vous saurez tout de la vie de vos voisins, tout en dégustant une excellente viande hachée et de croustillantes frites maison. Le midi, menu très bon marché. Le croirez-vous, il faut souvent y faire la queue ! C'est bon signe, non ? De plus, la maison fait du mécénat : 1 % de ses ventes sert à soutenir l'art contemporain. L'une de nos meilleures adresses pour manger un hambourgeois.

Ⓘ ***Le Café Pellerin*** *(plan couleur II, C2-3,* ***82****)* ***:*** 330, rue Ontario Est. ☎ 845-09-09. Ouvert de 11 h à 23 h. Le midi, comptez entre 8 et 12 $Ca (5,2 et 7,7 €), le soir entre 10 et 15 $Ca (6,4 et 9,7 €). *Le Café Pellerin,* qui vient de fêter ses 22 ans, c'est avant tout une salle à la déco sympa où vous pourrez lire des B.D. tout en écoutant de la bonne musique. On y trouve également une terrasse calme à l'arrière. La carte n'est pas très originale, mais au moins les prix sont raisonnables. Brunch le dimanche matin.

Ⓘ ***Shezan*** *(plan couleur II, C-D2,* ***92****)* ***:*** 2051, rue Saint-Denis. ☎ 845-88-67. Fermé les samedi et dimanche midi. Le midi, repas pour 5 à 10 $Ca (3,2 à 9,7 €), le soir, table d'hôte entre 10 et 16 $Ca (9,7 et 10,3 €). Parmi les nombreux restaurants asiatiques du coin, ce resto indien est l'un des plus recommandables. Cadre simple, bonne cuisine et tarifs très honnêtes.

Prix moyens

Ⓘ ***Le Petit Extra*** *(plan couleur II, D2,* ***71****)* ***:*** 1690, rue Ontario Est, près de Papineau. ☎ 527-55-52. Ouvert midi et soir, jusqu'à 22 h. Fermé les samedi midi et dimanche midi. Repas du midi pour 9 à 12 $Ca (5,8 à 7,7 €), le soir entre 13 et 20 $Ca (8,4 à 12,9 €). Un bistrot toujours aussi à la mode (14 ans minimum), animé et pas trop cher. Le cadre est plaisant, le service souriant et la cuisine irréprochable. Le menu du jour, servi à midi, est à un prix intéressant vu la qualité des plats. Il comprend une entrée, un plat et le café. Le soir, formule un peu plus chère avec une cuisine plus élaborée. Très bonne adresse. Réservation conseillée.

Ⓘ ***Bato Thaï :*** 1310, Sainte-Catherine Est. ☎ 524-67-05. Soupe ou salade autour de 3 $Ca (1,9 €), plats autour de 9 $Ca (5,8 €). Dans le quartier gay, un resto thaï moderne et looké. Ici, pas de dragon ou fanfreluche rouges et dorés, mais un décor réussi : des conduits d'aération apparents, des étoffes flottant à mi-hauteur, le tout dans des teintes vives, mais avec un éclairage tamisé. Bar-comptoir circulaire autour duquel s'affairent serveurs et serveuses, en jupe, pantalon ou *sarong* traditionnel. À table, carte courte pour un choix de salades, puis des soupes, et des plats souvent au gingembre, à la citronnelle ou à la crème de coco. Pour les entrées, commandez des petites portions, largement suffisantes à moins d'être boulimique. En général, on se contente d'un plat accompagné de riz blanc ou de nouilles sautées, c'est amplement suffisant.

|●| ***Mikado*** *(plan couleur II, C-D3, 72) :* 1731, rue Saint-Denis. ☎ 844-57-05. Ouvert tous les soirs ainsi que du mercredi au vendredi midi. Large choix de menus entre 10 et 42 $Ca (6,45 et 27 €). Voilà un restaurant japonais d'où l'on ressort rassasié (ce qui n'est pas toujours le cas chez nos amis nippons...), et ce après s'être délecté des spécialités habituelles du pays du Soleil levant (*sushi, sashimi, teriyaki*, etc.). Prix corrects pour les formules servies à midi, mais nettement plus élevés le soir. Le tout dans un cadre élégant, avec serveuses en kimono.

DE PRINCE-ARTHUR À MONT-ROYAL

Sur deux axes parallèles, Saint-Laurent et Saint-Denis, et dans les rues adjacentes, un certain nombre de restos intéressants. M. : Sherbrooke et Mont-Royal. Quartier, en quelque sorte le Midtown de Montréal, pas encore vraiment « touristisé » et ayant conservé une vieille population typique. Cette portion de Saint-Laurent traverse même en partie le secteur portugais de la ville. Il y a quelques années, la rue Prince-Arthur fut la rue des restos branchés. Aujourd'hui, elle a beaucoup perdu de son âme et s'est très touristiquement banalisée. La rue Duluth, qui fut, à la même époque, bourrée de petits restos margeos sympas et de gargotes grecques, s'est largement institutionnalisée, mais on trouve tout de même dans les alentours quelques rues agréables pour se balader (la rue Drolet, la rue Laval, le carré Saint-Louis...). Mais d'une manière générale, vous ne trouverez pas grand-chose d'autre dans ce quartier que des dizaines de restos grecs se faisant une concurrence féroce dans un urbanisme rénové sonnant assez faux.

Bon marché à prix modérés

|●| ***Schwartz's*** *(plan couleur II, C2, 76) :* 3895, bd Saint-Laurent (et Napoléon). ☎ 842-48-13. Ouvert tous les jours de 9 h à 1 h (2 h le vendredi, 3 h le samedi). Le meilleur resto de cuisine juive à Montréal. On ne peut guère le manquer, vu le monde qui s'y presse et attend parfois longtemps pour avoir une table. Les vitrines croulent sous le *smoked meat* et les bocaux d'énormes poivrons. On vient ici pour un copieux sandwich de viande fumée avec moutarde, et on file. Il est amusant de constater le décalage entre ces vieux locaux poussiéreux, au sol graisseux, et la clientèle parfois bourgeoise et/ou branchée qui s'y montre. Aux murs, nombreux articles et peintures attestant, s'il le fallait, de la notoriété de l'établissement. Le slogan c'est : « Ici, on a l'embarras du Schwartz's. » Fin de citation ! Fait aussi vente à emporter.

|●| ***L'Anecdote*** *(plan couleur II, D1, 78) :* 801, rue Rachel Est, à l'angle de Saint-Hubert. M. : Mont-Royal. Ouvert en semaine de 7 h 30 à 22 h, le week-end de 9 h à 22 h. Un vieux snack d'antan et quelques touristes friands d'atmosphère 50's. Banquettes en skaï rouge, du formica par-ci par-là. Ouvert depuis 1983, ce snack-bar est une bonne adresse pour un petit déjeuner copieux et savoureux (jus de fruits frais, excellentes omelettes, bagels...), un hamburger frites et pourquoi pas ? une poutine (spécialité locale à base de frites, de sauce brune et de fromage en grains). 2 salles : la 1re de style « dinner » à l'américaine à la fois

banal et étudié, la 2e avec une amusante déco hétéroclite et un mobilier de cuisine typique des années 50. Ambiance musicale actuelle. Fréquenté par une clientèle de quartier, beaucoup d'enfants le week-end. Le midi, menu à 6,75 $Ca (4,3 €), (soupe, plat, café), petit déjeuner complet autour de 8 à 10 $Ca (5,2 à 6,4 €).

🍽 ***Porté Disparu*** *(plan couleur II, D1,* ***79****)* **:** 957, av. du Mont-Royal. ☎ 524-02-71. M. : Mont-Royal. Ouvert tous les jours midi et soir jusqu'à 1 h en semaine et 2 h les samedi et dimanche. Menu du jour à 5,5 $Ca (3,5 €). Le rendez-vous des poètes, philosophes et artistes du coin, de 17 à 97 ans. Une grande salle habillée de briques, un vieux plancher, et puis une longue étagère chargée de bouquins qui court le long du mur. Des expos qui tournent et un vieux piano désaccordé pour donner le ton. Dans les assiettes, rien de raffiné, mais une bonne bouffe copieuse et sans chi-chi, pour nourrir le corps. Menu du jour vraiment intéressant avec soupe, plat du jour, dessert et café. Par exemple, bouillon de bœuf aux légumes, poulet créole (une vraie cuisse d'autruche. Vive les hormones!) et carré aux dattes. Petit coin de ciel bleu aménagé sous la verrière du fond, pour attendre la fin de l'hiver. Soirées jazz en fin de semaine.

🍽 ***Le Bambou Bleu*** **:** 3895, rue Saint-Denis. ☎ 845-1401. Ce petit resto vietnamien sert une cuisine abondante et de bonne qualité pour un prix fort raisonnable. Le 1er menu complet est à 11,95 $Ca (7,7 €), incluant soupe, rouleaux de printemps, brochettes, dessert et café. On a du mal à terminer son assiette tellement c'est copieux! Agréable terrasse pour les chaudes soirées d'été. Comme la maison n'a pas le permis d'alcool, vous pouvez apporter votre bouteille de vin.

🍽 ***Santropol*** *(plan couleur II, C2,* ***80****)* **:** 3990, rue Saint-Urbain, à l'angle de Duluth. ☎ 842-31-10. Ouverture à 11 h 30 en semaine et 12 h le week-end. Fermeture à minuit du dimanche au jeudi et 1 h les vendredi et samedi (vous suivez?). Fermé le lundi en hiver. Une de nos adresses favorites. Endroit très fréquenté, plutôt margeo et « granola » (végétarien en jargon local, même si le resto n'est pas végétarien mais bio). Décor rigolo et coloré, un bric à brac soigné et d'amusants tableaux représentant des maisons montréalaises « comme ramolies ». Mini-jardin japonais. Cour intérieure très agréable et bucolique. Toutes sortes de thés et tisanes maison (à l'abricot, à la framboise, etc.), de savoureux *milk-shakes* maison et d'excellents sandwiches aux noms originaux (racines suaves, beurre de minuit, île des piments...) préparés à la demande, et servis uniquement en taille XXL. Ambiance très sympa. À découvrir. Précision importante : 25 % des bénéfices sont reversés à différentes associations caritatives.

🍽 ***Le Jardin de Panos*** *(plan couleur II, D2,* ***62****)* **:** 521, rue Duluth Est. ☎ 521-42-06. Ouvert tous les jours de midi à minuit. Repas entre 12 et 20 $Ca (7,7 et 12,9 €), moins cher à midi. Une taverne typiquement grecque de l'extérieur, et que l'on repère vite car il y a souvent une file d'attente sur le trottoir. À l'intérieur, une ambiance de resto U où les décibels dépassent nettement la moyenne des autres restaurants. Des spécialités grecques étonnamment bonnes quand on voit le nombre de clients qui viennent ici se sustenter. Accueil correct et service presque rapide. Bel assortiment d'entrées (tarama, caviar d'aubergines, feuilles de vignes...) suffisant pour deux, puis *souvlaki*, grillades marinées bien juteuses et savoureuses. Copieux et bon marché. En été, gigantesque terrasse. Une des bonnes affaires de la rue Duluth.

🍽 ***Le Nil Bleu*** *(plan couleur II, C2,* ***69****)* **:** 3890, rue Saint-Denis (entre Roy et Duluth). ☎ 285-46-28. Repas autour de 25 $Ca (16,1 €). Envie de manger avec les doigts? Rendez-vous au *Nil Bleu*. Le fleuve le plus long du monde traverse sur plus de 6 000 km plus de 10 pays. On pourrait donc y manger rwandais, burundien, kenyan, soudanais ou égyptien, mais nos charmants restaurateurs sont éthiopiens. Ah ! on vous entend d'ici faire de mauvaises blagues. Riez, riez, mais nous, on a vraiment bien mangé. L'idéal est d'y aller à plusieurs pour pouvoir constituer un petit buffet. Le principe est simple. Chacun choisit une spécialité différente (poulet, agneau... cuits dans des sauces plus ou moins épicées), et on mange le tout avec les doigts, aidés de petites crêpes présentées en rouleaux. Pas de couvert, mais pas d'assiette non plus. Simplement un grand plateau recouvert d'une crêpe géante que l'on mange en dernier, pour finir les sauces. Petit cérémonial et superbes cafetières pour sublime café. Normal, l'Éthiopie est le pays du *moka*, et on en consomme dans cette région depuis la nuit des temps.

🍴 ***Restaurant Mazurka*** *(plan couleur II, C2,* ***81****) :* 64, rue Prince-Arthur. ☎ 844-35-39. Ouvert tous les jours jusqu'à minuit. Formules de 9 à 15 $Ca (5,8 à 9,7 €) ; le soir, comptez 25 $Ca (16,1 €). Un resto polonais fréquenté par des Polonais. Très bon, un peu cher et suffisamment copieux. Très réputé.

Prix moyen à plus chic

🍴 ***L'Express*** *(plan couleur II, C D2,* ***83****) :* 3927, rue Saint-Denis. ☎ 845-53-33. Ouvert tous les jours jusqu'à 2 h (1 h le dimanche). Plats entre 8 et 20 $Ca (5,1 et 12,9 €). Restaurant-bar assez animé, genre brasserie parisienne. Clientèle dans les 30-40 ans. Beau monde en général (beaucoup d'artistes). L'un des restos ayant réussi, depuis de nombreuses années, à maintenir une qualité constante et à fidéliser sa clientèle. Prix raisonnables eu égard au standing de l'établissement. À noter également : une des meilleures caves à vin de Montréal et aussi de fabuleux desserts (comme la glace poire-framboise et l'étonnant gâteau « Indulgent »). Le soir, mieux vaut réserver.

🍴 ***Jano*** *(plan couleur II, C2,* ***77****) :* 3883, bd Saint-Laurent. ☎ 849-06-46. Ouvert tous les jours de 17 h à 24 h. Souper entre 10 et 22 $Ca (6,4 et 14,2 €). Brasero en vitrine, collection impressionnante de bouteilles et mur de briques dans la salle. Un resto populaire portugais régalant de copieuses spécialités du Ribatejo : lapin grillé, brochettes, *spare-ribs,* saucisse portugaise, poisson sur charbon de bois, etc. Ambiance familiale, cuisine simple et service affable. Pas vraiment donné, mais reste raisonnable.

Bien plus chic

🍴 ***Laloux*** *(plan couleur II, C2,* ***85****) :* 252, av. des Pins Est (à 2 blocs de la rue Saint-Denis). ☎ 287-91-27. Sert tous les jours de midi à 22 h 30 (23 h 30 le week-end). Le midi (arrivez avant 14 h), repas entre 10 et 17 $Ca (6,4 et 11 €) ; le soir, table d'hôte entre 20 et 26 $Ca (12,9 et 16,8 €). Décor sobre et élégant pour une clientèle assez classe et yuppie. Grandes glaces qui renvoient à l'infini le ballet des garçons stylés aux longs tabliers. Nouvelle cuisine imaginative et équilibrée. Carte pas très longue d'où émergent, par exemple (mais ça peut changer), le gâteau de lapin au poivre, le *gaspacho* de crustacés, le panaché de poisson à la vanille ou encore le ris de veau à la moelle et au vin rouge (slurp !). Le midi, table d'hôte à prix raisonnable. Quelques bons vins au verre. Cher le soir, mais un vrai rendez-vous des bonnes bouches.

DE MONT-ROYAL À BERNARD

C'est le dernier quartier qui monte. L'un des plus cosmopolites de Montréal (surtout des Grecs, Portugais, Italiens), avec quelques rues habitées par les juifs orthodoxes. Un coin de Méditerranée dans la ville. Dans le quadrilatère compris entre Parc et Saint-Laurent, une pléiade de petits et grands établissements culinaires bien sympathiques. Aucun bouleversement architectural. Seuls les nouveaux restaurateurs, les publicitaires dynamiques, les boutiques de vêtements branchées et les coiffeurs à la mode se sont installés dans les vieux magasins et échoppes abandonnés pendant de nombreuses années (surtout sur Saint-Laurent, entre Saint-Joseph et Bernard). Parc est considéré comme la « petite Grèce gastronomique ». Enfin, tout au nord du quartier, à Outremont, le secteur résidentiel de la bourgeoisie francophone, vous trouverez les restaurants plutôt chic. Pour digérer, articulez votre étape culinaire avec une balade dans ces rues typiques du Montréal ethnique. Pour s'y rendre : métro jusqu'à la station Laurier ou prendre le bus remontant le boulevard Saint-Laurent.

Bon marché à prix modérés

Wilensky *(plan couleur II, C1, 86)* **:** 34, rue Fairmount Ouest, à l'angle de Clark. M. : Laurier. ☎ 271-02-47. Ouvert de 9 h à 16 h du lundi au vendredi. Fermé le week-end et du 15 au 30 juillet. Repas entre 5 et 8 $Ca (3,2 et 5,2 €). Snack casher ouvert en 1932 et qui n'a pas changé une poignée de porte depuis. Un vrai décor de cinéma. D'ailleurs, on y a tourné une séquence de *L'Apprentissage de Duddy Kravitz* avec Richard Dreyfuss. Les grille-pain datent, quant à eux, nettement de Neandertal! Atmosphère authentique *thirties-forties*. Sur de hauts tabourets étroits et mouvants, nouveaux habitants, gamins du quartier et hommes d'affaires juifs (ou pas) viennent y prendre un petit déjeuner ou un *lunch* typiques. Goûtez au *Wilensky special,* avec ses quatre sortes de salamis. Les sandwiches n'ont jamais été les meilleurs de la ville (bonjour la graisse), mais le lieu est l'un des plus typiques. Commandez une boisson et observez l'étonnante fabrication « à la demande », à base de concentrés dosés à la louche, puis allongés à l'eau gazeuse-pression. Un grand moment de bonheur. Prix écrasés. Une adresse pour amoureux et nostalgiques de la vieille Amérique! Absolument incontournable.

L'Avenue : 922, av. du Mont-Royal Est. ☎ 523-8780. Ouvert de 7 h à 23 h en semaine, à partir de 8 h le samedi et jusqu'à 22 h le dimanche. Petits déjeuners complets autour de 8 $Ca (5,2 €), hamburgers et pâtes entre 5 et 10 $Ca (3,2 et 6,4 €). C'est l'endroit branché où les jeunes de Montréal n'hésitent pas à faire la queue pour y bruncher le week-end. En semaine, on trouve cependant beaucoup plus facilement une table. Hambourgeois et sandwiches géants, frites délicieuses, plats de pâtes volumineux, petits déjeuners roboratifs, œufs bénédictine à toutes les sauces et gâteaux au chocolat suicidaires... Idéal pour les petits budgets et les affamés! Banquettes en alcôve, mur de briques graffité, w.-c. psychédélique avec boule disco et chute d'eau. Un bémol toutefois pour la musique, un peu trop forte. Attention, la maison n'accepte que le paiement comptant.

Maison de l'Original Fairmount Bagel *(plan couleur II, C1, 87)* **:** 74 Fairmount (entre Saint-Urbain et Clark). ☎ 272-06-67. Une curiosité. Dans une vieille maison de brique rouge, une boulangerie où vous pourrez acheter, de jour comme de nuit (c'est ouvert 24 h/24), d'excellents *bagels* de toutes sortes, notamment les *bagels* bruns aux raisins (les meilleurs de Montréal, paraît-il). Tout autour, ça sent bien bon! Beaucoup de gens viennent de loin pour se les procurer.

Prix moyens

Beautys *(plan couleur II, C1, 88)* **:** 93, av. du Mont-Royal Ouest, à l'angle de Saint-Urbain. M. : Mont-Royal. ☎ 849-88-83. Créé en 1942. Ouvert tous les jours de 7 h (8 h le dimanche) à 17 h. À partir de 8 $Ca (5,2 €). Ça ressemble bien sûr à un *dinner,* ça a l'atmosphère d'un *din-*

ner, mais c'est quelque chose de plus encore. Incroyable comme la foule s'y presse. Le dimanche matin, pour le *brunch,* les fans effectuent souvent longtemps la queue, faisant pression du regard pour qu'une table se libère. Parmi les quelques stars montréalaises habituées des lieux, le grand chanteur Leonard Cohen et la douce Carole Laure... C'est toujours relax et bon enfant, dans un décor bleu et aluminium somme toute banal. Mais on vient avant tout pour la bonne cuisine juive, fraîche et appétissante. Carte superbe avec un grand choix de sandwiches, omelettes, salades, *burgers,* etc. Goûtez au fameux *Beautys special* (fromage à la crème, saumon fumé, tomates et oignons sur un croustillant *bagel* grillé). Délicieux *cheese blintzes* (petits roulés au fromage et crème sure) ; le *mishmash* (omelette avec saucisse, salami, poivron vert et oignons frits) possède ses irréductibles.

|●| ***Pacific :*** 837, av. du Mont-Royal Est, près de Saint-Hubert. ☎ 521-7035. À partir de 20 $Ca (12,9) pour une entrée, un plat et un riz collant. Branché et savoureux, ce restaurant du quartier Plateau-Mont-Royal arbore un extravagant design exotique. Bouddha géant allongé sur le mur, peau de léopard sur les sièges d'osier, papyrus et bambous jusque dans les w.-c.... tout confère au lieu une ambiance dépaysante. Tout aussi joliment présentés, les plats révèlent l'infinité des saveurs, douces ou intenses, de l'Orient extrême. Soupe thaïe pimentée au poulet et lait de coco, canard croustillant aux 5 parfums, légumes sautés à la sauce arachide... tout est exquis. Un regret toutefois : la minuscule carte des vins, tous fort chers pour ce qu'ils sont, y compris la sélection du patron (20 $Ca le litre), qui n'est pas toujours disponible.

|●| ***El Zaziummm*** *(plan couleur II, C1,* ***90****) :* 4525, av. du Parc. ☎ 499-36-75. Le midi, plats entre 3 et 7 $Ca (1,9 et 4,5 €), le soir, formules de 8 à 20 $Ca (5,2 à 12,9 €). Impossible de trouver deux objets identiques dans ce resto mexicain, et il y en a pourtant des centaines : buste d'Elvis et squelette en plastique par-ci, fauteuil de bar en selle de vélo, table baignoire et masque aztèque par-là... La carte est à l'image du décor : très chargée, presque illisible (une superbe B.D. à elle toute seule). Ambiance survoltée, très bruyante. Côté bouffe, c'est le genre cantoche tex-mex pour ados privés de papilles. Pas très bon mais vraiment pas cher. Le lundi et mardi soir, si ça vous branche, un voyant vous parlera de votre avenir gracieusement (on donne juste un petit pourboire), le lira non pas dans le *chili con carne* mais grâce aux tarots divinatoires...

|●| ***La Petite Ardoise*** *(plan couleur II, C1,* ***89****) :* 222, rue Laurier Ouest. ☎ 495-49-61. Ouvert tous les jours de 8 h à minuit. Table d'hôte midi et soir de 9 à 17 $Ca (5,8 à 11 €), brunch entre 5 et 9 $Ca (3,2 et 5,8 €). Bar-resto à la pimpante façade turquoise. À l'intérieur, bois, brique et ambiance cool. Terrasse paisible. Service délicat et charmant pour une série de petits en-cas genre soupe à l'oignon, salades, quiches, etc. Le soir, table d'hôte pas donnée, mais bons plats mitonnés, comme la blanquette de volaille. Un lieu tranquille pour écrire des cartes, pour voir évoluer une tranche de vie de quartier. Pas trop cher, copieux et agréable. Brunch les samedi et dimanche.

|●| ***Galaxie*** *(plan couleur II, C1,* ***91****) :* 4801, rue Saint-Denis, non loin de l'angle avec Saint-Joseph. ☎ 499-97-11. M. : Laurier. Ouvert jusqu'à 23 h en semaine et 1 h le week-end. Comptez 12 à 15 $Ca (7,7 à 9,7 €). Pour les petits Européens, c'est bien une autre galaxie : celle des authentiques *dinners* américains, ces sortes de gros bus-caravanes en alu, avec des sièges en formica et des serveuses sympas en socquettes. Celui-ci date des années 50 et a passé quelques années dans une casse avant d'être entièrement remonté à Montréal. On y avale des *burgers* et des *milk-shakes* sur les airs choisis dans de mini-juke-

boxes. Également énormes *banas-plits* et *sundaes*. Sympa bien que manquant parfois d'ambiance.

lel ***Modigliani :*** 1251 rue Gilford. ☎ 524-3812. C'est le sympathique Luigi qui reçoit dans son chaleureux « restaurant galerie » toscan. Au coeur du Plateau-Mont-Royal, mais à l'écart des très animées rues Saint-Denis, Duluth ou Prince-Arthur, on y côtoie plus d'habitants du quartier que de touristes. Au menu, des pâtes absolument divines, des *gnocchi* aux petits pois et à la sauce rosée, de l'agneau au romarin... Que l'on déguste dans un décor un peu bric-à-brac, entre des ratons-laveurs se baladant en canot au-dessus de l'entrée et le grand bas-relief d'un buveur assoupi sur le miroir du fond... Table d'hôte (entrée, plat de résistance et café) entre 9,95 $Ca et 18,95 $Ca (6,4 et 12,2 €), taxes et service en sus.

lel ***La Moulerie :*** 1249, av. Bernard, à l'angle de Champagneur. ☎ 273-81-32. M. : Rosemont ou Outremont. Ouvert de 11 h 30 à minuit (à partir de 10 h les samedi et dimanche). Table d'hôte le midi entre 8 et 12 $Ca (5,2 et 7,7 €), le soir à la carte aux environs de 15 à 20 $Ca (9,7 à 12,9 €). Service en continu. Très populaire dans tout le nord de Montréal. Comme son nom l'indique, spécialisé dans les moules, proposées sous une bonne dizaine de savoureuses versions (notamment à l'indienne, à l'italienne, en salade, mais pas encore en dessert !). Cadre agréable de bistrot chic. Beaucoup de monde, surtout le week-end (on vient se montrer).

MONTRÉAL

DANS LE NORD DE LA VILLE

Pour les vrais aventuriers de la gastronomie, pour ceux qui ont épuisé toutes les adresses précédentes, une intéressante expédition, par exemple, dans le petit quartier italien de Montréal pour saisir tous les bons effluves méditerranéens. Montréal évolue très vite. Des quartiers se font et se défont. Les clientèles sont mouvantes. Dans le nord de la ville, des secteurs entiers se revitalisent peu à peu. Et, comme les missionnaires débarquant dans les fourgons des expéditions coloniales, ici, ce sont les restos qui viennent évangéliser les estomacs. M. : Beaubien ou Jean-Talon.

Prix moyens

lel ***Tre Marie (Les Trois Marie) :*** 6934, rue Clark, à l'angle de Mozart. ☎ 277-98-59. M. : Jean-Talon. Une rue à l'ouest de Saint-Laurent. Ouvert tous les jours de midi à 21 h. Repas entre 20 et 30 $Ca (12,9 et 19,3 €). Resto propret à la déco récente mais tout de même chaleureuse et de bon goût. Clientèle multiple, en général assez chic. Prix corrects, pouvant vite flamber, pour une délicieuse cuisine *tipicamente italiana*. Lasagne, osso buco, côtelette *alla parmigiana,* foie de veau à la vénitienne, festival de pâtes etc. Merveilles cuisinées par une mamma autoritaire et sa brigade (jetez un œil en cuisine, ça rigole pas !). Au service, de beaux bruns au cas où on aurait oublié qu'on est (presque) en Italie. Bons desserts, mais un seul fait maison, le *Tiramisu*, qu'il faut pratiquement réserver, précisément au moment de la réservation. Vrai *expresso* aussi. Le soir, arriver de bonne heure. Le dimanche, les familles italiennes trustent les tables. Accueil plutôt bourru.

Où manger typiquement québécois dans les environs de Montréal ?

lel ***Sucrerie de la Montagne :*** 300, rang Saint-Georges, Rigaud. ☎ 451-52-04 et 451-08-31. À 45 mn de Montréal, près du mont Rigaud, sur la route 40 vers Ottawa (sortie 17). Ouvert toute l'année, tous les jours mais il faut réserver. Impossible d'y aller en bus. Être véhiculé. Camp de bûcherons comme il s'en construisait sur les chantiers au début du siècle. On peut voir comment se font la récolte et la transformation de l'eau d'érable. Mais les nombreux touristes viennent avant tout y goûter la soupe aux pois, les fèves au lard, (« bines »), les crêpes au sirop, préparées à l'ancienne. Menu très cher (moins cher à midi) mais nourriture à profusion. Il est absolument impossible de terminer son assiette. Et, bien sûr, le tout en zizique. Le patron, célèbre grâce à sa splendide barbe, est une personnalité québécoise. Cela dit, c'est pas vraiment un endroit pour routard : surtout conçu pour les groupes. 2 ravissantes maisons en rondins à l'entrée, pouvant accueillir 6 personnes, où l'on peut passer une ou plusieurs nuits. Retour à la nature assuré hiver comme été. Très cher. Pas d'activité le soir.

|●| ***La Sucrerie À l'Orée du Bois :*** 11381, La Fresnière, Mirabel, Saint-Benoît. ☎ 258-29-76. Fax : 258-47-57. À 50 km au nord de Montréal. De Montréal, emprunter la route 13 ou la 15 Nord, sortir à l'autoroute 640 Ouest, à la sortie 11, rester à droite sur la 148 Ouest. Au troisième feu, prendre le boulevard Industriel de gauche. Au troisième stop, tourner à droite sur Rivière Sud-Chemin La Fresnière. Faire 10 km. *L'Orée du Bois* se trouve à gauche, peu après le croisement de la route (à droite) de la montée Rochon (ouf !). Il s'agit d'une grande cabane rustique située dans un cadre agréable, vert et vallonné, tenue par la famille Pilon, où l'on sert une bonne et copieuse cuisine traditionnelle : soupe aux pois, fèves au lard, oreilles de crisse, marinades maison, ainsi qu'une multitude de gentils desserts au sirop d'érable (pêches à l'érable, tartelettes à l'érable, mousse à l'érable, meringues à l'érable). Les menus sont gargantuesques et à des prix tout à fait corrects. Réservation à l'avance impérative. Visites guidées et commentées de la sucrerie (10 à 15 mn), très intéressantes, par Nicole, la maîtresse de maison, sur réservation aussi.

Où manger chic en savourant un vin excellent dans les environs de Montréal ?

|●| ***Le Bistro à Champlain :*** à Sainte-Marguerite du lac Masson, à 50 mn de Montréal. Autoroute 15 Nord, sortie 67, puis la 117 nord et enfin la 370. Table renommée, mais cave encore plus appréciée. Quelque 22 000 bouteilles... Seul restaurant du Canada à se voir récompensé par le Grand Award du magazine américain *The Wine Spectator*. On vient ici de partout, du Québec, bien sûr, mais aussi des États-Unis et d'Europe.

Où boire un verre ? Où s'éclater en musique ? Où danser ? Ou les trois en même temps...

La vie nocturne à Montréal risque de vous laisser sans souffle au bout de quelques nuits si vous n'êtes pas préparé physiquement. Dire qu'elle est riche et intense ne suffit pas, c'est aussi l'une des moins friquées du monde occidental, au sens qu'on ne paie pas pour entrer dans la plupart des boîtes et que le prix des consommations est raisonnable. Il n'y flotte donc pas l'atmosphère viciée du profit maximum, ni le climat oppressant des lieux élitistes où l'on se sent de trop. Vous serez surpris par la vitalité des cafés, bars et boîtes. Montréal est une ville qui bouge très fort, dans un conflit culturel permanent francophone/anglophone. Ici, il est inutile de se pointer dans un lieu quelconque avant 23 h. La vie commence après. Inutile de préciser qu'il y en a pour tous les goûts, tous les fantasmes. Le seul défaut de la vie nocturne montréalaise c'est qu'elle consomme les lieux goulûment. Les modes évoluent vite, des réputations se défont d'une année sur l'autre, les centres d'intérêt se déplacent. Malgré notre soin à n'indiquer que des valeurs sûres, nous n'excluons pas que certaines de nos adresses puissent se dévaluer le temps que le bouquin sorte. Tout va tellement vite ici...

Pour les spectacles, concerts et boîtes, se reporter à l'hebdo gratuit *Voir* qu'on trouve pratiquement partout (grands hôtels, restos, dépanneurs,etc.). Nous avons classé les lieux par secteur, et à l'intérieur de chaque secteur, pour chaque adresse, nous indiquons si l'on y vient plutôt pour boire un verre, pour danser, pour écouter de la musique ou les trois à la fois. Rappelons qu'au Canada ces différentes activités ne sont pas distinctes comme en France.

En ce qui concerne le jazz, Montréal occupe une place de plus en plus importante, comme en témoignent les nombreux lieux qui s'y consacrent. Le jeune jazz montréalais a beaucoup d'avenir et révèle des musiciens talentueux. Vous aurez l'occasion de le découvrir encore plus aisément si vous êtes à Montréal pendant le *Festival international de Jazz* (se reporter à notre article sur cette fête annuelle montréalaise dans la rubrique « Vie culturelle »).

DANS LE CENTRE : SAINTE-CATHERINE ET SAINT-DENIS

🍸 ***Jello Bar*** *(plan couleur II, C2-3,* ***103****) :* 151, rue Ontario Est. ☎ 285-26-21. Environ 6 $Ca (3,9 €) l'entrée. En plein centre de Montréal mais dans un coin plutôt calme, on trouve ce bar où l'on peut écouter de l'excellente musique, et ce, tous les soirs : jazz, funk, soul, salsa... Déco tendance, colorée et agréable. Atmosphère tamisée et tons chauds. Piste de danse. Pour... se désaltérer, de nombreux vermouths (Martini, etc.). Une bonne adresse.

🍸 ***Les Foufounes Électriques*** *(plan couleur II, C3,* ***101****) :* 87, Sainte-Catherine Ouest. ☎ 844-55-39. Entrée gratuite. Grand bar-boîte assez *grunge*. Un haut lieu des nuits montréalaises. Faune bigarrée. On voit de tout dans ce décor labyrinthique assez destroy (surtout en matière de fringues et de coupes de cheveux), de l'étudiant modèle au punk coloré, en passant par le skater fou ou le hippie égaré. Immense terrasse en bas. Piste de danse techno à l'étage. Ambiance sympa. Concerts de temps à autre. Bière au pichet bon marché.

🍸 ***Le Saint-Sulpice*** *(plan couleur II, C3,* ***117****) :* 1680, rue Saint-Denis. ☎ 844-94-58. Clientèle étudiante et faune bigarrée. Boîte-café dans une chouette maison particulière avec terrasse et jardin derrière. Endroit bruyant et jeune. Musique rock à tue-tête. La grande terrasse est vraiment sympa : on y vient pour boire un verre entre potes. Convivialité assurée sous les arbres, près de la fontaine. Plusieurs salles sur 3 niveaux aux atmosphères variées. Au sous-sol, on danse. À l'étage, livres à disposition. Toujours une bonne ambiance.

🍸 ***Café Chaos*** *(plan couleur II, C3,* ***102****) :* 1637 rue Saint-Denis. • www.cafechaos.com • À deux pas du *Saint-Sulpice*. Ouvert jusqu'à 2 h selon affluence. Endroit parfait pour ceux qui veulent rencontrer les étudiants montréalais dans une ambiance décontractée et sans prétention. Ce petit bar chaleureux vous accueille dans de jolies salles boisées. Serveurs sympas. Tout style de musiques : de la chanson francophone rétro à la musique alternative. Techno le lundi. Petite terrasse sur la rue. Idéal pour goûter la *Boréale* blonde ou rousse (bières du coin à la pression). Resto en journée. Si c'est complet, rendez-vous en face au *Pégase* pour une bonne partie d'échecs.

🍸 ***Biddle's*** *(plan couleur II, B3,* ***66) :*** 2060, rue Aylmer. ☎ 842-86-56. M. : McGill. Voici un chouette rendez-vous tant pour le ventre que pour l'oreille puisque, outre les bons travers de porc, on déguste ici un jazz de qualité tous les soirs de 18 h à minuit (2 h les vendredi et samedi). Déco élégante, luminaires art déco. Entrée gratuite puisque c'est un resto-bar, mais prix des consommations un peu plus élevés. Plats entre 10 et 18 $Ca (6,5 et 11,6 €). Biddle, le patron, est à la contrebasse. L'orchestre reçoit souvent quelques amis pour un bœuf endiablé.

🍸 ***Le Di Salvio*** *(plan couleur II, C2,* ***111) :*** 3519, bd Saint-Laurent. ☎ 845-43-37. Un bar où l'on danse et une salle de concert où l'on écoute du rock et du blues du mercredi au dimanche, de 22 h à 3 h. Grande pièce agréable, bar en rotonde. Bonne atmosphère. Ambiance feutrée et clientèle yuppie.

🍸 ***Spectrum*** *(plan couleur II, C3,* ***100) :*** 318, rue Sainte-Catherine Ouest. ☎ 861-58-51. Pour consulter la programmation : • www.admission.com • M. : Place-des-Arts. Places entre 20 et 30 $Ca (12,9 et 19,6 €). L'un des meilleurs clubs de la ville pour les concerts en tout genre, surtout du rock mais parfois de la danse ou du jazz. Ce n'est pas une boîte, c'est très grand et vous n'aurez jamais les genoux dans le menton, mais les premiers arrivés sont quand même les mieux placés.

🍸 ***Groove Society*** *(plan couleur II, D3,* ***107) :*** 1288, rue Amherst. Au niveau de la rue Sainte-Catherine. Entre 6 et 8 $Ca (3,9 et 5,2 €) l'entrée. Ouvert du mercredi au dimanche jusqu'à 3 h. Fouille sévère avant de franchir le seuil. Boîte en sous-sol. Clientèle de jeunes branchés qui papillonne dans une déco très kitsch : moumoute au plafond, murs matelassés et tout le tralala. Succession de salles voûtées où l'on passe de la techno au hip-hop, de la funk à la dance... Consos abordables.

🍸 ***Métropolis*** *(plan couleur II, C3,* ***106) :*** 59, rue Sainte-Catherine Est. ☎ 288-20-20. M. : Saint-Laurent. Ancien théâtre transformé en boîte. Ne fait pas l'unanimité à Montréal. Ses détracteurs en parlent comme d'un monument de prétention. Ça fait très boîte new-yorkaise avec portiers, tapis et cordons rouges sur le trottoir. Entrée assez chère. Sévère sélection selon le look. À l'intérieur, pratiquement que la jeunesse *trendy,* plus, le week-end, les banlieusards endimanchés et ébahis. Salle de concert également : lors de notre dernier passage, Jamiroquaï était à l'affiche

DANS LA VIEILLE VILLE

🍸 ***Le Jardin Nelson*** *(plan couleur III, C1,* ***108) :*** 407, place Jacques-Cartier. ☎ 861-57-31. • www.jardinnelson.com • Ouvert de mi-avril à fin-octobre jusqu'à 1 h du matin. Pour casser la croûte, comptez 13 $Ca (8,4 €). Situé au cœur du Vieux-Montréal, ce bar-resto est sympa pour la grande terrasse ombragée, donnant sur la rue Saint-Paul. On y écoute des concerts de jazz et de blues tous les après-midi et en soirée. C'est l'endroit idéal pour boire un verre en fin d'après-midi (spécialité de sangria). Un peu cher peut-être... Quartier touristique oblige.

🍸 ***Les Deux Pierrots*** *(plan couleur III, C2,* ***109) :*** 104, rue Saint-Paul Est. ☎ 861-12-70. • pierrots@vidéotron.ca • M. : Champ-de-Mars. Ouvert du jeudi au samedi de 20 h à 3 h. C'est une « boîte à chansons ». Concerts tous les soirs en été. Atmosphère chaleureuse et décontractée. Vaste salle remplie d'une clientèle de secrétaires et petites employées pimpantes. Animé, populaire et marrant. Chansons populaires dans le ronronnement des gens qui « jasent » de tout, de rien... Spectacle quasi permanent et show d'ambiance. Très touristique mais plutôt sympa.

🍸 ***L'Air du Temps :*** 191, rue Saint-Paul Ouest. ☎ 842-20-03. Ouvert de 21 h à 3 h. Fermé les mardi et mercredi. Pour les concerts : 5 $Ca (3,2 €) du dimanche au mercredi, et 10 $Ca (6,5 €) du jeudi au samedi. Tarif unique de 5 $Ca (3,2 €) pour les étudiants en goguette. À notre avis, la boîte de jazz la plus sympa du quartier. Endroit pas très grand mais plein de bonnes vibrations. Essentiellement des groupes de jazz, excellents, et parfois du blues. Le lundi, hors saison, un chouette « big band ». Rendez-vous obligatoire des amateurs de jazz.

DANS LE QUARTIER OUEST

Dans le quartier anglophone, on trouve les boîtes et cafés à la mode dans les élégantes rues Crescent, Bishop, Stanley, etc. Se fier à ses goûts et à son intuition.

🍸 ***La Salsathèque*** *(plan couleur II, B3,* ***119****) :* 1220, rue Peel. ☎ 875-00-16. Ouvert de 22 h à 3 h. 5 $Ca (3,2 €) le vendredi et samedi (concerts) Rythmes latino, déhanchements sensuels et robes ultra-moulantes de rigueur. Déco clinquante. Salsa, baienato, meringue, mambo, lambada et dance music. La clientèle est cubaine, brésilienne et colombienne. Pas BCBG pour un sou.

🍸 ***Cock and Bull*** *(plan couleur II, A3,* ***104****) :* 1944, rue Sainte-Catherine Ouest. ☎ 933-45-56. Ouvert jusqu'à 3 h du matin. Dans le quartier anglophone, un pub irlandais typique avec concert de blues du jeudi au samedi. Le dimanche la patronne préfère le bon vieux rock (*Beatles, Stones*...). Fléchettes, billards, machines à sous.. Bières délicieuses. Bonne ambiance

🍸 ***Le Peel Pub*** *(plan couleur II, B3,* ***118****) :* 1107, rue Sainte-Catherine Ouest. ☎ 844-67-69. M. : Peel. Ouvert tous les jours de 6 h 30 à 3 h. Bien situé dans le centre. Dans une immense salle impersonnelle, une foule hétéroclite et très bruyante enchaîne bière sur bière à prix ridicules. Encore pire au moment des *happy hours* (du lundi au vendredi de 15 h à 19 h) ! Constamment des matches de hockey ou de football américain sont diffusés sur plusieurs écrans géants. Allergiques s'abstenir, en particulier quand l'équipe locale est à l'affiche... On peut aussi s'y restaurer, mais hamburgers et sandwiches ne sont vraiment pas terribles... En outre, la propreté n'est pas toujours irréprochable... Mieux vaut se contenter d'un verre, mais vraiment d'un... Bref, vous l'aurez compris, assez moyen mais pas cher, surtout pour les petits déjeuners.

AU NORD DE PRINCE-ARTHUR

🍸 ***Le Swimming*** *(plan couleur II, C2,* ***113****) :* 3643, bd Saint-Laurent, entre l'avenue des Pins et Prince-Arthur. À l'étage. ☎ 282-70-05. Ouvert de 12 h à 3 h. Concerts du jeudi au samedi (4 à 5 $Ca, soit 2,6 à 3,2 €). Musique funk, jazz, rock, pop, disco. Immense salle très animée où branchés et jolies minettes viennent s'adonner aux joies du billard. Gratuit jusqu'à 17 h, puis 10 $Ca (6,5 €) l'heure. Ambiance décontractée cependant. Et de la bière sous le regard aveugle des vidéo-clips.

🍸 ***Tokyo Bar*** *(plan couleur II, C2,* ***120****) :* 3709, bd Saint-Laurent, près de l'avenue des Pins. ☎ 842.6838. Ouvert de 22 h à 3 h. 6 $Ca (3,9 €) en moyenne pour s'éclater au gré des rythmes endiablés. Ne loupez pas l'entrée, elle est minuscule. Super boîte sur plusieurs étages. Grande salle peuplée de jeunes qui dansent sur de la funk, house, disco, hip-hop. Canapés « jacuzzi » étonnants. D.J. tous les soirs et concerts du jeudi au dimanche. Clientèle branchée, et filles affriolantes, le tout dans un cadre ultra-moderne.

🍸 ***Le Sugar*** *(plan couleur II, C2,* ***121****) :* 3616, bd Saint-Laurent. ☎ 287-65-55. Ouvert tous les jours jusque 3 h. Impossible de le manquer : 2 personnages trois fois plus grands que vous encadrent la porte d'entrée. Dans un décor futuriste, amusant et gai, venez vous mêler au public branché de ce bar terrasse en écoutant du hip-hop, de la techno, et de la musique alternative. Jolies filles bien fringuées. Terrasse claire et agréable à l'étage. Très sympa pour boire un verre tranquillement. Une adresse assez tendance.

🍸 ***Le Saphir** (plan couleur II, C2, **122**) :* 3699, rue Saint-Laurent. Juste à côté du *Tokyo Bar*. À l'étage. Entrée : environ 6 $Ca (3,9 €). Une bonne adresse pour les routards amateurs de rap et de hip-hop. Dans cette boîte au décor moyen-oriental (tentures au plafond, palmiers...), la musique est forte et on y voit pas mal de jeunes. Soirées à thèmes de temps à autres et bon *DJ*.

🍸 ***Café Central** (plan couleur II, C1, **114**) :* 4479, rue Saint-Denis; près de Mont-Royal. ☎ 845-90-10. Ouvert de 15 h à 3 h tous les jours. Entrée payante (2 $Ca, soit 1,3 €). Musique variée, pas de dance music. Décor moderne et mezzanine à petites arcades. Clientèle hétérogène, tendance étudiante. Animé et bourdonnant. Boissons à prix raisonnables.

🍸 ***Whisky Café** (hors plan couleur II par C1, **115**) :* 5800, bd Saint-Laurent. ☎ 278-26-46. • www.whiskycafe.ca • À l'angle du boulevard Saint-Laurent et de la rue Bernard. Bar à la déco agréable, atmosphère calme et feutrée. Assez classe. Idéal pour un tête-à-tête. Les toilettes sont à voir, ils rappellent ceux de l'ex-*Café Costes* de Paris! – pour ceux qui l'ont connu : les filles pourront enfin se soulager debout comme les garçons. Grand choix d'alcools forts et de qualité. Cigares à partir de 12 $Ca (7,7 €).

🍸 ***Café Zazou** (Sports Bar Plus; plan couleur II, C1, **116**) :* 4597, av. du Parc. ☎ 845-60-60. Un café quelconque en apparence, mais qui dispose d'une bonne quinzaine de téléviseurs et dont la spécialité est de diffuser plusieurs événements sportifs à la fois. Amateurs de foot, de hockey ou de basket s'y retrouvent pour partager les moments les plus chauds.

🍸 ***Le Belmont** : (plan couleur II, C1, **124**) :* 4483, bd Saint-Laurent, à l'angle de la rue Mont-Royal. ☎ 845-84-43. • www.lebelmont.com • Entrée : environ 5 $Ca (3,2 €). Ouvert du lundi au dimanche, de 20 h à 3 h. Bar dansant; toutes les musiques (techno, funk, disco...), pas de code vestimentaire. Le *Belmont* propose à la fois, un pub très anglais (table de billard, baby, écrans vidéo et collection de pichets et plateaux) et une boîte très sympa.

🍸 ***Le Diable vert** (plan couleur II, C-D1, **123**) :* 4557, rue Saint-Denis. Spectacles entre 2 et 12 $Ca (1,3 et 7,7 €). Ouvert du lundi au mercredi de 17 h à 3 h, et de 15 h à 3 h jusqu'au dimanche. Qu'est-ce qu'on est bien ici... Dans ce bar-concert très sympa, installé à la place de *l'ancien théâtre du rideau vert*, laissez-vous aller au son du jazz ou de la techno. Des groupes du festival de jazz viennent parfois s'y produire. Public la trentaine, assez décontracté. Déco soignée dans les tons rouges et lumière diffuse invitent à la causerie et à la détente. Atmosphère tamisée. Toiles d'artistes exposées. On peut lire son journal et siroter des cocktails originaux, accoudé à un bar vraiment agréable. Un lieu convivial et chaleureux. On a aimé.

🍸 ***Le Kokkino** (plan couleur II, C2, **125**) :* 3556, bd Saint-Laurent, à l'angle de Prince-Arthur. ☎ 848-63-98. 7 $Ca (4,5 €) l'entrée. Ouvert de 21 h à 3 h toute la semaine. Fermé les mardi et dimanche. Les nuits sont chaudes dans cette jungle rythmée de dance-funky-techno-rap-house. Les tenues sont légères, l'ambiance, animée, est complètement déjantée à la « Staff Night » du lundi.

À voir. À faire

Vous remarquerez vite le nombre étonnant d'églises à Montréal... même si les gratte-ciel semblent désormais leur faire de l'ombre. Il y a près d'un siècle, l'écrivain américain Mark Twain notait déjà qu'il était impossible de lancer une pierre dans les rues de la ville sans toucher une église ! L'explication de cette profusion est très simple : la religion a longtemps servi de fondement à la société canadienne mais les deux communautés principales (anglaise et française) n'ayant pas le même culte, les lieux de prière se voyaient du même coup multipliés par deux...

★ ***L'Autre Montréal :*** ☎ 521-78-02. Propose des visites guidées payantes de certains quartiers pour découvrir la ville sous ses multiples facettes. Au menu : le Montréal interculturel, l'histoire des femmes dans la ville, les ruelles montréalaises, le patrimoine populaire... Des découvertes toujours passionnantes, à bord d'un authentique autobus scolaire jaunes.

★ ***Le Vieux Montréal :*** délimité par les rues Notre-Dame, Berri, Saint-Paul et McGill. Son centre historique se situe place Jacques-Cartier *(plan couleur III, C1-2)*. Très touristique, exprime un certain charme provincial. Cafés, restos, joyeuse animation. Pourtant, le Vieux Montréal ne séduit pas du premier coup. N'allez pas imaginer que c'est comme une « vieille ville » de chez nous, en général assez homogène et regroupée autour d'un réseau étroit de rues et de maisons historiques. Ici, c'est très disparate. La plupart des vieilles maisons sont dispersées et se découvrent au milieu des entrepôts, des banques et bâtiments administratifs qui prirent leur place au XIXe siècle. Essayez de vous procurer le *Circuit de visite du Vieux Montréal* édité pour le 350e anniversaire de la ville. On y trouve un plan du quartier et un petit historique de chaque édifice présentant quelque intérêt. Il existait quatre brochures similaires sur 16 autres quartiers de Montréal, sous le titre *Patrimoine en marche* ; hélas, elles sont quasi introuvables aujourd'hui.

C'est autour de la place Jacques-Cartier que l'on trouve les maisons les plus anciennes. Et, plus loin, le ***château de Ramezay*** *(plan couleur III, D1, **1**)*, 280, Notre-Dame Est, qui abrite un petit musée historique. ☎ 861-37-08. Ouvert du mardi au dimanche de 10 h à 16 h 30. Fermé le lundi. En période estivale, du 1er juin au 28 septembre, ouvert tous les jours de 10 h à 18 h. Entrée payante : 6 $Ca (3,9 €). Réductions. Ancienne maison du onzième gouverneur de Montréal (1705) abritant dans de superbes pièces avec remarquables boiseries anciennes une petite collection de mobilier, costumes, tableaux, etc., des XVIIIe et XIXe siècles. ***Maison Papineau*** (1785 ; *plan couleur III, D1, **2**)*, 440, rue Bonsecours, où habita Papineau, dirigeant de l'insurrection nationaliste de 1837. ***Rue Saint-Louis*** *(plan couleur III, D1, **3**)* découvrez, au n° 442, une très belle maison à « logements » (1890) en brique rouge, avec corniche victorienne, lucarnes moulurées et deux escaliers sinueux grimpant sur les côtés. En face, une baraque construite vers 1755 pour moitié, et 1815 pour l'autre. Plus loin, la *maison Brossard* (1827) ; ***la maison du Calvet*** (1770 ; *plan couleur III, D1, **5**)*, 401, Saint-Paul Est et, au 445, la ***maison Dumas*** (1800 ; *plan couleur III, D1, **4**)*. Vous aurez remarqué, un peu avant, le ***marché Bonsecours*** *(plan couleur III, D1, **6**)*, bel édifice à dôme de 1845 ; à l'intérieur se trouvent des boutiques de créateurs québécois et d'objets design (le tout, plutôt cher).

Plus à l'ouest, la ***maison Beaudoin*** *(plan couleur III, C1, **7**)*, 427, rue Saint-Vincent (1780).

Autre centre historique, la ***place d'Armes*** *(plan couleur III, B1, **8**)* où s'élève le ***vieux séminaire*** (1684 ; *plan couleur III, B1, **9**)* à l'architecture élégante. Notez au passage le clocheton et son horloge. Puis, la ***basilique Notre-Dame*** (1824 ; *plan couleur III, B1, **10**)* de style gothique. Intérieur richement décoré. Les vitraux retracent l'histoire religieuse et les principales étapes de la fondation de la ville. Le reste consiste en immeubles commerciaux du XIXe siècle. La ***place d'Youville*** *(plan couleur III, B2, **11**)* mérite une visite. On y découvre de vieux bâtiments très bien restaurés comme ***l'hôpital général des Sœurs***

Grises *(*1694-1765*; plan couleur III, B2,* ***12****)* et les ***écuries d'Youville*** (1827; *plan couleur III, B2,* ***13****)*, bel ensemble massif, trapu, aux fenêtres peu nombreuses. Pénétrez dans les jardins intérieurs au calme étonnant.

Avec l'arrêt des destructions, la réhabilitation des entrepôts et l'arrivée des inévitables boutiques de fringues, d'antiquités et autres lieux de consommation de la NPBU (Nouvelle Petite Bourgeoisie Urbaine), le Vieux Montréal connaît un regain d'activité et se paie une petite cure de jeunesse. Pourtant, après la fermeture des bureaux et magasins, un grand vide s'installe entre 17 h et 20 h, puis ça se réanime dans certaines rues, avec les restos (chers) et les boîtes (sympas et abordables).

★ ***Le « village » Saint-Denis :*** c'est la portion de la rue Saint-Denis comprise entre rue Rachel et rue Sainte-Catherine, avec quelques rues adjacentes. Le produit des amours scandaleuses de la marginalité et des nouveaux riches : clientèle d'artistes, d'étudiants, de touristes et de banlieusards. Les cafés-terrasses, restos et boîtes se succèdent. Ambiance très fontaine Saint-Michel, surtout au sud de Sherbrooke, avec la présence de l'UQAM (Université du Québec à Montréal). L'été, très touristique; à vivre au moins une fois.

★ ***La « Catherine » :*** entre la rue Bishop et la rue Saint-Hubert, « Grands Boulevards » du coin qui seraient passés entre les mains d'un super Haussmann. Mélange de populaire et de démesuré. Grands magasins, boutiques style Chaussée-d'Antin, cinoches, trottoirs « chauds » à l'intersection de la rue Saint-Laurent, circulation dingue... La parcourir à pied, pour mieux juger de la mutation de Montréal. Sur votre chemin, à la hauteur de Jeanne-Mance, vous croiserez la *place des Arts,* avec son immense temple culturel comprenant de multiples salles de théâtre, de cinéma et de concerts, ainsi que le musée d'Art contemporain absolument superbe (voir « Les musées »). Au sud, le *Complexe Desjardins* avec ses buildings, hôtels, passerelles volantes. Un vrai labyrinthe. Bon, pas de malentendu, on n'aime pas : ce n'est pas une raison pour en dégoûter les autres. De Saint-Hubert à Papineau, la « Catherine » est devenue en grande partie le quartier gay de Montréal avec ses boutiques, restos, bars, etc. Un côté village sympa.

★ ***Le quartier « Ouest » :*** quartier à dominante légèrement anglophone, compris entre les rues Sherbrooke, Bishop et René-Lévesque jusqu'au square Dorchester. La rue Crescent est bourrée de restos à la mode avec petites terrasses, baraques bourgeoises de style très *British,* boîtes huppées, etc. La rue Stanley devient le soir très animée et brillante. Bref, tout ça n'est pas routard pour deux sous. Mais ça ne veut pas dire qu'il ne faille pas y faire un tour, le quartier a quand même du charme, il offre quelques lieux de plaisir à des prix raisonnables.

★ ***Le quartier chinois :*** circonscrit dans le quadrilatère René-Lévesque, Saint-Laurent, Viger et Bleury. L'épine dorsale en est la rue La Gauchetière. Enfin, ce qu'il en reste! On dirait qu'il a subi une « Blitzkrieg ». Victime de l'autoroute est-ouest et de la restructuration du centre-ville. Quelques pâtés de maisons en brique rouge, quelques-unes couvertes de lierre, subsistent encore. Depuis quelques années un processus de rénovation a cependant été entamé, et les effets commencent à se faire sentir.

★ ***La ville souterraine et la place Ville-Marie*** *(plan couleur II, B3)* ***:*** pour ne pas se faire accuser de sectarisme, on en cause. Uniquement pour les inconditionnels du Forum des Halles, de la gare de Lyon-Perrache ou de La Grande-Motte. Bref, tous les chefs-d'œuvre qui préfigurent l'art urbain du XXIe siècle. C'est une ville souterraine, le deuxième centre commercial au

monde. Une gigantesque toile d'araignée de près de 30 bornes, galeries, couloirs et escaliers à différents niveaux, desservie par des autoroutes, des gares, les bus de la ville et le métro. Plus de 1 700 boutiques, 200 restos et bars, hôtels, cinémas, théâtres, stations de métro, galeries d'art. Possibilité d'y errer des journées entières sans voir le jour. On peut même suivre les tribulations de la Bourse. Le flip du siècle pour les bucoliques!
Pour y accéder, plusieurs dizaines d'entrées, depuis les immeubles commerciaux de la place Ville-Marie et les stations de métro Victoria et Bonaventure.

LES MUSÉES

Montréal possède plusieurs très beaux musées, comme toutes les grandes villes du monde pourrait-on dire. Elle abrite également une kyrielle de musées spécialisés dont nous indiquons ceux qui nous ont semblé les plus intéressants.
Pour les enragés, la *carte musées Montréal,* individuelle ou familiale, donne accès à 21 musées en 2 jours dans une période de 3 jours consécutifs. On peut se la procurer dans les centres *Infotouriste* ou directement dans les musées concernés. Un plan de la ville ainsi qu'une présentation des musées sont délivrés avec la carte. Coût : 20 $Ca (12,9 €).

★ ***Le musée des Beaux-Arts*** *(plan couleur II, B3,* ***130****)* **:** 1379, rue Sherbrooke Ouest. ☎ 285-20-00. M. : Guy-Concordia ou Peel, et bus 24 (arrêt Bishop). Entrée payante. Réductions. Ouvert tous les jours sauf le lundi, de 11 h à 18 h. Le mercredi jusqu'à 21 h pour les expositions temporaires payantes, les expositions permanentes sont gratuites et les remarquables expositions temporaires sont à prix réduits. Demander un plan à l'entrée. Cafétéria et, juste à côté, le délicieux *Café des Beaux-Arts* (entrée indépendante du musée au 1384, Sherbrooke Ouest. ☎ 834-3233), ouvert en 1999, de style bistro californien; repas à la carte entre 15 et 20 $Ca (9,7 et 12,9 €) par personne le midi, et entre 20 et 25 $Ca (entre 12,9 et 16,1 €) le soir.
Le musée des Beaux-Arts est, paraît-il, le plus vieux musée du Canada. Il est composé de deux édifices, de part et d'autre de la rue, reliés par un souterrain. Le premier est du XIXe siècle, l'autre est tout récent et ultramoderne. Ce double musée abrite un vaste résumé de l'art mondial à travers les siècles. Certaines collections sont évidemment axées sur la peinture canadienne ou l'art inuit et précolombien, mais la définition générale du musée est plutôt celle d'un mini-mini-Louvre : arts africain, égyptien, grec, peinture religieuse, art roman... D'autres salles sont consacrées à l'art moderne, aux arts décoratifs, à la peinture du XXe siècle... Bref, un *digest* de l'art sous toutes ses formes. Également de très belles expositions temporaires.

★ ***Le musée d'Art contemporain*** *(plan couleur II, C3,* ***131****)* **:** place des Arts, 185, rue Sainte-Catherine Ouest. ☎ 847-62-26. • www.media.macm.qc.ca • M. : Place-des-Arts. Ouvert tous les jours sauf le lundi, de 11 h à 18 h (21 h le mercredi). Entrée payante : 6 $Ca (3,9 €). Réduction. Visites commentées. Dans un superbe édifice tout beau tout neuf, juste à côté du complexe culturel de la place des Arts. Dans ce temple de l'art, réalisé avec des matériaux nobles et modernes, bien éclairé et spacieux, on présente de belles expos temporaires d'artistes canadiens en général et québécois en particulier. Une partie du musée est dédiée aux collections permanentes de 1939 à nos jours. Une collection qui totalise 5 000 œuvres. Belle section de sculpture moderne exposée dans des espaces aérés. Un excellent rendez-vous de la culture. Également librairie, et un centre de documentation ultra-performant.

★ ***Le musée d'Archéologie et d'Histoire-Pointe-à-Callière*** *(plan couleur III, B2,* ***138****)* **:** 350, place Royale, dans le Vieux Montréal. ☎ 872-91-50.

• www.musee-pointe-a-calliere.qc.ca • M. : Place-d'Armes. En juillet et août, ouvert du mardi au vendredi de 10 h à 18 h, les samedi et dimanche de 11 h à 17 h, fermé le lundi ; le reste de l'année du mardi au vendredi de 10 h à 17 h, et la fin de semaine de 11 h à 17 h. Entrée payante : 8,50 $Ca (5,5 €). Réductions. Nous vous recommandons de faire cette visite en arrivant à Montréal. Elle permet d'apprendre, de voir, entendre ou réentendre l'histoire du Québec et de Montréal. C'est à cet endroit précis que fut fondée la ville.
Composé de deux édifices, l'ancienne douane et une construction ultramoderne, ce musée abrite un ensemble de fouilles archéologiques extrêmement bien mis en valeur. La visite débute par une séance multimédia présentant l'histoire de la ville dans une salle hyper moderne. Très bien fait. Puis on visite les fouilles. Même si elles n'ont pas une grande valeur, la mise en scène interactive est d'une rare intelligence. On y trouve un ancien cimetière (le premier catholique de la ville), le lit d'une rivière et des vestiges amérindiens. Les étages abritent des panneaux dynamiques et interactifs sur l'évolution de la ville :présence française, développement architectural de la cité, conquête britannique, révolution industrielle, américanisation de la ville, amérindiens, domination francophone, etc. Très instructif, et alliant merveilleusement les techniques modernes pour mettre en valeur des siècles d'histoire. Pour la petite histoire (on adore ça, vous le savez), sachez que les vestiges ont été découverts par hasard lors de la construction du musée. Heureux hasard qui a forcé les architectes et muséographes à revoir leurs plans.

★ ***Le musée Marc-Aurèle Fortin :*** 118, rue Saint-Pierre, dans le Vieux Montréal. ☎ 845-61-08. Fax : 845-61-00. M. : Square Victoria ; sortie rue Saint-Jacques. Ouvert de 11 h à 17 h sauf le lundi. Entrée payante : 4 $Ca (2,6 €). Réductions. Marc-Aurèle Fortin (1888-1970) a voulu « créer une école du paysage canadien, totalement détachée de l'école européenne ». Il a peint des paysages du Québec et les vieilles maisons et bâtiments historiques de Montréal. Le musée est un ancien entrepôt reconverti et très bien situé. La collection est composée d'une quarantaine d'œuvres.

★ ***Le musée des Arts décoratifs :*** 220, rue Crescent. M. : Guy-Concordia. ☎ 284-12-52. • www.madm.org • Ouvert du mardi au dimanche de 11 h à 17 h 30 (le mercredi 21 h). Entrée payante : 4 $Ca (2,6 €). Réductions. Le musée a quitté le *château Dufresne* où il était installé depuis 1979. Le voici à présent en centre-ville, dans la nouvelle aile du musée des Beaux-Arts. Il se consacre uniquement aux arts déco du XXe siècle. Bijoux, mobilier, céramique, verre, etc. Permet d'avoir une vision globale des différents courants qui ont traversé tout un siècle.

★ ***Le centre canadien d'Architecture*** *(plan couleur II, A3, **132**)* ***:*** 1920, rue Baile. M. : Guy-Concordia. ☎ 939-70-26. • www.cca.qc.ca • De juin à septembre, ouvert du mardi au dimanche de 11 h à 18 h (21 h le jeudi) ; d'octobre à mai, de 11 h à 18 h les mercredi et vendredi (20 h le jeudi, 17 h le week-end), et fermé le mardi. Entrée payante : 6 $Ca (3,9 €). Réductions. Gratuit pour les étudiants le jeudi (et pour tout le monde à partir de 18 h).
Bâti autour d'une ancienne maison victorienne, voici un édifice d'une modernité et d'un équilibre remarquables. Les expositions temporaires sur l'architecture moderne ou ancienne sont généralement très bien réalisées et intéressantes. On vous conseille d'aller y faire un tour. Beaux jardins dépouillés. Visites commentées (en français) du bâtiment le dimanche à 14 h 30 sans supplément de prix. Librairie spécialisée.

★ ***La Cinémathèque québécoise, musée du Cinéma*** *(plan couleur II, C3, **133**)* ***:*** 335, bd de Maisonneuve Est (pas loin de l'angle avec Saint-Denis).

☎ 842-97-63. M. : Berri-Uqam. En fait, ce n'est pas vraiment un musée, mis à part les petites expos gratuites et tournantes dans le hall, mais une vraie cinémathèque réputée pour sa belle collection de films d'animation, l'une des plus importantes au monde. Deux projections par jour (une seule le dimanche). Appeler pour les horaires.

★ ***Le musée Juste pour Rire*** *(plan couleur II, C2,* ***134****)* **:** 2111, bd Saint-Laurent. ☎ 845-40-00. • www.haha.com • M. : Saint-Laurent. Ouvert du mardi au dimanche de 13 h à 17 h en été. Le reste de l'année, il vaut mieux téléphoner. Entrée payante : 5 $Ca (3,2 €).
Un musée dédié à l'humour et à l'insolite. Expositions temporaires, renouvelées chaque année, ce qui nous interdit de vous en dire plus. Allez-y faire un tour ou appelez pour savoir ce qui s'y passe pendant votre séjour à Montréal. La visite est souvent interactive : le public participe ou est pris dans le jeu.

★ ***Le centre d'histoire de Montréal*** *(plan couleur III, B2,* ***139****)* **:** 335, place d'Youville. ☎ 872-32-07. M. : Square-Victoria ou Place-d'Armes. De mai à la fête du Travail, ouvert tous les jours de 10 h à 17 h; de septembre à avril, fermé le lundi. Entrée payante : 4,5 $Ca (2,9 €). Réductions. Un peu délaissée au profit de son prestigieux voisin de Pointe-à-Callière, cette ancienne caserne de pompiers abrite un petit musée interactif, certes moins spectaculaire, mais néanmoins plus chaleureux grâce à une équipe dynamique et passionnée. L'exposition permanente « Toute une histoire... en un clin d'oeil » retrace l'histoire de Montréal de 1642 à nos jours, dans son aspect quotidien (création des services publics, réseaux de chemin de fer, aménagement du port, reconstitution de façades de maisons...). N'hésitez pas à demander à l'accueil des infos sur le Vieux Montréal, ils en connaissent un bout!

MONTRÉAL

★ ***Le musée McCord d'Histoire canadienne*** *(plan couleur II, B3,* ***135****)* **:** 690, Sherbrooke Ouest. • www.musee-mccord.qc.ca • M. : McGill. ☎ 398-71-00. De fin juin à début septembre, ouvert tous les jours de 10 h à 18 h du mardi au vendredi (17 h du samedi au lundi) ; le reste de l'année, du mardi au vendredi de 10 h à 18 h (17 h le week-end). Visite d'introduction au musée le samedi à 14 h. Entrée payante : 7 $Ca (4,5 €). Réductions.
Expo permanente « Simplement Montréal : coup d'œil sur une ville unique ». Intéressante exposition permanente sur les premières nations du Canada : superbes miniatures d'ivoire inuit, objets ornés de perles de verre amérindiens, vêtements. Collection d'objets de la vie des colons. À l'étage, des expositions temporaires sur des thèmes aussi variés que l'orfèvrerie québécoise, le hockey, le style Arts déco, ou les photos de femmes autochtones.

ATTRACTIONS DIVERSES

★ ***Le parc des Îles*** **:** regroupe les îles Sainte-Hélène et Notre-Dame. ☎ 872-45-37. Accès en voiture par le pont Jacques-Cartier ou Concorde (parking obligatoire et payant : 10 $Ca, soit 6,4 €). Pour les piétons et les cyclistes, métro Île-Sainte-Hélène ou bus n° 169 du métro Papineau. De juin à octobre, accès par navette fluviale du Vieux-Port, sur le quai Jacques-Cartier. En face du métro Ile-Sainte-Hélène, le bus n° 167 offre une visite agréable (arrêt notamment à la plage des Iles).
Ce lieu favori des Montréalais fut le site de l'Expo universelle de 1967. C'est aujourd'hui le plus grand parc de Montréal, axé sur le divertissement et le sport. En fin de semaine, un endroit de détente très prisé. De l'expo, il ne reste que des jardins et quelques pavillons dont celui de la France, transformé en casino (entrée gratuite, pertes payantes), et celui des États-Unis, qui est devenu la Biosphère.

Balade agréable, surtout sur l'île Sainte-Hélène qui rassemble en fait la majorité des choses à voir. L'île Notre-Dame est, pour sa part, plus réservée aux activités sportives. Location de vélos, de patins à roues alignées (« rollers »), de pédalos, de canots et de planches à voile. On y trouve également une jolie plage pour pique-niquer et se baigner dans l'eau – filtrée – du Saint-Laurent (entrée payante). C'est aussi là qu'on trouve le circuit Gilles-Villeneuve qui accueille le Grand Prix du Canada vers la mi-juin.
Voici le détail des réjouissances sur l'île Sainte-Hélène.
– *L'Homme :* dans la partie ouest du parc, l'une des plus grosses sculptures de Calder. Situé sur un promontoire, on embrasse de là une vue surprenante sur la ville.
– *Le musée David M. Stewart :* le Vieux-Fort. ☎ 861-67-01. M. : Sainte-Hélène, puis environ 10 petites minutes de marche. En été, ouvert tous les jours de 10 h à 18 h. En hiver, jusqu'à 17 h seulement, et fermeture hebdomadaire le mardi. Entrée payante (réduction étudiants). Musée retraçant l'histoire du Canada jusqu'à l'indépendance, installé dans le Vieux-Fort construit en 1822. Quelques salles sur les traditions domestiques (collections d'armes et d'objets usuels). Ne ratez pas la magnifique maquette interactive de Montréal en 1760, ni la belle collection de globes.
En été, du mercredi au dimanche, reconstitution sur le terrain de manœuvres opposant des soldats en uniformes du XVIIIe siècle. Trois séances à 13 h, 14 h 30 et 17 h. À peine plus ridicule que la relève de la garde à Monaco, et beaucoup plus drôle ! Et pour poursuivre dans le ringard, organisation en face du fort, dans le restaurant *Le Festin du Gouverneur,* de banquets « d'époque » avec scènes des temps héroïques et serveurs en costumes. Allez, on vous donne quand même le téléphone mais vous êtes prévenu (de plus, c'est cher) : ☎ 879-11-41.
– *La Ronde :* parc d'amusement populaire. Entrée sur l'esplanade. ☎ 872-62-22. Ouvert de fin mai à la fête du Travail, de 11 h à minuit (23 h du dimanche au jeudi). Montagnes russes, cabaret, spectacles pour enfants, resto, etc. Affluence bien répartie qui limite l'attente aux attractions choisies. Spectacles de bonne qualité. En été, l'*International Benson & Hedges,* grand concours de feux d'artifice, 2 fois par semaine. Téléphonez pour connaître les dates. Entrée payante, mais on peut aussi se placer sur le pont Jacques-Cartier, fermé pour l'occasion.
– Noter encore les Fêtes gourmandes internationales de Montréal, grosse foire alimentaire en plein air, en août. Entrée payante.
– *La Biosphère :* ☎ 283-50-00. Site Internet : biosphère.ec.gc.ca. De fin juin à début septembre, ouvert tous les jours de 10 h à 18 h. Le reste de l'année, tous les jours sauf le lundi, de 10 h à 17 h. Entrée payante : 6,50 $Ca (4,2 €). Réductions. Située dans l'ancien pavillon des États-Unis. Réalisation originale de l'architecte américain Buckminster Fuller, la biosphère est le premier centre canadien d'observation environnementale. Elle abrite un musée interactif consacré à propos de l'eau, des Grands Lacs, et en particulier du fleuve Saint-Laurent.

★ ***Le Vieux-Port :*** c'est la partie du Vieux Montréal située au bord du Saint-Laurent. ☎ 496-76-78. Entièrement réhabilités, les abords du fleuve proposent de grandes pelouses ainsi que de nombreuses attractions, la plupart très touristiques. Ambiance glace vanille et barbe à papa. Aire de jeux pour les enfants, labyrinthe interactif, balades en petit train, location de pédalos, excursions en bateau-mouche ou en « jet boat », ainsi que de nombreuses animations, spectacles et concerts gratuits. On y trouve également un kiosque d'information, un cinéma *Imax* et plusieurs terrasses. En hiver : patinage sur le bassin. À signaler enfin l'ouverture, prévue pour le 1er mai 2000, d'un grand complexe de sciences et de divertissements : le centre ISCI, sur le quai King-Edward. Encore en chantier au moment où nous mettons sous presse.

★ ***Planetarium Dow*** *(plan couleur II, B3,* ***137****) :* 1000, rue Saint-Jacques

Ouest. Dans le quartier de la place Bonaventure. ☎ 872-45-30. M. : Bonaventure. Ouvert toute l'année au moment des spectacles seulement. Fermé le lundi hors saison. Entrée payante : 6 $Ca (3,9 €). Réductions. Appelez pour les horaires des séances. Vaste programmation, animée par un conférencier, durant un peu moins d'une heure. Intéressera les apprentis astronomes et même les autres. Gigantesque lanterne magique, le planétaire domine la salle circulaire de 400 places et recrée sur son dôme écran l'image fidèle du ciel avec moult procédés hyper sophistiqués. La simulation est assez saisissante. Si les planètes visibles à l'œil nu (Mercure, Vénus, Jupiter, Mars et Saturne) se déplacent à leur vitesse relative propre par rapport au mouvement d'ensemble, le planétaire comprime le temps, de façon à ce qu'un processus plus ou moins long, comme une éclipse de soleil, puisse se produire en quelques minutes pour l'assistance. Plein d'autres trucages bluffants pour redevenir enfant l'espace d'un véritable spectacle.

★ ***Le mont Royal :*** grimpette obligatoire au belvédère pour jouir d'un panorama super sur Montréal. Belle balade depuis l'AJ Sinon, métro jusqu'à station Mont-Royal, puis bus n° 11 jusqu'au lac des Castors (prendre un billet transfert). La colline fait 233 m de haut et vit une longue amitié avec un parc de 200 ha, lieu de pique-nique traditionnel des familles. Ce parc est l'œuvre de F.L. Olmsted qui a aussi dessiné Central Park à New York. Les jardins situés au pied du parc accueillent tous les dimanches après-midi musiciens et marginaux de tout poil. Tam-tams, danses et snacks biologiques dans une ambiance sympa (par beau temps, bien sûr!). Au pied du mont Royal, l'*oratoire Saint-Joseph,* un lieu de pèlerinage très fréquenté, accessible par le métro : station Côte-des-Neiges.

MONTRÉAL

★ ***Le Jardin botanique :*** entrée pour les voitures au 4101, rue Sherbrooke Est. ☎ 872-14-00. • www.villemontreal.qc.ca/jardin • M. : Pie-IX. Entrée payante : de 6,75 à 9,50 $Ca (4,3 à 6,1 €) selon la saison. Réductions. Ouvert de 9 h au crépuscule. Pour ceux qui viennent en métro, entrée à l'angle de Sherbrooke Est et de Pie IX. Les serres ne sont ouvertes que jusqu'à 19 h l'été et 17 h hors saison. 26 000 espèces réparties sur 73 ha (le 2e au monde après celui de Londres). 1 200 variétés d'orchidées, dont certaines très rares. Serre tropicale, jardin aquatique, jardin japonais, jardin chinois et un superbe insectarium (même horaire que les serres). Que vous faut-il de plus? Le samedi, vers 15 h, les jeunes mariés viennent se faire prendre en photo : robes à frou-frou bleu pâle ou violacées, demoiselles d'honneur à la pelle, c'est vraiment trop...

★ ***Le Parc olympique :*** entrée au 4141, av. Pierre-de-Coubertin. Informations : ☎ 252-86-87. M. : Viau. Navette gratuite reliant le Parc olympique (du métro Viau ou du hall touristique, au pied de la tour) au Jardin botanique (via l'Insectarium). C'est le site des Jeux de 1976, à l'architecture très avant-gardiste pour l'époque. Pour sportifs ou amoureux du béton, ou les deux à la fois. Visites guidées tous les jours de 10 h à 18 h en été. Entrée payante. La structure est intéressante mais la visite, bof! Bon, vous en aurez déjà entendu parler, c'est monstrueusement gigantesque. Il n'a pas fallu moins de 525 000 verges cubes (400 000 m^3) de béton, 400 000 t d'acier, 225 km de câbles... La tour inclinée est la plus haute du genre au monde. Un ascenseur-funiculaire mène au sommet (beau panorama), sauf de mi-janvier à mi-février. La grimpette est payante. Vue exceptionnelle sur la ville. Petit musée sur les Jeux. Sur le stade, en quelques heures, on peut enlever le tapis synthétique qui sert aux matches de football, pour dégager la piste olympique en Tartan. En peu de temps, une autre transformation le change en terrain de base-ball. On en profite pour rappeler que Montréal possède de fameuses équipes (les *Expos* pour le base-ball; les *Canadiens* pour le hockey) et que chaque match est un grand moment. Ambiance garantie! Pour le programme des matches de base-ball : ☎ 253-34-34.

★ ***Le Biodôme :*** juste à côté du Parc olympique, 4777, av. Pierre-de-Coubertin. ☎ 868-30-00. • www.ville.montreal.qc.ca/biodome • M. : Viau. Ouvert tous les jours de 9 h à 17 h (19 h en saison estivale). Entrée payante : 9,50 $Ca (6,1 €). Réductions. Forfait d'entrée pour le Biodôme, le Jardin botanique et l'Insectarium.
Le Biodôme est un vaste site de 7 000 m², recouvert, comme son nom l'indique, par un grand dôme. Il a été créé dans l'enceinte de l'ancien vélodrome des Jeux olympiques de Montréal et à l'intérieur sont recomposés 4 écosystèmes d'Amérique : la forêt tropicale, la forêt laurentienne, le Saint-Laurent marin et le monde polaire. Plutôt qu'une foule d'animaux, on a choisi ici une sélection de certains spécimens. Un ensemble impressionnant recréé avec intelligence et pédagogie, surtout pour la forêt tropicale (on s'y croirait) et la forêt laurentienne où une famille de castors s'est si bien adaptée qu'elle n'a rien trouvé de mieux que de construire un barrage devant les filtres à eau de son lac artificiel. Bref, un pari difficile mais réussi pour tous ces scientifiques. Au sous-sol, chouette exposition « Naturalia » qui passionnera les enfants par son côté interactif. Moult explications sur l'alimentation, les moyens de défense, la locomotion, la perception...

★ ***Le Cosmodôme :*** 2150, autoroute des Laurentides, Laval. ☎ 978-36-00. N° Vert : ☎ 1-800-565-22-67. Fax : 978-36-01. • www.cosmodome.org • En été, ouvert tous les jours de 10 h à 18 h ; de septembre à juin, fermé le lundi. Tarifs réduits enfants et étudiants. À une demi-heure de voiture du centre de Montréal. Pour y aller, prendre l'autoroute des Laurentides (n° 15). Sortie n° 9, bd Saint-Martin, puis à droite sur le boulevard Daniel-Johnson et encore à droite sur la rue Édouard-Montpetit. Il faut encore tourner à droite avenue Terry-Fox. Vous ne raterez pas l'entrée : une réplique d'Ariane s'y dresse.
Le Cosmodôme, c'est un grand centre dédié à l'espace et à son exploration. Il est tout récent (1995) et vraiment bien conçu. On y apprend des tas de choses sur l'espace et les sciences qui s'y rapportent. La visite débute par un spectacle multimédia d'une vingtaine de minutes, qui retrace l'histoire de la découverte du cosmos du néolithique à nos jours. On y rencontre tous les grands hommes qui ont fait avancer l'humanité vers la connaissance de l'univers, dont Galilée et son fameux « et pourtant elle tourne... ». La visite se poursuit par différentes sections qui expliquent, tour à tour, comment se rendre dans l'espace, comment y vivre, les télécommunications, ce que l'on peut connaître de la Terre et du système solaire de là-haut... Des écrans interactifs permettent de faire de petites expériences. Un système tout bête mais très efficace permet aussi de ressentir brièvement les effets de l'apesanteur. On trouve encore au Cosmodôme une chose rarissime dans les musées de notre vieille planète : une roche lunaire rapportée par les astronautes ! Bref, un musée intelligent où l'on ne s'ennuie pas. Prévoir au moins deux bonnes heures. Le Cosmodôme abrite aussi un camp spatial, où l'on peut faire des stages d'un à cinq jours. Intéressant aussi, mais ça, c'est pour les groupes.

★ ***Le Centre Molson*** *(plan couleur II, B3,* ***136****)* ***:*** 1260, rue de la Gauchetière Ouest. M. : Bonaventure ou Lucien-L'Allier. Stade de hockey de 21 000 places, où jouent les *Canadiens* de Montréal. Il y a des concerts pop très souvent car toutes les tournées américaines passent par là. ☎ 932-25-82 (pour connaître le programme des matches d'avril à septembre).

– ***Descente des rapides de Lachine :*** *Les Descentes sur le Saint-Laurent,* 7770, bd La Salle, à La Salle. ☎ 767-22-30. À 15 mn du centre-ville, autoroute 20 Ouest, sortie 67. Navette gratuite du centre *Infotouriste,* 1001, square Dorchester. Les rapides du Colorado coûtent cher. Voici donc l'occasion de tenter cette expérience palpitante (assez impressionnante mais sans risque) à un prix plutôt abordable. L'excursion dure 2 h 15 aller et retour. Départs tous les jours de 9 h à 18 h, de début mai à fin octobre. Réservez par téléphone,

1 ou 2 jours à l'avance. Choisissez de partir l'après-midi car l'eau est plus chaude. On revient totalement trempé, donc prévoir des vêtements de rechange.
À voir également à Lachine, le petit ***musée du Commerce des fourrures***. Intéressant.
– ***Patins à roulettes Montrean :*** 27, rue de la Commune Est. ☎ 866-06-33. Ouvert tous les jours. Dans le Vieux Montréal. Superbe piste goudronnée qui longe le Saint-Laurent et le canal de Lachine. Location de vélos dans le Vieux Montréal pour parcourir cette même piste.

Balade strictement pour poètes urbains

Montréal est en train de changer de visage. Plus en 10 ans que durant tout le siècle précédent. Les anciens quartiers se métamorphosent, les usines déménagent, beaucoup aujourd'hui se transforment en « condo ».
Cette évolution est très perceptible dans le quartier de ***la Petite Bourgogne***, ancien quartier ouvrier et populaire qui s'était greffé autour du canal Lachine et des usines. Délimité au nord par la rue Saint-Antoine, à l'est par la rue de la Montagne, à l'ouest par l'avenue Atwater, au sud par le canal Lachine. Accès par les stations de métro Lucien-L'Allier et Lionel-Groulx. C'est aussi la balade à vélo idéale car le trafic est très modéré. Au fond se détache la silhouette massive de la brasserie *O'Keefe*. Pratiquement toutes les vieilles HLM et maisons ouvrières ont été démolies pour céder la place à de pimpants ensembles de brique rouge. La ***rue Notre-Dame*** est l'une des plus anciennes de Montréal (tracée en 1660). Au n° 1850, Notre-Dame Ouest, voir la *Banque de Montréal,* superbe édifice du XIXe siècle à l'élégant pignon sculpté à la flamande : le grès rouge fut importé d'Écosse. Pousser ensuite par la rue des Seigneurs, jusqu'au ***canal Lachine***. À l'*écluse n° 3,* tout le coin a été joliment transformé en pistes cyclables et sentiers piétons. Quelques usines en passe de se muer en appartements de luxe. Le canal Lachine fut construit en 1825 pour contourner les rapides du Saint-Laurent. Il fonctionna plus de 130 ans, jusqu'à l'ouverture de la voie maritime, et permit l'expansion économique du pays.
Remonter la rue des Seigneurs, au-delà de la rue Saint-Jacques. L'***îlot Saint-Martin*** se révèle un modèle de rénovation urbaine intelligente. Maisons restaurées, mais ayant conservé leur cachet, se mariant bien avec les constructions modernes. Emprunter la ***rue Coursol,*** l'un des derniers paysages urbains typiques de la Petite Bourgogne. Alignement homogène de maisons ouvrières fort bien rénovées et vestiges de l'architecture du XIXe siècle.
Dans le coin, beaucoup de familles noires (héritières de celles qui construisirent le chemin de fer vers 1850) et immigrés haïtiens. Dans le prolongement de la rue Coursol, après le boulevard Georges-Vanier, joli alignement de maisons montréalaises typiques et colorées.
Enfin, en descendant l'avenue Atwater, vous parviendrez au ***marché Atwater*** *(plan couleur II, A3), de style Art-Déco* (à l'architecture un peu mussolinienne !). C'est le dernier de Montréal, avec celui de Jean-Talon au nord de la ville. Boire un verre ou grignoter à la *Taverne Magnan,* angle Saint-Patrick et Charlevoix. Bière pas chère, immenses salles et terrasses pouvant accueillir plus de 1 000 personnes. Allez à la boulangerie *Première Moisson* qui fait des plats du jour et de délicieux desserts.
Offrez-vous un panorama à couper le souffle sur toute la ville en grimpant au 45e étage d'un gratte-ciel : ***Resto-Lounge 737*** (altitude en pieds), au 1, place Ville-Marie. L'endroit est plutôt chicos et un peu cher, mais par tous les temps, c'est magique. OK pour boire un verre avec Montréal à ses pieds. Fait aussi discothèque.

Dans le ***parc Jeanne-Mance***, tous les dimanches (sauf en hiver) en fin d'après-midi : ambiance géniale avec concerts de tam-tam, djumbé, etc. Des centaines de jeunes et une ambiance très Woodstock. Ce parc a été le 1er terrain de golf d'Amérique du nord.

Fêtes et manifestations

Il faudrait des pages entières pour détailler la vie culturelle à Montréal, tant elle offre de possibilités. Le mieux, c'est de se reporter à *Voir* et à *Ici*, 2 hebdomadaires culturels gratuits que l'on peut trouver à peu près partout (dépanneurs, boutiques, librairies...). Ou encore le *Mirror* et le *Hour*, équivalents anglophones. Se procurer aussi le *Montrealscope* (mensuel bilingue). Tous sont disponibles au sous-sol d'*Infotouriste*.

– ***Festival International de Jazz :*** 822, rue Sherbrooke Est (1er étage). ☎ 871-18-81. Se déroule toujours fin juin-début juillet, pendant 10 jours. Après avoir connu une enfance difficile, le Festival International de Jazz de Montréal est aujourd'hui devenu un des plus grands festivals musicaux au monde. Près de 2 000 musiciens venant des cinq continents assurent 400 concerts, dont 300 gratuits en plein air. Plus d'un million et demi de spectateurs et tout de même une ambiance bon enfant. Festival éclaté aussi dans les rues de la ville, aux alentours de la place des Arts. On joue partout, toute la ville vit et vibre à l'heure de la musique. En effet, le FIJ rassemble désormais des artistes représentant tous les styles musicaux et plus seulement le jazz. Ont été applaudis, ces dernières années, Dee Dee Bridgewater, George Benson, Lucky Peterson, Buddy Guy, Ben Harper et bien d'autres encore... Rien que ça !

– ***Activités estivales sur le Vieux-Port :*** de mai à la 1re semaine de septembre, une quantité d'animations au pied de la place Jacques-Cartier et sur le quai de l'Horloge (rue Berri). Théâtre, danse, expositions, bouquinistes (en juillet), musique. Le soir, concerts de jazz en plein air.

– Autres événements : ***festival de Théâtre des Amériques*** (a lieu tous les deux ans, les années impaires, fin mai ; ☎ 842-07-04) ; ***festival de musique francophone Francofolies*** (en juin, juillet et août), place des Arts, nombreux concerts en plein air ou dans les salles environnantes ; ***festival « Juste pour rire »*** (10 jours, fin juillet, ☎ 845-31-55) ; ***festival des Films du monde*** (dernière semaine d'août, ☎ 933-96-99) ; ***festival international de Nouvelle Danse*** (fin septembre, ☎ 287-14-23) ; l'***International Benson & Hedges*** (concours de feux d'artifice, *cf.* « La Ronde » dans *Le parc des Îles*, rubrique « À voir. Attractions diverses »).

– Une mention particulière pour ***la fête de la Saint-Jean***, la fête « nationale » québécoise, le 24 juin. Jour de congé pour tous et exaltation de l'âme québécoise pour beaucoup. Pas mal de rues du centre sont fermées à la circulation et divers concerts y remplacent les voitures. Clou de la fête : le grand défilé sur Sherbrooke en milieu d'après-midi, jusqu'au Parc olympique, suivi d'une foule joyeuse communiant aux cris de « On veut un pays » ou « le Québec aux Québécois », dans un camaïeu de bleus.

– Le ***1er juillet***, au contraire, ***fête nationale du Canada***, l'avenue Sherbrooke se pare de rouge, pour le « défilé des Anglais », en sens inverse de celui de la Saint-Jean... Le 1er juillet est aussi un jour particulier pour une autre raison : bougeotte générale, les Montréalais déménagent, car c'est la date de fin des baux. Partout, vous verrez passer machines à laver et réfrigérateurs...

– ***Ligue nationale d'improvisation :*** le dimanche soir à partir d'octobre. Infos pour les dates et le lieu : ☎ 849-97-26. Entrée payante. Pour les lecteurs qui ne connaîtraient pas encore, et, bien entendu, pour les vieux fans, cette extraordinaire joute théâtrale entre 2 équipes rivalisant par le mime et la chanson à partir de thèmes tirés au sort. Les Québécois inventèrent ce spectacle original et, chaque année, des championnats du monde mettent aux prises une dizaine de pays francophones. En France, le championnat a lieu tous les lundis soir à 21 h à Paris, au *Bataclan,* bd Voltaire, 75011. ☎ 01-47-00-39-12 (M. : Oberkampf).

– En novembre, ne pas manquer le ***festival Coup de cœur francophone.*** ☎ 253-3024. C'est l'événement chansons de l'automne, avec de nombreuses découvertes ainsi que des valeurs sûres, venues de toute la francophonie. 10 jours de spectacles répartis dans plusieurs salles et cabarets de Montréal

– ***Le Grand Prix de F1*** a lieu toutes les années, début juin.

Dans les environs de Montréal

★ ***Le mont Saint-Hilaire :*** à 20 mn de Montréal, dans la Vallée-du-Richelieu (région touristique de la Montérégie sur la vallée de Richelieu). Accès par l'université McGill. Les gens du coin prétendent que c'est un volcan endormi, mais quelques mauvaises langues affirment que ce n'est qu'un argument pour attirer les touristes. Autant laisser le mystère entier... Un chemin mène au sommet du « Pain de sucre » qui offre, par temps clair, une vue spectaculaire sur la Vallée-du-Richelieu et sur Montréal. Le Centre de la nature du Mont-Saint-Hilaire, classé par l'Unesco, réserve de la Biosphère, appartient à l'université McGill (université anglophone de Montréal). Une partie du centre est accessible au public : arbres centenaires, lac, loutres, chevreuils, rapaces et oiseaux aquatiques... Au pied du mont, nombreux vergers et cidreries où les citadins viennent s'adonner aux joies de l' « autocueillette » des pommes. À voir également dans la région de la Vallée-du-Richelieu : le ***lieu historique du Fort-Chambly,*** construit en 1665 au temps de la Nouvelle-France et des conflits entre Français, Anglais et Iroquois. Le fort a été transformé en musée de l'histoire militaire et civile de la vallée. Du 20 juin au 6 septembre, ouvert tous les jours de 10 h à 18 h; vérifiez les horaires pour les autres dates : ☎ (450) 658-1585.

MONTRÉAL

★ ***Le parc du mont Tremblant :*** accessible en voiture par l'autoroute des Laurentides (à 140 km environ au nord de Montréal). Superbes collines boisées agrémentées de centaines de lacs et de cascades. Si vous êtes dans le coin en automne, c'est à ne pas manquer, pour les couleurs fauves et mordorées des arbres. Fantastique! Et si vous y êtes en hiver, vous pourrez alors aller skier à la station de Tremblant. Village joli et pimpant, mais un peu snob. C'est aussi dans la région des Laurentides qu'a été aménagé le ***parc linéaire du « Ptit Train du Nord »*** sur une ancienne voie ferrée, s'étirant sur 200 km entre Saint-Jérôme et Mont-Laurier, en passant par Sainte-Agathe-des-Monts, Mont-Tremblant et Lac-Nominingue. Un parcours absolument superbe (et facile!) à découvrir à vélo ou à ski de fond, ou encore, sur certains tronçons seulement, à motoneige. Cette piste récréative est jalonnée par d'anciennes gares dont certaines se sont reconverties en points de service (restaurants, auberges, kiosques d'informations, location et réparation de vélo). Renseignements : Association touristique des Laurentides, ☎ (450) 436-8532.

★ ***Le parc Omega :*** route 323 Nord, Montebello, J0V-1L0. À 110 km à l'ouest de Montréal. ☎ 423-54-87. • www.parc-omega.com • Ouvert toute l'année. En hiver, téléphonez pour connaître les conditions d'accès. Tarifs du 1er juin au 30 septembre : 12 $Ca (7,7 €) pour les adultes, 7 $Ca (4,5 €) pour les enfants de 6 à 15 ans et 2 $Ca (1,2 €) pour ceux de 2 à 5 ans. Hors saison : 9 $Ca (5,8 €) pour les adultes et 6 $Ca (3,9 €) pour les enfants de 6 à 15 ans. Présente en milieu naturel la faune d'Amérique du Nord. Sur une route de 10 km, découvrez en toute liberté bisons, wapitis, cerfs de Virginie, ours,

loups, orignaux, ratons laveurs, castors. Billet d'entrée valable toute la journée. Une bonne étape entre Montréal et Hull. Resto panoramique, aire de pique-nique. Centre d'interprétation des animaux du parc.
– À voir dans les environs : le ***Château Montebello,*** « la plus grande construction en bois rond au monde » (bois rond : rondins), luxueux hôtel de la chaîne *Canadien Pacifique*, érigé en 1930, et le ***manoir Papineau,*** demeure seigneuriale construite au milieu du XIXe siècle et appartenant jadis à Louis-Joseph Papineau, député libéral qui prit la tête de la révolte des Patriotes en 1837 (ouvert de mi mai à début septembre). Les courageux pousseront jusqu'à ***Hull*** (voisine de la capitale fédérale Ottawa mais située en terre québécoise, de l'autre côté de la rivière des Outaouais, à environ 1 h 30 de route de Montréal) pour visiter le ***musée canadien des Civilisations,*** chef-d'œuvre architectural et splendide musée (100, rue Laurier). ☎ (819) 776-7000. La grande galerie présente 6 nations amérindiennes de l'Ouest et leurs mâts totémiques. 1 000 ans d'histoire y revivent grâce à une présentation originale et soignée, souvent interactive. Une section du musée est tout spécialement destinée aux enfants, qui peuvent, enfin, toucher à tout ! Ouvert tous les jours du 1er mai au 30 juin de 9 h à 18 h, jusqu'à 21 h les jeudi et vendredi du 1er juillet au 1er août. Entrée libre le dimanche de 9 h à 12 h.

★ ***Les Cantons de l'Est :*** intéressant pour ceux qui descendent sur les États-Unis par l'autoroute 10. Une très belle région vallonnée pleine de lacs tièdes et de villas d'artistes autour de la ville de Magog. De nombreux Montréalais y ont leur résidence secondaire. Souvenez-vous : c'est ici qu'a été tourné le film québécois « Le déclin de l'empire américain » au milieu des années 80. Pas mal d'activités sportives ou autres en été, ski à Bromont et au Mont-Orford, l'hiver. Avis aux gourmands : la région des Cantons de l'Est compte une ribambelle d'auberges et restaurants gastronomiques. Ceux-ci sont douillettement installés dans de belles maisons victoriennes, vestiges de l'époque des Loyalistes, ces fidèles à la couronne d'Angleterre qui peuplèrent la région après l'indépendance américaine.

Quitter Montréal

En stop

Ici, on dit : « Je vais sur le pouce à... »

■ ***Allo-Stop :*** 4317, rue Saint-Denis (angle Marie-Anne). ☎ 985-30-32 ou 30-44. M. : Mont-Royal. Ouvert du lundi au mercredi de 9 h à 18 h, les jeudi et vendredi de 9 h à 19 h, et les samedi et dimanche de 9 h à 17 h. Ils mettent en relation conducteurs et stoppeurs. S'y prendre à l'avance pour les grandes distances. Cotisation et participation aux frais d'essence. En général, ça marche assez bien.
– *Vers le nord et les Laurentides :* métro Crémazie et bus n° 100 jusqu'à l'autoroute des Laurentides.
– *Vers Trois-Rivières* par la rive nord du Saint-Laurent : métro Honoré-Beaugrand, et autobus n° 189 le plus loin possible sur la rue Sherbrooke.
– *Vers Québec :* métro Longueuil, puis se placer sur l'autoroute 20.
– *Vers Sherbrooke :* métro Longueuil, puis autobus n° 6 jusqu'à l'autoroute des Cantons de l'Est.
– *Vers Ottawa, Toronto et l'Ouest :* métro Lionel-Groulx, puis autobus n° 211 jusqu'au bout. Se renseigner auprès du chauffeur pour l'autoroute qui n'est pas loin. Pour Ottawa : métro Crémazie, puis bus n° 100 Ouest pour rejoindre l'autoroute 40.

En bus

Pour beaucoup de destinations il est préférable soit d'acheter ses billets 24 h à l'avance (New York), soit de se renseigner sur les forfaits touristes. Dans les deux cas, il est possible de gagner jusqu'à 40 % de réduction.

Station centrale d'autobus de Montréal *(plan couleur II, D3)* **:** 505, bd de Maisonneuve Est. ☎ 842-22-81. M. : Berri-Uqam. Plusieurs compagnies d'autobus grandes lignes pour Sherbrooke, Hull, Ottawa, Trois-Rivières, Québec (environ 3 h de trajet en express), la Gaspésie (pour Gaspé, environ 15 h de trajet!), le Nouveau-Brunswick (Edmundston, Moncton), Charlevoix et la côte nord, New York, etc. Sans oublier les aéroports de Mirabel et de Dorval (voir « Arrivée à Montréal »). *Orléans Express* et *Intercar* pratiquent des tarifs réduits pour les étudiants et les plus de 65 ans. *Orléans Express* propose un *Tour Pass*, forfait de 7, 14 ou 18 jours consécutifs (uniquement l'été) valable pour le Québec et l'Ontario. Attention : toujours se présenter 45 mn avant le départ pour acheter le billet.

– *La traversée Montréal-Vancouver :* 2 départs par jour. Compter quand même plus de 72 h de voyage. Pensez à l'appareil photo, car on peut faire de superbes clichés lors des arrêts, ou même en roulant. Si vous expédiez un vélo, il faut l'emballer, et on ne peut pas le caser dans la soute du bus ; il faut l'envoyer par le service colis *Greyhound* (prix en fonction du poids). Il arrivera à Vancouver avant vous. Bref, c'est la grosse expédition, mais il faut bien penser aux fanatiques des *road movies*... Assez cher quand même.

■ ***Taxi Philibert :*** ☎ 374-52-52. Propose 3 départs par semaine en minibus (11 places) vers Gaspé via Québec et Rimouski. Plus rapide que le bus (comptez quand même 12 à 14 h pour Gaspé, arrêts pipi et repas inclus) et moins cher pour ceux qui ne bénéficient pas de réductions. Il est conseillé de réserver quelques jours à l'avance.

En train

Gare centrale *(Downtown ; plan couleur II, B3)* **:** 935, rue de la Gauchetière Ouest. Une autre entrée sur University et Belmont. Renseignements : ☎ 989-26-26, de 9 h à 17 h ou ☎ 1-800-361-53-90 *(Via Rail)* ; pour les États-Unis : ☎ 1-800-872-72-45 *(Amtrak)*. Cette gare gère tous les départs vers le reste du Québec et tout le Canada, ainsi que vers les États-Unis.

– *Pour la ville de Québec :* 5 départs par jour (4 le dimanche et le lundi, 2 le samedi). À noter : tarif spécial si la réservation est réalisée 5 jours avant le départ (selon disponibilités).

– *Pour la Gaspésie :* 3 départs par semaine (par Rimouski, Matapédia, Carleton et Percé, terminus) à bord du *Chaleur*. Comptez 16 h pour faire Montréal-Gaspé.

En avion

– ***Pour les aéroports Mirabel et Dorval :*** *Autocar Connaisseur*. Départ de l'aérogare Centre-Ville, au 777, rue de la Gauchetière Ouest (M. : Bonaventure) et de la station centrale d'autobus de Montréal (M. : Berri-Uqam). Durée : 1 h environ. Horaires dans la rubrique « Arrivée à Montréal ». Renseignements : ☎ 1-800-934-12-12 ou 934-1222. Attention, une ***taxe d'aéroport*** d'un montant de 10 $Ca (6,4 €) doit être acquittée par tous les voyageurs au départ de Mirabel et de Dorval, quelle que soit leur destination. N'oubliez pas de garder suffisamment de liquide ! Seuls les passagers en transit n'ont pas à la payer.

– ***Le Club D-7 :*** 3607, Saint-Denis. Répondeur annonçant destinations, dates et tarifs : ☎ 843-64-41. Réservations : ☎ 843-44-13. Brade des places de dernière minute sur vols charters à destination du Sud (Cuba, Mexique, Antilles...) et parfois de l'Ouest canadien (Vancouver).

En auto drive-away

– ***Wesmount Drive-away :*** 345, av. Victoria, bureau 509. ☎ 489-38-61. Dans Westmount. Voitures à conduire vers Toronto, l'Ouest canadien, les provinces maritimes, la Californie, New York. De novembre à janvier, ce sont surtout des voitures à descendre en Floride. Négociez la caution et le coût de l'essence.

BERTHIERVILLE 3 950 hab. IND. TÉL. : 450

Sur la route de Montréal à Québec. Intéressant pour ceux qui voudraient éviter de dormir à Trois-Rivières : c'est déjà la campagne québécoise et on trouve deux bonnes adresses dans le coin.

Où dormir dans les environs ?

☗ ***Chez Marie-Christine B & B :*** 3120, Rang-du-Ruisseau, à Sainte-Élisabeth. ☎ 759-93-36. • hivon mmp@citenet.net • Ouvert de mai à octobre. 55 $Ca (35,5 €). En venant de Montréal, quitter l'autoroute 40 à la sortie 122 en direction de Joliette par la 31 Nord. À Joliette, prendre la 131 Nord, direction Notre-Dame-de-Lourdes et c'est à 2 km à droite après le feu. À 15 mn de Berthierville. De Berthierville, quitter la 40 et prendre la 158 Ouest, direction Joliette. Ensuite, prendre la 345 Nord (à droite), direction Sainte-Élisabeth. Après avoir traversé le village, tourner à gauche, direction Notre-Dame-de-Lourdes. La maison, calme et agréable, se trouve à 4 km du village, sur la droite. Les 3 chambres sont confortables et très propres. Salle de bains commune. Excellent petit déjeuner et accueil vraiment charmant de la jeune patronne. Le ministre de l'Agriculture Rémy Trudel a d'ailleurs félicité la proprio en 1999. Un endroit chaleureux. Adresse idéale pour ceux qui veulent assister au festival de musique classique à Joliette en juillet.

☗ ***Gîte Le Cheval Bleu :*** 414, route 343, Saint-Alphonse-Rodriguez, J0K-1W0. ☎ 883-30-80. Fax : 883-34-43. • www.pages.citenet.net/users/ctmx2402 • Ouvert à l'année. Comptez 50 $Ca (32,3 €). À 1 h de Montréal. Comme pour *Chez Marie-Christine,* aller jusqu'à Joliette. Là, prendre la route 343 Nord, dépasser Sainte-Marcelline. Il y a 34 lacs à Saint-Alphonse-Rodriguez ; vous en profiterez depuis ce gîte, dont la terrasse donne sur un petit lac privé. 5 chambres propres dans une dépendance avec vue sur la fôret. Pour le soir, Monique vous propose une table d'hôte belge (20 $Ca environ, soit 12,9 €). Prévenir à l'avance. Barbecue l'été pour les amateurs et nombreuses activités proposées dans le coin.

À voir. À faire

★ ***Le musée Gilles-Villeneuve :*** 960, av. Gilles-Villeneuve (sortie 144 de l'autoroute 40). ☎ 836-27-14. Fax : 836-30-67. • www.villeneuve.com • Ouvert théoriquement tous les jours l'été, de 8 h à 20 h (21 h les 2 dernières semaines de juillet) et de 10 h à 16 h le reste de l'année, mais les horaires varient très souvent... 6 $Ca (3,9 €) l'entrée. Consacré au champion québécois. Originaire de Berthierville, le petit Gilles connut une ascension fulgurante avant de périr en 1982 dans un accident de Formule 1. Outre la projection d'un film sur sa vie, on découvre les souvenirs du pilote, des voitures originales (superbe *Ferrari*), son camion, des photos, des coupes et trophées, ainsi qu'un simulateur et des jeux vidéo. Un hommage à ce pilote d'exception dont le fils, Jacques, a été sacré champion du monde de Formule 1 en 1997. Une section est d'ailleurs consacrée au fiston.

★ ***L'église Sainte-Geneviève :*** édifice bicentenaire possédant un bel intérieur.

★ ***La chapelle des Cuthbert :*** rue de Bienville. ☎ 836-73-36 (en saison). Ouvert de fin juin à début septembre, de 10 h à 18 h. Le 1er temple protestant du Québec (1786), qui abrite aujourd'hui le bureau d'information touristique. Expos variées et gratuites l'été.

SOREL 23 200 hab. IND. TÉL. : 450

Juste en face de Berthierville, de l'autre côté du Saint-Laurent. Cette commune était le grand rendez-vous des Hell's Angels, qui lui préfèrent aujourd'hui Montréal ou Québec. Une petite anecdote : il y a quelques années, une série de règlements de compte eut lieu entre bandes rivales, et un lascar se retrouva dans un sac de couchage avec du ciment dedans. Depuis, les temps ont changé et Sorel offre aux visiteurs des circuits paisibles à saveur historique ou écologique.
De Saint-Anne-de-Sorel, chemin Chenal-du-Moine, départ des croisières explicatives à travers les pittoresques îles de Sorel qui abritent de nombreuses espèces d'oiseaux. ☎ 743-72-27. Fax : 743-78-07.
Un traversier permet de gagner la rive nord du Saint-Laurent via Saint-Ignace-de-Loyola. Départ toutes les 30 mn l'été, toutes les heures le reste de l'année. La traversée dure 10 mn. Pas de réservations. Renseignements : ☎ 743-32-58 (à Sorel) ou 836-46-00 (à Saint-Ignace).

Où dormir dans les environs ?

🏠 ***Auberge du lac Archambault :*** 221, rue Aubin, juste en face du lac et de sa plage, à Saint-Donat. ☎ et fax : 1-819-424-3542 ou 1-888-745-0606 (appel gratuit). • www.altern.org/aubarchambault • De 55 à 92 $Ca (35,4 € à 59,4 €) la nuit. Au cœur d'un petit village à seulement 1 h 30 de Montréal par l'autoroute 15 et à 15 mn du Parc national du Mont-Tremblant. Une auberge spacieuse tenue par un couple de Français très sympathique. 12 chambres, propres, correctement décorées et dotées de salles de bains pour la plupart. *Breakfasts* (compris dans le prix) et dîners au coin du feu font tout le charme de cette adresse. Concerts de jazz sur la plage en été. Une halte bienvenue avant de reprendre la route ! Possibilité de parking.

TROIS-RIVIÈRES 48 400 hab. IND. TÉL. : 819

Ville étape, à mi-chemin entre Montréal et Québec, passage obligé pour se rendre au parc national de la Mauricie, Trois-Rivières, ainsi nommée à cause des 3 chenaux que forme le Saint-Maurice à son embouchure, est aussi la capitale mondiale des pâtes à papier (d'où une odeur souvent persistante). Coincée entre les deux plus grosses villes du Québec, la petite cité industrielle aux airs très provinciaux peut sembler endormie. Cette ville ancienne (plus de 350 ans d'existence) possède un centre-ville plutôt mignon. Un important *festival international de la Poésie* s'y tient (généralement en septembre-octobre). Les voyageurs y sont particulièrement bien accueillis, notamment au bureau du tourisme. Trois-Rivières bénéficie aussi d'une situation stratégique pour qui se dirige vers la Mauricie.

Adresses utiles

i ***Bureau du tourisme :*** 1457, rue Notre-Dame. ☎ 375-11-22. • tourismevtr@tr.cgocable.ca • Ouvert de 9 h à18 h, en semaine seulement l'hiver ; l'été, ouvert aussi le week-end. Très bon accueil et nombreux renseignements. Plans de la ville distribués gratuitement. Un autre bureau, ouvert l'été seulement, à l'entrée de la ville sur la 138 Ouest, au n° 6560.

Terminus Orléans Express : 275, rue Saint-Georges. ☎ 374-29-44.

Où dormir ?

Auberge de jeunesse La Flottille : 497, Radisson. À 500 m du terminal des bus, dans le centre. ☎ 378-80-10. • flotille.cagm@cgocable.ca • Ouverte toute l'année, de 8 h à minuit. Pas de couvre-feu. À partir de 20 $Ca (12,9 €) en dortoir, 16 $Ca (10,3 €) pour les détenteurs de la carte des AJ. Gratuit pour les moins de 6 ans. Rabais si long séjour. Dortoirs ou chambres de 4 à 10 lits et 2 chambres doubles. 3,5 $Ca (2,3 €) pour le petit déjeuner. Située dans une agréable petite maison intime. Très propre. Une bonne AJ, bien équipée : cuisine commune, consigne, laverie, infos touristiques, location de vélos, etc. Accueil très sympa.

Le Gîte du Huard : 42, rue Saint-Louis. ☎ 375-87-71. De 50 à 60 $Ca (32,3 à 38,7 €). Tout près du Saint-Laurent, dans le quartier historique du vieux Trois-Rivières, la belle maison centenaire de Nicole Huard abrite 7 chambres confortables (4 doubles, dont un studio au rez-de-chaussée, et une simple). Toutes avec salle de bains et cuisine privées, TV et magnétoscope, chaîne hi-fi, dont lecteur CD. Le petit studio dispose de cuisine et canapé. Une belle adresse dans un quartier paisible.

La Maison Wickenden : 467, rue Saint-François-Xavier. ☎ et fax : 375-62-19. Environ 50 $Ca (32,3 €). Accepte la carte *Visa*. À deux pas de la vieille ville, dans une petite maison de brique sympa. 3 chambres impeccables et pas chères (la plus petite l'est encore moins). Accueil inégal selon les clients. Parfois très moyen.

Pour les routards motorisés, 3 bonnes adresses un peu excentrées :

Gîte Saint-Laurent : 4551, rue Notre-Dame Ouest. ☎ et fax : 378-35-33. En moyenne 55 $Ca (35,5 €). Appartement pour 4 personnes à 100 $Ca (64,5 €). À l'entrée de la ville, au niveau du bureau d'information touristique, prendre la petite rue qui longe le fleuve. La maison, grande et confortable, est un peu plus loin sur la droite, agréablement située dans un jardin avec une belle piscine qui s'étend jusqu'au fleuve. 4 belles chambres spacieuses et climatisées (la Rose, la Lilas, la Verte et la Bleue). Salle de bains commune. Accueil charmant de Yolande qui adore cuisiner et confectionne un petit déjeuner très copieux avec entrée, plat et dessert. Bref, à ce prix-là, une excellente adresse, n'oubliez pas de réserver.

Gîte Baie-Jolie : 711, rue Notre-Dame (c'est la 138), Pointe-du-Lac. ☎ et fax : 377-30-56. À partir de 55 $Ca (35,5 €). Propose également un forfait resto pour 107 $Ca (69 €). À 10 km à l'ouest de Trois-Rivières, au bord du fleuve. Jardin avec piscine, cadre calme et reposant. 3 chambres avec salle de bains, petit déjeuner copieux et accueil sympa. Belle salle commune. Jacques est suisse, Barbara, allemande, et ils se sont rencontrés en Afrique...

≙ ***Grand Papa Beau :*** 3305, rue Sainte-Marguerite, G8Z-1X1. ☎ 693-03-85. • grandpapa-beau@altavista.net • 50 $Ca (35,5 €). 10 $Ca (6,5 €) par personne supplémentaire. Carte *Visa* acceptée. À 10 mn en voiture du centre-ville, près de l'université du Québec. Prendre la sortie 198 de l'autoroute 40, puis bd des Récollets Nord jusqu'au bd Jean-XXIII, à droite. Maison splendidement décorée, ancienne ferme typiquement québécoise. 4 chambres de 2 à 4 places. Dommage qu'elles ne soient pas bien insonorisées. Carmen et Yvon sont très accueillants. Copieux petit déjeuner. Prix raisonnables.

Où manger ?

Nombreux restos en ville mais beaucoup sont très banals. La plupart se situent rue des Forges.

|●| ***Angéline, bar-ristorante :*** 313, rue des Forges. ☎ 372-04-68. Fax : 372-38-81. • www.restoangeline.com • Plats copieux à partir de 10 $Ca (6,5 €). Resto italien très agréable. Grande terrasse extérieure. Pour déguster pizzas, pâtes maison à toutes les sauces, hamburgers à l'italienne et autres spécialités. Ici règne une atmosphère méditerranéenne bien sympathique : petite fontaine, balcon, pavage romain... Après un bon cappucino, faites un petit tour aux toilettes où une voix off dispense des cours de langue. Décidément, on ne perd pas son temps ! Boutique de produits italiens. Une bonne adresse.

|●| ***Nord-Ouest :*** 1441, rue Notre-Dame. Au coin de la rue des Forges. ☎ 693-11-51. Ouvert midi et soir jusqu'à 3 h. Comptez 10 $Ca (6,5 €) pour un plat. Construit sur l'emplacement d'une ancienne banque, ce café est l'un des plus sympas du centre-ville : un coffre-fort tient lieu de réfrigérateur. Ceci dit, la nourriture n'en est pas plus riche pour autant... Dans une salle tout en longueur, où se mêlent briques et murs ocre, on peut donc manger à des prix très corrects une grosse salade ou des plats mexicains. Petite terrasse extérieure sur gazon. À l'étage, grande salle avec billards gratuits en journée. À signaler : concerts, vernissages...

|●| ***Souvlaki :*** 338, rue des Forges. ☎ 371-20-05. À peu près 10 $Ca (6,5 €) le plat. Ce restaurant grec est très fréquenté. Dans un grand espace sans réel charme, on vous sert des assiettes variées, bien garnies et vraiment pas chères. Bref, c'est l'endroit idéal pour les gros appétits qui ne veulent pas se ruiner.

|●| ***Cabane à sucre Chez Dany :*** 195, rue de la Sablière, Pointe-du-Lac. ☎ 370-47-69 ou 1-800-407-47-69. Ouvert tous les jours du 24 juin au 4 septembre de 11 h à 14 h et de 18 h à 22 h. Le reste de l'année sur réservation. Environ 14 $Ca (9 €). Pour y arriver, en venant de Montréal par l'autoroute 40, prendre la sortie 192 vers Pointe-du-Lac (chemin des Petites-Terres), puis à gauche le chemin Sainte-Marguerite, et c'est la rue à gauche. Grande bâtisse en bois au toit rouge. On mange à la bonne franquette dans une salle conviviale et rustique. Pour vous goinfrer à volonté de mets traditionnels et consistants comme les fèves au lard, le jambon à l'érable ou l'oreille de crisse. En plus, l'endroit est agréable. Orchestre de temps à autre. Possibilité de visiter la fabrique à sucre après l'orgie. Bon accueil.

À voir. À faire à Trois-Rivières et dans les environs

★ ***Le centre d'exposition sur l'industrie des pâtes et papiers :*** 800, Parc portuaire. Le long du fleuve. ☎ 372-46-33. 3 $Ca (1,9 €). De juin à début septembre, ouvert tous les jours de 9 h à 18 h ; hors saison, les samedi et dimanche de 11 h à 17 h. Histoire de l'industrie papetière (très importante au Canada) et créations originales en papier. Usages insolites, sous-produits, maquettes de machines. Visite guidée : 1 h environ. Bien présenté et instructif. Sachez que Trois-Rivières possède 2 usines de pâtes à papier, une école pour former des ingénieurs, ainsi qu'un centre de recherche.

★ ***La vieille ville :*** quelques édifices anciens, rescapés de l'incendie qui ravagea la ville en 1908, comme la *cathédrale* (rue Bonaventure), d'un style néogothique sans grand intérêt, le *manoir de Niverville* qui abrite une exposition permanente de meubles anciens, le *manoir de Tonnancour,* du XVIIIe siècle (864, rue des Ursulines ; ☎ 374-23-55), qui accueille aujourd'hui une galerie d'art, et le *monastère des Ursulines* (734, rue des Ursulines) qui fait office de musée (☎ 375-79-22). Le musée est ouvert de mai à octobre du mardi au vendredi de 9 h à 17 h, et les samedi et dimanche de 13 h 30 à 17 h ; de novembre à février sur réservation uniquement. De mars à avril, du mercredi au dimanche de 13 h 30 à 17 h. Présente des expositions historiques sur Trois-Rivières.

★ ***Le musée des Arts et Traditions populaires du Québec :*** 200, rue Laviolette, au cœur de la vieille ville. ☎ 372-04-06. Ouvert tous les jours sauf le lundi de 11 h à 18 h de fin juin à début septembre ; le reste de l'année, du mardi au dimanche de 12 h à 16 h 30 h. 6 $Ca (3,9 €). Visites guidées possibles. 6 salles présentant des expositions originales et variées, permanentes ou temporaires, sur les mots de la langue canadienne et leurs origines, la vie domestique et les métiers traditionnels (jouets, textiles, mobilier, outils...), l'archéologie et l'arrivée des ancêtres des premiers Amérindiens par le détroit de Béring... Reliée au musée par un passage, l'***ancienne prison*** de la ville vous fait découvrir l'histoire de la vie carcérale au quotidien, de 1920 à 1984, à travers le labyrinthe de ses 20 cellules.

LE QUÉBEC

★ ***Les forges du Saint-Maurice :*** 10000, bd des Forges. ☎ 378-51-16. Sur le site d'une des premières entreprises sidérurgiques du Canada. Ouvert tous les jours, de mai à septembre de 9 h à 17 h 30, et en septembre-octobre de 9 h à 16 h 30. 4 $Ca (2,6 €). Visites guidées possibles. Dans la Grande Maison, qui servit autrefois d'entrepôt, bureau, magasin, chapelle et logement, un spectacle son et lumière illustre le travail des ouvriers. Le haut fourneau, quant à lui, lieu principal de production de fonte pendant 150 ans, abrite aujourd'hui un centre d'exposition et d'interprétation. On peut aussi aller jeter un coup d'œil à la forge basse et à sa grande cheminée d'affinage, par le sentier piéton.
– On peut faire quelques ***excursions en bateau*** sur le Saint-Laurent. Sympa. Croisière à bord du *Draveur* pour découvrir le port et la jolie rivière Saint Maurice. ☎ 375-30-00 ou 1-800-567-37-37. 10 $Ca (6,5 €) par personne. Propose différents forfaits. Durée : 90 mn.

★ ***La cité de l'Énergie :*** à ***Shawinigan,*** à une demi-heure de voiture, prendre l'autoroute 55, sortie 211. ☎ 536-85-16 ou 1-800-383-24-83. Fax : 536-29-82. 12 $Ca (7,7 €). Durée de la visite : 3 h minimum. Ancien site industriel hydroélectrique, dont une partie est encore en service, reconverti en une sorte de cité des Sciences. 4 volets industriels y sont développés : l'hydroélectricité, l'aluminium, les pâtes et papiers et l'électrochimie. Spectacle multimédia sur l'évolution du secteur industriel. Visite de la centrale de la N.A.C. *(Northern Aluminium Company Power Station)*. On y apprend tout sur la production d'électricité. Bien présenté et très intéressant. Jeux interactifs très attractifs. Cafétéria avec boissons, sandwichs et plats chauds.

Fêtes

– ***Festival international de l'Art vocal :*** fin juin-début juillet. Pendant 6 jours, les rues de la vieille ville s'animent au son des chants sacrés, lyriques, populaires, ethniques et traditionnels. Festival très populaire qui accueille chaque année de plus en plus de monde.
– ***Festival international de la Poésie :*** fin septembre-début octobre. Plein d'activités autour de la poésie : concerts, expos, films, lectures publiques...

Dans les environs : le parc national de La Mauricie

À 60 km au nord de Trois-Rivières, par l'autoroute 55 (puis sortie 217). Renseignements : *Service canadien des parcs,* district de La Mauricie, 776, 5e rue, C.P. 758, Shawinigan (Québec), G9N-6V9. ☎ (819) 536-26-38.
Près de 550 km de collines, lacs et cascades, accessibles par de nombreux sentiers pédestres. Beau et sauvage. Hébergement en campings (bien aménagés) ou en gîtes (réservation conseillée en été, ☎ 537-45-55). Si l'on campe, on ne paie pas le droit d'entrée au parc. Activités : randos, bien sûr, mais aussi balade en canot amérindien (Rabaska) avec des naturalistes, pêche, baignade (en été), ski de fond (en hiver), etc. Avec un peu de chance, possibilité d'apercevoir la faune locale (castors, huarts à collier, orignaux...).
Au bord du parc, le village de Saint-Tite, à environ 30 mn de Trois-Rivières, ancienne capitale des bûcherons, accueille du 10 au 20 septembre environ le 2e rodéo du Canada. Une sorte de festival *Western* avec cow-boys, chariots et chevaux fougueux.

LE QUÉBEC

★ À Grandes-Piles, le ***village du Bûcheron*** illustre à travers ses 25 bâtiments la dure vie des bûcherons, draveurs et autres pionniers à qui la région doit son statut de capitale mondiale du papier. Ouvert tous les jours en été, de 10 h à 18 h. Visites guidées conseillées. ☎ 538-78-95. On y retrouve les différentes dépendances du camp de bûcheron traditionnel.

★ À Saint-Georges-de-Champlain, le ***musée d'Aviation de brousse*** retrace l'histoire de l'aviation civile et des pionniers de l'air depuis juin 1919, date à laquelle le 1er avion commercial a amerri au Lac-à-la-Tortue. ☎ 538-66-53. Ouvert l'été de midi à 21 h (17 h le week-end). Visite guidée d'environ 1 h 30 qui vous donnera peut-être envie de faire un tour en hydravion...
Lac-à-la-Tortue : d'où vient ce nom étrange ? D'anciennes mines d'extraction d'un minerai destiné à la fabrication de poêles de chauffage appelés « tortues ». Un jour, la nappe phréatique fut percée, les mines inondées, et le lac apparut, pas plus profond que 50 cm partout, dans un rayon de plusieurs centaines de mètres.

Où dormir ?

■ ***La Maison Bellemare :*** 2760, Principale, Saint-Jean-des-Piles. ☎ 538-23-01. Fax : 538-77-86. Quitter la route 55 à la sortie 226, puis suivre les indications « Parc de la Mauricie », le gîte se trouve 1 km avant l'entrée du parc. 50 $Ca (32,3 €) la nuit. 55 $Ca (35,5 €)

dans un cottage et 10 $Ca (6,5 €) par personne supplémentaire. C'est une grande maison au milieu d'un beau parc, au bord de la rivière Saint-Maurice. Situation enchanteresse. Tout respire le goût et la simplicité : les 4 chambres (3 doubles et 1 simple) et le salon à la grande cheminée, où la maîtresse de maison reçoit des pianistes pour des soirées de concert classique en été. Cette famille propose également 5 cottages bien aménagés dans le parc. Un vrai petit paradis pour écolos mélomanes.

Maison Trudel : 543, rue Goulet, Hérouxville. ☎ 365-76-24. Fax : 365-70-41. • maison-trudel quebec@concepta.com • Comptez 50 $Ca (32,3 €) la chambre double et 75 $Ca (40,4 €) la triple. De Trois-Rivières, prendre la route 55 Nord, jusqu'au bout, puis suivre Saint-Tite. Traverser ensuite la voie ferrée et prendre la 1re à gauche. 4 chambres dont 3 doubles. Décor rustique et champêtre. Un accueil très sympathique. Le patron vous conseillera sur les activités des environs (notamment la motoneige). Sa femme Nicole aussi est très sympa. Petit déjeuner très copieux de bûcheron : pain perdu, gaufres, sirop, confitures maison, œufs au bacon, gâteau et fèves au lard... Bonne adresse.

Village Innusit : à Lac-Édouard. ☎ 653-20-04. Fax : 653-21-04. De Trois-Rivières, route 155 ; sortir au km 150. Il vous en coûtera environ 65 $Ca (41,9 €) par personne pour souper, dormir et prendre le petit déjeuner. Vous dormirez dans l'un des six tipis de Vital et Lorraine, des hôtes qui vous permettront de profiter de la nature : randonnées autour du lac, espionnage des castors... et partage d'un tipi, après un dîner préparé par Lorraine.

LA ROUTE 138 ENTRE TROIS-RIVIÈRES ET QUÉBEC

Préférez de loin la charmante route 138 qui longe le fleuve à la banale autoroute 40 qui n'a que l'avantage de faire gagner du temps. Les villages le long du Saint-Laurent sont plutôt mignons, bordés de pimpantes maisons : Deschambault (avec une chouette adresse pour y dormir), Cap-Santé et Neuville sont de ceux-là. Reliant Montréal à Québec depuis 1874, le chemin du Roy est la 1re route carrossable du Canada.

★ **Grondines :** on y trouve le 1er moulin banal, l'un des plus anciens moulins à vent du Québec (1674). Ayant servi de phare pour la signalisation fluviale, il est aujourd'hui devenu un centre d'exposition en saison estivale. ☎ (419) 285-46-16. L'église a été érigée entre 1838 et 1840. Classé Monument historique, son presbytère est remarquable.

★ En passant à **Batiscan,** profitez-en pour aller visiter le vieux presbytère, imposant bâtiment de pierre construit en 1816 et situé au 340, rue Principale. ☎ (418) 362-20-51. 3 $Ca (1,9 €). Ouvert l'été, de juin à octobre, tous les jours de 10 h à 17 h. Visite avec livret explicatif ou visite guidée (comptez 30 à 45 mn).

★ De fin décembre à mi-février, ne manquez pas de passer à **Sainte-Anne-de-la-Pérade :** la rivière Sainte-Anne prend un visage étonnant, se couvrant de 600 petites cabanes, dont les planchers sont percés pour laisser passer... des fils de pêche ! C'est la pêche au *poulamon,* ou « petit poisson des chenaux », qui attire chaque année environ 100 000 Québécois. Quelques-uns ont leur cabane privée ; la plupart les louent, pour des tranches de 10 h, à n'importe quelle heure du jour et de la nuit. C'est, bien entendu, l'occasion d'une fête endiablée et très arrosée...

★ **Deschambault :** le vieux presbytère date de 1815. ☎ (418) 286-68-91. Visite l'été tous les jours de 9 h à 17 h. Ouvert en fin de semaine seulement en mai, septembre et octobre (10 h à 17 h). 1,5 $Ca (0,9 €) par personne. Au début du XXe siècle, les paroissiens l'utilisaient pour y entreposer la dîme payée en nature. Aujourd'hui, l'édifice abrite une exposition sur l'occupation des Iroquois au XVe siècle. À voir également : le *moulin de la Chevrotière,* situé à l'extrémité ouest de Deschambault.

★ ***Portneuf :*** la ville, située à l'embouchure de la rivière du même nom, offre le charme typique des agglomérations du fleuve Saint-Laurent. Son quai en eau profonde s'étire sur un kilomètre pour s'arrêter à proximité du chenal maritime. Ici, on pratique la « pêche à la fascine », à l'aide d'un filet installé perpendiculairement à la jetée; les prises sont principalement constituées d'anguilles. Depuis l'été 1997, un parc touristique attenant au quai accueille des bateaux de plaisance. Beaucoup d'activités y sont possibles : canoë-kayak, planche à voile, ornithologie, chasse et pêche (en saison).

★ ***Cap-Santé :*** le Vieux-Chemin, connu comme une des plus belles rues du Canada, domine le Saint-Laurent. À voir : la *maison de Mademoiselle Bernard* (1890) et l'église (1752-1768), derniers exemples de l'occupation française.

★ ***Donnacona :*** reprenant l'ancien tracé du chemin du Roy, la rue Notre-Dame mène au site de la papeterie *Produits Forestiers Alliance,* rouage essentiel de l'économie de la ville. Au début du XXe siècle, les cadres anglophones de la compagnie se sont regroupés le long du boulevard Saint-Laurent dans un secteur surnommé « le quartier des Anglais ».
– La *corporation de restauration de la Jacques-Cartier* opère une passe migratoire de saumons de l'Atlantique où l'on peut observer ces poissons venus frayer et se reproduire. Sur place, un centre d'interprétation initie le visiteur au cycle de la vie du saumon. La pêche est pratiquée du 1er juillet au 30 septembre (permis de pêche sur place, obligatoire). ☎ (418) 285-22-10.

★ ***Neuville :*** la rue des Érables abrite un riche éventail d'exemples d'architecture ancienne précieusement conservés. À ne pas manquer : maisons Larue et Angers, chapelle Sainte-Anne, église Saint-François-de-Sales. Visites : ☎ (418) 286-30-02.

★ ***Saint-Augustin-de-Desmaures :*** l'église (construite entre 1809 et 1816) abrite des œuvres remarquables dont deux anges près du maître-autel. Entourant en partie l'église, noter le cimetière clôturé, avec ses symboles uniques au Québec : deux hiboux, gardiens de la nuit. Le calvaire à cinq personnages, édifié en 1880, est orné de statues de bronze importées de France.
– *Érablière le Chemin du Roy :* 237, chemin du lac Nord, Saint-Augustin-de-Desmaures. ☎ 878-50-85. Lieu de tradition québécoise, l'érablière « le Chemin du Roy » tire son nom de l'ancien chemin ancestral qui la traverse. Repas de cabane à sucre typiquement québécois, sur réservation seulement, avec animation musicale traditionnelle et folklorique. Visite de l'érablière de mi-mars à mi- octobre.

Où dormir ? Où manger en route ?

■ ***Gîte du Passant Le Saint-Élias :*** 951, rue Principale, Batiscan. ☎ (418) 362-27-12. Fax : 362-20-81. • www.quebecweb.com • Entre 55 et 65 $Ca (35,5 et 38,7 €). Par l'autoroute 40, sortie 229 Sud direction Batiscan. Dans une jolie maison de la fin du siècle dernier, face au fleuve. Calme et agréable. 4 chambres très mignonnes, arrangées avec goût. 2 salles de bains. Intérieur confortable. La propriétaire est adorable, le petit déjeuner copieux et bien présenté. Bref, vous l'aurez compris, une bonne adresse! Pour les amateurs, galerie d'art québécois juste à côté.

■ |●| ***Auberge du Passant Ma-***

noir Dauth : 21, bd de Lanaudière, Sainte-Anne-de-la-Pérade (sortie 236 sur l'autoroute 40). Juste avant le pont. ☎ et fax : 325-34-32. • ma noir.dauth@tr.cgocable.ca • Ouvert toute l'année. 52 $Ca (33,5 €) environ. Lise Garceau et Yvan Turgeon, les proprios-aubergistes, vous accueillent très chaleureusement dans leur belle maison de pierre de 1842, qu'ils ont restaurée avec beaucoup de raffinement. 5 belles chambres romantiques, certaines avec lit à baldaquin, qui portent chacune le nom d'un personnage du Sainte-Anne d'antan. Salles de bains toutes neuves et impeccables. Salle de lecture, salon, terrasse à l'ancienne. Petit déjeuner et dîner excellents, cuisine fine. Propose aussi des forfaits traîneau à chiens et pêche. Initiation au kayak de mer en été. L'auberge fait partie de « La Grande Tournée », sorte de circuit historique et patrimonial de ce beau village. De mai à octobre, le petit musée de *l'Isle des Pins* ouvre gratuitement ses portes.

Relais champêtre Les Santons : 200, Rapide Nord, Sainte-Anne-de-la-Pérade. ☎ 325-29-07. Fax : 325-31-79. Ouvert uniquement aux lecteurs du *Routard.* À peu près 70 $Ca (45,2 €). Un peu excentré, mais la table d'hôte y est excellente. Pour y accéder de Sainte-Anne, quitter la route 138 par la 159, direction Saint-Prosper, puis prendre la 354 à droite, direction Saint-Casimir. La route longe la rivière Sainte-Anne, et la maison est à quelques kilomètres sur la gauche, en plein champ. 3 chambres très agréables, l'une d'elles a même une cheminée. Le patron, adorable, est un ancien agriculteur. À table, le soir, il sert les produits tout frais cueillis de son jardin et préparés par ses soins. Et comme il est bon cuisinier, on se régale. Pas de vin, donc apportez le vôtre si vous désirez en boire. Souvent complet le week-end. Ne prend pas de carte bancaire. Aux dernières nouvelles, la maison est en vente, donc bien se renseigner avant de s'y rendre.

Maison de la Veuve Grolo : 200, chemin du Roy, Deschambault. ☎ (418) 286-68-31. Comptez 60 $Ca (38,7 €). Le village se trouve exactement à mi-chemin entre Trois-Rivières et Québec. Jolie maison de 1715, classée monument historique, ayant appartenu à une certaine veuve Grolo. Terrain arboré. Propose 4 belles chambres meublées dans les styles années 30, 50 ou victorien. Intérieur en bois coloré. Belle salle de bains et élégant salon rouge. Donald, le propriétaire, est très sympa. On peut y dîner sur réservation (là encore, apporter son vin).

QUÉBEC (LA VILLE) 690 000 hab. IND. TÉL. : 418

Pour les plans I, II et III de Québec, se reporter respectivement aux planches XII-XIII, XIV-XV, et XVI du cahier couleur.

Si vous arrivez de Montréal avec l'idée que vous allez retrouver le même genre de ville, la surprise sera réelle. Québec ressemble autant à Montréal que Sarlat à Dunkerque. En 1672, le gouverneur Frontenac écrivit à Colbert : « Rien ne m'a paru si beau et si magnifique que la situation de Québec. » Vous nous avez compris, Québec, c'est une vieille ville, très belle, à la taille modérée, et qui puise son originalité dans son décor de film de cape et d'épée, tout à fait unique dans l'Amérique des gratte-ciel et des pelleteuses. Les Yankees ne s'y sont pas trompés d'ailleurs; ils rappliquent en masse remplir leurs narines d'un authentique parfum d'exotisme. Et nous, on a vite fait d'oublier les inévitables autoroutes qui viennent lécher les murailles séculaires, de se laisser prendre au charme de Québec et d'y retrouver une atmosphère chaleureuse et bon enfant qui manque à tant de nos belles villes

de province, aussi historiques soient-elles. Ne ratez vraiment pas Québec, c'est un must (comme dirait Jacques ; pas le bijoutier, l'autre !), même si elle est vraiment très touristique l'été.
Québec viendrait de *Kebec,* mot algonquin signifiant « là où la rivière se resserre », choisi par Samuel de Champlain, en 1608, pour nommer ce lieu.

À quel moment y aller ?

Dans la 1re quinzaine de juillet, au moment du Festival d'été international de Québec (« La » manifestation francophone des arts de la scène et de la rue en Amérique), ou le 24 juin, jour de la fête nationale du Québec. Arrangez-vous pour être à la Saint-Jean à Montréal et ici début juillet, vous aurez deux aspects de la fête. De toute façon, la Saint-Jean, que vous la passiez à Montréal ou à Québec, ça sera un grand moment ! Et le festival, un autre tout aussi extraordinaire. Ces deux occasions vous permettront de vivre la joie immense, la fierté de la population de se sentir québécoise, joie profonde, spontanée, sans fards ni artifices. Notre vieil esprit raisonneur, notre comportement plein de retenue et de scepticisme en prennent un vieux coup et il ne vous faudra pas longtemps pour rejoindre la farandole. Début juillet, Québec appartient aux jeunes de tous âges. Ne loupez pas cette explosion qui ébranlera pour toujours vos certitudes (voir plus loin, la rubrique « Fêtes »).

Les gens

Ce n'est rien de dire qu'ils sont gentils et chaleureux, ils ont quelque chose en plus, indéfinissable, qu'on ressent profondément. Peut-être l'art de faire passer un courant qui distille une amitié sans arrière-pensées. Nous avons été frappés de l'homogénéité et de l'esprit collectif des habitants de Québec, ainsi que d'un certain esprit de clan. Défenseurs acharnés de la langue française, les Québécois sont les premiers à dénoncer haut et fort la dérive linguistique du français en France. Opiniâtres, généreux, amateurs de discussions serrées, extrêmement chatouilleux sur les questions politiques, les Québécois se révèlent accrochés à leur passé mais résolument tournés vers l'avenir.

Adresses utiles

Infos touristiques

ℹ ***La Maison du tourisme de la province de Québec*** *(plan couleur II, C2) :* 12, rue Sainte-Anne, près du château Frontenac. ☎ 1-800-363-77-77. Ouverte tous les jours de 8 h 30 à 19 h 30 de fin juin à début septembre ; le reste de l'année, de 9 h à 17 h. On y trouve des cartes routières sur tout le Québec. Elles sont très pratiques. On y trouve aussi une agence de location de voitures et un bureau de change.

ℹ ***Office du tourisme de la communauté urbaine de Québec*** *(plan couleur III, B3) :* 835, av. Wilfrid-Laurier. ☎ 692-24-71. Fax : 692-14-81. De début juin à la fête du Travail (1er lundi de septembre), ouvert tous les jours de 8 h 30 à 19 h 45 ; en avril, mai, septembre et octobre, ouvert du lundi au vendredi de 8 h 30 à 17 h 30 ; le reste de l'année, du lundi au vendredi de 8 h 30 à 17 h. Cet office ne s'occupe que de la ville et ses environs. Accueil très sympa. Possibilité de téléphoner gratuitement aux hôtels. On y trouve toutes les brochures, les cartes et les renseignements sur les activités que propose la ville.

– En été, on trouve aussi dans la vieille ville des points d'information mobiles : ce sont des jeunes de l'office du tourisme à mobylette et signalés par un gros point d'interrogation.

Services

✉ ***Poste :*** 300, rue Saint-Paul *(plan couleur II, B1)*. Ouvert du lundi au vendredi de 8 h à 17 h 45. Une autre au n° 3, rue Buade.

Argent, change

■ ***American Express :*** 46, rue Garneau (intra-muros, pas loin de l'hôtel de ville) ; 2740, place Laurier, Sainte-Foy, au magasin *La Baie*. ☎ 658-88-20. Également aux *Galeries de la Capitale* (au magasin *La Baie*). ☎ 627-25-80.

■ Pour retirer de l'argent avec une *carte Visa,* les 7 agences de la ***Banque Royale*** possèdent pour la plupart des distributeurs. Deux adresses : une au 700, place d'Youville et une autre au 140, Grande Allée Est.

Représentations diplomatiques

■ ***Chancellerie de France.*** Renseignements et services culturels : 1110, av. des Laurentides. ☎ 694-22-94. Services administratifs : 25, rue Saint-Louis. Même téléphone. Ouvert normalement du lundi au vendredi de 9 h à 12 h 30 et de 14 h à 16 h 30 (sur rendez-vous l'après-midi). Salle de lecture. Les coopérants peuvent apporter aux routards une aide non négligeable (leurs connaissances, leurs appartements).

■ ***Délégation Wallonie-Bruxelles :*** 43, rue Buade. ☎ 692-16-14. Ouvert du lundi au vendredi de 9 h à 17 h.

■ ***Consulat des États-Unis :*** 2, place Terrasse-Dufferin. ☎ 692-20-95. Ouvert du lundi au vendredi de 14 h à 16 h, plus les mardi et jeudi matin de 9 h à 11 h.

■ ***Consulat de Suisse :*** 3293, 1re Avenue. ☎ 623-98-64.

Santé

■ ***Pharmacie ouverte 24 h/24 :*** *Brunet,* 4266, 1re Avenue, Galeries Charlesbourg. ☎ 623-15-71.

■ ***Urgences, tous les jours 24 h/24 :*** ☎ 911 pour tout type d'urgences. N° Vert (appel gratuit).

Transports

✈ ***L'aéroport*** de Québec est à Sainte-Foy (20 mn du centre-ville). La compagnie *Dupont* assure le trajet Québec-aéroport. Une petite dizaine de trajets par jour. 3 seulement en hiver. Horaires à l'office du tourisme.

■ ***Air France :*** ☎ 529-06-63. Appel gratuit : ☎ 1-800-667-27-47.

■ ***Air Transat :*** pas de bureau à Québec. Renseignements pour les horaires de départs et d'arrivées : ☎ 872-10-11.

■ ***Air Canada :*** ☎ 692-07-70. Le bureau de l'aéroport est ouvert de 5 h 30 à 21 h 30 en été (horaires variables l'hiver).

Gare ferroviaire (Via Rail ; *plan couleur III, B1)* ***:*** gare du Palais, 450, rue de la Gare-du-Palais. ☎ 692-39-40. Consignes (24 h maxi).

Gare centrale des bus *(plan couleur III, B1)* ***:*** gare du Palais, 320, Abraham-Martin. ☎ 525-30-00. C'est le point d'arrivée et de départ de tous les bus des compagnies privées. Bus pour Montréal toutes les heures, à l'heure pile. Consigne.

■ ***STCUQ :*** ☎ 627-25-11. La société de transports en commun de Québec. *Pour les transports en bus, il faut avoir la monnaie juste avant de monter.* À l'unité, le ticket de bus peut s'acheter dans les épiceries ou les tabagies signalées, c'est un peu moins cher! Trajets illimités pendant 1 journée avec le *Bus Pass* (4 $Ca, soit 2,6 €). On se procure facilement les horaires d'autobus au comptoir d'information de la *STCUQ*.

Circuits touristiques

■ ***Grayline :*** circuits touristiques, en ville et dans la région. ☎ 622-97-22.

■ ***Trolleybus :*** visites touristiques *Feuille d'Érable et Dupont*. ☎ (418) 649-92-26. 3 véhicules de 45 places, conçus dans le style des anciennes voitures de tramway, relient régulièrement les hôtels de la haute ville aux principaux sites touristiques.

Location de voitures

■ ***Hertz*** *(plan couleur II, B2)* ***:*** 44, côte du Palais; dans le Vieux Québec. ☎ 694-12-24. Forfait week-end kilométrage illimité. Pour ceux qui veulent se rendre de Québec aux États-Unis en voiture de location, se renseigner ici : ils ont souvent des véhicules qui doivent y retourner... donc pas de frais de rapatriement.

■ ***Pelletier :*** 5070, bd du Jardin, Charlesbourg. ☎ 621-06-78. 1600, bd Charest Ouest, Sainte-Foy. ☎ 687-54-54. 6385, bd Hamel, Ancienne Lorette. ☎ 872-66-36.

Prix très intéressants :

■ ***Discount :*** centre-ville. ☎ 692-12-44. Offre de bons prix.

■ ***Tilden :*** 295, rue Saint-Paul. ☎ 694-17-27. Bons prix également.

Location de vélos et roller-blades

■ ***Cyclo Service :*** sur le vieux port. ☎ 692-40-52. Accueil très sympa.

■ ***Vélo Passe-Sport :*** 77 A, rue Sainte-Anne. ☎ 692-36-43. Loue aussi des rollers.

Auto-stop

■ ***Allo-Stop :*** 467, rue Saint-Jean ☎ 522-34-30. • allostop@total.net • Nous avons reçu récemment quelques plaintes de lecteurs au sujet du fonctionnement de ce système...

Loisirs

Se procurer l'hebdo *Voir* pour les spectacles. Il est distribué gratuitement en maints endroits (librairies, restos, dans la rue...). Et encore : *Aujourd'hui à Québec, Québec Scope* (mensuel gratuit) ou le guide touristique *Région de Québec* (gratuit).

■ ***Maison de la Presse internationale*** *(plan couleur II, B2)* ***:*** 1050, rue Saint-Jean (face à la rue Sainte-Ursule). Tous les quotidiens français (*Le Monde, Libé,* etc.). Grand choix de revues et cartes postales.

■ ***Bibliothèque Gabrielle-Roy :*** 350, Saint-Joseph Est. ☎ 529-09-24. La plus belle de toute la province. Elle comprend un réseau d'une dizaine d'annexes, dont celle du Vieux Québec, 37, rue Sainte-Angèle.

■ ***Disques :*** *Archambault Musique,* 1095, rue Saint-Jean ou place Sainte-Foy, 2450, bd Laurier, le plus grand disquaire à Québec, avec les meilleurs prix, notamment sur les nouveautés. Disques classiques 3 fois moins chers qu'en France, ceux de la marque Naxos notamment.

■ ***Piscine gratuite :*** bd Champlain, au sud du Vieux Québec, à 20 mn de marche du traversier, direction ouest. ☎ 692-62-11. Également sur les plaines d'Abraham, à côté du musée du Québec. Ouverte en été seulement. Fermée de 16 h 30 à 17 h. Bonnet obligatoire.

Divers

■ ***Laverie automatique*** *(plan couleur II, B2) :* 35, rue Saint-Flavien. Ouverte tous les jours de 8 h à 21 h. On peut aussi y sécher son linge. Également 17 *bis,* rue Sainte-Ursule. Ouverte de 9 h à 21 h mais fermée le dimanche.

– Attention, attention ! Le *GDR,* qui pense à tout, vous a dégoté les rares magasins de Québec où vous trouverez des ***recharges de camping-gaz*** *: Latulipe,* 637, Saint-Vallier Ouest, à l'angle de la rue Marie-de-l'Incarnation. ☎ 529-00-24. Ou *boutique de chasse et pêche,* 1221, bd Duplessis, près du boulevard Hamel. ☎ 871-12-16.

■ Un bon copain à nous : ***Gino Poulin,*** 751, rue de la Salle. ☎ 522-78-90. Grand voyageur, routard, randonneur, et fin connaisseur du Québec, Gino, étudiant en agroéconomie, peut vous donner quelques très bons conseils sur la ville ou sur la forêt (et la nature en général), qu'il connaît bien. Mais ne pas le déranger pour rien.

Circulation en ville

À Québec, on marche ! C'est assez peu fréquent pour qu'on le signale. Ami automobiliste, toute la Haute Ville se parcourt à pied et c'est tant mieux (pensez tout de même au funiculaire, entre la basse et la haute ville). Il existe un document indiquant les principaux parcs de stationnement. Pratique. À demander à l'office du tourisme. La plupart des parkings sont très « dispendieux », à l'exception de celui situé entre les rues Saint-Paul et Saint-André (60 places).

Il existe par ailleurs une piste cyclable qui permet d'aller du centre de Québec en passant par le vieux port et son marché jusqu'à Montmorency et Sainte-Anne-de-Beaupré. Sur les plans donnés par les OT figurent toutes les pistes cyclables de Québec et de ses environs.

Où dormir ?

En été, c'est un peu difficile de se loger, ainsi qu'au moment du carnaval. Arriver de bonne heure dans les AJ (avant 10 h) et les hôtels. La rue Sainte-Ursule compte la plus grande concentration d'hôtels, ainsi que la rue Sainte-Anne. Certains préfèrent loger à Lévis : gîtes moins chers, moins surpeuplés et le traversier est très pratique.

Bon marché

■ ***Auberge de la Paix*** *(plan couleur II, B2, 11) :* 31, rue Couillard, G1R-1V9. ☎ 694-07-35. • alebeuf@qbc.clic.net • Ouverte toute l'année. Ferme à 2 h. La nuitée et le petit déjeuner à 19 $Ca (12,2 €). Draps à 2 $Ca (1,3 €). Possibilité de réserver par téléphone mais il faut alors arriver avant 18 h. 60 lits seulement. L'endroit de loin le plus sympa à notre avis. À côté de la rue Saint-Jean, toujours très animée. Chambres et dortoirs de 2, 3, 4, 6 ou 8 lits. Même prix quelle que soit la grandeur du dortoir. Pas cher et bien tenu. Jean, le patron, donne d'excellents conseils pour visiter la ville et la région. Si vous vous garez au parc de stationnement Richelieu, en face de l'hôpital, rue Mac-Mahon, il vous remboursera en principe la moitié du prix. En basse saison, à partir d'une semaine, une nuit gratuite. Draps obligatoires si vous n'avez pas de sac de couchage (ils sont fournis, mais c'est payant). Petit déjeuner compris (à volonté). Carte des AJ non obligatoire. Location de bicyclettes et VTT. Consigne gratuite et cuisine à disposition. Laverie tout près. Cour aménagée très sympa. Pour manger d'excellentes salades et snacks pas trop chers en compagnie de la jeunesse locale, allez chez *Temporel,* juste à côté.

■ ***Centre international de séjour de Québec*** *(plan couleur II, B2,* ***12****)* ***:*** 19, rue Sainte-Ursule. ☎ 694-07-55. Fax : 694-22-78. Ouvert toute l'année, 24 h/24. La nuit par personne en dortoir : 16 $Ca (10,3 €). Chambre double à 46 $Ca (29,7 €), 51 $Ca (32,9 €) avec les petits déjeuners. Petit déjeuner à 4 $Ca (2,6 €). Ajoutez 4 $Ca (2,6 €) par nuit si vous n'avez pas la carte. C'est l'auberge de jeunesse officielle de la ville. 245 lits en tout. Dortoirs ou chambres de 2 ou 4 lits. Moins cher si l'on a la carte internationale des AJ. 3 dortoirs de 10 à 12 lits (dont 1 mixte). Réservation possible par téléphone. Oreillers et couvertures fournis. Draps à louer. Carte *Visa* acceptée. Une véritable ruche, avec dédale d''escaliers et couloirs. On y trouve une grande salle commune avec billard et jeux vidéo. Cafétéria où l'on peut prendre, entre autres, de copieux petits déjeuners bon marché. Les animateurs sont plutôt cool et donnent plein d'infos touristiques. Organisent aussi des tours de ville parfois gratuits. Également disponibles à l'AJ : cabine téléphonique, casiers, machine à laver (payants), cuisine.

■ ***YWCA*** *(hors plan couleur III par A3,* ***13****)* ***:*** intersection du 865 de l'avenue Holland et du chemin Sainte-Foy, à l'écart du centre-ville. ☎ 683-21-55. Accueille filles et garçons toute l'année. Chambre double à 40 $Ca (25,8 €), la simple à 27 $Ca (17,4 €). Franchement, on le dit tout net : on vous cite cet immeuble excentré car il offre un grand nombre de lits l'été mais il ne présente aucun intérêt. Glauque, sans âme, cher, et quelle perte de temps pour y aller ! Pas de cafétéria, mais cuisinette à disposition.

■ ***Université Laval :*** ☎ 656-29-21. De mi-mai au 20 août environ. Se renseigner au bâtiment Biermans-Moraud. Loin du centre, peu pratique et pas si bon marché (plus cher que l'AJ). À 20 mn en bus du centre-ville. En fait, une adresse de dernier recours quand on ne trouve rien d'autre. On la cite, mais on ne la conseille pas.

– Nombreuses ***chambres à louer (tourist rooms)*** un peu partout dans la ville. Assez valable si l'on est deux. Il vaut d'ailleurs mieux se loger dans la vieille ville (à l'intérieur des fortifications).

QUÉBEC (LA VILLE)

HÔTELS

Quasiment tous nos hôtels sont intra-muros, ça va de soi...

Assez bon marché

■ ***La Maison du Général*** *(plan couleur II, B3,* ***15****)* ***:*** 72, rue Saint-Louis. ☎ 694-19-05. À l'entrée de la vieille ville (par la porte Saint-Louis). Certainement l'adresse la moins chère de la ville. Ici, les prix ne sont pas assujettis à la taxe (étant peu élevés). Chambres passablement vétustes et ameublement dépareillé. Quelques-unes avec douche (plus chères). Pas de petit déjeuner. Faites-vous raconter l'histoire du général ! Accueil correct. Attention : ne prend pas de réservation ; il faut arriver après midi...

■ ***Hôtel Manoir Charest*** *(plan couleur III, A2,* ***24****)* ***:*** 448, rue Dorchester-sud. ☎ 647-93-20. Fax : 529-51-20. • manoir@videotron.ca • Chambre double avec ou sans sanitaires de 68 et 78 $Ca (de 43,9 et 50,3 €). Dans la basse ville, à l'angle du boulevard Charest. Un petit hôtel tout simple, sans charme mais assez bon marché et à deux pas du centre. Mobilier d'hôtellerie qui a vécu, mais bien entretenu, et surtout accueil doux et souriant de la patronne qui donne volontiers ses bonnes adresses de restaurants. Un peu bruyant côté rue, plus calme à l'arrière bien sûr. Petit déjeuner continental inclus.

■ ***Manoir des Remparts*** *(plan couleur II, C1-2,* ***14****) :* 3 1/2, rue des Remparts. ☎ 692-20-56. Fax : 692-11-25. Chambre double avec sanitaires communs à 45 $Ca (29 €), avec sanitaires privés à 65 $Ca (41,9 €). Pour 4 personnes avec sanitaires communs : 65 $Ca (41,9 €), avec sanitaires privés : 85 $Ca (54,8 €). Vieillot, vieillissant, mais correct. Tenu par une grande famille d'Asiatiques très sympathique, cet hôtel très calme propose des chambres à prix compressés. À défaut d'être agréables, certaines ont vue sur le port (côté industriel, mais avec plus de lumière...). Petit déjeuner inclus dans le prix. Très bon rapport qualité-prix à 5 mn du château Frontenac. Ambiance familiale dans un drôle de bric-à-brac. Vraiment intéressant pour quatre. Interdit de fumer.

Prix moyens

■ ***Auberge de la Place d'Armes*** *(plan couleur II, C2,* ***22****) :* 24, rue Sainte-Anne. ☎ 694-94-85. Fax : 694-13-15. Numéro d'appel gratuit : ☎ 1-800-465-78-47. Chambre pour deux de 55 à 95 $Ca (35,5 à 61,3 €) selon le confort. En plein centre du Vieux Québec, dans la rue la plus touristique. Chambres à des prix assez étonnants pour l'endroit. Hôtel sur 3 niveaux, avec escalier raide et étroit. Chambres plutôt petites, avec sanitaires privés, ou à partager. Effort sur la déco, mais c'est pas encore ça. Certaines chambres sont assez usées, avec peinture craquelée, tapisseries défraîchies, etc. Le rapport qualité-prix reste pourtant très bon, comme l'accueil, amical et dynamique. Restaurant au rez-de-chaussée et petits déjeuners servis juste à côté au café suisse.

■ ***L'hôtel particulier Belley*** *(plan couleur II, B1,* ***23****) :* 249, rue Saint-Paul, Carré-Parent. Dans la ville basse. ☎ 692-16-94. Fax : 692-16-96. Chambre double sans le petit déjeuner entre 85 et 100 $Ca (54,8 et 64,5 €) selon la dimension de la chambre. Dans un quartier plutôt agréable, entre la belle gare du Palais et le vieux port. Maison de caractère avec café branché au rez-de-chaussée et chambres confortables à l'étage, entièrement rénovées. Décoration design d'un goût certain, équipement moderne et confort assurés. Plusieurs prix, de la chambre standard (prix moyens) à celle, chère mais spacieuse, équipée d'une cuisine. Toutes avec douche, TV, téléphone et ventilateur, et certaines avec AC. Réductions importantes hors saison (à partir de mi-septembre). De plus, l'hôtel est géré par une sympathique équipe de jeunes. Attention toutefois, si vous devez aller à l'annexe, l'endroit a beaucoup moins de charme et le rapport qualité-prix en prend un sérieux coup...

■ ***Hayden's Wexford House*** *(hors plan couleur III, par B3,* ***25****) :* 450, rue Champlain. ☎ 524-05-24. Fax : 648-89-95. Ancienne auberge irlandaise du XVIIIe siècle qui a récemment retrouvé sa fonction première : accueillir des visiteurs. Un *Gîte du Passant* coincé entre la falaise et le Saint-Laurent. 4 chambres bien décorées et accueillantes avec une salle de bains, ou studio plus cher. Également appartement pour 4. Petit déjeuner compris, servi dans une belle salle à manger en pierre et brique. L'hiver, fait table d'hôte le soir, mais uniquement sur réservation. Accueil extrêmement sympathique de Louise, Françoise et Jean, précédemment restaurateur à Montréal.

■ ***Auberge Saint-Louis*** *(plan couleur II, B3,* ***20****) :* 48, rue Saint-Louis. ☎ 692-24-24. Fax : 663-78-78. La chambre et les petits déjeuners pour deux avec sanitaires privés autour de 85 $Ca (54,8 €), avec sanitaires partagés autour de 55 $Ca (35,5 €). Excellent accueil, pro et courtois.

Chambres régulièrement rénovées. Confortable, simple et de bon goût. Toute une gamme de prix, depuis la chambre avec lavabo à la suite avec cheminée et salle de bains. Bon rapport qualité-prix, surtout pour les chambres avec douche. Celles qui donnent sur la rue sont un peu bruyantes. Petit déjeuner servi à la *Crêperie du Château Frontenac,* endroit très agréable.

Auberge de la Chouette *(plan couleur II, B3, **29**) :* 71, rue d'Auteuil, G1R 4C3. ☎ 694-02-32. Chambre double avec sanitaires privés entre 58 et 80 $Ca (37,4 et 51,6 €) selon la saison. Face au parc de l'esplanade, à proximité de la porte Saint-Louis. Petit hôtel discret au-dessus du restaurant *Apsara* (voir notre rubrique « Où manger? »). Une dizaine de chambres plus ou moins spacieuses et diversement meublées, sans luxe ni originalité, mais bien tenues et toutes climatisées. Certaines avec de beaux sanitaires et meubles anciens. Situation idéale et assez calme. Côté parc, c'est mieux, la vue est agréable. Balais des calèches et pas tranquille des chevaux. Pour le prix, l'ensemble est correct, et la famille asiatique qui dirige l'affaire est très sérieuse et serviable.

Manoir La Salle *(plan couleur II, B2, **16**) :* 18, rue Sainte-Ursule. ☎ 92-99-53. Chambre double sans petit déjeuner de 55 à 75 $Ca (34,5 à 48,4 €). En face du centre international de séjour. Maison bourgeoise à l'atmosphère *cosy,* avec bel escalier de bois verni. Propriété d'une attachante dame (Thérèse Lachance), un rien étourdie et un peu autoritaire, qui vous accueille avec ses quatre chats dont Croque-Monsieur, et l'apathique Paillasson. Grandes chambres claires avec douche commune, pas chères, vastes et confortables mais un peu tristes. Le tout très propre (mais allergiques aux poils de chat s'abstenir !). Ne sert pas de petit déjeuner. Loue également des studios à la semaine.

Château de Léry *(plan couleur II, C3, **18**) :* 8, rue de Laporte. ☎ 692-26-92. Fax : 692-52-31. Numéro d'appel gratuit : ☎ 1-800-363-00-36. Chambre double de 80 à 130 $Ca (51,6 à 83,9 €) selon le confort. Parking autour de 7 $Ca (4,5 €). Situé près du château Frontenac et face au Saint-Laurent. Attention, cet hôtel n'a de château que le nom. Des chambres pas mal, régulièrement rafraîchies, suffisamment vastes et climatisées. En revanche, couloirs et réception vieillissants et déprimants. Petit déjeuner inclus mais frugal. Prix légèrement au-dessus de la moyenne, on paie sans doute l'emplacement. Parking à prix intéressant.

La Maison Demers *(plan couleur II, B3, **17**) :* 68, rue Sainte-Ursule. ☎ 692-24-87. Chambre double de 65 à 85 $Ca (41,9 à 54,8 €) avec le petit déjeuner et le parking. Bonbonnière tenue par des gens de l'âge d'or, spontanés et causants. Vite complet car il n'y a que 8 chambres, certaines avec salle de bains, spacieuses mais vieillotes. Aussi quelques-unes avec terrasse. Chambres pour 4 très grandes. Accueil parfois un peu dépassé en pleine saison. Déco kitsch. Parking à disposition (mais loin) et petit déjeuner très simple inclus dans le prix.

La Maison Sainte-Ursule *(plan couleur II, B3, **19**) :* 40, rue Sainte-Ursule. ☎ 694-97-94. Bâtisse bicentenaire à deux pas de la porte Saint-Jean. Chez lui, Maurice Decker cultive ses plantes grasses et cactus, mais aussi un certain art de vivre et de recevoir. Cet hôtelier atypique a été photographe, peintre, traducteur, en France et en Angleterre avant de s'établir au Québec. Il gère son hôtel d'une façon très personnelle, et aime consacrer du temps à ses clients, pourquoi pas autour d'un verre, et parfois tard le soir. Un drôle de personnage toujours accompagné de son cacatoès également appelé Maurice. Chambres simples, sur rue ou sur cour, calmes comme à la campagne. Ambiance guest-house, et entretien un peu... bohème. Prix variables, donc demander à visiter une chambre pour se faire une idée. Une adresse qui ne fait pas l'unanimité, mais que certains adoreront.

Plus chic

Au Jardin du Gouverneur *(plan couleur II, C3, **27**)* **:** 16, Mont-Carmel. ☎ 692-17-04. Fax : 692-17-13. Chambre double de 60 à 125 $Ca (38,7 à 80,6 €). Au cœur du Vieux Québec, cette grosse bâtisse offrant une belle vue propose des chambres de qualité, toutes avec sanitaires, AC, TV. Petit déjeuner continental inclus, mais pas terrible. Les chambres donnant sur l'arrière sont évidemment les plus abordables, ainsi que celles au 3e étage. Prix variant du simple au double en fonction de la vue et de la taille. Les nos 102 (pour 2 personnes) et 202 (pour 4) sont les plus chères mais aussi les plus agréables. Les moins chères sont vraiment petites, préférez celles de gamme intermédiaire.

Hôtel Manoir d'Auteuil *(plan couleur II, B3, **28**)* **:** 49, rue d'Auteuil. ☎ 694-11-73 Fax : 694-00-81. Chambre double avec petit déjeuner continental de 90 à 150 $Ca (58 à 96,8 €). À deux pas de la porte Saint-Louis. Belle demeure de caractère. Intérieur feutré, très bourgeois. Beaucoup de mobilier et boiseries des années 30 et 50. Chambres vraiment confortables, assez luxueuses et assez chères, mais on en a tout de même pour ses dollars. Édith Piaf descendit dans la no 8, qui possède une superbe salle de bains bleu royal et 2 lits queen. La plus chère est équipée de douche thalasso et baignoire. Accueil sympa et coloré, parfois un peu loufoque, mais toujours chic. Un établissement qui ne réserve que de bonnes surprises quand on en a les moyens.

La Maison Acadienne *(plan couleur II, B3, **26**)* **:** 43, rue Sainte-Ursule. ☎ 694-02-80. Fax : 694-04-58. Appel gratuit : ☎ 1-800-463-02-80. Chambre double sans salle de bains autour de 51 $Ca (32,9 €), avec salle de bains à partir de 69 $Ca (44,5 €) et jusqu'à 200 $Ca (129 €) selon la taille, l'équipement, AC, etc. Un peu moins cher hors saison. Grande maison bien située, ce qui en fait la proie d'un grand nombre de touristes. Une quarantaine de chambres. Gamme de prix étendue, allant du simple au double. Certaines chambres sans charme réel mais bien tenues. Tout de même quelques-unes avec mur de pierre apparente, cheminée ou terrasse. Accueil sympa après un abord parfois un peu rude. Terrasse sur le toit. Parking payant.

QUÉBEC (LA VILLE)

CHEZ L'HABITANT

Des adresses un peu excentrées pour la plupart, mais calmes et confortables et à prix très abordables. Il nous semble d'ailleurs préférable de loger à quelques minutes du centre dans un *B & B* que dans un hôtel de la vieille ville, souvent impersonnel et cher.

Prix modérés

DANS LA HAUTE VILLE, INTRA-MUROS

La Marquise de Bassano *(plan couleur II, C3, **21**)* **:** 15, rue des Grisons. ☎ 692-03-16 ou 561-02-45. Cette jolie maison victorienne située à l'intérieur des murs de la vieille ville, proche du château Frontenac, possède 5 chambres sur deux étages. Toutes sont très douillettes et agréables. 2 d'entre elles sont réservées aux longs séjours (plus de 10 jours), tandis que les 3 autres (dont une avec une magnifique bibliothèque et une chambre mansardée au troisième étage) servent de *Café Couette*. Il y a une salle de bains à chaque étage. Un copieux petit déjeuner est servi dans une jolie salle à manger avec piano. Accueil excellent et prix très raisonnables. Une très bonne adresse.

Maison James Thompson *(plan couleur II, B3, **25**)* **:** 47, rue Sainte-Ursule. ☎ 694-90-42. Chambre pour 2 personnes : 65 $Ca (41,9 €). Une maison classée Monument Historique, mais une maison qui vit et qui respire. Plusieurs chambres, dont certaines sous les toits, toutes de bois vêtues du sol au plafond. Et puis les dernières que Guitta a aménagées et décorées, une bleue et une rose. Déco personnalisée pour chacune, parfois des meubles sur mesure comme ces grands lits doubles. Douillettes (couettes) épaisses. Petits déjeuners dans la grande salle à dîner. Quel charme!

Gîte du Quartier Latin - B & B Chez Hubert *(plan couleur II, B3, **30**)* **:** 66, rue Sainte-Ursule G1R 4E6. ☎ 692-09-58. Chambre double autour de 80 $Ca (51,6 €) avec le parking. Encore une adresse dans cette prolixe rue Sainte-Ursule. Derrière les vitraux de la belle porte d'entrée, on apprécie l'atmosphère feutrée d'une maison de famille cossue. On accède au 2e étage par un bel escalier, 4 vastes chambres s'y partagent 2 salles de bains. Couleurs délicates, toujours choisies et coordonnées. Tapis et tableaux apportent une touche de raffinement à la décoration. Entretien scrupuleux. Superbe salle à dîner pour des petits déjeuners copieux. Accueil agréable de Guylaine et Hubert, mais aussi de Jean-Marc, leur charmant factotum à l'accent chantant bien de chez nous.

HAUTE VILLE, HORS LES MURS

L'Heure Douce *(plan couleur III, A2, **29**)* **:** 704, Richelieu. ☎ et fax : 649-19-35. • jacques.gagnel@sympatico.ca • Chambre double à 60 $Ca (38,7 €), la quadruple à 110 $Ca (71 €). Située dans le faubourg Saint-Jean-Baptiste, cette maison d'époque récemment rénovée possède à l'étage 2 chambres doubles et 1 chambre pour 4 personnes, ainsi qu'une belle salle de bains avec vue (quel luxe!), une cuisine et une mini-terrasse. Les chambres sont très calmes, même sur rue, et pas chères du tout. Accueil délicieux de Diane qui vous concoctera de plantureux petits déjeuners. Des studios clairs et spacieux sont également disponibles. Heures douces en prévision en haut de cette volée de marches.

Chez Mimi *(plan couleur III, A3, **31**)* **:** 70, rue Fraser. ☎ 524-91-61. Fax : 843-76-27. Chambre double à 70 $Ca (45,2 €). À deux pas de l'avenue Cartier (voir « Où boire un verre? »). 3 chambres doubles et 1 salle de bains. Parking disponible sans supplément et énorme petit déjeuner. Adorable accueil de la douce Mimi.

PLUS EXCENTRÉ

Les adresses suivantes sont toutes accessibles en bus. Pour les voyageurs se déplaçant en voiture, précisons qu'ils pourront y stationner leur véhicule gratuitement et facilement.

B & B Le Manoir Rustique *(plan couleur I, C2, **36**)* **:** 850, av. Marguerite-Bourgeoys, G15-3W6. ☎ 686-16-11. La nuit pour deux s'élève à 65 $Ca (41,9 €). À 50 m du chemin Sainte-Foy. Maison de rêve et famille idéale, nous avons eu un vrai coup de cœur pour cette adresse. Explications : Marieve et Daniel ont cassé leur tirelire pour acheter cette grande demeure, la restaurer et lui redonner vie. Ils ont aménagé plusieurs chambres pour leur activité de *B & B*, et accueillent également des jeunes Québécois en difficulté. Tout cela sans aide ni subvention. Courage et générosité. Bravo! La maison : un splendide manoir couleur crème anglaise, ceinturé de sa traditionnelle galerie, pour rêvasser ou prendre ses petits déjeuners. Puis un intérieur vraiment chaleureux, décoré d'une multitude d'objets et meubles chinés puis retapés par Marieve. 2 belles chambres en façade, et une 3e (un demi-étage en dessous), avec vue au ras du jardin. Petits déjeuners aussi généreux que notre adorable jeune couple, mais inventifs aussi, et variant avec les saisons car préparés avec certains produits du jardin, fruits ou fines herbes. Crêpes salées farcies, ou sucrées au sirop d'érable ; œufs Bénédicte, omelettes au fromage de chèvre, ou aux tomates et basilic, etc. Simplicité, chaleur humaine au rendez-vous. Bref, de beaux moments en prévision, chez Marieve et Daniel et leur famille, avec leur fiston Jeremy, les jeunes qu'ils accueillent, puis Loup et Einstein, les *pets* de la famille. Seule règle imposée : ni chaussure, ni cigarette dans la maison.

☗ ***Chez Stuart et Marie-Paule Fleet*** *(plan couleur I, C2,* ***34****) :* 1080, av. Holland. ☎ 688-07-94. Chambre double à 70 $Ca (45,2 €). Dans le quartier de Sillery. Un peu excentré, mais accessible en bus ou en voiture (à 5 ou 10 mn du Vieux Québec). Coquette maison sur une large avenue peu fréquentée. Adresse exemplaire pour la chaleur et la gentillesse de l'accueil. Les Fleet et leur fille sont toujours aux petits soins pour leurs hôtes. Les chambres sont plutôt petites, mais claires, confortables et climatisées. Décoration genre bonbonnière. Idéal pour ceux qui voudront séjourner au calme et à l'écart des foules touristiques du Vieux Québec. Petit déjeuner copieux et varié. Agréables balades dans le Parc du bois de Coulonges, à quelques minutes seulement. En saison, il vaut mieux réserver.

☗ ***Café-couette 4 Saisons*** *(plan couleur III, A4,* ***38****) :* 287, rue René-Lévesque, G1R 2A7. ☎ 525-64-26. Chambre double avec petit déjeuner à 95 $Ca (61,3 €). Guy vous accueille dans sa maison avec une spontanéité et une chaleur, un enthousiasme et un sourire tout québécois. Jeune retraité et ancien restaurateur, il concocte des petits déjeuners qui varient chaque jour et qui vous tiendront au ventre une bonne partie de la journée. Guy donne également volontiers ses trucs et bonnes adresses. Côté chambres, au nombre de 5, rien à dire si ce n'est qu'elles sont confortables et parfaitement entretenues, et toutes avec salle de bains privée. Possibilité de garer sa voiture derrière la maison, mais stationnement possible la nuit dans le quartier.

☗ ***Fernlea*** *(plan couleur I, B3,* ***33****) :* 2156, rue Dickson. ☎ 683-38-47. Chambre pour 2 personnes à 70 $Ca (45,2 €). Joyce Coutts est une dame anglaise absolument charmante, délicate et très accueillante. Elle habite une jolie maison individuelle avec un superbe jardin qui lui a valu les honneurs d'un magazine anglais. À l'étage, 3 chambres vastes et confortables se partagent une salle de bains. Déco très anglo-américaine (1 chambre dans les tons de mauve et blanc), et pas un grain de poussière. Adresse calme. Excellent petit déjeuner et prix très corrects. Une adresse qu'on aime bien.

☗ ***La Maison Bourlamaque*** *(plan couleur III, A4,* ***39****) :* 1045, av. Bourlamaque, G1R 2P3. ☎ et fax : 529-71-71. • maugen@globetrotter.qc.ca • Chambre double entre 65 et 75 $Ca (41,9 et 48,4 €). Dans une rue calme entre Grande-Allée et René-Levesque. Une bien belle maison de bois du début du siècle, avec galerie et balcon. Une maison simple et familiale où rien ne manque pour passer un bon séjour tout en simplicité. À l'étage, 3 chambres confortables, à la décoration fraîche et simple, se partagent deux salles de bains. Les petits déjeuners se prennent dans la grande pièce à vivre du rez-de-chaussée ou aux beaux jours sur la galerie. Accueil gracieux et disponible d'un jeune retraité, ancien professeur de morale, qui ne vous fera pourtant pas de sermon, mais vous guidera avec gentillesse dans vos tribulations. Petit déjeuner avec de bons produits maison. Gîte non-fumeur. Stationnement possible sur demande. Possibilité aussi de louer une maison sur l'île d'Orléans, au week-end ou à la semaine.

🏠 ***La Maison Lesage*** *(plan couleur I, C2,* ***35****)* **:** 760, chemin Saint-Louis, G15-1C3. ☎ 682-99-59. Chambre double à 85 $Ca (54,8 €). Belle maison de briques bâtie en 1928, aussi belle en été dans son écrin de verdure, qu'en hiver, comme posée sur la neige. Agréables pièces de réception avec *bow-windows*, boiseries, cheminée et parquet des années 30. À l'étage, 5 vastes chambres meublées avec goût dans des styles différents. En principe, au printemps 2000, chaque chambre devrait avoir sa salle de bains perso. Tranquillité et espace pour une certaine idée du luxe. Le tout vraiment très propre. AC central. Accueil chaleureux, petit déjeuner copieux, fin et soigné. Bon rapport qualité-prix-accueil. *B & B* non-fumeur et pour adultes uniquement.

🏠 ***Les Corniches*** *(plan couleur I, C2-3,* ***32****)* **:** 2052, chemin Saint-Louis. ☎ 681-93-18. Fax : 692-17-13. • www.bbcanada.com/3282.html • Parfois fermé en automne. Chambre double avec petit déjeuner autour de à 85 $Ca (54,8 €). Dans le quartier Sillery. Grande maison blanche du début du siècle, agréablement située dans la verdure. 2 chambres se partagent 1 salle de bains à l'étage. L'une, un peu sombre, possède un très grand lit ; l'autre, lumineuse, a un lit « normal ». Si elle n'est pas prise, et pour un prix légèrement supérieur, on vous conseille la troisième, très spacieuse, avec un lit immense et sa propre salle de bains. Petit déjeuner différent chaque matin, servi par une charmante hôtesse. Grand et beau salon avec piano. Vraiment chic et très agréable mais plutôt pour routards motorisés car un peu excentré. Très calme en revanche.

🏠 ***À l'Étoile de Rosie*** *(plan couleur III, A3,* ***40****)* **:** 66, rue Lockwell, G1R-17. ☎ 648-10-44. Fax : 648-01-84. • étoilerosie@sympathico.ca • Chambre double autour de 70 $Ca (45,2 €). Quartier agréable, à deux pas de René-Levesque et du chemin de Sainte-Foy, et surtout de l'animation de la rue Cartier. 3 jolies chambres dans le duplex lumineux de Marie-Denise Saint-Gelais que tout le monde appelle Rosie. On aime bien l'*africaine*, formant une petite suite avec le salon, et d'où l'on peut apprécier une superbe vue sur les Laurentides. Les deux autres sont sur rue, mais très calmes le soir. Salle de bains à partager. Rosie, débordante d'enthousiasme, se décarcasse pour vous renseigner et vous tuyauter sur Québec qu'elle connaît comme sa poche. Pour le petit déjeuner, on passe par la cuisine et on arrive dans le séjour. Là encore, vue sur les Laurentides. Superbe !

Plus chic

🏠 ***Manoir Mon Calme*** *(plan couleur III, B3,* ***41****)* **:** 549, Grande-Allée Est, G1R 2J5. ☎ 523-27-14. Fax : 523-30-78. Chambre double de 129 à 139 $Ca (de 83,2 à 89,7 €). Dans un imposant hôtel particulier, voici peut-être les plus belles chambres de la ville dans la catégorie *B & B*. Celles du 1er niveau sont immenses, avec une hauteur sous plafond plutôt rare, de beaux meubles et parquets, beaux sanitaires privés, une cheminée, etc. Tous les ingrédients qui classent une maison en catégorie supérieure. Bien sûr, tout cela se paie, et plutôt cher. Mais la chambre quadruple devient raisonnable, pour une famille ou deux couples. Accueil chic et discret, avec toujours quelques conseils gentiment distillés pour les excursions de la journée. Une petite ombre au tableau : le coin petit déjeuner est un peu triste, c'est un peu dommage. Pour les plus fortunés d'entre nous. Parking inclus. Adresse non-fumeur exclusivement.

Où dormir dans les environs de Québec ? Où camper ?

Bon marché

⌂ ***L'auberge de jeunesse Le P'tit Bonheur :*** 183, côte Lafleur, Saint-Jean, sur l'île d'Orléans. ☎ 829-25-88. À une demi-heure de voiture du centre de Québec. Voir « L'île d'Orléans, Saint-Jean », rubrique « Où dormir ? Où manger ? ».

Campings

⌂ ***Camping Juneau :*** 153, chemin du Lac, à Saint-Augustin-de-Desmaures. ☎ 871-90-90. Fax : 871-16-42. Ouvert du 15 avril au 15 novembre, mais on peut camper l'hiver en dépannage (électricité, mais sanitaires fermés). À 12 km à l'ouest de Québec, par l'autoroute 40. Prendre la sortie 300 Sud. Un bon camping, agréable et convivial. Au bord d'un lac et en pleine forêt, une soixantaine d'emplacements bon marché avec tables et foyers. Également des chalets à louer. Terrain correctement équipé : douches chaudes, buanderie, dépanneur, jeux de plein air, snack-bar, location de vélos, recharges de gaz. Un sanitaire adapté aux handicapés, ce qui est assez rare dans les campings québécois. Activités : pêche, pédalo. Le proprio, M. Juneau, propose (à titre commercial) de visiter sa cabane à sucre et son exploitation et de vous faire goûter la tire d'érable (une friandise). Restaurant dans le camping où vous pouvez déguster la célèbre *poutine*.

⌂ ***Camping Aéroport :*** 2050, route de l'aéroport, à Sainte-Foy. ☎ 871-15-74. Ouvert du 1er mai au 1er octobre. L'un des plus proches de Québec (10 km). Pour y aller de Québec, route 540 Nord. C'est 5 km après l'aéroport. Bien équipé : resto, épicerie, piscine, etc.

⌂ ***Camping municipal de Beauport :*** 95, rue Sérénité, sur le boulevard Rochette, à Beauport. ☎ 666-22-28. Ouvert de juin à début septembre. Emplacement de 19 à 24 $Ca (12,2 à 15,5 €). À une dizaine de kilomètres au nord de Québec, par l'autoroute 40 ; sortie 321. Du centre-ville, prendre le métrobus n° 800, jusqu'au terminus de Beauport. Ensuite prendre le bus n° 50 ou n° 55. Le chauffeur vous dépose à environ 1 km du camping. C'est le plus facilement accessible en bus. Dans les bois, à proximité d'un lac et de la rivière Montmorency (donc des chutes du même nom). Bon marché et bien aménagé. Snack, laverie, dépanneur, piscine et terrains de sport. Accueil moyen.

⌂ ***Camping de la base de plein air Sainte-Foy :*** rue Laberge, à Sainte-Foy. ☎ 654-46-41. Ouvert de mai à début septembre. Accès par la route 540, puis la rue Laberge. Intéressant surtout pour 4, car c'est le même prix que pour une personne. Assez bruyant (autoroute non loin) et pas de douche. Le séjour au camping donne accès aux activités de la base de plein air (baignade, pêche, planche à voile...).

Où manger ?

C'est aussi la fête gastronomique à Québec. Il y en a pour tous les goûts, tous les prix. En juillet, nombreux festivals du homard dans les restos. Empiffrez-vous-en pour toute l'année. Nous avons divisé cette rubrique en trois, par souci de clarté, en raison du choix important, suivant les trois grands quartiers gastronomiques de la ville, assez distincts les uns des autres :

« Haute ville intra-muros », « Haute ville hors les murs » (vers l'ouest) et « Ville basse ».

DANS LA HAUTE VILLE, INTRA-MUROS

Évidemment, c'est archi-touristique, donc souvent cher...

De bon marché à prix moyens

I●I ***Casse-Crêpe Breton*** *(plan couleur II, B2,* ***40****) :* 1136, rue Saint-Jean. ☎ 692-04-38. Ouvert tous les jours de 7 h 30 à minuit. Le midi, menu autour de 7 $Ca (4,5 €). Le soir, comptez 10 à 12 $Ca (6,4 à 7,7 €). Vraiment très bon marché. Crêpes... adaptées au goût local, à prix modérés. Pas de la grande gastronomie, mais cadre agréable et clientèle jeune. Accueil et service sympas. N'accepte pas les cartes bancaires.

I●I ***Le Petit Coin Latin*** *(plan couleur II, A2,* ***42****) :* 8, rue Sainte-Ursule (rue à droite de la rue Saint-Jean, en partant de la porte). ☎ 692-20-22. Ouvert de 8 h (9 h en hiver) à 1 h. Menu du midi autour de 7 $Ca (4,5 €). Menus convenables (entrée, plat et café) pas chers du tout, surtout le midi. Bonnes spécialités québécoises. Quiches, croques et sandwichs géants. Pour ceux qui ont très faim, la tarte au sucre (à la crème d'érable) vous laissera cloué au sol pour 3 jours. Très fréquenté aussi à l'heure du petit déjeuner, avec, au choix, crêpes au sirop d'érable, œufs, puis immenses et amusants bols de café au lait, etc. La cour intérieure, entourée de verdure, est bien agréable. On peut d'ailleurs se contenter d'aller y prendre un verre ou un snack. Le soir table d'hôte incluant le dessert à peine plus chère.

I●I ***Le Figaro*** *(plan couleur II, B3,* ***54****) :* 32, chemin Saint-Louis, G1R 3Y9. ☎ 692-41-91. Menus du midi avec entrée, plat et café de 7 à 12 $Ca (4,5 à 7,7 €), le soir, avec le dessert de 16 à 28 $Ca (10,3 à 18 €). Face au musée Brousseau. Une adresse genre brasserie parisienne plutôt sympa. Assez touristique mais bon rapport qualité-prix. Service efficace et cuisine un cran au-dessus de la moyenne, avec une carte qui tourne souvent. En entrée, mousse de foie de veau avec carottes et oignons à l'aigre-douce, ou quenelle ou encore soupe du jour. Puis, pour continuer, un copieux gratin de *rigatoni*, une entrecôte aux deux moutardes ou du crabe Gaspé servi avec une sauce hollandaise. C'est bien ficelé et un effort est fait pour la présentation. En revanche, vins chers, mais malheureusement, c'est un peu partout pareil.

I●I ***Restaurant Apsara*** *(plan couleur II, B3,* ***29****) :* 71, rue d'Auteuil, G1R 4C3. ☎ 694-02-32. Menu du jour autour de 9 $Ca (5,8 €), table d'hôte le soir autour de 25-30 $Ca (16,1-19,3 €). Face au parc de l'esplanade. Restaurant géré par la famille Khuong, qui dirige aussi l'*Auberge de la Chouette*, juste au-dessus. Belle maison un rien austère avec juste une chouette au-dessus de la porte, vous savez à présent pourquoi. Pas de dragons et lanternes rouges, mais une salle un peu vieillotte, comme le salon d'une vieille maison bourgeoise québécoise. Atmosphère intime tout de même, avec quelques statues thaï. Les spécialités préparées pourront être tour à tour cambodgiennes, vietnamiennes ou thaïlandaises. Toujours copieuses et typiques, puis servies avec diligence et sourire par un membre de la famille. Bonnes soupes et plats simples le midi. Le soir, la table d'hôte est bien sûr plus élaborée. Point positif : pas de forcing pour alourdir l'addition.

I●I ***Café-restaurant Le Rétro*** *(plan couleur II, B2,* ***41****) :* 1129, rue Saint-Jean. ☎ 694-92-18. Ouvert tous les jours jusqu'à 22 h 30. Menus spéciaux du midi autour de 9 $Ca (5,8 €), le soir table d'hôte entre 10 et 18 $Ca (6,4 et 11,6 €). Décor quelconque, bois et plantes grasses. Touristique sans excès. Table d'hôte intéressante midi et soir (avec soupe, plat, dessert). À la carte, cuisine de style familial avec, par exemple, lasagnes, bons poissons en sauce, coq au vin, etc. Prix raisonnables. Ambiance un peu molle cependant. Patron sympa. Service rapide et souriant.

Les Frères de la Côte *(plan couleur II, B2, **43**) :* 1190, rue Saint-Jean. ☎ 692-54-45. Le midi, menus entre 10 et 13 $Ca (6,4 et 8,4 €), le soir entre 18 et 22 $Ca (11,6 et 14,2 €). Resto-bar sympa, dans les tons ocre, mais un peu bruyant car très fréquenté par la jeunesse québécoise. Pas idéal pour les tête-à-tête en amoureux, ni pour un repas gastronomique ! Pizzas classiques ou originales (grecque avec feta et poivrons, ou au camembert !), pâtes, et un choix intéressant d'entrées et de plats du jour qui, comme leur nom l'indique, changent souvent (salade de poivron et chèvre, risotto d'escargots dijonnais, saumon mariné à l'aneth, lapin au gingembre, grillades, etc.). Tout de même un peu cher, mais ambiance sympa.

Chez Temporel *(plan couleur II, B2, **11**) :* 25, rue Couillard, à côté de l'*Auberge de la Paix*. ☎ 694-1813. Ouvert de 7 h 30 à 1 h 30 (2 h 30 en fin de semaine). Comptez 20 à 25 $Ca (12,9 à 16,1 €) pour un repas. Clientèle de jeunes étudiants et de jeunes tout court. Cool, un rien bab. Pas aussi bon marché qu'on pourrait le croire, mais sympa, c'est évident. Salle agréable au 1er étage, toute verte, avec fenêtre sur rue. Soupes épaisses, gâteaux riches, quiches, salades. Pas de véritable « cuisine » mais une série d'en-cas bien faits. Parfait quand on réside à l'AJ voisine. Sympa aussi pour boire un verre (thé et café). Beaucoup de lecture aux toilettes, dont quelques reflexions intéressantes. Dommage que les débats ne soient pas organisés dans le bistrot.

Mikes *(plan couleur II, B2, **44**) :* 1100, rue Saint-Jean. Ouvert à 7 h tous les jours et fermeture assez tard dans la nuit (1 h à 4 h). Chaîne à mi-chemin entre restaurant et fast-food (on pencherait plutôt pour la 2e solution). Grande variété de sandwichs, salades et pizzas. Sert aussi les petits déjeuners. Service à table correct, accueil très variable. Grande salle avec mezzanine. Musique d'ambiance.

La Caravelle : 68, rue Saint-Louis. ☎ 694-90-22. Menus du midi entre 9 et 17 $Ca (5,8 et 11 €), le soir de 20 à 40 $Ca (12,9 et 25,8 €). Cadre agréable et chic, musique folklorique espagnole. Excellent homard et très bonnes paëllas. Poissons frais en vitrine, que l'on retrouve diversement accommodés dans les assiettes. Grillés, meunière ou dans de fines sauces bien cuisinées. Menus à prix raisonnables le midi, pour profiter du cadre, du service, et d'une bonne cuisine. Le soir, ça augmente un peu avec la table d'hôte, mais la carte nous semble vraiment trop onéreuse. Chef et personnel très accueillants.

Le Saint-Amour *(plan couleur II, B3, **46**) :* 48, rue Sainte-Ursule. ☎ 694-06-67. Ouvert tous les soirs jusqu'à 23 h 30 et le midi du mardi au samedi. Menus du déjeuner de 10 à 18 $Ca (6,4 à 9,7 €), le soir entre 30 et 35 $Ca (19,3 et 22,6 €). Réservation recommandée, surtout le soir. L'un des meilleurs restaurants de Québec où le prix de la table d'hôte reste accessible. 2 salles, dont la plus grande est un magnifique jardin d'hiver. Nappes roses, chandelles et plantes vertes. Le soir, ambiance chic qui ne mettra pas à l'aise le routard poussiéreux. Cuisine imaginative, savoureuse et copieuse. À la carte, plats élaborés, par exemple (mais ça peut changer) : gibier en saison, noix de ris de veau poêlée aux langoustines, croustillant d'escargot à la fleur d'ail, etc. Le midi, « *lunch* d'affaires » abordable. Un bémol : le service un peu lent.

Aux Anciens Canadiens *(plan couleur II, B3, **45**) :* 34, rue Saint-Louis ; à l'angle de la rue des Jardins. ☎ 692-16-27. Ouvert tous les jours de 11 h à 22 h, en continu. Formule du déjeuner à 14 $Ca (9 €) ; le soir, table d'hôte entre 25 et 45 $Ca (16,1 et 29 €). Installé dans l'une des plus anciennes maisons de Québec (1675), un excellent restaurant de spécialités régionales. Inévitablement touristique (comme toute la ville, à ce compte-là !). Adorable décor d'assiettes anciennes, estampes, beaux objets, salle des Fusils, etc. Atmosphère assez intime. Service et accueil impeccables. Des plats délicieux, qu'on trouve peu ailleurs : marmite de fèves au lard, ragoût de pattes de cochon et de boulettes, canard au sirop d'érable, tourtière, caribou braisé, etc. Formule du midi vraiment alléchante avec 1 soupe, 1 plat au choix (souvent 6 ou 8 plats différents), puis 1 dessert au choix, 1 café et 1 verre de vin ou de bière. Belle performance. Et le soir, menus beaucoup plus travaillés et copieux, avec entrée, soupe, plat (c'est lui qui définit le prix du menu) et dessert. La spécialité : *l'assiette des habitants*, un petit menu de fête à elle seule. Cela dit, le soir, avec le vin, les additions s'alourdissent dangereusement.

HAUTE VILLE, HORS LES MURS

C'est avant tout le quartier Saint-Jean-Baptiste, un vieux quartier populaire où les étudiants aiment bien séjourner et qui a du mal à survivre face au béton envahissant. Les restos y sont plutôt moins chers et la clientèle y est bien moins touristique. L'axe en est le prolongement de la rue Saint-Jean (après l'invraisemblable avenue-saignée Dufferin !). Enfin, la Grande-Allée Est (menant à la porte Saint-Louis) concentre un maximum de restos très touristiques, serrés les uns contre les autres. Pour ceux qui ont la nostalgie de Montmartre !

Bon marché

🍴 ***Café Sainte-Julie*** *(plan couleur III, B2,* ***47****)* **:** 865, rue des Zouaves, à côté de l'angle de Saint-Gabriel. ☎ 647-93-68. Ouvert tous les jours de 7 h à 21 h. Menus entre 6 et 8 $Ca (3,8 et 5,1 €). Sans doute l'une des gargotes les moins chères de la ville. Simple mais correct. On vous prépare ce que vous voulez si le menu ne vous convient pas. C'est, bien sûr, un repaire d'étudiants et de marginaux. Musique rock et blues. Beaucoup d'ambiance, de bruit et de fumée. Une adresse que les routard apprécient.

🍴 ***Croque M*** *(plan couleur III, A2,* ***49****)* **:** 585, rue Saint-Jean (au croisement avec la rue des Zouaves). ☎ 524-78-32. Ouvert de 9 h à 17 h sauf le jeudi et le vendredi jusqu'à 21 h. Menu du jour qui tourne autour de 8 $Ca (5,2 €). Petit restaurant à l'intérieur bien sympa. Très bon accueil. On y sert toutes sortes de croques et salades à bas prix. Le menu du jour comprend 1 potage ou 1 jus de légume, puis 1 croque ou 1 salade, et 1 café. Des produits frais et tout simples.

🏠 ***Les Crêpes Celtiques*** *(plan couleur III, A3,* ***60****)* **:** 151, chemin Sainte-Foy. ☎ 525-51-01. Repas entre 5,5 et 12 $Ca (3,5 et 7,7 €). Bon plan spécial pour affamés-fauchés, et dieu sait que c'est pas drôle d'avoir le porte-monnaie aussi vide que l'estomac. L'idée d'un Breton arrivé sur le sol québécois : un self-crêperie où le client choisit sa table, va choisir et passer commande au comptoir, retourne chercher ses plats puis débarrasse sa table pendant et après le repas. Choix de soupes et salades, puis toujours 1 poisson et 1 viande, et 1 plat de pâtes. Bien sûr, des crêpes variées (mexicaine au chili, ou au jambon et à la béchamel au sirop d'érable). En dessert, par exemple, un gâteau à la canneberge (spécialité locale). Du coup, les prix sont hyper-serrés, et on en a vraiment pour le peu d'argent qu'on donne car les portions sont balaises. Pas de service donc, ni de cadre. Aux beaux jours, une petite terrasse est installée dans la cour à l'arrière, mais pas plus joyeuse que la salle.

🍴 ***La Piazzetta*** *(plan couleur III, B2,* ***48****)* **:** 707, rue Saint-Jean, à l'angle de Sainte-Geneviève. ☎ 529-74-89. Ouvert de 11 h 30 à 23 h 30 la semaine et de 16 h à 23 h 30 le week-end. Menu du midi entre 8 et

12 $Ca (5,2 et 7,7 €), le soir de 13 à 18 $ (8,4 à 11,6 €). Clientèle populaire, plutôt jeune, attirée par les pizzas américaines ou napolitaines, carrées et extra-fines. Salle moderne un peu froide. Plusieurs prix, selon la taille, de bon marché à prix moyens. Goûter par exemple la pizza au parmesan ou, mieux, celle aux trois fromages, délicieuse. Une autre *Piazzetta* identique au 1191, av. Cartier.

|●| ***Self et pub de l'université Laval :*** bien plus à l'ouest que les adresses précédentes. En voiture, remonter le chemin Saint-Louis puis l'avenue Laurier sur environ 5 km ; tourner ensuite dans l'avenue des Sciences. N'iront que ceux qui sont véhiculés et qui veulent rencontrer des étudiants. Le self est dans les pavillons Pollack et Desjardins, indiqués de l'entrée (attention, le campus est immense !). Ouvert le midi, du lundi au vendredi. En fait, 5 ou 6 mini-self à thème. Pas cher du tout. Bien sûr, plein de rencontres à faire. Également un bar-restaurant, *Le Pub*. On y mange bien, et il y règne une bonne ambiance le soir.

D'assez bon marché à prix moyens

|●| ***Chez Victor** (plan couleur III, A3, **51**) :* 145, rue Saint-Jean. ☎ 529-77-02. Ouvert midi et soir jusqu'à 22 h 30 du mardi au dimanche et jusqu'à 21 h le lundi. Menu spécial du midi à 7 $Ca (4,5 €), le soir à la carte pour 10 $Ca (6,4 €) environ. Bonne adresse un peu excentrée mais dans un quartier authentique. Cadre *cosy* de pierre apparente et de musique folk pour déguster les meilleurs hamburgers et les meilleures frites en ville. Menu spécial du midi comprenant un hamburger, des frites ou une salade de chou, puis un breuvage. Clientèle d'habitués et de quelques touristes perdus par ici.

|●| ***Hobbit** (plan couleur III, B2, **50**) :* 700, rue Saint-Jean. ☎ 647-26-77. Ouvert de 8 h à 23 h-23 h 30. Formule du midi entre 9 et 11 $Ca (5,8 et 7,1 €), le soir entre 11 et 16 $Ca (7,1 et 10,3 €). Grande salle aux murs de pierre. Clientèle trentenaire intello. Petit déjeuner le matin (*brunch* le week-end), snacks dans la journée (salades, sandwichs) et table d'hôte au rapport qualité-prix très honnête comprenant soupe, plat, dessert et café. Beaucoup de monde le midi, plus calme le soir. Les serveurs sont des étudiants (parfois en art dramatique).

|●| ***Le Cochon Dingue** (plan couleur III, A3, **58**) :* 46, bd René-Lévesque Ouest (près de l'avenue Cartier). ☎ 523-20-13 Le midi, formule entre 8,5 et 16 $Ca (5,5 et 10,3 €), le soir de 18 à 24 $Ca (11,6 à 15,5 €). Après avoir traversé la salle intérieure, on arrive sur une immense terrasse couverte (en été, évidemment !) au milieu de laquelle se trouve une petite fontaine. Du « cochon-mignon » à la « formoule », on trouve sur la carte rigolote des « cochonneries » à tous les prix. En générale, pas moins de huit plats du jour au choix dans les formules et tables d'hôte. L'autre adresse située dans la basse ville, sur le boulevard Champlain, est moins sympa.

Plus chic

|●| ***L'Astral** (plan couleur III, B3, **52**) :* 1225, place Montcalm, sur Grande-Allée Est. C'est le restaurant panoramique tournant, au dernier étage du luxueux hôtel *Concorde*. ☎ 647-22-22. Menus du midi de 10 à 18 $Ca (6,4 à 11,6 €), table d'hôte du soir de 20 à 38 $Ca (12,9 à 24,5 €). Formule buffet autour de 39 $Ca (25,2 €). Prix assez élevé mais qui sied à l'endroit. Bien plus cher à la carte. On peut se contenter d'un verre. Bon accueil et service pro. Faut dire qu'il y a surtout des hommes d'affaires... Pas vraiment routard, mais ça vaut le coup d'y aller. Comme au 747 à Montréal, vue absolument sublime, sur la ville, le

fleuve et les environs. Pour les places près de la baie vitrée, il est préférable de réserver. On peut se contenter d'un verre au bar, mais ce n'est possible que l'après-midi ou en fin de soirée... Pour les affamés (un peu chère, donc difficile à rentabiliser !), formule-buffet le samedi soir et certains midis, mais pas tous les jours, donc téléphoner avant. Menus des plus corrects pour une cuisine d'hôtel de luxe, c'est-à-dire internationale.

🍴 ***Momento Ristorante*** *(plan couleur III, A4,* ***64****)* **:** 1144, av. Cartier. ☎ 647-13-13. Formules et table d'hôte le midi entre 13 et 18 $Ca (8,4 et 11,6 €), le soir de 15 à 25 $Ca (9,7 et 16,1 €). Un resto italien looké (pas forcément de bon goût), plutôt frime, mais où l'on mange vraiment bien. Pas une cuisine de mamma, mais des spécialités italiennes efficaces, goûteuses et copieuses. Par exemple, carpaccio de bœuf, gratin de lasagnes, *penne al arabiata* et *tiramisu* en dessert. Vins italiens en pots, un peu chers mais bons. Service plaisant et petite terrasse sur la rue en été, pour voir et être vu.

DANS LA BASSE VILLE

Un des quartiers les plus agréables de Québec, avec son vieux port, sa gare étrange et ses maisons anciennes... Curieusement peu de touristes, alors que l'on y trouve plein de bons restos et de troquets animés.

Bon marché

🍴 ***Le Café du Clocher Penché*** *(hors plan couleur III par A2)* **:** 203, rue Saint-Joseph. ☎ 640-05-97. Formules autour de 8 $Ca (5,2 €). Le soir, ajoutez environ 6 $Ca (3,9 €) pour avoir 1 entrée et 1 dessert. Un bar-resto de quartier, une belle grande salle avec vue directe sur le clocher vraiment penché de l'église. Clientèle d'artistes, margeos et étudiants de tous âges. Fumée et brouhaha aux heures des repas, car la formule a du succès. Une cuisine de bistro, simple et sans chichi, cuisinée derrière le bar. Parfois quelques plats exotiques bien agréables. Service rapide et sympa, même en pleine bourre.

|●| ***Buffet de l'Antiquaire*** *(plan couleur II, C1,* ***53****)* **:** 95, rue Saint-Paul. ☎ 692-26-61. Ouvert l'été, de 6 h à 23 h (6 h à 19 h les samedi et dimanche). Menus de 6 à 13 $Ca (3,9 à 8,4 €). Dans ce quartier qui s'est bien « gentryfié », l'un des derniers restos populaires. Petites tables, comptoir et mezzanine. Plutôt sympa. Depuis 20 ans, on sert ici des plats simples et consistants avec purée maison dans un cadre vert acidulé. Parfois une dizaine de plats au choix. Formule comprenant soupe, plat et breuvage. Belles salades et gros sandwichs. Pas cher du tout et vraiment sympa.

|●| ***Pizza Mag*** *(plan couleur II, A1,* ***55****)* **:** 363, rue Saint-Paul, face à la gare. ☎ 692-1910. Ouvert tous les jours de 11 h à minuit. Pizzas de 8 à 13 $Ca (5,2 à 8,4 €) selon la taille. Excellente pizzeria qui a eu, outre la bonne idée de se situer près de la gare, le courage d'inclure toutes les taxes dans ses prix. Pizzas réussies, originales, à la pâte croustillante et bien garnies.

|●| ***Asia*** *(plan couleur II, C1-2,* ***56****)* **:** 89, rue du Sault-au-Matelot. ☎ 692-37-99. Ouvert le midi de 11 h à 14 h 30 et le soir de 16 h 30 à 21 h 30. Repas du déjeuner de 10 à 15 $Ca (6,4 à 9,7 €), le soir table d'hôte de 13 à 20 $Ca (8,4 à 12,9 €). Bonne cuisine vietnamienne et thaïlandaise à bas prix. Terrasse très agréable et prisée en été. Réservez pour les menus du soir. Accueil sympa.

Prix moyens

|●| ***Le Saint-Malo*** *(plan couleur II, C1,* ***57****) :* 75, rue Saint-Paul. ☎ 692-20-04. Ouvert tous les jours jusqu'à 22 h 30. Le midi, formules de 8,5 à 15 $Ca (5,5 à 9,7 €), le soir de 19 à 24 $Ca (12,2 à 15,5 €). Restaurant à la clientèle élégante. Agréable petite terrasse l'été. Cuisine d'inspiration française : boudin aux pommes, cassoulet, lapin aux deux moutardes, bouillabaisse, foie d'agneau, etc. Table d'hôte à prix corrects pour la qualité et l'accueil charmant.

|●| ***Le Lapin Sauté*** *(plan couleur II, C3,* ***59****) :* 52, rue du Petit-Champlain. ☎ 692-53 25. Formule du midi entre 8 et 14 $Ca (5,2 et 9 €), le soir, table d'hôte de 17 à 23 $Ca (11 à 14,8 €). Dans cette rue ultra-touristique, une adresse qu'affectionnent aussi les Québécois. Le décor, qui se veut provençal (!), est réussi, et la terrasse bien agréable. La spécialité maison est le lapin, mais on trouve aussi sur la carte de belles salades et des plats assez originaux. Menus du midi intéressants avec soupe ou salade verte, puis plat garni (souvent des pâtes ou du saumon, mais rarement du lapin). Bonne table d'hôte pour les amateurs de rongeurs. Autre adresse au 120, bd René-Lévesque Ouest. ☎ 523-87-77.

Plus chic

|●| ***L'Ardoise*** *(plan couleur II, C1,* ***61****) :* 71, rue Saint-Paul. ☎ 694-02-13. Formule du midi de 9 à 17 $Ca (5,8 à 11 €), le soir entre 23 et 33 $Ca (14,8 et 21,3 €). Ses couleurs vives et ses canapés à fleurs donnent à cet endroit un cachet particulier. On y mange, selon nous, les meilleures moules de la ville, avec aussi une formule « à volonté » pour les gros appétits. Cependant on peut aussi choisir une omelette, du boudin, des pâtes, une énorme salade ou les menus, eux-mêmes très copieux, avec toujours entrée, plat, dessert et café inclus. Très grand choix et bonne qualité générale. Une bonne adresse.

|●| ***Le Péché Véniel*** *(plan couleur II, B1,* ***62****) :* 233, rue Saint-Paul. ☎ 692-56-42. Ouvert de 7 h (service de petit déjeuner) à 23 h en été et de 11 h à 23 h en hiver. Le midi de 9 à 13 $Ca (5,8 à 8,4 €), le soir entre 20 et 25 $Ca (12,9 et 16,1 €). Ce restaurant vaut déjà le détour pour sa déco intérieure très réussie : murs moitié en brique, moitié orange, plantes vertes, lumière douce... La cuisine y est d'inspiration française, pas vraiment originale mais raffinée. On y trouve même des hamburgers, mais ce serait dommage dans un cadre pareil... Petits déjeuners bien agréables, à la carte, avec assiette brunch si ça vous tente.

DANS LE QUARTIER SAINT-ROCH

|●| ***L'Impasse des Deux Anges*** *(plan couleur III, A2,* ***63****) :* 275, rue Saint-Vallier Est. ☎ 647-64-32. Formules et menus entre 9 et 16 $Ca (entre 5,8 et 10,3 €). Tout près du *Mardi Gras* (voir la rubrique « Où boire un verre ? »), un petit resto de quartier qui sert une bonne cuisine, simple et économique, dans un cadre agréable, plutôt à la mode. Ne pas se fier au menu affiché car la table d'hôte du midi est généralement servie le soir. Bien aussi pour un petit déjeuner. La fin de semaine, ne sert que la formule brunch.

Où pique-niquer dans Québec ?

S'il fait beau, que vous en avez marre des restos ou tout simplement que vous commencez à être fauché, faites comme les autochtones ! On trouve des tables réservées au pique-nique dans le ***parc des Champs-de-Bataille,*** au sud du Vieux Québec *(plan couleur I, C2)*. Le coin est également appelé « les plaines d'Abraham ». Préférez la partie ouest du parc, plus calme et vraiment belle. Vue sur le fleuve. Vous trouverez tout ce qu'il faut chez les dépanneurs. Et ne laissez rien traîner en partant, ici on respecte vraiment l'environnement !

Où boire un verre ? Où danser ? Où s'éclater en musique ?

Comme partout au Canada, il n'y a pas de vraie séparation entre les lieux où l'on boit, ceux où l'on danse et ceux où des groupes se produisent. Certains endroits mélangent allègrement les trois activités ou les combinent selon les soirs. On les indique par quartier et on précise leurs spécialités. Durant le festival, la musique jaillit de tous les estaminets avec force. On pourrait en citer des dizaines. Essayez-en plutôt un maximum au hasard des notes qui vous parviendront. Entrée libre partout et les orchestres de rock et de blues sont en général bons.C'est super d'être dans une ville capable d'absorber des milliers de jeunes sans qu'il y ait de présence policière insupportable, ni de racisme antijeunes dans les troquets. Sinon, il y a les boîtes à chansons, nombreuses, et qui ont toujours leur clientèle fervente de folk québécois.

DANS LA HAUTE VILLE, INTRA-MUROS

Rue Saint-Jean et dans les ruelles adjacentes, nombre de pubs et troquets pour jeunes. Vous aurez l'embarras du choix, Québec ne dérogeant pas à l'ordonnancement habituel des vieilles villes touristiques : un resto, un bistrot, un resto, un bistrot... Voici une sélection, notre sélection, mais nous sommes certains que rapidement vous ferez la vôtre.

🍸 ***Bar-spectacle d'Auteuil*** *(plan couleur II, A2,* ***70****)* **:** 35, rue d'Auteuil (près de la porte Saint-Jean). ☎ 692-22-63. Ouvert tous les jours de midi à 3 h. 7 $Ca (4,5 €) le billet. Excellente salle de concerts à l'étage d'une ancienne chapelle. Bons concerts. Terrasse extérieure toute en bois. Clientèle moins jeune que dans les bars de la Grande-Allée. Au rez-de-chaussée, ***La Fourmi Atomik,*** bar rock avec terrasse. Clientèle un peu destroy. Parfait pour boire un verre avant ou après un concert au *Bar-spectacle d'Auteuil*.

🍸 ***Chez Son père*** *(plan couleur II, B2,* ***71****)* **:** 24, rue Saint-Stanislas, à l'angle de Saint-Jean. Au 1er étage. ☎ 962-53-08. Ouvert de 20 h à 3 h. Entrée gratuite. Salle toute simple : un bar, de grandes tables de cantine et une estrade pour les musiciens (concerts tous les soirs à 22 h : pop, folk et musique québécoise traditionnelle). C'était le repaire des nationalistes québécois, venus écouter des chansonniers. Il y a toujours de chouettes chansonniers mais moins de nationalistes. On y boit pas mal. Consos vraiment pas chères. Ambiance chaleureuse et bon enfant. À voir de toute façon.

🍸 ***Les Yeux Bleus*** *(plan couleur II, B2,* ***72****)* **:** 1117 1/2, rue Saint-Jean. ☎ 694-91-18. Ouvert tous les soirs de 20 h à 3 h. En été dès 16 h. Entrée gratuite. Même genre que *Chez Son Père,* en plus tranquille. Au fond d'une allée. Endroit au décor quelconque, où les gens du coin viennent gratter et chanter en toute simplicité. La roche du Cap-diamant constitue l'un des murs du bar. Si vous venez au printemps, la fonte des neiges fait suinter la pierre, comme dans une grotte.

🍸 ***Bar Saint-Laurent*** *(plan couleur II, C3,* ***73****)* **:** dans le luxueux *hôtel du Château Frontenac*. Ouvert de 11 h 30 à 2 h. Rien à voir avec les adresses précédentes, c'est sûr. Le bar est au fond du couloir, à gauche de la réception (en profiter pour admirer la déco du hall et savourer le moelleux de la moquette). En fait, ça ressemble surtout à un pub anglais. Si la pièce est circulaire, c'est parce qu'on est dans l'une des tours du château ! Voûte en pierre superbe. Quelques tables en terrasse au-dessus de la promenade Dufferin. Confortables fauteuils. De la véranda, vue romantique sur le fleuve Saint-Laurent (d'où le nom). Bons cocktails, pas trop chers pour l'endroit. Quelques-uns détonants, comme le *zombie* (rhum brun, grenadine, jus de citron...) ou le *B-52* (Bailey's, Grand-Marnier et kalhua !). Chic, plaisant. Une halte cartes postales idéale en fin d'après-midi.

DANS LA HAUTE VILLE, HORS LES MURS

Dans Grande-Allée Est, vous trouverez quelques boîtes particulièrement animées. Clientèle étudiante surtout, avec son lot de touristes du monde entier. En général relax, décontractés, un poil chicos parfois.

🍸 ***Maurice*** *(plan couleur III, B3, **74**)* **:** 575, Grande-Allée Est. ☎ 640-07-11. Gratuit du dimanche au mardi. Le reste de la semaine, environ 3 $Ca (1,9 €). Drôle de nom pour une boîte ! C'est pourtant l'adresse à la mode à Québec. Et il est vrai que c'est l'une des plus sympas. La boîte se trouve au premier étage d'une sorte de mini-manoir, assez impressionnant, qui rivalise avec *le Dagobert*. La musique y est très différente selon les soirs. Y aller de préférence les jeudi, vendredi ou samedi pour l'ambiance. À la fermeture, les jeunes se retrouvent en face, chez *Ashton,* pour manger une *poutine* (frites à la sauce brune, typiquement québécois) ou un hamburger. À la même adresse, on trouve aussi *Charlotte* où l'on peut fumer quelques bons cigares, ou danser dans une ambiance surchauffée sur des rythmes latinos.

🍸 ***O'zone*** *(plan couleur III, B3, **75**)* **:** Grande-Allée Est, en face de *Maurice*. ☎ 529-79-32. Ouvert en semaine de 11 h à 3 h ; à partir de 13 h le week-end. Entrée gratuite. Vaste lieu moderne et sombre avec bières, billards, rock, hip-hop et bandes de jeunes. Sympa.

🍸 ***Dagobert*** *(plan couleur III, B3, **76**)* **:** 600, Grande-Allée Est ; à l'angle de Chevrotière. ☎ 522-03-93. Gratuit sinon 2 $Ca (1,3 €) pour les spectacles d'humour. Concerts de rock alternatif, sauf le mercredi. Immense boîte ultramoderne dans une maison particulière en brique rouge, avec terrasse et tourelles. À l'entresol, un grand pub en bois verni avec banquettes confortables, vitraux, vieilles lampes 1900, etc. Scène et écran géant pour les orchestres de passage. À l'étage, un grand balcon surplombe toute la boîte. En été, c'est vraiment la grande foule qui vient se défouler sur de la musique dance et techno.

🍸 ***Le Drague*** *(plan couleur III, B2, **77**)* **:** rue Saint-Augustin (entre la rue Saint-Jean et la rue Saint-Joachim). ☎ 649-72-12. • wwww.pages.infinit.net/drague • Comme son nom l'indique, ici, ça drague, au masculin. Spectacles de travestis le dimanche, et parfois en semaine. Deux grandes salles sombres avec billard, musique forte, écrans géants. Jetez un coup d'œil au plafond : une guitare électrique géante fait la star sous les projecteurs. Des regards se croisent. Pour nous les hommes.

DANS LA BASSE VILLE

Pas trop d'animation dans les rues. Ça se passe plutôt dans les cafés. Tendance plus postmoderne, branchée ou chicos.

🍸 ***Bistrot Le Pape George*** *(plan couleur II, C2, **78**)* **:** 8, rue Cul-de-Sac, petite rue piétonne en angle qui va de Champlain à Notre-Dame. ☎ 692-13-20. Ouvert de 11 h à 22 h en semaine et jusqu'à 3 h du vendredi au dimanche. Bistrot à vin sympa installé dans une charmante maisonnée en pierre. Décor voûté et rustique où passent des chansonniers québécois. Musique folk, jazz et blues. Pour les amateurs de fromage, dégustation de produits du coin et de chez nous.

🍸 ***Belley*** *(plan couleur II, B1,* ***79****) :* 249, Saint-Paul. ☎ 692-16-94. Dans une belle maison typique du Vieux-Port. Café très animé. Clientèle margeo et étudiante. Terrasse en été.

🍸 ***L'Inox*** *(plan couleur II, C1,* ***80****) :* 37, rue Saint-André. ☎ 692-28-77. • www.inox.qc.ca/virtuel.asp • Ouvert de midi à 3 h. Établissement installé dans un ancien entrepôt rénové. 3 grands fûts en inox nous indiquent que l'endroit est une micro-brasserie. En effet, ici, la maison fait sa propre bière : 12 au total à partir de 3 $Ca (1,9 €). Clientèle hétéroclite et souvent bruyante. 2 billards dans la salle de gauche. On peut visiter la brasserie pour 5 $Ca (3,2 €) : comptez 1 h et prenez rendez-vous.

DANS L'AVENUE CARTIER ET AUX ALENTOURS (plan couleur III, A3-4)

Quartier beaucoup plus excentré mais très agréable : on y trouve une vraie vie de village. Pas de frime comme dans la vieille ville. L'avenue Cartier, anciennement le fief des étudiants, devient de plus en plus touristique. Cependant, cet endroit a conservé un charme très particulier. Le coin est bourré de troquets animés.

🍸 ***Jules et Jim*** *(plan couleur III, A3,* ***86****) :* 1060, av. Cartier, au croisement de la rue Fraser. ☎ 524-95-70. Ouvert de 15 h à 3 h en été et de 16 h à 3 h en hiver. Tout comme le film de Truffaut dont il porte le nom, *Jules et Jim* est un incontournable. C'est une institution. Dans ce petit bar d'habitués, on vient siroter des scotchs (spécialité de la maison) en écoutant Piaff, Brel, Reggiani ou de la douce musique brésilienne. Allez fouiner dans la petite bibliothèque du fond. Pour les cinéphiles, possibilité de consulter sur demande. Atmosphère intime et apaisante. Idéal pour discuter entre potes. À ne pas manquer.

🍸 ***Café Krieghoff*** *(plan couleur III, A3,* ***87****) :* 1091, av. Cartier. ☎ 522-37-11. Ouvert de 7 h à minuit. Samedi-dimanche jusqu'à 1 h. Le café tient son nom d'un peintre hollandais qui vivait dans le quartier. Terrasse, cour intérieure et petites salles. Clientèle intello et branchée. Cadre banal mais agréable. On peut soit y prendre un verre, soit en profiter pour croquer un morceau au menu du jour. Également de bons petits déjeuners. Le soir, on y vient pour boire un verre. Fait aussi *B & B*.

🍸 ***Le Quartier de Lune*** *(plan couleur III, A3,* ***88****) :* 799, av. Cartier (presque à l'angle du chemin Saint-Foy). ☎ 523-40-11. Ouvert tous les soirs jusqu'à 3 h. Pour danser, 4 $Ca (2,6 €) environ. Bistrot-bar avec billard, grand écran TV et piste de danse à l'étage. Bières belges et micro-brasserie. Table d'hôte jusqu'à 21 h, restauration rapide jusqu'à 3 h.

🍸 ***Le Merlin*** *(plan couleur III, A4,* ***89****) :* 1179, av. Cartier. ☎ 529-95-67. Ouvert de 11 h à 3 h. Un « resto-dancing » qui fait davantage bar que boîte. Décor sans grande originalité, musique pour danser. Loin d'être notre préférée, il tient quand même la route depuis 15 ans. Avis aux routards fauchés : buffet gratuit de 16 h à 20 h.

🍸 ***Pub Java*** *(plan couleur III, A3-4,* ***90****) :* 1112, av. Cartier. ☎ 522-JAVA. Ouvert de 7 h 30 à minuit en semaine et jusqu'à 2 h le week-end. Un resto-bar à essayer. Dans un cadre chaud et une atmosphère tranquille, on peut déguster plus de 80 sortes de bières importées. Musiques blues et québécoise. Grand choix de casse-croûte et plats abordables. Sympa et très animé certains soirs, surtout le vendredi.

🍸 ***Qué Sera*** *(plan couleur III, A3,* ***91****) :* 7, bd René-Lévesque, à l'angle de la rue Salaberry. ☎ 523-66-55. Ouvert de 11 h 30 à 22 h en semaine. Fermé vers minuit le week-end. On ne vient ici pas pour danser ou se défouler mais plutôt pour discuter entre amis et s'essayer à la peinture sur céramique. Choix de poteries à 9 $Ca (5,8 €) en moyenne que vous pouvez peindre à votre guise en plusieurs fois. Les patrons se chargent ensuite de la cuisson. La salle en entresol est douillette, claire et agréable. On a envie de prendre son temps. Concept original et intéressant pour les amateurs de travaux manuels. Possibilité de se restaurer pour pas cher. Accueil sympathique.

DANS LE QUARTIER SAINT-ROCH (dans la basse ville)

Le plus ancien quartier ouvrier, sans fard et sans frime, où les prix des loyers figurent parmi les plus bas de la ville. Peu de touristes, quelques marginaux, des artistes, des intellos, des fauchés et des moins fauchés, et quelques bonnes adresses où se retrouvent les jeunes branchés ciné.

🍸 ***Mardi Gras** (plan couleur III, A2, **81**) :* 291, Saint-Vallier Est. ☎ 640-15-77. • www.mardigras.com • Ouvert du lundi au samedi de 11 h à 3 h. Le dimanche, horaires élastiques selon les envies du patron. Un bar coloré situé dans la plus vieille rue de Québec, en plein cœur du quartier latin où déambulent intellos et artistes de tout poil. Salle spacieuse à la déco sympa (notamment les fauteuils de bar et le vieux poste radio). Beaucoup de soirées à thème : récital poétique ou de chansons à textes. Spectacles et vernissages. Billard, baby-foot et alcools en tous genres. Table d'hôte à 8 $Ca (5,2 €) : nourriture simple et saine. Le lieu du moment, vraiment sympa et convivial.

🍸 ***Le Scanner** (plan couleur III, A2, **83**) :* 291, rue Saint-Vallier Est. Juste à côté du *Mardi Gras*. Bar idéal pour se poser, boire une bière ou grignoter. Plus petit et plus intime que le précédent. Salle colorée, musique rock, grande terrasse extérieure. Le patron vous propose l'accès internet gratuit (sympa !).

🍸 ***Taverne Dion** :* 65, rue Saint-Joseph Ouest. Ouvert tous les jours jusqu'à 23 h 30. Ici, la bière ne coûte presque rien. Au Québec, les tavernes sont les derniers remparts du houblon à prix populaire. Chez *Dion,* les filles sont admises (les vieilles lois ont été abolies récemment). C'est d'ailleurs la dernière à l'avoir fait. Enfin ! *Dion*, c'est aussi un vrai petit musée d'ornithologie avec ses vitrines d'oiseaux empaillés ! C'est là que les « petits cousins français » découvriront le Québec profond... Un endroit haut en couleur, assez exceptionnel. Vraiment une taverne de *brosseux* (comprendre « de buveurs ») !

🍸 ***Dorchester Taverne** (hors plan couleur III par A2, **82**) :* 251, Dorchester (à l'angle de la rue Prince-Édouard). Ouvert de 8 h à minuit. Fermé le dimanche. Une vraie taverne où de vrais Québécois boivent beaucoup de vraie bière (pas chère). Un lieu authentique en diable, où l'on regarde le base-ball sur un grand écran TV, où l'on joue au *schuffle board,* un jeu marrant comme tout, qui est au curling ce que le ping-pong est au tennis, tout ça en buvant une bière, bien sûr. Ethnologues en herbe, vous êtes arrivés.

🍸 ***Chez Léo** :* 449, rue Bagot, à l'angle de Bayard (derrière le boulevard Charest Ouest). ☎ 525-58-05. Ouvert de 10 h à 19 h. Les hot-dogs les moins chers de Québec. C'est tout petit, mais le patron « placote » facilement.

SUR LE CAMPUS DE L'UNIVERSITÉ

D'accord, c'est loin du centre, mais on y trouve un bar sympa. S'adresse surtout à ceux qui séjournent pour une longue période. Lecteur de passage, inutile de vous déplacer. D'autant plus que l'été, c'est assez mort. Pour s'y rendre, se reporter plus haut (chapitre « Où manger? Haute ville, hors les murs ») aux indications données pour l'Université Laval.

🍸 ***Le Pub*** *(plan couleur I, B2,* ***85****)* **:** dans le pavillon *Alphonse-Desjardins*. • www.ulaval.ca/cadeul/pub • Ouvert tous les jours, sauf le dimanche, jusqu'à 3 h. Un bar étudiant très sympa où règne une ambiance décontractée. En saison la vaste terrasse lovée au creux d'une place est vraiment super. Si vous aimez les décos futuristes et avant-gardistes, *this is the place*. Une belle sculpture sphérique en alu orne l'entrée de la salle. Atmosphère très joyeuse de fin d'année et bonne musique. Goûtez les bières de la micro-brasserie. Du monde, surtout à la rentrée et en fin d'année universitaire. Étudiants de tous horizons, vous êtes ici chez vous.

À voir

Tout se fera à pied sans problème : la vieille ville a des proportions très humaines. Nous, on a préféré la balade du soir à cause des illuminations et du côté magique, façon décor de théâtre, qu'elles donnent aux places, bâtiments et ruelles. Remarquez l'architecture malouine des rues historiques de la haute ville : maisons de granit à hautes cheminées et chiens assis.

DANS LA HAUTE VILLE

Voici un parcours cohérent (avec quelques petits détours) qui permet, dans la haute ville, de voir tous les sites, musées et attractions principales.

★ ***Quelques rues pittoresques*** *(plan couleur II, B2)* **:** la *rue Couillard*. Pas une inconnue pour ceux qui logeront à l'AJ, elle porte le nom d'un des premiers habitants français au Canada, arrivé en 1613. Plus loin, la *rue Hébert* qui possède une tonalité très française, la *rue Sainte-Famille (plan couleur II, C2)* avec, au nº 15, la *maison Touchet* (milieu XVIIIe siècle), étonnante, dont les combles et la cheminée occupent les trois quarts du volume (attention : on ne la visite pas). Et, pour finir, la *rue Saint-Flavien,* l'une des plus jolies et qui possède aussi d'anciennes demeures.

★ ***Le musée de l'Amérique française*** *(plan couleur II, B2)* **:** 2, côte de la Fabrique. ☎ 692-28-43. Ouvert tous les jours de 10 h à 17 h 30 de fin juin au 1er septembre, et de 10 h à 17 h du mardi au dimanche le reste de l'année. L'ancien musée du Séminaire est devenu un superbe espace consacré à l'histoire au service du savoir. La plupart des objets proviennent des prêtres de l'Université Laval qui enseignaient aux premiers étudiants du continent. On retrace ici trois siècles d'histoire et de présence française. Tous les domaines artistiques et techniques sont donc évoqués par le biais d'expositions tournantes.

★ ***Le Musée d'Art Inuit Brousseau*** *(plan couleur II, B-C3)* **:** 39, rue Saint-Louis. ☎ 94-18-28. Fax : 694-20-86. • artinuit@globetrotter.net • Ouvert de 9 h 30 à 17 h 30. Entrée payante : 6 $Ca (3,9 €). Réductions. En mai 1999, M. Brousseau et son épouse, respectivement spécialiste d'art inuit (marchand, expert, collectionneur depuis des années) et muséographe, ont ouvert les portes de leur musée. Ce lieu est entièrement dédié à un art encore peu connu du grand public, celui des Inuits de l'Arctique canadien. Un lieu privilégié pour faire la connaissance avec un peuple, son histoire, sa culture, son pays, et surtout sa sculpture. M. et Mme Brousseau ont donc mis en scène leur extraordinaire collection pour retracer l'évolution de cette discipline, de la préhistoire à nos jours. Mise en scène remarquable dans des locaux spécialement pensés. Scénographie et lumières parfaites, un merveilleux écrin pour ces trésors du grand nord. Le visiteur est happé dès la première minute. Présentation d'une grande quantité d'œuvres. Sculptures, gravures, dessins et objets du quotidien, comme du matériel de pêche ou de chasse, etc. C'est aussi l'occasion de découvrir les oeuvres d'artistes bien vivants, au cours de la visite, et dans le cadre des expos temporaires. Un grand coup de chapeau à ce couple de passionnés!

★ ***Le musée des Augustines de l'hôtel-Dieu*** *(plan couleur II, B2)* **:** 32, rue Charlevoix. ☎ 692-24-93. Ouvert du mardi au samedi de 9 h 30 à 12 h et de 13 h 30 à 17 h, et le dimanche après-midi aux mêmes horaires. Entrée gratuite. Un petit musée fondé à partir des possessions des augustines de Dieppe qui bâtirent le 1er hôpital du pays en 1639. Collection variée de mobilier, de tableaux des XVIIe, XVIIIe et XIXe siècles. Un peu d'orfèvrerie, des objets domestiques et surtout une salle consacrée aux instruments chirurgicaux anciens. Notez la machine à électrochoc à manivelle du siècle dernier, ainsi que la vitrine présentant des corps étrangers extraits des malades qui les avaient ingurgités par inadvertance.

★ ***La rue Saint-Jean*** est l'artère principale de la vieille ville. Follement animée et touristique. On y voit beaucoup de Japonais. Après la porte Saint-Jean, prenez la ***rue d'Auteuil*** qui grimpe vers la porte Saint Louis et la rue du même nom. Elle exprima au XVIIIe siècle toute l'élégance de la ville et aligne quelques belles maisons anciennes, notamment la *maison Péan* (1750) au no 61.

★ ***Le parc de l'Artillerie :*** 2, rue d'Auteuil, entre la rue Saint-Jean et la rue Mac-Mahon. ☎ 648-42-05. Ouvert de début avril à fin octobre, théoriquement de 10 h à 17 h (le lundi de 13 h à 17 h) ; le reste de l'année, du lundi au vendredi de 10 h à 12 h et de 13 h à 17 h. Horaires sujets à changement. Entrée payante. Ce lieu est stratégique dans l'histoire de Québec ; des ouvrages de défense s'y élevèrent avant qu'il devienne une cartoucherie. Aujourd'hui, c'est un centre d'accueil et d'interprétariat des défenses militaires de Québec. Plan-relief de la ville de 1808. Audiovisuel et visites guidées.
À l'angle de la rue d'Auteuil et de la rue Mac-Mahon s'élèvent la puissante et blanche *redoute Dauphine* et ses contreforts. Voir aussi le logis des officiers. Grand *jardin public* et *remparts* accessibles, d'où le coucher de soleil est superbe. *Promenade des Fortifications* au 100, rue Saint-Louis.

★ ***Le musée et la chapelle des Ursulines :*** 12, rue Donnacona. Petite rue reliant la rue Saint-Louis à la rue Sainte-Anne. ☎ 694-06-94. De septembre à avril, ouvert du mardi au dimanche de 13 h à 16 h 30. De mai à août, de 10 h à 12 h et de 13 h à 17 h du mardi au samedi et le dimanche de 12 h 30 à 17 h. Fermé le lundi. Entrée payante. Réduction étudiants. Intéressant petit musée installé dans le couvent des Ursulines et présentant des souvenirs et témoignages de la vie des religieuses et de nombreuses peintures, estampes, objets d'art, documents des XVIIe et XVIIIe siècles. Parmi les centaines d'objets, on peut dégager un beau piano (1850), une salle d'objets provenant de la colonie qui s'installait à l'époque. Le 2e étage présente de l'art amérindien. Particulièrement remarquables sont les broderies exécutées par les religieuses, notamment un splendide parement de fête de Noël de 1739, un parement du Saint-Esprit et un parement de Pentecôte avec une belle huile au milieu montrant le martyre de sainte Ursule.
À l'extérieur, la chapelle (fermée l'hiver) fut construite en 1902, mais conserva toute son ornementation intérieure du XVIIIe siècle. Mêmes horaires que le musée. Entrée gratuite. À l'entrée, fiche imprimée détaillant tous les points d'intérêt de la chapelle. On notera surtout, au-dessus du maître-autel, une *Nativité* de l'école de Le Brun et une copie de *Jésus chez Simon le Pharisien* par Philippe de Champaigne, l'original étant à Nantes.

Chaire et retable sculpté, l'un des plus vieux d'Amérique du Nord. Pierre tombale du marquis de Montcalm.

★ Retour ***rue Saint-Louis*** où l'on trouve, au n° 25, la *maison du duc de Kent* (vers 1700) et, au n° 17, la *maison Maillou* de 1736. Par la place d'Armes, on rejoint la ***ruelle du Trésor*** toujours bondée. De nombreux artistes y accrochent leurs œuvres. Comme partout ailleurs, le meilleur y côtoie le pire. Le peintre-graveur Jean Cencig présente, quant à lui, de remarquables estampes (principalement des paysages). Au 22, ***rue Sainte-Anne,*** petit *musée Grévin* (1re franchise en Amérique du musée Grévin de Paris) présentant les grands événements historiques canadiens et quelques célébrités tels Michel Courtemanche ou Roch Voisine. Au 10, rue Sainte-Anne, *musée du Fort* (ouvert l'été tous les jours de 10 h à 18 h) présentant un diorama sur les grandes batailles de Québec. Dans ce musée, possibilité de voir une *maquette géante de la ville* (ouvert de juin à septembre, de 10 h à 20 h ; le reste de l'année, de 10 h à 17 h). À côté du vieil *hôtel Clarendon,* rue Sainte-Anne, s'élève l'*édifice Price,* de style Art déco, et qui fut le premier gratte-ciel de la ville. Au bout de la rue Sainte-Anne, on rejoint la ***place de l'Hôtel-de-Ville.***

★ ***La galerie « Aux Multiples Collections » :*** 69, rue Sainte-Anne, dans le Vieux Québec. ☎ 692-12-30. Une autre adresse : 43, rue Buade. Ouverte tous les jours. Galeries exclusivement consacrées à l'art inuit, dirigées par un vrai passionné.
Même si vous n'achetez pas (c'est tout de même très cher), allez faire un tour dans l'une de ces boutiques qui proposent et exposent de véritables chefs-d'œuvre, sculptés de manière traditionnelle dans des os de baleine, de l'ivoire de morse ou en stéatite, pierre facile à tailler.

★ ***La basilique Notre-Dame-du-Québec*** *(plan couleur II, C2)* ***:*** 16, rue Buade, à l'angle de la côte de la Fabrique. ☎ 692-25-33. C'est la plus ancienne paroisse du continent nord-américain si l'on écarte le fait qu'il ne reste plus rien de l'édifice d'origine. Samuel de Champlain y construisit une première église en 1633, incendiée peu après, reconstruite par les jésuites, puis détruite lors du siège de Québec en 1759. Rebâtie au XIXe siècle puis dévastée à nouveau par un incendie en 1922. Reconstruite presque aussitôt sur le modèle antérieur. Il en faut plus pour décourager les Québécois... Admirez le baldaquin de style Louis XIII. La lampe du sanctuaire est un don de Louis XIV. Jetez aussi un œil à la crypte des évêques. Le soir, un spectacle son et lumière est organisé, illustrant l'histoire de la ville en 3 dimensions. Appelez pour les horaires.

★ ***Le château Frontenac*** *(plan couleur II, C3)* ***:*** ☎ 691-21-66. Ouvert du 1er mai au 15 octobre de 10 h à 18 h tous les jours ; du 16 octobre au 30 avril, de 12 h 30 à 18 h les samedi et dimanche. Gigantesque château du genre de ceux que l'on trouve dans les films de *Walt Disney*, avec des fenêtres et des petites tourelles. Le château Frontenac est à Québec ce que la tour Eiffel est à Paris. Symbole d'une ville, mais aussi d'une époque, ce grand seigneur de l'hôtellerie fait encore l'admiration de tous par son éclat et son élégance incomparables. Représentant la perfection, il se dresse fièrement au-dessus du Saint-Laurent. L'édifice, de style Renaissance française (mais construit il y a moins d'un siècle !), rappelle les extravagantes pièces montées que Louis II, le roi fou, fit construire en Bavière. Une aile toute neuve a été construite pour fêter les 100 ans (en 1993) de l'édifice.
L'aménagement intérieur est grandiose. Visite guidée (payante) d'environ 50 mn par des personnages aux costumes et aux manières très XIXe siècle, un peu style Disneyland quand même. Comme si vous y étiez ! Le grand hall déborde hiver comme été de croisiéristes qui font halte à Québec pour quelques heures. L'hôtel est un village en miniature : il a sa propre blanchisserie, ses ateliers de menuiserie et de réparation électrique. On y dessine les uniformes, coud les tentures et cuit le pain. Ce fut Viollet-le-Duc qui constitua la

splendide collection de meubles et d'objets qui décorent les chambres. Mais ce qu'on visite est assez restreint et décevant. Pour terminer, allez écluser un gorgeon au pub, pas si cher, tout compte fait (voir, dans la rubrique « Où boire un verre? » le bar *Saint-Laurent*).

★ ***La terrasse Dufferin :*** au pied du château Frontenac. Vue merveilleuse sur le Saint-Laurent. Très animée le soir. Cette longue terrasse en bois est prolongée par la *promenade des Gouverneurs*. Cette promenade longe la citadelle du côté du fleuve. C'est une longue succession d'escaliers (avis aux routards rhumatisants!). Très belles vues. Elle aboutit aux plaines d'Abraham.

★ ***La citadelle :*** elle fut construite à partir de 1820, en intégrant une redoute de 1963 élevée par les Français, ainsi que l'ancienne poudrière. Musée historique présentant uniformes, armes, etc., de cette époque. En été, ouvert de 9 h à 18 h. Relève de la garde tous les jours à 10 h, de la mi-juin jusqu'à la fête du Travail (1er lundi de septembre). Entrée payante. La retraite a lieu les mardi, jeudi, samedis et dimanche à 18 h en juillet et août, sous réserve de bonnes conditions atmosphériques.

★ ***Balade sur les remparts :*** il est possible de suivre à pied l'enceinte fortifiée qui protégeait autrefois Québec, à partir de la citadelle. Le chemin est facile à trouver : il suffit de suivre les remparts, dont le sommet – le chemin de ronde, en quelque sorte – est tapissé de pelouse. Ils ont été construits au cours du XVIIIe siècle et sont en excellent état. Mais ils ont eu chaud!
Vers 1870, les urbanistes de l'époque trouvèrent que ces murailles d'un autre temps empêchaient la ville de se développer, et gênaient les déplacements entre le vieux centre et les nouveaux quartiers qui sortaient de terre à l'extérieur des murs. On entama donc la démolition des fortifications, en commençant par les portes de la ville. Mais un certain Lord Dufferin, fraîchement nommé gouverneur, arriva à Québec. Cet homme trouva du charme aux remparts et fit cesser le massacre. Il fit même mieux : il ordonna la reconstruction des quatre portes qui avaient été abattues. Mais plutôt que de les reconstruire à l'identique, il choisit de leur donner un style romantico-médiéval (genre « Belle au bois dormant ») beaucoup plus à la mode à l'époque. Très éloigné des considérations militaires, c'est l'aspect monumental (voire théâtral) qui l'intéresse. Voici pourquoi les portes du Vieux Québec semblent sortir des cartons à dessin de Disney plus que de ceux de Vauban. C'est pour la même raison que les portes sont plus « frêles » que le reste des fortifications.
Parmi ces portes reconstruites, il y a la porte Saint-Louis. C'est la première porte que l'on franchit en suivant les remparts à pied. De là, un coup d'œil à droite : la rue Saint-Louis et la vieille ville, ses rues étroites, ses calèches et ses trois siècles d'histoire. À gauche : Grande-Allée, son trafic automobile et, tout près, le vaste édifice qui abrite le parlement du Québec. Même contraste entre les époques du sommet de la porte Saint-Jean. Il vous faudra quitter les remparts un peu plus loin, aux environs de la rue Mac-Mahon. Si vous êtes parti du château Frontenac, que vous avez suivi la promenade Dufferin, puis celle des Gouverneurs, longé la citadelle et parcouru les remparts, vous aurez fait les trois quarts du tour du Vieux Québec.

★ ***Le parc des Champs-de-Bataille ou plaines d'Abraham :*** en sortant du Vieux Québec par la rue Saint-Louis. Un parc magnifique près du Saint-Laurent. C'est là qu'eut lieu la grande bataille, en 1759, où Montcalm perdit la vie. Les Français battus, les Anglais occupèrent Québec. L'année suivante, baroud d'honneur. Les Français gagnèrent l'ultime bataille à Sainte-Foy, mais les renforts tant attendus furent... anglais. Ils ont remis ça, 55 ans plus tard, à la bataille de Waterloo! Le 24 juillet 1997, 30 ans après le célèbre « Vive le Québec libre », a été inaugurée à cet endroit la statue du général de Gaulle, en bronze, qui côtoie celle de Jeanne d'Arc.

★ ***Le musée du Québec*** *(plan couleur I, C2)* **:** 1, av. Wolfe-Montcalm, parc des Champs-de-Bataille. ☎ 643-21-50. Bus n° 11 (en face de l'hôtel *Concorde*). Ouvert tous les jours en été, de 10 h à 17 h 45 (le mercredi jusqu'à 21 h 45). Entrée payante, sauf le mercredi. Collections de peintures, arts décoratifs, estampes, sculptures, etc. Expositions temporaires toujours très intéressantes.
Le musée est composé de trois édifices reliés entre eux ; le *pavillon central,* bâtiment moderne tout en transparence, qui accueille les services (boutique, auditorium et restaurant) ; le pavillon *Gérard Morisset,* à droite, édifice néo-classique à l'origine du musée ; et le *pavillon Baillairgé,* ancienne prison inoccupée depuis 1971 mais, bien entendu, restaurée et adaptée pour accueillir aussi des expositions temporaires. Cela dit, on visite encore quelques cellules voûtées, en brique rouge. Toujours impressionnant mais bizarrement assez gai.
Le *pavillon Gérard-Morisset* abrite pour sa part une collection d'art québécois ancien, sacré et profane au rez-de-chaussée. Au 1er étage, art québécois des XIXe et XXe siècles dont *L'Apothéose de Christophe Colomb,* vaste peinture allégorique mais inachevée de Napoléon Bourassa. Le reste du pavillon est consacré aux expositions temporaires. Un bien bel ensemble. Aux beaux jours, agréable terrasse avec vue sur les plaines et le Saint-Laurent.

★ ***L'observatoire de la capitale*** (sic) **:** 1037, rue de la Chevrotière, à côté du Grand Théâtre. ☎ 644-98-41. Allez jusqu'au 31e étage de l'édifice Marie Guyart. Panorama exceptionnel sur Québec et les alentours. Ouvert de 10 h à 17 h d'octobre à mai et de 10 h à 19 h de juin à septembre. Entrée payante. Gratuit pour les moins de 12 ans. Réduction étudiants et personnes âgées. Centre d'interprétation avec exposition permanente.

★ Pour avoir encore un ***panorama*** superbe sur la ville on peut aussi monter au restaurant-bar *L'Astral* (voir « Où manger ? »). Pour le prix d'un café, la vue n'est pas mal... Pour y aller, remonter le chemin de Grande-Allée Est.

★ ***L'Assemblée nationale du Québec*** **:** Grande-Allée Est. Devant la porte Saint-Louis. ☎ 643-72-39. Construite en 1877, dans un style Second Empire (s'inspirant du Louvre de Napoléon III). Visites guidées et possibilité d'assister aux débats quand il y a session. Ouvert en principe tous les jours de la semaine de 9 h à 16 h 30 de septembre à juin, mais mieux vaut téléphoner avant. Fermé du 1er au 23 juin. Entrée gratuite. Bon resto parlementaire ouvert à tous à midi.

★ Dans la ***rue Saint-Jean,*** hors les murs, voir, au n° 755, l'*église Saint-Matthew* et son *cimetière* transformé en parc depuis 1987. On y trouve les tombes (avec notice explicative) de beaucoup de gens célèbres de la vie politique québécoise, notamment Alexander Cameron (la plus ancienne), soldat de l'armée de Wolfe, mort en 1759, le frère de Walter Scott, Henry Hope, gouverneur de la province, etc.
Rue Saint-Jean toujours, au n° 669, pittoresque et odorante *épicerie Moisan* qui a conservé sa belle décoration intérieure de bois du XIXe siècle et présente de délicieuses vitrines ringardes.

★ ***Québec Expérience*** **:** 8, rue du Trésor. ☎ 694-40-00. Présentation en 3D et en diaporama de la naissance de la ville de Québec. Spectacle en français toutes les 90 mn à partir de 10 h. Dernière séance à 21 h. Prix abordable. Réduction étudiants. Un peu décevant : la mise en scène et les effets spéciaux sont assez ringards. Ravira plus les petits que les grands, qui trouveront mieux à faire à Québec.

DANS LA BASSE VILLE

Empruntez, pour l'atteindre, le funiculaire de la terrasse Dufferin ou descendez à pied par la côte de la Montagne et l'escalier Casse-Cou.

★ ***La maison Louis-Jolliet*** *(plan couleur II, C3)* **:** 16, rue du Petit-Champlain. Elle abrite le funiculaire et fut construite en 1683 pour Louis Jolliet, découvreur du Mississippi. Il y vécut jusqu'à sa mort en 1700.

★ ***La rue du Petit-Champlain :*** ancienne rue (on dit même que c'est la plus ancienne d'Amérique du Nord) où se réfugiaient, au XIXe siècle, les habitants les plus pauvres de Québec, notamment les immigrants irlandais. Aujourd'hui, entièrement restaurée et très... touristique évidemment.

★ ***La place Royale :*** une merveille architecturale, magnifiquement restaurée, l'un des plus anciens quartiers homogènes d'Amérique du Nord. Bureau d'information touristique à la maison *Thibaudeau :* 215, Marché-Finlay. ☎ 643-66-31. Ouvert de début mai à fin septembre, de 10 h à 18 h. C'est ici que Samuel de Champlain construisit, le 3 juillet 1608, sa 1re cabane au Canada (dont l'emplacement a été reproduit sur le sol par un dallage spécial). On trouve tout autour de superbes édifices et demeures des XVIIe et XVIIIe siècles.

★ ***L'église Notre-Dame-des-Victoires :*** construite en 1688 sur les fondations de la maison de Champlain. C'est l'une des plus anciennes du Québec. En partant de l'église, on trouve successivement les *maisons Marianne Barbel,* la plus haute (1754), *Veuve Rageot* (1762), *Pierre Bruneau* (1791), *Le Picart* et, au coin de la place et de la rue Notre-Dame, la *maison Lambert-Dumont* (1689). Rue Notre-Dame, *maison Milot* (aussi de 1689) et, en face, les fondations des *maisons Soullard* et *Gaillard*. Certaines maisons abritent des centres d'interprétation et des boutiques (dont la *maison des Vins*).

★ ***La Batterie royale :*** au bout de la pittoresque rue Sous-le-Fort s'élève l'un des principaux éléments de défense de la ville, construit en 1691. Les dix bouches à feu ont été offertes par la France au Québec.

★ ***La maison Chevalier :*** élégante demeure bourgeoise, édifiée en 1752. Aujourd'hui, elle accueille de fort intéressantes expos sur l'histoire, la civilisation et l'ethnographie au Québec. Ouvert tous les jours, de 10 h à 17 h. Entrée gratuite.

★ ***Le musée de la Civilisation*** *(plan couleur II, C2)* **:** 85, rue Dalhousie. ☎ 643-21-58. Ouvert tous les jours du 24 juin à début septembre, de 10 h à 19 h; le reste de l'année, de 10 h à 17 h (21 h le mercredi), sauf le lundi. Fermé le 25 décembre. Entrée payante. Gratuit le mardi, mais hors saison seulement. Réduction de 40 % pour les étudiants. Visites guidées à certaines heures. Prévoir pas mal de temps, car le musée est très riche.
Un musée ultramoderne, immense, magnifique, ludique et complètement révolutionnaire dans sa conception. Par civilisation, entendez : histoire, archéologie, sociologie, ethnologie et technologie! Partout, des vidéos et des ordinateurs dialoguent avec le visiteur : complètement interactif! Trois expos permanentes « Objets de civilisation », « Mémoires » (du Québec) et « Messages » complétées par des expositions temporaires sur tous les sujets imaginables (par exemple : l'alimentation, les Amérindiens, la photo...), de sorte qu'on peut y retourner tous les ans sans jamais voir deux fois la même chose. Tout cela fait de ce musée un lieu indescriptible, en mouvement perpétuel, bref : toujours d'actualité! Le contraire du musée traditionnel, trop souvent figé, poussiéreux et emm... Ici, tout le monde s'amuse. Normal, il y en a pour tous les goûts. Personne n'est oublié : intellos, enfants, touristes en vadrouille, ménagères du coin, esthètes, sportifs ou étudiants...
Chaque exposition est un musée d'art à part entière, dédale de salles où

s'entrechoquent images et mots, objets anciens et gadgets d'avant-garde, panneaux explicatifs et œuvres d'art, schmilblik hétéroclite et slogans percutants ! À peine est-on entré dans une salle qu'on se trouve transposé dans la caverne d'un Ali Baba du XXIe siècle. Des moyens considérables ont été développés pour que le moindre visiteur – objet à part entière de chaque exposition, à égalité avec ceux qui l'environnent – soit instinctivement et spontanément imprégné du sujet abordé, sollicité qu'il est par les signes et messages du lieu, tous liés entre eux par un même fil conducteur (le thème de chaque expo).
On n'en ressort même pas épuisé : l'aspect ludique de chaque exposition permet à chacun de s'impliquer sans effort apparent, de réfléchir sans même s'en apercevoir ! D'où le succès colossal de ce premier « musée intelligent » de l'histoire, qui ne recevait pas moins d'un million de visiteurs l'année de son ouverture... au lieu des 300 000 escomptés ! Les experts en muséologie viennent, paraît-il, du monde entier pour analyser le phénomène et prendre exemple sur cette réussite totale. Bon, plus la peine d'en rajouter : vous avez parfaitement compris que cet endroit exceptionnel ne ressemble à rien de connu et qu'il serait inexcusable de ne pas venir jouer comme tout le monde dans ce laboratoire voué à l'intelligence humaine.

★ ***La rue Sous-le-Cap :*** jusqu'à une date récente, l'une des rues les plus pauvres de la ville. Elle présente une particularité : elle fut aussi la rue la plus étroite du Québec (voire d'Amérique). C'est la seule en tout cas où l'on trouve ces curieux escaliers et passerelles extérieurs en bois. À l'origine, les maisons qui bordaient la rue étaient si proches les unes des autres que des passerelles en reliaient les derniers étages. Aujourd'hui, la plupart d'entre elles, côté falaise, ont disparu (il n'en reste qu'une et quelques vestiges de murs), mais les passerelles ont subsisté. D'ailleurs, de la rue des Remparts, vous en obtenez une vision très intéressante. Noter les agréables terrasses que les nouveaux propriétaires (des antiquaires surtout) ont aménagées !

DANS LE QUARTIER DU VIEUX-PORT

Depuis quelques années, le quartier du Vieux-Port est en train de se métamorphoser de façon radicale. Rénovation des maisons anciennes, des entrepôts, des bâtiments industriels qui abritent déjà aujourd'hui quelques cafés, restos, magasins d'antiquités, appartements, etc. Une transformation intelligente qui sait utiliser au mieux les architectures existantes et allier de façon harmonieuse modernité et passé. Ne pas manquer de déambuler dans les rues Dalhousie, Saint-Paul et Saint-André, de plus en plus animées et branchées. À la pointe de Carcy s'étend *l'Agora,* immense salle de spectacle en plein air où se déroulent tous les grands concerts et récitals.

★ Au cours de la balade, vous pourrez admirer quelques édifices dignes d'intérêt, notamment celui de la ***Société du port de Québec,*** superbement restauré. Plaque sur le fronton (la Liberté du commerce maritime). Également le nouveau ***bâtiment de la douane,*** construit en 1856 dans un beau style italien avec une grande colonnade. Autrefois, un escalier menait au fleuve. Façade avec des masques de pierre sculptés. Au 112, ***rue Dalhousie,*** élégant immeuble moderne, alliance harmonieuse du verre et de la brique. Au n° 94, face à l'antique « poste de pompiers » et sa tour, d'anciens entrepôts ont été transformés en appartements de luxe.

★ ***La rue Saint-Paul,*** ancienne rue populaire, présente désormais un visage très huppé. Devenue la rue des antiquaires, agrémentée de bistrots à la mode. Curieusement, bien qu'agréable, ce quartier n'a jamais véritablement attiré le tourisme de masse. Tant mieux.

★ Au bout de la rue Saint-Paul, le long du fleuve, voir deux architectures originales : l'immeuble de ***Santé et Bien-Être social*** avec ses tourelles, clochetons, pignons multiples à lucarnes et son toit en cuivre. Tout à côté, la magnifique ***gare du Palais,*** d'inspiration victorienne et qui se donne des airs de manoir, avec ses toits immenses à hautes lucarnes. Merveilleusement restaurée, on peut y admirer un hall luxueux.

À faire l'hiver

– ***Les glissades de la Terrasse :*** devant le château Frontenac, un toboggan pour luge ancienne de deux personnes. Ouvert tous les jours de mi-décembre à mi-mars, de 11 h à 23 h. Pour 1 $Ca (0,6 €), une super sensation, dans un des plus beaux endroits de Québec, entre le château Frontenac et le Saint-Laurent.
– ***Forfaits sports d'hiver-Canada :*** 330, rue Saint-Jean, Saint-Marc-des-Carrières, G0A-480. ☎ 268-88-46. Forfaits tout inclus (transferts, hébergement, etc.) ; rafting sur neige (1 jour), traîneau à chiens (2 jours), motoneige (2 jours), pêche blanche, dans une cabane au bord de la rivière, et visite de la ville de Québec. Pour ceux qui veulent tout faire sans entreprendre.

À voir. À faire dans les proches environs

★ ***IMAX :*** 5401, bd des Galeries. ☎ 627-46-88. Près du grand centre commercial « les Galeries de la Capitale ». Il faut avoir une voiture (à 15 mn du Vieux Québec). Prendre l'autoroute 40 direction Sainte-Foy, puis l'autoroute du Vallon. Pour ceux qui ne le sauraient pas encore, se cache sous ce nom une société canadienne qui a mis au point les techniques cinématographiques les plus perfectionnées au monde. On vous passe les détails techniques, mais le résultat est impressionnant. Et surtout, IMAX fait aussi du cinéma en relief (on dit : 3D). Cette société exploite de nombreux cinémas, qu'elle nomme « théâtres », qui utilisent cette technologie.
Or il se trouve que le théâtre IMAX de Québec est l'un des plus récents. Il possède le plus grand écran du Canada (20,50 m de haut sur 28,20 m de large, oui, Môôsieur!) et – à quelques centimètres près – le plus grand du monde. Les scénarios et les sujets des films sont souvent un peu gentillets (vie des poissons, migration des papillons...), parfois plus palpitants (la conquête de l'espace, par exemple, même si ce film ressemble à une grande pub pour la NASA et les États-Unis). La sonorisation de la salle est époustouflante. Mais la climatisation aussi : on vous conseille vraiment de prendre un bon pull! Le prix, lui, est raisonnable (une place de cinéma en France). Il faut réserver par téléphone avant d'y aller.

★ ***Le village de sports :*** 1860, bd Valcartier, à Saint-Gabriel-de-Valcartier. ☎ 844-37-25. Du centre de Québec, prendre le boulevard Laurentien (route 73) et passer par Saint-Émile (20 à 30 mn de trajet). L'été, ça ressemble à d'autres parcs de loisirs aquatiques avec piscine à vagues, rivière « d'aventure », toboggans et cascades en résine. Bref, vous avez sûrement mieux à faire de votre temps et de votre argent pendant votre séjour à Québec. Mais l'hiver, ça vaut le coup d'aller y faire un tour. D'ailleurs les Québécois, et pas seulement les enfants, en sont friands. « C'est ben l'fun » : on y dévale les pentes neigeuses assis sur des chambres à air, ou à bord d'un grand bateau pneumatique. On peut y faire du kart sur neige, du ski de fond, du patin à glace. Les toboggans gelés sont en service, le plus vertigineux étant « l'Everest », incliné à 110 % en ligne droite. Les tarifs sont raisonnables, et on peut y passer une très bonne journée.

Admirer Québec pour pas cher

– Prendre le traversier qui relie Québec à partir de la rue des Traversiers, perpendiculaire au boulevard Champlain à Lévis (en face). Départ toutes les 30 mn en général. Appeler la *Société des Traversiers du Québec,* ☎ 644-37-04, pour les renseignements. Aller et retour en 45 mn pour une somme tout à fait modique. Vue splendide à ne pas manquer. Pour les photographes, très belles photos à faire de la vieille ville du traversier. De préférence le matin, à cause de la position du soleil. Superbe lumière rasante sur la ville. Prendre un aller et retour « excursion ».
– On reste sur le bateau ou on peut descendre et se promener dans ***Lévis,*** jolie ville résidentielle à l'architecture intéressante. Vous serez loin des hordes de touristes de Québec, tout en jouissant d'une vue panoramique sur le Vieux Québec, et les restos y sont moins chers. À voir, entre autres :

★ ***La maison Desjardins :*** 6 rue du Mont-Marie. ☎ 1-800-463-48-10. Maison victorienne, résidence d'A. Desjardins, fondateur de la première Caisse populaire en Amérique. Ouvert toute l'année du lundi au vendredi de 10 h à 12 h et de 13 h à 16 h 30, samedi et dimanche de 12 h à 17 h. Accès gratuit.

★ ***L'économusée de l'enseigne sur bois :*** 10965, bd de La Rive-Sud. ☎ 838-08-71. Ouvert de juin à septembre du lundi au vendredi de 10 h à 16 h 30. À Lévis, si vous êtes observateur, vous découvrirez de nombreuses enseignes sur bois aux couleurs vives. Poussez la porte de la maison victorienne et découvrez l'atelier de l'artisan. Dépositaire d'une tradition qui date du XVIIIe siècle, il conçoit et fabrique des enseignes sur bois sculptées, peintes à la main et décorées à la feuille d'or. Tout un art !

Et pourquoi pas l'hydravion ?

Bien sûr, assez cher, mais ô combien inoubliable ! C'est en effet un moyen idéal de découverte de ce pays de lacs et de forêts. N'oubliez pas que la bestiole vole en général à basse altitude ; vous imaginez le(s) coup(s) d'œil !

■ ***Roger Forgues Aviation :*** lac Saint-Augustin. ☎ (418) 871-44-55. Fax : (été) 871-80-10. • arf@qbc.clic.net • Prendre l'autoroute 40, en direction de Montréal. Puis la sortie 300 (lac Saint-Augustin), à 15 mn de Québec. La réglementation nouvelle interdit le survol de Québec en hydravion. Cet organisme propose donc désormais une excursion au-dessus des lacs et de la forêt d'une durée de 3 h, avec arrêt dans une cabane pour pique-niquer. Autres forfaits possibles. Réduction de 10 % pour les lecteurs du *GDR.*

Fêtes

– ***Le carnaval :*** 1re quinzaine de février. Malgré l'hiver et le froid, le carnaval de Québec « s'éclate » pendant dix jours. Assez commercial. Bals, concerts, concours de sculptures de neige durcie et de patinage, etc. Tradition du bain de neige, en sous-vêtements, gants et chaussures. De joyeux fêtards ont même des cannes creuses dans lesquelles ils transportent leur ration de *caribou* (alcool et vin). Infos : ☎ 626-37-16.
– ***Coupe du monde de vélo de montagne :*** sur le mont Sainte-Anne, en juin. Pas vraiment une fête, mais une compétition très importante ici, et assez marrante.
– ***Fête nationale du Québec :*** 24 juin. Tout est fermé.

– ***Fête du Canada :*** 1er juillet. C'est la grande fête du pays tout entier.
– ***Le Festival d'été de Québec :*** 1re quinzaine de juillet. Les parcs du Vieux Québec sont envahis par des milliers de Québécois... Des dizaines de troupes de théâtre, d'orchestres, des concerts de folk, de jazz, un programme extraordinairement riche : 400 spectacles (presque tous gratuits), 800 artistes, 20 pays représentés. Chanson, variétés, spectacles de rue, animations pour jeune public et même de la musique classique... La fête préférée des Québécois. Ah oui ! Les dates exactes jusqu'à la fin (ou pour le début !) du siècle sont du 6 au 16 juillet 2000. Pour la suite, vous pouvez déjà réserver votre exemplaire du *Guide du Routard,* édition 2001/02 !
Pour plus d'infos : *Festival d'été international de Québec,* 160, rue Saint-Paul. ☎ 692-45-40. Fax : 692-43-84.
– ***Le Cirque du Soleil :*** tous les 2 ans, ce cirque sans animaux revient s'installer pour un de ses spectacles extraordinaires dans le parking du centre commercial *les galeries de la capitale*, pour un mois, en juillet. Réservation auprès du *Théâtre de la Ville* : ☎ 1-800-361-45-95. Musique, mise en scène, costumes et numéros originaux et spectaculaires en font un événement inoubliable qu'on ne peut que vous le conseiller vivement. Un must malgré le prix assez élevé.
– ***Les fêtes de la Nouvelle-France :*** fêtes inaugurées en 1997. Début août. Reconstitutions historiques, chasses aux trésors, défilés, costumes d'époque aident à raconter l'histoire des Amérindiens et des premiers arrivants. Renseignements : ☎ 694-33-11.
– ***Fête du Travail :*** 1er lundi de septembre. Tout est fermé, sauf certains musées.

Quitter Québec

En stop

■ ***Allo-stop :*** 467, Saint-Jean. ☎ 522-34-30. • allostop@total.net •
– *Vers Montréal, la Beauce :* la route 132, l'autoroute 20 Ouest. Prendre le bus n° 11 jusqu'à l'angle de la rue Lavigerie et du boulevard Laurier ou encore le n° 13.
– *Vers la Gaspésie :* route 132 Est, autoroute 20 de Lévis. Après le traversier, prendre le bus n° 21 jusqu'à la route 132.
– *Vers le Saguenay, le lac Saint-Jean :* bus n° 32 jusqu'au lac Clément, puis marcher jusqu'au boulevard Talbot.
– *Vers Charlevoix, la côte Nord :* bus n° 3 jusqu'à la place Jacques-Cartier, puis bus n° 53 jusqu'aux chutes de Montmorency. Commencer sur la route 138.

En bus

Gare centrale des bus *(plan couleur III, B1)* **:** gare du Palais, 320, Abraham Martin. ☎ 525-30-00.
– *Pour Montréal :* bus toutes les heures à l'heure pile, depuis tôt le matin jusqu'à tard le soir.
– *Vers Charlevoix et le Nouveau-Brunswick :* fréquence assez faible.
– Quelques bus pour *Baie-Saint-Paul, Tadoussac, Baie-Comeau.*

En train

Gare du Palais *(plan couleur III, B1)* **:** 450, rue de la Gare-du-Palais. Infos et réservations : ☎ 524-41-61.
– *Vers Montréal :* 4 trains par jour en semaine, 2 ou 3 en fin de semaine.
Gare de Lévis : 5995, rue Saint-Laurent, Lévis. ☎ 833-80-56. Pour les départs vers l'Est et le Sud.

– *Pour la Gaspésie :* 3 trains par semaine rallient Percé via Rimouski, Matapédia et la baie des Chaleurs.
– *Pour Halifax :* 3 trains par semaine.

En avion

– ***Bus pour l'aéroport :*** avec la compagnie *Feuille d'Érable et Dupont*. ☎ 649-92-26. Départ du château Frontenac et, en saison, de certains grands hôtels. Se renseigner par téléphone pour les horaires.

DANS LES ENVIRONS DE QUÉBEC

★ *WENDAKE – LE VILLAGE DES HURONS*

Réserve amérindienne, à une quinzaine de kilomètres de Québec par l'autoroute 73 Nord (sortie 154). Située sur le boulevard Bastien, en direction de Loretteville. En bus, prendre le n° 801 de la place de Yonville jusqu'au terminus Charlesbourg, puis le bus n° 72 jusqu'au village. Bon, c'est long et très compliqué. On conseille plutôt de louer une voiture pour une journée, en vous groupant.
On est bien ici dans une réserve, mais la visite peut s'avérer décevante si l'on s'attend à l'image d'un village indien conforme à celle répandue par les westerns ! Les Hurons d'aujourd'hui vivent (presque) comme des Canadiens et on peut traverser la réserve sans se rendre compte qu'on est en territoire indien ! Ceci dit, la visite peut s'avérer très intéressante d'un point de vue culturel et social... Les plaques de rue en bois sont les seuls éléments qui montrent qu'on est dans la réserve. Celle-ci s'étend sur 1 km de long et environ 500 m de large ; environ un millier d'Amérindiens y vivent. Quitte à ouvrir une porte ouverte, rappelons que tout le monde va et vient à son gré dans et hors de la réserve. Rien à voir avec un ghetto. Simplement, le fait de vivre là donne aux Amérindiens, et ici en l'occurrence aux Hurons, des droits particuliers à ce peuple et des devoirs inhérents à leur communauté. Pour en savoir plus sur ce sujet, lire, plus haut, notre rubrique « Les peuples autochtones dans l'histoire canadienne » au chapitre « Histoire et société ».
La réserve, comme le reste de la ville alentour, est composée de maisons, de petits jardins, de voitures américaines. L'élément touristique principal est le village Huron-Wendat reconstitué (voir plus loin). Beaucoup de touristes viennent également pour l'artisanat huron. Si l'on trouve de-ci, de-là quelques objets fabriqués à Hong-Kong ou Taiwan, l'essentiel de la production est authentique. Maquettes, calumets de la paix, chaussures, muraux en poil de caribou... et poupées en plastique. La plupart des boutiques se situent le long du boulevard Maurice-Bastien. On peut y faire un petit tour après la visite du village reconstitué.

La vie de la réserve

La réserve a officiellement le statut de Nation huronne-wendat (prononcer « oua-yendat »). Son drapeau représente un castor, des raquettes et un canot. Elle possède son école et sa propre police. Un grand chef et six autres chefs sont chargés de faire fonctionner cette microsociété, de préserver l'héritage culturel du peuple huron et de défendre les intérêts de la Nation contre le pouvoir « blanc ». Cela dit, tout n'est pas parfait au sein de ce « laboratoire humain » : les effets pervers d'un capitalisme sauvage se font sentir avec l'affluence touristique, et les plus importantes familles du village semblent monopoliser les avantages de cette manne financière...

Où dormir ? Où manger ?

La Maison Aorhenché : 90, François-Gros-Louis, village Huron-Wendat. ☎ 847-06-46. Fax : 847-45-27. À partir de 65 $Ca (41,9 €). Chambres avec salle de bains un peu plus chères. Décorées suivant un thème différent, 3 chambres vastes, chaleureuses et impeccables. 2 salles de bains. Accueil charmant de Line dans un décor autochtone. Excellent petit déjeuner.

Restaurant Nek8arre : 575, rue Stanislas-Koska, dans le village huron reconstitué, sur la réserve huron-wendat de Wendake. ☎ 842-43-08 ou 847-97-89. • www.huron-wendat.qc.ca • Ouvert à l'année. Comptez environ 15 $Ca (9,7 €) pour 1 menu. Réservation conseillée. Pour s'y rendre à partir de Québec, boulevard Laurentien (73), direction nord, sortie De La Faune, Saint-Émile (154).
Restaurant amérindien dans une cabane en bois traditionnelle reconstituée. Cuisine uniquement à base d'aliments utilisés autrefois par les Indiens hurons-wendat : maïs, fèves, pommes de terre, *banique* (c'est du pain sans levain), courges, haricots, riz sauvage et viande de bois. Et pas n'importe quelle viande ! On mange au choix (et selon arrivage) : bison en sauce, brochettes de caribou, grillade de chevreuil, truite arc-en-ciel cuite dans l'argile, confit de canard, pain de viande de cerf et chaudrée de lièvre et perdrix. Le menu comprend également une entrée de viandes fumées et des soupes à la citrouille, aux graines de tournesol, aux courges, ainsi que la fameuse *sagamité* (plat national des Hurons-Wendat, composé de fèves rouges, maïs lessivé et quelques morceaux de viande). Pour terminer le repas, on peut déguster un bon dessert typique, accompagné d'une tisane. C'est vraiment bon, et les prix sont très honnêtes pour un repas aussi original. Il existe aussi un menu végétarien. On peut également réserver les services de la troupe de danse ainsi que du conteur de légendes, afin d'agrémenter la soirée. Bref, un lieu vraiment intéressant, qui permet d'en savoir un peu plus sur les Hurons-Wendat et sur les Amérindiens du Québec d'aujourd'hui et sur leur histoire. Cela dit, pas d'illusions : l'endroit est évidemment hyper touristique.

À voir dans la réserve

★ **_Le village traditionnel huron-wendat Onhoüa-Chetek8e reconstitué :_** 575, rue Stanislas-Koska. Site ouvert à l'année, tous les jours de 9 h à 18 h (dernière visite à 17 h). En été à partir de 8 h 30. Visite guidée payante en compagnie de guides amérindiens, toutes les 30 mn. Environ 9 $Ca (5,8 €). Le village s'étend sur 1 ha environ et témoigne de la vie d'autrefois chez les Hurons-Wendat. On visite, dans l'ordre, une « longue maison » traditionnelle en bois et en écorce, un fumoir et un séchoir à viande, une hutte de sudation, des kiosques portant sur la société des Faux-Visages, les premiers contacts avec les Européens, la situation des Premières Nations du Québec et sur la vie contemporaine de Wendake, ainsi que des ateliers de construction de raquettes et de canoës. Le tout est agrémenté de panneaux explicatifs sur l'histoire du peuple huron-wendat.
Après la visite, allez donc déjeuner au restaurant traditionnel (voir ci-dessus). On y trouve également la boutique *Le Huron* et ses nombreux souvenirs, objets d'art et d'artisanat amérindien-inuit, et une échoppe de photos-souvenirs. Plus intéressant : la librairie *Huron-Wendat,* où l'on peut se procurer C.D., cassettes et livres sur les Amérindiens. On conseille notamment des ouvrages qui vous éclaireront un peu plus sur l'histoire, la philosophie et

l'actualité des Premières Nations du Canada. Enfin, la boutique *Le Chamane* vous proposera des herbes médicinales, tisanes, parfums... et « potions magiques ».

★ *LA CHUTE MONTMORENCY*

Près de Beauport, à environ 8 km au nord-est de Québec, sur la rive gauche du Saint-Laurent, face à l'île d'Orléans. ☎ 649-26-08.
Pour y aller en voiture, c'est facile, Beauport est fléché. En bus, c'est plus compliqué. Prendre dans la basse ville, sur la place Jacques-Cartier, le bus n° 53 (départ toutes les 90 mn) si l'on veut être déposé en bas de la chute et le bus n° 800 puis n° 50 (du terminus de Beauport) si l'on souhaite être déposé en haut. Bon, un peu galère. Là encore, il peut être intéressant de louer une voiture pour une journée à plusieurs, de voir la chute Montmorency puis d'aller voir le village huron reconstitué.
La chute est de 30 m plus haute (83,50 m) que celles du Niagara mais moins impressionnante. Environnement ingrat. Pas mal de touristes. Grand parking payant (assez cher). Kiosque d'information où est présentée la chute. Celle-ci a été exploitée au maximum sur le plan touristique. On y trouve un téléphérique (payant) menant à son sommet, des sentiers dont l'un conduit à une passerelle qui longe la partie supérieure de la chute et qui se poursuit jusqu'à un ancien camp militaire où s'installa le général Wolfe. Belle vue. Possibilité de redescendre par un escalier de 487 marches face à la chute. Impressionnant. Bon, les fauchés pourront se passer du téléphérique et faire la grimpette par l'escalier. C'est vrai, la chute est assez belle, mais on n'y passe pas des heures. En hiver, elle est en partie gelée, formant le « pain de sucre », et le spectacle est absolument superbe. On peut d'ailleurs escalader ces cascades de glace. Intéressant pour les amateurs. Inoubliable pour les débutants. ☎ 663-28-77. Stages de 1 à 5 jours. Tarifs honnêtes. Frissons garantis !
Tout près de la chute, le parc des Marches naturelles du côté est de la rivière. Un sentier longe la rivière en amont, dans les bois. On peut s'y baigner, mais l'eau est froide et surtout dangereuse en raison des courants. Les cas de noyade sont hélas fréquents. À quelques minutes du centre-ville, les Québécois vont s'y rafraîchir en été à leurs risques et périls.

Où dormir ? Où manger ?

- ▲ ***Gîte de la Chute :*** 5143, av. Royale, Boischatel. ☎ et fax : 822-37-89. Prix pour 1 nuit : 50 $Ca (32,3 €) en sous-sol ; 10 $Ca (6,5 €) de plus à l'étage. Pour y accéder de la route 138, prendre la côte de l'Église et l'avenue Royale à gauche. À deux pas de la chute Montmorency. Un gîte du Passant. 2 chambres à l'étage avec vue sur le fleuve et 3 chambres en bas, plus fraîches. Cadre moyen mais accueil sympa. Prudent de réserver en été.
- ▲ lol ***Le Petit Séjour :*** 394, rue Pichette, Château-Richer. ☎ et fax : 824-36-54. 60 $Ca (41,9 €) et 115 $Ca (74,1 €) pour la quadruple avec salle de bains privée. *Visa* et *MasterCard* acceptées. Le village est à 15 mn en voiture de Québec, après le pont de l'île d'Orléans vers Sainte-Anne-de-Beaupré. De la 138, sortie Château-Richer, monter la côte et c'est la 2e rue à droite. Superbe maison ancienne. Jardin très agréable avec petit ruisseau. Accueil chaleureux. Formule *B & B*. Panorama exceptionnel sur le Saint-Laurent, l'île d'Orléans, le cap Tourmente. 5 chambres très agréables décorées avec goût (beaux tableaux). Grands lits. 3 d'entre elles peuvent accueillir 4 personnes. 2 salles de bains communes et une salle

d'eau. Au rez-de-chaussée, une grande chambre avec salle de bains privée et petit salon. Excellent petit déjeuner. Un petit peu cher cependant. Réservation recommandée. Fait aussi resto le soir sur réservation (apporter son vin). Bon et copieux ; comptez 25 $Ca (16,1 €).

★ *LE PARC DU MONT-SAINTE-ANNE*

Situé à *Beaupré,* à une quarantaine de kilomètres au nord-est de Québec. Ouvert du 15 mai au 1er novembre. Entrée payante. Une télécabine mène au sommet de la montagne d'où l'on bénéficie d'un chouette panorama sur le Saint-Laurent, le cap Tourmente (réserve d'oiseaux) et l'île d'Orléans. Voir aussi le spectaculaire ***canyon des chutes Sainte-Anne,*** à Saint-Joachim qui ne fait pas partie du parc mais est situé non loin, sur la route 138 Est, direction Baie-Saint-Paul, 6 km après la basilique, enjambé par un pont suspendu à 55 m au-dessus. Entrée payante : 6,50 $Ca (4,2 €) pour 1 adulte. Les chutes sont hautes de 75 m. Des passerelles permettent de traverser le canyon à différents niveaux. Un journal québécois a pu écrire à leur sujet : « Le vocabulaire le plus complet n'est qu'un pauvre secours dans la tentative de décrire la splendeur du site, et rien ne vaut une visite des lieux pour comprendre la richesse de la nature québécoise. » Ceci dit, cette excursion très touristique n'intéressera que ceux qui ont vraiment le temps de visiter le Québec ou qui reviennent de la côte Nord. Renseignements : ☎ 827-40-57. Fax : 827-24-92. D'autres chutes *(les 7 Chutes)* à Saint-Ferréol. Site splendide, en pleine forêt, mais l'entrée est chère. On a gardé notre préférée pour la fin : la ***chute Jean-Larose,*** qui se jette de 68 m de haut en 3 cascades. Beaucoup moins spectaculaire que ses voisines, mais aussi moins fréquentée et... gratuite. De plus, on peut s'y baigner à différents étages dans des petits bassins naturels. On y accède par un sentier qui part du parking du terrain de golf, au pied de la station du Mont-Sainte-Anne.

Le parc du Mont-Sainte-Anne en hiver

Ce sont 54 pistes douces ou abruptes couvrant 63 km sur 3 versants, s'élevant à 800 m pour un domaine skiable de 170 ha. Bien desservie par bus, la station du Mont-Sainte-Anne est très correctement aménagée. Ici la journée ne se termine pas à 16 h, avec le coucher du soleil, il faut se laisser tenter par l'atmosphère toute particulière du ski en soirée (14 pistes éclairées sur 15 km). Forfaits intéressants par rapport à ceux pratiqués en France. Attention, la face nord du mont Sainte-Anne, avec son vent glacé, est vraiment froide.

Où dormir ? Où manger ?

🏠 ***Les Arolles :*** 3489, av. Royale, Saint-Férréol-les-Neiges. ☎ et fax : 826-21-36. 65 $Ca (38,7 €) la nuit. Suite au rez-de-chaussée avec salle de bains privée pour 80 $Ca (51,6 €). Maison très douillette avec 4 chambres à l'étage qui portent le nom de différentes stations de ski (Méribel, Zermatt, Chamonix et Kitzbühel) et la jolie « suite Honfleur » au rez-de-chaussée. Accueil charmant et prix raisonnables.

|●| ***Le Café Colette :*** 2190, av. Royale, Saint-Férréol-les-Neiges. ☎ 826-19-63. Ouvert du lundi au samedi de 17 h à 23 h. Petit chalet à l'intérieur accueillant et chaleureux. Cuisine d'inspiration française composée avec néanmoins la viande et les produits locaux : caribou au poivre, filet mignon de bison au madère, cailles vigneronnes... Restaurant de qualité, prix en conséquence.

★ *SAINTE-ANNE-DE-BEAUPRÉ*

On peut éviter le Lourdes local, qui ne présente guère d'intérêt. C'est une basilique en granit blanc de la région, à la décoration intérieure très kitsch, qui attire énormément de pèlerins et touristes nord-américains... En revanche prendre, derrière l'église Sainte-Anne, l'*avenue Royale* qui continue jusqu'à Québec, parallèlement à l'autoroute longeant le fleuve. Très pittoresque. Jolies maisons traditionnelles, superbes résidences de l'aristocratie québécoise ! Et une adresse sympa où dormir.

Où dormir ? Où manger ?

■ ***Gîte du passant La Maison d'Ulysse :*** 9140, av. Royale. ☎ 827-82-24. 60 $Ca (38,7 €) pour 2 personnes et 75 $Ca (40,4 €) pour 3. Une maison bien agréable, pleine de boiseries, dans une rue calme à l'écart du boulevard Sainte-Anne. 4 jolies chambres décorées dans des couleurs sympa, avec ou sans salle de bains, baptisées « Iliade », « Odyssée », ou « Pénélope ». Petit déjeuner campagnard sur la terrasse couverte donnant sur une pelouse. Pain maison.

|●| ***Le Montagnais :*** 9450, bd Sainte-Anne. ☎ 827-10-71. En semaine, à partir de 5 $Ca (3,2 €) le plat et 10 $Ca (6,5 €) en fin de semaine. Grand resto au bord de la route 138. Cadre sans intérêt, mais menus copieux. Excellents petits déjeuners à prix très doux. Goûtez le « Tentation », vous serez bien calé...

LE PARC DES LAURENTIDES

À ne pas confondre avec la région des Laurentides, il est situé au nord de Montréal. Le parc des Laurentides est l'une des plus grandes réserves naturelles du Québec, couvrant une superficie de plus de 10 000 km^2. Il se partage désormais en 2 parties : le parc de la Jacques-Cartier et la Réserve faunique des Laurentides. Reliefs variés avec plusieurs sommets atteignant plus de 1 000 m d'altitude. Habitée, vous vous en doutez, par toutes sortes d'animaux sauvages, lynx, ours noirs, loups, orignaux, castors, etc., et 132 espèces d'oiseaux. Avec de la chance, vous en rencontrerez certains.

Possibilité d'y faire des stages de canoë-kayak. Se renseigner aux offices du tourisme de Québec et de Chicoutimi et demander les brochures des trois régions touristiques suivantes : Québec, Charlevoix et Saguenay-lac Saint-Jean. On trouve, le long de la vallée Jacques-Cartier, de nombreux emplacements de camping assez rudimentaires et de chouettes balades à accomplir, à VTT ou à pied, allant de la courte promenade de 30 mn à la randonnée d'une journée. La *Société de gestion des activités commerciales du parc de la Jacques-Cartier* organise, par ailleurs, diverses activités, entre autres, le kayak, le canotage, le camping, la pêche à l'omble, etc. ☎ 848-13-56. Vous pouvez aussi contacter, pour cela, *Faune Aventure* ; ☎ 848-50-99. N'oubliez pas de vous munir d'ANTIMOUSTIQUES, les bestioles étant par moments capables de vous gâcher le séjour.

À 50 mn en voiture, les Québécois viennent y passer leur week-end. De Québec, prendre la route 175 en direction de Chicoutimi.

– *En bus de Québec : autobus Orléans*. ☎ 525-30-00.

L'ÎLE D'ORLÉANS

IND. TÉL. : 418

Pour supporter le difficile
et l'inutile
y'a l'tour de l'île.
Quarante-deux milles
de choses tranquilles

Félix Leclerc

Longue de 34 km, l'île d'Orléans, patrie de Félix Leclerc, est un coin de Normandie au Québec. Le tour complet par le chemin Royal fait 67 km. Découverte par Jacques Cartier, elle fut baptisée tout d'abord « île de Bacchus », à cause des vignes sauvages qui y poussaient. L'île compte toujours une trentaine de familles descendant des premiers occupants (il y a plus de 3 siècles). Environ 7 000 habitants. L'île vécut longtemps pratiquement en autarcie. Le pont n'a été construit qu'en 1935. Avant, il fallait s'y rendre en bateau ou, en hiver, à pied sur le Saint-Laurent gelé. Paysage parsemé de maisons de pierre, de vieilles fermes. Églises de pierre et minuscules chapelles de procession, ce qui comblera les fans d'architecture rurale. On compte environ 50 maisons datant du régime français. Malgré l'afflux des gens de la ville, attirés par la douceur du paysage, l'île conserve sa vocation agricole. Ses pommes sont réputées et ses fraises délicieuses. Cueillette en juillet. Possibilité donc d'y trouver un job (surtout à Saint-François). Si c'est la saison, goûtez la fameuse « tire d'érable » dans l'une des nombreuses cabanes à sucre. Peut-être un peu dur à digérer, mais tellement bon.
Le mieux est encore de faire le tour de l'île à vélo et de prendre son temps pour musarder. Cela dit, pas grand-chose à faire sur l'île, si ce n'est respirer l'atmosphère du passé. Certains routards reviennent déçus, d'autres s'y sont bien reposés après la frénésie de Montréal et Québec. On peut y pratiquer, l'hiver, la pêche blanche ainsi que le ski de piste, et se balader en traîneau à chiens.
Pour dormir, ce n'est pas très bon marché. Quelques auberges assez chic, situées dans des endroits très agréables, et des *B & B* un peu partout.

Adresses utiles

🛈 ***Kiosque d'information touristique de l'île :*** 490, côte du Pont, paroisse Saint-Pierre. ☎ 828-94-11. Le kiosque est à 1 km du pont, en arrivant sur l'île, toujours tout droit, sur le côté de la route. Ouvert de 9 h à 17 h du lundi au jeudi et de 9 h à 19 h du vendredi au dimanche ; l'hiver, du lundi au vendredi de 9 h à 17 h. Brochures disponibles et plan sommaire de l'île avec indications des sites à voir. Location (chère) de cassettes-guides audio. Pour 10 $Ca (6,4 €) et la même somme pour la caution. Bon, on peut très bien s'en passer, mais valables pour aller à l'essentiel en 2 h, ce qui est dommage.

■ ***Location de vélos :*** à l'*Auberge du Vieux Presbytère*, à Saint-Pierre, derrière la vieille église.

★ *SAINT-PIERRE*

Le premier village sur votre gauche. À 2,5 km du carrefour après le pont. On y trouve une fort belle *église* classée monument historique, édifiée en 1717. C'est la plus ancienne du Québec encore debout. Un système audio en raconte l'histoire en musique. La décoration intérieure n'a pas bougé depuis

près de trois siècles. Étonnant parquet jaune, plafond peint, etc. Noter le chauffage « central ». On peut y voir les longs boxes qui se fermaient sur les côtés et le « banc des marguilliers », box à trois places, bien séparé de l'assistance, et occupé par des fidèles qui secondaient le curé dans l'organisation de la paroisse. Il en était élu un nouveau par an et le renouvellement du « banc » prenait ainsi trois ans, le deuxième marguillier devenant le premier, et le troisième, le deuxième... La fonction était très prestigieuse à l'époque.
Dans le nouveau cimetière (celui situé au 1595, chemin Royal), vous trouverez la tombe de l'immense chanteur Félix Leclerc, mort ici le 8-8-1988. Au pied de sa tombe, des chaussures « orphelines » en mémoire de sa chanson *« Les Souliers »*.
Attenant à l'église, un magasin qui vend de l'artisanat local.

Où dormir ? Où manger ?

⌂ |●| ***Au Vieux Foyer :*** 2687, chemin Royal. ☎ 828-91-71. ● www.auvieuxfoyer.qc.ca ● Chambre double à 65 $Ca (41,9 €). Le chalet pour 2 à 65 $Ca (42,1 €) et celui pour 4 à 115 $Ca (74,2 €). Table d'hôtes à 15 $Ca (9,7 €). Passé le seuil de cette fermette, on est comme happé par le décor, avec voyage dans le passé assuré. Ambiance chaleureuse et rustique à souhait dans cette vieille maison, vieille de 2 siècles, qui n'est autre qu'un ancien musée. Plafonds bas (ou planchers hauts, comme vous voudrez !). Beaux objets, piano, beaucoup de meubles en bois dans chaque chambre. Lit à baldaquin dans la chambre des mariés, mur de pierre dans la chambre des filles, et, dans la suite familiale, un lit placard et une chambrette aménagée dans le grenier. Salles de bains privées. Petit déjeuner copieux servi dans la cuisine : yaourt aux fruits, croissant ou crêpe, saucisses grillées, charcuteries diverses, fromages, fruits. Éventuellement, dîner typique sur demande (soupe aux pois, ragoût de pieds de porc, pudding du chômeur). 2 cabanes indépendantes à louer dans le jardin, dont une avec 2 chambres et une cuisine équipée. Possibilité de transport au départ de Québec, location de vélos, de raquettes, de skis de fond, de motoneige, et de traîneau à cheval. En prime, Daniel, le proprio, qui se définit lui-même comme un personnage « coloré », vous fera peut-être partager ses convictions sur le Québec et la francophonie. Prix corrects. Noter les urinoirs pour hommes dans les chambres.

⌂ |●| ***Le Vieux Presbytère :*** 1247, rue Royale, derrière l'église Saint-Pierre. ☎ 828-97-23. Fax : 828-21-89. Chambre double côté village avec sanitaires à partager à 60 et 65 $Ca (38,7 et 41,9 €), côté fleuve avec sanitaires privés à 75 $Ca (48,4 €), grande chambre en double à 105 $Ca (67,7 €), et à 120 $Ca (77,4 €) en quadruple. Menus à partir de 24 $Ca (15,5 €). Forfait demi-pension pour 2 personnes à 125 $Ca (80,6 €). Jolie demeure avec galerie extérieure en bois, dans un petit jardin, à côté de l'église comme son nom l'indique. Beau salon avec harmonium et parquet. 5 chambres agréables, certaines donnant sur le fleuve. Salles de bains privées ou pas. La chambre la plus chère, aux murs de pierre sous une imposante charpente de bois, peut accueillir 4 personnes. Dans les champs derrière, bisons, autruches et wapitis de l'élevage voisin, et que l'on retrouve dans les assiettes (snif) en terrine, en trilogie, etc. On peut louer des VTT à la journée ou à l'heure. Excellente cuisine dans la belle salle à dîner, mais chère. Vue sur le fleuve. Si toutefois vous craquiez, goûtez l'aumônière de pétoncles ou l'assiette des 3 gibiers. Accueil très courtois et pro.

⌂ |●| ***Auberge sur les Pendants :*** 1463, chemin Royal (à la sortie de

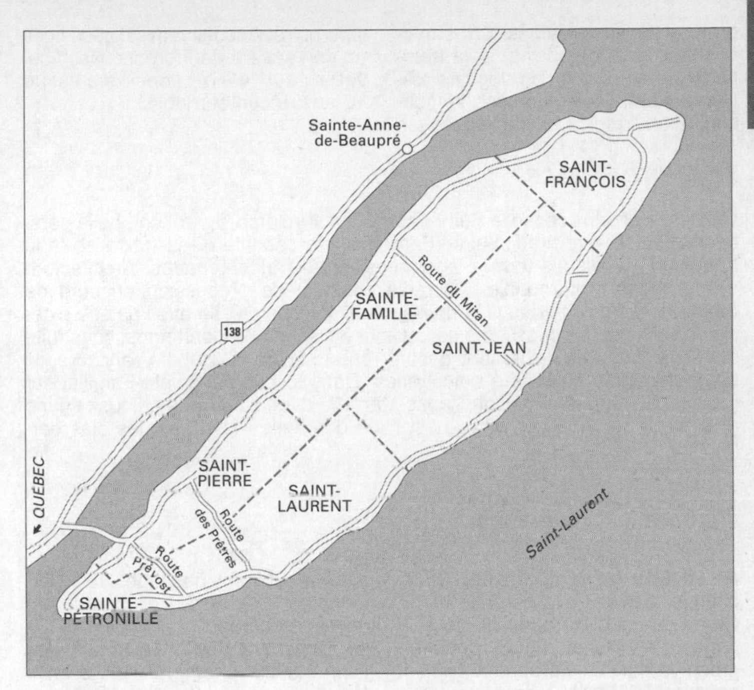

L'ÎLE D'ORLÉANS

Saint-Pierre en allant vers Saint-Laurent). ☎ 828-11-39. Chambre double à partir de 65 $Ca (41,9 €), table d'hôte à 24 $Ca (15,5 €). Quelques chambres sous les toits (tout de même avec fenêtres) dans une maison sympa, avec une grande salle à manger. Boiseries, fleurs séchées et tapisseries à fleurettes. Petit déjeuner « gourmet » changeant souvent. Un peu plus cher que la moyenne des autres gîtes. Propose aussi une table d'hôte dans une salle à manger cosy. Feuilleté d'escargots au pesto, filet de bœuf à l'échalotte. Accueil décontracté, sourire et simplicité.

Le Crépuscule : 863, rue Prévost. ☎ 828-94-25. • louise.hamel3@sympatico.ca • Chambre double à 60 $Ca (38,7 €). *Gîte du Passant* plein de charme, aux chambres confortables. Celle de l'étage, est une sorte de petite suite indépendante avec douche et toilettes. Les deux du rez-de-chaussée sont équipées de salle de bains, et l'une d'entre elles a une entrée indépendante. Excellent « petit » déjeuner pantagruélique (*muffins* aux bleuets, crêpes, confiture maison, fèves au lard, fruits, café, jus de fruits, etc.). Louise et Gilles, les hôtes, sont vraiment sympathiques et chaleureux. Elle « placote » facilement et, connaissant parfaitement l'île et la région, vous donne beaucoup de tuyaux.

Buffet d'Orléans : 1025, route Prévost. À Saint-Pierre également, près du pont, non loin du kiosque d'infos touristiques, en continuant tout droit. ☎ 828-00-13. Ouvert tous les jours de 6 h 30 à 10 h. Pas de menus, mais comptez de 15 à 25 $Ca (9,7 à 16,1 €) pour un bon repas. Spécialités québécoises assez bon marché et reconstituantes, comme la tourtière maison avec viandes et pommes de terre pilées, la soupe aux fèves rouges, ou le bouilli canadien. Mention spéciale du jury pour les divines tartes maison aux fruits de saison, et la trempette d'érable, que l'on déguste religieusement. C'est l'adresse immuable, avec formica et serveuses en jupe noire. Accueil familial sous l'oeil un rien sévère de Florence Nolin qui veille au grain depuis presque 40 ans. Incontournable !

★ *SAINTE-FAMILLE*

La route suit sans cesse le Saint-Laurent en surplomb, livrant une belle perspective sur la rive nord. Sainte-Famille est la capitale de la fraise et de la framboise. Quelques fermes anciennes, parfois tricentenaires. Architecture des granges remarquable. Adorable chapelle de procession en bord de route. En face, l'une des plus ravissantes maisons de l'île avec galerie extérieure sculptée. Là aussi, une séduisante église à trois clochetons, construite en 1749. Intérieur richement décoré, chœur à demi-coupole, encadré de deux élégantes galeries à balustrades. Dans le bas de Sainte-Famille, sur votre droite, superbe maison Canac-Marquis, avec sa grande pelouse fleurie et son toit rouge vif. Le village est l'une des haltes favorites des oies bernaches.

Où dormir ? Où manger ?

■ ***Le Gîte de la Picardie :*** 3547, chemin Royal. ☎ 829-38-32. Chambre double à partir de 55 $Ca (35,5 €). Maison située dans un grand verger. Très propre et joliment décorée. Pour le même prix que les chambres, on vous conseille la « suite vieillotte » au sous-sol, un peu sombre mais fraîche. Des chambres de l'étage, beau panorama sur la campagne et le Saint-Laurent. Accueil adorable de Monique et Marcel. Framboises et fruits du jardin au petit déjeuner en saison. N'oublions pas que l'île d'Orléans est à la fois le verger et le potager de Québec.

|●| ***Cabane à Sucre Le Relais des Pins :*** 3029, chemin Royal, à environ 8 km du pont de Saint-Pierre. ☎ 829-34-55. Ouvert de 12 h à 21 h en saison. Table d'hôte entre 10 et 15 $Ca (6,4 et 9,7 €). Grande salle en bois, genre cantine rustique. Cuisine québécoise typique, pas très chère, comme l'assiette paysanne : pâté, patates, fèves au lard. Desserts maison.

★ *SAINT-FRANÇOIS*

À 15 km de Sainte-Famille, l'un des bouts de l'île. Le fleuve Saint-Laurent s'élargit tout à coup et se prend pour la mer. Vue sur l'archipel de Montmagny, l'île Madame et l'île aux Ruaux. Sur votre gauche, le cap Tourmente et le mont Sainte-Anne.
Église de style breton datant de 1734, la plus petite de l'île. Elle a brûlé en 1988 mais a été restaurée. Notez, derrière l'église, la maison de nos Aïeux : les Québécois vont y retrouver la trace de leurs ancêtres.

Où dormir ? Où manger ?

■ ***Camping Orléans :*** 357, av. Royale, à la sortie de Saint-François. ☎ 829-29-53. Ouvert en principe de mi-mai à mi-septembre. L'emplacement pour 4 personnes maximum (et une tente) à 27 $Ca (17,4 €), avec branchement électrique et eau à 29 $Ca (18,7 €). Au bord de l'eau, c'est un dollar de plus. Situé en bord de fleuve dans un site boisé. Bien équipé (douches, buanderie) mais assez cher. Piscine. Également des petits chalets à louer à la semaine, au mois ou à la saison. Location de vélos. Aire de jeux. Belle situation et accueil sympa.

★ *SAINT-JEAN*

À 12 km de Saint-François, le village s'étire longuement en un chapelet de très jolies maisons toutes pimpantes, avec balcons fleuris. Importante paroisse fondée en 1679, considérée comme la « capitale » de l'île. Elle produisit autrefois la majorité des pilotes qui remorquaient les gros navires sur le fleuve. En 1834, il y en avait 45 nés et vivant à Saint-Jean. En 1975, le dernier d'entre eux vendit sa maison pour s'installer à Québec. Très romantique *cimetière marin* face au fleuve.

Où dormir ? Où manger ?

■ |●| ***Auberge de jeunesse Le P'tit Bonheur :*** 183, côte Lafleur. ☎ et fax : 829-25-88. Ouverte toute l'année. La nuitée en dortoir à 16 $Ca (10,3 €), les draps à 3 $Ca (1,9 €), et le petit déjeuner à 4 $Ca (2,6 €). Les repas sur réservation à 9 $Ca (5,8 €). En venant de Saint-Laurent, il faut tourner à gauche après un virage, juste avant le petit pont qui enjambe la rivière Lafleur (l'inverse en venant de Saint-François). Après, ça grimpe sec. En haut de la côte, suivre la direction du centre équestre. Carte non obligatoire. Monique Simard a ouvert son AJ en 1995, et le succès ne s'est pas fait attendre. La maison est mignonne comme tout, et le site génial : grande prairie et vue imprenable sur le Saint-Laurent. D'ailleurs, on peut dormir dans les tipis devant l'AJ ou au milieu de la forêt, ou encore dans des abris de trappeurs. L'auberge est accueillante. On peut aussi y manger à très bon prix, ou choisir de faire sa cuisine. Petit déjeuner très copieux. Monique, qui a la bonne humeur communicative, est dynamique et fourmille d'idées pour occuper ses hôtes. En été : location de VTT, de kayak de mer, de *sea-doo,* baptême de deltaplane... En hiver : location de raquettes, de motoneige, balades guidées en traîneau... Le tout à des prix très honnêtes. Pour une mini-pincée de dollars, Monique vient vous chercher à Québec en voiture ou vous y conduit. Si vous restez longtemps, le trajet est gratuit. Une excellente adresse, et à notre avis le meilleur endroit pour dormir sur l'île. Et n'oubliez pas que ce n'est qu'à une petite demi-heure de voiture du centre de Québec. Alors si vous avez envie de vous mettre au vert... n'hésitez pas !

■ Monique Simard dispose aussi, dans une autre maison de ***chambres privées,*** plus chères (prix d'un *B & B*). Même cadre bucolique, même accueil souriant, mêmes services, mais destinés aux routards plus argentés. La nuit pour deux en chambre privée avec le petit déjeuner à 55 $Ca (35,5 €).

■ |●| ***La Maison de Pierres :*** 3673, chemin Royal (quitter la route au panneau et prendre le chemin de terre). ☎ 829-11-66. Chambre avec petit déjeuner pour 2 personnes à 55 $Ca (35,5 €), 125 $Ca (80,6 €) avec la table d'hôte. Au beau milieu des prés. Gîte installé dans une belle fermette du XVIIIe siècle, tout en pierre et au vieux parquet qui craque. Peu de meubles, pour ne pas cacher les murs de pierre brute. Mais le résultat est tout de même chaleureux et plein d'atmosphère. À l'étage, 4 jolies chambres douillettes se partagent 2 salles de bains. Toujours beaucoup de charme, splendides parquets à lames larges, couleurs pétillantes. Outre l'accueil et le cadre, le gîte fait le régal des passants grâce à son arme secrète : le petit déjeuner, très copieux. Accueil chaleureux et bons moments souvent en musique. De Gilles Vignault à Joan Baez, en passant bien sûr par Félix Leclerc, la cédéthèque est impressionnante. En réservant 24 h à l'avance, on peut y savourer un excellent dîner : gibier canadien, cuisine asiatique, etc. Réservation conseillée, bien sûr.

Gîte de la Lucarne Enchantée : 225, chemin Royal. ☎ et fax : 829-37-92. Chambre double avec petit déjeuner autour de 60 $Ca (38,7 €). Nettement en hauteur, donc avec vue splendide sur le Saint-Laurent, on y accède par une petite route pentue. En hiver, on gare la voiture en bas, et la chienne husky monte les bagages sur un traîneau. Renée et Christiane vous accueillent dans leur grande maison, sous l'impressionnante charpente de leur salon « cathédrale ». En pleine nature, et en compagnie des animaux, on passe de merveilleux moments de détente. Soirée au coin du feu, et douces nuits grâce aux magiques « capteurs de rêves » indiens. 3 chambres (dont une nettement plus petite) se partagent une salle de douche et une salle de bains avec jacuzzi. Petits déjeuners copieux sur la grande table de bois.

Le Mas de l'Isle : 1155, chemin Royal. ☎ et fax : 829-12-13. Au sommet d'une collinette dominant le Saint-Laurent. La nuit pour 2 personnes avec les petits déjeuners à 60 $Ca (38,7 €), 1 chambre triple à 90 $Ca (58 €). Sympathique maison tout en bois au milieu d'un beau jardin, tenue par un adorable couple qui a ses petites habitudes, ses petites règles, autant le savoir : interdiction de fumer dans toute la maison et petit déjeuner à heure fixe, à prendre tous ensemble dans la salle à manger (ce qui est beaucoup plus sympathique). D'ailleurs, on vous réveillera ! Très calme. Jolies chambres claires et coquettes. Salle de bains commune. Avertissement aux allergiques : il y a un chat, la charmante Valentine !

Le Giron de l'Isle : 120, chemin de Lièges. ☎ 829-09-85. La nuit pour 2 personnes de 70 à 100 $Ca (45,2 à 64,5 €). Grande bâtisse moderne à peine au-dessus du Saint-Laurent, à quelques centaines de mètres de la route principale, donc très au calme. Nos deux adorables îliens, Lucie et Gérard Lambert (ça y est ! on l'a retrouvé !) proposent 4 grandes chambres, toutes équipées de beaux sanitaires indépendants. Décoration moderne, dans des tons de pastel, un peu à l'américaine. Les deux sur l'avant ont une belle terrasse pour mieux apprécier les somptueux levers et couchers de soleil. La plus chère est une véritable suite avec salon. Un peu au-dessus de la moyenne des prix, mais ça les vaut. Petits déjeuners copieux et préparés maison à 100 %.

À voir

★ **_Le manoir Mauvide-Genest :_** 1451, chemin Royal. ☎ 829-26-30. Manoir de style normand construit en 1734 par Jean Mauvide, chirurgien du roi sous Louis XV. Sur la façade, traces de boulets envoyés par la flotte anglaise, en 1759 pendant le siège de Québec. Le manoir abritait un superbe musée historique et ethnographique. Actuellement fermé, l'affaire est à suivre.

★ *SAINT-LAURENT*

À 11,5 km de Saint-Jean. C'est ici, précisément, que débarquèrent Wolfe et ses troupes pour effectuer le siège de Québec. Parmi ses officiers, le célèbre navigateur-explorateur James Cook, découvreur des grandes îles du Pacifique. Le vieux moulin abrite aujourd'hui un restaurant réputé. Depuis Saint-Laurent, départs le week-end pour l'île aux Grues et Grosse Île. *Croisières d'Anty :* ☎ 659-54-89.

Où dormir ?

🏠 ***Gîte de l'Eau Vive :*** 909, chemin Royal, G0A-3Z0. ☎ 829-32-70. • frack@mediom.qc.ca • Chambre double à 55 $Ca (35,5 €). Une adresse que l'on aime beaucoup. L'adorable Micheline Turgeon (son nom de jeune fille est Larochelle, tiens donc, et sa famille est arrivée de France sur l'île d'Orléans en 1664) accueille les touristes dans sa belle maison contemporaine avec un plaisir non dissimulé. Superbe pièce à vivre avec cuisine ouverte, et vue sur la terrasse et le Saint-Laurent. Belle lumière à peine filtrée par des stores modernes. Chambres suffisamment grandes et parfaitement entretenues, comme l'ensemble de la maison. Petits déjeuners soignés. Prix doux. Une excellente adresse.

🏠 ***Gîte du Passant La Nuitée :*** 925, chemin Royal. ☎ 829-39-69. Agréable maison au bord du Saint-Laurent. 3 chambres dont une plus grande avec vue sur le fleuve. Accueil familial sans manière. Le mari de l'hôtesse est capitaine-pilote sur le Saint-Laurent.

Où manger ?

|●| ***Auberge Le Canard Huppé :*** 2198, chemin Royal. ☎ 828-22-92. Fax : 828-09-66. Formule du midi entre 10 et 18 $Ca (6,4 et 11,6 €), le soir table d'hôte de 30 à 45 $Ca (19,3 à 29 €). Ambiance feutrée et musique de fond à l'intérieur pour les dîners gastronomiques (pétoncles et asperges aux agrumes, ris de veau à la fondue de poireaux, escalope de requin fumé, sanglier au gingembre, mangues et bleuets...). Terrasse sympa à l'extérieur pour les repas plus légers du midi (tartare de saumon, mousseline de foies de volaille sur gelée de cèdre, saumon à l'orange et poivre rose...). Prix bien raisonnables pour le déjeuner. Évidemment assez cher le soir. Chambres tout confort mais sans charme.

À voir

★ ***Le parc maritime de Saint-Laurent :*** 120, chemin de la Chalouperie. ☎ 828-23-22. Bien fléché. Sur le site d'un ancien chantier maritime qui s'arrêta en 1967. Dans une petite chalouperie, collection d'outils et infos sur la construction navale. Pas très loin de là, à côté d'un étang où l'on peut pêcher des truites, une érablière est également à visiter.

★ *SAINT-PÉTRONILLE*

Lieu de résidence privilégié des artistes et des riches Américains au XIXe siècle. Calme et repos total. Par temps clair, vue pittoresque sur Québec. Belles villas enfouies parmi les arbres centenaires. Selon nous, le plus mignon des villages de l'île... D'autant qu'on peut y déguster depuis peu un petit vin blanc local assez doux et tout à fait honorable, issu du croisement entre les vignes sauvages qui peuplaient l'île, très résistantes au froid mais au raisin très amer, et des cépages aurore, chancellor et prince of Wales. Achat et dégustation au *vignoble de Saint-Pétronille :* 1A, chemin du Bout-de-l'Île. ☎ 828-95-54. Ouvert tous les jours de mi-juin à mi-octobre, de 10 h à 18 h. Cette petite exploitation a produit 5 000 bouteilles en 1995 et vient de

planter 5 000 nouveaux pieds qui ont donné leur première petite récolte en 1998. À suivre.
Ne pas manquer non plus de s'arrêter à la *chocolaterie* pour ses chocolats, bien sûr, mais aussi et surtout pour y déguster des glaces maison remarquables et pas chères du tout. Hmm ! Celle aux bleuets...

Où manger ? Où dormir ?

|●| *Café d'Art Pingasuit Nukariit :* 148, chemin du Bout-de-l'île. ☎ 828-05-07. Ouvert tous les jours en saison. Entrées et salades entre 2,5 et 10 $Ca (€), plats de la table d'hôte autour de 15-20 $Ca (9,7-12,9 €), donc comptez 30 $Ca (19,3 €) pour un repas complet avec boissons. À gauche dans la courbe en arrivant de Saint-Pierre. Stationnement aisé dans la cour derrière la maison. Un petit resto-galerie d'art pour goûter à certaines spécialités inuites comme la terrine ou le filet mignon de phoque, la Mattaaq (baleine), le turbot du Groenland à l'étuvée, ou encore le bœuf musqué façon *bourguignon*. Également délicieux omble de l'arctique fumé. Pour les gastronomes moins aventuriers, choix de pizzas, sandwichs, etc.

Beaucoup plus chic

⌂ |●| *Auberge La Goéliche :* 22, av. du Quai, G0A 4C0. ☎ 828-22-48. Fax : 828-27-45. • www.oricom.ca/aubergelagoeliche • Chambre double tout confort de 160 à 200 $Ca (103,2 à 129 €), table d'hôte entre 25 et 35 $Ca (16,1 et 22,6 €). Demi-pension pour deux à 210 $Ca (135,5 €). Une petite folie à s'offrir en amoureux. Une auberge de charme pour un dîner en tête-à-tête, et une nuit de rêve pour les plus fortunés d'entre nous. Des chambres coquettes, toutes meublées différemment, avec un sens du raffinement assez peu commun. Meubles de style, confortables fauteuils, puis quelques beaux objets et tableaux qui créent une atmosphère cossue. Belles salles de bains pour se relaxer. Ça change des hôtels de chaîne souvent aussi chers et sans charme aucun. Des chambres et de la salle de restaurant, vue sur le Saint-Laurent et Québec au loin. Accueil 24 carats, chic et simple, qui saura mettre à l'aise le routard peu coutumier de ce genre d'escapade dans le luxe. Du coup, on en profite, on apprécie et on en redemande ! À table, bonne gastronomie à prix assez raisonnables car la table d'hôte comprend 1 soupe, 1 entrée, 1 plat, puis 1 dessert. Cuisine du marché changeant donc souvent. Le dimanche matin, les moins fortunés pourront tout de même profiter des lieux en s'offrant un brunch, vraiment agréable et raffiné, avec crêpes au sirop d'érable, fèves au lard, etc. Réserver sa table est quasi impératif, surtout en fin de semaine, car les Québécois connaissent l'adresse.

– *CHARLEVOIX* –

En ce lieu se célèbre
le mariage de la mer
aux levers et couchers de soleil.
Quenouilles, blés de mer

PLANS ET CARTES EN COULEURS

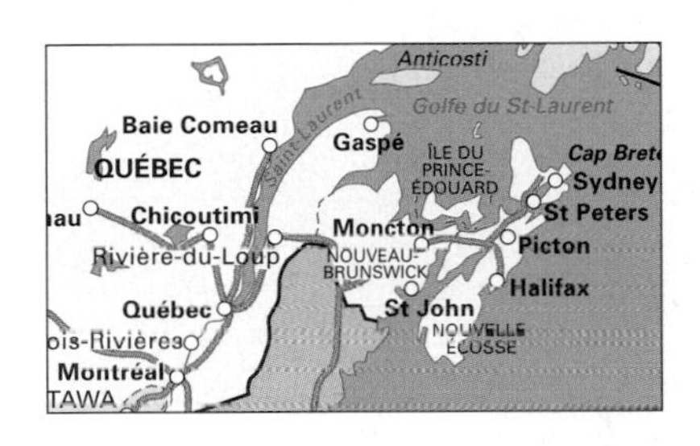

Planches **II-III**	Le Canada
Planches **IV-V**	Le Québec et les Provinces maritimes
Planche **VI**	Métro et plan I (accès) de Montréal
Planches **VIII-IX**	Montréal - plan II
Planches **X-XI**	Le Vieux Montréal - plan III
Planches **XII-XIII**	Québec - plan I
Planches **XIV-XV**	Québec - plan II
Planche **XVI**	Québec - plan III

LE CANADA

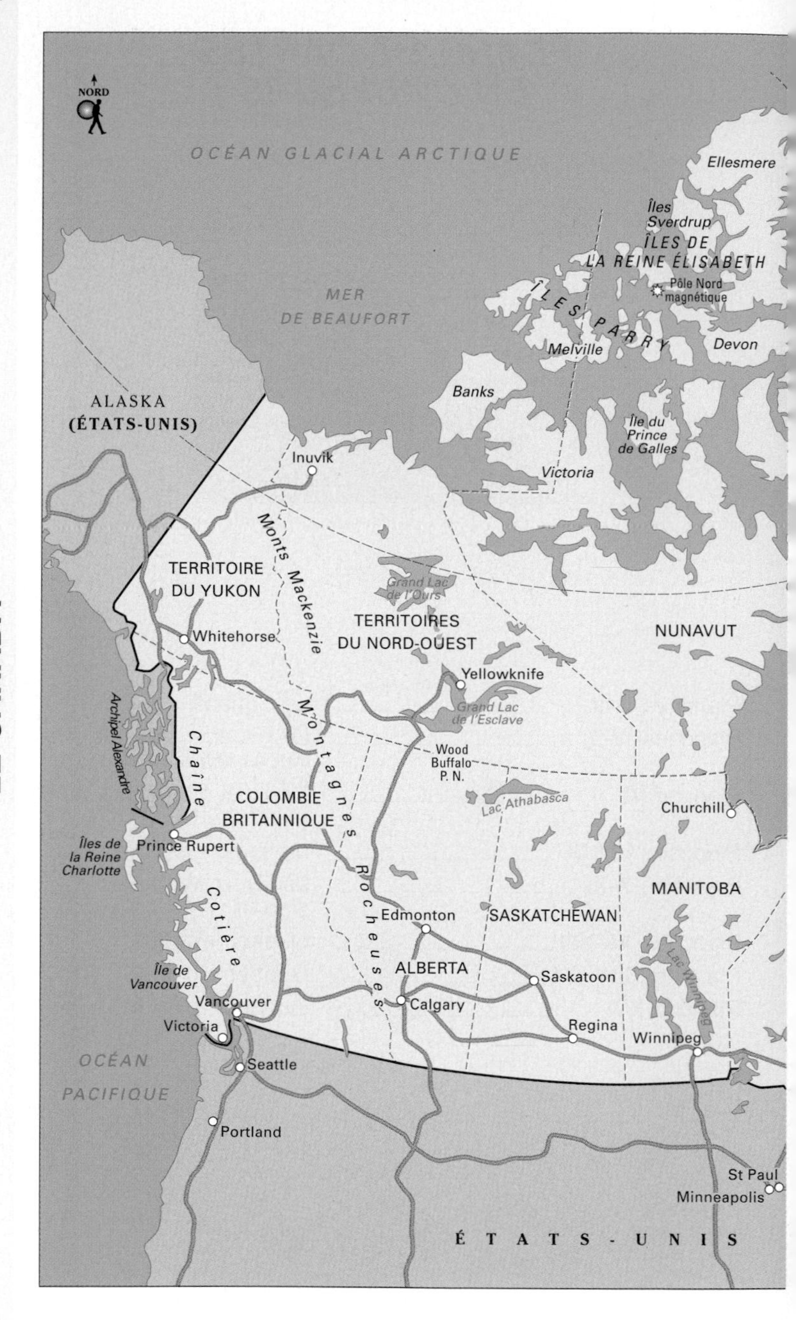
NORD
OCÉAN GLACIAL ARCTIQUE
Ellesmere
Îles Sverdrup
ÎLES DE LA REINE ÉLISABETH
Pôle Nord magnétique
MER DE BEAUFORT
ÎLES PARRY
Melville
Devon
Banks
ALASKA (ÉTATS-UNIS)
Île du Prince de Galles
Inuvik
Victoria
Monts Mackenzie
TERRITOIRE DU YUKON
Grand Lac de l'Ours
TERRITOIRES DU NORD-OUEST
NUNAVUT
Whitehorse
Yellowknife
Grand Lac de l'Esclave
Archipel Alexandre
Chaîne Côtière
Montagnes Rocheuses
Wood Buffalo P. N.
Lac Athabasca
COLOMBIE BRITANNIQUE
Churchill
Îles de la Reine Charlotte
Prince Rupert
MANITOBA
Edmonton
SASKATCHEWAN
Lac Winnipeg
ALBERTA
Saskatoon
Île de Vancouver
Vancouver
Calgary
Victoria
Regina
Winnipeg
OCÉAN PACIFIQUE
Seattle
Portland
St Paul
Minneapolis
ÉTATS-UNIS

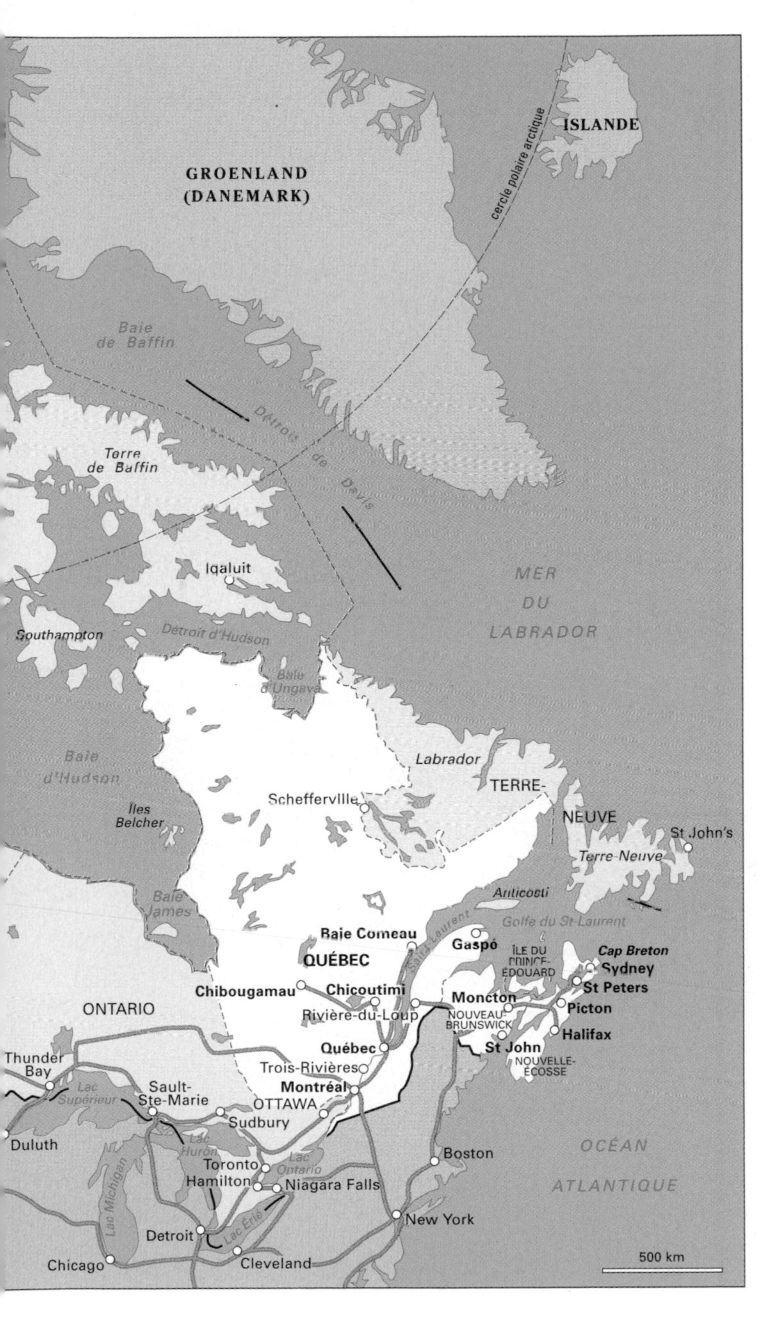

ISLANDE
cercle polaire arctique
GROENLAND
(DANEMARK)
Baie
de Baffin
Détroit de Davis
Terre
de Baffin
Iqaluit
MER
DU
LABRADOR
Southampton
Détroit d'Hudson
Baie
d'Ungava
Baie
d'Hudson
Labrador
TERRE-
NEUVE
Schefferville
Îles
Belcher
St John's
Terre-Neuve
Anticosti
Golfe du St-Laurent
Baie
James
Baie Comeau
Gaspé
QUÉBEC
Cap Breton
Sydney
St Peters
Picton
Halifax
Chibougamau
Chicoutimi
Moncton
ONTARIO
Rivière-du-Loup
NOUVEAU-
BRUNSWICK
St John
NOUVELLE-
ÉCOSSE
Québec
Thunder
Bay
Trois-Rivières
Montréal
Sault-
Ste-Marie
OTTAWA
Lac
Supérieur
Sudbury
Duluth
Lac
Huron
Boston
OCÉAN
ATLANTIQUE
Toronto
Lac
Ontario
Hamilton
Niagara Falls
Lac Michigan
New York
Detroit
Lac Érié
Chicago
Cleveland
500 km

LE CANADA

LE QUÉBEC ET LES PROVINCES MARITIMES

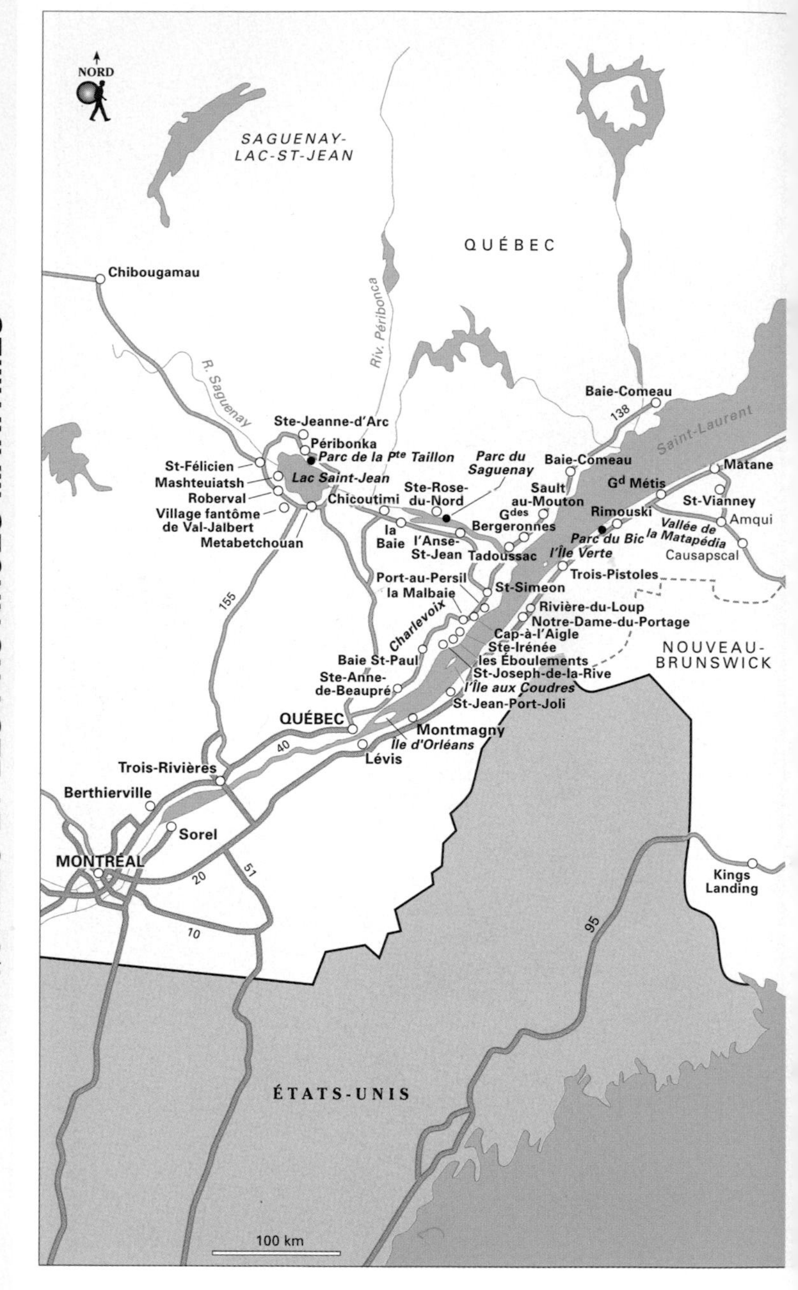
NORD
SAGUENAY-
LAC-ST-JEAN
QUÉBEC
Chibougamau
Riv. Péribonca
R. Saguenay
Baie-Comeau
138
Saint-Laurent
Ste-Jeanne-d'Arc
Péribonka
Parc de la Pte Taillon
Parc du
Saguenay
St-Félicien
Mashteuiatsh
Lac Saint-Jean
Roberval
Village fantôme
de Val-Jalbert
Metabetchouan
Chicoutimi
Ste-Rose-
du-Nord
Sault
au-Mouton
Gdes
Bergeronnes
la
Baie
l'Anse-
St-Jean
Tadoussac
Matane
Gd Métis
St-Vianney
Amqui
Rimouski
Vallée de
la Matapédia
Parc du Bic
Causapscal
l'Île Verte
Trois-Pistoles
Port-au-Persil
la Malbaie
St-Simeon
Rivière-du-Loup
Notre-Dame-du-Portage
Charlevoix
Cap-à-l'Aigle
Ste-Irénée
les Éboulements
St-Joseph-de-la-Rive
l'Île aux Coudres
St-Jean-Port-Joli
NOUVEAU-
BRUNSWICK
155
Baie St-Paul
Ste-Anne-
de-Beaupré
QUÉBEC
Montmagny
Île d'Orléans
Lévis
40
Trois-Rivières
Berthierville
Sorel
MONTRÉAL
20
51
10
Kings
Landing
95
ÉTATS-UNIS
100 km

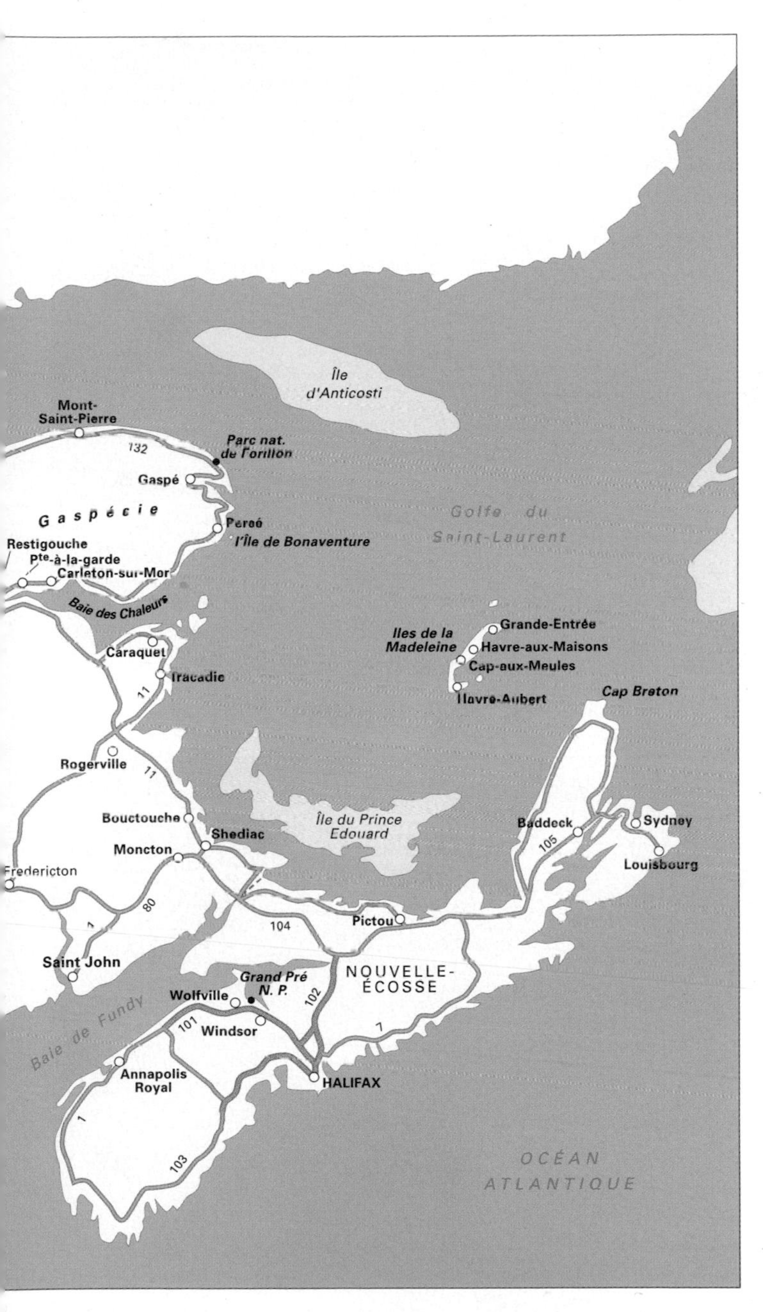

LE QUÉBEC ET LES PROVINCES MARITIMES

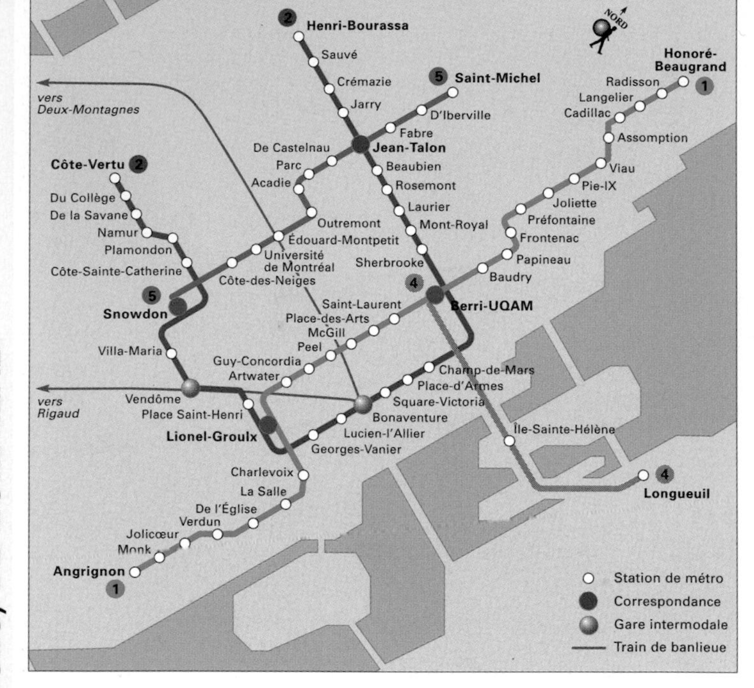

MÉTRO DE MONTRÉAL

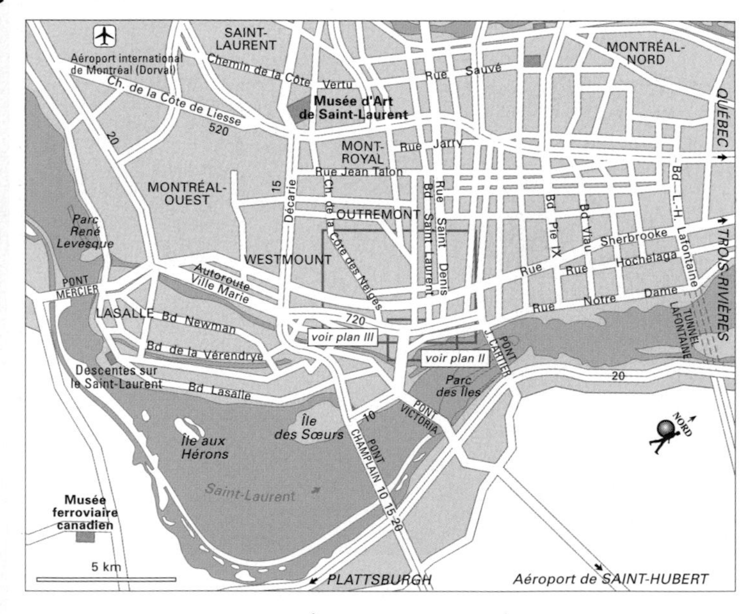

MONTRÉAL – PLAN I (ACCÈS)

Adresses utiles

- Information touristique
- Terminus Voyageurs
- Gare centrale
- 1 Consulat de France
- 2 Bell Canada
- 3 Easy Ride Covoiturage
- 6 American Express
- 7 Banque Royale (carte Visa)
- 8 Air France
- 9 Air Canada
- 10 Aux Quatre Points Cardinaux
- 11 Bicycletterie J.R.

Où dormir ?

- 20 Auberge de jeunesse de Montréal
- 23 YMCA
- 24 YWCA
- 25 Collège français
- 26 McGill
- 27 Hôtel Dynastie
- 28 Hôtel L'Abri du Voyageur
- 29 Hôtel Pierre et hôtel Manoir Sherbrooke
- 30 B & B chez Hervé et Tracy
- 31 La Maison Jaune
- 32 La Dormance
- 33 Gîte touristique du Centre-Ville
- 34 B & B chez Christian Alacoque
- 35 Le Coteau Saint-Louis
- 36 Auberge Chez Jean
- 37 Hôtel Manoir des Alpes et Hôtel Saint-André
- 38 Hôtel Le Breton
- 39 Castel Saint-Denis
- 40 Le Taj Mahal -Thrift Lodge
- 41 Le Gîte du Parc Lafontaine
- 42 Chez Marine Berthou
- 43 L'Auberge de La Fontaine
- 44 Auberge des Glycines
- 45 Manoir Ambrose
- 46 Hôtel de Paris
- 47 B & B Centre-Ville-Downtown-Network
- 48 Gîte du Passant L'Urbain
- 49 Les Studios du Quartier Latin
- 50 Le Zèbre
- 51 B & B À l'Adresse du Centre
- 53 Gîte du Passant Chez François
- 54 Gîte La Cinquième Saison
- 55 B & B Roger Bontemps
- 56 B & B Le Chat Bleu
- 57 La Maison du Jardin

Où manger ?

- 61 Da Giovanni
- 62 Le Jardin de Panos
- 63 Ben's Delicatessen
- 64 Basha
- 65 Bar B'Barn
- 66 Biddle's
- 67 Spirite Lounge
- 68 Iza
- 69 Le Nil Bleu
- 70 La Paryse
- 71 Le Petit Extra
- 72 Mikado
- 73 Le Commensal
- 74 Hard Rock Café
- 76 Schwartz's
- 77 Jano
- 78 L'Anecdote
- 79 Porté Disparu
- 80 Santropol
- 81 Restaurant Mazurka
- 82 Le Café Pellerin
- 83 L'Express
- 84 Place Milton
- 85 Laloux
- 86 Wilensky
- 87 Maison de l'Original Fairmount Bagel
- 88 Beautys
- 89 La Petite Ardoise
- 90 El Zaziummm
- 91 Galaxie
- 92 Shezan
- 93 Cafétéria
- 94 Primadonna
- 95 Quartier Saint-Louis
- 96 Chez Gautier
- 97 Le Jardin de Jade
- 98 Cristal Saigon
- 99 Pho Minh

Où sortir ? Où boire un verre ?

- 100 Spectrum
- 101 Les Foufounes Électriques
- 102 Café Chaos
- 103 Jello Bar
- 104 Cock and Bull
- 106 Métropolis
- 107 Groove Society
- 111 Le Di Salvio
- 113 Le Swimming
- 114 Café Central
- 115 Whisky Café
- 116 Café Zazou
- 117 Le Saint-Sulpice
- 118 Le Peel Pub
- 119 La Salsathèque
- 120 Tokyo Bar
- 121 Sugar
- 122 Saphir
- 123 Le Diable vert
- 124 Le Belmont
- 125 Le Kokkino

À voir

- 130 Musée des Beaux-Arts
- 131 Musée d'Art contemporain
- 132 Centre canadien d'Architecture
- 133 Cinémathèque québécoise, musée du Cinéma
- 134 Musée Juste pour Rire
- 135 Musée McCord d'Histoire canadienne
- 136 Centre Molson
- 137 Planetarium Dow

REPORTS DU PLAN II DE MONTRÉAL

MONTRÉAL – PLAN II

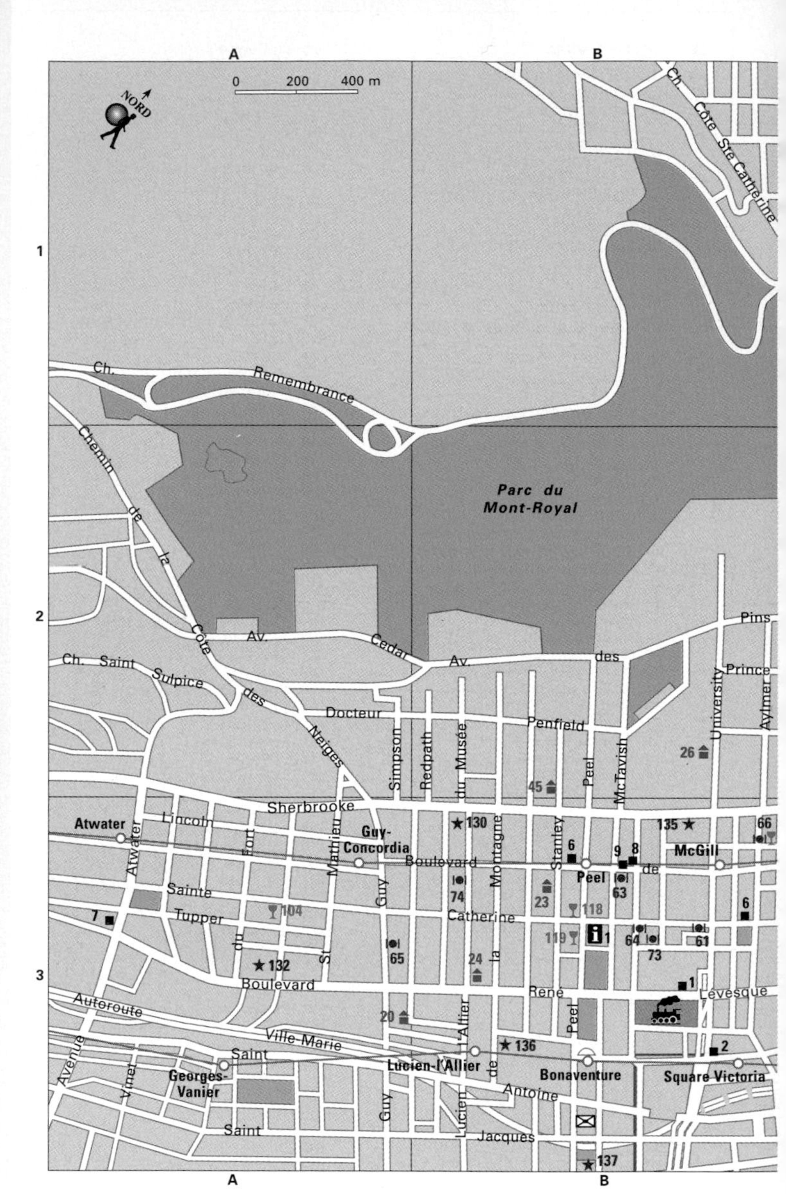

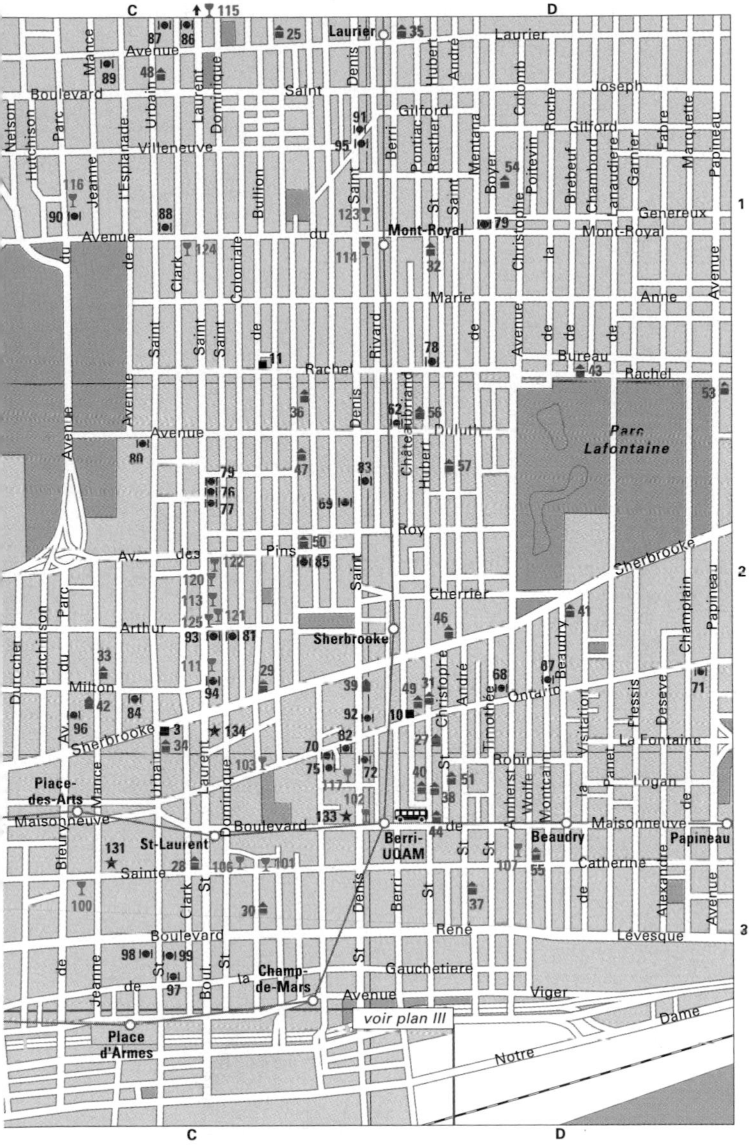

MONTRÉAL – PLAN II

MONTRÉAL – PLAN II

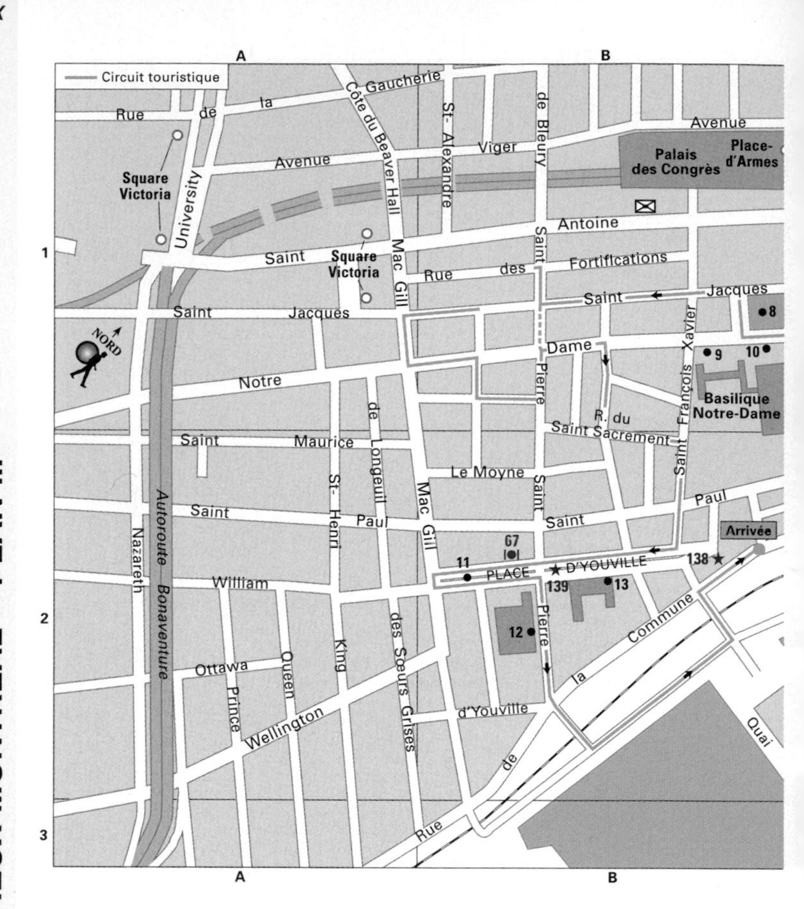

■ **Adresses utiles**

- Information touristique
- Poste

Où manger ?

- **67** La Gargote
- **68** Le Grill
- **69** Menara

Où sortir ? Où boire un verre ?

- **108** Le Jardin Nelson
- **109** Les Deux Pierrots

★ **À voir**

- **138** Musée d'Archéologie et d'Histoire Pointe-à-Callière
- **139** Centre d'histoire de Montréal

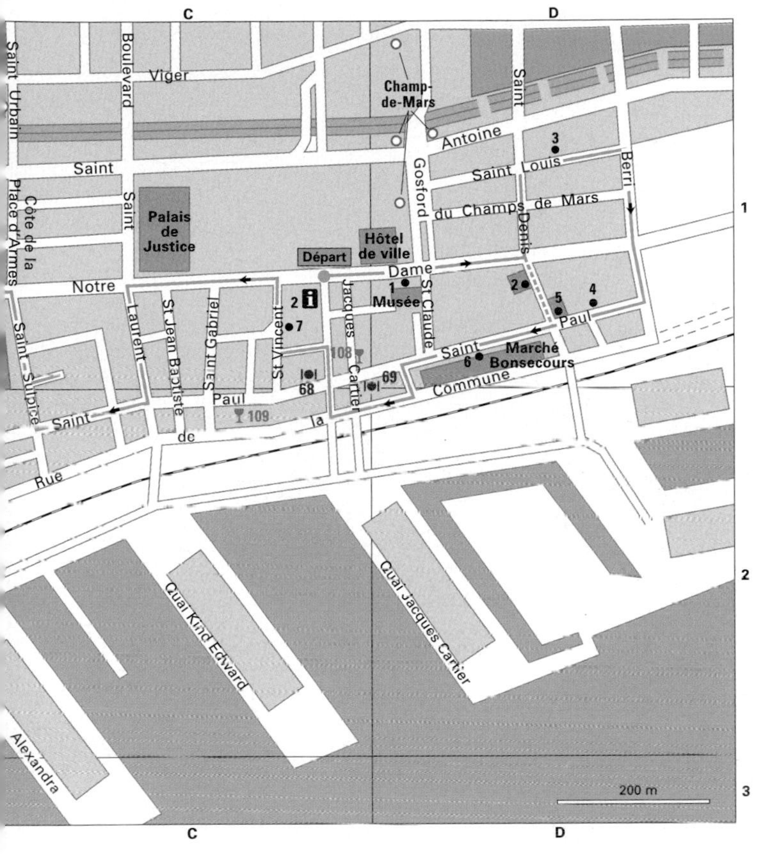

LE VIEUX MONTRÉAL – PLAN III

★ **À voir dans le Vieux Montréal**

1 Château de Hamezay
2 Maison Papineau
3 Rue Saint-Louis
4 Maison Dumas
5 Maison du Calvet
6 Marché Bonsecours
7 Maison Beaudoin
8 Place d 'Armes
9 Vieux séminaire
10 Basilique Notre-Dame
11 Place d'Youville
12 Hôpital général des Sœurs Grises
13 Les écuries d'Youville

QUÉBEC – PLAN I

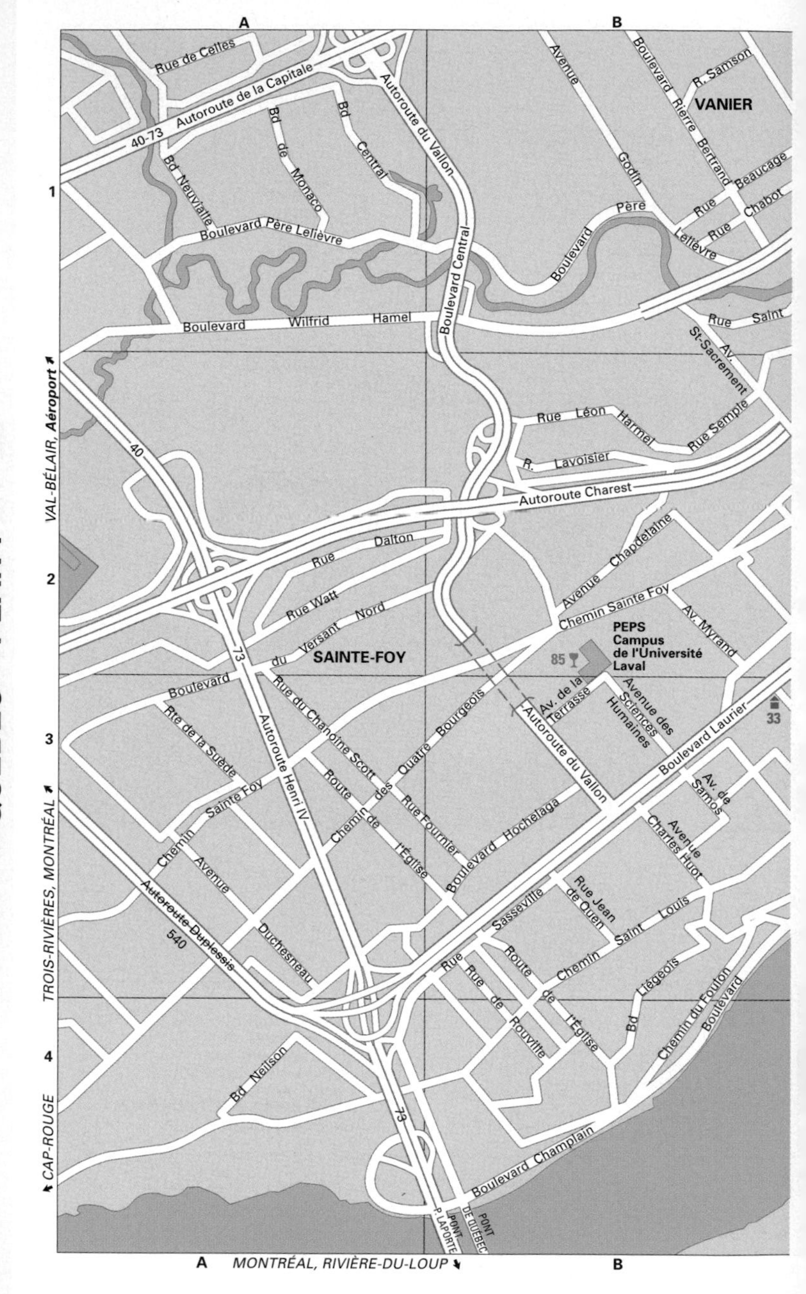

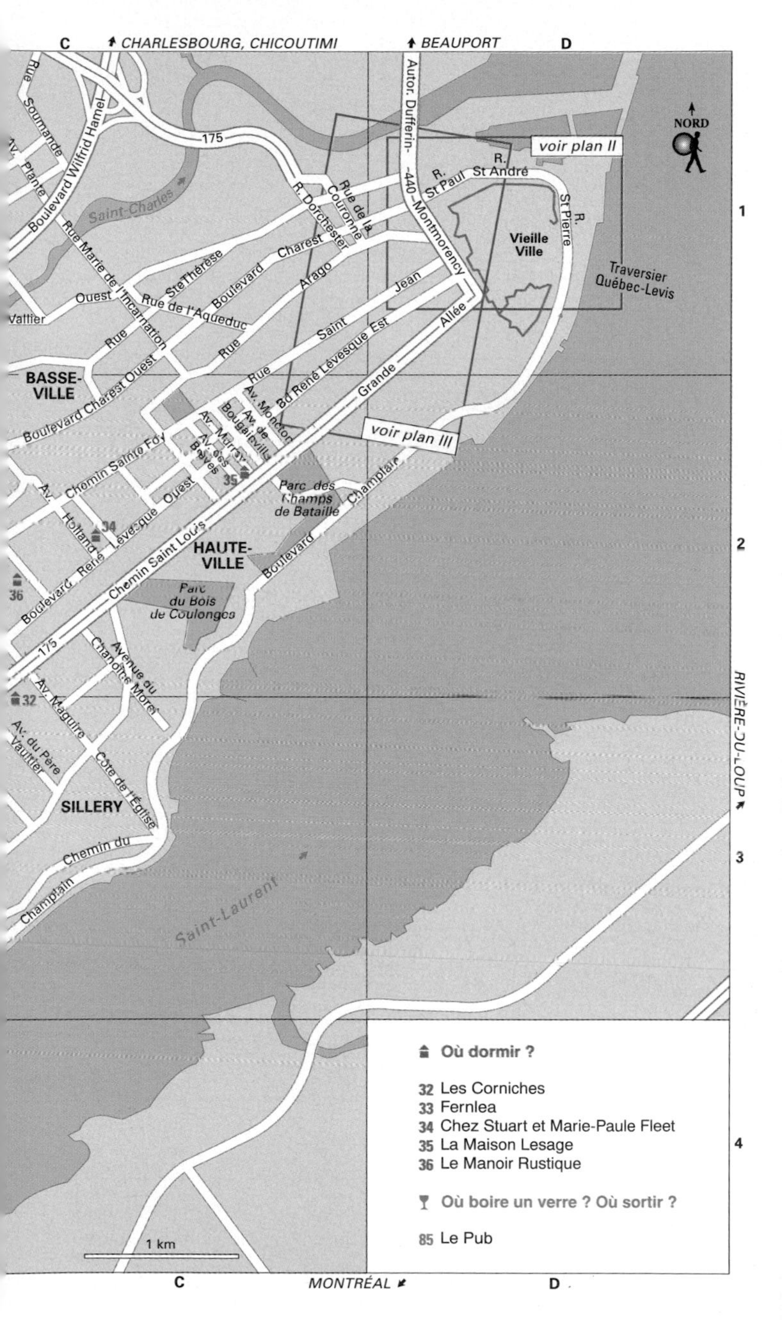
C
CHARLESBOURG, CHICOUTIMI
BEAUPORT
D
NORD
voir plan II
voir plan III
Vieille Ville
Traversier Québec-Levis
BASSE-VILLE
HAUTE-VILLE
SILLERY
Parc des Champs de Bataille
Parc du Bois de Coulonges
Saint-Charles
Saint-Laurent
Autor. Dufferin-Montmorency
Boulevard Wilfrid Hamel
Boulevard Charest Ouest
Rue de l'Aqueduc
Rue Marie de l'Incarnation
Rue Saint Jean
Bd René Lévesque Est
Grande Allée
Boulevard Champlain
Chemin Saint Louis
Chemin Sainte Foy
Boulevard René Lévesque Ouest
Av. Holland
Av. Maguire
Avenue du Chanoine Morel
Côte de l'Église
Chemin du Champlain
R. St Paul
R. St André
R. St Pierre
R. Dorchester
Rue de la Couronne
Arago
1 km
C
MONTRÉAL
D
RIVIÈRE-DU-LOUP
QUÉBEC – PLAN I
Où dormir ?
32 Les Corniches
33 Fernlea
34 Chez Stuart et Marie-Paule Fleet
35 La Maison Lesage
36 Le Manoir Rustique
Où boire un verre ? Où sortir ?
85 Le Pub

QUÉBEC – PLAN I

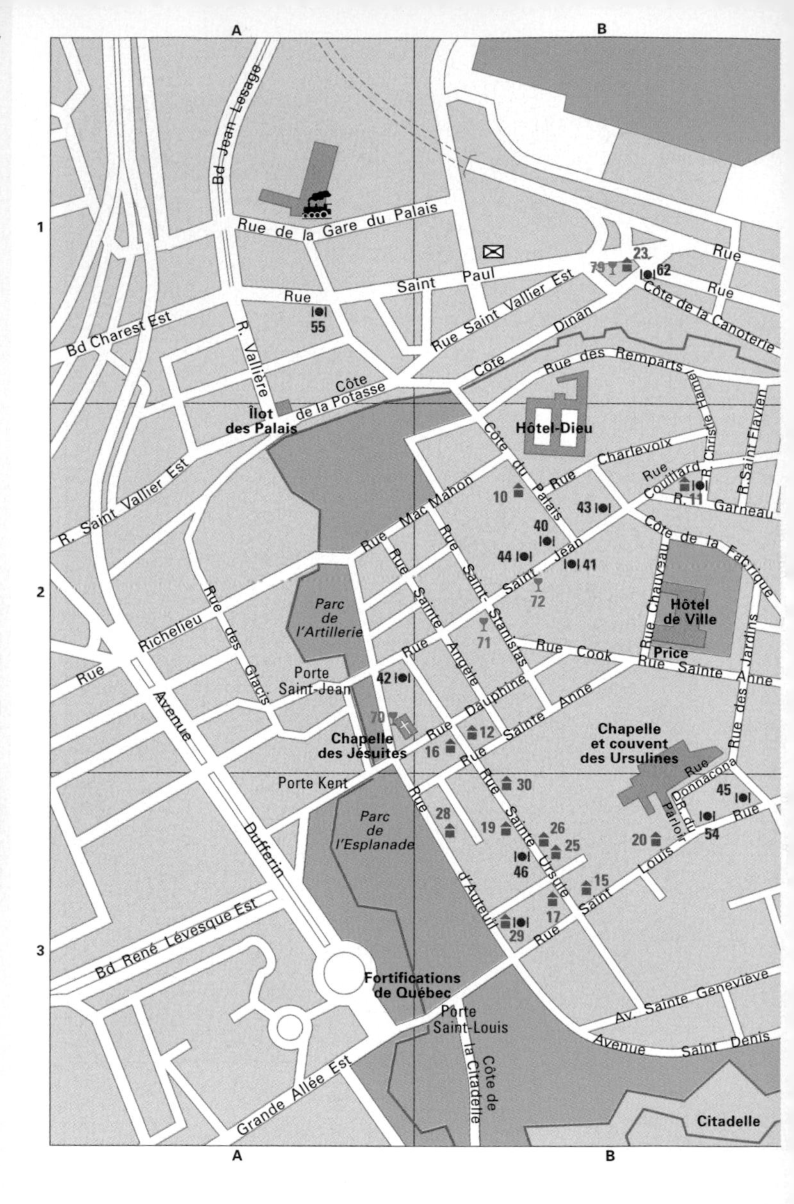

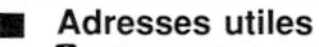

■ **Adresses utiles**

- Maison du tourisme de la province de Québec
- Poste
- H Hôpital

Où dormir ?

10 Armée du Salut
11 Auberge de la Paix
12 Centre international de séjour de Québec
14 Manoir des Remparts
15 La Maison du Général
16 Manoir La Salle
17 La Maison Demers
18 Château de Léry
19 La Maison Sainte-Ursule
20 Auberge Saint-Louis
21 La Marquise de Bassano
22 Auberge de la Place d'Armes
23 L'hôtel particulier Belley
25 Maison James Thompson
26 La Maison Acadienne
27 Au Jardin du Gouverneur
28 Hôtel Manoir d'Auteuil
29 Auberge de la Chouette
30 Gîte du Quartier Latin - B & B Chez Hubert
31 L'Heure Douce
37 Chez Mimi

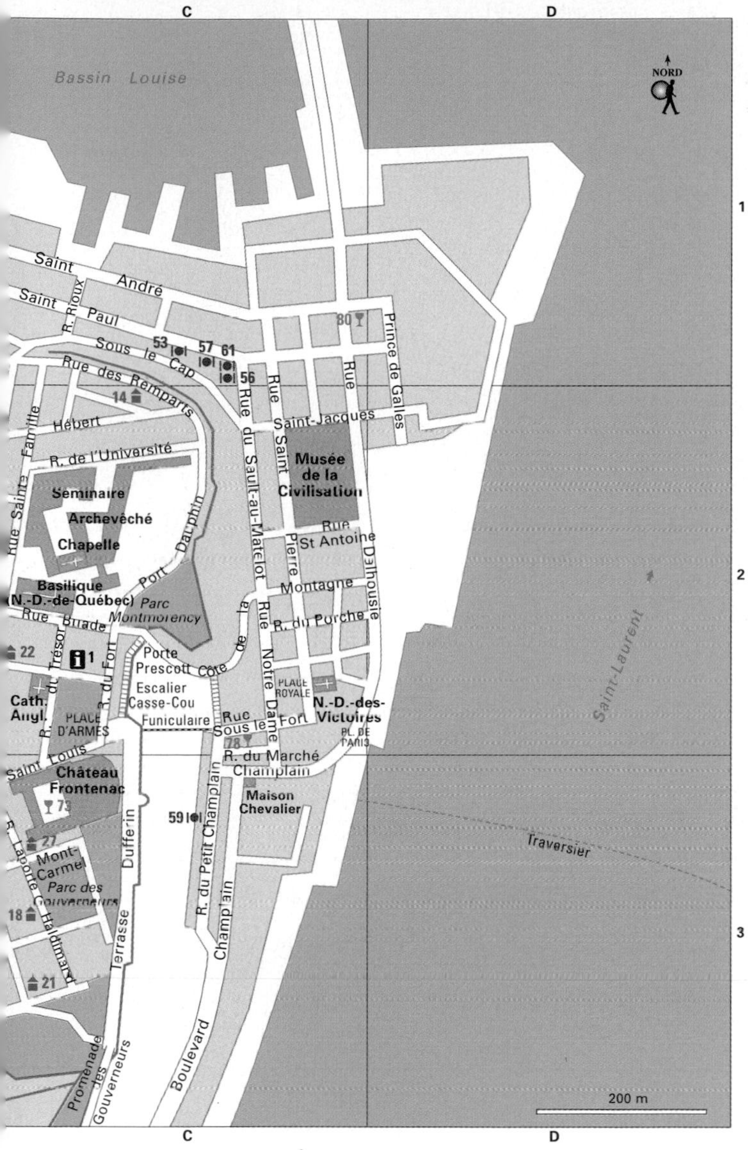

QUÉBEC – PLAN II

Où manger ?

- **11** Chez Temporel
- **29** Apsara
- **40** Casse-Crêpe Breton
- **41** Café-restaurant Le Rétro
- **42** Le Petit Coin Latin
- **43** Les Frères de la Côte
- **44** Mikes
- **45** Aux Anciens Canadiens
- **46** Le Saint-Amour
- **53** Buffet de l'Antiquaire
- **54** Le Figaro
- **55** Pizza Mag
- **56** Asia
- **57** Le Saint-Malo
- **59** Le Lapin Sauté
- **61** L'Ardoise
- **62** Le Péché Véniel

Où boire un verre ? Où sortir ?

- **70** Bar-spectacle d'Auteuil
- **71** Chez Son Père
- **72** Les Yeux Bleus
- **73** Bar Saint-Laurent
- **78** Bistrot Le Pape Georges
- **79** Belley
- **80** L'Inox

QUÉBEC – PLAN III

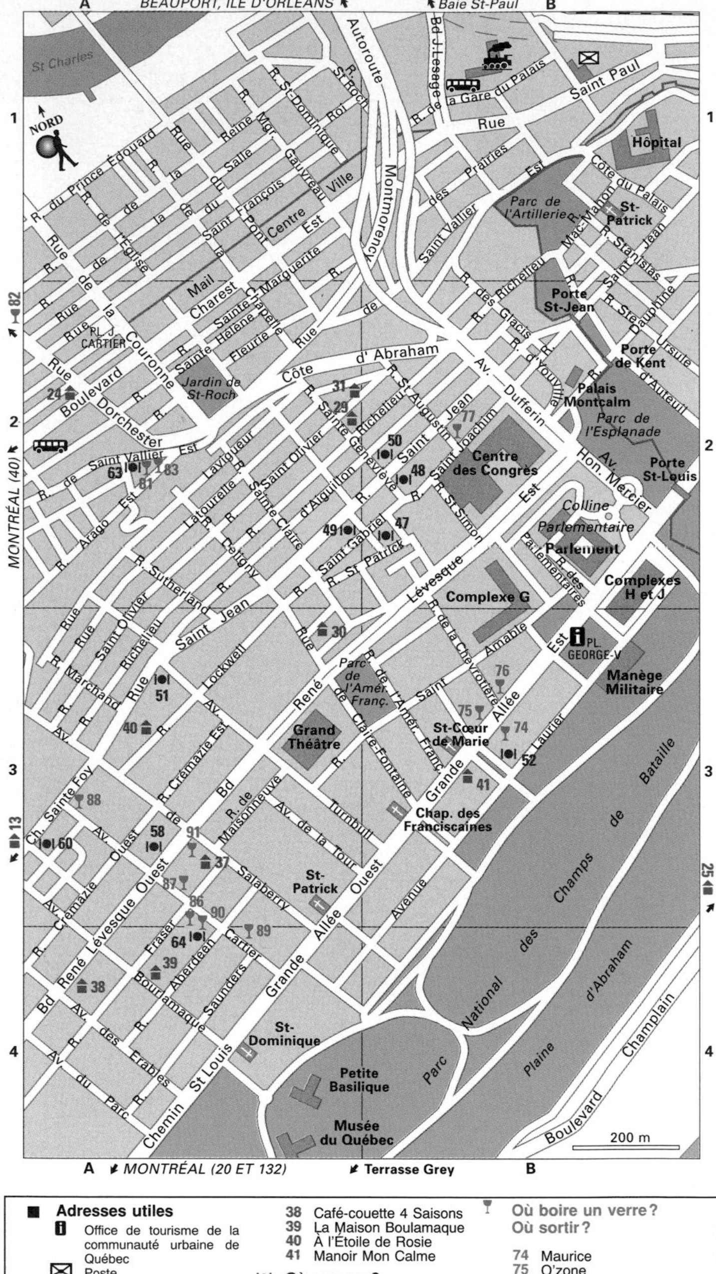

Adresses utiles

- Office de tourisme de la communauté urbaine de Québec
- Poste
- Gare centrale des bus
- Gare ferroviaire

Où dormir ?

13 YWCA
24 Hôtel Manoir Charest
25 Hayden's Wexford House
29 L'Heure Douce
30 Le Petit Roi
31 Chez Mimi
38 Café-couette 4 Saisons
39 La Maison Boulamaque
40 À l'Étoile de Rosie
41 Manoir Mon Calme

Où manger ?

47 Café Sainte-Lucie
48 La Piazetta
49 Croque M
50 Hobbit
51 Chez Victor
52 L'Astrale
58 Le Cochon Dingue
60 Les Crêpes Celtiques
63 L'impasse des deux Anges
64 Momento Ristorante

Où boire un verre ? Où sortir ?

74 Maurice
75 O'zone
76 Dagobert
77 Le Drague
81 Mardi gras
82 Dorchester Taverne
83 Le Scanner
86 Jules et Jim
87 Café Krieghoff
88 Le quartier de lune
89 Le Merlin
90 Pub Java
91 Qué Sera

et immortelles
vous tourmenteront jusqu'à ce que
vous les mettiez en gerbe!

On l'affirme avec force : impossible de voyager au Québec sans rendre visite à Charlevoix. Cette région splendide est la conséquence d'une série de phénomènes géophysiques exceptionnels : glaciations successives qui ont creusé, modelé, usé le paysage. La mer de Champlain recouvrit longtemps les terres, y déposant des couches d'argile. Il y eut jusqu'à une énorme météorite qui tomba dessus et provoqua un cratère de 56 km de diamètre, bouleversant le relief et façonnant le paysage de Charlevoix. C'est d'ailleurs le plus grand cratère de la planète. Résultat : un paysage d'une douceur extra qu'il faut aborder avec délicatesse, qu'il faut « consommer », comme si l'on buvait un château-lafite vieux de trente ans. Partez à la découverte de l'arrière-pays par les anciens chemins de rangs : *Pis-Sec, Pousse-Pioche, Main-Sale, Cache-toi-bien, Craque-Raie*... Et puis, Charlevoix a produit de si belles destinées : *Alexis le Trotteur, Louis l'Aveugle* et *Boily le Ramancheur*. Si vous êtes sage, on vous contera celle d'Alexis le Trotteur. Surtout, faites-vous raconter les autres. Et puis Charlevoix, c'est une hospitalité légendaire, faite de chaleur et de simplicité.

Charlevoix est également la première région habitée par l'homme à s'être vu attribuer le statut officiel de Réserve mondiale de la biosphère par l'Unesco (novembre 1988). Attention : on ne dit pas « le » Charlevoix, mais « Charlevoix », tout simplement.

CHARLEVOIX

BAIE-SAINT-PAUL (G321NI) 7 400 hab. IND. TÉL. : 418

Cachée au fond d'une vallée, aux formes et couleurs veloutées, Baie-Saint-Paul va vous livrer ce qu'elle possède au fur et à mesure. Oh! pas des monuments prestigieux, non, mais une série d'impressions délicates, d'images sereines. D'abord ses clochers argentés, puis ses rues historiques, Saint-Joseph, Saint-Jean-Baptiste et Saint-Adolphe... De-ci, de-là, quelques vénérables constructions anciennes. La *maison Simard,* 87, rue Saint-Joseph; le *moulin César* (de 1722), plus loin, sur la gauche, par la route 362 Est. Le *moulin Remi* est dans la même direction, à 1 km. C'est aussi une ville réputée pour l'art.

Et chez les artisans, quelques belles choses qui ne sont pas toutes inabordables!

Adresses utiles

ℹ ***Association touristique de Charlevoix** (plan B2) :* 4, rue Ambroise-Fafard (centre d'Art). Derrière l'église. ☎ 435-57-95. Ouvert de 9 h à 19 h tous les jours d'été (ça peut changer!); l'hiver, tous les jours de 9 h à 17 h. Accueil très chaleureux et une mine de renseignements. Situé dans le centre d'Art, on y trouve aussi une boutique qui vend des œuvres d'artistes locaux. Il existe un autre centre d'information touristique sur tout Charlevoix : *Belvédère Saint-Paul :* 444, bd Monseigneur-de-Laval (route 138); ☎ 435-41-60; ouvert tous les jours de 9 h à 21 h.

✉ ***Poste** (plan B2) :* 9, rue Saint-Jean-Baptiste. ☎ 435-25-41.

🚌 ***Terminal des bus (Intercar) :*** sur la route 138, centre commercial « Le Village », à gauche de la route direction La Malbaie *(hors plan par A 1)*. ☎ 435-65-69. Vente de billets au resto *La Grignote*.

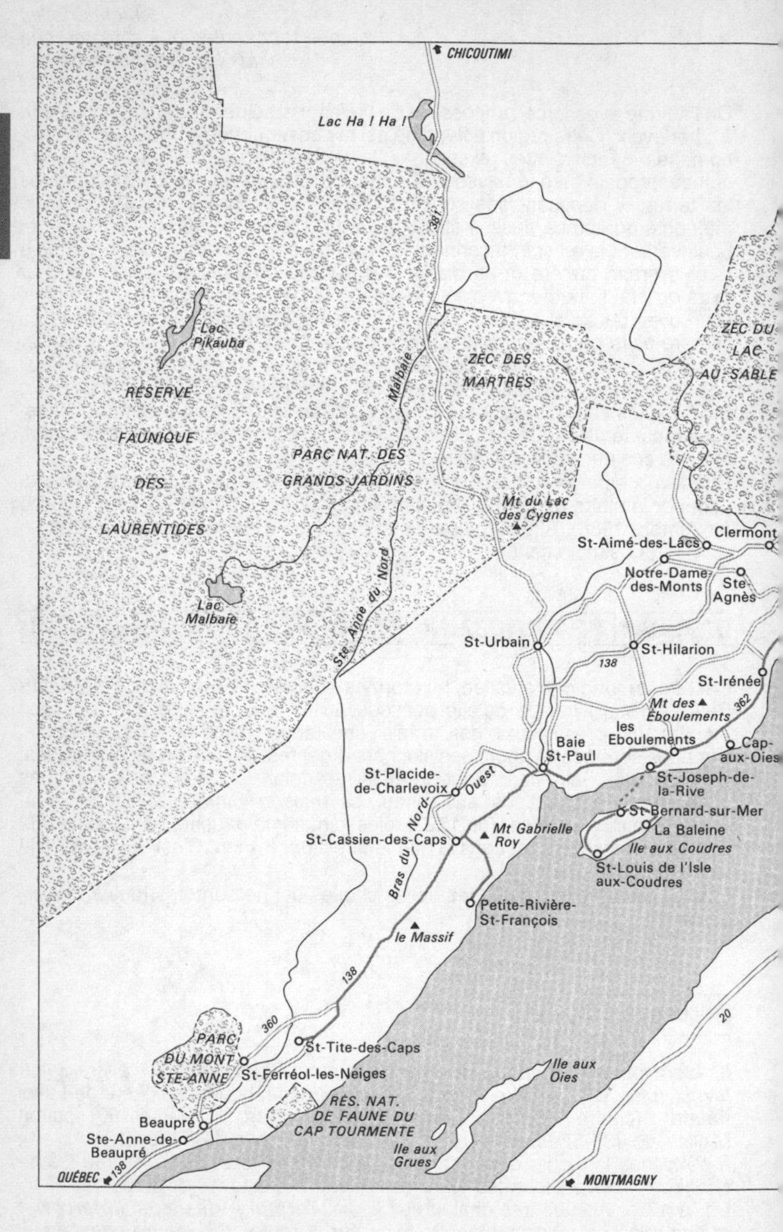

CHICOUTIMI
Lac Ha ! Ha !
381
Lac Pikauba
RÉSERVE FAUNIQUE DES LAURENTIDES
Malbaie
ZEC DES MARTRES
ZEC DU LAC AU SABLE
PARC NAT. DES GRANDS JARDINS
Mt du Lac des Cygnes
St-Aimé-des-Lacs
Clermont
Notre-Dame-des-Monts
Ste-Agnès
Lac Malbaie
Ste Anne du Nord
St-Urbain
St-Hilarion
138
St-Irénée
Mt des Éboulements
362
les Éboulements
Baie St-Paul
Cap-aux-Oies
St-Placide-de-Charlevoix
Ouest
St-Joseph-de-la-Rive
St-Bernard-sur-Mer
La Baleine
St-Cassien-des-Caps
Mt Gabrielle Roy
Ile aux Coudres
Bras du Nord
St-Louis de l'Isle aux-Coudres
Petite-Rivière-St-François
le Massif
138
360
20
PARC DU MONT STE-ANNE
St-Tite-des-Caps
St-Ferréol-les-Neiges
Ile aux Oies
RÉS. NAT. DE FAUNE DU CAP TOURMENTE
Beaupré
Ste-Anne-de-Beaupré
Ile aux Grues
QUÉBEC 138
MONTMAGNY

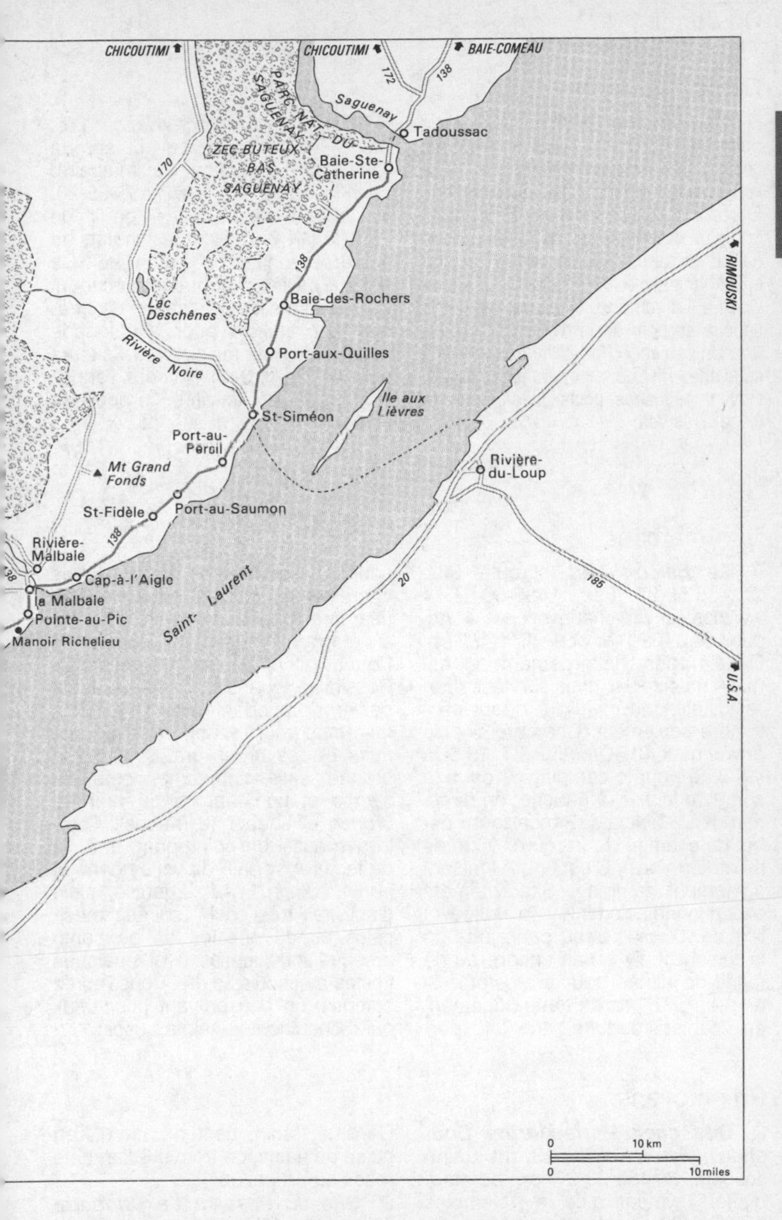
CHICOUTIMI
CHICOUTIMI
BAIE-COMEAU
172
138
PARC NAT. DU SAGUENAY
Saguenay
Tadoussac
ZEC BUTEUX BAS SAGUENAY
Baie-Ste-Catherine
170
138
RIMOUSKI
Lac Deschênes
Baie-des-Rochers
Rivière Noire
Port-aux-Quilles
Ile aux Lièvres
St-Siméon
Port-au-Persil
Mt Grand Fonds
Rivière-du-Loup
St-Fidèle
Port-au-Saumon
138
Rivière-Malbaie
Cap-à-l'Aigle
la Malbaie
Pointe-au-Pic
Manoir Richelieu
Saint-Laurent
20
185
U.S.A.
0
10 km
0
10 miles

CHARLEVOIX

Où dormir ?

Campings

▲ ***Camping du Gouffre :*** 439, rang Saint-Laurent. ☎ 435-21-43. • www.quebecweb.com/campingdugouffre • Ouvert à partir du 15 mai jusqu'au 10 octobre. Entre 18 et 26 $Ca (11,6 et 16,7 €) selon le confort. À 6 km du centre. Prendre la rue Fafard qui se poursuit par la rue Leclerc ; ensuite à gauche (c'est indiqué), la rue du Gouffre. Le camping, ombragé, est sur la gauche au bord de la rivière, 5 km plus loin. Un peu cher. Possibilité de louer une caravane. Piscine, aire de jeux, tennis, sentiers pédestres, pêche, dépanneur sur place. Très vert.

▲ ***Camping Le Genévrier :*** 1175, bd Monseigneur-de-Laval, sur la route 138 (direction La Malbaie). ☎ 435-69-76 ou 1-877-435-65-20. • labbe@cite.net • À partir de 23 $Ca (14,8 €). Pour les chalets de 1 à 4 personnes en saison, 96 $Ca (61,9 €). Plus cher que le précédent et très touristique. Location de chalets. Lac artificiel pour la baignade accessible pour les simples visiteurs pour 3 $Ca (1,9 €) environ. Tennis. Nombreuses activités proposées l'été.

Bon marché

▲ ***Le Balcon Vert :*** route 362. ☎ 435-55-87. Fax : 435-66-64. • www.balconvert.charlevoix.net • Accueil de 8 h à 11 h et de 17 h à 21 h. Ouvert pour l'hébergement de mi-mai à mi-octobre, mais services (bar, resto, etc.) de mi-juin à début septembre seulement. Chambre double privée pour 40 $Ca (25,8 €). 16 $Ca (10,3 €) pour le camping. C'est à la sortie de la ville, à gauche, en direction de La Malbaie. Pancarte au début du chemin. De la route, 1 km de montée (raide !). C'est une AJ faisant également camping. Site vraiment exceptionnel, dominant la vallée et la baie. Le plus beau panorama de la région. Il n'y a pas encore eu de manif de riches pour protester... Si on ne plante pas sa tente, logement en cabines-dortoirs (de 4 personnes), bon marché ou, pour plus cher, en bungalows privés ou en chambres pour 2 avec salle de bains à l'étage. Confort plutôt sommaire. Formule demi-pension intéressante. Possibilité, quand la demande n'est pas trop importante, de travailler à mi-temps pour l'AJ en échange des nuits et des repas gratos. Dans la grande salle commune, cafétéria sympa et bon marché où prendre *brunch* et souper (2 menus). On y trouve aussi bar, ping-pong et salle de lecture. Terrain de volley dans le jardin. Sinon, l'AJ organise plein d'activités très cool : soirées musicales ou de poésie, feu de camp presque tous les soirs et quelques fiestas-méchouis en été. Vous l'aurez compris, un peu bruyant pour ceux qui recherchent le calme absolu.

Prix moyens

▲ ***Gîte chez Marie-Marthe Bouchard*** *(plan B1,* ***10****)* ***:*** 43, rue Saint-Joseph. ☎ 435-29-27. • bernard.marier@sympatico.ca • Comptez 45 $Ca (29 €). Maison simple mais accueillante, avec jardin privé. Prix parmi les moins chers. 4 chambres simples, très propres. On partage la salle de bains. Accueil chaleureux. Dans le jardin, petit bassin et, en guise de nains, on trouve 3 flamants roses sur le gazon.

▲ ***Gîte du Passant La Chouette*** *(plan B2,* ***13****)* ***:*** 2, rue Leblanc. ☎ 435-32-17. 75 $Ca (40,4 €). 4 chambres avec salle de bains aux couleurs des saisons, dans une maison colorée, bien aérée. Petit salon

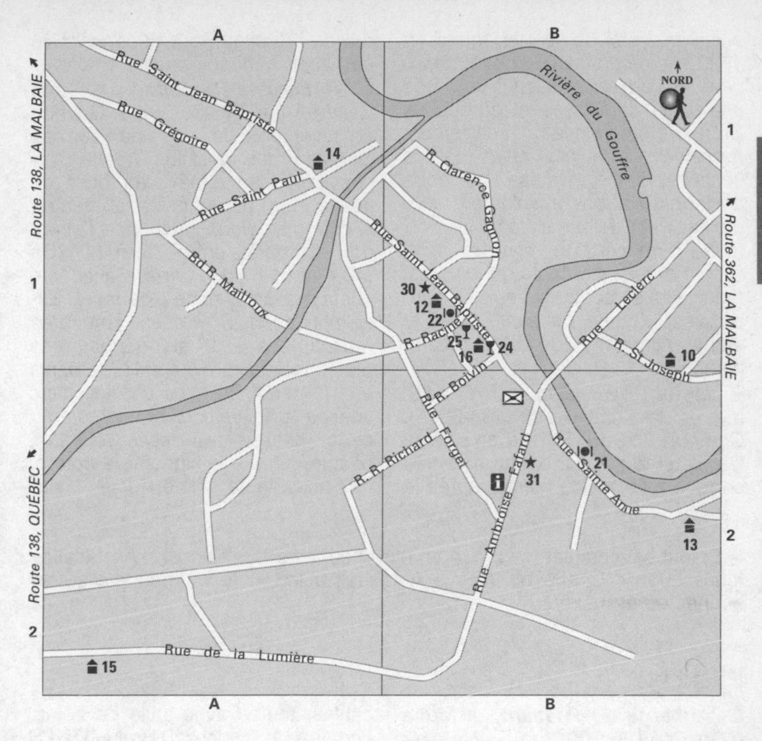

BAIE-SAINT-PAUL

Adresses utiles

- Association touristique de Charlevoix
- Poste

Où dormir ?

- **10** Gîte chez Marie-Marthe Bouchard
- **12** Auberge du Passant La Muse
- **13** Gîte du Passant La Chouette
- **14** La Grande Maison
- **15** Motel Royal
- **16** Auberge La Maison Otis

Où manger ?

- **21** Mouton Noir
- **22** Le Saint Pub

Où boire un verre ? Où sortir ?

- **24** Le Scénario
- **25** Café des Artistes

À voir. À faire

- **30** Randonnées Nature-Charlevoix
- **31** Centre d'exposition

de lecture, terrasse ensoleillée. Cuisine et véranda à disposition. La déco est soignée et le cadre vraiment agréable. Belle vue sur le mont Cabaret. Petit déjeuner copieux (crêpes au fromage, framboises fraîches...). On trouve à proximité des chemins de randonnées. Propose également en hiver des forfaits de ski. Une bien chouette adresse...

La Grande Maison *(plan A1,* ***14****) :* 160, rue Saint-Jean-Baptiste. ☎ et fax : 435-55-75 Appel gratuit : ☎ 800-361-55-75. • wwww.quebecweb.com/lagrandemaison • De 70 à 170 $Ca (45,2 à 109,6 €). Le plus vieil hôtel de la ville, fondé en 1920, et récemment rénové. Beau parquet vernis conduisant vers des chambres parfumées et agréables. Notre préférée est la n° 1, carrément romantique mais plus chère. Fleurs séchées, petite terrasse, baignoire ancienne. Patrons absolument adorables. Petit déjeuner compris. Formule demi-pension possible. Excellent dîner, abordable qui plus est (spécialité de homard et cuisine québécoise). Centre de santé dans le même bâtiment. Réservation recommandée.

Motel Royal *(plan A2, 15)* **:** 29, rue de la Lumière. ☎ 435-35-40. Comptez 80 $Ca (51,6 €) en saison. Un motel tout à fait banal mais très correct, à l'écart du centre, après la rue de l'Hôpital. Pour dépanner. Un peu cher. Mini-golf payant à côté.

Auberge Belle Plage : 192, rue Sainte-Anne. ☎ 435-33-21. Ouverte en hiver pour le ski, sinon fermée jusqu'au mois de juin. Grosse maison très bien située, au bord du fleuve et un peu plus loin du centre. À côté d'un vieux chalutier à l'abandon. Comptez entre 75 et 80 $Ca (48,4 et 51,6 €). Terrasse avec vue sur la marina, piscine extérieure. Excellent accueil. Petites chambres mansardées au 2e étage, chambres plus spacieuses avec salle de bains au 1er, certaines (plus chères) avec vue sur le fleuve. Prix honnêtes pour cette bâtisse au style d'antan, comme aime à le signaler le patron. Fait aussi table d'hôte.

– Si tout est complet (ça arrive en été et certains week-ends), l'Association touristique de Charlevoix (voir « Adresses utiles ») recommande d'autres bonnes adresses...

Plus chic

Auberge du Passant La Muse *(plan B1, 12)* **:** 39, rue Saint-Jean-Baptiste. ☎ 435-68-39 ou 1-800-841-68-39. Fax : 435-62-89. • www.lamuse.com • Ouverte toute l'année. À partir de 125 $Ca (80,6 €) avec le souper et le petit déjeuner. Une magnifique maison centenaire précédée de 4 érables, où l'atmosphère est douce et reposante : gens pressés, s'abstenir! 10 chambres (avec salle de bains) simples et agréables. Vieux parquet peint. Beau jardin avec terrasse et volley-ball. Au petit déjeuner on tartine son pain avec des confitures maison.

B & B Le Cormoran : 196, rue Sainte-Anne. ☎ 435-60-30. • www.quebecweb.com/cormoran • Ouvert à l'année. À partir de 97 $Ca (62,5 €) pour le motel. Entre 80 et 90 $Ca (51,6 et 58,1 €) dans l'auberge. Superbe maison face à la baie et à la batture. Située à côté de l'*Auberge Belle Plage* et appartenant aux mêmes proprios. Accueil tout à fait charmant. Chambres impeccables, toutes avec salle de bains, certaines avec jacuzzi ! Bref, un *B & B* de luxe, meublé de manière moderne avec salle de bains. Bon petit déjeuner compris. Le tout à prix élevés mais tout à fait justifiés.

Auberge La Maison Otis *(plan B1, 16)* **:** 23, rue Saint-Jean-Baptiste. ☎ 435-22-55 ou 1-800-267-22-54. Fax : 435-24-64. À partir de 158 $Ca (101,9 €) avec souper et petit déjeuner inclus. Dans la plus jolie rue de la ville. Un hôtel de charme installé dans une demeure de 1840 traditionnelle. À l'intérieur, piscine, sauna, cheminées et beaucoup de belles boiseries. Annexe moderne à côté. Formule demi-pension uniquement. Attention aux suppléments obligatoires (pourboires, etc.). Plusieurs sortes de chambres bien aménagées, de la suite (lit de 2 m, TV, vidéo, hifi, baignoire immense) à la chambre la plus simple. En fin de semaine, boîte à chansons. Un peu cher tout de même mais l'établissement est de qualité.

Où manger ?

🍽 ***Le Saint Pub*** *(plan B1, **22**)* **:** 37, rue Saint-Jean-Baptiste. ☎ 240-23-32. Ouvert de midi jusqu'à 3 h du matin. Plats principaux entre 8 et 13 $Ca (5,2 et 8,3 €) le midi. Table d'hôte le soir à partir de 16 $Ca (10,3 €). Un resto bien sympa qui vaut davantage pour son agréable terrasse couverte et toute en bois, ombragée et conviviale. En plus, on y déguste de bonnes bières. Certaines proviennent de la micro-brasserie : essayez la blanche épicée, très rafraîchissante. Les plats sont savoureux, variés et d'inspiration française. Service attentionné. Un bon rapport qualité-prix. Fait aussi bar le soir.

Chic

🍽 ***Mouton Noir*** *(plan B2, **21**)* **:** 43, rue Sainte-Anne. ☎ 240-30-30. Cadre plaisant en bois, chaleureux. Terrasse donnant sur la rivière du Gouffre. Table d'hôte le soir. Plats assez élaborés. De quoi faire un bon repas, mais tout de même cher à l'arrivée. Menu du midi bon marché.

Où sortir ? Où boire un verre ?

🍸 ***Le Scénario*** *(plan B1, **24**)* **:** 23, rue Saint-Jean-Baptiste. ☎ 435-50-02. Ouvert du mercredi au dimanche jusqu'à 3 h. Au sous-sol de*La Maison Otis*, dans une sorte de taverne, bar à billard, snooker et fléchettes, où ça guinche en fin de semaine (du jeudi au samedi). Clientèle locale et bières pas chères. Piste de danse. L'un des seuls endroits pour sortir à Baie-Saint-Paul.

🍸 ***Café des Artistes*** *(plan B1, **25**)* **:** 27, rue Saint-Jean-Baptiste. ☎ 435-55-85. Ouvert de 9 h à minuit environ. Rendez-vous des artistes de Baie-Saint-Paul. On peut y manger (pizzas, *panini* et salades) mais mieux vaut y boire un verre. Jolie salle avec sièges en osier. Terrasses à l'avant et à l'arrière.

À voir

★ ***Le centre d'Art de Baie-Saint-Paul :*** 4, rue Ambroise-Fafard. ☎ 435-36-81. Au même endroit que l'Association touristique. Ouvert tous les jours aux mêmes horaires que l'office du tourisme. Entrée gratuite. Expositions des peintres de Charlevoix. Boutique où l'on trouve l'artisanat local : peintures sur soie, tissage, porcelaine... Tous les étés (en août), se déroule le symposium de la jeune peinture du Canada à l'Aréna, derrière le centre d'Art. De jeunes artistes réalisent devant le public une œuvre sur un très grand format, dans une ambiance de fête.

★ Nouveau, ***le centre d'Histoire naturelle de Charlevoix :*** 444, bd Monseigneur-de-Laval, route 138. ☎ 435-62-75. De juin à septembre, ouvert de 9 h à 17 h tous les jours ; hors saison, de 10 h à 16 h. Un musée à l'architecture moderne, où une exposition permanente retrace les origines de ce site et de son cratère ; depuis le centre, vue panoramique sur le site.

★ ***Le centre d'exposition de Baie-Saint-Paul*** *(plan B2, **31**)* **:** 23, rue Ambroise-Fafard. ☎ 435-36-81. Ouvert tous les jours de 9 h à 19 h de juin à septembre, jusqu'à 17 h le reste de l'année. Visites commentées les mercredi, samedi et dimanche. 3 $Ca (1,9 €). Voici le haut lieu de la peinture de Baie-Saint-Paul. Un hommage aux artistes peintres de Baie-Saint-Paul et de Charlevoix ou à ceux qui ont couché leur amour de la région sur une toile.

Essentiellement des expos temporaires et des rétrospectives du symposium annuel. En haut, petite collection des œuvres de Yonne et Blanche Bolduc (ça ne s'invente pas), deux artistes qui réalisent des œuvres alliant la sculpture et la peinture sur bois, avec petit chalet, montagne dans le fond... Manquent juste le baromètre, un petit skieur en relief et un dicton local gravé en dessous pour devenir le souvenir parfait.

★ Dans le centre, avez-vous noté que l'***église*** possède 2 tours asymétriques ?

★ ***Petit circuit des galeries d'art :*** Baie-Saint-Paul possède de nombreuses galeries d'art, dont plusieurs méritent la visite. La plupart sont concentrées dans le cœur de la ville, dans les rues Ambroise-Fafard, Saint-Jean-Baptiste et Sainte-Anne.

★ ***La laiterie Charlevoix :*** 1167, bd Monseigneur-de-Laval (route 138). ☎ 435-21-84. Un musée du fromage (écolo-musée) où vous admirerez les équipements anciens de fabrication, et où vous pourrez acheter toutes sortes de produits fabriqués selon des méthodes artisanales. Si vous arrivez avant 11 h, vous pourrez observer les artisans en action. En saison, ouvert tous les jours de 8 h à 19 h ; hors saison, du lundi au vendredi de 8 h à 17 h 30, et le week-end de 12 h à 16 h. Entrée gratuite.

À faire

– ***La Joyeuse Randonnée*** propose des balades guidées de 1 h environ pour découvrir les différentes facettes historiques et architecturales de la ville. Renseignements : ☎ 435-66-81.
– ***Initiation aux chiens de traîneau et au rafting :*** *Descente Malbaie,* 316, rue principale. ☎ 439-22-65.
– ***Les randonnées Nature-Charlevoix*** *(plan B1,* ***30****) :* 41, rue Saint-Jean-Baptiste. ☎ 435-62-75. Ouvert de 9 h à 17 h tous les jours de début juin à mi-octobre. Créé et tenu par deux jeunes ingénieurs forestiers fous amoureux de la région, ce centre offre une foule d'activités. Il organise de fin juin à début septembre, ainsi que les week-ends d'automne, des randonnées (de 2 h environ). Pour les personnes non motorisées, un des responsables du centre assure une navette : départ du centre tôt le matin (du parc des Grands-Jardins) et retour en fin d'après-midi (de la Baie-Saint-Paul). Plutôt sympa ! Voir « Aux environs, Le parc des Grands-Jardins ». Ils organisent également une tournée de 2 h en autobus à travers la campagne pour visiter le fameux cratère de Charlevoix. Également une randonnée à vélo autoguidée avec cassette. De mai à octobre, les randonnées sont accompagnées par un guide naturaliste. Possibilité de co-voiturage pour se rendre sur le lieu de départ. Compétence assurée. Location de vélo.

À voir dans les environs

★ ***Le domaine Charlevoix :*** route 362, 5 km au nord-est de Baie-Saint-Paul. ☎ 435-26-26 ou 1-877-435-26-27. Ouvert de mi-juin à mi-octobre. Entrée payante. Immense propriété privée, transformée en centre de randonnée. En tout, 10 km de domaine cyclable et 3 km de sentiers pédestres. Navette pour les fainéants. Le tout dans un paysage des plus plaisants avec panoramas superbes sur le fleuve. Également : plage, grotte, chutes (très beau parcours des chutes la Magnifique et la Surprenante), expos, terrasses, maison de thé, resto, bar et jeux. Un peu axé business, quand même.

★ ***Le parc des Grands-Jardins :*** situé à 35 km au nord de Baie-Saint-Paul, à environ 45 mn en voiture, à l'intérieur des terres. Ceux qui ne sont pas véhiculés pourront faire la balade avec les gens de *Randonnées Nature-Charlevoix* (voir plus haut, rubrique « À faire »). En voiture, prendre la route 138 (sur environ 10 km), puis la 381 (qui passe par Saint-Urbain). À l'entrée du parc, s'arrêter au poste d'accueil Thomas-Fortin pour prendre la carte et poursuivre vers Château-Beaumont pour les activités.
Le parc des Grands-Jardins est situé dans l'arrière-pays, sur un haut plateau (750 m) bénéficiant d'un microclimat qui a favorisé le développement d'un paysage de taïga, à savoir une forêt boréale de conifères, avec un épais tapis de lichen. Bouleaux et épinettes noires sont également de la partie. Un véritable îlot de Grand Nord à moins de 120 km de Québec. Il est possible d'y faire de superbes randonnées au cours desquelles on pourra observer un grand nombre d'animaux : canards, hérons, écureuils et parfois même... des ours ! Cependant, ne soyez pas étonné de fouler au cours de vos randonnées des sols calcinés : le parc a subi un terrible incendie en 1991. Rebelote en 1999. N'interrompez pas votre visite pour autant, et restez clément face aux avaries naturelles. Voici 3 conseils essentiels pour que votre rando se passe agréablement : munissez-vous impérativement d'un produit antimoustiques ; prévoyez à boire et de quoi vous nourrir (chaque emplacement dispose d'un BBQ) ; enfin, n'oubliez surtout pas vos jumelles.
Au site Château-Beaumont, un centre d'interprétation présente le parc (diaporama). Brochures et dépliants concernant les sentiers de randonnée. Le parc est lardé d'une dizaine de boucles de balades de 1 h à 6 h. Si vous ne devez faire qu'une seule rando, on vous conseille celle du mont du Lac des Cygnes (4 h aller-retour) ; on grimpe jusqu'à 1 000 m et la vue est époustouflante (le vent aussi, servi bien frais : prenez votre petite laine !). Certains sentiers sont exploitables seuls, d'autres nécessitent la présence d'un guide. De Château-Beaumont, l'été, départ de balades guidées à 10 h et à 13 h 30. Durée : 3 h. Dans le parc, on trouve également des chalets à louer et 2 campings. Location de canoës également, toujours à Château-Beaumont.

SAINT-JOSEPH-DE-LA-RIVE 200 hab. IND. TÉL. : 418

Pittoresque et très agréable village coincé entre mer et montagne, à une quinzaine de kilomètres par la route côtière pour La Malbaie. Que vous arriviez de Baie-Saint-Paul ou des Éboulements, deux descentes spectaculaires (la côte de la Misère à 20° et la côte du Port à 18°) vous y plongent avec ravissement. Une anecdote : les vieux du village se rappellent l'époque (années 20-30) où, pour grimper les pentes, il fallait le faire en marche arrière. En effet, en l'absence de pompe, l'essence ne montait plus au carburateur. Lors d'un de nos précédents voyages, les routes étaient encore en terre, imaginez ! Port d'embarquement pour l'île aux Coudres. Saint-Joseph fut l'un des plus importants chantiers navals du Québec.

Où dormir ? Où manger ?

Quelques magnifiques auberges cachées dans les arbres avec de jolis jardins vous attendent. Malheureusement, on ne sait pourquoi, les établissements de Saint-Joseph sont chers.

Prix modérés

🍽 ***Le Loup Phoque :*** 188, rue Félix-Antoine-Savard (rue principale). ☎ 635-28-48. Pas plus de 10 $Ca (6,5 €) pour un plat. Beau manoir en bois, à tonnelles, avec de curieuses tourelles bleues, face au fleuve. Resto seulement. Spécialité de fruits de mer. Repas pris sur une très agréable terrasse en surplomb.

Prix moyens

🏠 🍽 ***L'Été :*** 589, chemin du Quai. ☎ 635-28-73. De 55 à 70 $Ca (35,5 à 45,2 €). Accepte la carte de crédit. Sur la route de l'embarcadère, côté gauche. Ouvert de mai à octobre. Délicieuse maisonnette décorée et meublée avec un goût raffiné. 5 chambres calmes, colorées et confortables, 2 salles de bains. Demi-pension obligatoire. Terrasse dans un adorable jardin fleuri planté de cèdres. Le midi, salades composées, sandwichs, omelettes, quiches, etc. Le soir, table d'hôte dans la belle salle à manger : gibier en sauce, fruits de mer. Délicieux desserts. Plage à proximité. Proche du traversier pour l'île-aux-Coudres.

🏠 ***L'Auberge de la Rive :*** 280, chemin de l'Église. ☎ 635-28-46. Fax : 635-10-45. Ouverte à l'année. Comptez 60 $Ca (38,7 €). 75 $Ca (48,4 €) en motel. Grand bâtiment blanc et mauve qui propose de petites chambres à prix acceptables, petit déjeuner inclus. Le tout n'a pas un charme débordant, mais ça reste convenable. Préférez les chambres de l'hôtel à celles du motel, juste en face, plus chères et moins sympa. Petite piscine. Fait aussi resto et bar le soir avec piste de danse. Le propriétaire peut aussi vous prêter des vélos. Site agréable au bord du Saint-Laurent.

🏠 🍽 ***La Maison sous les Pins :*** 352, rue Félix-Antoine-Savard. ☎ 635-25-83. • msp@clic.net • De 50 à 75 $Ca (32,3 à 48,4 €). Pour le restaurant, comptez entre 15 et 25 $Ca (9,7 et 16,1 €). Maison en bois de 6 chambres, toutes avec salle de bains. Bien que décorées sur le thème du voyage, l'atmosphère des chambres nous a semblé un rien triste et un peu trop sombre. Demi-pension exigée (sauf le mercredi : pas de dîner). La cuisine est délicieuse. Un lieu intimiste, un peu froid, au charme particulier. Attention : maison non-fumeurs.

À voir. À faire

★ ***La papeterie Saint-Gilles :*** 304, rue F.-A.-Savard. ☎ 635-24-30. Ouverte tous les jours de l'année, du lundi au vendredi, de 8 h à 17 h ; en été, ouverte également le week-end (mais pas l'atelier) de 9 h à 18 h. Entrée gratuite, sauf pour les groupes : 2 $Ca (1,3 €) par personne. Fondée en 1965, cette petite papeterie a acquis une réputation mondiale pour la fabrication du papier chiné entièrement fait main et incrusté de feuilles et fleurs de la région : épervière orangée, salicaire mauve, etc., selon les procédés du XVIIe siècle. Vous assisterez à toutes les opérations : défibrage, tamisage, pressage, séchage et calandrage. Également une intéressante vidéo sur les étapes de la fabrication. Bien sûr, l'occasion aussi de renouveler joliment votre papier à lettres, malgré les prix élevés.

★ ***L'exposition maritime de Saint-Joseph-de-la-Rive :*** 305, place de l'Église. En face de la papeterie. ☎ 635-11-31. Ouverte tous les jours de mi-mai à début octobre, de 9 h à 17 h (de 11 h à 16 h seulement les week-ends de mai, juin et septembre). 2 $Ca (1,3 €) par adulte, gratuit pour les moins de 15 ans. L'ancien chantier naval s'est transformé en écomusée de la navi-

gation. Depuis la fin du XVIIIe siècle et jusqu'aux années 70, on a construit des goélettes dans cette région du Saint-Laurent, pour transporter le bois et ravitailler les villages avant que des routes fiables ne soient construites. Il reste aujourd'hui 2 goélettes en parfait état, témoins de l'époque des caboteurs. L'une est réservée pour les croisières, l'autre est ici, sur cale. Le chantier a fermé en 1952. On visite l'ancienne scierie ainsi que l'atelier. Petite expo : anciens outils, maquettes... L'une des embarcations est transformée en musée. Bien fait. Visite commentée en haute saison.
– À côté du musée maritime, un artisan fabrique des *santons de Charlevoix,* à ne pas confondre avec ceux de Provence. Ils sont bien faits, bien que pas donnés. Beaucoup de jolies choses pour Noël.

★ ***L'église Saint-Joseph-de-la-Rive :*** chemin de l'Église. En été, ouverte tous les jours de 9 h à 18 h. À côté du Saint-Laurent. Décoration intérieure inspirée par les thèmes de la mer.

★ ***La plage municipale :*** à gauche du quai d'embarquement.

L'ÎLE AUX COUDRES 1100 hab. IND. TÉL. : 418

Petite île pittoresque qui mérite vraiment une visite. Le site, tout en eau et collines, est réellement somptueux, rappelant l'Écosse... Découverte par Jacques Cartier en 1535, lors de son deuxième voyage. L'origine du nom vient du fait qu'il s'était étonné d'y trouver tant de « coudres » (noisetiers). L'île resta longtemps inhabitée et servit uniquement de halte pour enterrer les marins morts en mer. Elle ne fut colonisée qu'à partir de 1720 par des missionnaires. Environ 1 600 habitants, surnommés les « Marsouins » et d'une affabilité légendaire. Ils ont été longtemps constructeurs de goélettes, ces « voitures d'eau » dont il ne reste que quelques exemplaires disséminés autour de l'île. La route qui en fait le tour ne fait que 23 km. Une chouette balade à vélo.
Quelques spécialités culinaires locales : la soupe aux gourganes (grosses fèves rouges), l'éperlan frit, la tourtière grand-mère, le « pâté croche » (en demi-lune) ou à l'éperlan, la tarte au sucre ou à la rhubarbe.

Comment s'y rendre ?

À noter, pour ceux qui viennent en bus de Québec, que celui-ci s'arrête à Baie-Saint-Paul. Donc, pour rejoindre le traversier à Saint-Joseph-de-la-Rive, c'est la débrouille : tendez le pouce ou louez une voiture.
– ***Traversier :*** gratuit, aller et retour, de Saint-Joseph-de-la-Rive, et on vous distribue même une carte de l'île dans la file d'attente... 15 mn de traversée. *Renseignements :* ☎ 438-27-43. Départ toutes les heures, de 7 h à 23 h, de mi-mai à fin octobre ; en juillet et août, rotations supplémentaires toutes les demi-heures entre 10 h et 17 h, sauf les mercredi et jeudi de juillet ; départs moins fréquents hors saison. Attention : un monde fou le week-end. L'attente peut s'avérer très longue.

Adresses utiles

🛈 ***Kiosque d'information :*** en haut de la côte à l'arrivée à Saint-Bernard. À gauche, vers la pointe du Bout-d'en-Bas. ☎ 665-44-54 ou 1-800-667-22-76. Ouvert tous les jours du 15 juin à fin août, de 9 h à

19 h; en septembre et début octobre, ouvert uniquement les samedi et dimanche, de 10 h à 18 h. Bon matériel dont une carte de l'île assez complète.

■ ***Location de vélos :*** chez *Gérard Desgagnes (plan* ***1****),* 34, rue du Port, Saint-Bernard-sur-Mer. ☎ 438-23-32. À quelques minutes de marche à la sortie du traversier, juste en haut de la côte, 100 m après avoir passé le carrefour, sur la droite. La location la plus proche du débarcadère. Toutes sortes de bicyclettes (vélos, VTT). Autres adresses : *Vél « O » Coudres (plan* ***2****)*, 743, chemin des Coudriers, La Baleine. ☎ 438-21-18. En débarquant du traversier, prendre à gauche au feu. C'est 5 km plus loin. Grand choix : VTT, randonneurs, tricycles et même quadricycles ! *Harvey-vélos :* 27, rue Principale, La Baleine. ☎ 438-23-43. Bons prix, forfaits pour les groupes, voiturettes pour les enfants, etc.

Où dormir ?

Devenue un haut lieu de tourisme, l'île ne manque pas d'hôtels et motels divers. Cependant certains d'entre eux sont de véritables usines à touristes. Nous vous indiquons les plus calmes et les mieux situés.

Campings

≜ ***Camping Sylvie*** *(plan* ***17****) :* 191, Royale Ouest, Saint-Bernard. ☎ 438-24-20. Du quai, prendre la 1re à droite. Faire environ 1,5 km. C'est sur la gauche. Bon emplacement. Sites pour tentes assez bon marché. Équipement limité mais suffisant : w.-c., douches chaudes. Petits chalets modestes à prix raisonnables autour d'une minuscule et adorable étendue d'eau entourée d'arbres. Location de pédalos. Belle pelouse devant. Accueil sympa.

≜ ***Camping Leclerc*** (*plan* ***18***) *:* 185, rue Principale, La Baleine. ☎ 438-22-17. Belle vue sur le fleuve. Une cinquantaine d'emplacements pour les tentes. Douches chaudes, w.-c., dépanneur (pain frais tous les jours), jeux. Plus cher que le précédent. Loue aussi des chambres de motel pas trop chères, mais sans charme.

Bon marché

≜ Location de petits ***chalets*** situés près du fleuve, avec cuisine, salon, salle de bains et 2 chambres. Mêmes patrons que *Harvey-vélos,* s'adresser là-bas pour réserver.

≜ ***Motel L'Islet*** *(plan* ***10****) :* 10, chemin de l'Islet, sur la pointe de l'Islet, à l'extrémité sud de l'île. ☎ 438-24-23. Du débarcadère, monter la côte, prendre à droite la rue Royale. C'est à 8 km. Gentil motel situé dans un coin sauvage et isolé. Coucher de soleil flamboyant et vue magnifique sur le Saint-Laurent argenté, qu'on savoure devant les bungalows. Simple, propre, bon marché. Accueil sympa. Excellent rapport qualité-prix.

≜ ***Motel La Baleine*** *(plan* ***11****) :* 138, rue Principale, La Baleine. ☎ 438-24-53. Petits bungalows tout blanc, chambres mignonnes avec coin cuisine équipé et beau panorama. Bon rapport qualité-prix. Le tout absolument impeccable.

≜ ***Motel Le Soleil Couchant*** *(plan* ***12****) :* 48, rue Royale Ouest. À Saint-Bernard, prendre à droite en débarquant du traversier. ☎ 438-29-94 et 23-93. Bien tenu. Chambres simples et abordables sans vue, autour d'un parking derrière le resto. Resto très bon marché (snacks et spécialités locales). Bon « pâté croche » et pâté à l'éperlan. Location de vélos.

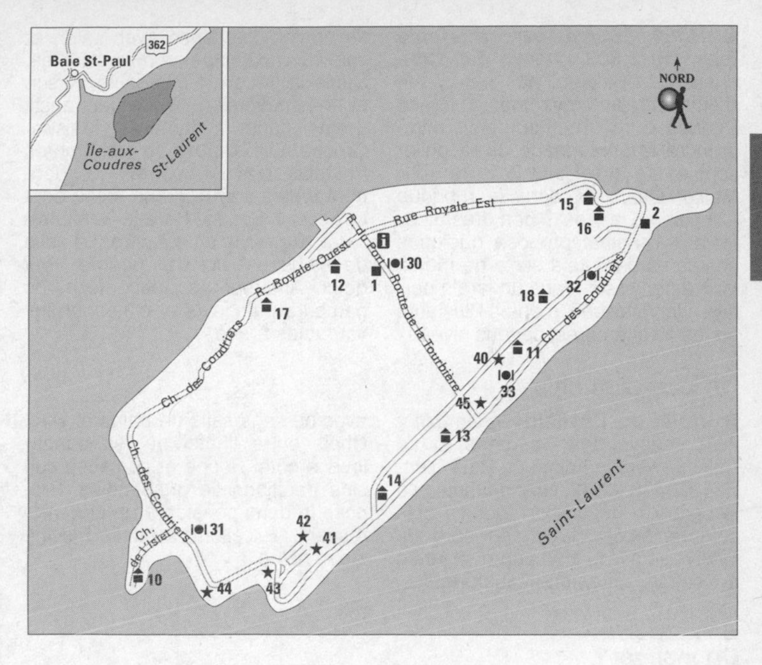

L'ÎLE AUX COUDRES

Adresses utiles

- Kiosque d'information
- 1 Location de vélos, chez Gérard Desgagnes
- 2 Vél « O » Coudres

Où dormir ?

- 10 Motel L'islet
- 11 Motel La Baleine
- 12 Motel Le Soleil Couchant
- 13 La Marguerite
- 14 La Riveraine
- 15 Hôtel Écumé par la Houle
- 16 Hôtel du Capitaine
- 17 Camping Sylvie
- 18 Camping Leclerc

Où manger ?

- 30 Chez Ti-Coq
- 31 La Mer Veille
- 32 Hôtel Cap-aux-Pierres
- 33 Le Clair-Obscur

À voir. À faire

- 40 Maison Leclerc
- 41 Maison Bouchard
- 42 Moulins de l'Île aux Coudres
- 43 Musée de l'Île aux Coudres
- 44 Musée des Voitures d'eau
- 45 Centre artisanal

La Marguerite *(plan* ***13****)* **:** 567, chemin des Coudriers. Situé au village de La Baleine. Du débarcadère, aller tout droit, traverser l'île, puis à droite. ☎ 438-22-83. Maison particulière en pierre, avec vue sur le fleuve. Agréable et excellent accueil. Salon à disposition. Chambres spacieuses et propres. 3 salles de bains. Calme assuré. Prix modérés.

La Riveraine *(plan* ***14****)* **:** 6, rue Principale, La Baleine. ☎ 438-28-31. 5 chambres coquettes, aux couleurs fraîches. 2 salles de bains. Salon agréable où lire et bavarder. Accueil charmant et prix doux. Délicieux et copieux petit déjeuner. Le maître des lieux joue parfois gigues et rigaudons à l'accordéon. Excellent rapport qualité-prix.

Hôtel Écumé par la Houle *(plan **15**)* **:** 808, chemin des Coudriers, La Baleine. ☎ 438-27-33. Bienvenue au royaume d'Horace Pedneaud (nº 1) ! Pour bien comprendre le personnage et sa philosophie, lire avant tout le texte « La Maison-Croche » dans la rubrique « À voir ». Ça y est ? Bon, très bien ! Horace l'original propose quelques chambres dans une sorte de motel, face à son resto, dans un jardin derrière la Maison-Croche. Plusieurs sortes de chambres, de tous niveaux de confort (certaines avec salon et coin cuisine équipé), à prix variables. Seule la déco est immuable. Kitsch et ringard, version 70. On peut aussi dormir dans la fameuse Maison-Croche. Elle dispose de 4 chambres (matelas d'avant-guerre) qui donnent toutes sur un grand salon dont la déco « Spécial-Horace » mériterait à elle seule un chapitre. La salle de bains est un vrai poème. Prix doux. Amateur de douce folie, de parcours parallèles et d'incongruité, vous êtes arrivé.

Un peu plus chic

Hôtel du Capitaine *(plan **16**)* **:** 781, chemin des Coudriers, à La Baleine, vers la pointe du Bout-d'en-Bas. ☎ 438-22-42. Grande maison à la coquette décoration tout en bois sombre, façon chalet, en bord de rivière, au milieu d'un adorable jardin au calme. Chambres confortables, avec ou sans salle de bains et w.-c. Choix entre l'hôtel ou les bungalows à côté. Bonne et copieuse cuisine traditionnelle québécoise. Propose la demi-pension à un prix intéressant. Excellent accueil. Piscine d'eau salée.

Où manger ?

Hôtel-restaurant Écumé par la Houle *(plan **15**)* **:** 808, chemin des Coudriers, La Baleine. ☎ 438-27-33. Bienvenue au royaume d'Horace Pedneaud (nº 2) ! Ici, c'est le bar-resto. Ouvert tous les jours, midi et soir. Grande salle parquetée, flanquée d'une tour en parpaing, genre forteresse. Terrasse en proue de navire, s'avançant dans le fleuve. Si l'extérieur est cocasse, l'intérieur n'est pas non plus piqué des caribous ! La déco est un mélange cathokitschos de boutique de bondieuseries ringardes et de galerie d'art dont le seul artiste serait Horace, votre serviteur (images pieuses, vieux poêle, goélettes naviguant sur une mer de plumes, tableaux hallucinés...). On mange pour pas cher la cuisine d'ici (« pâté croche », éperlan, tarte au sucre, pudding chômeur...). Menu très abordable le midi.

Chez Ti-Coq *(plan **30**)* **:** 29, rue du Port. En haut du débarcadère après avoir croisé la 1re route, sur la gauche. ☎ 438-29-44. Ouvert jusqu'à minuit. Petite cafétéria pas chère. La carte mélange allégrement « fast-food » et plats locaux.

La Mer Veille *(plan **31**)* **:** 160, chemin des Coudriers. Vers la pointe de l'Islet. ☎ 438-21-49. Maison kaki avec véranda face à l'eau et aux couchers de soleil. Snacks et plats traditionnels. Soupe aux gourganes, éperlans rôtis, « pâté croche », salade au homard ou grillades, bons desserts maison (feuilleté du Ruisseau rouge, tarte au sucre). Menus pas chers, mais c'est mieux à la carte.

Hôtel Cap-aux-Pierres *(plan **32**)* **:** 246, rue Principale, La Baleine. ☎ 438-27-11. Dans un grand hôtel chicos et hyper touristique ; une seule chose intéressante pour les affamés : le buffet-brunch délicieux, varié et abondant... mais seulement le dimanche (de 11 h à 13 h 30) !

Le Clair-Obscur *(plan **33**)* **:** 631, rue des Coudriers, La Baleine. ☎ 438-26-46. Salle agréable aux couleurs douces. Petite terrasse dehors. Petit déjeuner varié, cuisine rapide le midi, table d'hôte le soir, avec spécialités locales. Bon mais un peu cher, peut-être. Menus enfants. Possibilité de préparation de pique-niques.

À voir

L'île est très riche en sites, musées, architecture ancienne, le tout ponctué de clins d'œil insolites. Notre tour démarre route Circulaire par la gauche. Voilà, dans l'ordre d'apparition à l'écran, ce qu'on peut voir.

★ ***La Maison-Croche :*** face à l'hôtel-resto *Écumé par la Houle.* Bienvenue au royaume d'Horace Pedneaud (nº 3) ! En 1963, Horace est une sorte de révolutionnaire. Pour choquer et déranger les habitants bien-pensants de l'île, il bâtit une curieuse maison dont les fenêtres penchent gravement. Sa philosophie est « qu'il ne faut pas s'arrêter à la surface des choses ». En effet ! L'intérieur (qu'on peut visiter, entrée payante mais modique) possède quelques objets historiques (piano, gramophone, un ou deux meubles), mais c'est surtout un musée de la kitscherie avancée : luminaires extravagants, peintures variées du sympathique Horace, cendriers démesurés, chaise baroco-démente. Bref, c'est le Facteur Cheval local. Car, comme dit Horace, « quand on ne meurt pas, faut continuer à vivre ». Ça, c'est envoyé ! Pour les vrais amateurs de ringardises.

★ ***La maison Leclerc** (plan **40**) :* 124, rue Principale. ☎ 438-22-40. Ouverte du 24 juin à début septembre, tous les jours de 10 h à 18 h. Petit droit d'entrée pour cette petite maison en pierre, qui date de 1750. Exposition d'objets anciens de la région.

★ ***La maison Bouchard** (plan **41**) :* à l'entrée de Saint-Louis, sur la droite. Emprunter le chemin du Ruisseau jusqu'au bout. L'une des premières maisons de l'île, construite au début du XVIIIe siècle. Ne se visite pas car la famille Bouchard y demeure toujours.

★ ***Les moulins de l'Île aux Coudres** (plan **42**) :* 247, chemin du Moulin, Saint-Louis. ☎ 438-21-84. Ouverts de mi-juin à début septembre tous les jours de 9 h à 18 h ; à la fin du printemps et au début de l'automne, ouvert de 10 h à 17 h. Entrée payante. Réduction étudiants. Dans un site superbe, deux moulins, la maison du meunier et la forge. Le moulin à vent (1836) prenait en hiver le relais du moulin à eau (1824) et vice versa. Association unique au Québec. Ils cessèrent de fonctionner en 1948. Présentation très vivante et didactique de la vie du meunier et de sa femme (qui s'appelait, ça ne s'invente pas, Desmeules !). Parmi les objets présentés, une émouvante pétition des habitants de l'île pour la construction du moulin, en 1815. On visite et on voit fonctionner les 2 moulins, superbement restaurés. On y fait toujours de la farine, vendue au magasin du musée. Noter les engrenages en bois et les escaliers penchés vers l'avant pour que le meunier ne perde pas l'équilibre.

★ ***Le musée de l'Île aux Coudres** (plan **43**) :* 231, chemin des Coudriers. ☎ 438-27-53. Ouvert de 8 h à 18 h 30 l'été. Entrée payante (chère). Petit musée privé. Histoire et présentation de l'île à l'aide de maquettes entièrement réalisées par Alfred, un insulaire qui y travailla pendant 50 ans. Intérêt très subjectif et accueil pas très chaleureux.

★ ***Le musée des Voitures d'eau** (plan **44**) :* 203, chemin des Coudriers. ☎ 438-22-08. Ouvert de juin à septembre, tous les jours de 9 h à 18 h. Musée remarquable sur la navigation et l'histoire maritime de l'île, aménagé par un ancien capitaine. Une partie du musée a été réalisée avec les restes de bois d'un ancien bateau. Bric-à-brac extraordinaire de souvenirs de la mer, outils, instruments, maquettes de bateaux, « criards à l'air », photos anciennes, etc. Notez la présentation amusante des objets à la première personne : « Je suis un poids d'ancrage... », qui rend la visite très émouvante. À l'extérieur, expo de balises et visite de la goélette *Mont-Saint-Louis*.

Achats

♁ ***Centre artisanal de l'Île aux Coudres*** *(plan **45**)* **:** 605, rue des Coudriers, La Baleine. ☎ 438-22-31. Ouvert tous les jours, de 9 h à 21 h. Ayant dû longtemps vivre en autarcie, les habitants de l'île fabriquaient eux-mêmes leurs vêtements et leur linge de maison. Ces traditions demeurent fortement ancrées. Vous trouverez ici la production de 150 artisans : catalognes, tapis, tissus, chandails de marins, poterie, céramiques. Cela dit, ce n'est pas toujours très beau et c'est plutôt cher. Démonstration de tissage. D'autres boutiques jalonnent également l'île.

LES ÉBOULEMENTS 1 020 hab. IND. TÉL. : 418

Très joli et pimpant village s'élevant lentement le long du Saint-Laurent. C'est ici que serait tombée la fameuse météorite. Paysage également modifié par un énorme glissement de terrain, suite à un tremblement de terre en 1663. Le plus beau point de vue sur l'île aux Coudres et le Saint-Laurent s'obtient de la terrasse de l'*Auberge de Nos Aïeux*. Rue Principale, possibilité de visiter, successivement, le *moulin banal* (1790) et le *manoir de Sales-Laterrière* (entrée gratuite). *Forge d'Arthur Tremblay,* atelier centenaire avec tous ses outils. Droit d'entrée. Visite guidée.

Où dormir ? Où manger assez chic ?

🍽 ***Auberge Le Surouêt* :** 195, rue Principale (c'est sur la route 138). ☎ 635-14-01. Fax : 635-14-04. Un peu après l'*Auberge de Nos Aïeux*. Entre 95 et 105 $Ca (61,3 et 67,7 €) selon la vue sur le Saint-Laurent. Également forfaits incluant chambre et souper. Au menu, spécialités de veau, agneau et truite. Dans un très beau décor raffiné, le patron propose quelques chambres insonorisées de haut standing. À votre disposition aussi un excellent salon de thé. Pâtisseries maison et vue sur le fleuve. Resto chicos. Prix assez élevés mais justifiés. Une des meilleures tables de la région (chef français).

🛏 🍽 ***Auberge de Nos Aïeux* :** 183, route 362. ☎ 35-24-05. Fax : 635-23-89. • quebecweb.com/aieux • En saison environ 70 $Ca (45,2 €) avec petit déjeuner. Panorama exceptionnel sur l'île aux Coudres. Chambres sans charme, un peu ringardes. Piscine. 2 structures de motel, modernes et quelconques, abritant des chambres plus spacieuses mais bien plus chères, sont venues alourdir le site (parking entre hôtel et motels). Fréquentée, surtout en saison, par des cars de touristes et des personnes âgées (d'où le nom ?). Grande salle à manger. Table d'hôte d'un bon rapport qualité-prix. Joli jardin. Accueil moyen.

À voir dans les environs

★ ***Cap-aux-Oies :*** hameau situé à l'endroit précis où le fleuve Saint-Laurent devient mer. À la plage, on se baigne dans l'eau salée. La descente est assez raide. Arrivé en bas de la pente, à la première patte d'oie, prendre à gauche. C'est à 1 km environ.

SAINT-IRÉNÉE 650 hab. IND. TÉL. : 418

Suivons toujours la route 362 qui tout à coup nous plonge, en une descente splendide, sur Saint-Irénée, lieu de villégiature assez chic. Longue et belle plage.
La route remonte ensuite dans le bourg à l'urbanisme charmant. Coquette église au toit argenté.

Où dormir ? Où manger ?

Prix moyens

Auberge La Luciole : 178, chemin Les Bains (sur la route 362). ☎ 452-82-83. • lucie.tremblay2@simpatico.ca • Entre 55 et 75 $Ca (35,5 et 48,4 €) selon le confort. Grande maison en bois au bord de l'eau. Lorsque la route principale s'éloigne du fleuve pour monter dans le village, tourner à droite juste avant le pont. Jolies chambres dans les tons pastel. 3 salles de bains. Accueil vraiment aimable et succulent petit déjeuner.

Le Rustique : 102, rue Principale (sur la route 362). ☎ 452-82-50. Dans le centre du village. Ouvert de mai à octobre (les patrons prennent les 6 mois d'hiver pour voyager). Entre 55 $Ca et 65 $Ca (35,5 et 41,9 €). Table d'hôte à 19 $Ca (12,2 €). Belle maison centenaire bordée d'arbres, avec véranda à colonnade. Resto servant une cuisine classique à bon prix. Agréable salle à manger aux tons pastel. Jeunes proprios très gentils, qui tiennent aussi un pub à côté. Ils proposent 8 chambres en *B & B* très mignonnes, avec salle de bains commune, certaines, plus chères, avec vue sur le fleuve. Petit déjeuner compris, servi sur la terrasse avec vue sur le Saint-Laurent également.

B & B La Cédrière des Thérien : 267, chemin Les Bains (route 362). ☎ et fax : 452-35-45. 70 $Ca (45,2 €). Pour les plus fortunés, suite à 120 $Ca (77,4 €). Maison qui domine le Saint-Laurent dans la descente sur Saint-Irénée (en venant des Éboulements). 3 chambres banales au sous-sol ; 3 chambres à l'étage bien plus agréables mais plus chères, dont une avec une petite terrasse qui offre une magnifique vue sur le fleuve. Déco sans plus. Le propriétaire est très sympa, et saura vous faire apprécier les levers de soleil sur le Saint-Laurent.

Très chic

Auberge Les Sablons : 223, chemin Les Bains. Sur la route principale, côté gauche en allant vers le nord, à l'entrée du village. ☎ 452-35-94. Fax : 452-32-40. • www.cite.net/sablons/ • Chambres doubles de 85 à 135 $Ca (54,8 à 87 €). Nombreux forfaits variés. Attention, prix sujets à modification. Demi-pension obligatoire en semaine. Luxueux établissement à la séduisante architecture et aux couleurs lumineuses blanc et bleu. Demandez les chambres au sud-est pour pouvoir bénéficier du lever du soleil directement de la chambre. C'est LE grand hôtel de luxe du village. Vue sur le fleuve. Par ailleurs, le proprio a transformé un ancien hôtel en 4 petits appartements avec cuisinette, juste à côté de l'hôtel principal, avec vue sur le fleuve également. Excellente table d'hôte qui propose une cuisine québécoise.

Où manger ? Où boire un verre ?

|●| 🍸 ***Le Saint-Laurent café-galerie :*** 128, rue Principale. ☎ 452-34-08. Fermé lundi. Resto ouvert de 11 h à 15 h. Environ 8 $Ca (5,2 €) pour un plat. Jolie petite salle en bois peint dans des tons chauds, jaunes et verts. Terrasse agréable. Cuisine d'inspiration étrangère, adaptée par un chef inventif et souriant, coiffé d'une superbe toque, et qui est aussi le patron. Plutôt réussi, copieux et pas cher. Table d'hôte certains soirs. Sympa.

🍸 ***Le Rustique :*** 102, rue Principale. Cité plus haut. Un chouette pub de brique avec billard et instruments de musique aux murs. Le seul endroit animé du village.

À faire

– ***Le domaine Forget :*** abrite une académie de musique et de danse qui organise un remarquable ***festival international de Musique*** du 19 juin au 21 août. Renseignements : ☎ 452-35-35. Fax : 452-35-03. Réservations possibles par carte de crédit. Dans le même temps, intéressantes expos artistiques. Entrée payante aux concerts. Théoriquement, concerts les mercredi, vendredi et samedi à 20 h 30, et le dimanche à 15 h (à vérifier). Petite réduction étudiants. Formations classiques évidemment mais également du jazz. *Brunch* musical sur la terrasse le dimanche de 11 h à 14 h, au son de petits ensembles ou d'instrumentistes (environ 20 $Ca, soit 12,9 €).

POINTE-AU-PIC

IND. TÉL. : 418

Dominé par le gros manoir Richelieu, destination de villégiature (golf, tennis, piscine quasi olympique) de la bourgeoisie québécoise, des riches Canadiens anglais et des Américains, donc très cher. Évidemment dans un splendide site boisé, jalonné de grosses villas et de luxueuses auberges. D'ailleurs, ici on se croirait un peu en Suisse : suffit de remplacer le Saint-Laurent par le Léman ! Hébergement en général de grande qualité, surtout depuis sa rénovation complète.

Où dormir ? Où manger ?

À ceux qui trouveraient le coin un peu trop chicos, nous conseillons d'aller dormir pas loin, à La Malbaie, ou encore à Cap-à-l'Aigle, charmant village sans frime. Voici, pour ceux qui veulent séjourner à Pointe-au-Pic, nos meilleurs rapports qualité-prix.

Bon marché

Camping Les Érables : 69, rang Terrebonne, 7E – 3V2, à l'entrée de Pointe-au-Pic sur la route 362, sur la droite. ☎ 665-42-12 (en saison). 15 $Ca (9,7 €) la nuit. Près du casino. En bord de mer. Site agréable, dans la végétation. Douches chaudes. Étang. Location de bungalows de 2 à 8 personnes (☎ 665-27-36).

Prix moyens

Aux Douceurs Belges : 121, bd des Falaises. ☎ 665-74-80. • www.oricom.ca/DouceursBelges/ • Auberge non fumeurs ouverte seulement du 15 juin au 15 octobre. 110 $Ca (71 €). 140 $Ca (90,3 €) avec souper. Grande bâtisse en bois jaune orangé. Chambres avec parquet, murs en bois ou en pierre de taille, etc. L'une possède même un petit « causoir », l'autre un balcon avec vue splendide. 4 chambres en tout. 2 avec bains tourbillon (peignoirs fournis). Petit déjeuner compris. Le patron et sa femme Lise sont sympas. Lui est passionné par la Belgique. Il a transformé la salle à manger en authentique brasserie (très rustique) et propose une centaine de sortes de bières ! Au resto, cuisine belge uniquement. Location de vélos.

Gîte du Passant Maison Frizzi : 8, Coteau-sur-Mer. ☎ 665-46-68. À 2 km après le golf *Richelieu*, petite rue à droite, et hop, à gauche. Entre 60 et 70 $Ca (38,7 et 45,2 €) selon la vue. Raymonde et Adolf accueillent gentiment les visiteurs dans leur maison toute neuve, bien tenue, qui ressemble un peu à un chalet tyrolien. Terrain arboré. 3 chambres sympathiques et spacieuses, dans des tons pastel, nickel et confortables. Deux d'entre elles sont plus chères car avec balcon et vue plongeante sur le fleuve. 2 salles de bains. Tout à fait abordable.

Plus chic

Auberge La Romance : 129, chemin des Falaises. ☎ 665-48-65. Fax : 665-49-54. • www.quebecweb.com/laromance • Adresse exceptionnelle et prix conséquents. À partir de 110 $Ca (71 €) et bien au-delà. Attention prix sujets à changements. Maison ancienne, immense, aux chambres personnalisées, ravissantes et adorables, toutes avec salle de bains (certaines avec jacuzzi et coin salon). Disséminés partout, de beaux meubles peints par une artiste locale, mêlés à du mobilier rustique. Salon splendide, avec cheminée, où l'on peut savourer un cocktail (l'un des rares *B & B* du Québec à posséder une licence d'alcool !). Ambiance feutrée et beau parquet blond. Ce n'est pas tout : on prend le petit déjeuner sur la terrasse du jardin, en choisissant parmi les nombreux plats du buffet ! Et pour ne rien gâcher, le propriétaire est absolument charmant... Bien sûr, les prix sont plus élevés que dans un gîte « classique » mais ceux qui ont les moyens ne le regretteront pas (adresse idéale pour les amoureux)...

Auberge Larochelle : 68, rue Principale. ☎ 665-46-22. Fax : 665-78-33. • www.quebecweb.com/larochelle • À partir de 115 $Ca (74,1 €). Hôtel de charme dans une belle maison en brique et bois, à galeries, au fond d'un jardin. Intérieur très mignon, incroyablement propre et soigné. Un rien américain dans la déco. Patron jovial et disponible, et patronne charmante. 10 chambres, spacieuses et bien arrangées. Épaisse moquette au sol. Atmosphère cosy. Quasiment toutes les chambres ont un bain tourbillon dans la chambre même. Plusieurs prix en fonction du confort. La plus chère, réservée habituellement aux jeunes mariés, comprend une cheminée et un bain tourbillon. Petit déjeuner servi dans une grande salle à manger. Au choix : fruits, céréales, fromages, œufs au bacon, *cretons,* croissants, etc.

🏠 ***Auberge Au Petit Berger :*** 1, côte Bellevue, sur la route 362, en allant vers La Malbaie. Bien fléchée. ☎ 665-44-28 ou 1-800-314-44-28. Fax : 665-23-43. • www. quebec web.com/petitberger • À partir de 95 $Ca (61,3 €) petit déjeuner compris. Réservation très recommandée. Au bout d'une longue allée bordée d'arbres, on débouche sur une maison traditionnelle de 1890 au milieu d'un vaste jardin. Intérieur à la déco agréable. Véranda. 5 chambres dans la maison principale, avec salle de bains complète, impeccables, mais meublées sans grande recherche. Assez grandes tout de même et de bon standing. Chambres également dans les 4 pavillons disséminés autour, toutes avec salle de bains, certaines avec cheminée, bain tourbillon et vue sur le fleuve. Déco rustique chic. Globalement cher, mais le tennis et la piscine l'expliquent en partie.

À voir

★ ***Le musée de Charlevoix :*** 1, chemin du Havre. Au bord du fleuve. ☎ 665-44-11. Ouvert tous les jours en saison, de 10 h à 18 h ; hors saison, de 10 h à 17 h du mardi au vendredi et de 13 h à 17 h le week-end. 4 $Ca (2,6 €). Créé en 1990, on y trouve une exposition permanente présentant des œuvres d'habitants de la région (tableaux, artisanat, figurines, vieux objets...) et plusieurs expos temporaires, toujours en rapport avec Charlevoix, dont l'histoire est également présentée dans la rotonde et la mezzanine de l'immeuble. Belle vue de la terrasse.

À faire

– ***Croisière-découverte des phares et de la faune*** (même si on a peu de chances de voir la baleine bleue et sa queue...) : les *Croisières aux sentinelles du Saint-Laurent* vous emmènent sur des bateaux de taille raisonnable, ni trop petits, ni trop grands, pour un prix raisonnable. ☎ 665-36-66. Durée : 3 h. Horaires (mai à octobre) : 8 h 30, 11 h 45 et 15 h.

LA MALBAIE 5 000 hab. IND. TÉL. : 418

Petite ville agréable, collée à Pointe-au-Pic, à l'embouchure de la rivière Malbaie. Le site ne plut pas à Champlain qui lui reprochait d'avoir trop de « batture », cette végétation sur sol qui n'est révélée que lors des marées : d'où le nom « Malbaie ».

Adresses utiles

ℹ ***Association touristique de Charlevoix :*** 630, bd de Comporté. ☎ 665-44-54. Ouvert tous les jours, de 8 h 30 à 21 h l'été, de 8 h 30 à 16 h 30 le reste de l'année. Personnel très compétent (essayez de voir notre copine Luce-Ann, une passionnée) et doc sur toute la région.

🚌 ***Gare routière :*** *Dépanneur OTIS,* 46, rue Sainte-Catherine. ☎ 665-22-64. 3 bus par jour pour Québec (environ 1 h 45 de trajet). Pour Tadoussac, 2 bus par jour, un le matin, l'autre le soir.

Où dormir ?

- *Camping Chutes Fraser :* 500, chemin de la Vallée, à 5 km de La Malbaie. ☎ 665-21-51. Ouvert du 15 mai au 15 octobre. Environ 20 $Ca (12,9 €). Venant de Pointe-au-Pic, traverser la rivière, puis tourner à gauche. Aller tout droit sur environ 3 km. Entrée du camping sur la droite au commerce *Jovi-P.E. Neron*. Accueil dans l'épicerie même. Venant du nord, tourner à droite avant le pont. Très bien indiqué. Pour les chutes, visiteurs et baigneurs paient un petit droit d'entrée. Piscine du camping accessible aux visiteurs. Camping dans un site absolument remarquable, hélas gâché par les énormes pylônes électriques qui traversent les collines. Assez cher. Grand choix d'emplacements dans les bois. Petites cabines pour 2 ou 4 également, avec cuisinette (avoir son sac de couchage). Piscine et mini-golf. Épicerie, boucherie et buanderie. Aire de jeux, pêche à la truite et site panoramique pour les peintres du dimanche.
- *Camping Au Bord de la Rivière :* 60, bd Mailloux, sur la route 138. ☎ 665-49-91. Ouvert de juin à début septembre. À partir de 19 $Ca (12,2 €). Piscine chauffée, et une petite ferme avec quelques animaux familiers que les enfants peuvent nourrir s'ils le désirent. Dépanneur et mini-golf. Chalets à louer aussi. Bruyant, car entre deux routes, et propreté relative.
- *Gîte E.T. Harvey :* 19, rue Laure-Conan. ☎ 665-27-79. Facile d'y aller à pied de la gare des bus. 50 $Ca (32,3 €). Maison modeste, bien située pour ceux qui sont à pied, tenue par un gentil couple de retraités. 3 chambres simples. Salle de bains commune. Petit déjeuner copieux. Pas cher, surtout par rapport aux prix de Pointe-à-Pic. Jardin et piscine de poche derrière. La patronne peut venir vous chercher à la gare.
- *Auberge sur la côte :* 205, chemin des Falaises. ☎ 665-39-72. Fax : 665-32-31. • charlevoix.qc.ca/surlacote • Entre 95 et145 $Ca (61,3 et 93,5 €) ; 145 $Ca (93,5 €) pour la suite nuptiale. Située sur un promontoire face au Saint-Laurent, dans un quartier résidentiel, cette ancienne demeure de villégiature (1908) possède un charme fou. L'adorable salon avec sa moquette bleue et ses meubles en rotin blanc invite au repos. L'élégante salle à manger possède une belle cheminée centrale. Que d'attentions ! L'auberge compte au total 9 chambres joliment décorées (certaines avec une touche provençale) toutes avec salle de bains privée. La patronne propose aussi une fine cuisine à ses invités. Possibilité de louer des petites villas isolées dans la verdure. Une très bonne adresse, pleine de raffinement. On AIME.

Où manger ?

- *Restaurant Allegro :* 53, rue Nairn. ☎ 665-25-95. Ouvert midi et soir, de 11 h à 14 h et de 17 h à 22 h. Fermé le midi en fin de semaine. Comptez minimum 8 $Ca (5,2 €) pour un plat. Malgré son côté presque chic, on y sert des plats de pâtes fraîches maison, des lasagnes et des pizzas d'une seule taille pas chères du tout. Déco aseptisée pour une cuisine italienne qui ne l'est pas. Table d'hôte le soir.

À voir

★ *La forge Riverin :* 218, rue Saint-Étienne. ☎ 665-23-33. Visite gratuite. Venez quand bon vous semble (évitez peut-être les visites nocturnes...).

Une vieille forge, petite et discrète, qui reçoit les visiteurs depuis plus d'un siècle. Ici, on est forgeron depuis 3 générations. Le gentil papy qui est là forge surtout des coqs et des oiseaux.

Dans les environs

★ ***Les chutes Fraser :*** à 5 km de La Malbaie, même entrée que pour le *camping Fraser* (petit droit d'entrée), puis 2 km de route. Pour y aller, itinéraire et champs doucement ondulés dans un paysage harmonieux et reposant. Larges chutes tombant en escalier. Parking en haut et en bas des chutes. Quelques tables de pique-nique.

CAP-À-L'AIGLE 720 hab. IND. TÉL. : 418

De là fusmes à un autre cap
que nommasmes cap à l'Aigle...

Samuel de Champlain.

Charmant lieu de villégiature, en contrebas de la route express. Calme assuré. Village qui a globalement conservé son aspect du XIXe siècle ; seule l'église moderne détonne quelque peu. Habitants très accueillants et ce n'est pas un hasard si, parmi nos trois meilleures auberges, il s'en trouve deux ici. C'est aussi un village à la vocation agricole depuis toujours. Les champs s'élèvent par-derrière sur la colline et livrent de-ci, de-là de belles architectures rurales. Vous aurez déjà découvert, sur le bord de la route, avant d'arriver à Cap-à-l'Aigle, l'élégante *ferme Cabot,* toute blanche et à la forme originale. Dans le village même, voir absolument, au 215, rue Saint-Raphaël, la *grange Bhérer*, édifiée en 1830. Peut se visiter « en tout temps ». Petite église rouge voisine charmante.

Où dormir ? Où manger ?

Prix modérés à prix moyens

☗ ***Chez Claire Villeneuve :*** 215, rue Saint-Raphaël. ☎ 665-22-88. 50 $Ca (32,3 €). Longue maison de bois, blanche et verte, au fond d'un grand espace gazonné. Simple. 5 chambres (et 2 salles de bains) pas chères et propres. Belle vue sur le Saint-Laurent et sur la prairie.

☗ ***La Mansarde :*** 187, rue Saint-Raphaël (rue principale du village). ☎ 665-27-50. Fax : 665-72-16. Ouvert de juin à mi-octobre. De 55 à 75 $Ca (35,5 à 40,4 €). Une très belle maison vieille de 171 ans, ayant longtemps appartenu à de riches agriculteurs, entourée de 4 ha de terrain. 7 Chambres charmantes avec lavabo ou salle de bains. Déco campagnarde et fleurie. Pour goûter les douces soirées ou compter les étoiles, une halte parfaite. Pour ceux qui préfèrent plus de simplicité, les proprios louent aussi des chambres dans une autre maison rustique, au n° 451 de la même rue. On aime bien aussi cet endroit-là, plus champêtre et surtout moins cher. Bonne atmosphère.

☗ ***La Maison Victoria :*** 726, rue Saint-Raphael. ☎ 665-10-22. Dans une jolie petite maison fleurie et pittoresque, on vous propose 5 chambres entre 60 et 70 $Ca (38,7 et 45,2 €). Agréable terrasse avec une vue magnifique sur le Saint-Laurent. Paisible jardin planté d'arbres centenaires. Petit déjeuner copieux. Un *B & B* bien sympa.

Beaucoup, beaucoup plus chic

L'Auberge des Peupliers : 381, rue Saint-Raphaël. ☎ 665-44-23 ou 1-888-282-37-43. Fax : 665-31-79. • www.quebecweb.com/peupliers • En saison, demi-pension uniquement (180 $Ca soit 116,1 €). L'une des grandes auberges du Québec. Vieille demeure élégante abritant une très longue tradition d'accueil. Anciennement tenue par le père Ferdinand Tremblay, qui y tint une pension pendant plusieurs dizaines d'années. Aujourd'hui, l'auberge est dirigée par deux frères et a gagné une grande réputation pour la finesse de sa cuisine et le confort de sa salle à manger (AC). Mobilier ancien typiquement québécois, beau piano à queue. Service impeccable dans une ambiance feutrée. Excellente table d'hôte proposant une cuisine charlevoisienne actualisée (chef québécois). Au menu, le fameux pâté de foie maison, le velouté de légumes, la poêlée de caribou des Inuits au caramel d'épices, etc. Ensuite, fromages affinés, desserts et thé. Nombreuses chambres refaites à neuf possédant tout le confort possible (grande baignoire). Mais à notre avis, on vient plutôt pour se sustenter. Dans le jardin, tennis, volley et croquet. Accueil avenant.

PORT-AU-PERSIL

IND. TÉL. : 418

S'arrêter à Port-au-Persil,
c'est faire le détour pour retrouver
le temps qui prend son temps.
Mais, c'est aussi s'arrêter
en soi-même. Retourner à soi.
C'est s'offrir ce lieu où, pour un instant,
tout recommence...

Vous nous avez compris, Port-au-Persil, méprisé, oublié par les automobilistes pressés qui ratent continuellement la petite route qui y mène, Port-au-Persil se révèle être l'un des plus beaux villages de Charlevoix. Ami lecteur, la voiture se mettra elle-même en 1re dès que s'amorcera la descente. On ne vous décrit pas. Venez ! Tout en bas, charmant petit port et amas de gros rochers. Une petite rivière se jette en cascade dedans. Tout à côté, une émouvante chapelle datant de 1897. Un endroit rêvé pour les âmes bucoliques.

Où dormir ? Où manger ?

Prix moyens

Gîte L'Oasis du Port : 535, route de Port-au-Persil. ☎ 638-51-01. Entre 50 et 60 $Ca (32,3 et 38,7 €) environ. Si vous rêvez d'une petite maison avec un bout de port devant, de l'eau qui frétille, une vue d'un charme fou, avec sur le côté un îlot mignon avec de gros rochers, posez vos bagages. Un gîte tout en bois, simple, à la coquetterie discrète, aux prix doux comme la lumière du coin, voilà ce que vous propose cette maison de 5 chambres sans salle de bains, ni parfois lavabo. Au rez-de-chaussée, une chambre plus grande avec une large baie vitrée et une salle de bains attenante. Une adresse qu'on aime, pour la vue, pour son calme, pour l'accueil qu'on y reçoit de la part de Nicole.

Auberge de La Petite Madeleine : 400, route de Port-au-Persil (direction Saint-Siméon). ☎ et fax :

638-24-60. Environ 125 $Ca (80,6 €) pour la demi-pension qui est obligatoire. Une délicieuse auberge dominant le Saint-Laurent et offrant depuis sa véranda un magnifique panorama sur le fleuve et les environs. André et sa femme, Diane, prodiguent une hospitalité hors pair. Tous les gens qui travaillent ici sont des amis, ce qui explique l'atmosphère sereine et familiale. 15 chambres pas très grandes, mais mignonnes : on a envie de s'y installer tout de suite. Salle de bains commune pour les chambres du bas. Table d'hôte proposant de bons et copieux plats régionaux. En principe, 2 services : à 18 h et à 20 h. Petit déjeuner consistant avec du bon pain fait maison. Soirées douces sous la véranda ou au salon, propices à la rêverie et pour mettre réellement en pratique le petit poème du préambule... Intérieur confortable et reposant. Conseillé de réserver.

Gîte Gens du Pays : 490, route de Port-au-Persil. ☎ 638-27-17. 40 $Ca (25,8 €) la nuit. Avec un peu de chance, on peut apercevoir des baleines de cette jolie maison tranquille au bord de la route. Chambres simples et coquettes, très propres, à prix doux. La patronne, Bertrande, vous accueille comme votre propre grand-mère ; elle a déjà préparé vos pantoufles et cuisine de savoureux petits déjeuners. Mamie pense vraiment à tout ; des lits d'enfant sont à votre disposition. Très chaleureux.

À voir

★ Sur la grande route express (la 138), au n° 1001 de la rue St-Laurent, visiter ***la Poterie*** (atelier Guy Simoneau) de Port-au-Persil. ☎ 638-23-49. Ouverte tous les jours de 9 h à 18 h, de fin juin à septembre. Visite commentée payante. Très bel artisanat de grès et de faïences, présenté dans un vaste hangar jaune paille.

Dans les environs

★ ***Le Centre écologique de Port-au-Saumon :*** entre Saint-Fidèle et Port-au-Persil. ☎ 434-22-09. Ouvert tous les jours du 1er juillet au 31 août (sauf les 24 et 25 juillet ainsi que le 7 août). Visites commentées à 10 h et à 14 h. 5 $Ca (3,2 €) par adulte. Le long du Saint-Laurent. C'est une base de plein air assez rustique, offrant des activités très variées et intéressantes : sentiers d'interprétation de la nature, observation du milieu marin, etc.

SAINT-SIMÉON 1 020 hab. IND. TÉL. : 418

Carrefour important des routes du Saguenay de la côte Nord et de Québec. Port d'embarquement pour Rivière-du-Loup. C'est également la capitale de l'éperlan, que l'on fête joyeusement à la mi-juillet. À part cela, ce n'est pas un endroit où l'on séjourne. Son charme ne saute pas aux yeux.

Adresses utiles

Kiosque d'information touristique : 135, rue Saint-Laurent (sur la route principale). Ouvert tous les jours de fin juin à début septembre, de 9 h à 19 h.

Autobus : vente de billets au

garage Irving, à la sortie du village direction Chicoutimi. Arrêt du bus au restaurant *L'Horizon,* 775, rue Saint-Laurent (c'est pratique!). 3 bus par jour pour Québec.

Où dormir ? Où manger ?

– Plusieurs *chambres à louer* le long de la rue principale, pour dépanner seulement.

Camping Lévesque : en bord de mer, à moins de 3 km de l'église de Saint-Siméon, sur la route en direction de Tadoussac. ☎ 638-22-90. Ouvert de début mai à mi-octobre. 13 $Ca (8,3 €) la nuit. Prendre le chemin de terre à droite. Endroit assez sauvage. Il est même arrivé qu'on aperçoive des baleines depuis le camping ! Possibilité d'acheter pain, lait, beurre et œufs. Douches chaudes gratuites, w.-c. et laverie. Informations et réservations au 400, rue Saint-Laurent, à Saint-Siméon.

Auberge-sur-Mer : 109, rue du Quai. ☎ 638-26-74. Réservation au ☎ 665-72-51. Ouvert du 15 mai au 15 octobre. Au débarcadère, sur la gauche. À peu près 75 $Ca (40,4 €). C'est le grand motel bleu ciel et blanc. Chambres spacieuses, froides mais confortables, avec salle de bains, téléphone et vue sur la baie. À 4 personnes, prix tout à fait raisonnable. Mais insistez pour ne pas dormir dans l'annexe. Grand salon très clair à disposition. En face, le resto de l'hôtel, dans une structure séparée, permet d'attendre le traversier en mangeant un petit morceau. Cuisine pas sorcière. Pas mal de poisson.

Rose-Aimée Tremblay : 429, rue Saint-Laurent. ☎ 638-24-16. 45 $Ca (29 €) la chambre. *Couette et Café* sur le bord du fleuve, près du port d'embarquement pour traverser le Saint-Laurent. 4 chambres. La déco un peu ringarde est largement compensée par la propreté des lieux et l'ambiance familiale qui y règne. Du salon, vue sur le fleuve et accès au jardin. Parking. Accueil sympathique. « Causeries » maritimes. Petit déjeuner très copieux.

Où dormir à Baie-des-Rochers ?

Gîte de la Baie : 68, rue de la Chapelle. ☎ 638-28-21. 45 $Ca (29 €) minimum, plus cher si salle de bains privée. Sur la route 138, vers Tadoussac, à 16 km de Saint-Siméon. Route très sympa pour y aller, bordée de petits lacs. Prendre à droite en arrivant à la baie des Rochers ; la maison blanche et verte se trouve sur la droite, quelques centaines de mètres plus loin. Intérieur moderne, confort parfait. 5 chambres. C'est Maurice, menuisier de profession, qui a restauré cette maison où il est né, tout comme ses 10 frères et sœurs. Accueil très sympa de sa femme, Judith, qui adore bavarder. Très calme, et pas loin de la jolie baie des Rochers. Pour ceux qui sont en voiture uniquement.

La traversée Saint-Siméon – Rivière-du-Loup

Le Trans Saint-Laurent effectue la traversée en 65 mn. Pour tous renseignements concernant les horaires et tarifs : à Saint-Siméon, ☎ (418) 638-28-56 ; à Rivière-du-Loup, ☎ (418) 862-50-94 (message enregistré) et 862-95-45 ; à Montréal, ☎ (514) 849-44-66. Carte *Visa* acceptée. À bord, petit bureau de tourisme, restaurant, salle de jeux pour les enfants. Pour les voitures, pas de réservation. Embarquement suivant l'ordre d'arrivée. En été, conseillé d'arriver au moins une heure avant. Bien se renseigner car les horaires et le nombre de traversées varient en fonction de la saison. En principe, 5 traversées par jour en juillet et août.

À voir. À faire dans les environs

★ ***La baie des Rochers :*** à 20 km de Saint-Siméon (vers Baie-Sainte-Catherine). Au cœur du hameau de Baie-des-Rochers, prendre à droite et suivre la route puis le chemin toujours tout droit jusqu'au bout. Petite baie croquignolette et reposante, site naturel agréable, aménagé de plusieurs sentiers de promenade.

– ***Le ranch La Licorne :*** 1810, route 138, entre Cap-à-l'Aigle et Saint-Siméon. ☎ 638-23-59. Randonnée en forêt avec guide, location de chevaux à l'heure, paddock pour les enfants. Fait aussi gîte.

– ***Le Centre d'interprétation et d'observation de Pointe-Noire :*** sur la route 138, à Baie-Sainte-Catherine. ☎ 237-43-83. Ouvert de mi-juin à début septembre, tous les jours de 9 h à 18 h; de début septembre à la mi-octobre, du vendredi au dimanche de 9 h à 17 h. Situé sur un cap, et au cœur du parc marin du Saguenay (au confluent du Saguenay et du Saint-Laurent), sur le site d'un ancien feu d'alignement. Pointe-Noire est reconnu comme étant l'un des meilleurs endroits du globe pour observer les bélugas et les petits rorquals. Panorama impressionnant. Quelques marches mènent à un observatoire. Dans le centre, expo sur les phénomènes de la confluence Saguenay–Saint-Laurent. Le centre organise également des conversations avec des guides naturalistes plusieurs fois par jour l'été. Sentier promenade également, duquel, si l'on a de la chance, on pourra observer des bélugas.

– ***L'observation des baleines :*** à Baie-Sainte-Catherine, les compagnies *Famille Dufour* (☎ 237-44-21) et *AML* (☎ 237-42-74) proposent en saison des départs de bateaux pour observer les baleines. Ce sont les compagnies de Tadoussac qui passent prendre les gens ici.

Où dormir à Baie-Sainte-Catherine ?

☗ ***Gîte du Passant Entre mer et monts :*** 476, route 138, 4 km avant le bac pour Tadoussac. ☎ et fax : 237-43-91 ou 237-42-52. Prix pour 2 personnes : 45 $Ca (29 €). Accueil chaleureux de Réal (spécialiste de la crêpe aux bleuets dont il garde le secret) et Anne-Marie Savard. Grande maison avec 5 chambres dont 3 en sous-sol, très propres, coquettes. Possibilité de repas le soir. Vente de billets sur place pour les croisières aux baleines. Pas besoin de reprendre le traversier pour Tadoussac ! Bon rapport qualité/prix.

L'INTÉRIEUR DE CHARLEVOIX

Ne vous contentez pas de la côte, une balade dans les terres est le complément indispensable à une bonne connaissance de Charlevoix. Paysages vallonnés et boisés dégagent une paix incroyable. Là où la forêt se fait austère, de plantureux pâturages adoucissent le paysage. Artistes, peintres et photographes viennent depuis longtemps puiser leur inspiration dans les longs plateaux de l'arrière-pays, les vallées verdoyantes et fertiles parsemées de pittoresques fermes. Venez vous perdre dans les chemins de rangs autour de Saint-Hilarion, dont beaucoup sont encore en terre battue. Venez retrouver une authenticité des choses et des êtres, merveilleusement intacte...

★ ***Le parc régional des Hautes-Gorges-de-la-Rivière-Malbaie.*** ☎ 439-44-02. À 44 km au nord de La Malbaie, une vallée aux parois rocheuses atteignant parfois 700 m. Panoramas superbes et chutes d'eau spectaculaires. D'anciens chemins tracés par les travailleurs forestiers d'antan permettent de chouettes promenades à vélo dans une nature fascinante à la végétation, aux essences et reliefs insolites et variés. On peut également louer des canots sur place. Accessible en voiture depuis la route 138, par Saint-Aimé-des-Lacs, puis une belle route forestière (route de la ZEC des Martres). Ne pas oublier de faire le plein, d'apporter un chiffon pour le pare-brise et un pique-nique, et de bien suivre les indications routières. Devient très boueux par temps de pluie. Toutes infos à l'*Association touristique de Charlevoix* à La Malbaie. ☎ (418) 665-44-54. Croisières possibles sur la Malbaie avec *Croisières Hautes Gorges* de mi-juin à mi-octobre. ☎ 665-75-27.

★ ***Monts-Grands-Fonds :*** à 15 km de La Malbaie, c'est la montagne de l'arrière-pays, station de sports d'hiver calme et familiale. Paysage splendide. L'hiver, idéal pour le ski de randonnée ; en été, belles balades à pied.

★ ***Saint-Aimé-des-Lacs :*** par la route intérieure 138 (Baie-Saint-Paul – La Malbaie), on parvient à ce petit centre de villégiature, gaiement éparpillé autour d'un lac paisible. Baignade et planche à voile.

Où dormir ?

■ ***Nadeau Provençale :*** 193, rue Principale, Saint-Aimé-des-Lacs. ☎ 439-54-02. Environ 1 100 $Ca (709,6 €) la semaine. À côté d'une maison au bord d'un lac, on loue des chalets à la semaine pouvant accueillir jusqu'à 10 personnes.

★ ***Notre-Dame-des-Monts :*** délicieuse route secondaire depuis Saint-Aimé-des-Lacs, zigzaguant entre les sommets les plus élevés de la région, plongeant dans d'adorables vallées riantes. Nombreuses fermes et granges en bois typiques. C'est si beau qu'on en oublie le fleuve ! C'est dans le coin que fut tourné le célèbre feuilleton TV *Le Temps d'une paix*. Le village apparaît tout mignon, niché au creux de la montagne.

Où dormir ?

■ ***Auberge de la Miscoutine :*** 62, rang 2, route Notre-Dame-des-Monts, Sainte-Agnès. Sur la portion de route allant de la 138 à Notre-Dame-des-Monts, des Bretons se sont installés et vous réservent un accueil chaleureux. De multiples activités sont proposées. Repas possible. Chambres simples, voire banales. Tout de même un peu cher...

★ ***Saint-Urbain :*** voir le petit *musée* racontant 160 ans d'histoire du village

(route 381, vers le parc des Grands-Jardins, à 6 km au nord du village ; ☎ 639-22-10). Ouvert tous les jours de 9 h à 16 h.
À 15 km du village débute la fameuse traversée de Charlevoix à ski, longue d'une centaine de kilomètres. Renseignements à la *Fédération québécoise de la Montagne* : ☎ (514) 252-30-04 et (418) 639-22-84.

– LE SAGUENAY – LE LAC SAINT-JEAN –

L'une des 19 régions touristiques officielles du Québec, qui s'étend, comme son nom l'indique, le long du fleuve Saguenay et autour du lac Saint-Jean. Un autre aspect, une autre approche du Québec. Jacques Cartier en fit une description très enthousiaste à François Ier, et le territoire fut annexé au royaume. Parmi les attraits touristiques : le fjord du Saguenay, superbe (transformé en partie en parc), une réserve amérindienne, un village fantôme et quelques adorables patelins. Mais le lac Saint-Jean s'avère un peu décevant. En revanche, les deux routes qui y mènent (selon qu'on vient de Saint-Siméon ou de Tadoussac) traversent des coins sauvages bien préservés et offrent quelques panoramas splendides...

DE SAINT-SIMÉON AU LAC SAINT-JEAN

Ceux qui suivent fidèlement l'ordre de présentation du guide, et viennent donc de Charlevoix, monteront naturellement par la route 170 et pourront redescendre sur Tadoussac soit par la rive nord du Saguenay en prenant ensuite la 172, soit par le bateau *La Marjolaine*. La route 170 offre, bien sûr, des morceaux de parcours superbes et des haltes à ne point manquer.

L'ANSE-SAINT-JEAN 1 250 hab. IND. TÉL. : 418

Passé Petit-Saguenay, verdoyant et fleuri, voici L'Anse-Saint-Jean, une étape bien sympathique. Ce fut le premier village fondé dans le Saguenay par quelques pionniers en 1838. Il s'étire désormais le long de la rivière Saguenay sur plus de 10 km ! Voir le grand pont couvert (en 1986, il en a eu marre, il est allé se balader au gré du courant jusqu'au quai de la Marina ; on l'a remis à sa place...). Chouettes balades par le *sentier de la Montagne Blanche,* menant à de jolis points de vue. Beaucoup de *B & B* de charme.

Adresse utile

i ***Kiosque d'information touristique :*** 17, rue Saint-Jean-Baptiste. ☎ 272-21-99. Ouvert de fin juin à début septembre de 7 h à 22 h. L'hiver, composez le : ☎ 272-26-33 pour savoir où se situe le bureau touristique. Informations sur tout le Saguenay et le lac Saint-Jean. Autre point d'information touristique au 126, rue Dumas. ☎ 272-32-19.

Où dormir ?

▲ ***Camping de l'Anse :*** 325, rue Saint-Jean-Baptiste. ☎ 272-25-54 ou 272-26-33 (hors saison). Ouvert de mai à octobre. Environ 17 $Ca (10,9 €) la nuit. Au bord du fleuve et au cœur du village. Camping municipal assez luxueux, avec piscines, tennis, bains tourbillons, terrain de croquet, blocs sanitaires et équipement nautique. Attention, peu de place pour les tentes en été.

Gîte Le Nid de l'Anse : 376, rue Saint-Jean-Baptiste. ☎ 272-22-73. Ouvert de mai à novembre. Comptez 55 $Ca (35,5 €). Vue exceptionnelle. Belle maison centenaire en bois aménagée avec goût. 3 chambres mignonnes. Hospitalité chaleureuse. Petit déjeuner copieux.

La Maison des Lauriers : 7, chemin Saint-Thomas. ☎ 272-26-95. Chambres à partir de 55 $Ca (35,5 €). Sur la rue Saint-Jean-Baptiste (en arrivant de la route 170), prendre le premier pont à gauche. Le gîte, installé dans une ancienne école, se situe tout de suite à droite. Magnifique maison d'une propreté irréprochable. Intérieur vaste, harmonieux et délicat (meubles d'époque). 3 chambres joliment décorées. Excellent accueil. Très agréable et parfait pour les routardes qui se sentent une âme de « *Laura Ingals* ».

La Ferme des Trois Cours d'Eau : *Gîte du Passant,* chez Odile et Marc Boudreault, 6, chemin de l'Anse. ☎ 272-29-44. 50 $Ca (32,3 €). À l'église, prendre à gauche et passer le pont couvert. Au grand panneau de bois, prendre à droite. Le gîte (une ferme laitière) est 50 m plus loin sur la droite. Marc est intarissable sur les bateaux que l'on peut observer depuis la salle à manger. À l'étage, 3 chambres simples, propres et correctes, tout en bois. Toilettes sur le palier. Demandez la n° 2 pour sa vue sur la rivière Saguenay. Terrasse avec vue imprenable sur le fjord. Copieux petit déjeuner avec pain et confitures maison, œufs et jambon. Charmant et très paisible. Près du sentier des Caps et des Chutes.

Le Gîte Le Globe-Trotter : 131, rue Saint-Jean-Baptiste. ☎ 272-23-53. 47 $Ca (30,3 €). Au bord de la route, mais l'arrière donne sur un site superbe, une jolie rivière et les montagnes boisées. On est accueilli par André Bouchard, un type sympa et très chaleureux. Il est prof et aime les voyages. Intérieur vaste et lumineux avec 3 chambres très bien arrangées, calmes, où l'on a envie d'oublier le reste du monde. Terrasse et pelouse pour bouquiner au soleil. Très bonne adresse pour ceux qui veulent un peu plus de confort (et le petit déjeuner) à prix sages.

Le Gîte du capitaine : 274, route St-Jean-Baptiste. Au niveau de l'église. ☎ et fax : 272-44-44. • gdc@royaume.com • Ouvert à l'année. 50 $Ca (32,3 €). L'ancien proprio, un capitaine, a construit lui-même la maison en 1920, d'où le nom. Tout ici respire l'authenticité. Vous aurez le grand privilège de barboter dans la 1re baignoire arrivée à L'Anse Saint-Jean. 4 chambres à l'étage, décor marin, évidemment. 2 salles de bains. Grand balcon avec vue sur le fjord. Agréable salon où l'on « placotte » tranquillement. Si vous êtes intéressé, Jean vous emmènera à Tadousac sur son 9 m pour voir les baleines. Accueil chaleureux. Amoureux de la mer et autres voileux, bienvenue !

Auberge des Cévennes : 294, rue Saint-Jean-Baptiste. ☎ 272-31-80. Fax : 272-11-31. • www.auberge-des-cevennes.qc.ca • Entre 50 et 55 $Ca (32,3 et 35,5 €). 70 $Ca (45,2 €) pour 4 personnes. Belle demeure centenaire agréable agrémentée d'un intérieur en bois. Face au fjord. 8 chambres fort sympathiques aux tons pastel qui donnent toutes sur une grande galerie. L'hôtel vient juste d'ouvrir, tout est neuf. Un très bon rapport qualité-prix. L'été, on vous prête des vélos. En hiver, pêche blanche et location de ski-doo. Pour le resto, voir ci-dessous.

Où manger ?

Le restaurant de la Marine : 335, rue Saint-Jean-Baptiste. ☎ 272-11-99. Resto et bar de 8 h à 21 h. Le *brunch* est servi de 9 h à 13 h. Un

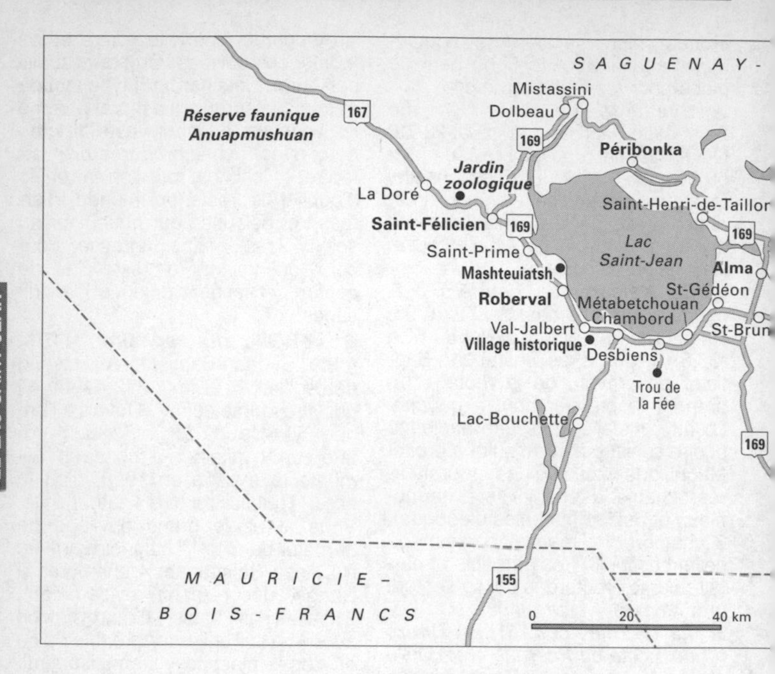

resto au cadre superbe, salle spacieuse, tout en bois clair, avec poutres... L'accueil est chaleureux, le menu original, et les prix sont abordables. Moules, maquereaux, truites et saumons (fumés bien sûr !) et bien d'autres choses délicieuses encore.

|●| ***L'auberge des Cévennes :*** 294, rue Saint-Jean-Baptiste. ☎ 272-31-80. Ouverte le soir seulement. Entre 12 et 21 $Ca (7,7 et 13,5 €) pour la table d'hôte. Face au pont couvert. Bonne cuisine : filet de truite saumonée, sole, langoustines au beurre à l'ail, fruits de mer, steak de caribou en poivrade à la gelée de cormier et minaki. Peu de choix, en fait, mais tout est bon.

– ***Pâtisserie Louise :*** 328, rue Saint-Jean-Baptiste. ☎ 272-26-11. « Pâtisseries de toutes sortes » (sic !) à se damner. Beaux pains cuits au four à bois. En saison, propose aussi des plats cuisinés : tourtières, pizzas, pâtés, fèves au lard, pâté maison à l'ancienne et grande variété de tartes comme la délicieuse tarte aux bleuets... Possibilité de déguster sur place.

À faire

– ***Site du « 1 000 Dollars » :*** non, ce n'est pas un sentier qui mène à la fortune, ni un gag du Loto québécois, ni même une farce ! À 500 m de l'église, en allant vers le lac, sur la droite, un chemin balisé conduit à un site d'observation et d'interprétation du billet de 1 000 dollars. Ça n'a pas de bon sens ce truc-là ? Mais si. C'est de ce site précis qu'a été prise la photo du pont couvert ayant servi de modèle à celui qui figure sur tous les billets de 1 000 dollars canadiens (pas américains).

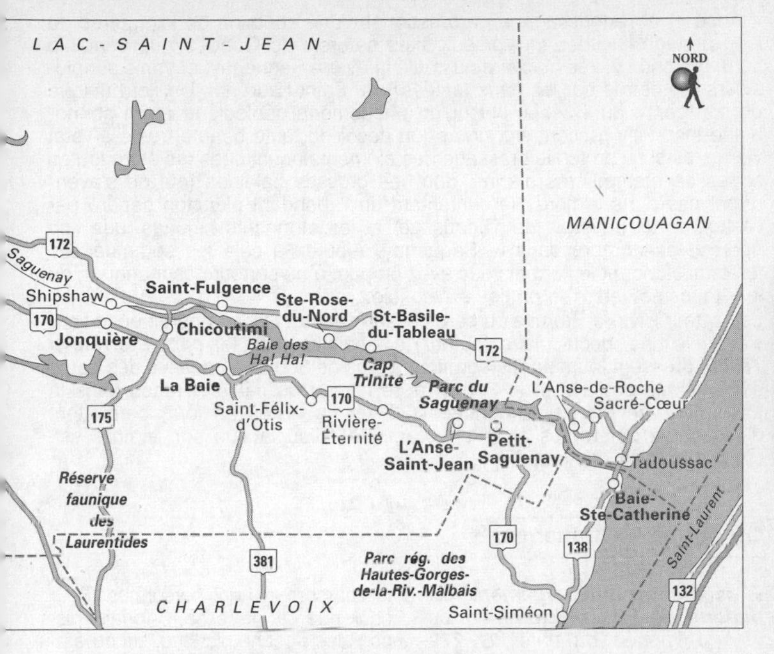

LE SAGUENAY – LE LAC SAINT-JEAN

– ***La promenade des chutes :*** suivre la rue Saint-Thomas Nord jusqu'au centre d'équitation, puis jusqu'au cimetière. Une pancarte indique le départ pour la promenade. Le joli sentier à travers bois mène à une cascade et un belvédère d'où la vue est superbe.
– ***Randonnée à cheval :*** *Centre équestre des Plateaux,* 31, chemin des Plateaux. ☎ 272-32-31.
– ***Balades en kayak :*** *Fjord en kayak,* Louis Dubord et Sylvie Major, marina de L'Anse-Saint-Jean. ☎ 272-30-24. • www.fjord-en-kayak.qc.ca • Pour toutes les bourses : entre 39 $Ca (25,1 €) pour 3 h et 755 $Ca (487 €) pour 5 jours. Louis propose de nombreuses excursions, plus ou moins longues, vers l'île Saint-Jean, l'île Saint-Louis, dans le fjord, et même des randonnées de 2 à 5 jours avec retour en bateau.
– En hiver, ***ski de fond*** (au centre Mont-Édouard) et ***pêche blanche*** (pêche à travers la glace). Renseignements au *Centre d'Hébergement des Gîtes du Fjord :* ☎ 272-34-30.
– ***Aventure Voile et Fjord :*** 355, rue Saint-Jean-Baptiste à L'Anse-Saint-Jean. ☎ 272-21-44, (hors saison, 387-39-83). • joyo@globetrotter.qc.ca • De 25 à 110 $Ca (16,1 à 71 €). Sorties en mer de 2 à 7 h où l'on apprend à manipuler les voiles, barrer et se servir des instruments de navigation. Une bonne approche pour découvrir le monde de la voile tout en douceur.

LE PARC DU SAGUENAY

Il s'agit d'un parc de conservation. L'entrée se situe à ***Rivière-Éternité,*** sur la route 170, 65 km avant Chicoutimi. ☎ 544-73-88 (direction du parc, à La Baie). Ouvert de fin mai à fin septembre, de 8 h à 19 h. Entrée payante (7 $Ca – 4,5 € – pour les voitures). S'étendant en gros de la baie des Ha ! Ha ! (ne riez pas, c'est son nom ! il viendrait de l'ancien français et signifierait

« Anse ») à Tadoussac, ce parc national d'une centaine de kilomètres de long protège l'un des plus beaux sites naturels du Québec : un véritable fjord, profonde vallée glaciaire où coule la rivière Saguenay, envahie sur plusieurs kilomètres par les eaux (salées!) du Saint-Laurent... Un fjord unique en son genre au Québec puisqu'un phénomène géologique et un phénomène marin s'y rencontrent, créant un décor de toute beauté, resté à l'état vierge, ainsi qu'un fertile brassage des éléments aquatiques qui attire toutes sortes de mammifères marins, dont les grosses baleines (qui ne s'aventurent pas dans le fjord, se contentant de l'abondant plancton généré par l'estuaire aux environs de Tadoussac) et les étonnants bélugas, que l'on aperçoit en nombre dans le Saguenay. Ajoutez à cela les somptueuses forêts qui longent le fjord et vous avez un parc à ne surtout pas manquer, où le « tourisme vert » se pratique avec joie.
Le secteur Rivière-Éternité du parc est sans aucun doute l'endroit où le fjord s'avère le plus spectaculaire : autour de la baie Éternité, les ***caps Éternité*** et ***Trinité*** dressent leurs parois abruptes à plus de 300 m au-dessus des eaux, elles-mêmes profondes de 300 m à ce niveau du fleuve. Tracés dans la forêt, des sentiers de randonnées (30 km de pistes en tout) permettent d'accéder à différentes aires panoramiques d'où la vue sur le fjord est, comme on s'en doute, sublime.

Où dormir? Où manger?

■ ●● ***Centre d'hébergement touristique de Rivière-Éternité :*** bureau à l'entrée du parc. ☎ 272-30-08. Ouvert toute l'année, de 8 h à 16 h 30. Location de chalets équipés (réfrigérateur, poêle, foyer...) pour 4 à 8 personnes (60 $Ca, soit 38,7 €). Prix honnêtes si on est plusieurs, plus avantageux hors saison (de mai à mi-juin et de mi-octobre à mi-décembre). En motel, 40 $Ca (25,8 €) la chambre pour 2 personnes. Pour ceux que ça intéresse, 3 forfaits disponibles : pêche blanche, ski ou érablière (pendant la saison de cueillette de l'eau d'érable), avec activités comprises dans le prix de l'hébergement. Intéressant en hiver pour mener une vraie vie de Québécois! Le centre possède également un resto proposant cuisine traditionnelle ou snacks, très correct.

Campings

■ ***Camping Rivière-Éternité :*** dans le parc, sur le chemin de Baie-Éternité. ☎ 1-888-272-34-36. Environ 18 $Ca (11,6 €) pour un emplacement de camping. On plante sa tente dans un site de rêve, au calme, dans les arbres et au bord de la rivière (Éternité, bien sûr!), à 2 km seulement du fjord. Deux prix différents, avec ou sans services. À disposition : abri chauffé, buanderie et sanitaires. Possibilité d'aller observer les castors à 18 h avec un naturaliste. 16 places. S'inscrire le matin au Centre d'interprétation.

■ Plusieurs sites de ***camping sauvage*** et quelques ***refuges*** chauffés dans le parc. Demandez la carte à l'entrée du parc, tout est très bien indiqué dessus, avec les sentiers de randonnées.

À voir. À faire

★ ***Le centre d'Interprétation du parc du Saguenay :*** dans le parc, à 8 km du centre du village de Rivière-Éternité. Un grand classique du Québec. Poste d'accueil : 71, rang Notre-Dame, à Rivière-Éternité. ☎ 272-22-67 (accueil). Ouvert de mi-mai à mi-octobre de 9 h à 17 h. Accueil remarquable. Efficace et compétent. Vous saurez tout sur le fjord, la faune et la flore (diaporama). C'est le point de départ du sentier menant à la statue du cap de la Trinité.

– Nombreuses ***randonnées*** à faire dans le parc, à pied et même à cheval (dans le secteur de L'Anse-Saint-Jean seulement). Se procurer la petite brochure éditée par le bureau du parc. Ne pas manquer le sentier menant à la statue de la Vierge, de 8 m de haut, et au cap Trinité. Faites-vous raconter l'histoire de la statue. Environ 4 h de marche aller et retour. Le long du sentier, beaux points de vue sur la rivière Éternité. Possibilité de rencontrer marmottes, sconses, écureuils, oiseaux multiples, etc. Panorama d'un rare intérêt, qui laisse des souvenirs inoubliables. Le long du sentier, nombreuses sources aménagées. *Refuge* avec une grande cheminée. Pas d'électricité. Prévoir sacs de couchage et crème antimoustiques. La majestueuse vallée de la Rivière-Éternité offre aussi de nombreuses essences d'arbres. Se chausser de bonnes godasses pour se rendre au cap Trinité. Même s'il fait chaud, conserver un gilet ou un truc à manches longues contre un genre de moucheron piqueur et agaçant dont les effets sont voyants.

– ***Croisières sur le fjord :*** notamment avec certaines des compagnies de Tadoussac (voir plus loin). Sinon, une compagnie locale part de Rivière-Éternité plusieurs fois par jour. Contacter *Croisières du Cap-Trinité :* ☎ 272-25-91. À peu près 16 $Ca (10,3 €). Plusieurs tarifs en fonction de la durée du voyage. Accepte les cartes de crédit. On vous conseille la mini-croisière faisant le tour de la baie, qui permet d'admirer les deux caps et leurs falaises spectaculaires. Durée moyenne : 1 h 30. Départs à 11 h et 14 h 30.

★ ***Site de tournage de « Robe noire » et de « Shehaweh » :*** du Vieux-Chemin, Saint-Félix-d'Otis. ☎ 544-80-27. Fax : 544-91-22. 8 $Ca (5,2 €). • www.royaume.com/robenoire • Ouvert tous les jours du 11 juin au 15 août, de 9 h à 17 h et, après le 15 août, uniquement les vendredi, samedi et dimanche. À environ 16 km après Rivière-Éternité, en allant vers La Baie, tourner à droite à 2 km avant d'arriver à Saint-Félix, et suivre une petite route secondaire sur 7 à 8 km. C'est indiqué.
Le site de l'Anse-à-la-Croix, au bord du Saguenay, fut choisi comme lieu de tournage du film *Robe noire,* grand succès au Québec en 1991, et du téléfilm *Shehaweh*. 24 bâtiments y ont été construits pour recréer le décor du poste de Québec en 1634 : le fort Champlain, la mission des jésuites, des fermes de colons, un fort iroquois... Après le tournage, au lieu de tout détruire, les producteurs ont conservé les décors que l'on découvre par une visite guidée de 1 h 15. Intéressant, même pour ceux qui n'ont pas vu les films en question.

★ ***Les crèches de Noël :*** une charmante coutume pousse les habitants de Rivière-Éternité à construire chaque année des crèches grandeur nature devant leur maison. Vraiment curieux à voir si vous passez par là fin décembre ! Elles sont édifiées avec les moyens du bord : ici de la neige et de la glace, là du bois d'épave décoré, de l'écorce d'érable et de cèdre, des briques, des cornes d'orignal ou de caribou, des arêtes de morue... De plus, une exposition de crèches miniatures, venant de tous les pays du monde, se tient chaque année dans la salle des fêtes aménagée sous l'église.

LA BAIE 21 000 hab.

Ville industrielle (papeterie et usine d'aluminium, d'ailleurs responsable de la pollution du Saguenay et du Saint-Laurent, et donc de la disparition croissante des bélugas !). C'est ici qu'Alexis le Trotteur gagna la course en courant contre son père qui, lui, remontait en bateau le Saguenay. Il effectua le parcours en 12 h et arriva le premier pour saisir les amarres du bateau !

Adresse utile

i ***Bureau du tourisme :*** 1171, 7e Avenue. ☎ 697-50-50 ou appel gratuit au : ☎ 1-800-263-22-43. Ouvert l'été, tous les jours de 8 h à 20 h et l'hiver, de 8 h 30 à 16 h 30 (fermé le week-end). Hors saison, si le premier numéro ne répond pas, essayez le : ☎ 697-51-77.

Où dormir ? Où manger à La Baie et dans les environs ?

Le *Bureau du tourisme* délivre un bon nombre d'adresses de *gîtes touristiques* où passer la nuit. Mais, honnêtement, on ne voit pas beaucoup de raisons de s'attarder à La Baie...

Camping municipal : 400, chemin du Patro à Saint-Félix-d'Otis. ☎ 697-50-96. Entre 18 et 25 $Ca (11,6 et 16,1 €) selon services. Pour s'y rendre, prendre la 170 en direction de L'Anse-Saint-Jean. Ouvert de fin mai à la mi-septembre. En plcine nature, au bord du lac. Un vrai petit coin de paradis. Plage surveillée, volley, jeux, fast food. Location de caravanes et d'embarcations diverses.

Gîte la Grange aux Hiboux : 521, rue Mars. ☎ 697-66-71. • www3.sympatico.ca/grange.hiboux • Ouvert à l'année. 50 $Ca (32,3 €). 5 chambres. Petit studio pratique pour les groupes d'environ 6 personnes. Attention, confort limite. Entrée privée. Les patrons ont voyagé en voilier pendant plusieurs années à travers le monde et ont ouvert un petit musée de la mer. Fait aussi resto-terrasse (genre fast-food). Boutique d'artisanat proposant des produits régionaux.

Auberge des Battures : 6295, bd de la Grande-Baie Sud. ☎ 544-82-34 ou 1-800-668-82-34. Fax : 544-43-51. • www.auberge-des-battures.qc.ca • Environ 100 $Ca (64,5 €). À une vingtaine de kilomètres de Chicoutimi, entre La Baie et le parc du Saguenay. Bien située et bien tenue. Dans une grande bâtisse en bois qui ressemble à une grange, l'auberge surplombe le fjord et ses cabanes de pêche blanche. Nombreuses activités organisées par Georges, le sympathique patron (moto-neiges et traîneaux en hiver). Bonne table. Petit déjeuner copieux non compris dans le prix de la chambre. Assez cher.

Auberge des 21 : 621, rue Mars, La Baie. ☎ 697-21-21. Fax : 544-33-60. Environ 100 $Ca (64,5 €). Attention : entre le 1er juillet et le 18 août, le forfait est obligatoire (un peu plus cher). En bordure de la rivière mais à 500 m d'une grosse usine. Ici, Marcel Bouchard, chef réputé, propose un savoureux échantillon de la haute gastronomie régionale qui se développe au Québec.

Gîte de la basse-cour : 271, rue Principale à Saint-Félix-d'Otis (entre La Baie et L'Anse-Saint-Jean sur la route 170). ☎ 544-87-66. Comptez entre 45 $Ca (29 €) et 75 $Ca (48,4 €) pour 4 personnes. Pavillon en bois avec 3 chambres simples et propres. AC. La patronne, Huguette Morin, jardine et fait son propre pain. Petit déjeuner bio très copieux. Petit jardin reposant, des poules, des canards, et des moutons gambadent aux alentours. Grand lac à proximité, table d'hôte régionale sur réservation (15 $Ca, soit 9,7 €).

À voir

★ ***Le musée du Fjord :*** 3346, bd de la Grande-Baie Sud. ☎ 697-50-77. Ouvert du 24 juin au 5 septembre de 8 h 30 à 17 h sauf les samedi et dimanche matin ; en hiver, de 8 h 30 à 12 h (sauf les samedi et dimanche) et de 13 h à 17 h. Musée d'art et d'ethnographie.

Spectacle

– ***La Fabuleuse Histoire d'un royaume :*** réservations, ☎ 1-888-873-33-33. Fax : 697-51-31. • www.grandspectacles.com • Comptez 30 $Ca (19,3 €) par adulte. Nombreux forfaits. 250 comédiens bénévoles et passionnés font revivre chaque été l'histoire du lac Saint-Jean et de ses habitants à travers un spectacle haut en couleur qui connaît un succès fou dans la région. En se présentant aux guichets quelques minutes avant le spectacle, on a une chance (si l'on n'a pas de réservations) de trouver de la place.

CHICOUTIMI 63 000 hab. IND. TÉL. : 418

Grande ville du Nord, moderne et animée. Les gens sont là aussi très sympas, possèdent beaucoup d'humour et également un grand sens de la fête. Pas grand-chose à voir néanmoins en dehors de juillet et août.

Adresses utiles

■ ***Kiosque d'information touristique :*** bd Saguenay ; en plein centre, dans la zone portuaire. ☎ 698-32-54. Bureau saisonnier, très pratique pour les non-motorisés, ouvert tous les jours du 22 juin (environ) au 3 septembre, de 9 h à 19 h, y compris les samedi et dimanche. Docs sur la ville. Liste d'une trentaine de *Gîtes du Passant* avec possibilité de téléphoner pour réserver.

■ ***Office du tourisme*** *(hors plan I, B4, **1**) :* 2525, bd Talbot. Loin du centre, au croisement des routes 175 et 170. ☎ 698-31-67. Ouvert tous les jours en été, de 8 h 30 à 19 h ; hors saison, de 8 h 30 à 12 h et de 13 h à 16 h 30. Plein de docs sur la région.

■ ***Association touristique du Saguenay-Lac Saint-Jean*** *(plan II, B2, **2**) :* 198, rue Racine Est, bureau 210. ☎ 543-97-78. Appel gratuit : ☎ 1-800-463-96-51. Ouvert de 8 h 30 à 19 h du lundi au vendredi. Face à l'hôtel de ville. Très compétent et bon matériel touristique.

■ ***L'Aventurier*** *(plan II, B2, **3**) :* 250, rue Racine Est. ☎ 545-22-51. On y trouve tout le nécessaire pour la vie au grand air. Ils organisent aussi des excursions et activités sportives (raft, kayak, pêche, etc.).

■ ***Transports urbains :*** ☎ 545-CITS.

■ **Adresse utile**

- **1** Office du tourisme

Où dormir ?

- **11** Gîte La Maison sur la Butte
- **15** Hôtel Parasol
- **30** Gîte de la Bernache
- **31** Gîte du Passant Le Goût de l'Eau
- **32** Gîte chez Monik Otis
- **33** Le Montagnais
- **34** La Maraîchère du Saguenay
- **35** Gîte et pension Aux Bons Jardins
- **36** Gîte du Passant Au Compte-moutons
- **37** La Maison du Passant, chez Marie Gagné

★ **À voir**

- **50** La Pulperie et la maison du peintre Arthur Villeneuve
- **52** Village de sécurité routière

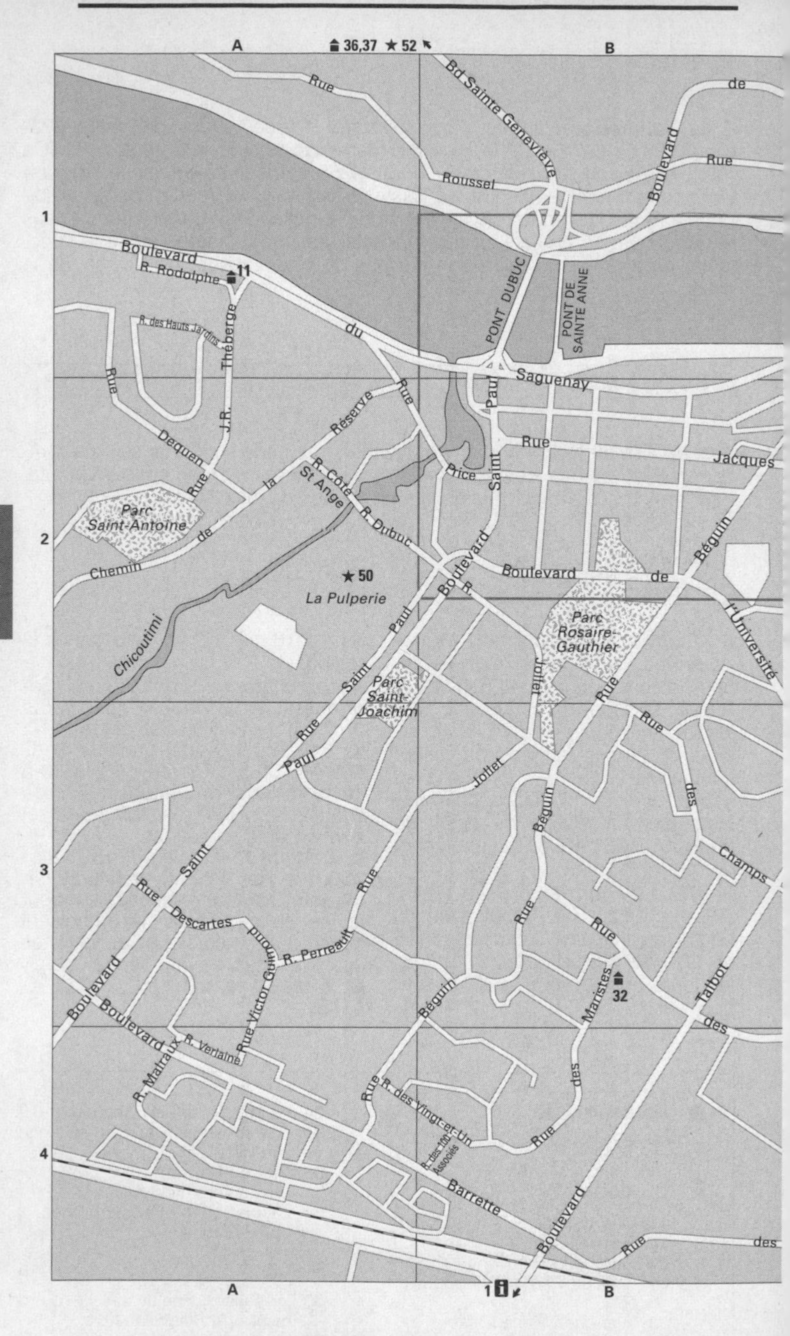
A
36,37 ★ 52
B
Rue
Bd Sainte Geneviève
de
Boulevard
Rue
Roussel
1
Boulevard
R. Rodolphe
11
PONT DUBUC
PONT DE SAINTE ANNE
R. des Hauts Jardins
J.R. Théberge
du
Saguenay
Rue
Paul
Rue
Réserve
Rue
Dequen
Rue
Jacques
la
R. Côte St Ange
Price
Saint
Parc Saint-Antoine
R. Dubuc
de
2
Boulevard
Béguin
Chemin
★ 50
La Pulperie
Boulevard
de
R.
l'Université
Parc Rosaire-Gauthier
Chicoutimi
Paul
Saint
Jolliet
Parc Saint-Joachim
Rue
Rue
Rue
Paul
Jolliet
des
Béguin
3
Saint
Champs
Rue
Rue
Descartes
Rue
Rue
R. Perreault
Rue Victor Guimond
Maristes
32
Boulevard
Béguin
Talbot
Boulevard
des
R. Verlaine
R. Malraux
des
Rue
R. des Vingt-et-Un
R. des 100 Associés
Rue
4
Barrette
Boulevard
Rue
des
A
1
B

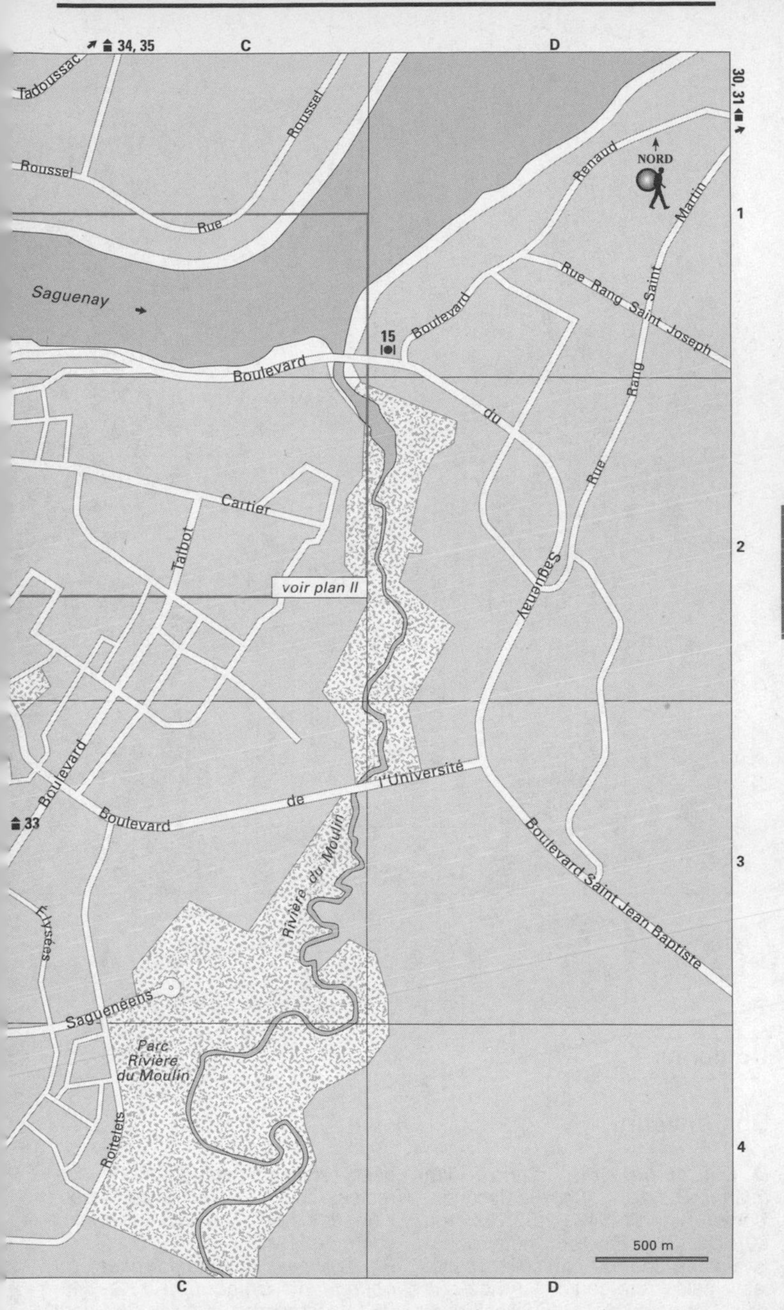

CHICOUTIMI (PLAN I)

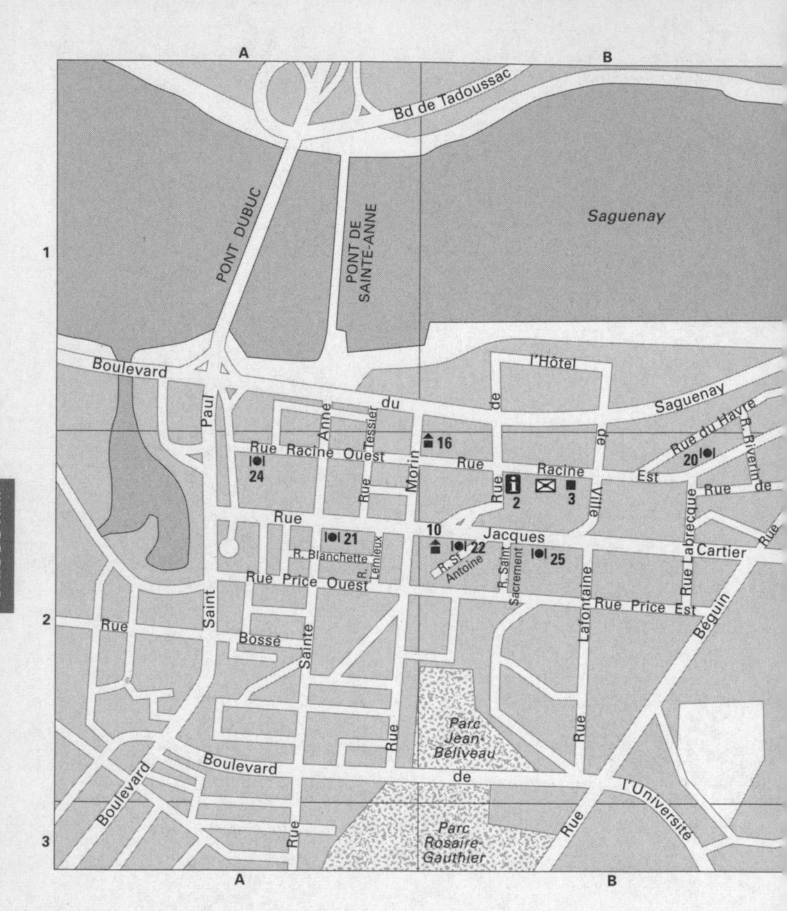

Où dormir ?

Bon marché

L'Auberge du Centre-Ville *(plan II, B2, **10**)* **:** 104, rue Jacques-Cartier Est. ☎ 543-02-53. Environ 60 $Ca (38,7 €). Petit hôtel populaire sans charme particulier, plutôt laid mais très central. Au-dessus d'un bar-salon-disco (le week-end, demander une chambre à l'écart du bruit !). Chambres avec salle de bains refaites à neuf, propres et correctes. Quelques-unes avec lavabo. L'un des hébergements les moins chers de la ville.

Services des résidences du collège de Chicoutimi : ☎ 549-95-20 Demandez le poste 257 pour savoir s'il y a des chambres libres. En été seulement.

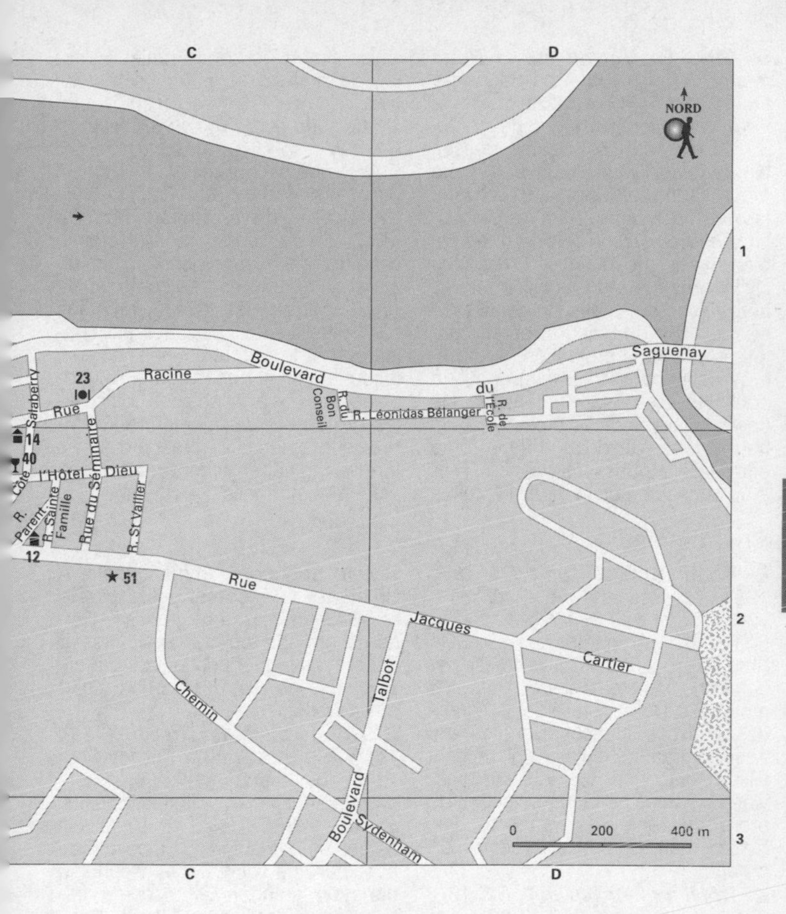

CHICOUTIMI (PLAN II)

Adresses utiles

- 2 Association touristique du Saguenay-Lac Saint-Jean
- 3 L'Aventurier

Où dormir ?

- **10** L'Auberge du Centre-Ville
- **12** La Villa au Pignon vert
- **14** Hôtel Chicoutimi
- **16** Hôtel du Fjord

Où manger ?

- **20** La Cuisine Café-Resto
- **21** Café Mont Royal
- **22** La Sauvagine
- **23** La Tour (Saint James Bar)
- **24** Le De Vinci
- **25** Le Titanic

Où boire un verre ?

- **40** Guinness Pub

★ À voir

- **51** Le musée du Saguenay

Prix modérés

Gîtes La Maison sur la Butte *(plan I, A1, **11**) :* 684, bd Saguenay Ouest. ☎ 549-71-28. Sortir de la ville vers Jonquière, route 3720. 50 $Ca (32,3 €). Cette maison blanche est située sur une butte (vous l'auriez deviné), à gauche de la route, à environ 2 km de Chicoutimi-Centre. « Ici on se sent gîtement bien ! », dit la réclame. C'est vrai. Nycol et Marthe reçoivent leurs hôtes avec beaucoup de gentillesse et d'attention. Intérieur propret, chaleureux et sans prétention. 4 chambres (3 en haut, 1 en bas) dont 2 à deux lits. Belle salle de bains. Ne pas s'inquiéter de la proximité d'un haut pylône électrique ni de la route qui passe au-dessous, car on n'entend presque aucun bruit la nuit à Chicoutimi. Une bonne petite adresse, de préférence pour les motorisés.

La Villa au Pignon vert *(plan II, C2, **12**) :* 491, rue Jacques-Cartier Est. Derrière l'église. ☎ 545-02-57 ou 1-800-499-02-57. Fax : 545-61-84. Ouverte à l'année. 60 $Ca (38,7 €). Au cœur de Chicoutimi, cette grande maison possède une dizaine de chambres très confortables et douillettes avec lavabo, réparties sur trois niveaux. L'accueil est chaleureux et le petit déjeuner copieux, le tout à un prix très raisonnable. Machine à laver à disposition. Bicyclettes et garderie sur demande. Préférez cette adresse centrale à d'autres formes d'hébergement beaucoup plus impersonnelles.

Prix moyens

Hôtel Parasol *(plan I, D1, **15**) :* 1287, bd Saguenay Est. ☎ 543-77-71 ou 1-800-363-72-48. Fax : 693-17-01. À partir de 75 $Ca (48,4 €), puis 10 $Ca (6,45 €) par personne supplémentaire. Pour les motorisés. Hôtel installé dans 3 grandes bâtisses blanches et fleuries. Assez agréable, car il surplombe la ville et offre une jolie vue sur la rivière. Piscine chauffée, salle de bronzage, bar, restaurant et terrasse. Intéressant si vous venez en groupe.

Hôtel du Fjord *(plan II, B2, **16**) :* 241, rue Morin. ☎ 543-15-38 ou 1-888-543-15-38. Fax : 543-82-53. 70 $Ca (45,2 €) en moyenne. Grand hôtel du centre installé dans un immeuble de brique rouge près de la Rivière Saguenay. Immanquable. À l'intérieur, la déco est assez classe et les chambres sont grandes. Certaines ont une terrasse avec vue sur le fjord. Déjeuner continental gratuit. Bar, salle de billard. Un bon rapport qualité-prix.

Hôtel Chicoutimi *(plan II, C2, **14**) :* 460, rue Racine Est. ☎ 549-71-11 ou 1-800-463-79-30. Fax : 549-09-38. • www.hotelchicoutimi.qc.ca • 70 $Ca (45,2 €) avec petit déjeuner. Chambres impeccables avec salle de bains, TV et téléphone, dans un grand hôtel moderne fréquenté par des représentants. 3 prix en fonction du confort. Déco dépouillée et impersonnelle. Uniquement pour ceux qui ne veulent pas loger chez l'habitant.

Où manger ?

Bon marché

– Dans la *rue Racine,* l'embarras du choix pour les petites brasseries et autres cafétérias pas chères.

La Cuisine Café-Resto *(plan II, B2, **20**) :* 387, rue Racine Est. ☎ 698-28-22. Ouvert de 7 h à minuit en semaine, et de 9 h à minuit le week-end. Comptez environ 10 $Ca (6,45 €). Table d'hôte midi et soir. Café-bar-pâtisserie dans une salle toute en longueur. La déco se veut rustique sans l'être réellement. Sympa tout de même. Grand choix de petits déjeuners copieux à la carte. Bons gâteaux.

- ***Café Mont Royal*** *(plan II, A2,* ***21****)* **:** 6, rue Jacques-Cartier Est. ☎ 543-64-27. Ouvert de 4 h du matin jusqu'à 19 h. À l'angle de la rue Sainte-Anne. Petit resto pas cher du tout et très copieux. 5 $Ca (3,2 €) le plat. Viandes et snacks. Spécialité de fèves au lard. Cadre banal, voire moche.

Prix moyens à plus chic

- ***Le De Vinci*** *(plan II, A2,* ***24****)* **:** 42, rue Racine Ouest. ☎ 696-20-02. Environ 7 $Ca (4,5 €) pour le buffet. Si vous voulez réveiller vos papilles après une overdose de hamburgers-frites, voici l'endroit idéal. Ici on déguste une excellente cuisine végétarienne. Buffet chaud à volonté de légumes finement préparés (rôtis aux noix, ratatouille, roulés de pâtes filo...). Tout est fait maison, des sauces allégées aux gâteaux sans sucre, aime à préciser la patronne. Pâtisseries légères et savoureuses (gâteaux à la papaye, *muffins* à l'ananas...). En plus, le cadre est très agréable. Terrasse estivale installée sur une belle galerie à colonnades. 2 salles dans cette vieille demeure en bois restée intacte. Possibilité d'emporter son repas. L'accueil est très sympa. Végétarien ou non, n'hésitez surtout pas à passer par là !
- ***Le Titanic*** *(plan II, B2,* ***25****)* **:** 164, rue Racine Est. ☎ 543-56-99. Environ 15 $Ca (9,6 €) pour un plat. Un resto à thème bien loin des *Planet Hollywood* et autre *Hard Rock Café*. L'ambiance n'est pas survoltée, et pour les fanas du film, tout ici dans la déco rappelle l'histoire du naufrage. La clientèle est mi-touristique, mi-locale. Bien sûr, les poissons et fruits de mer sont à l'honneur, mais vous pourrez également manger des plats de viande servis avec pâtes, frites ou légumes. Rien de très original mais assiette consistante. Terrasse extérieure.
- ***La Tour Saint James Bar*** *(plan II, C1,* ***23****)* **:** 517, rue Racine Est. ☎ 543-15-34. Au minimum 15 $Ca (9,7 €) pour un menu. En face de la cathédrale. Grande maison avec véranda, qui connaît deux clientèles dans la journée. Le midi, employé(e)s du coin et hommes d'affaires pour une table d'hôte pas chère, sandwichs, salades diverses, poulet, grillades, etc. Repas très agréable en terrasse. Le soir, clientèle beaucoup plus smart au restaurant et une masse de jeunes venus uniquement pour boire un verre et jaser au bar ou sous la véranda. Atmosphère animée en soirée.
- ***La Sauvagine*** *(plan II, B2,* ***22****)* **:** 122, rue Jacques-Cartier Est. ☎ 690-22-55. Ouvert de 11 h à 21 h du mardi au vendredi. Jusqu'à 15 h le lundi. Le samedi de 15 h à 22 h et le dimanche de 10 h à 13 h. À peu près 14 $Ca (9 €) le plat. Cadre moyen mais agréable terrasse à l'arrière. La carte n'est pas très originale et un peu chère. En revanche, les tables d'hôte valent en général le détour : cuisine inventive et abordable avec en prime de bonnes pâtisseries. Brunch gastronomique le dimanche, pâtisseries maison.

Où dormir (et parfois manger) dans les environs ?

AU SUD DE LA RIVIÈRE SAGUENAY

- ***Gîte de la Bernache*** *(hors plan I par D1,* ***30****)* **:** 3647, rang Saint-Martin. ☎ 549-49-60. Environ 50 $Ca (32,3 €). Dans un coin paumé, à une dizaine de kilomètres du centre-ville. Prendre le boulevard Talbot, puis le boulevard de l'Université Est, le Saguenay sur 800 m ; on trouve à droite le rang Saint-Martin qu'il faut suivre tout droit sur 7 km. 4 chambres colorées dans une maison accueillante en bordure du fjord du Saguenay où les bernaches séjournent 2 fois par an au cours de leur migration (d'où le nom du gîte). Petit déjeuner copieux et prix raisonnables. Salle de bains commune. En hiver, la charmante patronne peut vous emmener pêcher dans sa cabane sur le fleuve. Promenade en motoneige possible. Prête aussi des raquettes. Attention gîte du Passant non fumeur !

🏠 ***Gîte du Passant Le Goût de l'Eau*** *(hors plan I par D1,* ***31****)* **:** 3483, rang Sainte-Famille. ☎ 543-63-06. Sur la route 170. À environ 5 km du centre de Chicoutimi. Cadre très agréable, au bord d'une rivière. Maison joliment décorée. 2 chambres très propres. Accueil chaleureux de Ruth. Petit déjeuner copieux.

🏠 ***Gîte chez Monik Otis*** *(plan I, B3,* ***32****)* **:** 1393, rue des Maristes. ☎ 549-47-65. Comptez 45 $Ca (29 €) avec le petit déjeuner. Monik et son mari sont installés dans un quartier résidentiel. À 3 km de Chicoutimi. Le charmant couple âgé vous propose 3 chambres avec une salle de bains au sous-sol de leur maison. Elles sont simples et possèdent de toutes petites fenêtres mais ne sont pas chères du tout.

🏠 ***Le Montagnais*** *(plan I, C3,* ***33****)* **:** 1080, bd Talbot. ☎ 543-15-21. Appel gratuit : ☎ 1-800-463-91-60. • www.lemontagnais.qc.ca • 70 $Ca (45,1 €) la nuit. À 2 km de Chicoutimi, route 175, dans la zone commerciale, place des Congrès. Ce grand motel de 300 chambres offre piscines intérieure et extérieure, sauna, tennis, grandes chambres avec salle de bains, sans charme et vieillottes, correctes cependant. Prix raisonnables, vu le confort et les services.

CHICOUTIMI

AU NORD DE LA RIVIÈRE SAGUENAY

🏠 🍽 ***La Maraîchère du Saguenay*** *(hors plan I, par C1,* ***34****)* **:** 97, bd Tadoussac, à Saint-Fulgence. ☎ 674-22-47. Fax : 674-10-55. 70 $Ca (45,1 €). Pour les chalets de 4 personnes, comptez 120 $Ca (77,4 €). Carte *Visa* acceptée. À 8 km du pont Dubuc de Chicoutimi. Sur la gauche (en venant du lac Saint-Jean), à 400 m après la station *Esso*. Dans une étonnante maison centenaire, recouverte de lattes de bois, gîte et petit déjeuner. Assez bruyant car sur la route 132 mais tellement charmant. La déco est tout bonnement superbe et nous replonge dans le passé (meubles québécois paysans...). *La Maraîchère* est très renommée pour la fraîcheur de sa cuisine et la grande gentillesse de l'accueil. Tous les produits viennent du jardin et tout est fait maison. Mais la patronne, malade, ne peut plus faire à manger que pour les hôtes du gîte et pas tous les jours. Téléphonez avant. En revanche, si vous réussissez à composer un groupe de 6 personnes, possibilité de réserver en soirée pour une « table champêtre ». Grand moment culinaire ! Pour un prix tout à fait raisonnable (environ 20 $Ca, soit 12,9 €), un menu royal : mousse de foies de volaille aux cœurs d'artichauts, poulet à la bière, soupe aux gourganes, *maguchan* (fricassée de pommes de terre avec truite et oseille), plat typique des Indiens montagnais, tarte aux petits fruits, etc. Quant aux 3 chambres champêtres, celle située sous le toit (dans le grenier) a tout d'une petite merveille d'originalité avec plein de trucs astucieux joliment arrangés par le sémillant Rodrigue Langevin qui déambule, pipe au bec, avec une allure de romancier-artiste des forêts lointaines !

🏠 ***Gîte et pension Aux Bons Jardins*** *(hors plan I, par C1,* ***35****)* **:** 127, Pointe-aux-Pins, Saint-Fulgence. ☎ 674-28-96. 70 $Ca (45,2 €) dans le chalet. 50 $Ca (32,3 €) à la ferme. À 20 km du pont de Chicoutimi, direction Tadoussac. Après Saint-Fulgence, à 1 km de *l'auberge de La Tourelle*, prendre à droite, direction parc Jaseux, puis suivre 1 km de route non goudronnée. Vous l'aurez compris, c'est au bout du monde.

Dans un îlot de verdure calme et tranquille, Mariko et Richard vous convient à partager des petits moments de bonheur. Pour dormir, vous avez le choix entre un chalet très rustique donnant sur le jardin et le potager, ou la ferme qui se situe à 500 m de chez eux, en face du fjord (la 7e merveille du Québec). Vue imprenable ! Avec un peu de chance, vous croiserez peut-être un ours... Les amoureux de la nature et les fans d'Heïdi seront ici au paradis.

■ ***Gîte du Passant Au Compte-moutons*** *(hors plan I par B1,* ***36****)* **:** 1141, Hôtel-de-Ville, à Saint-Honoré. À 12 km de Chicoutimi. ☎ 673-74-00. 50 $Ca (32,3 €). À Chicoutimi, traverser le pont Dubuc et continuer tout droit sur la 172 Ouest, jusqu'au panneau indicateur de Saint-Honoré (environ 3 km) ; à Saint-Honoré, tourner à gauche devant l'église pour prendre la rue de l'Hôtel-de-Ville. Calme et discrétion. Maison centenaire en bois vert tenue par des dames très gentilles dont l'une expose ses toiles au 1er étage. Un bel intérieur en lattes de bois peint. 3 chambres. Plantes vertes et poêles à bois. Petit déjeuner copieux : *cretons,* œufs frais, yaourts, muffins, confitures et gelées maison.

■ ***La Maison du Passant, chez Marie Gagné*** *(hors plan I, par B1,* ***37****)* **:** 2605, bd Sainte-Geneviève, Chicoutimi-Nord. ☎ 543-39-23. Fax : 543-84-69. • mathieu.barrette@sympatico.ca • Comptez 50 $Ca (32,3 €). 3 chambres confortables dans une agréable maison. Accueil vraiment chouette de Marie qui propose aussi des excursions (vélo de montagne, traîneaux à chiens, motoneige). Marie et Roger sont toujours prêts à faire « un brin de jasette » avec leurs visiteurs, leur raconter le pays et ses traditions.

Où boire un verre ?

🍸 ***Guinness Pub*** *(plan II, C2,* ***40****)* **:** rue de l'Hôtel-Dieu, à l'angle avec la rue Saint-François-Xavier. ☎ 693-52-24. Ouvert de 11 h à 15 h les lundi et mardi, de 11 h à 3 h du mercredi au vendredi. De 19 h à 3 h le samedi. Fermé le dimanche. Grande salle boisée autour d'un bar central. Nombreuses bières proposées à une clientèle plutôt jeune. Grosse ambiance le samedi soir. Possibilité d'y casser la croûte.

🍸 ***Le Cybernaute*** **:** 391, rue Racine Est. ☎ 543-95-55. • www.cybernaute.com • Ouvert jusqu'à 22 h. Un café internet dans une grande salle moderne. 18 ordinateurs à disposition pour surfer en toute liberté. Comptez 4 $Ca (2,6 €) de l'heure. Vente de magazines et de logiciels à l'intérieur. Ami surfeur, tu peux grignoter au bar entre deux vagues.

À voir

★ ***La pulperie*** *(plan I, A2,* ***50****)* **:** 300, rue Dubuc. ☎ 698-31-00. • www.reseau.qc.ca/pulperie • Visite guidée de mi-juin à mi-septembre, tous les jours de 9 h à 18 h. En juillet jusqu'à 20 h. Comptez 7 $Ca (4,5 €). Départ toutes les 30 mn (durée : comptez 2 à 3 h). Rendez-vous à l'édifice 1921. Un peu décevant, la plupart des machines ont disparu. Située près d'une chute de la rivière Chicoutimi. Cadre assez sauvage avec ses flots furieux et ses vieux bâtiments industriels, massifs et austères, témoignage de ce qui fut la première industrie régionale : la pâte à papier. L'usine fut fondée en 1896 et devint en 1910 le plus grand producteur canadien. Avec la crise économique et à cause de grandes manœuvres de concentration style « Dallas », elle ferma en 1930. Le site fut sauvé de la démolition en 1978 et les bâtiments classés. Un vaste plan de restauration a été amorcé pour leur mise en valeur. Malheureusement les inondations de 1996 ont provoqué de nombreux dégâts. De nombreuses activités culturelles s'y tiennent aujourd'hui. Demander le programme à l'office du tourisme.

★ ***La maison du peintre naïf Arthur Villeneuve*** *(plan I, A2,* ***50****)* **:** 300, rue Dubuc. ☎ 545-94-00. Se renseigner sur les horaires d'ouverture. La maison de Villeneuve se distingue de toutes les autres grâce à l'originalité de l'artiste qui en a fait un tableau devenant une œuvre d'art unique. Les murs de cette maison devenus fresques illustrent non seulement l'histoire régionale, mais présentent aussi le monde, vu par le regard du barbier ou du visionnaire. Ne s'arrêtant pas à sa maison, Arthur Villeneuve peindra près de 4 000 toiles, et ce, jusqu'à sa mort, en 1990.

★ ***Le musée du Saguenay*** *(plan II, C2,* ***51****)* **:** sur le site de la pulperie. ☎ 545-94-00. Ouvert du lundi au vendredi de 8 h 30 à 12 h et de 13 h à 17 h; les samedi, dimanche et jours fériés, de 13 h à 17 h. Musée d'histoire, d'ethnologie et des arts. En particulier, très intéressante section sur la vie des Amérindiens. Explications didactiques sur la vie domestique, les techniques de chasse, etc. Belles photos. Section sur les instruments agraires des pionniers et sur la vie d'Alexis le Trotteur, qui passe d'ailleurs désormais au musée de paisibles jours. Au rez-de-chaussée, collection d'objets d'art parfois étonnants (calvaire fait de bouteilles, lyre en cire, sculptures sur bois de style naïf, etc.). Reconstitution d'ateliers d'artisans et des différentes pièces d'une maison canadienne au début du siècle.

★ ***Le village de sécurité routière*** *(hors plan I, par B1,* ***52****)* **:** 200, rue Pinel. ☎ 545-69-25. • villagesecurite@qc.aira.com • Ouvert du 19 juin au 30 août, tous les jours de 10 h à 18 h. Adulte : 7 $Ca (4,5 €). Peut intéresser les enfants car tout a été prévu à leur mesure pour apprendre à conduire. Des petites voitures sont à leur disposition, qu'ils peuvent conduire eux-mêmes. Ils sillonnent les rues d'une ville bâtie à leur mesure.

Fête

– ***Le carnaval souvenir :*** se déroule en général en février, pendant une dizaine de jours. Renseignements : ☎ 543-44-38. Fax : 543-48-84. Tous les habitants se déguisent avec les habits de leurs ancêtres. Une très grande fête comme on n'en fait plus, chez nous. Si vous êtes au Québec à cette époque, ne la manquez surtout pas. Un retour complet 100 ans en arrière : crinolines, « capots » bordés de fourrure, pelisses et hauts-de-forme de castor; recettes de cuisine ancestrales; procès à l'ancienne; vente de bric-à-brac... Grand souvenir que d'avoir rencontré dans une folle ambiance tous ces « placoteux », « gigueux » et « bûcheux », revenus à la vie après un siècle.

Quitter Chicoutimi

En bateau

Possibilité de rejoindre Sainte-Rose-du-Nord en effectuant une croisière de 4 h sur *La Marjolaine*. Il faut s'inscrire la veille au bureau des réservations sur les quais (c'est indiqué partout). Vous partez le matin et vous descendez le Saguenay, large rivière qui se jette dans le Saint-Laurent. Véritable fjord d'une longueur de 104 km, et paysage absolument remarquable. Important : si le matin le temps est gris, n'hésitez pas à annuler la croisière, car vous auriez payé pour rester 4 h dans le restaurant du bateau, à regarder la brume par les fenêtres.

Par beau temps, vous admirerez les caps Trinité et Éternité, le Tableau, une impressionnante muraille de 150 m de haut, etc. Visite de *Sainte-Rose-du-Nord,* le plus beau petit village du Saguenay.

– ***Informations et réservations :*** *croisières Marjolaine*, bd Saguenay Est, au port. ☎ 543-76-30. De juin à fin septembre seulement. Départ à 8 h 30 de Chicoutimi. Escale à Sainte-Rose-du-Nord pour le déjeuner (non compris). Assez cher quand même, et vérifiez bien le trajet : certains bateaux s'arrêtent avant, dans des coins perdus, et vous ne pouvez que revenir à Chicoutimi. Une autre croisière part de Sainte-Rose-du-Nord vers les caps.

En bus

Gare routière : 55, Racine Est. Autobus Laterrière. ☎ 543-14-03. La compagnie *Jasmin* assure des liaisons locales et régionales :

– ***Pour Montréal et Québec :*** *Intercar Saguenay* (Québec seulement).
– ***Pour La Malbaie :*** *Intercar Côte Nord.*
– ***Pour Tadoussac :*** *Tremblay et Tremblay.*
– ***Pour les environs du lac Saint-Jean :*** les bus *Jasmin* se sont associés pour desservir Roberval, Dolbeau, Peribonka et Côte Nord. ☎ 543-14-03. Les bus *Fournier* desservent également le lac Saint-Jean au départ de la gare routière d'Alma. ☎ 662-54-41.

JONQUIÈRE 57 000 hab. IND. TÉL. : 418

À 15 km à l'ouest de Chicoutimi, ville moderne aux larges avenues, sans grand charme, morceau d'Amérique du Nord avec la touche Nouvelle France. Jonquière devait sa relative prospérité à l'usine Alcan, la plus grande usine d'aluminium au monde. L'entreprise a ouvert une usine presque entièrement automatisée à Laterrière, faisant du même coup de Jonquière, qui se serait volontiers passée de cette distinction, la capitale du chômage au Québec. Le soir, la ville reste néanmoins beaucoup plus animée que Chicoutimi. Les meilleurs cafés, restos, boîtes de nuit se trouvent à Jonquière. Allez-y pour vous amuser. Il y a plein de jeunes. Ambiance vraiment sympa.

Adresse utile

Bureau du tourisme : Centre des Congrès, 2665, bd du Royaume. ☎ 548-40-04. Appel gratuit : ☎ 1-800-561-91-96. Ouvert tous les jours, de 8 h à 20 h l'été, de 8 h à 12 h et de 13 h 30 à 16 h 30 hors saison. Également au 3885, bd Harvey. ☎ 542-79-74. De mi-juin à fin août, tous les jours de 8 h à 20 h.

Où dormir ?

Bon marché

Auberge de jeunesse du Vieux Saint-Pierre : a brûlé en 1998. On peut se rabattre sur le ***CÉGEP,*** situé à 1 km. ☎ 547-21-91. Fax : 547-33-59.

Camping Jonquière : 3553-122,

chemin du Quai. À 5 km du centre-ville, au bord du lac Kénogami. ☎ 542-01-76. 20 $Ca (12,9 €) la nuit. Ouvert de juin à mi-septembre. 160 emplacements, terrain de jeux pour les enfants. Plage.

Prix modérés

🏠 ***Gîte de la Rivière-aux-Sables :*** 4076, rue Des Saules, G8A-2G7. ☎ 547-51-01. Fax : 547-69-39. Comptez 50 $Ca (32,3 €). Prendre le boulevard Harvey jusqu'au point d'info. Passer le pont, continuer tout droit, et tourner sur la gauche rue Saint-Jean-Baptiste. Située dans un quartier résidentiel calme mais non loin du centre-ville, cette adresse est exemplaire pour l'accueil de Marie et Jean-Eudes. Il vaut à lui seul le détour. 4 chambres agréables, insonorisées, avec TV. Ce pavillon moderne possède en outre un joli jardin avec une plage donnant sur la Rivière-aux-Sables. On peut s'y baigner. Chaloupe, pédalo, pêche et piste cyclable à proximité. Attention gîte du Passant non fumeur.

🏠 ***Le Mitan :*** 2840, bd Saguenay. ☎ 548-73-88. Comptez 55 $Ca (35,5 €). Maison très coquette et chaleureuse avec 3 belles chambres et une salle de bains au 1er étage. Déco soignée. On prend son petit déjeuner dans une agréable véranda lumineuse. Qui plus est, Denise est très sympathique.

Où manger ?

De bon marché à prix moyens

🍴 ***Les 400 Coups :*** 2350, rue Saint-Dominique, à l'angle du boulevard Harvey. Dans le centre. ☎ 542-04-00. Ouvert jusqu'à minuit. Environ 16 $Ca (10,3 €) le plat. Décor impersonnel et froid vaguement inspiré du 7e art et de Truffaut. Clientèle de yuppies et d'employés du quartier, attirés par le menu de midi, pas très cher. Bonne cuisine : plats de poisson, pâtes ou viande.

🍴 ***Le Puzzle resto-bar :*** 2497, Saint-Dominique. ☎ 542-77-14. Fax : 547-82-10. Resto ouvert jusqu'à 11 h. Le bar ferme à 2 h. Menu original, dans un beau décor design. Endroit agréable dans une immense véranda. Clientèle jeune et branchée.

🍴 ***Resto-rétro Brillantine :*** 2479, rue Saint-Dominique. ☎ 547-50-60. Ouvert jusqu'à 4 h du matin. Environ 7 $Ca (4,5 €). Idéal pour les noctambules du coin. Comme son nom l'indique, cette cafet' vous replonge dans l'ambiance des années 50-60. La déco est vraiment réussie. Musique rock et chansons « guimauve ». Grand choix de burgers et hot-dogs à prix doux... Une adresse sympa pour routards nostalgiques.

🍴 ***Le Barillet :*** 2523, rue Saint-Dominique. ☎ 547-26-68. Fax : 542-96-99. 13 $Ca (8,4 €) en moyenne pour un repas complet. Grande salle sans charme. Spécialités : buffet chinois et canadien à volonté. Menu à la carte.

Plus chic

🍴 ***Le Bergerac :*** 3919, rue Saint-Jean. ☎ 542-62-63. Ouvert du mardi au vendredi de 11 h à 14 h et de 18 h à 23 h. Le samedi de 18 h à 23 h uniquement. Comptez au moins 37 $Ca (23,9 €) pour un repas. Cadre agréable. Prix assez élevés mais cuisine fine et inventive (carpaccio de caribou, médaillon d'autruche au vin rouge...). Les menus de midi sont plus abordables, mais cela reste chic.

Où boire un verre?

La plupart des cafés, bars et discothèques sont dans le centre-ville, dans la rue Saint-Dominique, autour du croisement avec Saint-Thomas. ***Le Puzzle, L'Audace, Le Singapour*** et ***l'Envol,*** notamment, sont bondés, surtout pendant les festivals de musique (tous les week-ends de fin juin à août). La « Saint-Do » devient alors piétonne et des concerts gratuits sont organisés sur des scènes en plein air.

À voir. À faire

★ ***Centre d'interprétation William-Price :*** 1994, rue Price (entre les rues Ball et Bradet). ☎ 695-72-78. Ouvert du 15 juin au 1er septembre de 10 h à 20 h. Le reste de l'année, ouvert « aux heures de bureau » du lundi au vendredi. Comptez 5 $Ca (3,2 €). Situé dans une ancienne chapelle anglicane, le musée retrace le développement du secteur Kénogami ainsi que la vie de son fondateur William Price. Découvrez également les contes et récits de la tradition orale québécoise à travers l'exposition *« Légendes de l'Amérique française »*.

★ ***Centre national d'Exposition :*** 4160, rue du Vieux-Pont. ☎ 546-21-77. Ouvert en juillet et août de 10 h à 20 h. De septembre à juin tous les jours de 10 h à 17 h. Entrée gratuite. Situé à flanc de montagne, un beau panorama vous y attend. 3 expositions itinérantes majeures à caractère scientifique, artistique ou écologique. Visite commentée pour les groupes (sur réservation).

★ Possibilité de visiter la ***centrale hydroélectrique.*** ☎ 699-15-47. S'adresser aux bureaux du tourisme. Visite tous les après-midi en semaine. Bâtiment Art déco construit pendant la Seconde Guerre mondiale.

★ ***Parc de la Rivière-aux Sables :*** 2230, rue de la Rivière-aux Sables. ☎ 546-21-77. Situé en plein cœur de la ville. La rivière est un important témoin de l'histoire jonquiéroise. On la traverse sur une passerelle cyclo-piétonnière toute neuve en aluminium. Halles, aires de jeux d'eau et de détente, piste cyclable, promenade piétonne, place publique, parc de la Francité. Location d'embarcations, d'équipements de pêche, de vélos.

– ***Stages de canoë, de voile, de tennis, de ski, de rafting, de motoneige, etc. :*** au centre *CEPAL*, 3350, rue Saint-Dominique. ☎ 547-57-28. Fax : 547-48-82. Ces stages permettent de découvrir la nature avec des accompagnateurs très qualifiés et de rencontrer des gens du pays. Hébergement (obligatoire) dans le centre, très bien équipé.
– ***Le domaine de la Truite mouchetée :*** 2861, route Brassard, Shipshaw. ☎ 542-86-00. Magnifique domaine où l'on peut pratiquer la pêche en étang, été comme hiver. Tout l'équipement est disponible et l'on peut y déguster ses prises. Forfaits groupe ou individuel.
– ***Festivals de musique :*** en été. Voir « Où boire un verre? ».

METABETCHOUAN 4 900 hab.

Au bord du lac Saint-Jean, dans sa partie sud-est, un petit village dont le nom signifie « lieu de rencontre » en langue montagnaise. Escale sympa à cause de la plage de sable beige.

Où dormir ?

- *Gîte Au Soleil Couchant :* 31, 2e rue Foyer-du-Lac. ☎ 349-21-38. Fax : 349-22-03. Comptez 50 $Ca (32,3 €) pour 2 personnes et 75 $Ca (48,4 €) pour 4. Maison fleurie et très calme, proche du lac, tenue par une dame adorable. Accueil vraiment attentionné, des petites douceurs vous attendent dans les 3 grandes chambres. Demandez celle au ciel étoilé au moment de réserver : surprise ! Jardin très agréable avec pergola. Petit déjeuner préparé avec amour par Berthe et composé de tartes et muffins aux bleuets. Possibilité de faire sa popote.

- ***Gîte chez Christiane et Guy Voyer :*** 34, 2e rue Foyer-du-Lac ; voisin du gîte précédent. ☎ 349-29-29. Fax : 349-33-69. Comptez 50 $Ca (32,3 €) par nuit. Au bord du lac, la pelouse descend en pente douce jusqu'à l'eau. Belle maison, spacieuse, très bien équipée. 3 chambres confortables. Belles couleurs. Vraiment nickel. 2 salles de bain. Accueil excellent de Christiane et Guy qui aiment bien discuter et donner des tuyaux sur leur région. Bon petit déjeuner, très copieux. Excellent vin de bleuet et super coucher de soleil sur le lac Saint-Jean quand le temps le permet.

Où manger ?

- ***Le Saint-Martin :*** 118, rue Saint-André (au croisement avec Saint-Antoine). Plat du jour à environ 10 $Ca (6,5 €). À défaut de pas grand-chose, contentez-vous de cela... Dans une salle très banale, une très grande variété de sandwichs, pizzas et *sous-marins* sont servis à des prix raisonnables, mais c'est vraiment parce qu'il n'y a pas grand-choix pour manger dans cette ville que nous vous donnons cette adresse. Service charmant cependant.

LE LAC SAINT-JEAN

IND. TÉL. : 418

Son nom indien est *Piekouagami :* le « lac Plat ». C'est une mer intérieure, ancienne cuve glaciaire nourrie par les eaux d'une dizaine de rivières. Relief pas vraiment spectaculaire de dunes et de plages sablonneuses. Mais la région est réputée pour la chaleureuse hospitalité de ses habitants et quelques sites touristiques originaux que nous détaillons dans les chapitres suivants.

– Nombreuses manifestations artistiques et festivals populaires. Citons entre autres : la ***traversée du lac Saint-Jean à la nage,*** vers fin juillet-début août, précédée d'une grande fête qui dure huit jours. Fin août, ***fête du Bleuet*** à Mistassini (dont c'est la capitale mondiale !). Occasion de goûter au fameux petit vin de bleuet, dont vous ne manquerez pas de rapporter quelques bouteilles à vos amis. Bonnes spécialités : tourtière (pâté de viande), tarte aux bleuets, et le saumon d'eau douce, pêché dans le lac.

- Sur l'*île du Repos* (la bien-nommée !), vous avez l'***auberge de jeunesse de Sainte-Monique-de-Honfleur :*** 105, route Île du repos. ☎ 347-56-49. On vous la conseille vivement si vous comptez dormir au bord du lac (voir plus loin, « Peribonka »).

– Si vous campez au bord du lac Saint-Jean, en juillet et en août (jusqu'à mi-août), gare aux moustiques, très nombreux !

Où dormir à Alma et dans les environs ?

■ ***La Ressource :*** 6840, rang Melançon, à 9 km environ du centre d'Alma. ☎ 662-91-71. Fax : 662-14-98. • www.atrsaglac.d4m.com/gites/ressource • Environ 43 $Ca (27,7 €). Amoureux de la nature, vous êtes arrivés ! À deux pas du lac Saint-Jean, Paulette et Jean-Guy vous accueillent dans ce cadre exceptionnel. La maison est nichée au cœur d'un vaste sous-bois où de magnifiques sentiers vous invitent à aller découvrir ce lieu enchanteur. Terrasse sous les pins. En hiver, on peut faire du ski de fond ou des balades en raquettes. Les 3 chambres sont assez simples mais agréables. Salle de bains partagée. Les prix restent raisonnables. Bref, une excellente adresse qui vaut le détour. De plus, la patronne se fera un plaisir de vous donner tous les renseignements que vous désirez sur la région.

■ ***Auberge des Iles :*** 250, rang des Îles, à Saint-Gédéon. ☎ 345-25-89 ou 1-800-680-25-89. Fax : 345-26-83. • www.digicom.qc.ca/auberge • Entre 68 et 98 $Ca (43,9 et 63,2 €) selon le confort. En venant de Jonquière, prendre le route 170, sortir à Saint-Gédéon. Le complexe se trouve près du golf, à 11 km d'Alma. Grand établissement très calme, sur la plage. Pratiquement toutes les chambres ont une vue sur le lac, sauf la 1 et la 8 du pavillon central. Chambres correctes. Pub anglais et resto. Pour les sportifs : catamaran, voilier, pédalo et volley. Une adresse vraiment bien située.

■ ***Gîte du Passant Belle-Rivière :*** 872, rang Caron à Hébertville. ☎ (418) 344-4345. Fax : (418) 344-1933. • bouchard@digicom.qc.ca • Comptez 50 $Ca (32,3 €) la nuit. De Québec, prendre la route 169. À l'entrée du village, prendre direction Robertval sur environ 6 km. Gîte simple et propre de 4 chambres. Les familles sont les bienvenues chez Marie-Alice et Pierre Bouchard, qui aiment concocter des petits plats régionaux. Un bon endroit pour partir explorer la région à traîneaux ou en motoneige.

Où manger dans les environs ?

I●I ***Restaurant-Traiteur Desbiens-Venue :*** 1290, rue Hébert, à Desbiens. ☎ 346-1106. Petit resto (10 tables) où l'on peut s'arrêter pour déguster une cuisine copieuse à prix corrects. Lili et Robin vous feront goûter aux spécialités du pays (soupe de gourganes, poisson ouananiche et la fameuse tarte aux bleuets !). Arrivez tôt.

À faire autour du lac Saint-Jean

Il existe de multiples activités à pratiquer autour du lac, selon la saison. En hiver, traîneau à chiens, motoneige, pêche blanche, randonnée en raquettes, etc. ; en été, observation de la nature et des animaux, kayak de mer, rafting... Plutôt que d'en faire ici une liste exhaustive, et un peu fastidieuse, nous avons préféré vous révéler nos bonnes adresses au fur et à mesure des étapes. Comme cela, vous trouverez sans difficulté votre bonheur quelle que soit votre destination...

LE VILLAGE FANTÔME DE VAL-JALBERT IND. TÉL. : 418

Situé à 105 km de Chicoutimi et 9 km de Roberval, sur la route 169. Ouvert du 20 juin au 15 septembre, tous les jours de 9 h à 19 h (17 h hors saison, du 20 mai au 15 juin et du 6 au 25 septembre). ☎ 275-31-32. Entrée : 10 $Ca (6,5 €).

Pour se rendre au village, possibilité de faire l'aller et retour de Chicoutimi en bus. Contacter les compagnies citées plus haut (« Quitter Chicoutimi »).

Val-Jalbert a été créé autour d'une importante pulperie, au début du siècle (usine de production de pulpe de bois destinée à la fabrication de papier). La belle chute d'eau de 72 m (21 m plus haut que la chute du Niagara) que l'on voit à côté des ruines assurait son fonctionnement. Un téléphérique conduit au belvédère dominant la chute (on aime ou non ce moyen moderne ; cela dit, c'est quand même très impressionnant). Les courageux grimperont doucement les 750 marches en admirant le paysage. Vue superbe sur le lac Saint-Jean. De là-haut, passerelle qui mène à la chute Maligne.

Le village logeait les ouvriers et leurs familles. En 1926, il comprenait 80 maisons et environ 950 habitants. La crise économique et les concentrations dans les industries papetières amenèrent la fermeture de la pulperie en 1927. Le village vivait pratiquement en autarcie et devint même officiellement municipalité en 1915. Visite très intéressante à plusieurs titres, malgré tous les cars de touristes. Mais d'abord il faut disposer de temps (environ une demi-journée). Il serait dommage de ne pas réaliser toute la promenade (en tout, 2,5 km). Car si la vision de ces baraques abandonnées dégage une certaine mélancolie, il y a aussi tout l'aspect historique et social. Des panneaux aux textes assez remarquables livrent des tranches de vie de cette communauté ouvrière et il faut, bien sûr, avoir le temps de les lire. La condition de mère de famille ou de malade, par exemple, n'était pas triste à l'époque !

À l'entrée du parc, on vous remettra un plan détaillé des différents sites, mais ne manquez pas de lire *Le Ouiatchouan,* journal de Val-Jalbert (2,5 $Ca, soit 1,6 €), bourré d'anecdotes et de faits insolites.

Où dormir ? Où manger ?

Pour toutes les formes d'hébergement au village, renseignements et réservations, s'adresser à : *Village Historique de Val-Jalbert*, case postale 307, Chambord G0W-1G0 (Québec). ☎ (418) 275-31-32.

■ Grand ***camping*** à proximité du village. Avec ou sans services. Entre 19 et 23 $Ca (12,2 et 14,8 €). Environ 70 emplacements. Buanderie à disposition. Attention : en mai et juin, moustiques et mouches noires pullulent.

■ ***Hôtel :*** 70 $Ca (45,2 €) la chambre avec douche et toilettes. Dans une belle maison d'époque, à l'atmosphère de western, située dans la rue principale, à l'entrée du village. Pas trop cher pour l'endroit mais plus qu'un gîte habituel dans le pays.

■ ***Mini-chalets :*** la plupart sont assez bon marché. Certains ont leurs sanitaires et un petit réfrigérateur. Possibilité d'utiliser les sanitaires du camping. Le prix comprend la visite du village historique. On peut aussi louer des vélos.

■ Encore mieux : des ***maisons*** du village ont été rénovées pour être louées aux visiteurs. Sur 2 étages, avec de beaux parquets. Dans chacune, cuisine, salle de bains, salon, salle à manger et 2 chambres ! Super pour les petits groupes d'amis qui voudraient s'offrir pour un prix très raisonnable un retour dans le temps... En hiver, atmosphère un peu magique. Piste de ski de fond à côté.

Restaurant de l'Ancien Moulin : près de la chute. Menu du jour bon marché et snacks.

Restaurant Jalbert : avant l'entrée du village, à côté du croisement avec la route 169. Cuisine typiquement canadienne (tourtière, tarte aux bleuets...). Uniquement sur réservation au ☎ 275-65-97. Également cabaret spectacle.

Où dormir à Chambord ?

Gîte du Passant : chez Martine Fortin, 824, route 169, à 1 km seulement de l'entrée du site de Val-Jalbert. ☎ 342- 84-46. Comptez 45 $Ca (29 €) pour la nuit. Jolie maison blanche entourée de quelques sapins. 4 chambres simples à prix doux pouvant accueillir 3 ou 4 personnes. Salle de bains commune. Petit déjeuner copieux. Aux alentours, possibilité d'aller voir les animaux de la ferme, super pour les enfants ! Serge et Martine louent également 2 petits chalets de 4 personnes avec cuisine et AC (60 $Ca, soit 38,7 €).

À voir

★ Les ***avenues Labrecque*** et ***Tremblay*** sont particulièrement émouvantes.

★ La grimpette de 750 marches pour accéder au ***belvédère*** vaut vraiment l'effort (les paresseux ont droit à un téléphérique). Splendide point de vue sur le lac Saint-Jean, Roberval, Pointe-Bleue, l'île aux Couleuvres, Pointe-Taillon, Chambord, etc.

★ Voir aussi le petit ***cimetière*** local où sont enterrées les victimes de la grippe espagnole de 1918.

★ Sinon, la vieille ***usine désaffectée*** (entrée par le resto, avant l'accès au téléphérique), permet de mieux comprendre ce qu'était l'industrie du début du siècle. Beau point de vue sur la chute d'eau voisine à travers les grandes fenêtres.

ROBERVAL 12 000 hab. IND. TÉL. : 418

La plus grosse ville au bord du lac Saint-Jean. Tout y est pourtant très paisible. Rien d'exceptionnel. Quelques belles maisons anciennes dont la *maison Donaldson* (1873), ancien magasin général au 464, bd Saint-Joseph. La ville, avec ses jardins léchés par les vagues du lac, porte le nom du premier vice-roi de la Nouvelle-France, Jean-François La Rocque de Roberval, qui tenta sans succès de pénétrer au Saguenay dès le XVIe siècle. Amateurs de ouananiche, tous à vos cannes ! Ouananiche ? Une sorte de saumon d'eau douce qui a colonisé les eaux du lac.
Par ailleurs, un petit tuyau pour se repérer : en venant de Val-Jalbert, la route 169 devient tour à tour le boulevard de l'Anse, le boulevard Marcotte, puis le boulevard Saint-Dominique.

Où dormir ?

▲ ***Gîte du voyageur :*** 2475, bd Saint-Dominique. ☎ 275-00-78. Comptez 50 $Ca (32,3 €). Colette et Marcel vous proposent 3 chambres avec salle de bains commune. Déco un peu ringarde mais pratiquement le seul gîte du coin. Non fumeur.

▲ ***Motel Roberval :*** 256, bd Marcotte. ☎ 275-39-57 ou 1-877-990-99-03. Fax : 275-73-33. À partir de 67 $Ca (43,2 €). L'un des moins chers de la ville (sauf si l'on prend une chambre avec bain tourbillon, bien sûr!). Restaurant, piscine extérieure chauffée.

Où manger ? Où boire un verre ?

|●| ***Brochetterie Chez Gréco :*** 979, bd Marcotte. ☎ 275-57-05. Fax : 275-04-49. Menu à partir de 14 $Ca (9 €), table d'hôte à 18 $Ca (11,6 €). Ferme à 22 h. Spécialités grecques bien sûr, mais aussi poissons, viandes et fruits de mer qui ne sont pas qu'hellènes. Copieux mais assez cher, sauf le lundi à partir de 16 h, où les plats principaux sont à moitié prix (ce jour-là, ne pas s'étonner d'avoir à attendre un petit peu...).

|●| ***Restaurant de l'hôtel Le Château de Roberval :*** 1225, bd Marcotte. ☎ 275-75-11. Comptez au moins 20 $Ca (12,9 €) pour le plat principal. Cuisine assez élaborée, mais à des prix assez élevés. Mais enfin il n'y a pas grand-chose dans le coin...

Y ***Bistro 679 :*** 679, bd Saint-Joseph. ☎ 275-64-07. Petit bar branché. Ouvert tous les jours jusqu'à 3 h du matin. Souvent du monde, en particulier des jeunes de la région. Musique variée.

Y ***Bar Country :*** 887, bd Saint-Joseph. Y venir uniquement du jeudi au dimanche pour des danses country en ligne. Ouvert de midi jusqu'à 3 h du matin. Grande salle en bois. Billard.

À voir

★ ***Le Centre historique et aquatique :*** 700, bd de la Traversée. ☎ 275-55-50. • vroberval@destination.ca • Ouvert de 10 h à 20 h du 19 juin au 28 août, de 12 h à 17 h du 7 au 18 juin et du 29 août au 7 septembre. Environ 6 $Ca (3,9 €). Tarif familial. À la fois musée et centre écologique très moderne. Aquarium où évolue la faune du lac Saint-Jean. Animation audiovisuelle et une curieuse salle de projection en forme de sous-marin, qui présente l'histoire de la région. Ne pas manquer les ouananiches !

MASHTEUIATSH (POINTE-BLEUE) 1 750 hab. IND. TÉL. : 418

Intéressante réserve indienne créée en 1856 par le gouvernement canadien, habitée par des Montagnais. Mais ne vous faites pas d'illusions : ça ressemble à n'importe quel village québécois. Tout l'intérêt de l'endroit ce sont évidemment ses habitants, avec lesquels il faut chercher à communiquer pour mieux comprendre l'importance de leur culture et de leur philosophie, encore axée sur la beauté de la nature... Mais cela prend du temps. Il est difficile de s'enrichir au contact d'une autre culture lorsque l'on n'a que

24 heures à lui accorder. D'autant plus que les Montagnais ne sont pas d'un naturel bavard, et ne se livrent pas au premier touriste venu.

D'excellents guides indiens proposent des excursions de pêche ou de chasse dans la région. Quelques boutiques dans la réserve vendent de superbes fourrures et un bel artisanat : sculptures, raquettes, mocassins. Voir notre rubrique « À voir. À faire ». Attention cependant : ce n'est pas très bien desservi. Il y a 6 km depuis Roberval mais le « pouce » depuis le terminus Voyageurs ne présente en général pas trop de difficultés. Sinon, appeler un *taxi* à Pointe-Bleue : ☎ 275-07-85.

Adresse utile

ℹ *Office du tourisme :* 1516, rue Ouiat-chouan, la rue principale. ☎ 275-72-00. Un office du tourisme similaire à ceux que l'on trouve tous les cinq kilomètres dans la région...

Où dormir ?

⌂ *Auberge Kukum :* 1899, rue Ouiat-chouan. ☎ 275-06-97. Ouverte toute l'année. Comptez 50 $Ca (32,3 €). À environ 4 km du centre, sur la gauche en venant de Roberval. *Kukum* signifie « grand-mère » en amérindien. Hommage à la grand-mère de Michel, l'ex-mari amérindien de la maîtresse des lieux. Cette dernière, Guylaine, une cht'i d'origine, fut la première à développer l'activité touristique à Mashteuiatsh lorsqu'elle y arriva en 1985, en créant la *Société touristique de Pointe-Bleue*. Celle-ci n'existe plus aujourd'hui. *Kukum,* ce n'est ni une auberge, ni un simple gîte. C'est avant tout la maison de Guylaine et d'Adam, son fils qui s'occupe quant à lui des enfants des couples de passage. C'est un endroit particulier, tout en bois, protégé par l'esprit bienveillant de « Grand-mère ». On y dort dans de petites chambres rustiques, presque monacales (pas très bien chauffées) et bien tenues. Au sous-sol, lits superposés, genre AJ. Le petit déjeuner, très, très simple, est inclus. Plage à 500 m.

Par ailleurs, *Kukum* est aussi, à notre avis, le moyen de découvrir la vraie culture montagnaise : Guylaine est bien intégrée à sa communauté d'adoption, et aime bien bavarder avec les routards de passage, même s'ils ne dorment pas sous son toit. C'est aussi bien sûr une bonne base de visite pour le très intéressant musée amérindien.

À voir. À faire

★ ***Le Musée amérindien :*** 1787, rue Amishk. ☎ 275-48-42. 6 $Ca (3,9 €). • museilnu@destination.ca • De mi-mai à fin octobre tous les jours de 10 h à 18 h. De novembre à mai, du lundi au vendredi de 9 h à 12 h et de 13 h à 16 h. Sur réservation les fins de semaine. Le reste de l'année, du lundi au vendredi de 9 h à 16 h.

Expositions sur l'histoire, la vie et l'évolution, sous tous leurs aspects, des Indiens montagnais. Films et diaporamas. Musée vraiment intéressant et très bien fait. Reçoit également des expos temporaires concernant d'autres peuples indiens.

★ Ne manquez pas d'aller faire un tour au ***magasin d'artisanat*** de la famille Gérard Siméon. C'est lui-même qui tient sa boutique-musée et il a toujours une anecdote à raconter sur ses ancêtres. À 200 m de l'auberge. Suivre la flèche rouge « Artisanat ». Un peu plus loin sur la même route, le fils, Thomas Siméon, réalise des sculptures sur pierre et sur bois. Attention, lors de notre passage, il était question de fermeture.

– Comme nous le soulignions en introduction, ce qu'il y a de plus intéressant à Mashteuiatsh, ce sont les gens qui y vivent. Partir en forêt à la découverte de leur culture, de leur vie quotidienne (canot, pose de pièges, portage, fumage de viande, pêche blanche, etc.), voire même de leurs croyances spirituelles, peut constituer une expérience inoubliable. Il existe selon nous deux moyens principaux d'aborder cette culture.
Le premier est de passer quelque temps à l'auberge *Kukum* avec Guylaine (voir « Où dormir? ») et de discuter avec elle. Elle est un intermédiaire qui peut vous éviter un « choc des cultures », souvent stérile parce que trop frontal.
Le deuxième est de passer par les organismes qui ont centralisé les activités générées par le tourisme : *Mikuan II* pour la forêt, l'*Ilnu Tepiskau* d'août à octobre pour diverses traditions, le *centre d'interprétation de la fourrure*... Toute la doc est disponible à l'office du tourisme. C'est plus « sûr », mais à notre avis beaucoup moins vrai et, en tout cas, cela vous coûtera cher. Nous ne tenons pas à nous étendre sur les dérives occasionnées chez certains par la prise de conscience de l'existence de « la poule aux œufs d'or » (le tourisme...) À vous de voir et de choisir.

SAINT-FÉLICIEN 11 000 hab. IND. TÉL. : 418

Ville carrefour située sur la rivière Chamouchouane. *Théâtre d'été* (☎ 679-02-57) et célèbre parc zoologique. Ne vous attendez pas à trouver des gîtes aussi soignés qu'à Chicoutimi. En effet, Saint-Félicien se situe près d'une fac et en général, les hébergements servent de chambres d'étudiants pendant l'année. Or qui dit étudiant dit fauché...

Adresse utile

i ***Bureau du tourisme :*** 1209, bd Sacré-Cœur. ☎ 679-98-88. Ouvert à l'année, tous les jours de 8 h à 16 h 30 et jusqu'à 20 h en été.

Où dormir à Saint-Félicien et dans les environs?

Camping Saint-Félicien : 2230, bd du Jardin. À proximité du zoo, non loin de la route 167. ☎ 679-17-19. Fax : 679-54-10. Entre 17 et 23 $Ca (11 et 14,8 €). Ouvert de mi-juin à début septembre. Grand et bien équipé. Dépanneur, équipements sportifs et piscine sur place. Pas très loin, on peut faire du kart et de l'hydravion.

Auberge des Berges : 610, bd Sacré-Cœur. ☎ 679-33-46. • www.destination.ca/auberge/ • Ouverte à l'année. Environ 60 $Ca (38,7 €), petit déjeuner inclus. Prix avantageux si vous venez à 6 ou restez plus de 3 jours. À 3,5 km de Saint-Félicien, sur la route de Roberval. Sans charme mais pratique pour les motorisés. Chambres assez spacieuses, propres et climatisées, avec salles de bains neuves, TV, réfrigérateur (quelques-unes ont vue sur la rivière). Déco un peu terne et vieillotte. Le proprio, très gentil, se fera un plaisir de vous donner des infos sur sa région.

Gîtes du Passant

🏠 ***Gîte Au Jardin Fleuri :*** chez Thérèse et Jean-Marie Tremblay, 1179, rue Notre-Dame. ☎ 679-02-87. Comptez 40 $Ca (25,8 €) la nuit. Des 7 adresses de gîtes de Saint-Félicien, celle-ci est la moins éloignée du centre-ville. Non loin du terminus d'autobus et du kiosque d'information, le gîte se trouve à 300 m du centre, sur la gauche de la route. La présence de la voie ferrée voisine ne doit pas vous affoler car il n'y passe guère qu'un train par jour. Seul inconvénient : 1 salle de bains commune pour 5 chambres. Ces dernières, toutes simples et propres, donnent sur le côté de la maison. Intérieur un peu ringard. On y a bien dormi, sans être dérangé par la route. La maîtresse de maison, une dame très gentille, prépare des petits déjeuners savoureux avec des crêtons maison, de la confiture (framboise et bleuet), du pain (maison aussi). Son mari est l'un des 86 000 descendants de Pierre Tremblay, un pionnier du Canada originaire d'un village du Perche (Orne) au nom prédestiné : Randonnai. Belle randonnée en effet !

🏠 ***Gîte Ferme Dallaire :*** chez Gisèle et Fernand Dallaire, 678, rang Double Sud. ☎ 679-07-28. Comptez 45 $Ca (29 €). À environ 4 km du centre. Prendre la rue Notre-Dame sur 2,5 km ; tourner à gauche au rang Double Sud ; continuer 1 km : ferme à gauche. 3 chambres impeccables, calmes, dans une maison accueillante et spacieuse, près des champs. Gisèle est tout simplement charmante et prépare des pâtisseries. Bien pour motorisés.

🏠 ***Au Domaine Tremblay :*** 677, rang Double Sud. ☎ 679-01-69. 45 $Ca (29 €). En face de la précédente, cette ferme en pleine campagne est tenue par un couple âgé très souriant. Lucienne et Robert proposent 3 petites chambres rustiques (2 doubles et une à deux lits). Celles-ci n'ont rien d'exceptionnel, mais on se sent bien dans ce gîte simple et sans artifice. Belle salle de bains spacieuse. Une excellente occasion de rencontrer des gens très sympathiques. Réservation conseillée.

🏠 ***Gîte des Peupliers :*** 21, rang Saint-Isidore, Girardville, G0W-1R0. ☎ 258-38-89. Fax : 258-35-29. Environ 40 $Ca (29 €). Dans la région de Dolbeau, au nord du lac Saint-Jean. Quitter Saint-Félicien direction Sainte-Méthode par la 169 Nord, puis à Sainte-Méthode, direction Normandin par la 373. 5 chambres très confortables, sanitaires impeccables, nourriture « plaisante », repas typiques partagés avec toute la famille de Céline et Réal. Ambiance très sympa et prix raisonnables. L'intérêt essentiel de cet endroit réside dans la possibilité de faire du canoë en été et des balades en traîneau à chiens en hiver. C'est Gilles, le guide, originaire de Marseille, qui vous emmènera découvrir l'immensité des espaces de la région. Il paraît que les propriétaires viennent aussi chercher leurs clients et les reconduisent à l'aéroport de Montréal.

Où manger ?

🍴 ***Le Café du Boulevard :*** 1036, bd Sacré-Cœur. ☎ 679-03-24. Ouvert jusqu'à 23 h (minuit du jeudi au dimanche). Environ 10 $Ca (6,5 €). En face du supermarché *Provigo*. Entrée côté rivière. Cafet' traditionnelle proposant des petits déjeuners excellents et variés et, le midi, un menu québécois bon marché avec potage, tourtière, tarte aux bleuets et café. Également un grand choix de sandwichs, sous-marins, salades et pâtisseries. Petite terrasse donnant sur la rivière.

– ***Pâtisserie Grand-Maman :*** 1883, bd du Jardin (ex-Onésime-Gagnon). ☎ 679-55-51. • www.destination.ca/pgm • Spécialités typiques et délicieuses : tourtières et tartes aux bleuets. Une institution dans le coin.

À voir

★ ***Zoo « Sauvage » de Saint-Félicien :*** prendre la route 169 vers Chibougamau puis, du boulevard Saint-Félicien, tourner dans le boulevard du Jardin (167 Nord). ☎ 679-05-43. ou ☎ 1-800-667-LOUP (56-87). • www.d4m.com/zoosauvage • Ouvert de fin mai à mi-octobre, tous les jours de 9 h à 18 h et le reste de l'année sur réservation. Dernier départ pour les sentiers de la nature à 16 h 15. Entrée : 17 $Ca (11 €). Demandez au chauffeur de bus de vous arrêter à l'entrée du zoo. Reconnu comme le plus beau du Québec. Le zoo est en deux parties : l'une traditionnelle, l'autre plus originale, dans laquelle les animaux évoluent en pleine liberté. Ce sont les humains que l'on retrouve derrière le grillage d'un petit train circulant au milieu de la société des animaux. On y découvre presque toute la faune de la forêt canadienne, y compris des loups, des orignaux et des bisons. Sur le parcours : une ferme de colons, un camp de trappeurs, un poste de traite et un village amérindien. À voir aussi : la fosse aux ours blancs, partagée en deux par une grande baie vitrée qui permet de voir les ours en plongée lors des trois repas journaliers. Horaires de « collation » annoncés par haut-parleur. Durée : un peu plus d'une heure en train mais au minimum une demi-journée pour l'ensemble. Entrée assez chère, mais vaut vraiment le coup.

À voir. À faire dans les environs

★ ***La Doré :*** connue pour sa grande fête, le *festival des Camionneurs,* qui a lieu fin juin.
Voir le *moulin des Pionniers* (☎ 256-35-45). Situé à 12 km du zoo de Saint-Félicien. Ouvert de 9 h à 17 h en semaine, jusqu'à 19 h du vendredi au dimanche. Construit en 1889. Site très agréable. Visites guidées en costume d'époque. À côté du moulin, une passe migratoire pour les *ouananiches* (saumons d'eau douce). Aux dernières nouvelles, le moulin est en faillite.

★ ***Les Grands Jardins de Normandin :*** 1515, avenue du Rocher-Normandin. ☎ 274-19-93. • www.cigp.com/jardin.html• Ouvert tous les jours de la mi-juin à la fin septembre, en juin et septembre, de 9h à 18 h ; en juillet et août, de 9 h à 20 h. 10 $Ca (6,5 €) par adulte. 1 h 30 de visite. Grand ensemble de jardins d'agrément qui propose en particulier une illustration de l'évolution de l'art des jardins et, entre autres, une brochette de parterres à l'européenne.

Activités hivernales :

– ***Aventure Maria-Chapedelaine :*** 914, rang Saint-Louis à Mistassini. ☎ et fax : 276-56-45. • www.glinx.con/users/aventure • Surtout pour la motoneige, mais Romuald propose aussi d'autres activités (traîneau à chiens...). Une aventure certes onéreuse, mais il faut réaliser que cela comprend l'hébergement dans un camp en bois rond, la restauration, la location du matériel et même le prêt de l'équipement « grand froid ».

CHIBOUGAMAU 8 700 hab.

« C'est creux ! » (C'est loin, en langue québécoise.) C'est même très loin, là-bas vers le Grand Nord...
La rivière *Ashuapmuschan* sert de réservoir aux eaux de la réserve Chibougamau. Elle doit son nom (« là où l'on guette l'orignal ») au fait qu'elle était la voie de retour des expéditions de la baie d'Hudson. Quant à *Chibougamau,* c'est le « rendez-vous » en amérindien. Cet immense territoire de collines basses et ondulées est une riche réserve de gibier et de poissons. Vraiment un coin superbe. Pour ceux qui disposent de temps, bien sûr, car c'est à 232 km au nord-ouest de Saint-Félicien.

SAINTE-JEANNE-D'ARC IND. TÉL. : 418

Gentil village méritant qu'on s'y arrête pour son vieux et pittoresque ***moulin à bois***, rue du Moulin. (évidemment !) Construit en 1907, il fonctionna jusqu'en 1974. Ouvert du 1er juillet au 1er septembre de 10 h à 17 h tous les jours et jusqu'à 19 h le vendredi et le samedi. Visite guidée gratuite qui dure 30 mn environ. Toute la machinerie est restée en l'état. Petite expo d'antiquités mais rien d'exceptionnel. Renseignements. ☎ 276-31-66. Brochure vivante et détaillée avec photos.

Où dormir à Sainte-Jeanne-d'Arc et dans les environs ?

≡ ***Gîte La Chute aux Mûres-Mûres :*** 515, rue Principale. ☎ 276-12-49. Environ 45 $Ca (29 €). Tout près du lac Saint-Jean, à proximité d'une petite rivière, ce gîte est un véritable « home sweet home ». Cadre et accueil des plus chaleureux, petites chambres mansardées en bois, table de petit déjeuner délicieuse et Suzanne est une vraie maman pour tous ceux qui s'arrêtent à *La Chute aux Mûres-Mûres*. Séjour rustique et agréable.

≡ ***Gîte Jardin des quatre saisons :*** 2562, bd Wallberg. ☎ 276-55-61. À partir de 65 $Ca (41,9 €). À Dolbeau Mistassini. Sur la route 169. Une halte bien sympathique dans ce pavillon moderne en bordure de la rivière Mistassini. Marlayne et Robert ont aménagé un bel espace en bois blond et proposent 4 chambres douillettes. Chacune est décorée avec goût d'après une saison particulière. 2 salles de bains, sauna. Très agréable jardin. À proximité, balades pédestres et plage.

PÉRIBONKA 600 hab. IND. TÉL. : 418

Tout parlait d'une vie dure dans un pays austère,
mais... ces hommes appartenaient à un pays pétri d'allégresse.
Louis Hémon.

On y trouve l'un des musées les plus littéraires du Québec : le musée Louis-Hémon. L'auteur, né à Brest en 1880, mort en 1913, popularisa le nom de Péribonka dans le monde entier grâce à son célèbre roman *Maria Chapdelaine*. Pourtant, Louis Hémon ne vit pas son œuvre publiée puisqu'il mourut accidentellement le 8 juillet 1913 à Chapleau (Ontario). Alors qu'il venait de quitter Montréal pour Winnipeg dans l'espoir de « faire la moisson », il fut heurté par une locomotive du Canadien National. Quelques jours auparavant, il avait posté une copie de son manuscrit au journal *Le Temps,* à Paris, qui le fit paraître en feuilleton, début 1914. À regarder de plus près l'existence brève de Louis Hémon, tout le rapproche des écrivains-voyageurs d'aujourd'hui. Il fut, à sa manière, une sorte de routard errant, sans domicile fixe, sans attaches, un Breton toujours attiré par l'Ouest, et un vrai artiste nomade...

Adresse utile

■ ***Les Excursions Ô hameau :*** 119, chemin Plein-Air, à Péribonka. ☎ 374-20-31. Demandez M. Dubois. Cet organisme propose une variété d'aventures douces : observation des oiseaux migrateurs sur l'île Boulianne (fin avril à fin mai), kayak de mer sur les lacs Saint-Jean et Péribonka, descente de rivières ou encore, en hiver, traîneau à chiens dans les environs.

Où dormir ?

🏠 ***Au Petit Bonheur :*** 374, rue Plante. ☎ 374-23-28. À partir de 40 $Ca (25,8 €). Au cas où vous ne voudriez pas vous arrêter à l'*AJ de l'île du Repos* (voir ci-après), ce gîte se situe à Péribonka même. La maison est sympathique. 7 petites chambres sous les combles. Prix vraiment intéressants si vous dormez à plusieurs dans la même chambre.

Où dormir ? Où manger dans la région ?

🏠 🍴 ***AJ de l'île du Repos :*** à Sainte-Monique-de-Honfleur. ☎ 347-56-49. Fax : 347-48-10. • ilerepos @globetrotter.net • Ouverte toute l'année. 14 $Ca (9 €) pour le dortoir, plus cher si vous n'êtes pas membre. *Visa* acceptée. Située à l'embouchure de la rivière Péribonka. À notre avis, l'adresse la plus sympa pour les routards qui voudraient manger (le resto *Au P'tit Creux* est ouvert à partir du 20 juin pour tous, y compris les non-Ajistes) ou dormir au bord du lac Saint-Jean. Imaginez une île (à laquelle on accède par des ponts en bois) avec ses plages de sable et sa petite forêt, où l'on a éparpillé des chalets-dortoirs, des chalets plus confortables (douche et w.-c.) et des emplacements pour tentes (avec feu de camp). Un endroit tranquille (l'île porte bien son nom), géré par une équipe de jeunes vraiment gentils. Bien sûr, on peut se baigner, mais aussi jouer au volley-ball, au croquet, ou louer des vélos. De plus, nombreuses activités culturelles en été, dont des concerts de jazz, de rock ou de chansonniers (20 $Ca, soit 12,9 € la place en moyenne). Souvent, grand méchoui pour l'ouverture annuelle et buffet gastronomique suivi d'un rallye-théâtre amusant pour clore la saison ! Parmi les services de l'AJ : buanderie et resto servant le petit déjeuner et le repas du soir. Au bar, sandwichs divers, etc. Possibilité de forfaits (demi-pension) pour le camping comme pour l'hébergement en bungalows. À vous de voir. L'AJ possède une autre île accessible uniquement en canot, super pour camper au calme... En hiver, on peut s'adonner aux plaisirs du froid : raquettes, patinage, ski de fond, et motoneige.

🏠 ***Chalets du Centre touristique Sainte-Monique :*** 900, rang 6 Ouest, Sainte-Monique. ☎ (418) 347-31-24 ou 35-92. À l'entrée nord du parc de la Pointe Taillon, 8 chalets entièrement équipés avec sanitaires et cuisine. Bien pour les routards avec enfants, désireux de passer quelque temps dans le coin.

🍽 ***La Volière :*** 200, 4e Avenue, Péribonka. Réservations au ☎ 374-23-60. De 16 à 40 $Ca (10,3 à 25,8 €). Pratiquement le seul resto à Péribonka. Juste à côté du gîte « *Au petit bonheur* ». En face de la rivière mais séparé par une route, dommage ! Dans un cadre ancestral, Denyse Doré vous propose comme spécialité des filets de doré (ça ne s'invente pas !) aux fines herbes.... Poissons provenant du lac Saint-Jean. Bons plats copieux. Accessoirement, la patronne peut dépanner d'une chambre un routard égaré ayant dîné à l'auberge.

À voir

★ ***Le musée Louis-Hémon :*** 700, Maria-Chapdelaine (sur la route entre Péribonka et Sainte-Monique). Ouvert tous les jours, de 9 h à 17 h de fin-juin à la fête du Travail (1er lundi de septembre) ; de 9 h à 16 h le reste de l'année. ☎ 374-21-77. 6 $Ca (3,9 €).
Le musée se compose de 3 parties. On visite, notamment, la *maison Samuel-Bedard*, où l'écrivain travailla comme garçon de ferme pendant presque 6 mois. Ensuite, un musée, installé dans la bâtisse moderne qui sert de pavillon d'accueil, évoque toute sa vie sous forme de photos, lettres, objets personnels. C'est à l'hôtel *Tremblay* de Saint-Gédéon qu'il écrivit son roman. Fort belle et didactique présentation. Où l'on s'aperçoit que Louis Hémon était un homme très attachant et plein d'humour. En balade sur une plage, il écrivait à sa sœur : « Il ne manque que toi pour donner à cette foule un dernier cachet d'élégance ! » Anecdote curieuse : étudiant, il avait obtenu un diplôme en vietnamien en vue de partir en Extrême-Orient. Enfin, le bâtiment principal présente des œuvres d'artistes québécois, canadiens, voire étrangers.
Dans le bâtiment de réception, on trouve une boutique d'artisanat.

Manifestations

– Péribonka est le point de départ de la fameuse ***traversée internationale à la nage du lac Saint-Jean,*** qui se déroule fin juillet.

LE PARC DE LA POINTE TAILLON

Deux entrées : côté nord (2 $Ca, soit 1,3 € par personne) et côté sud (8 $Ca, soit 5,2 € par voiture). Location de vélos (6 $Ca, soit 3,9 € l'heure, 12 $Ca, soit 7,7 € pour 3 h). Ô surprise ! Voici un petit morceau de Québec (92 km, qu'est-ce au regard de l'immensité de la « Belle Province » !) réunissant à la fois des paysages de forêt, de rivière, de lac et de plage (en eau douce). Ajoutez-y quelques étendues de dunes, des tourbières qui fourmillent d'orignaux et des marécages, et vous comprendrez pourquoi ce coin de la carte nous a bien plu. Ce parc couvre une presqu'île qui forme une vaste et longue bande de terre basse s'avançant telle une grosse langue (d'orignal probablement) dans les eaux du lac Saint-Jean. Une nature belle, sauvage, intacte et protégée. Ici pas de collines, aucune montagne, mais 14km d'une plage de sable fin (côté sud) et la merveilleuse rivière Péribonka (côté nord) qui décrit une courbe si gracieuse, avant de se jeter dans le lac qu'on dirait un dessin de saxophone (observez bien la carte du parc et vous verrez que la nature fait parfois des clins d'œil musicaux...)

Il fait bon s'y arrêter, souffler, se détendre un peu, après les surdoses de kilomètres et l'ivresse des routes interminables. Là, on peut camper « rustiquement », marcher, faire du vélo tout-terrain ou du canoë-kayak, faire trempette dans le lac (en été car en hiver il est gelé) et que sais-je encore... En 1885, les premiers pionniers trouvèrent le site si sauvage qu'ils l'appelèrent Pointe-à-la-Savane. Oh, ce n'est ni la savane africaine ni le Grand Nord, mais le « Petit Nord » en somme, symbiose très sympa d'arbres et d'eau. Les arbres? Des épinettes bien sûr, beaucoup de sapins et même des pins, des bouleaux, et des peupliers. Par moments on se croirait en Finlande. Mais attention, dans ce petit paradis, les moustiques attaquent sec! C'est surtout au mois de juin qu'ils sont vraiment nombreux. N'oubliez pas de vous munir de quoi faire fuir ces charmantes petites bibittes.

Adresse utile

– ***Parc de la Pointe-Taillon :*** 825, rang 3 Sud, Saint-Henri-de-Taillon. ☎ (418) 347-53-71 (en saison).

Comment y aller?

– ***De Sainte-Monique-de-Honfleur :*** on y accède par la route 169 en empruntant le rang 6. On arrive à un poste d'accueil puis à un sentier de randonnée exclusivement réservé aux marcheurs et aux cyclistes, qui traverse du nord au sud la presqu'île en passant par le « delta digité ».
– ***De Saint-Henri-de-Taillon :*** par la route 169, puis par le rang 3. Par cette entrée sud, accessible aux voitures, on arrive à un autre centre d'accueil et à la plage Taillon.

Où dormir?

■ ***Campings « rustiques » :*** 16 $Ca (10,3 €). Droit d'entrée inclus. Il y a 2 sites dans le parc pour camper presque sauvagement. Ils ne sont accessibles que par la piste cyclable (tant mieux!). Le *site du Castor,* à 2 km du pavillon de la plage, se trouve face au lac, dans un coin où l'on peut observer des castors, avec un peu de chance. Le *site du Prospecteur* se trouve à 4,5 km du pavillon de la plage, toujours face au lac, sur la piste cyclable.

À voir. À faire

★ ***La plage :*** en fait, la quasi-totalité de la rive sud de la presqu'île ne forme qu'une seule longue plage dont la partie la plus « civilisée », vers Saint-Henri-de-Taillon, mesure 6 km. Après, plus on avance vers l'embouchure de la rivière Péribonka, plus c'est sauvage et peu fréquenté. Finis les pédalos, les dériveurs légers, les planches à voile. Commence alors un monde secret et touffu où se cachent des castors, des orignaux, des bernaches et des sauvagines.
– ***Observation de castors :*** en théorie on peut observer ces gentilles bêtes près des cours d'eau et des petits lacs situés derrière la plage, comme le lac à la Tortue, le canal à Bélanger ou le canal Adélard. Mais, d'après notre copain Gino qui a mis son long nez dans tous les bois du Qué-

bec, ce serait plutôt le long de la rivière Péribonka (au bout de la piste cyclable) que l'on a le plus de chance d'en voir à l'œuvre... au crépuscule. Cela dit, ces charmantes bestioles avancent pour trouver de nouveaux arbustes à grignoter. Alors pas la peine de nous insulter s'ils ne sont plus là où on l'indique!
– ***Randonnée à bicyclette :*** le moyen le plus pratique pour circuler dans le parc reste le vélo tout-terrain. Il y a 30 km de pistes cyclables. Une piste de 12 km longe le lac et la plage. Mais on peut aussi suivre le sentier de la Tourbière ou celui qui traverse le « delta-digité ». Location de VTT sur place en s'adressant à l'un des deux bureaux d'accueil.

ENTRE LE PARC DE LA POINTE TAILLON ET SAINTE-ROSE-DU-NORD

Où dormir?

Afin de ne pas trop nous répéter et pour éviter d'être taxés de favoritisme ou de piètre performance littéraire, nous vous renvoyons à « Où dormir (et parfois manger) dans les environs? Au nord de la Rivière Saguenay », à Chicoutimi, où vous trouverez beaucoup de bons toits sous lesquels vous pourrez passer vos nuits, que cela soit à Chicoutimi-Nord, Saint-Honoré ou Saint Fulgence.

À faire

■ ***Les chiens et gîte du Grand-Nord :*** au lac Durand, lot 18, embranchement n° 2, à Saint David-de-Falardeau. ☎ 673-77-17. • www.chiens-gite.qc.ca • Comptez 20 $Ca (12,9 €) par personne pour dormir en chalet. Prix intéressants à la semaine. Environ 110 $Ca (71 €) pour le traîneau à chiens. À Falardeau, prendre à droite de l'église, puis le 3e chemin à droite.
Frédéric et Valérie Dorgebray sont installés au Québec depuis 1994, mais pratiquaient déjà les activités liées à « l'or blanc » dans le Queyras. Ils font maintenant partager leur passion aux visiteurs de passage. C'est sans aucun doute l'une des meilleures adresses pour vivre une aventure en traîneau à chiens. On peut également, comme un peu partout, y pratiquer d'autres activités : motoneige (à partir de 180 $Ca, soit 116,1 €), raquettes, pêche blanche, rafting en été (50 $Ca, soit 32,3 € la demi-journée)... L'hébergement est disponible toute l'année dans leur chalet, avec possibilité de table d'hôte.

■ ***Cascade Aventure :*** Chute-aux-Galets, à Saint-David-de-Falardeau. ☎ 673-49-49. Appel gratuit : ☎ 1-800-420-2202. 50 $Ca (32,3 €) et moins 20 % si vous présentez la carte d'étudiant. Envie de rafting? Si vous poussez jusqu'à Falardeau, vous pouvez en faire 3 h (de fin avril à mi-octobre), tout équipement inclus (et même le repas!), avec guide et retour assuré en navette, et tout ça pour une somme inférieure à ce que vous pourrez dégotter en France. Une aventure à tenter, si votre budget vous le permet... Possibilité également de faire du camping (de mi-juin à début septembre). C'est gratuit à condition de participer aux activités.

SAINTE-ROSE-DU-NORD 400 hab. IND. TÉL. : 418

À 3 km de la route 172. On pèse nos mots, voici l'un des plus beaux village du Saguenay. Une quarantaine de blanches maisons blotties autour de la route principale, au milieu d'une vaste cuvette d'un vert incroyablement velouté, dominées par de hauts pitons rocheux couverts de forêts. Tout au bout, un port de poche. Paysage d'une pureté et d'une sérénité... par... para... paradisiaque, c'est cela ! Malheureusement, le tourisme y cause des dégâts : cars de touristes l'été et nombreuses boutiques de souvenirs ou baraques à frites... Du plus haut piton, panorama époustouflant sur le fjord et la cuvette.

Où dormir ?

▲ ***Camping la Descente des Femmes :*** 154, rue de la Montagne. ☎ 675-25-00 ou 25-81 ou encore 1-800-463-96-37. 12 $Ca (7,7 €) la nuit pour une tente (sans service). En plein centre du village, sur le chemin menant au musée de la Nature. Douches payantes, w.-c., laveuse-sécheuse, (machine à laver sèche-linge) bois disponible, dépanneur à 200 m.

▲ ***Gîte le Manoir de l'Anse :*** 489 Descente-des-femmes. ☎ 675-12-26. Comptez 45 $Ca (29 €). N'accepte pas la carte *Visa*. Niché au bord de la rivière Saguenay entre 2 vallons verdoyants, ce gîte offre 3 chambres correctes et propres. À votre disposition un étage complet avec une cuisine, un grand salon et une terrasse d'où la vue est superbe. Le lieu est vraiment enchanteur. On s'y sent à l'aise. Notre coup de cœur à Sainte Rose.

▲ ***Gîte La Nichouette :*** 125, rue des Artisans. ☎ 675-11-71. Ouvert toute l'année. 50 $Ca (32,3 €) pour deux, 60 $Ca (38,7 €) la chambre triple. Gîte non fumeur. Bien situé. Calme et spacieux. Au bord du Saguenay, une grande bâtisse pittoresque de bois blanc entourée de galeries à colonnades. Depuis sa construction en 1917, la maison a sans cesse été embellie par les membres de la famille Grenon. Les meubles ont même été fabriqués par feu Albert, le père de l'actuelle propriétaire. À l'intérieur, 3 chambres simples, mais claires et agréables. Salon TV, jeux.

▲ ***Chambres d'hôte du musée de la Nature :*** 197-199, rue de la Montagne. C'est bien indiqué, sur la droite en entrant dans le village. ☎ 675-23-48 ou 1-800-463-96-51. 50 $Ca (32,3 €). 3 chambres simples, un peu austères et bien vieillottes, l'une avec une très belle vue sur la vallée. Salle de bains commune. Petit déjeuner inclus dans le prix. Fromages régionaux et confitures maison. Le patron s'est pris de passion pour la taxidermie et vous fait visiter, avec explication détaillée à la clé, son petit musée réunissant 3 000 pièces. Il pourrait passer la nuit à vous raconter ses histoires. On contemple avec curiosité des requins pêchés dans le Saguenay, des ours, des loups, des rapaces... Impressionnant.

▲ ***Gîte Au Crépuscule :*** 288, rue du Quai. ☎ 675-23-07. Comptez 40 $Ca (25,8 €). Les cartes de crédit ne sont pas acceptées. Une des premières maisons (vert et blanc) à gauche en arrivant au village. 5 chambres à la déco comme chez grand-mère. 2 salles de bains. Confort simple, mais bon accueil. Jean-Paul, bûcheron professionnel, bientôt à la retraite, vous parlera de la forêt avec passion. Il a bien bûché ! Si Réjeanne n'est pas là, ce qui arrive souvent, elle est à la boutique « Artisanat Indien », à l'entrée du village à droite.

Plus chic

▲ ***Auberge Le Presbytère :*** 136, rue du Quai. ☎ 675-25-03 ou 1-800-463-96-51. Fax : 675-12-43. Environ 55 $Ca (35,5 €). Forfait déjeuner et souper à 115 $Ca (74,1 €). Dans une bâtisse bleue et blanche pleine de charme, 5 jolies chambres, malheureusement assez chères pour le confort proposé. Style « *Laura Ashley* ». Celles du rez-de-chaussée n'ont pas de vue. Celles du 1er étage ont la salle d'eau sur le palier. Mais c'est calme, propre, et il y a une grande terrasse ouvrant sur le fjord, où l'on peut grignoter de petits plats de 11 h à 18 h. Ici, l'accent est davantage mis sur la cuisine. Le soir, table d'hôte (sur réservation). Bonne cuisine, un peu chère cependant. Superbe vue sur le Saguenay.

La Pourvoierie du Cap au Leste : route 172, en direction de Tadoussac, à Sainte-Rose-du-Nord, au km 88 par le chemin de Cap à l'Est. Suivre le chemin pendant 7 km dans la forêt. ☎ (418) 675-20-00. Fax : 418-675-1232. Ouvert toute l'année. Entre 120 et 150 $Ca (77,4 et 96,8 €) pour 1 chambre double et la demi-pension. Un conseil : appeler pour réserver. Au cœur de 3 parcs, cette magnifique pourvoierie surplombe le fjord du Saguenay et offre un panorama impressionnant sur le fleuve. Chambres réparties dans des chalets en bois au coeur de la forêt avec des vues imprenables. Diverses activités sont proposées : découverte de la forêt boréale en raquettes ou même motoneige dans les sentiers du Mont Valin tout proche. Accueil chaleureux. Cuisine un peu chère mais de très bonne qualité.

Où manger ?

Café de la Poste : 163, rue des Pionniers. ☎ 675-10-53. Ouvert du 1er mai au 15 octobre toute la semaine de 6 h à 23 h. Environ 8 $Ca (5,2 €) pour un plat. Jolie maison en bois jaune et bleu, à l'intérieur chaleureux qui fait office à la fois de café et de boulangerie. On y mange, à des prix très corrects, de bonnes tourtières, quiches, pizzas et pâtisseries maison. Table d'hôte à partir du 24 juin.

À voir

★ ***Le musée de la Nature :*** au-dessus du village ; même adresse, même téléphone que les chambres d'hôte citées plus haut. Ouvert tous les jours de 8 h 30 à 21 h. Entrée payante. Étonnant petit musée d'une richesse insoupçonnée, proposant un éventail complet de la flore et de la faune locales. Dans cinq petites pièces, Jean-Claude Grenon a engrangé toutes les trouvailles qu'il a faites au cours de ses longues promenades : racines aux formes bizarres, splendides loupes d'arbres, « balais de sorcières », champignons, nombreux oiseaux et animaux naturalisés, etc. Présentation vivante et colorée.

ENTRE SAINTE-ROSE-DU-NORD ET TADOUSSAC

Une route délicieuse en pleine nature sauvage : forêts, rivières, pitons rocheux...

★ ***Zec de la rivière Sainte-Marguerite :*** une dizaine de kilomètres avant Sacré-Cœur, vallée splendide où coule la Sainte-Marguerite, paradis des pêcheurs de truites et de saumons. Deux fosses à saumons (la 23 et la 46) ont été aménagées pour l'observation. Au site de *Bardsville,* possibilité de louer des chalets. C'est dans le coin que les saumons prennent de véritables bains de soleil au fond de l'eau.

★ ***Sacré-Cœur :*** un village à 14 km de Tadoussac. Là, ce sont les ours noirs qui font le spectacle. Arrêtez-vous au crépuscule pour assister à ce safari visuel. Frissons garantis ! ***Domaine de nos Ancêtres :*** 285, route 172. ☎ 236-4886 ou 236-9382 (réservation obligatoire).

Où dormir ?

- ***Camping Sacré-Cœur :*** 70, rue Jourdain, au centre de la ville. ☎ 236-91-31. Ouvert de mi-juin à début septembre. Peu de services (lessiveuses et sécheuses en tout cas).
- ***Gîte du Passant La ferme de Camille et Ghislaine Gauthier :*** 243, route 172 Nord. ☎ 236-43-72. 45 $Ca (29 €) petit déjeuner inclus. Pavillon moderne en bordure de route. Dommage que les 3 chambres soient en sous-sol. Sombre et humide. Bon accueil. Propre.
- ***Ferme Cinq Étoiles :*** 465, route 172, Comté Saguenay. ☎ 236-45-51. Une très grande ferme entourée de champs et de bois. On y trouve toutes sortes de logements : chalets entièrement équipés à des prix variables (80 $Ca, soit 51,6 € pour 7 personnes), 4 chambres (formule *Gîte du Passant*) avec petit déjeuner inclus, camping (5 $Ca soit 3,2 € par personne) ou encore hébergements collectifs. Les activités proposées sont multiples : tennis, piscine, randonnées pédestres. L'hiver, on peut y faire du ski de fond, des balades en raquettes ou à motoneige. De plus, cette ferme représente un excellent endroit pour observer diverses espèces d'animaux sauvages et domestiques : bisons, chevreuils, faisans, lièvres, etc. Bonne adresse pour couple avec enfants à la recherche d'espace, été comme hiver.

À faire

- ***Tan Croisières :*** 346, Anse-de-Roche, à Sacré-Cœur. ☎ 236-45-62. Fax : 233-22-72. Aux alentours de 25 $Ca (16,1 €). Croisières en zodiac d'environ 3 h à la découverte du fjord ou des baleines. Un marin confirmé vous guide. Sorties de nuit également.

TADOUSSAC 920 hab. IND. TÉL. : 418

Port tout mignon à l'embouchure du Saguenay. « Tadoushac », en montagnais, signifie « mamelon » rappelant ainsi les collines vertes et rocheuses à l'ouest du village. Plein de maisons ravissantes et pittoresques, surtout du côté du port. Certaines rappellent que Tadoussac a été le premier comptoir à fourrures de la vallée du Saint-Laurent... Les premiers touristes, Jacques Cartier et Champlain, y débarquèrent pour le plaisir. Depuis, il y en eut beaucoup d'autres et, malgré cela, Tadoussac a gardé l'apparence d'une petite bourgade paisible.
Phénomène curieux lorsque la marée descend dans le Saint-Laurent : les flots noirs du Saguenay s'y précipitent si vite que les bateaux de plaisance renoncent à s'aventurer dans l'embouchure du fjord. Autre phénomène, sans doute lié au premier : l'abondance de plancton à cet endroit du fleuve. D'où les rassemblements de mammifères marins au large des côtes, qui font du coin le paradis des observateurs de baleines...

Un tourisme écolo

Il y a 20 ans, personne n'aurait eu l'idée d'organiser des « croisières aux baleines »... Ça a commencé par hasard : un pêcheur de Tadoussac proposa un jour à des clients de l'AJ de les promener sur le fleuve à bord de sa

vieille chaloupe. Ils revinrent emballés par ce qu'ils avaient vu, au grand étonnement de l'autochtone, pour qui les monstres marins étaient tout aussi habituels que les embouteillages pour un Parisien! Par le biais du bouche à oreille, la demande se fit plus forte et le pêcheur continua les promenades d'observation, ravi d'amuser les Européens en échange d'un petit pourboire lui permettant d'acheter son tabac ou sa bière...
Quelques années plus tard, les Zodiacs apparurent et une compagnie proposa à son tour des excursions sur le fleuve pour observer les baleines. Mais le pionnier du genre fut contraint d'arrêter ses « croisières », les autorités ayant jugé son embarcation en bois non conforme aux normes de sécurité... Désormais, le business des baleines rapporte des millions de dollars aux diverses compagnies de Tadoussac et fait vivre à lui seul la petite ville! Remarquez, ce commerce juteux a un gros avantage : après avoir vu les grosses bêtes folâtrer paisiblement dans les eaux du fleuve, les touristes se retrouvent ensuite, à tous les coups, dans le camp des défenseurs des baleines...

Trop de bateaux pour trop peu de baleines

Avec le développement du tourisme dans cette région et la rentabilité économique énorme des croisières aux baleines, on en arrive aujourd'hui au paradoxe suivant : l'été, il y a trop de bateaux sur l'eau à la fois, finissant par gêner l'évolution des baleines qui sont là, rappelons-le, pour constituer leurs réserves de graisse pour passer l'hiver. Les autorités locales, bien conscientes du problème, ont édité une sorte de guide d'approche des baleines que sont censés respecter les bateaux, qu'ils soient indépendants ou appartenant à une société. Reste que la navigation est libre sur le Saint-Laurent et on voit mal comment on pourrait réguler le trafic. Un code de bonne conduite ne peut aller que dans le bon sens mais quand on voit le nombre de bateaux et de motonautiques sur l'eau au milieu de l'été, on se dit que le problème est bien réel. Comment ne pas gêner les baleines tout en continuant à proposer cette merveilleuse excursion, telle est la question que commencent à se poser les gens de Tadoussac. En ce qui nous concerne, nous préférons les « croisières aux baleines » au départ de Grandes-Bergeronnes ou des Escoumins. On y est plus au calme et l'on paie moins cher. Nous donnons quand même des précisions pour chaque ville. À vous de voir. Petit détail (de taille!) pour ne pas être trop déçu : les rorquals que vous verrez à Tadoussac sont des rorquals communs qui ne montrent pas leur queue quand ils replongent. Seuls les rorquals à bosse nous offrent ce spectacle mais ils se trouvent surtout à Hawaï et très rarement dans le Saint-Laurent. Même en 10 ans, certains guides n'en ont jamais vu. Ne vous attendez pas à voir en mer ce que vous montrent les photos qui sont affichées dans tous les centres de tourisme.

Des baleines de toutes les couleurs

Tout le monde le sait : les baleines sont des cétacés. En revanche, on a souvent tendance à confondre les différentes espèces. Les cétacés se divisent en deux groupes : ceux à fanons (les mysticètes) et ceux à dents (les odontocètes). Les *mysticètes* se divisent en gros en 8 familles, que nous énumérerons par ordre de taille (croissant) : petit rorqual (une dizaine de mètres), baleine grise, baleine franche, baleine noire, rorqual à bosse (qui fait des bonds étonnants en dehors de l'eau), rorqual boréal (une vingtaine de mètres de long), rorqual commun et enfin le rorqual bleu, sans doute la plus grosse créature ayant jamais existé sur terre! La baleine bleue peut atteindre 35 m de long (10 m de plus qu'un dinosaure!) et peser jusqu'à 145 t (soit 30 éléphants)! Tous les chiffres la concernant dépassent l'entendement : sa langue, à elle seule, pèse en moyenne 4 t, sa nourriture quotidienne se compose de 3 t de plancton et crustacés, elle propulse son célèbre jet d'eau à 6 m de haut et peut rester au moins 1 h sans respirer, à une profondeur maximum de 200 brasses... Selon les estimations, il n'en resterait même pas 2 000 individus dans les mers du globe, ce qui diminue considérablement leurs chances de reproduction, la gestation d'une baleine bleue étant de presque un an...

Le deuxième groupe de cétacés, les *odontocètes,* réunit toutes les espèces à dents : narval, marsouin, dauphin, béluga, globicéphale, épaulard (le seul à se nourrir de baleines : il raffole de leur foie !) et enfin le plus gros d'entre eux, le cachalot. Ce dernier, deux fois moins grand qu'un rorqual bleu (« seulement » 15 m en moyenne), n'en possède pas moins le plus gros cerveau du monde et plonge jusqu'à 1 000 m de profondeur. Sa mâchoire redoutable inspira de tout temps la pire frayeur à l'homme. Sans doute est-ce à cause de lui que la mythologie prêta aussi longtemps de mauvaises intentions aux baleines. D'ailleurs, la fameuse *Moby Dick* de l'écrivain Herman Melville était un cachalot... On sait désormais qu'il n'attaque jamais l'homme (pas plus qu'aucune autre baleine)... à moins d'avoir été harponné, ce qui, on le comprend, le met dans une colère noire !

L'homme : leur pire ennemi

L'homme chasse les baleines depuis toujours, mais ce qui n'était qu'un simple moyen de survie s'est transformé en véritable industrie à partir du XIIe siècle, notamment sous l'impulsion des Basques, pour qui les tonnes d'huile fournies par les cétacés étaient une véritable aubaine (leur cuisine étant surtout composée de fritures)... Les providentielles baleines permettaient de produire bien d'autres produits : savon, lubrifiant (l'huile de leur foie fut longtemps utilisée en horlogerie pour son incomparable finesse !), graisse d'éclairage (plus rentable que la cire et plus performante que le suif), mais aussi ivoire, cuir, spermaceti et ambre gris. Leur lard était même vendu à Paris ! En fait, plusieurs villes d'Europe doivent leur prospérité à l'industrie baleinière et les grandes expéditions maritimes furent presque toutes faites sous couvert de chasse à la baleine...

C'est seulement au XIXe siècle que la chasse se transforme en massacre généralisé, avec l'apparition des premiers vapeurs et surtout du canon-harpon. Avant, le baleinier était un véritable héros populaire, chassant au

■ Adresse utile

- Maison du tourisme de Tadoussac et de la côte Nord

Où dormir ?

- **2** Camping Tadoussac
- **3** Auberge de jeunesse La Maison à Majorique
- **4** Le Gîte Aux Sentiers du Fjord
- **5** Le Gîte du Passant Maison Fortier
- **6** Maison Clauphi
- **7** La Maison Hovington
- **8** Le Gîte du Moulin Baude
- **9** Auberge La Mer Veilleuse
- **10** Gîte chez Julie
- **11** Hôtel Le Pionnier
- **12** La Maison Simard
- **13** Le Gîte du Goéland
- **14** Auberge La Maison Gagné
- **15** Gîte de la Falaise
- **16** Hôtel-motel Le Béluga
- **17** La Maison Harvey-Lessard
- **18** Domaine des Dunes

Où manger ?

- **20** Le Bateau
- **21** Le Gilbard
- **22** Au Père Coquart Café
- **23** La roulotte à patates
- **24** Café du Fjord
- **25** Resto du motel Chantmartin
- **26** La Bolée
- **27** Resto du motel Chez Georges

★ À voir

- **30** Chapelle des Indiens
- **31** Grand Hôtel Tadoussac
- **32** Maison Chauvin
- **33** Centre d'interprétation des mammifères marins (CIMM)
- **34** Centre de pisciculture

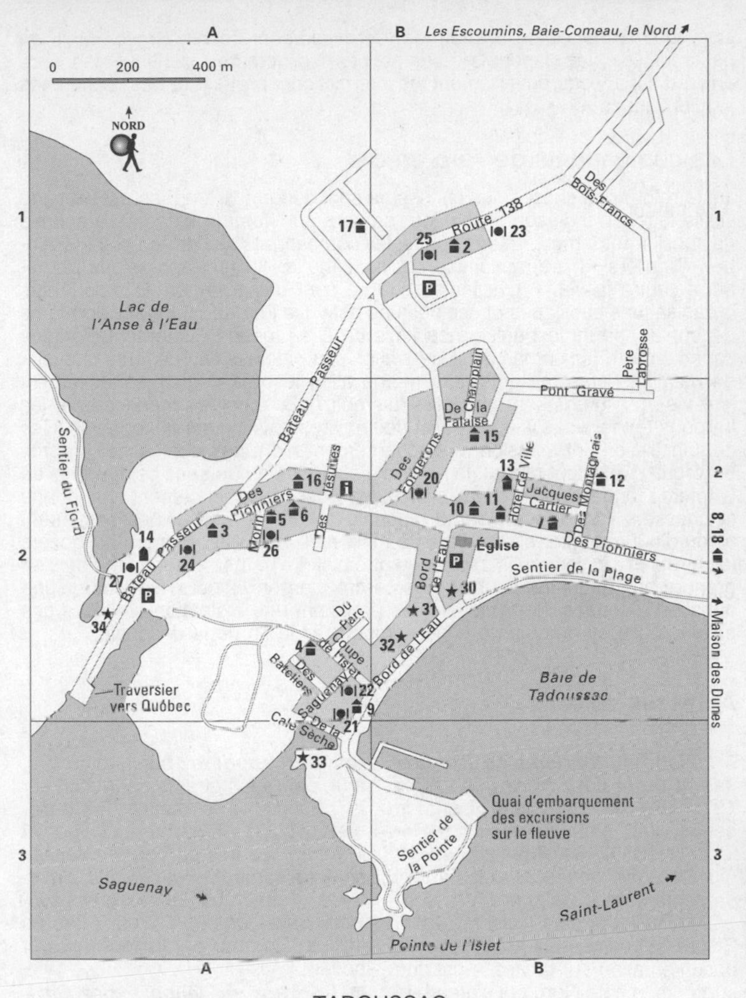

TADOUSSAC

péril de sa vie, dans un combat à égalité avec la bête. Mais désormais la baleine n'a plus aucune chance : les pays industrialisés demandent de plus en plus d'huile, les Américains entrent en jeu, construisant des bateaux de plus en plus rapides et employant jusqu'à 70 000 personnes dépendantes de la chasse... Les Scandinaves, les Russes et les Japonais se lancent ensuite dans la compétition : de gigantesques navires-usines (100 à 160 m de long) vont permettre, au cours du XXe siècle, d'abattre près de 1,5 million de baleines, dont l'huile sert désormais à fabriquer des cosmétiques, et la chair des conserves pour chats et chiens !

Devant un tel fléau, certaines nations (dont curieusement les États-Unis, sous la pression de l'opinion publique) décident en 1948 la création d'une commission internationale baleinière visant à réglementer la chasse pour éviter l'extinction des espèces les plus menacées. Excellente idée ! Problème : certains pays refusent pendant longtemps d'adhérer à la commission. Des menaces de boycott les font finalement fléchir. Bravo ! Mais de petits vicieux (les Japonais, pour ne pas les nommer) continuent encore aujourd'hui à violer ouvertement les interdictions, prétextant des recherches « scientifiques » !

Les combattants de l'arc-en-ciel

Juste retour des choses, les chasseurs sont désormais traqués... Selon une vieille légende indienne : « Un jour arrivera où l'homme blanc aura achevé de souiller notre mère la terre. Alors, les combattants de l'arc-en-ciel (« Rainbow Warriors » !) se rassembleront pour mettre fin aux agressions perpétrées contre la vie. » Les Indiens ne se sont pas trompés. D'importantes organisations pacifiques et écologiques ont vu le jour au cours des dernières décennies, parmi lesquelles nos amis de *Greenpeace* (justement d'origine canadienne !), qui ont fait de la protection des baleines l'un de leurs chevaux de bataille. Leurs militants sont même allés jusqu'à risquer sérieusement leur vie en s'interposant plusieurs fois entre des baleines menacées et les harpons (explosifs, s'il vous plaît !) des navires soviétiques ou japonais. Ces démonstrations de passion et d'acharnement n'ont pas servi à rien : après un risque d'accident mortel (le harpon était passé à quelques centimètres de la tête du fondateur de l'association !), les Russes ont finalement abandonné la chasse... Reste le problème japonais : leurs navires-usines continuent aujourd'hui à débiter des milliers de tonnes de baleines (et leurs bulldozers les forêts tropicales, mais c'est une autre histoire !), menaçant même de s'en prendre aux dauphins pour ne pas perdre d'argent ! Tout n'est plus qu'une question d'années : les scientifiques prévoient une extinction définitive des baleines bleues (dans un premier temps) d'ici la fin de la décennie...

Adresses utiles

Maison du tourisme de Tadoussac et de la côte Nord *(plan A2) :* 197, rue des Pionniers. Dans le centre, tout près du motel *Le Beluga*. ☎ 235-47-44. Fax : 235-49-84. Ouvert toute l'année, tous les jours ; de septembre à mai, de 9 h à 17 h ; en juin, juillet et août, de 8 h à 21 h. Efficace et compétent. Beaucoup de documentation sur la ville, ainsi que sur toute la côte Nord qui s'étend de Tadoussac à Blanc-Sablon, limite du Québec et du Labrador.

– Plein d'infos touristiques également à l'*AJ* (voir plus bas). Ce n'est pas vraiment leur rôle mais leur maison étant située juste après le débarcadère du traversier (à droite), beaucoup de routards vont les voir en premier. Les responsables ont donc l'habitude et n'ont jamais refusé un renseignement, même si on ne dort pas chez eux...

■ ***Caisse Populaire :*** rue des Pionniers. Distributeurs acceptant la carte *Visa*. Fait le change.

Gare routière : sur la route 138, à un petit kilomètre du traversier, sur la gauche, à la station Pétro-Canada. ☎ 235-46-53. *Vers Québec et Montréal :* 2 fois par jour en saison, sauf le samedi. *Pour le lac Saint-Jean :* 1 ou 2 bus par jour en saison. *Vers Baie-Comeau :* 2 ou 3 bus en saison. En principe, ils font un arrêt devant l'AJ.

■ ***Location de vélos :*** chez *Clauphi* (voir « Où dormir ? »). *Boutique de vélos Nature-Aventure :* 177 ou 188, rue des Pionniers. ☎ 235-43-03. Entre 6 et 16 $Ca (3,9 et 10,3 €). Location de vélos de montagne et de vélos nautiques. Loue aussi du matériel de camping et propose du tir à l'arc.

■ ***Aviation du Fjord :*** 231, rue des Pionniers. ☎ 235-46-40. Petite agence dynamique, qui propose des survols en hydravion, par groupe de 7 en général, de la région de Tadoussac. Durée : 30 mn, dont 20 dans les airs. Environ 60 $Ca (38,7 €)

pour le tour. Merveilleuse promenade où l'on admire l'embouchure du Saguenay, l'arrière-pays, le fleuve Saint-Laurent.

Où dormir ?

Un conseil : en juillet et août, la plupart des gîtes et des hôtels affichent complet. Il est plus prudent de réserver au moins 2 jours à l'avance.

Campings

Camping Tadoussac *(plan B1, 2)* **:** 428, rue du Bateau-Passeur. ☎ 235-45-01. Fax : 235-49-02. Ouvert de mi-mai à mi-octobre. Environ 13 $Ca (8,4 €) pour un emplacement. Sur la route 138, à 800 m du traversier, côté droit. Bruyant : toutes les 30 mn, les camions venant du traversier passent sur la route voisine, et ce, également durant toute la nuit. 200 emplacements, certains avec superbe vue sur le fleuve. Douches payantes, toilettes, laveuses-sécheuses, bois de chauffage. Aménagement pour handicapés et aires de jeux.

Si c'est complet, ou tout simplement si vous préférez un endroit moins touristique, rendez-vous au ***camping Bon-Désir*** de Grandes-Bergeronnes (voir plus loin).

Bon marché

Auberge de jeunesse La Maison à Majorique *(plan A2, 3)* **:** 158, rue Bateau-Passeur, C.P. 253, G0T-2A0. À 200 m en sortant du traversier, côté droit. ☎ 235-43-72. Fax : 235-46-08. • www.fjordbest.com/ajt/ • Ouverte toute l'année. Comptez 14 $Ca (9 €) en dortoir, 35 $Ca (22,6 €) en chambre particulière. Plus cher pour les non-membres. Possibilité de planter la gitoune pour 6 $Ca (3,9 €). Pas de limite d'âge. Récemment installée dans un bâtiment tout neuf, l'auberge n'a pas perdu son âme pour autant. Elle est en permanence réaménagée par les voyageurs du monde entier. Salle commune très conviviale. Dortoirs classiques (de 4, 6 ou 10 personnes), certains avec lits-bateaux. En tout, 8 couchettes de 2 personnes, réunies dans un dortoir. Un peu plus cher : un grand mobil-home aménagé dans le jardin pour les familles et accessible aux handicapés. En hiver on peut dormir dans des igloos. Certains trouveront peut-être l'AJ un rien bruyante, mais l'ambiance qui y règne est sympa. À deux, préférez un *B & B*. Même si l'on n'y dort pas, on peut y dîner. Mais attention : le hasard déterminera les deux malheureux (parfois sur 20) qui devront se payer la corvée de plonge ! Mais il paraît qu'on y fait des rencontres... Restauration toute la journée. Accès à Internet pour envoyer et lire ses messages ou surfer.
L'AJ organise des tas d'activités, à commencer par des randonnées avec observation des castors, des visites de la région avec le minibus de la maison, ou encore toutes les activités hivernales classiques (motoneige, raquettes...). L'AJ possède également une annexe rue des Pionniers : ***La Maison Alexis.*** Bon à savoir, quand c'est complet ici. 32 lits en dortoirs de 3, 4, 6 et 8. Un peu plus calme.

Prix moyens

Gîte du Passant la Maison Hovington *(plan B2, 7)* **:** 285, rue des Pionniers. ☎ 235-44-66. Fax : 235-48-97. Comptez 55 $Ca (35,5 €). Cette jolie demeure en bois, avec une très belle galerie et son morceau de pelouse devant, est l'une des six plus vieilles maisons du village (1800). Ses propriétaires, Lise et Paulin Hovington, descendent d'une famille de navigateurs. Si vous branchez Paulin sur le sujet, il vous dévoilera les secrets de sa ville et du Saint-Laurent à l'époque de la *Canada Steamship Lines*. Intérieur *cosy,* arrangé avec goût (mobilier de caractère). 5 chambres colorées, confortables, aménagées simplement, toutes avec douche et toilettes. En prime, vue très chouette sur la baie de Tadoussac. Petit déjeuner continental. Bon rapport qualité-prix.

☗ ***Auberge La Mer Veilleuse*** *(plan A2,* ***9****)* ***:*** 113, rue Coupe-de-l'Islet. ☎ 235-43-96. 60 $Ca (38,7 €). Idéalement située en plein coeur du quartier animé. Dans une vieille maison de 1887, 4 chambres impeccables avec lavabo. Vous prendrez le petit déjeuner dans un séjour agréable et joliment décoré avec vue sur le port. Accueil sympa. Prix très raisonnables pour l'endroit. Possibilité de louer tout l'étage.

☗ ***Le Gîte Aux Sentiers du Fjord*** *(plan A2,* ***4****)* ***:*** 148, rue Coupe-de-l'Islet, GOT 2AO. ☎ 235-49-34. Fax : 235-42-52. Comptez 69 $Ca (44,5 €). Situé dans la partie basse de Tadoussac, à 1 mn du port et de l'embarcadère pour les croisières à la baleine. C'est une maison bleue blottie au bout d'une ruelle paisible, juste au début du sentier de la Coupe, dans un coin vraiment mignon et très verdoyant. On y parle le québécois, l'anglais et même l'espagnol. Accueil très chaleureux et ouvert d'Élisabeth et Xavier Mercier, très loquaces. Ils donnent toutes sortes d'informations sur la région (possibilités d'excursions...). Au 1er étage, 4 chambres petites, pas bien insonorisées. Des travaux sont prévus pour remédier à ce désagrément. Excellent petit déjeuner (yaourt et pain maison).

☗ ***Le Gîte du Passant Maison Fortier*** *(plan A2,* ***5****)* ***:*** 176, rue des Pionniers. ☎ 235-42-15. Fax : 235-10-29. Face au *Dépanneur Murray*. Très central. Comptez 59 $Ca (38 €). 5 grandes chambres claires, pas toujours de très bon goût, mais toutes avec lavabo. Intérieur modeste. Madeleine Fortier est adorable et chaleureuse. Ne loupez pas le petit déjeuner ! Œufs, rôtis, jus d'orange, thé, café, chocolat, céréales, confiture, fromage et *cretons*...

☗ ***Maison Clauphi*** *(plan A2,* ***6****)* ***:*** 188, rue des Pionniers. ☎ 235-43-03. Ouverte de mai à octobre. Plusieurs types d'hébergement : 70 $Ca (45,2 €) pour le *B & B*. 44 $Ca (28,4 €) pour le motel (salle de bains privée) et 88 $Ca (56,8 €) pour 1 chalet. Chambres en *B & B* avec vaste salle de bains commune. Bien tenue et petit déjeuner copieux (servi en été seulement). Aménagement intérieur minimal, sans grand charme. Séjour coloré. Organise des excursions et des week-ends plein air. Location de vélos (avec circuits).

☗ ***Le Gîte du Goéland*** *(plan B2,* ***13****)* ***:*** 261, rue de l'Hôtel-de-Ville. ☎ 235-44-74. Comptez 50 $Ca (32,3 €). Juste après l'hôtel *Le Pionnier*. Formule intermédiaire entre le gîte traditionnel et l'hôtel. Bien situé et calme. 5 chambres propres avec lavabo seulement. Salle de bains dans le couloir. Entrée individuelle sur le côté de la maison. La patronne, Georgette Gagnon, tient le salon de coiffure au-dessous. Son mari, Guy Bouchard, est un excellent joueur de hockey. Prix corrects mais petit déjeuner sacrifié.

☗ ***Le Gîte du Moulin Baude*** *(hors plan, par B2,* ***8****)* ***:*** 381, rue des Pionniers. ☎ 235-47-67. • moulinbaude@ihcn.qc.ca • À 1 km de l'église, sur le chemin des dunes. Juste à côté du golf. Une belle maison en bois naturel un peu à l'écart de Tadoussac, en bordure de forêt. Intérieur harmonieux, simple mais de très bon goût. 4 chambres toutes avec salle de bains. On prend son petit déjeuner avec les hôtes. Dans l'agréable salon, installez-vous confortablement au coin du feu en écoutant un bon disque ou allez fouiner dans la bibliothèque. Un gîte du Passant bien sympa.

☗ ***Domaine des Dunes*** *(hors plan, par B2,* ***18****)* ***:*** 585, Moulin-Baude.

☎ 235-48-43. Fax : 235-46-95. Comptez 160 $Ca (103,2 €) pour 2 personnes, 140 $Ca (90,3 €) pour 4. À 3 km du centre. Si vous recherchez la tranquillité, voici quelques petits chalets récents avec terrasse installés dans un cadre boisé et paisible. Idéal pour les familles. À l'intérieur, c'est fonctionnel : 1 chambre en bas, et 1 mezzanine. Petit coin cuisine (tout équipé). TV. Ensemble spacieux et très propre.

■ ***Gîte chez Julie*** *(plan B2,* ***10****)* **:** 251, rue des Pionniers. ☎ 235-43-80. Fax : 235-48-64. Comptez 45 $Ca (29 €). Accepte la carte *Visa*. Excellent accueil. 7 chambres correctes avec TV et câble, quelques-unes avec lavabo. Kitchenette équipée à disposition, c'est simple mais fonctionnel. Situé à proximité de nombreux services.

■ ***Hôtel Le Pionnier*** *(plan B2,* ***11****)* **:** 263, rue de l'Hôtel-de-Ville. ☎ 236-92-71. Réservations au ☎ 877-235-46-66. Fax : 235-46-95. À partir de 62 $Ca (40 €). Gamme de prix étendue en fonction du confort et de la taille. Beaucoup moins cher évidemment hors saison. Prix avantageux pour les chambres de 3 à 4 personnes. Ouvert de début mai à fin octobre. Trois bâtiments distincts, dont l'un occupe l'ancienne mairie ! Les autres, tout neufs, ont moins de charme ; on y trouve cependant des chambres simples mais avec salle de bains et TV, pour un prix très correct. Petit déjeuner non compris.

■ ***Auberge La Maison Gagné*** *(plan A2,* ***14****)* **:** 139, rue Bateau-Passeur. ☎ 235-45-26. 79 $Ca (51 €). Ce gîte est ouvert toute l'année. Claire Gagné y propose 10 chambres très colorées avec salle de bains privée et TV, dont 2 qui possèdent un balcon très agréable. L'accueil est excellent et le petit déjeuner délicieux. Les prix sont tout de même un peu au-dessus de la moyenne.

■ ***Gîte de la Falaise*** *(plan B2,* ***15****)* **:** 264, rue de la Falaise. ☎ 235-43-44. Comptez 55 $Ca (35,5 €). Carte de crédit acceptée. 5 grandes chambres confortables avec TV à des prix corrects surtout si vous venez à 4. Du séjour, vue splendide sur le Saint-Laurent et le Saguenay. En guise de tapis dans le salon, une peau d'ours assez impressionnante. Accueil très sympatique d'Émilienne et Fernand. Coin cuisine à disposition. Petit déjeuner excellent et convivial.

■ ***Auberge de la Sainte Paix*** **:** 102, rue Saguenay, G0T-2A0. ☎ 235-48-03. • saintepaix@mail.fjord-best.com • À partir de 65 $Ca (41,9 €). 7 grandes chambres un peu froides, mais patrons jeunes et très accueillants. Vaste séjour vert et jaune. Petit déjeuner copieux, crêpes succulentes.

■ ***La Maison Simard*** *(plan B2,* ***12****)* **:** 256, rue Montagnais. ☎ 235-43-19. Comptez 48 $Ca (30,9 €). Dans ce petit pavillon blanc où l'on se sent comme chez soi, la charmante Huguette Simard propose un véritable studio indépendant au rez-de-chaussée sombre et insipide, avec deux grandes chambres qui peuvent être louées séparément, une salle de douche et un salon TV. Également une chambre double à l'étage. Petit déjeuner classique mais très correct. Très bon rapport qualité-prix, même pour le studio. Bon dernier au top 50 des gîtes cependant.

Plus chic

■ ***La Maison Harvey-Lessard*** *(plan A1,* ***17****)* **:** 19, rue des Forgerons. ☎ 235-48-02. Comptez 80 $Ca (51,6 €) la chambre et 125 $Ca (80,6 €) pour la suite. Ce gîte est idéalement situé sur les hauteurs de Tadoussac. Où que l'on soit dans la maison, on y aperçoit la baie et le fjord du Saguenay. Sûrement la plus belle vue sur Tadoussac. 3 chambres à la déco raffinée avec salle de bains et une magnifique suite luxueuse avec jacuzzi. Les chambres possèdent toutes un balcon qui vous invite à apprécier la superbe vue. Au rez-de-chaussée, on se repose dans les canapés écossais du très beau salon. Les prix sont certes élevés (surtout pour la suite) mais si vous en avez les moyens, n'hésitez pas. Vraiment une adresse de charme.

🏨 ***Hôtel-motel Le Béluga*** *(plan A2, **16**)* **:** 191, rue des Pionniers. ☎ 235-47-84. Fax : 235-42-95. Ouvert toute l'année. Environ 80 $Ca (51,6 €). Pour manger, comptez 15 $Ca (9,7 €). Grand ensemble bleu foncé face à l'église, neuf mais pas déplaisant. Chambres confortables, avec salle de bains et TV, à un prix raisonnable, compte tenu du confort. Pas de climatisation mais un ventilo un peu bruyant pour les nuits chaudes de l'été. Un peu moins cher en motel que dans le bâtiment principal. Resto attenant, ***L'Auberge du Lac,*** pas terrible.

Où manger ?

Bon marché

🍴 ***Le Bateau*** *(plan B2, **20**)* **:** 246, rue des Forgerons (perpendiculaire à celle des Pionniers). ☎ 235-44-27. Ouvert de 11 h à 14 h 30 et de 17 h à 21 h 30 (20 h hors saison). Comptez 11 $Ca (7 €) le midi, et 17 $Ca (10,9 €) le soir. Très populaire auprès des autochtones comme des touristes (beaucoup d'Européens) pour son buffet permanent, garni de généreux plats québécois. « C'est la cuisine que nous mangeons dans nos maisons », dit la carte. Pas cher du tout, surtout le midi ; le soir, buffet à volonté, plus complet, comprenant de nombreux plats travaillés. On se sert parmi les plats suivants : soupe aux pois, salade de chou, pâté au saumon, fèves au lard, tarte aux pommes, tarte à la farlouche (raisins) et même tarte au vinaigre (très peu aigre, on a goûté). Si vous avez apprécié, vous pourrez acheter leur livre de recettes avec des plats proposés sur le buffet, pas cher.

🍴 ***Le Gibard*** *(plan A2-3, **21**)* **:** 137, rue du Bord-de-l'Eau. ☎ 235-45-34. Café-bar ouvert de mai à octobre, de 10 h à 3 h. Entre 4 et 8 $Ca (2,6 et 5,2 €) à peu près. Choix de petits casse-croûte (croissants garnis, pizzas, gâteaux...). Adorable maison rose et noire, en bois, toute petite et conviviale. Bonne musique variée. Atmosphère chaleureuse. En sortant, coup d'œil à cette pancarte insolite à l'extérieur : « Attention sortie de gars chauds. » Vous avez compris ?

🍴 ***Au Père Coquart Café*** *(plan A2, **22**)* **:** 115, rue Coupe-de-l'Islet. ☎ 235-43-42. Cadre intérieur agréable en bois, avec vue sur le Saint-Laurent. Terrasse. Nourriture simple et bon marché (*sous-marins,* sandwichs...). On y sert aussi du gibier, mais c'est beaucoup plus cher. On peut y boire un verre, différentes bières de la région sont proposées.

🍴 Ne manquez pas la ***roulotte à patates*** de Claude Lapointe *(plan B1, **23**),* située au 452, rue Bateau-Passeur. À la sortie de Tadoussac, après le camping. Il y a les hot-dogs et les hamburgers, ainsi que « la meilleure frite du Canada » (officiellement couronnée en 1979 !) que l'on peut manger sur des tables de pique-nique au bord de la route. Bon, depuis elle s'est un peu ramollie. Mais surtout il y a le personnage de Claude, surnommé « le Blond », connu de tout le village. Écologiste avant l'heure, ancien marin, il vend ses frites depuis 15 ans et raconte ses histoires aux touristes. Une véritable institution.

Prix moyens

🍴 ***Café du Fjord*** *(plan A2, **24**)* **:** 154, rue Bateau-Passeur. À côté de l'AJ. ☎ 235-46-26. Ferme à 3 h. Comptez 16 $Ca (10,3 €) pour un plat de fruits de mer. Le patron, André Tremblay, est amoureux de Tadoussac. Il a fait de son café-resto un lieu particulièrement dynamique, rendez-vous de tous les jeunes. Le soir, buffet à volonté de crudités, soupes, salades, pâtés, feuilletés de poisson et desserts. Par ailleurs, buffet de poissons divers (fumé, cuit, mariné) et de fruits de mer, qu'on paie au poids. Attention à la tentation, l'addition monte vite ! Pour éviter de mauvaises surprises, choisissez un des deux buffets. En ce qui nous concerne, nous avons préféré celui de poisson. Le resto met l'accent sur l'animation ; ici, les serveurs sont musiciens.

|●| ***Resto du motel Chantmartin*** *(plan B1, **25**)* **:** 412, rue Bateau-Passeur, sur la route 138, à 1 km de Tadoussac, sur la droite (direction Forestville). ☎ 235-47-33. Fax : 235-47-32. Ouvert de 7 h à 23 h (21 h hors saison). Cadre banal (très ricain), mais grand choix de plats bon marché : salades, frites, poisson frais, viandes, pizzas, poulet, etc. Spécialité de fruits de mer, pour changer. Simple mais bon et copieux.

|●| ***La Bolée*** *(plan A2, **26**)* **:** 164, rue Morin. Derrière l'AJ. ☎ 235-47-50. Ouvert de 11 h à 14 h et de 17 h 30 à 21 h 30 en saison (de juin à octobre). De 9 à 20 $Ca (5,8 à 12,9 €). Grosse bâtisse aux couleurs vives. Boulangerie au rez-de-chaussée et resto à l'étage. Géré par des Français et des Québécois. Cuisine de bonne qualité. Le midi, plats du Québec, prix moyens. Beaucoup de grillades (bœuf). Pas une adresse pour les amateurs de poisson. Grand choix de bières.

Un peu plus chic

|●| ***Resto du motel Chez Georges*** *(plan A2, **27**)* **:** 135, rue Bateau-Passeur. Comptez 23 $Ca (14,8 €) pour la table d'hôte. À l'honneur, spécialité de homard et crabe pêchés par les gens du coin. Pas loin du traversier. Resto réputé ; bonne viande, homards et bon poisson. Intérieur chic et service impeccable.

Où boire un verre ?

🍷 ***Café du Fjord :*** voir « Où manger ? ». Concerts fréquents. 2 $Ca (1,3 €) en fin de semaine (les jeudi, vendredi et samedi) : rock, blues, jazz. Bonne musique et spécialités de cocktails. Piste de danse et billard. L'endroit idéal pour faire des rencontres et sentir à quel point le village de Tadoussac, minuscule, est malgré tout animé... Sympa !

🍷 ***Le Gibard :*** voir « Où manger ? ».

🍷 ***Au Père Coquart Café :*** voir « Où manger ? ».

À voir

Tous les souvenirs du village de pêcheurs (l'un des plus vieux du Canada !) sont concentrés autour de la baie de Tadoussac, notamment dans la rue Bord-de-l'Eau.

★ ***La chapelle des Indiens*** *(plan B2, **30**)* **:** dans la descente menant au port, après l'église en pierre. ☎ 235-43-24. Ouvert de fin juin à septembre, de 9 h à 21 h. Entrée : 2 $Ca (1,3 €). Construite en 1747 par un missionnaire jésuite, c'est, paraît-il, la plus ancienne d'Amérique du Nord. Absolument adorable, tout en bois rouge et blanc, comme l'hôtel de style qui lui fait face... À l'intérieur, une cloche, la plus ancienne du Canada, dit-on, apportée de France au XVIIe siècle pour inviter les « sauvages » à la prière ! Encore plus curieux : un petit Jésus offert par Louis XIV, dont la robe de satin aurait été confectionnée par Anne d'Autriche en personne ! Mais, selon un expert, elle ne daterait que de la seconde moitié du XIXe siècle...

★ Admirez le ***Grand Hôtel Tadoussac*** *(plan B2, **31**)*, au toit rouge à clocheton et à la ligne superbe. De plus, pelouse de rêve parsemée de parasols et de transats délicieusement assortis à l'ensemble... On comprend qu'il ait servi de décor au film *Hôtel New Hampshire,* adapté du roman de John Irving. Ancienne propriété de la Canada Steamship Line, c'était l'escale de choix des riches Anglais en croisière sur le fleuve dans de grands paquebots blancs... Il appartient désormais à la célèbre famille Dufour, qui propose également des croisières à bord de sa magnifique goélette... aux couleurs de l'hôtel ! Pour ceux qui seraient tentés d'y faire dodo, ☎ 235-44-21 (rue du Bord-de-l'Eau). Cependant si vous avez de l'argent à dépenser, nous vous conseillons *La Maison Harvey-Lessard* (voir « Où dormir ? »).

★ ***La maison Chauvin*** *(plan B2, **32**) :* 157, rue Bord-de-l'Eau. ☎ 235-46-57. Ouverte tous les jours de fin mai à octobre. De 9 h à 20 h 30 de mi-juin à mi-septembre ; de 9 h à 12 h et de 15 h à 18 h le reste du temps. Entrée : 3 $Ca (1,9 €). Reconstitution de la première maison (entièrement en bois) du Canada, construite en 1600 par un dénommé Pierre Chauvin qui venait de Dieppe, mandaté par le roi Henri IV. Également premier poste de traite du pays, on y troquait des fourrures entre Français et Amérindiens. À voir à l'intérieur : un comptoir de traite avec outils, une belle panoplie de fourrures, une expo sur les Indiens montagnais et plusieurs documentaires vidéo passionnants sur les ours, les Indiens et l'histoire du Québec à travers le village. On y apprend que la fourrure de castor servait à faire des chapeaux et que le tabac, vieille coutume amérindienne, fut découvert par Jacques Cartier avant d'être introduit en Europe. Mais aussi que l'huile de phoque servait entre 1800 et 1850 à l'éclairage (avant le pétrole et l'électricité !), que la première rencontre de Champlain avec les Indiens de Nouvelle-France eut lieu le 27 mai 1603 sur les rives du Saguenay et qu'elle dégénéra en tabagie...

★ ***Le CIMM*** *(Centre d'interprétation des mammifères marins ; plan A3, **33**) :* rue de la Cale-Sèche, face à la marina du port. ☎ 235-47-01. Ouvert tous les jours de 9 h à 20 h de début juin à fin septembre ; horaires variables en mai et octobre mais au moins ouvert de 12 h à 18 h. 6 $Ca (3,9 €) et 14 $Ca (9 €) pour une famille. Projection d'un documentaire en continu, toute la journée. C'est en quelque sorte un musée des baleines, consacré essentiellement aux mammifères du Saint-Laurent : rorquals et bélugas. On peut y parrainer une baleine. Belle maquette de rorqual à l'échelle 1/2. Mâchoires de baleines, jeux interactifs sur les cétacés, des panneaux instructifs et, bien sûr, plein d'informations sur la dégradation de l'environnement. On y apprend par exemple que le pauvre béluga (gros cétacé blanc dont la tête souriante plaît beaucoup aux enfants) se meurt de pollution : il s'en échoue 15 à 20 par an sur les rives du Saint-Laurent, malades de cancers ou d'ulcères dus aux rejets toxiques des usines !
Le CIMM est géré par deux associations dynamiques (le GREMM et la SIMM), toutes deux très utiles pour la science et l'écologie marine. Elles animent certaines croisières d'observation des baleines. On peut aussi y voir un fœtus de petit rorqual.

★ Curieuse ***chapelle*** protestante, toute verte, dans la rue des Pionniers, face à l'hôtel-motel *Le Béluga*.

★ ***Le Centre de pisciculture*** *(plan A2, **34**) :* rue du Bateau-Passeur, entre le traversier et le motel *Chez Georges*. ☎ 235-44-34. En principe, visite tous les jours, de 10 h à 18 h. Visite guidée toutes les 45 mn. Station d'élevage de saumons de l'Atlantique. On observe les poissons dans des bassins. Certains sont impressionnants.

★ Jolie ***vue*** sur Tadoussac du quai du petit port.

Festival

– ***Festival de la Chanson :*** ☎ 235-41-08. Chaque année à la fin de la 2e semaine de juin. De 8 à 26 $Ca (5,2 à 16,8 €) pour un concert. Forfait festival également. Pendant tout le festival, des concerts rock, jazz et blues dans la plupart des cafés du village (*du Fjord, Marina, hôtel Tadoussac, Au père Coquart*, etc.). Super ambiance. Spectacle de la « relève », chansonniers réputés.

À faire

Petites balades sympas

– Plusieurs ***sentiers pédestres*** dans le village même, notamment dans le parc du Saguenay.

• *Sentier de la Coupe :* on le gagne du bureau d'accueil du parc ou encore de la rue Coupe-de-l'Islet (qui donne dans la rue Bord-de-l'Eau). Le sentier fait ensuite une boucle dans le parc et offre de beaux panoramas sur le village et le fleuve. Durée de la boucle : 20 mn.

• *Sentier de la Pointe :* départ de la boutique *La Marée* (près du CIMM) ou de l'extrémité du quai. Il longe la côte déchiquetée jusqu'à la pointe de l'Islet et contourne toute la presqu'île. Circuit en boucle de 25 mn environ. Il arrive de voir des baleines au large de la pointe. On est là exactement à l'endroit où les eaux du Saguenay rencontrent celles du Saint-Laurent.

– ***Balade à Pointe-Rouge :*** prendre la rue des Pionniers vers les dunes. S'arrêter au golf et emprunter le sentier du parc Languedoc. Marche de 15 mn jusqu'à la pointe. Bon point d'observation (gratuit) pour les baleines.

Grande randonnée

– ***Sentier du Fjord :*** réservation des refuges au ☎ 272-30-08. Départ du centre de pisciculture. Vous pouvez y garer votre voiture. Pour se rendre sur le lieu de départ du sentier, il existe un service de navettes nautiques ou terrestres. Là, il s'agit d'une vraie randonnée. Le chemin remonte le lac de l'Anse-à-l'Eau et suit une partie du fjord du Saguenay à travers le parc et se termine à l'Anse de la Passe-Pierre. En tout, environ 45 km. Il est désormais possible de dormir dans des refuges tout neufs (jusqu'à 12 places) mis à la disposition des randonneurs. Il en existe trois : l'un à l'Anse à la Boule, un autre à l'Anse à la Creuse et le troisième à l'Anse à la Barge. Pour les purs et durs, 2 sites de camping sauvage. Comme cette randonnée ne décrit pas une boucle et qu'elle est longue, on conseille de se faire accompagner et de ne faire que le retour. Pour plus d'infos, voir à l'office du tourisme.

Kayak à Tadoussac

■ ***Tayaout Plein Air :*** 158 A, rue du Bateau-Passeur. ☎ 235-10-56 ou 1-888-766-10-56. Fax : 235-46-08. • www.cam.org/£tayaout • Prix très variables selon les forfaits, entre 25 et 80 $Ca (16,1 à 51,6 €). Propose des sorties sur le fjord du Saguenay et dans l'estuaire du Saint-Laurent avec des guides. Les forfaits comprennent la nourriture, le transport et les vêtements isothermiques. Prenez le sac de couchage si vous passez la nuit.

L'observation des baleines

À la hauteur de Tadoussac (mais également plus au nord), le Saint-Laurent accueille chaque été une dizaine d'espèces de baleines, de la plus petite à la

plus grosse du monde ! Il y a beaucoup moins de chances d'en voir au printemps (surtout avant juin), même si des excursions sont déjà organisées. Parmi ces baleines, le béluga, très rare ailleurs et malheureusement déjà en voie d'extinction dans le Saint-Laurent, et la mythique baleine bleue, que l'on n'aperçoit qu'avec beaucoup de chance ! On voit également pas mal de phoques dans le coin mais, bien sûr, c'est moins impressionnant... Avant de partir en excursion pour observer les bébêtes tant attendues, on vous conseille de passer faire un tour au *CIMM* (références plus haut, dans « À voir »), histoire de mieux comprendre ce qu'est un cétacé et surtout de commencer à pouvoir distinguer chaque espèce.
À Tadoussac, tout le monde vous proposera des croisières d'observation, à commencer par votre hôtelier... Toutes les compagnies pratiquent le même tarif, soit environ 33 $Ca (21,2 €) par personne pour une balade de 3 h. C'est le même prix en Zodiac. On note toutefois des différences de prix pour les enfants. Les gros bateaux sont plus confortables, on y attrape moins froid, mais on se retrouve avec des groupes de touristes. Là, c'est une question de goût. La solution est peut-être de faire cette excursion d'un peu plus haut (Grandes-Bergeronnes, Escoumins...), comme nous vous le disions dans notre rubrique « Un tourisme écolo » en début de ce chapitre (vous l'avez lu, n'est-ce pas ?). Il est recommandé de vérifier les horaires par téléphone auprès de la compagnie choisie.
Dernier détail : il est conseillé de réserver plusieurs jours à l'avance en saison touristique mais vous avez le droit de décommander si le ciel est trop sombre le jour de votre départ. C'est même conseillé : sinon vous ne verrez rien sur vos photos ! Ah ! encore une précision : aucune crainte à avoir, les baleines ne renversent pas les bateaux et n'ont jamais mangé personne ! Vous verrez, elles sont d'une douceur incroyable... Le philosophe Aristote l'avait déjà remarqué, notant, entre autres, dans une étude qu'il avait consacrée aux baleines (eh oui !) qu'il ne connaissait pas d'animal plus affectueux... Enfin, si vous préférez être tranquille, partez le plus tôt possible dans la matinée, vous serez à bord d'un des seuls bateaux sur les lieux.

■ ***Croisière AML :*** 175, rue des Pionniers. ☎ 235-46-42 ou 1-800-563-46-43. Départs de mi-mai à fin octobre du quai de Tadoussac, tous les jours de 9 h 45 à 18 h 15, ou 15 mn après, du quai de Baie-Sainte-Catherine. De 30 à 35 $Ca (19,3 à 25,6 €). Excursions classiques en croiseur à moteur. Propose aussi bien le fjord du Saguenay (paysages splendides mais on n'y voit que des bélugas ou de petits rorquals) que le fleuve Saint-Laurent. Une autre sortie sympa : la visite de l'île Rouge (située au milieu du fleuve, l'île est très pittoresque avec son phare en pierre d'Écosse qui se visite). Dépaysement assuré au milieu des goélands qui peuplent ce bout de terre minuscule.

■ ***Croisière 2001 :*** 1480, 80ᵉ rue. ☎ 659-54-89 ou 1-800-694-54-89. Même tarif que chez *AML*. Départs de mi-mai à fin octobre. Achat des billets dans les petites boutiques du village. La compagnie propose des balades à bord du *Katmar* (un catamaran de 175 places) pour aller voir à la fois les baleines et le fjord. Cette formule est une bonne alternative pour combiner les 2 excursions.

■ ***Les Croisières Express :*** 161, rue des Pionniers. ☎ 235-47-70 l'été. Fonctionne de mi-mai à fin octobre. De 8 h à 21 h. Un peu moins cher : 32 $Ca (20,6 €). Bateaux plus petits (12 places) que ceux de *AML* Avantage : on est moins nombreux à bord. Un tout nouveau : *l'Explorathor* (48 places).

■ ***Excursions Famille Dufour :*** *Grand Hôtel Tadoussac,* 165, rue Bord-de-l'Eau. ☎ 235-44-21. Appel gratuit : ☎ 1-800-463-52-50. Comptez 35 $Ca (22,6 €). Les propriétaires du plus bel hôtel de Tadoussac possèdent aussi (on est jaloux) 4 bateaux de croisière dont un classé monument historique ! C'est la somptueuse goélette *Marie-Clarisse,* construite en 1922 et plusieurs fois restaurée depuis. Deux mâts, 4 voiles, 130 pieds de long et 7 membres d'équipage ! Un must au même prix que les autres croisières d'observation, ni très pratique ni très rapide pour approcher les baleines, mais quel charme de voir ce magnifique bateau se déplacer! Avec ses 4 bateaux, la famille propose 3 départs par jour pour le Saguenay et 4 départs pour le Saint-Laurent. Un plus : ce sont des naturalistes du GREMM (on en parle plus haut à propos du CIMM) qui assurent les commentaires sur la faune marine.

■ ***Croisières à la baleine et au Saguenay :*** 171, rue Bord-de-l'Eau. 3 départs par jour l'été, 3 h de mer sur des bateaux de 200 places. Découverte du Saguenay et observation des baleines.

– ***Voir les baleines de la terre ferme :*** c'est possible à l'aube ou à la tombée de la nuit, en allant sur les rochers de Tadoussac (autour de la ville). Les baleines peuvent venir à 15 m du rivage. On entend bien leur souffle puissant.

– Un truc : vous êtes fana de baleines, mais vous n'avez plus assez d'argent pour vous payer une croisière. Allez en stop au ***cap de Bon Désir*** (à 24 km de Tadoussac) au nord, près de Grandes-Bergeronnes. Il y a là de superbes falaises avec un paysage splendide... Et, avec un peu de chance, on voit les baleines! Il faut payer pour accéder au site, mais c'est beaucoup, beaucoup moins cher (location de jumelles). L'été, il y a même un guide et un petit écomusée.

À voir dans les environs

★ ***La maison des Dunes :*** à 5 km à l'est du village, dans le prolongement de la rue des Pionniers. Ouverte tous les jours de début juin à mi-octobre, de 9 h à 17 h. Maison de pierre du début du siècle. On y trouve le *Centre d'interprétation du parc du Saguenay*. Site splendide. Panneaux explicatifs interactifs. Vidéo. Dehors, tables de pique-nique et sentier de balade qui démarre de la plage et revient vers l'*hôtel Tadoussac*. Ce circuit passe par la pointe Rouge, d'où l'on peut observer des petits rorquals. Durée de la balade : 2 h. Attention aux marées.

GRANDES-BERGERONNES 600 hab. IND. TÉL. : 418

À une vingtaine de kilomètres de Tadoussac. Bourgade qui s'accroche aux flancs des collines surplombant la vallée. Son nom lui vient de Samuel de Champlain. Il avait vu des hirondelles de mer sur la plage, qui évoquaient les bergeronnettes de France. Beaucoup moins connu (donc moins touristique et moins cher) que Tadoussac, le village de Grandes-Bergeronnes est en fait un lieu idéal d'observation des baleines. Elles sont plus faciles à observer de Grandes-Bergeronnes, le village étant situé face à une profonde fosse marine très propice à leurs déplacements... Bien souvent les bateaux partant de Tadoussac viennent ici pour observer les baleines! D'où des excursions plus longues d'une heure, et donc plus chères. Conscient de ce manque à gagner, le village a décidé de se faire mieux connaître et offre désormais plus d'excursions. À voir aussi, la jolie petite église, rue Principale.

Où dormir?

⌂ ***Camping le Paradis Marin :*** 4, chemin Émile-Boulianne, vers Les Escoumins. ☎ 232-62-37. • coxy @saglac.qc.ca (de septembre à avril) • Ouvert de fin mai à fin octobre. À partir de septembre, ouvert seulement les fins de semaine. Environ 5 $Ca (3,2 €) par personne. C'est vraiment parfait pour les mordus du plein air, ici ce n'est pas la place qui manque. Sans doute le plus beau camping du coin, très boisé et calme avec un petit lac. On peut bien sûr observer nos amies les baleines et faire de la plongée. Location de matos sur place. À proximité, piste cyclable et sentiers pédestres. À l'accueil, on peut vous dépanner en hot dogs, chips, glaces... Une super adresse, pas chère du tout.

▲ ***Camping Bon-Désir :*** 160, route 138, en direction des Escoumins. ☎ 232-62-97. Ouvert de juin à mi-septembre. Environ 22 $Ca (14,1 €). Site superbe au milieu des arbres et de 7 petits lacs. 2 formules au choix : avec ou sans services (c'est moins cher). Lait, glace et bois de chauffage en vente à l'accueil. Sentiers de randonnées autour du terrain. Location de pédalos sur les lacs. Dépanneur, laveuse-sécheuse et douches payantes à jetons.

▲ Les gîtes touristiques bergeronnes proposent une liste de ***logements chez l'habitant :*** se renseigner auprès du kiosque d'information local, 302, rue de la Rivière. ☎ 232-63-26.

▲ ***Mer et Monde :*** 53, rue Principale. ☎ 232-67-79. Fax : 232-10-07. • www.mer-et-monde.qc.ca • Comptez 40 $Ca (25,8 €). Il émane de ce gîte une harmonie, une sérénité que l'on aime à trouver en voyage. Alain Dumais et son amie Andrée vous accueillent chaleureusement avec beaucoup de naturel. Ils possèdent 3 chambres simples mais agréables. Beau séjour avec cheminée crépitante. En plus du gîte, ils organisent des randonnées en kayak double, de façon très sérieuse et à des prix abordables, sur le Saint-Laurent et le Saguenay, à la journée ou sur plusieurs jours, afin de découvrir les mammifères et les sites. Forfaits en gîte ou en camping. Tout est compris (repas, matériel...). Sorties au coucher de soleil. Une excellente adresse pour ceux qui veulent s'adonner à ce sport.

▲ ***Gîte la p'tite Baleine :*** 50, rue Principale. ☎ 232-67-56. Environ 50 $Ca (32,3 €). Venir de préférence entre juin et septembre, car la patronne héberge des profs le reste de l'année. Ce gîte occupe la plus vieille demeure du village. Il fait vraiment bon vivre dans cette agréable maison, décorée avec beaucoup de goût. 5 chambres (certaines avec lavabo), 2 salles de bains. Les couvre-lits sont faits main, et des meubles anciens donnent à l'intérieur un cachet particulier. Qui plus est, accueil très chaleureux de Geneviève. Les boyscouts nostalgiques pourront faire un feu dans le jardin.

▲ ***Gîte La Batture à Théophile :*** 220, route 138. ☎ 232-66-82. À partir de 40 $Ca (25,8 €). 50 $Ca (32,3 €) avec le petit déjeuner. Maison très agréable, meublée avec esprit. Le soir, feu dans la cheminée. 2 chambres doubles. Beaucoup d'infos sur les baleines, abondante littérature mise à disposition. En prenant le petit déjeuner, face au Saint-Laurent, avec un peu de chance, vous aurez plaisir à la consulter. Accueil chaleureux.

▲ ***Gîte Bienvenue chez les Petit :*** 56, rue Principale, GOT160. ☎ 232-63-38. Fax : 232-11-17. • gitepetit@ihcn.qc.ca • Comptez 48 $Ca (30,9 €) pour une nuit. Dans leur chaleureuse maison, les Petit disposent de 5 chambres agréables, dont 1 familiale où peuvent loger 5 personnes. Excellent petit déjeuner (confitures maison...) à volonté. Les Petit donnent beaucoup de tuyaux sur leur région. Proposent des « safaris à l'ours et aux castors ». Accueil vraiment chouette. Pour les accros de la manette, *playstation* à disposition. Prix raisonnables.

Plus chic

▲ ***Auberge La Rosepierre :*** 66, rue Principale. ☎ 232-65-43 ou 1-888-264-65-43. Fax : 232-62-15. • rosepierre@fjord-best.com • Comptez 75 $Ca (48,4 €). Déco pas toujours de très bon goût dans cette auberge plutôt kitsh, mais les 9 chambres sont très propres et confortables. La plupart possèdent 1 salle de bains privée. Un petit déjeuner québécois est compris.

Festival

– ***Festival de la Baleine bleue :*** tous les ans en août. Renseignements : ☎ 232-63-26.

À voir

★ ***Centre d'Interprétation archéologique :*** 498, rue de la Mer. ☎ 232-62-86. 5 $Ca (3,2 €). À l'embarcadère des compagnies *ESSIPIT*. « Archéo-Topo » offre un excellent panorama préhistorique en Haute Côte Nord. Musée très intéressant avec bornes interactives, projections et surtout un mini-laboratoire où l'on peut s'initier à l'archéologie.

Observation des baleines

■ ***Croisière ESSIPIT :*** quai des Grandes-Bergeronnes. ☎ 232-67-78. Fax : 233-28-88. • www.essipit.com • De mi-mai à mi-octobre. En moyenne 25 $Ca (16,1 €). Prix de groupe. Facilités pour les personnes handicapées. Propose 2 sortes de balades d'environ 2 h 30 à la rencontre des baleines. Avec le catamaran *Kashkan* et un guide naturaliste, ou en *Zodiac* pour lesquels ils fournissent les combinaisons isothermes (glagla sur l'eau !), des gants et des bottes. Préférez les sorties en *Zodiac* (12 places seulement par rapport à la centaine du *Kashkan*). Prévoyez tout de même 2 paires de chaussettes et une écharpe : il fait vraiment très froid sur le fleuve, même en été... Comme avec les autres compagnies, vous aurez peut-être la chance d'apercevoir à la fois des rorquals communs, des bélugas, des phoques, des petits rorquals et, si vous êtes vraiment verni (en août surtout), la fameuse baleine bleue ! Superbe excursion mais un défaut : les bateaux venant de Tadoussac se rendent à peu près aux mêmes points que les Zodiac d'*ESSIPIT*.

■ ***Les Croisières Neptune :*** 507, rue du Boisé, sur la route vers Les Escoumins. Embarquement au quai des Bergeronnes. ☎ 232-67-16. Fax : 232-67-90. De mi-mai à mi-octobre. 30 $Ca (19,3 €) et 20 $Ca (12,9 €) par mouflet. Excursions de 2 h à bord de *Zodiac*. Combinaisons isothermiques, gants, bottes sont fournis. En principe, ils vous garantissent de voir des baleines. Si vous n'en voyez pas, ils proposent parfois une seconde balade gratuite.

À faire encore

■ ***Les Ailes du Nord :*** 482, rue de la Mer. ☎ 232-67-64. Fax : 232-67-70. Ouvert tous les jours. Autour de 40 $Ca (25,8 €) par personne pour environ 30 mn de vol. Petite compagnie aérienne créée par un pilote français, Éric Maillet, installé au Québec depuis qu'il est « tombé en amour » avec une Québécoise... France (!). À partir de l'aéroport de la mer, il propose de superbes balades, notamment le survol du fjord du Saguenay.

– VERS LE NORD –

LES ESCOUMINS 2 200 hab. IND TEL 418

Port de pêche et réserve des Escoumins où vivent des Indiens montagnais. *Esko* et *mins,* deux mots montagnais qui signifient « il y a encore des graines ». Possibilité de sortie en « mer » avec des pêcheurs locaux pour traquer la morue, le flétan et observer les baleines. Se renseigner au kiosque d'informations sur la route 138. Il existe un camping amérindien, mais assez cher (meilleur marché dans sa partie sauvage).

– ***Traversée du fleuve des Escoumins à Trois-Pistoles :*** service de traversiers de mi-mai à mi-octobre. 2 ou 3 traversées par jour dans chaque sens, selon les périodes et les marées. Environ 9 $Ca (5,8 €) par piéton et 22 $Ca (14,2 €) par voiture. Durée : 1 h 15. Informations et réservation (très conseillée en juillet et août) à Trois-Pistoles : ☎ 851-46-76. Aux Escoumins : ☎ 233-22-02.

Où dormir ?

- ***Le Gîte Fleuri :*** 21, rue de l'Église. ☎ 233-31-55. Comptez 50 $Ca (32,3 €). Porte bien son nom. 4 chambres joliment décorées, toutes très agréables, se partagent deux salles de bains. Deux d'entre elles ont une vue sur le Saint-Laurent ; parmi celles-ci, préférez la bleue. Propreté irréprochable. Très bon accueil. Excellent petit déjeuner.
- ***Motel Chez Gérard :*** 520, route 138, au bord de la mer. ☎ 233-27-80. À 3 km à l'est du village. Ouvert de mai à novembre. 43 $Ca (27,7 €). Cadre moyen, mais prix corrects et l'endroit est sauvage (belle vue sur l'estuaire, on aperçoit parfois les baleines).
- ***Manoir Bellevue :*** 27, rue de l'Église. ☎ 233-33-25 ou 1-888-233-33-25. Fax : 233-32-77. 65 $Ca (41,9 €) et 10 $Ca (6,5 €) par routard supplémentaire. Pour manger, coût moyen de 25 $Ca (16,1 €). Une auberge fort sympathique qui domine la baie et surtout vraiment pas chère, pour 2 comme pour 3 personnes. Les chambres et la déco ont été refaites récemment. On y apprécie aussi la cuisine, assez raffinée. Ce sont les propriétaires qui s'occupent du club de plongée.

Où manger ?

- ***Le Petit Régal :*** 307, route 138. ☎ 233-26-66. Salle sans charme mais avec une très belle vue sur le Saint-Laurent. Grande variété de plats (salades, pâtes, pizzas, poissons, sandwichs...) à prix très échelonnés. Petit et gros budget y trouveront leur compte.

Observation des baleines

Il existe 2 types d'embarcations pour aller observer les baleines aux Escoumins, à des prix sensiblement égaux :

– ***Excursions en bateau de pêche :*** *Gérard Morneau,* 539, route 138. ☎ 233-27-71. De début juin à mi-octobre.
– ***Balades en Zodiac :*** *TAN croisières,* ☎ 233-34-88 ou 1-888-353-34-88 (appel gratuit). Fax : 233-22-72. Tarifs intéressants, gratuit pour les enfants de 5 à 12 ans. Accueil sur le port de l'Anse-aux-Basques, au bout de la rue des Pilotes. *Capitaine Ross :* ☎ 233-32-74.

SAULT-AU-MOUTON

À Sault-au-Mouton, il est un endroit où la rivière dévale en chutes de 18 m avant de se jeter dans le fleuve. La perspective alentour est saisissante.

Où dormir ?

■ Grande ***base de plein air*** offrant le gîte pour la nuit (avec petit déjeuner), mais assez cher.

Où dormir entre Sault-au-Mouton et Forestville ?

■ ***Gîte La Nichée, chez Camille et Joachim Tremblay :*** 46, rue Principale, route 138, Sainte-Anne-de-Portneuf. ☎ 238-28-25. À 84 km au nord de Tadoussac, une adresse où l'accueil est particulièrement chaleureux. Joachim vous parlera de la chasse à l'orignal, de la pêche blanche, de la fête du Sucre (!), de ses tomates biologiques, tandis que Camille vous fera goûter ses crêpes délicieuses, ses *muffins* aux fraises des bois et ses confitures, tout cela fait maison, bien sûr. Très bonne étape pour ceux qui prennent le traversier à Baie-Comeau.

À voir dans les environs

★ ***Saint-Paul-du-Nord :*** ce petit village, situé à 2 km de Sault-au-Mouton, offre un superbe point de vue sur la baie. Un belvédère a été construit en 1997, juste derrière l'église.

BAIE-COMEAU 26 000 hab. IND. TÉL. : 418

Baie-Comeau est le point de départ de la visite des barrages géants *Manic*. Ouverts seulement de mi-juin à début septembre. Si le barrage Manic 2 est à 20 mn de Baie-Comeau, en revanche il faut suivre une longue route (piste) pour accéder au barrage Manic 5. Informations et réservations : ☎ 294-39-23.
– ***Traversier pour Matane, en Gaspésie.*** Renseignements et réservations : ☎ 296-25-93.

À faire

■ ***Domaine de l'Ours Noir :*** 89, rue Maisonneuve, G4Z-1E1. ☎ 296-56-29. Avec Réjean Chenel, partez, du 15 juin au 31 août, observer des ours noirs ou des loups, totalement libres et sauvages, hors de toute ré serve. Vous aurez 98 % de chances d'en voir, en toute sécurité. Émotions garanties. Départ vers 16 h, retour en fin de soirée. Prix raisonnables. Hors saison, réservation indispensable.

– CHAUDIÈRE-APPALACHES –

Vaste région située sur la rive droite du Saint-Laurent, face à Québec, et bordée au sud par le Maine (États-Unis). On ne développe pas ses attraits touristiques (il y en a, comme partout au Québec) car peu de routards s'y rendent, préférant filer directement sur Charlevoix puis la Gaspésie après avoir visité Montréal et Québec. Ceux qui disposent d'un peu de temps peuvent visiter en priorité ***Montmagny*** (l'une des plus vieilles villes de la côte Sud, connue pour son étonnant festival de l'oie blanche), qui possède de beaux manoirs et devient le *Carrefour mondial de l'Accordéon* fin août-début septembre.
Pour y aller, prendre le traversier entre Québec et Lévis, puis suivre la route 132 vers le nord, le long du Saint-Laurent. Belle balade pour ceux qui ont une voiture.
Au départ de Montmagny, traversier gratuit pour l'Isle-aux-Grues, seule île habitée en permanence de ce beau petit archipel du même nom. 2 à 3 traversées par jour, selon les marées. Renseignements : ☎ 248-35-49 ou 248-29-68.
Au départ de Montmagny ou de Berthier-sur-Mer, croisières et visites guidées pour Grosse-Ile qui servit de station de quarantaine dans les années 30. Quelques millions d'immigrants en route pour l'Amérique y ont transité, et plusieurs milliers y sont morts. Renseignements : ☎ 248-48-32.

Adresses utiles

ℹ ***Association touristique Chaudière-Appalaches :*** 800, autoroute Jean-Lesage, Bernières, G7A-1C9. ☎ (418) 831-44-11. Fax : 831-84-42. Pour plus d'infos sur la région.

ℹ ***Office du tourisme de la côte Sud :*** 45, av. du Quai, CP 71, Montmagny, G5V-3S3. ☎ 248-91-96 ou 1-800-463-56-43. Fax : 248-14-36.

Où dormir à Montmagny ?

⌂ ***La Belle Époque :*** 100, rue Saint-Jean-Baptiste Est. ☎ 248-33-73. Un hôtel de luxe. Tout est beau et ancien, on a l'impression de remonter le temps. Cher.

⌂ ***La Cécilienne :*** 340, bd Taché Est, G5V-1E1. ☎ 248-01-65. Doris et Cécile Boudreau, les proprios, sont charmants. Chambres propres et bien tenues. Une bonne adresse.

À voir à Montmagny

★ ***Le Manoir de l'Accordéon :*** 301, bd Taché Est. ☎ 248-79-27. En saison, ouvert du lundi au vendredi de 9 h à 17 h, et le week-end de 10 h à 16 h ; hors saison, du lundi au vendredi de 9 h à 17 h. Le piano à bretelles a son musée : vaste collection d'accordéons de tous âges et de tous genres ; et un atelier, où vous pourrez voir certaines étapes de la fabrication.

★ ***Centre éducatif des Migrations :*** 53, rue du Bassin Nord. ☎ 248-45-65. Ouvert de fin avril à la mi-novembre de 9 h 30 à 17 h. Une envolée entre l'histoire de la Grosse-Île et sa nature qui abrite la grande oie blanche lors de ses migrations.

SAINT-JEAN-PORT-JOLI 3 400 hab. IND. TÉL. : 418

Joli village en bordure du Saint-Laurent, dont l'activité principale (et commerciale) est la sculpture sur bois. Plusieurs dizaines d'artisans qui produisent surtout des souvenirs pour touristes mais aussi, certains, de véritables petits chefs-d'œuvre. Possibilité de stages.

Adresses utiles

ℹ ***Office du tourisme :*** 7, av. de Gaspé Est. ☎ 598-94-65. Fax : 598-30-85.

ℹ ***Kiosque touristique :*** 20, av. de Gaspé Ouest. ☎ 598-37-47.

Où dormir ?

≙ ***Au Boisé Joli :*** 41, av. de Gaspé Est, G0R-3G0. ☎ 598-67-74. Cette jolie maison en bois est située en plein centre-ville. 5 chambres très confortables. Chose rare dans la région et que nous avons bien appréciée, tous les planchers des chambres sont en parquet, et même dans la salle de bains s'il vous plaît ! L'accueil est excellent et le petit déjeuner gargantuesque.

≙ ***Hôtel Le Bonnet Rouge :*** 76, av. de Gaspé Est. ☎ 598-30-88. Sur la route du front de mer. Chambres gentillettes et propres donnant sur la rue (calme) ou sur l'arrière, avec salle de bains commune, pour un très bon rapport qualité-prix.

Où manger ?

|●| ***La Roche à Veillon :*** 547, av. de Gaspé Est. ☎ 598-30-61. Ouvert tous les jours de 8 h à minuit. Une institution dans toute la région. Tellement de monde (surtout en été) qu'ils ne prennent même pas les réservations ! Pourtant, l'accueil reste souriant et la cuisine « comme celle des grand-mères québécoises » est toujours aussi bonne. Grande et belle salle rustique qui accueille un théâtre d'été réputé (tous les soirs en saison). Table d'hôte midi et soir, bon marché.

|●| ***La Coureuse des Grèves :*** 300, rue de l'Église. Sur le chemin qui part de la route 20. ☎ 598-91-11. Ouvert toute l'année. Resto-bar plein de charme. Un nom aussi joli, c'est déjà tout un poème. « Paraît

qu'elle vient de nulle part, est belle à vouloir se noyer, n'a jamais froid parce que court nue... Jamais marin ne put inventer un nœud assez compliqué pour réussir à garder la Coureuse (pas la serveuse) plus d'une nuit... » Des salades, sandwichs, petits plats tout simples et tout bons : moules en coquille, bagel au saumon fumé. Menu bon marché à midi, table d'hôte plus chère le soir. Exposition d'artistes québécois dans un cadre très frais et agréable, et diverses activités culturelles. Terrasse ouverte l'été.

|●| ***Les Libellules :*** 17, av. de Gaspé Est. Sur la place de l'Église, à côté des boutiques de souvenirs. Snack-bar très américain où l'on consomme sandwichs, bagels, etc., vite et bien pour pas cher.

À voir

★ ***L'église :*** splendide édifice (1779) en pierre rose et au toit rouge surmonté d'élégants clochetons argentés. Bancs et autel en bois sculpté à l'intérieur, bien entendu.

★ Belle balade au ***lac des Trois-Saumons*** avec une vue extra sur la région de son belvédère.

★ ***Le moulin à farine :*** de Saint-Roch-des-Aulnaies. Sur la route de la côte. Visite intéressante. Jeter un œil sur le *manoir des Aulnaies*, juste à côté.

★ ***La Bigorne :*** 711, av. de Gaspé Ouest. ☎ 598-38-87. C'est l'atelier de Clermont Guay, passionnant personnage, à la fois ferronnier d'art et garde forestier, plein d'humour et d'histoires à raconter. Rien que l'atelier vaut déjà le détour.

★ ***Théâtre d'été :*** à *La Roche à Veillon* de juin à septembre (voir « Où manger? »).

★ ***Les Bateaux Leclerc :*** 307, route 132 Ouest. ☎ 598-32-73. De juin à septembre, ouvert tous les jours de 9 h à 21 h (atelier du lundi au vendredi de 9 h à 17 h) ; hors saison, du lundi au vendredi de 8 h à 12 h et de 13 h à 17 h. Une tradition dans la famille Leclerc : les bateaux miniatures, dont vous verrez la fabrication dans l'atelier de ce musée.

★ ***Le musée des Anciens Canadiens :*** 332, av. de Gaspé Ouest, sur la 132 Ouest, à 3 km environ de l'église Saint-Jean. ☎ 598-33-92. Ouvert tous les jours de 8 h 30 à 21 h en juillet et août, de 9 h à 17 h du 15 mai au 30 juin, de 9 h à 18 h en septembre et octobre. C'est un musée de l'histoire locale et donc de la sculpture sur bois, tenu par un vieux monsieur charmant.

★ ***La maison Médard-Bourgault :*** 322, av. de Gaspé Ouest. ☎ 598-38-80. Ouverte de fin juin à mi-août, de 11 h à 17 h. Entrée payante. Pendant des années, le sculpteur Médard Bourgault (1897-1967) a sculpté l'intérieur de sa maison : armoires, portes, placards, murs, meubles racontent des histoires belles et simples. Une petite maison en pierre des champs, derrière de gros cèdres. Décidément, la passion de la sculpture du bois n'a pas de limites !

Visiter une érablière

Le sirop d'érable est au Canada ce que la vodka est à la Russie : une passion nationale (mais elle ne fait pas autant d'ivrognes que chez les Russes). D'ailleurs c'est une feuille d'érable qui figure comme emblème sur le drapeau de la Fédération. On visite bien ailleurs dans le monde des distilleries d'alcool ou des plantations d'hévéas (encore un autre arbre au jus recher-

ché), alors pourquoi ne pas mettre votre petit (ou long) nez dans une érablière ? Sachez tout de même que la récolte du jus d'érable et la fabrication du sirop n'ont jamais lieu en été mais entre l'hiver et le printemps (vers mars-avril).
Cela dit, on apprend quand même plein de choses sur l'érable (oh, le bel arbre !), sur la façon de récolter le jus (on fait des trous dans les troncs et on y place des tuyaux reliés à des récipients), et de fabriquer le sirop d'érable (ça se fait sur place, la technique est relativement simple mais les moyens employés coûtent un peu d'argent).

★ ***Érablière Bois Joli :*** 896, route 204. ☎ 598-66-86. De Saint-Jean-Port-Joli, prendre la route 204, direction Saint-Aubert ; enjamber l'autoroute, continuer tout droit sur la rue de l'Église. L'érablière est située presque à l'angle de la rue de l'Église (Saint-Aubert) et du 2e rang Ouest. Visite guidée, dégustation de sirop d'érable en été. Possibilité d'en acheter des flacons. Excellents brunchs servis dans un cadre superbe.

★ ***Érablière M. A. Deschênes :*** 483, 2e rang Ouest ; non loin de la précédente. ☎ 598-66-06 Fax : 598-65-17. Empruntez la route 204, direction Saint-Aubert ; tout de suite après avoir enjambé l'autoroute, tournez à droite (il y a un panneau indicatif) et continuez 3 km. On vous conduira alors en 4 x 4 jusqu'à l'exploitation. Après une visite instructive, dégustation des différents produits. Endroit charmant et convivial.

★ ***Érablière de Rosaire Castonguay :*** 40, route Bédard, Saint-Damase-des-Aulnaies. ☎ 598-67-49. Visite de l'érablière à 14 h les mercredi et vendredi, mais il est impératif de téléphoner avant à Rosaire pour prendre rendez-vous. Notre érablière préférée dans la région Chaudière-Appalaches (appelée aussi pays de l'Érable). Perdue en pleine nature, elle n'est vraiment pas facile à trouver.
De Saint-Jean-Port-Joli, route 204 Ouest jusqu'à Saint-Damase (une douzaine de kilomètres environ). C'est la route qui mène à la frontière des États-Unis. À l'église de Saint-Damase, continuer tout droit. À la sortie du village, prendre à gauche vers Sainte-Louise (route Elgin). Puis tout droit sur un bon kilomètre. Au moment où la route asphaltée devient un chemin de terre, tourner à droite. Faire 5 km jusqu'à l'intersection des Quatre-Coins. La ferme des Castonguay se trouve près de la route, sur la gauche. Demander Pinguet (le nom du lieu-dit), en cas de problème.
Rosaire Castonguay n'est répertorié nulle part, il ne figure dans aucun guide et pourtant son sirop d'érable est l'un des meilleurs que nous connaissions. Pour atteindre sa cabane perdue dans les bois (d'érables évidemment) on traverse des prés, sur le flanc d'une colline dominant la vallée du Saint-Laurent (très beau coin). Là, chaque année, dans le « grand silence de l'hiver », il récolte le précieux jus sucré des arbres et confectionne, de façon artisanale, dans sa chaudière isolée, un succulent sirop. On peut en acheter au gallon, au demi-gallon ou en flacons plus petits.

Fêtes locales

Toujours bon à saisir si on passe par là le jour même.
– ***Festival de Saint-Jean-Port-Joli :*** s'appelle les *Maisons du Roy en Fête* et se déroule tous les week-ends de septembre.
– ***Festival du Poulet :*** à Saint-Damase, petit village à quelques kilomètres au sud. À la fin de la 1re semaine de septembre. Allez-y avec votre poulette préférée !

– LE BAS-SAINT-LAURENT –

La région touristique du Bas-Saint-Laurent s'étend sur la rive sud du fleuve qui lui donne son nom, entre Chaudière-Appalaches et la Gaspésie. Évidemment, la côte procure de superbes points de vue sur un fleuve qui se transforme en mer au fur et à mesure qu'on s'avance plus au nord, comme c'est le cas en Gaspésie. On traverse, ce faisant, de paisibles villages entrecoupés de grosses exploitations agricoles. Là où c'est plat, le paysage a du mal à s'affirmer et puis, tout à coup, au détour d'une colline, il révèle un chouette site. Les terrasses et le plateau de l'intérieur proposent de belles balades dans un relief sauvage de forêts et de lacs. Et puis il y a le parc de Bic, grande attraction du coin (bien qu'il soit tout petit) et des villes tranquilles mais animées, comme Rimouski et Rivière-du-Loup, reliées (ainsi que Trois-Pistoles) à la rive opposée par de fréquents traversiers. Enfin, à Dégelis a été construite une piste cyclable sur les anciens rails de chemin de fer, nommée « parc linéaire du Petit-Témis ». Cette piste (130 km) longe une partie du lac « sans fond » Témiscouata. Elle débute Rivière-du-Loup et vous emmène jusqu'à Cabano. Alors, à vos vélos!

i ***Maison touristique du Bas-Saint-Laurent :*** à La Pocatière. ☎ (418) 856-50-40. Sur la route 20 en venant de Saint-Jean-Port-Joli. Sortie 439.

RIVIÈRE-OUELLE 1 300 hab.

Sur la route 132. Dans l'église, plusieurs œuvres à voir : maître-autel exécuté en France en 1750, toiles de Louis Dulongpré, statues du XVIIIe siècle. Le manoir Casgrain (1834) fut la résidence des derniers seigneurs de Rivière-Ouelle.

KAMOURASKA 700 hab.

En langue indienne, « là où il y a des joncs au bord de l'eau ». Un des premiers endroits à avoir été colonisés sur la rive sud. Ce beau village surplombe le fleuve. Plein de maisons curieuses, dont la forme des toits est unique dans le pays. On peut y voir des maisons de style victorien avec véranda sculptée, des maisons de style Mansart américain (avenue Morel par exemple) basses, tout en longueur, avec des toits sombres faits de bardeaux. Mais aussi des maisons dites de « style cubique » et d'autres encore dites de « tradition vernaculaire états-unienne ». Le vieux moulin à farine Paradis (1860) est toujours en fonction. Kamouraska est la patrie de René Chalout, l'inventeur du drapeau fleurdelisé du Québec (c'était un fieffé conservateur!), d'Eugène-Étienne Taché, auteur de la devise « Je me souviens » inscrite sur les plaques des voitures, et d'un dénommé Routhier qui a écrit l'hymne national. Bref, c'est le Québec « pur sirop d'érable », même si c'est un haut lieu de pêche à l'anguille et un rendez-vous de cormorans.

D'ailleurs, ici, le fleuve (la mer) se retire deux fois par jour sur 1 à 2 km, laissant des battures à perte de vue. En bordure du fleuve, des panneaux d'interprétation expliquent la marée, la faune, la flore.

Où dormir ?

🏠 ***Gîte du Passant de Kamouraska :*** chez Nicole et Jean Bossé, 81, av. Morel, route 132. ☎ 492-29-21. À 100 m de l'église, à droite en venant de Québec. Jolie maison meublée et décorée avec beaucoup de goût, avec une véranda bleue. Accueil excellent. Chambres donnant sur le jardin ou côté route (mais avec la mer au loin). Très bonnes confitures maison. C'était naguère une petite école.

Où dormir ? Où manger ? entre Kamouraska et Notre-Dame-du-Portage ?

🏠 🍴 ***Auberge des Aboiteaux :*** 280, route 132 Ouest, à Saint-André-de-Kamouraska. ☎ 493-24-95. Fax : 493-27-79. Ancienne maison bleue et jaune située entre fleuve et montagne. René et Monique ont rénové cette auberge avec goût et confort. On s'y sent presque chez soi. 5 chambres hautes en couleur et très douillettes (4 au nom de chaque saison et la « sous les combes » avec salle de bains privée) à prix doux. Nombreuses activités proposées (escalade, kayak...). Excellente table d'hôte. Accueil sympa et dynamique. Une très bonne adresse.

🏠 🍴 ***Auberge La Solaillerie :*** 112, rue Principale, Saint-André-de-Kamouraska. ☎ 493-29-14. Magnifique demeure du XIXe siècle, à la belle décoration intérieure d'époque. Chambres (toutes différentes) très confortables. Lit à baldaquin dans certaines... Le soir, excellent dîner. Cuisine raffinée et copieuse. Accueil très chaleureux du jeune couple de patrons, Isabelle (Française) et Yvon.

🏠 ***La Maison au Toit Bleu :*** 490, av. Saint-Clovis, à Saint-Alexandre, à 10 km au sud de Notre-Dame-du-Portage et à 26 km de Kamouraska. ☎ 495-27-01. Bonne adresse à prix modiques. Une maison centenaire, calme et bien tenue, avec 4 chambres au 1er étage (douche et w.-c. sur le palier) donnant sur le jardin où se trouve une amusante balancelle. Planchers de bois, couleurs blanche, rose, bleue, de belles photos anciennes aux murs montrant la vie quotidienne autrefois. Excellent accueil de la patronne, très bavarde.

À voir

★ ***Le musée de Kamouraska :*** 69, av. Morel. ☎ 492-97-83. Ouvert tous les jours de 9 h à 17 h, du 20 juin à la fête du Travail. Petit musée très bien fait ; plein de choses intéressantes racontant l'histoire et la vie quotidienne des habitants de Kamouraska autrefois. Toutes les pièces exposées proviennent de dons effectués par les gens du pays.

★ ***La Maison de la Prune :*** 129, route 132 Est, Saint-André de Kamouraska. ☎ 493-26-16. Fax : 493-21-41. À 3 km à l'est de Saint-André, sur la 132. Verger-musée avec visites commentées. Au XIXe siècle, ce verger exploitait plus de 1 000 pruniers de Damas, des dizaines de pommiers, cerisiers... Renommé dans toute la région, tombé dans l'oubli dans les années 40, il a été réhabilité depuis. Confitures artisanales extra et variées (airelles, bleuets, baies d'amélanchier), gelées de menthe, de pommes, de gadelles. Vinaigres arômatisés à la ciboulette, vinaigre de prune à l'estragon, à la menthe sauvage et l'inévitable sirop d'érable de Saint-André.

NOTRE-DAME-DU-PORTAGE 1 200 hab. IND. TÉL. : 418

Lieu de villégiature paisible et chic, propice pour un tête-à-tête en solitaire avec le fleuve (en contrebas du village) ou mieux : pour une échappée romantique en amoureux. Plein de superbes demeures anciennes déguisées en résidences de luxe, face aux douces collines de Charlevoix. Arrivez avant la nuit, cet endroit a la réputation d'offrir certains des plus beaux couchers de soleil du monde ! Ça a bien changé depuis l'époque lointaine où les Amérindiens plantaient leur tente ici en été pour attraper des poissons, avant de porter leurs canots jusqu'aux lacs, à 40 km dans l'intérieur des terres, pour la chasse hivernale. Porter, « portage »... Vous avez là l'origine du nom du patelin !

Où dormir ?

☗ ***La Sabline :*** 343, Fraser. ☎ 867-48-90. Sur la route 132, 5 km avant Notre-Dame-du-Portage en venant de Rivière-du-Loup. Belle et grande maison du début du siècle ayant appartenu à un fourreur puis à un brasseur célèbre, dans un gentil jardin. Intérieur récent, confortable et douillet. 3 chambres soigneusement arrangées. On y dort vraiment bien. L'une des chambres possède sa propre salle de bains. Petit solarium à l'étage.

Prix moyens

☗ ***Maison Le Béluga :*** 553, route du Fleuve. ☎ 862-71-65. Depuis peu, les patrons ont transformé leur restaurant en un gîte de 3 chambres. L'accueil, lui, n'a pas changé, toujours excellent. Le petit déjeuner est une fête, avec des assiettes aussi copieuses que savoureuses. De plus, cette heureuse maison fait face au Saint-Laurent. Une charmante adresse.

☗ ***Chute Couette et Café :*** 408A, route du Fleuve. ☎ et fax : 862-53-67. Maison récente où tout est refait à neuf. 4 chambres et 2 salles de bains (préférez la « Belle Rose » ou le « Pont d'Or »). Très calme, et vue superbe sur le Saint-Laurent avec de magnifiques couchers de soleil (gare aux moustiques l'été vers 18 h !). Excellent accueil et petit déjeuner copieux. Laveuse-sécheuse disponible, payante.

RIVIÈRE-DU-LOUP 18 000 hab. IND. TÉL. : 418

Petite ville moyennement agréable, près de laquelle une rivière se jette dans le Saint-Laurent en huit cascades successives sur plus de 1 km et 90 m de dénivelée (30 m dans la ville !).

Adresses utiles

🛈 ***Bureau d'information touristique du bas Saint-Laurent :*** 189, bd de l'Hôtel-de-Ville. ☎ 862-19-81. Fax : 868-16-66. En été, ouvert tous les jours de 8 h 30 à 20 h 30 ; hors saison, en semaine seulement, de 8 h 30 à 17 h. Dans une maison marron, isolée sur de vastes pelouses, assez excentrée, et face au musée du Bas-Saint-Laurent.

🛈 ***Office du tourisme de Rivière-du-Loup :*** 89, bd de l'Hôtel-de-Ville.

☎ 862-19-81. Fax : 868-16-66. Également un bureau à l'arrivée du traversier, ouvert toute l'année, tous les jours de 8 h 30 à 17 h.

Terminal des Autobus Orléans SMT : 83, bd Cartier. ☎ 862-48-84. Un peu en dehors de la ville, en direction de Rimouski, derrière la station-service *Irving*. Pour la Gaspésie : 2 bus par jour. Pour Québec : 5 bus.

■ *Caisse Populaire :* 299, rue Lafontaine (dans le centre commercial). Pour retirer de l'argent.

Où dormir ?

Camping

Camping municipal de la Pointe : rue Hayward, au croisement avec le boulevard Cartier, non loin du débarcadère. ☎ 862-42-81. Ouvert de fin mai à mi-septembre. Bien équipé. Pratique pour ceux qui arrivent tard.

Bon marché

Auberge internationale de jeunesse : 46, rue de l'Hôtel-de-Ville, G5R-1L5. ☎ 862-75-66. Fax : 868-16-66. Ouverte *a priori* toute l'année. Les portes ferment à 2 h. Située à 50 mn à pied du traversier. Dans une maison ancienne, qui conserve sa belle entrée ainsi que son parquet. Le reste a été rénové et les sanitaires sont neufs. L'AJ possède un minibus qui vient chercher les clients sur appel téléphonique à la gare de bus, la gare de train ou au traversier. On loge en chambres de 3, 4 ou... plus, pour filles, garçons ou mixtes. Prix variables en fonction de la taille de la pièce. Plusieurs chambres doubles également et quelques « familiales ». Réservation possible par téléphone (avoir un numéro de carte de crédit). Très bonne tenue générale et équipe charmante. Salle commune avec piano, TV... Draps fournis (payant). Petit déjeuner inclus. Cuisine à disposition. Machine à laver. L'AJ organise également des sorties d'une journée sur le Saint-Laurent ainsi que des stages de 8 jours sur une superbe goélette du siècle dernier entièrement retapée. Il s'agit de relier en bateau les AJ situées le long du Saint-Laurent. Par ailleurs, excursions en canoë, randonnées en montagne, tour à vélo, soirées légendes avec un chef indien.

Résidences du CEGEP de Rivière-du-Loup : 325, rue Saint-Pierre. ☎ 862-69-03. De fin mai à début août seulement. Chambres simples ou doubles. Tarifs nettement plus intéressants si vous apportez vos draps ou duvet. Triste comme un campus désert. Pour dépanner uniquement.

– Également, possibilité de dormir sur les îles du Bas-Saint-Laurent (se reporter à la rubrique « À voir. À faire »).

Prix modérés

L'Auberge de l'Anse : 2, Anse-au-Persil, route 132 Est. ☎ 867-34-63. Un motel habillé en auberge, à proximité de la plage de la Pointe de Rivière-du-Loup, à 2 mn de l'embarcadère du traversier pour la rive nord du fleuve. Bon accueil. Chambres un peu défraîchies mais propres et claires, avec balcon donnant sur le Saint-Laurent (vue superbe). La plus grande à l'étage peut accueillir jusqu'à 6 personnes. Prix variables selon la saison, mais toujours raisonnables. Au resto, cuisine sobre et savoureuse : table d'hôte le soir jusqu'à 21 h. Bonne adresse pour ceux qui arrivent tard. Un sentier-escalier en projet permettra de descendre du haut de la falaise jusqu'au bord de l'eau.

Où manger ?

|●| ***La Gourmande :*** 120, rue Lafontaine. ☎ 862-42-70. Ouvert de 7 h 30 (9 h le week-end) à 23 h. Cadre et décor frais. Salon de thé-resto proposant, outre un petit déjeuner complet, une série de viennoiseries (nombreux pains différents), de délicieux gâteaux, croûtes et petites assiettes variées. Spécial à midi à prix assez doux avec soupe, plat, dessert et café. Plus cher le soir.

Où rencontrer des jeunes ?

C'est avant tout dans la rue Lafontaine que l'on trouve des bars animés... Toute la province sur 200 m le samedi soir, ça bouge.

Y ***Le Vol de Nuit :*** à l'angle des rues Saint-Laurent et d'Amyot (près de la rue Lafontaine). Ouvert tous les soirs jusqu'à 3 h. Bar branché où les jeunes « Loupérivois » se retrouvent.

– ***Le Jet :*** 409, rue Lafontaine, près de l'angle de Saint-Laurent. Discothèque au-dessus d'un bar à danseuses. Une boîte-boîte. Boum-Boum, tralala...

– ***Le Kojak :*** juste à côté. Une autre boîte reboum-boum, retralala. Les jeunes font l'aller-retour entre *Le Jet* et *Le Kojak*.

À voir. À faire

★ ***Les chutes de la rivière du Loup :*** prendre la rue Lafontaine puis la rue Frontenac ou la rue de la Chute, dans le centre. C'est fléché. Un belvédère permet d'admirer la masse d'eau qui tombe...

★ ***Le musée du Bas-Saint-Laurent :*** 300, rue Saint-Pierre, à l'angle de la rue de l'Hôtel-de-Ville. ☎ 862-75-47. De la dernière semaine de juin à début septembre, ouvert tous les jours de 10 h à 20 h ; avant et après ces dates, tous les jours de 13 h à 17 h. Ouvert le lundi et le mercredi soir. Entrée payante. Musée d'ethnologie locale dans un ensemble moderne de béton. Expo permanente sur la vie à Rivière-du-Loup dans les années 40. On y trouve également des œuvres d'artistes contemporains d'un peu partout.

– ***Circuit patrimonial :*** une brochure (payante) disponible à l'office du tourisme permet de suivre un parcours touristique de la ville. En chemin : églises, parc, maisons anciennes (dont quelques belles résidences victoriennes). Beau panorama sur la ville et le fleuve du parc de la Croix lumineuse.

★ ***Le Château de Rêve :*** 65, rue de l'Ancrage, sur la route du traversier. ☎ 867-28-64. Ouvert de juin à septembre, tous les jours de 9 h à 17 h (21 h en juillet). Parc d'attractions pour les tout-petits (voire les plus grands) : autos et bateaux tamponneurs, mini-golf, jeux aquatiques et château « waltdisneyen » illuminé le soir.

★ Pour les amateurs de ***cloches*** (on ne sait jamais, il y en a peut-être !), une maison privée expose une collection impressionnante : 393, rue Témiscouata. ☎ 862-33-46. À 3 km du centre. Spécimens de toutes les tailles (la plus grosse pèse 1 t).

★ ***Le musée de Bateaux miniatures :*** 80, bd Cartier. ☎ 868-08-00. Dans une boutique de souvenirs, à côté du grand resto *Saint-Hubert* (reconnaissable à sa tête d'oiseau à plumet rouge), sur la gauche de la route en allant vers l'embarcadère. Intéressante collection de maquettes de bateaux ayant pour la plupart voyagé sur le Saint-Laurent, fabriquées par des gens ayant eux-mêmes passé une bonne partie de leur vie sur le fleuve.

– ***Observation des baleines :*** *Navimex* organise des départs de Rivière-du-Loup. La même balade que de Tadoussac mais plus longue. ☎ 867-33-61. Réduction avec la carte des AJ.

– ***Découverte des îles du Bas-Saint-Laurent :*** avec la *Société Duvetnor*, 200, rue Hayward. ☎ 867-16-60. Fax : 867-36-39. Cette société, créée en 1979 par Jean-Hugues Bédard, a pour principal objectif la protection de la faune des îles, et finance ce programme notamment grâce à la récolte du duvet d'eider utilisé pour la fabrication d'édredons, de couettes. Plusieurs types de croisières-excursions intéressantes, sur les *îles du Pot-à-l'Eau-de-Vie* (randonnée de 3 h 30), l'*île aux Lièvres* (10 h de promenade avec observation de la faune) ou autour des *îles Pèlerins* (observation des oiseaux), etc. Prix abordables, dégressifs si l'on est plusieurs.

En 1989, Jean-Hugues Bédard a rénové le superbe phare rouge et blanc du ***Pot-à-l'Eau-de-Vie***, bâti en 1861 et abandonné en 1962 après avoir abrité des générations de gardiens. Aujourd'hui, il est possible d'aller « échouer » un moment sur cette petite île-sentinelle au milieu du Saint-Laurent : *Duvetnor* propose un forfait « Nuitée au phare » (à acheter à la capitainerie du port de Rivière-du-Loup) qui comprend la chambre, deux repas de fine cuisine régionale (dîner et *brunch*), la croisière-excursion commentée et la traversée à partir de Rivière-du-Loup. Excellent accueil de Gilles Rioux, chaleureux gardien et brillant cuisinier, qui « placote » volontiers, évoquant notamment la vie solitaire de ses prédécesseurs, et de Renée. Tout ce charme, cette tranquillité, et un grand souvenir à partir d'environ 550 F (76,9 €) par personne. De juin à octobre.

Sur l'île aux Lièvres, possibilité de ***louer des chalets*** de bois ronds pour environ 600 F (92,3 €) pour 4 personnes et par jour, et, pour les purs et durs, de faire du ***camping sauvage.***

Traversée du fleuve, de Rivière-du-Loup à Saint-Siméon

Nombreux traversiers toute l'année (sauf en février et mars) pour franchir le Saint-Laurent. Intéressera ceux qui n'auraient pas fait le splendide Charlevoix à l'aller. En été, en principe, 4 ou 5 traversées par jour dans les deux sens. Pas de réservation, donc en été prévoyez d'arriver suffisamment en avance. Passez un coup de fil pour avoir les horaires précis car ils peuvent changer.

– ***Renseignements pour les horaires :*** *Rivière-du-Loup,* ☎ 862-50-94 (message enregistré) et 862-95-45; *Saint-Siméon,* ☎ 638-28-56.

L'ÎLE VERTE 980 hab. IND. TÉL. : 418

Accessible par traversier (de mai à fin novembre, ou aux premières glaces, seulement) du village de L'Isle-Verte, à 27 km au nord de Rivière-du-Loup, sur la route 132. La seule île du Bas-Saint-Laurent habitée toute l'année : on y trouve une quarantaine d'insulaires en hiver, attachés à leur petit bout de terre long de 12 km! Longtemps coupée du « continent » (le traversier est récent), l'île Verte (on dirait un nom de B.D. créée par Hergé et Jules Verne, vous ne trouvez pas ?) a conservé une authentique vie rurale qui fait tout son charme... Sans doute est-ce pour ça que Gilles Carle, le réalisateur du film *Maria Chapdelaine* (et, pour l'anecdote, « ex » de la chanteuse et actrice Carole Laure), a choisi d'y habiter. C'est aussi le seul endroit du Québec où l'on peut voir (et manger !) des agneaux « prés-salés ». Et surtout si vous êtes dans les parages fin avril, vous pourrez admirer jusqu'à 80 espèces d'oiseaux ainsi que des milliers de grandes oies blanches venues faire une halte sur l'île avant de s'envoler pour le Grand Nord jusqu'à l'est de l'Arctique où elles passeront l'été.

– ***Renseignements pour le traversier La Richardière :*** ☎ 898-28-43. Réservation possible. 3 à 5 traversées par jour dans les 2 sens en juillet et août.

– On peut aussi y aller avec le ***bateau-taxi Jacques Fraser :*** ☎ 898-21-99.

Où dormir ? Où manger ?

Quelques gîtes proposent la nuitée et le petit déjeuner : ***Au Chant du Coq*** (☎ 898-24-43), ***Corporation des Maisons du Phare*** (☎ 898-34-51 ; dans la maison du dernier gardien de phare, tenue par la nièce de celui-ci), ***Le Bateau-Phare*** (☎ 898-34-44).

Des gîtes-restos offrent en plus la possibilité de se restaurer : ***La Bonne Bouffe*** (☎ 898-33-25 ; demi-pension et vélos disponibles), ***La Maison des Roses*** (☎ 898-32-68 ; on peut y louer des vélos, bon accueil), ***Entre Deux Marées*** (☎ 898-21-99 ; motel-resto-bar ; le prix de la chambre inclut l'utilisation d'un vélo par personne), ***La Maison d'Agathe*** (☎ 898-29-23 ; pique-niques, repas légers), ***Mon Petit Lopin de Terre*** (☎ 898-61-66).

On aime bien aussi le gîte ***Aux berges de la Rivière :*** 24, rue Villeray, Isle-Verte G0L-1L0. ☎ 898-25-01. Fax : 898-25-01. Situé dans le village de l'Isle-Verte, d'où part le bateau pour l'île. Belle maison ancestrale. Chambres superbes, meubles anciens et parquet. Hôtesse très accueillante.

– On trouve également un bistrot, un salon de thé et un dépanneur servant des sandwichs.

À voir. À faire

★ Visite du plus vieux ***phare*** du fleuve Saint-Laurent (1809), accessible à pied en prenant le chemin du Phare en partant du quai d'En-Bas (où vous dépose le traversier).

– ***Balades*** à pied ou à vélo dans un paysage marin préservé... On peut louer les vélos dans les auberges de l'île.

– Avec un peu de chance, des ***baleines*** montreront le bout de leur gros nez si vous errez sur la pointe nord de l'île.

Fêtes

– Nombreuses festivités typiques entre juin et septembre : « Soirée folichonne », journée des Écrivains « de chez nous », inauguration du « canon à brume », journée du Pêcheur, le « Joyeux Bazar », « l'Épluchette de Jacques », etc.

Calendrier disponible au *Bureau d'information touristique du bas Saint-Laurent* (voir « Adresses utiles » à Rivière-du-Loup, chapitre précédent).

TROIS-PISTOLES 3800 hab. IND. TÉL. : 418

La ville tient son nom d'un voyageur qui, ayant fait tomber un gobelet d'argent dans la mer, se serait écrié « voilà trois pistoles perdues ». Juste en face, l'*île aux Basques* et *les Razades*, sanctuaire d'oiseaux dont les goélands argentés, canards eiders, hérons bleus, bihoreaux à couronne noire. Belle église dans la ville. Festival des îles en juillet.

– ***Traversée du Saint-Laurent, Trois-Pistoles – Les Escoumins :*** 2 ou 3 passages par jour de mi-mai à mi-octobre. Durée : 1 h 30. Informations et réservation : ☎ 851-46-76. Petit conseil : si vous prenez le dernier traversier (21 h 30 en été), 50 % de réduction sur la traversée.

– Sur le quai, plusieurs ***excursions*** proposées dont celle vers l'île aux Basques.

Adresse utile

ℹ ***Bureau d'information touristique :*** 55, route 132 Ouest. ☎ 851-36-98. Ouvert tous les jours en été de 9 h à 19 h. Accueil charmant et efficace. Hors saison, s'adresser à la *Corporation touristique des Basques*, 120, rue Notre-Dame Ouest (☎ 851-49-49). ● www.icrdl.net/basques (site internet sur la région) ●

Où dormir ?

Campings

≜ ***Camping municipal des Trois-Pistoles :*** 100, rue Chanoine-Côté ; indiqué de la route 132 (le camping est à 1,5 km). ☎ 851-13-77 ou 851-45-15 (en saison). Hors saison : ☎ 851-19-95. Ouvert de mi-juin à début septembre. Entre 16 $Ca et 20 $Ca (10,3 et 12,9 €) pour la guitoune. Grand camping près du fleuve. Très bien aménagé, en pleine nature. Plage et piscine chauffée (accès compris dans le prix), dépanneur, location de vélos. Mini-golf, sentiers botaniques. Pêche à la truite à proximité.

≜ Il existe 2 autres campings : le ***camping plage Trois-Pistoles*** (au nord de Trois-Pistoles, 130, route 132 Est, ☎ 851-24-03. Fax : 851-48-90. Environ 15 $Ca (9,7 €) et le ***camping des Flots bleus*** à Rivière-Trois-Pistoles, pas mal et pas trop cher (là encore sur la route 132, mais au sud de Trois-Pistoles, ☎ 851-35-83).

Prix moyens

≜ ***Gîte La Rose des Vents :*** 80, 2ᵉ rang Ouest, G0L-4K0. ☎ et fax : 851-49-26 ou ☎ 1-888-593-49-26. Comptez 65 $Ca (41,9 €). Jolie maison bleue sur une colline, dominant toute la baie du Saint-Laurent. Aménagée avec beaucoup de goût. 4 chambres spacieuses et neuves, toutes avec salle de bains. Un peu cher.

≜ ***Gîte du Passant Le Terroir des Basques :*** 65, 2ᵉ rang Ouest. ☎ 851-20-01. Comptez 50 $Ca (32,9 €). Non loin de Trois-Pistoles. Pour y aller, de la 132, prendre la 293 Sud, faire 1 km et tourner à droite au 2ᵉ rang Ouest, le gîte est à environ 2 km sur la gauche. Agréable maison de pierre, assez grande. Dans cette ferme, 4 chambres simples, un peu ringarde (dont une pouvant accueillir 5 personnes). Les proprios, très sympas, élèvent des bovins et cultivent des pommes de terre. Produits du terroir au petit déjeuner. Confitures et pain maison.

🏠 ***Gîte aux mille souvenirs :*** 96, rue Notre-Dame Ouest. ☎ 851-47-04. Entre 45 et 55 $Ca (29 et 35,5 €) la nuit. Très central : l'un des seuls gîtes à Trois-Pistoles même. Juste au-dessus d'une boutique de souvenirs. 7 chambres de taille moyenne, toutes avec lavabo et parfois douche. Déco un peu vieillotte mais bon accueil des jeunes patrons. Pratique pour ceux qui veulent résider un petit moment à Trois-Pistoles car les prix sont intéressants.

Où dormir ? Où manger dans les environs ?

🏠 🍽 ***Auberge Saint-Simon :*** 18, rue Principale, à Saint-Simon (à 7 km à l'est de Trois-Pistoles sur la route 132 en allant vers Rimouski). ☎ (418) 738-29-71. Ouverte de mi-mai à fin septembre. Environ 65 $Ca (41,9 €). Charmante maison en bois, mais située en bord de route, au cœur de Saint-Simon. Intérieur début de siècle, *cosy*. On a l'impression de manger dans une salle à manger familiale. Excellente cuisine : fruits de mer, poisson, petits plats mijotés, pétoncles aux câpres et vin blanc, ragoût d'agneau aux herbes, yaourt maison, etc. Prix très abordables pour une authentique gastronomie régionale à base de produits frais. *Brunch* le dimanche. 9 chambres pleines de charme, décorées à l'ancienne, avec baignoire à pieds. Une réduction de 10 % est accordée aux cyclistes ! Excellent accueil. Vraiment une bonne adresse !

🏠 ***Gîte du Passant Chez Choinière :*** 71, rue Principale, à Saint-Simon. ☎ 738-22-45. De 50 à 55 $Ca (32,3 à 35,5 €) selon la chambre. 60 $Ca (38,7 €) la caravane (4 places). En bordure de route, près des champs. Dans une jolie maison entièrement rénovée à l'ancienne, Alain vous accueille simplement et chaleureusement. Ce gîte comporte 5 chambres spacieuses avec lit et baignoire d'époque. Salle de bains à l'étage. Alain est très sympa, un peu baba cool sur les bords. Il fait son pain et prépare de copieux petits déjeuners. Il vous a aménagé un petit coin pour les grillades dans son grand jardin. Enfin, Alain loue aussi une caravane sur la plage (ah, cet Alain...). Tarifs très intéressants et dégressifs selon la durée du séjour.

Où manger ?

🍽 ***L'Ensoleillé :*** 138, rue Notre-Dame Ouest. ☎ 851-28-89. À midi entre 7 et 11 $Ca (4,5 et 7 €). Table d'hôte entre 10 et 18 $Ca (6,5 et 11,6 €). Restaurant végétarien à l'ambiance chaleureuse et au service impeccable. Excellents plats tels que le *chili sin carne* ou encore le poulet à l'orange, filet de truite pour les non végétariens. Goûter aussi les brochettes de crevettes. Terrasse extérieure agréable et ensoleillée. Par beau temps ! Table d'hôte offrant un très bon rapport qualité-prix.

À voir. À faire

★ ***Le musée Saint-Laurent :*** 552, rue Notre-Dame Ouest. ☎ 851-23-45. 3 $Ca (1,9 €) l'entrée. Ouvert de fin juin à mi-septembre, de 8 h 30 à 18 h. Dans les années 60, Adrien Coté, qui tenait à l'époque un motel, décida d'acheter une vieille automobile pour attirer les clients. Puis il en acheta une 2e, et une 3e... et 15 ans plus tard, il ouvrait un musée. Outre une belle collection de voitures (toutes en état de marche) datant des années 30 à 70, on y trouve une curieuse *autoneige* de 1919. Adaptable sur plusieurs types de véhicules, cet engin muni de patins à l'avant et de chenilles à l'arrière permettait de progresser sur une épaisse couche de neige. Mais aussi tout un bric-à-brac d'outils, machines et ustensiles divers (équipement servant à faire des rainures sur pneus d'été pour l'hiver, vélos anciens, harpons, « pilon pour patates à cochons », moulin à laver, vieux paquets de cigarettes...). La visite est libre, mais Adrien est ravi de répondre aux questions éventuelles.

★ ***L'église Notre-Dame-des-Neiges :*** imposante à l'intérieur comme à l'extérieur, et dont les styles architecturaux, la déco et les légendes entourant sa construction ont fait fonctionner les langues.

★ ***Le parc de l'Aventure basque en Amérique :*** 66, rue du Parc. ☎ 851-15-56. 5 $Ca (3,2 €). Ouvert tous les jours du 1er juin à la mi-octobre, de 9 h à 20 h (10 h à 20 h de mi-juillet à mi-août). Une exposition interactive sur l'histoire des Basques arrivés dès le XVIe siècle dans cette région, appelée *comté des Basques*. Visite commentée. Le parc est le point de rencontre de la communauté d'origine basque du Québec, et on y trouve, bien sûr, un bar et un fronton pour la pelote!

– ***Excursions à l'île aux Basques :*** départ de la marina. ☎ 851-12-02. Tarif unique à 12 $Ca (7,7 €). De début juin à mi-septembre. Visites commentées d'environ 3 h.

– ***Balades en kayak de mer :*** *Rivi-Air Aventure*, 2175, route 132 Est. ☎ 736-52-32. • www. cam.org/£bsl/rivi-air.aventure • De 33 $Ca (21,3 €) la demi-journée à 57 $Ca (36,7 €) la journée. 3 départs de 7 h 30 à 20 h 30. Balades autour de l'Archipel du Bic avec guides. Excursion au coucher du soleil. Réservation recommandée.

LE PARC DU BIC

IND. TÉL. : 418

Situé sur la route 132, entre Trois-Pistolets et Rimouski. 2 entrées différentes, l'une peu après le village de Saint-Fabien, l'autre juste avant le village du Bic.

Dans un site superbe, entre mer et montagne. Parc national, une fois n'est pas coutume, de dimension humaine. La légende raconte que, lors de la création du monde, l'ange chargé de disposer les montagnes sur la terre en eut trop à la fin et s'en débarrassa dans la mer, au-dessus du Bic! Est-ce pour cela qu'on y trouve tant de rochers dissimulant de petites plages? Évidemment, on vient ici pour les randonnées, à pied (se munir de bottes) ou à vélo (près de 7 km de pistes aménagées), ainsi que pour l'observation de la faune : mammifères marins, saumons, mollusques, oiseaux aquatiques, etc. Nombreuses petites randonnées à réaliser. Vue admirable. N'oubliez pas votre attirail antimoustiques!

Adresses utiles

i ***Renseignements sur le parc :*** *kiosque d'infos* à la 2e entrée du parc, à côté du camping. ☎ 736-50-35. L'été, ouvert tous les jours de 8 h à 16 h. Carte et explications sur les balades.

i ***Informations touristiques :*** au niveau de Saint-Fabien, sur la route 132, n° 33. ☎ 869-33-33. Ouvert de 9 h à 19 h, tous les jours de fin-juin à début septembre; fermé le samedi et le dimanche en dehors de cette période.

Où dormir? Où manger dans les environs?

- ***Camping :*** dans le parc, à l'entrée Pierre-Baudry (la 2e en venant de Trois-Pistoles). ☎ 736-47-11. 17 $Ca (10,9 €) pour la tente. Le camping, assez rudimentaire, est au bord de la route, donc bruyant, et sans ombre. Pas super. Dommage.
- ***Auberge du Mange-Grenouille :*** 148, rue Saint-Cécile, au village du Bic. ☎ 736-56-56. Fax : 736-56-57. Ouvert du 1er mai au 15 octobre. Entre 55 et 80 $Ca (35,5 et 51,6 €) avec ou sans salle de bains privée. Ancien magasin transformé en maison bourgeoise à la décoration fin de siècle. Un charme fou. Maison rouge avec pignon de bois sculpté. Patronne adorable. 15 chambres douillettes, dont une superbe suite nuptiale. Prix raisonnables pour l'endroit. Les locataires se partagent deux grandes salles de bains et disposent même d'un bain tourbillon! Dans la nouvelle annexe, salles de bains privées. Réserver à l'avance. L'auberge fait aussi restaurant-bar, avec terrasse. Vue sur le parc du Bic. L'été, repas le soir seulement.
- ***Gîte Aux Cormorans :*** au Bic, vers la pointe aux Anglais. ☎ 736-81-13. • cormoran@globetroter.qc.ca • De 50 à 75 $Ca (32,3 à 48,4 €) selon vue sur le fleuve et salle de bains privée. De la route 132, prendre la direction du golf et le longer; la maison est un peu plus loin, sur la gauche. Idéalement située au bord de l'eau, face à des îlots sauvages, devant une belle pelouse plantée de beaux sapins, une maison aux volets bleus, à la véranda blanche. On aimerait rester longtemps dans ce cadre serein. 5 chambres chaleureuses, tout en bois. Grande salle à manger avec cheminée, très agréable, où prendre le petit déjeuner. Panorama d'une douce beauté. Trampoline dans le jardin. On aime.
- ***Gîte La Maison de l'Irlandais :*** 182, 1re rue Est, Saint-Fabien. ☎ 869-29-13 ou 1-888-869-29-13. • www.bbcanada.com/2132.html • De 55 à 65 $Ca (35,5 à 41,9 €) la nuit selon le confort. À l'entrée du parc du Bic, une ancienne ferme jaune et verte près de la route. Beaucoup de caractère. 4 chambres d'époque dont 3 avec baignoire et lavabo. L'intérieur est magnifique sans être trop surchargé : murs en lambris de bois, beau parquet rustique. Simple et classe à la fois. Les proprios sont sympathiques : le patron artiste-peintre expose et vend ses œuvres (aquarelles, huiles...). Petit déjeuner avec touche *irish*, le tout en musique (irlandaise, of course). Attention gîte non fumeur.
- ***Gîte de la Maison du Cordonnier :*** 26, 7e Avenue, à Saint-Fabien. ☎ 869-20-02. Comptez 50 $Ca (32,3 €). En plein centre du village, une adorable maison tout en bois, aux murs jaune paille et au toit d'argent, entourée d'une gentille véranda. Charme paysan. À l'étage, 3 chambres coquettes qui respirent l'atmosphère d'antan. Salle de bains commune, pleine de caractère elle aussi. Petit déjeuner compris. Location de vélos. Une bonne petite adresse à l'accueil cordial.

À faire

– ***Observation des phoques et des oiseaux du parc :*** avec *Aqua-tours*. ☎ 750-19-98. • www.cnipap/affaire/aquatour • De 15 à 45 $Ca (9,7 à 29 €). Ouvert de mi-avril à mi-décembre. Pour découvrir les phoques gris, le littoral, les épaves ou les fonds marins grâce à une caméra sous-marine. Dîner ou camping sauvage au bord de l'eau.

– ***Balades dans le parc :*** le centre d'interprétation du parc propose des balades agréables et faciles à travers celui-ci.
– Allez absolument à ***l'Anse des Pilotes*** et au ***Cap-à-l'Orignal*** si vous voulez avoir une chance d'apercevoir les colonies de phoques gris qui se dorent au soleil. Renseignez-vous quand même sur les horaires des marées. Il existe un certain rapport entre les deux, et ce serait dommage que vous vous déplaciez pour rien. Et inutile de nous écrire pour râler : ce n'est pas de notre faute si l'on n'en voit pas à chaque coup !
– Un autre chouette endroit : la ***Baie du Ha ! Ha !*** Personne n'est d'accord sur l'origine de ce nom. On connaît deux versions. La première selon laquelle la baie serait appelée ainsi à cause de l'exclamation que poussèrent les gens qui la virent pour la première fois. La seconde est à rechercher du côté de l'ancien français (« Ha ! Ha ! » voudrait dire anse en ancien français). Ah !

RIMOUSKI 34 000 hab. — IND. TÉL. : 418

Son nom d'origine indienne signifie « terre de l'orignal ». Ville animée, qui souffrit du grand incendie de 1950. Plus du tiers de la ville fut détruit. Au large de Rimouski eut lieu le naufrage de l'*Empress of Ireland*, le 29 mai 1914, qui coula en 14 mn, record mondial ! Il fit plus de 1 000 victimes (c'est la 2e plus grande catastrophe maritime du monde après celle du *Titanic*). N'allez quand même pas visiter la ville en catastrophe ! Si les alentours sont superbes, la ville en elle-même ne mérite pas qu'on y séjourne longtemps.

Adresses utiles

Office du tourisme *(plan A1)* **:** 50, rue Saint-Germain Ouest. ☎ 723-23-22. Appel gratuit : ☎ 1-800-746-68-75. Ouvert tous les jours de mi-juin à mi-octobre, de 9 h à 20 h ; le reste de l'année, en semaine seulement, de 9 h à 16 h 30. Sur le front de mer. Très documenté sur la région. Service d'audioguide pour la visite de la ville. Toilettes publiques. Location de VTT et service mail gratuit.

✉ ***Poste*** *(plan B1)* **:** rue Saint-Germain Ouest, en face du restaurant *Mikes*.

■ ***Banque Royale*** *(plan B1,* ***1****)* **:** 1, rue Saint-Germain Est, à l'angle de la rue Cathédrale. Distributeur pour carte *Visa*. Il y a bien d'autres banques.

■ ***Allôstop*** *(plan B1,* ***2****)* **:** 106, rue Saint-Germain Est. Dans la sympathique librairie *Le Perroquet* (livres d'occasion, compacts...). ☎ 723-52-48. Fonctionne bien pour aller vers Québec et Montréal.

Terminus de bus Orléans *(hors plan par B1)* **:** 90, av. Léonidas. ☎ 723-49-23. Accès par la 132 Est, après l'*hôtel Rimouski*. Pour la Gaspésie : 2 bus par jour qui passent par la côte et 2 bus par la vallée de la Matapédia.

Gare ferroviaire *(plan B1)* **:** 57, rue de l'Évêché Est. ☎ 722-47-37. Appel gratuit : ☎ 1-800-361-53-90. Pour la Gaspésie : 3 trains par semaine.

Traversée Rimouski-Forestville : information au ☎ (418) 725-27-25. Jusqu'à 4 traversées par jour en saison. Seulement 55 mn pour rejoindre l'autre rive du Saint-Laurent. Ne circule pas par grand vent.

■ ***Laveries :*** 260, rue Saint-Germain Est, et 167, rue Saint-Jean-Baptiste Ouest.

■ ***Tabagie de la Cité*** *(plan B1,* ***3****)* **:** 102, rue Saint-Germain Est. Beaucoup de magazines de France mais pas de quotidiens.

Où dormir ?

■ *CÉGEP* *(plan B2, **11**)* **:** 320, rue Saint-Louis. ☎ 723-46-36 ou 1-800-463-06-17. Fax : 722-92-50. • www.cegep-rimouski.qc.ca/residenc • De 20 à 28 $Ca (12,9 à 18 €) selon la saison. Résidence étudiante louant des chambres l'été, de début juin à mi-août. 500 chambres en tout. Pas cher. Petit déjeuner possible. Logement dans des immeubles un peu glauques mais *clean*. Bon, pas vraiment l'image des vacances idéales. En dépannage, donc.

■ *Ô Toit Mansart* *(plan B1, **12**)* **:** 182, rue Ringuet. ☎ 724-24-85. Comptez 50 $Ca (32,3 €) la nuit. 3 chambres pas très grandes mais impeccables et fleuries, légèrement en sous-sol, dans un pavillon indépendant. Coin cuisine équipé (micro-ondes...). Kiosque couvert dans le jardin où l'on prend le petit déjeuner. Bon accueil.

■ *Gîte du Centre-Ville* *(plan B1, **13**)* **:** 84, rue Saint-Pierre. ☎ 723-52-89. 50 $Ca (32,3 €). À deux pas du centre, dans une rue calme et agréable. Une gentille famille loue 4 grandes chambres aux couleurs pastel dans sa maison cossue et chaleureuse. Salle de bains commune. Agréable et calme.

■ *Motel Lyse* : 543, bd Saint-Germain Ouest, sur la route 132, à 3 km du centre, en direction de Rivière-du-Loup. ☎ 723-10-40. Fax : 723-10-42. 50 $Ca (32,3 €) pour une nuit. Un motel en bord de route, aux chambres banales mais propres, avec TV câblée, douche ou bains. Demandez une chambre éloignée de la route. Petit déjeuner sauf les week-ends hors saison.

Où dormir dans les environs ?

■ *Gîte 100-T* *(santé)* **:** 100, 5e rang Est, Saint-Marcellin. ☎ 735-52-24. De Rimouski, prendre la route 232, sortie 610, direction Sainte-Blandine. À la hauteur de Saint-Narcisse, prendre la piste à gauche (c'est indiqué). Ouvert toute l'année. Comptez 50 $Ca (32,3 €). En pleine nature. Tenu par le patron d'un excellent resto végétarien que nous recommandions auparavant. En plus de l'hébergement (prix compétitifs) et des différentes activités de plein air, il offre bien sûr le même style de nourriture qu'avant avec également des spécialités de poisson et fruits de mer. Ramener sa boisson.

■ *Gîte Domaine du Bon Vieux Temps* : 89, chemin de l'Écluse, Saint-Narcisse-de-Rimouski. ☎ 735-56-46. • www.chez.com/bonvieuxtemps/index-htm • Tablez sur 55 $Ca (35,5 €) pour une nuit. En venant de Rimouski, un panneau indique le gîte après Mont-Lebes. De Québec par l'autoroute 20 Est, prendre la sortie 610, suivre la direction Sainte-Blandine, on se retrouve sur la route 232 Ouest. Demeurer sur la route 232, dépasser l'intersection Saint-Narcisse, faire 1 km, puis premier chemin à gauche. Reportez-vous alors aux indications précédentes. Hélène et Régis sont heureux de vous accueillir dans leur grande maison en pierres apparentes et crépis. Intérieur chaleureux où s'activent une belle cheminée et un gros poêle en fonte. Ce « refuge » abrite 3 chambres confortables dont une avec cabinet de toilette. Splendide salle de bains. Le petit déjeuner est délicieux. Bref, une belle adresse tenue par des gens adorables, dans un lieu superbe, entouré d'une forêt et d'un lac dans lequel on peut se baigner, pêcher et faire du canoë. L'hiver, traîneau à chiens avec Régis.

■ *Gîte Le Villageois* : 496, chemin Duchénier, Saint-Narcisse-de-Rimouski, tout près du canyon des

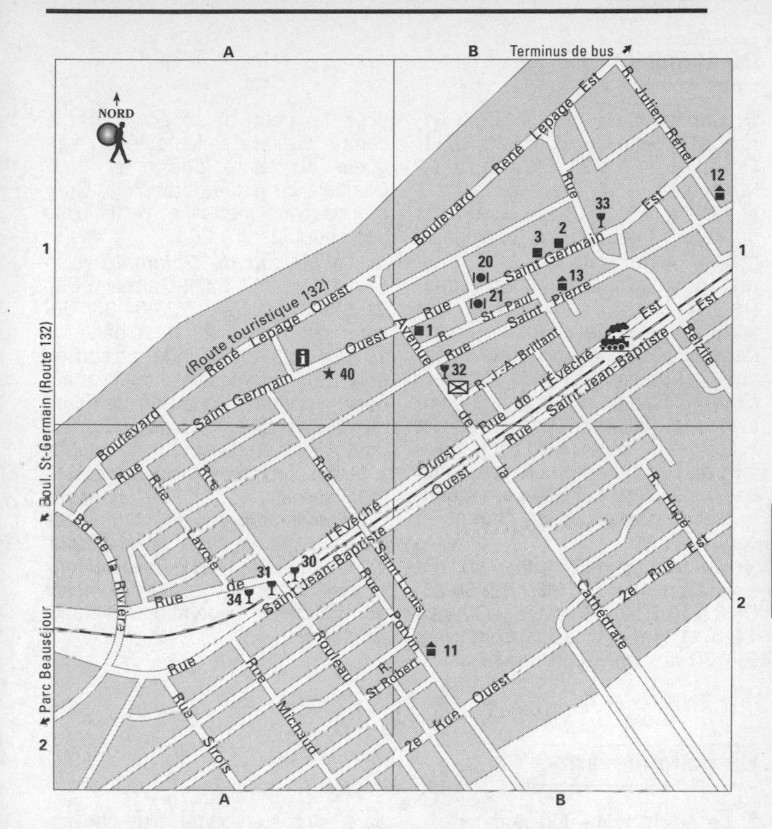

RIMOUSKI

Adresses utiles

- Office du tourisme
- Poste
- Gare ferroviaire
- **1** Banque Royale
- **2** Allôstop
- **3** Tabagie de la Cité

Où dormir ?

- **11** CÉGEP
- **12** Ô Toit Mansard
- **13** Gîte du Centre-Ville

Où manger ?

- **20** Le Mix
- **21** La Maison du Spaghetti
- **22** Central Café

Où boire un verre ?

- **30** Café Le Campus
- **31** L'Étrier Pub
- **32** Le Sens Unique
- **33** Bar Country chez Dallas
- **34** Le Néo-taverne

À voir

- **40** Musée régional

Portes de l'Enfer. ☎ 735-23-35. À 25 km de Rimouski. Accès par la route 232. 3 chambres à la déco moderne pas terrible, mais très claires, confortables et ultra propres. Accueil très sympa. Petit déjeuner servi dans la verrière, avec vue sur la campagne alentour. Très calme et pas cher.

Où manger ?

🍽 ***Central Café*** *(plan A-B2)* **:** 31, rue de l'Évêché Ouest. ☎ 722-40-11. Ouvert de 11 h à 23 h et jusqu'à minuit le week-end. Prévoyez entre 7 et 13 $Ca (4,5 et 8,3 €) pour un plat de pâtes. Installé dans une vieille maison verte sous les arbres, ce resto propose une nourriture de qualité (hamburger « luxueux », fine pizza européenne et toutes sortes de sauces maison pour accompagner vos pâtes). Les frites sont délicieuses ! Cadre très mignon. Amusant : au plafond, une très jolie collection de cages à oiseaux. Elles sont en vente. Préférez les salles du bas, plus intimes. Terrasse, verrière et balcon. Beaucoup de charme et pas très cher.

🍽 ***Le Mix*** *(plan B1,* ***20****)* **:** 50, rue Saint-Germain Est. ☎ 722-50-25. De 6 à 10 $Ca (3,9 à 6,5 €). Ouvre à 14 h et ferme tous les soirs vers 3 h 30. Le week-end, ouvre à 9 h pour le petit déjeuner. Dans le centre. Grande salle toute en longueur au cadre design et frais. Clientèle de jeunes branchés. On y propose des menus et petits plats pas chers jusqu'à 20 h.

🍽 ***La Maison du Spaghetti*** *(plan B1,* ***21****)* **:** 35, Saint-Germain Est. ☎ 723-60-10. Fax : 723-84-38. Ouverte de 11 h à 23 h. À partir de 10 $Ca (6,5 €). Grande maison en bois rouge (impossible de la manquer !) connue sous le nom de *Forge du Père Cimon*. L'intérieur est agréable, vert et blanc avec nappes à carreaux assorties. Assez fréquentée, surtout en fin de semaine. Comme le suggère le nom, vaste choix de pâtes, mais aussi pizzas, viande, fruits de mer... Très copieux et assez bon marché. Service rapide et aimable. Réservation vivement conseillée.

Où boire un verre ?

🍸 ***Le Mix*** **:** voir « Où manger ? ». Ferme à 3 h 30. Bonne musique (un peu de tout : irlandaise, mexicaine, espagnole et les incontournables, rock et blues). Bières du monde entier. Ici, on appelle ça un café-causerie. Soirées à thème de temps en temps. Terrasse, billard et cigar-room à l'arrière.

🍸 ***Café Le Campus*** *(plan A2,* ***30****)* **:** 149, rue de l'Évêché Ouest. ☎ 722-07-70. Ouvert jusqu'à 3 h du mercredi au dimanche. Rendez-vous des étudiants, comme on s'en doute. Sympa et pas cher, comme on l'imagine. Chansonniers québécois les jeudi, vendredi et samedi. Billard. Sympa et décontracté. Terrasse l'été.

🍸 ***L'Étrier Pub*** *(plan A2,* ***31****)* **:** 155, rue de l'Évêché Ouest. ☎ 724-22-66. Ouvert jusqu'à 3 h. Fermé le dimanche. Bar-boîte à la mode. Moins sympa que *Le Campus*. Plus standard, plus stéréotypé, plus conventionnel. Bonne ambiance tout de même.

🍸 ***Le Sens Unique*** *(plan B1,* ***32****)* **:** 160, av. de la Cathédrale. ☎ 722-94-00. Ferme à 3 h. Bar dansant. Bonne ambiance. Fait discothèque tous les soirs. Déco style médiéval très réussie. Murs peints, petite terrasse surplombant la rue. Happy hours. Clientèle mélangée. Pas de musique *live*. Très sympa.

🍸 ***Le Néo-taverne*** *(plan A2,* ***34****)* **:** 155, rue de l'Évéché Ouest. ☎ 724-22-66. Ouvert de 14 h à 3 h tous les jours. Fermé le dimanche. Petite salle sombre en entre-sol. Mini-piste de danse sous une araignée géante. Grande terrasse colorée à l'entrée. Tous styles de musique. Chansonniers à l'occasion.

🍸 ***Bar Country chez Dallas*** *(plan B1,* ***33****)* **:** 134, rue Saint-Germain Est. ☎ 723-40-11. Ouvert tous les soirs. Un bar style américain country où l'on voit danser (surtout les vendredi et samedi) les « danses de lignes ». Typiquement américain. Ringard et bien amusant.

À voir. À faire

★ ***Le Musée régional*** *(plan A1, **40**)* **:** 35, rue Saint-Germain Ouest. ☎ 724-22-72. Ouvert toute l'année du mercredi au dimanche, de 10 h à 18 h. Expos temporaires de qualité. Œuvres d'art exposées dans une ancienne église de la ville (1824). Assez intéressant.

★ ***La maison Lamontagne :*** 707, bd du Rivage. ☎ 722-40-38. Ouverte tous les jours de mi-mai à mi-octobre, de 9 h à 18 h. 3 $Ca (1,9 €) et tarifs réduits pour famille, étudiants et seniors. À 6 km du centre, direction Pointe-au-Père. Construite au XVIIIe siècle, l'une des trois maisons à colombages d'Amérique du Nord. Pas grand-chose à voir à l'intérieur. Dans le jardin, expo gratuite des différentes techniques de construction au Québec depuis 300 ans, avec des exemples de maison. L'été, concerts de musique de chambre.

★ ***Le parc Beauséjour :*** bd de la Rivière (route 132), dans le centre. ☎ 724 31-67. Entrée gratuite. Pistes cyclables et sentiers pédestres. Location de canoës et pédalos. Pique-nique autorisé. Spectacles, etc. Des modifications en perspective, se renseigner avant de s'y rendre.

– ***Sentiers d'interprétation du littoral et de la rivière Rimouski :*** le long de la rivière, en partie dans le parc Beauséjour. ☎ 723-04-80. Environ 15 km de sentiers aménagés. On apprend à identifier oiseaux et végétaux. Entrée gratuite. Pour les sportifs, 7 km de pistes aménagées pour le vélo de montagne.

– ***Excursion à l'île Saint-Barnabé :*** ☎ 723 23-77. Comptez 12 $Ca (7,7 €). Départ toutes les demi-heures de 10 h à 15 h. Randonnée sur l'île avec guide-interprète.

★ ***Expéditions Gallayann Aventure :*** 199, rue Principale à Saint-Gabriel-de-Rimouski. ☎ et fax : 798-46-42. • www.gallayann.qc.ca • À partir de 85 $Ca (54,8 €). Vivez l'aventure au cœur de la réserve faunique de Rimouski. Observation des animaux sauvages avec des guides animaliers. Au programme en été, 2 types de sorties : à vélo de montagne et en canots, ou bien à bord de chariots de cow-boy, version « *La petite maison dans la prairie* ». En hiver, balades en attelage de chiens à travers les forêts et lacs des Appalaches. Pour ajouter une petite touche d'exotisme, le tout est organisé par un Breton.

Manifestations

– ***Festi-jazz :*** tous les ans, à l'époque de la fête du Travail (fin août-début septembre). Une vingtaine de spectacles dans une dizaine de salles de la ville, organisés par des bénévoles fous de jazz. C'est jumelé avec le festival de Jazz de Vienne (en France, pas en Autriche)... Pour en savoir plus sur la programmation : ☎ 724-78-44.
– ***Festival Musique en Fleurs :*** au parc Lepage ou place Beaulieu. ☎ 723-23-22 ou 1-800-746-68-75. 16 $Ca (10,3 €) la place. Du début juillet au premier août. Billets en vente à l'office de tourisme de Rimouski. Nombreux concerts (rock, musique slave, tzigane...).
– ***Carrousel International du Film :*** tous les ans, pendant la dernière semaine de septembre. Au ciné Lido. Projections (pas chères) de films réalisés par des jeunes et jugés par un jury francophone. Pour acheter vos billets, téléphonez à l'office de tourisme.

À voir dans les environs

★ *SAINTE-LUCE*

Charmante station balnéaire familiale, à 10 km de Rimouski ; probablement la plus belle plage de sable fin de cette côte. Jolie église avec son cimetière face à la mer.

Où dormir ? Où manger ? Où boire un verre ?

☗ Minuscule ***camping*** surplombant la mer : route du Fleuve Ouest, Sainte-Luce. ☎ 739-53-93. Fax : 739-50-65. Pour planter sa tente, c'est 20 $Ca (12,9 €), 23 $Ca (14,8 €) pour une caravane. Sommaire et un peu cher.

☗ ***Maison des Gallant :*** 40, route du Fleuve Ouest, G0K-1P0. ☎ 739-35-12. Réservation : ☎ 1-888-739-35-12. • www.gites-classifies.qc.ca/gallant.htm • Comptez 55 $Ca (35,5 €). Ce gîte familial est ouvert toute l'année. Accès direct au fleuve par le jardin de cette demeure du début du siècle. 3 chambres confortables et très soignées. Décoration raffinée (antiquités). 2 solariums. Petit déjeuner remarquable.

☗ ***L'Auberge de l'Eider :*** 90, route du Fleuve Est. ☎ 739-35-35. Ouverte de fin juin à fin août. À partir de 60 $Ca (38,7 €). Au beau milieu de l'anse, cette jolie bâtisse possède un accès direct à la plage. Le charmant couple d'hôteliers vous propose 18 chambres bien décorées toutes avec vue sur la mer et salle de bains privée. Agréable intérieur simple et élégant dans les tons bleu clair et vert. La salle à manger offre une belle vue sur le Saint-Laurent, on y déguste une fine cuisine régionale. Petit détail pour les routards pointilleux : l'eider est un canard dont le duvet sert à remplir les couettes de lits.

☗ ***La Boulangère de Sainte-Luce :*** 68, rue du Fleuve Ouest. ☎ 739-32-44. Dans cette maisonnette en bois au bord de la route, tout est fait maison : pains, pâtisseries (tartes aux fraises et à la rhubarbe), plats cuisinés, confitures, sauces... À consommer sur place, derrière la boutique, face au Saint-Laurent, ou à emporter. Bon et prix modérés. Excellent accueil.

🍸 ***L'Anse aux Coques :*** 31, route du Fleuve Ouest. ☎ 739-48-15. • sudanjou@cgocable.ca • Ouvert du 24 juin à septembre de 7 h à 3 h. Entre 8 et 20 $Ca (5,2 et 12,9 €). Spécialité de fruits de mer. Café agréable, avec terrasse et vue sur la plage, mais un petit peu cher. À 100 m de l'église en allant vers l'est. Billard.

★ *SAINT-GABRIEL-DE-RIMOUSKI*

De Sainte-Luce, prendre la route 298, puis tourner à droite sur la 234. On peut aussi s'y rendre de Rimouski, en prenant la 232 puis la 234 mais sur la gauche, cette fois, direction Sainte-Angèle.

Où dormir ?

☗ ***Le Bercail :*** 199, rue Principale, chez Josiane Vouillon, G0K-IM0. ☎ 798-44-87. Fax : 798-46-42. • www.gallayann.qc.ca • Comptez 45 $Ca (29 €). Accueil très sympa. Très bon petit déjeuner. Simple mais propre. Gilles, le mari de Josiane, vous fera découvrir la région en *chariot* de cow-boy l'été et en traîneau l'hiver pour environ 85 $Ca (54,8 €), et vous transmettra une vision forte de la nature...

À voir encore dans les environs de Rimouski

★ ***Le musée de la Mer :*** 1034, rue du Phare, ***Pointe-au-Père***. ☎ 724-62-14. • museemer@globetrotter.qc.ca • À 10 km de Rimouski par la route 132 Est. Au phare du village, expo sur le naufrage du *Empress of Ireland* qui, le 29 mai 1914, causa la mort de 1192 personnes. Ouvert de juin à mi-octobre, tous les jours, de 9 h à 17 h (18 h de mi-juin à fin août). Reconstitution du naufrage sur écran informatique et des conditions d'exploration de l'épave (exposition du matériel de plongée, scaphandres de l'époque et d'aujourd'hui). Durée de la visite : environ 1 h 30.

★ ***Le canyon des Portes de l'Enfer :*** de Rimouski, prendre la route 232, direction Saint-Narcisse-de-Rimouski. À environ 30 km au sud de Rimouski. ☎ 750-15-86. 5 $Ca (3,2 €). • www.reseau-sadc.qc.ca/neigette/porte/index.htm • Ouvert de la mi-mai à la fin octobre de 9 h 30 à 17 h 30. Le canyon évoque les premiers draveurs qui descendaient la rivière Rimouski. Le canyon s'étire sur près de 5 km. Pour accéder au site, différents sentiers ont été aménagés. Également 20 km de piste de vélo de montagne.

– *LA GASPÉSIE* –

Un pays à la fois mer et continent, plages, grèves et montagne. Géologiquement vieille de millions d'années, c'est pourtant l'une des plus jeunes terres peuplées par l'homme. Un des temps forts de votre voyage au Québec.
Dernier hoquet des monts Appalaches, la Gaspésie tient de la Bretagne pour le climat, la superficie et les côtes rocheuses avec, par moments, un zeste de solitude sauvage très norvégienne. Son versant nord plonge, par endroits, directement dans la mer. *Gaspésie* vient du nom micmac *gespeg*, « là où finit la terre ». Les autobus *Orléans* desservent toutes les municipalités de la péninsule. Utile quand on s'aperçoit que parfois le « pouce » c'est pas le pied! Malheureusement, très souvent, il n'y en a qu'un par jour.
La population est presque exclusivement francophone et très attachée à ses traditions, conséquence de l'isolement économique dans lequel la péninsule fut longtemps laissée. Moment extra qui vous montrera l'un des visages du vrai Québec. René Lévesque, l'ancien Premier ministre, était originaire de New Carlisle, sur la côte Sud. En avant pour la conquête de ces bourgades aux consonances si poétiques et évocatrices : *Cap-Chat, Ruisseau-à-Rebours, Anse-Pleureuse, Gros-Morne, Manche-d'Épée, Pointe-à-Frégate, Anse-au-Griffon, Petit-Pabos*...

Adresse utile

ℹ ***Association touristique régionale de Gaspésie :*** 357, route de la Mer (route 132), à Sainte-Flavie, 1er village de Gaspésie quand on vient du Bas-Saint-Laurent. Située sur la droite de la route, dans une maison isolée, blanche au toit rouge. ☎ (418) 775-22-23. Fax : 775-22-34.

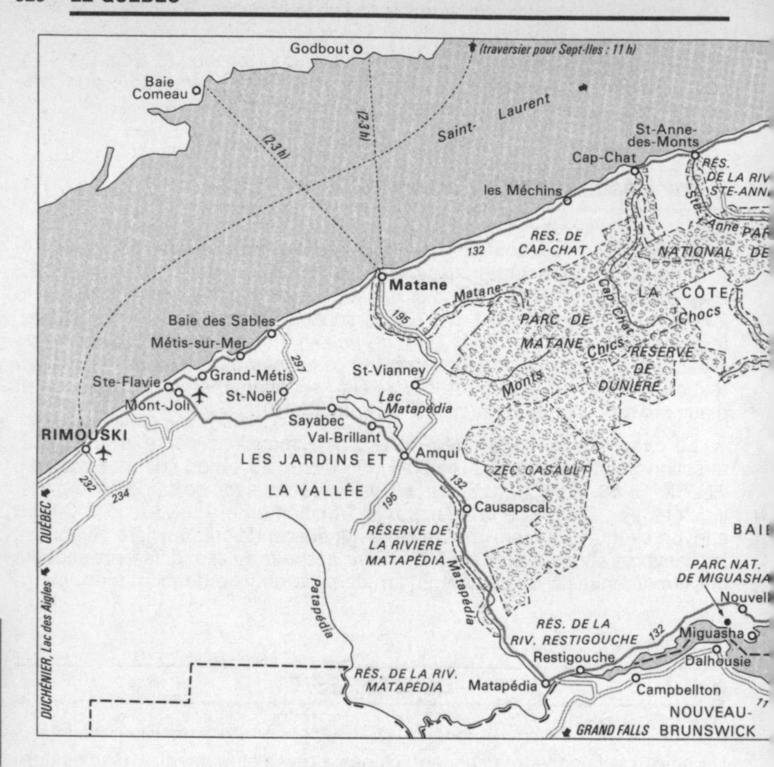

De juin à mi-octobre, ouvert de 8 h à 20 h. Ne pas oublier de s'y arrêter pour se procurer le guide régional, des cartes et plein de dépliants sur les campings, gîtes, restos et les sites importants.

GRAND-MÉTIS 300 hab. IND. TÉL. : 418

À mi-chemin entre Rimouski et Matane, un joli village les pieds dans le golfe du Saint-Laurent, tout de suite après Sainte-Flavie.

Où dormir ? Où manger à Sainte-Flavie ?

Centre d'Art Marcel-Gagnon : 564, route de la Mer. ☎ 775-28-29. Fax : 775-95-48. De 60 à 80 $Ca (38,7 à 51,6 €). À la sortie de Sainte-Flavie, sur la gauche, en direction de Matane. Auberge-café tenue par un peintre. 10 chambres à prix moyens, dans une grande bâtisse en bois et pierre au bord de la mer. Fait aussi resto et galerie d'art. Chambres sans particularité sauf la belle vue pour les plus chères, mais impeccables. Le patron, peintre et sculpteur, a réalisé une série d'œuvres en béton, sortes de madones alignées jusque dans l'eau. Nous, on a trouvé ça beau.

Capitaine Homard : 180, route de la Mer, à l'entrée de Sainte-Flavie en venant de Rimouski. ☎ 775-

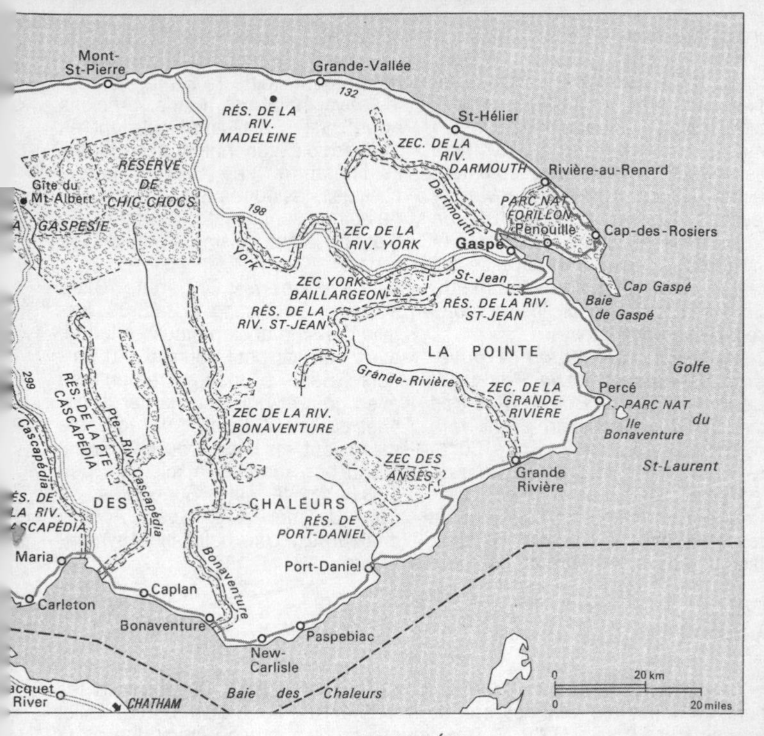

LA GASPÉSIE

80-46. Fax : 775-93-08. Ouvert de mai à début septembre, tous les jours jusqu'à minuit. Environ 15 $Ca (9,7 €) pour une spécialité. Menu bon marché avec bisque et morue. Homards pas chers du tout, pêchés aux îles de la Madeleine et dans la baie des Chaleurs. Grande bâtisse blanche au toit rouge, avec un mini-phare incorporé. Bonne ambiance, patron tranquille.

🍽 ***Le Gaspesiana :*** 460, route de la Mer. ☎ 775-72-33 ou 1-800-404-82-33. Fax : 775-92-27. Ouvert à l'année. Comptez 15 $Ca (9,7 €) le midi et 23 $Ca (14,8 €) le soir. Chic et belle vue sur le fleuve. Cadre plus conventionnel que le précédent. À midi, les plats sont à bons prix ; le soir, c'est trop cher pour la banalité de la cuisine.

Où dormir ? Où manger dans les environs ?

🏠 ***La Villa du Vieux Clocher :*** 179, rue Beaulieu, à Saint-Antoine-de-Padoue, à une quinzaine de kilomètres. ☎ et fax : 775-96-54. Comptez 55 $Ca (35,5 €). Pour y aller, prendre la route qui part perpendiculairement à la 132 presque en face des jardins de Métis, direction Saint-Octave-de-Métis. En arrivant à Saint-Antoine, entrer dans le village par la rue Gagnon, au bout de laquelle commence la rue Beaulieu ; la suivre jusqu'à l'église ; le gîte est installé dans l'ancien presbytère, juste à côté. 7 chambres assez kitsch, comme le reste de la maison, décorée de quelques bondieuseries récupérées dans le grenier et de nombreux meubles et objets plus ou moins anciens (superbe gramophone-radio, juke-box, caisse-enregistreuse, lynx empaillé...). Marjolaine, qui a un langage pour le moins imagé, se fait un plaisir de vous faire visiter tout ça avec force commentaires. On aurait presque envie d'y revenir l'hiver rien que pour une de ses fameuses soirées « Meurtres et mystères »... Bref, une adresse qui vaut le détour et qui ne vous mettra pas sur la paille. Possibilité de repas (réservation obligatoire).

■ ***Auberge du Grand Fleuve, chez Raynald et Marie Pey :*** 47, rue Principale, Les Boules. Pas très loin de Grand-Métis en allant vers Matane. ☎ 936-33-32. Entre 60 et 80 $Ca (38,7 et 51,6 €). En face de l'église et à deux pas du rivage. Une dizaine de chambres confortables décorées avec beaucoup de goût dans une belle demeure en bois vert et jaune. Accueil très sympa de ce couple franco-canadien qui a récemment quitté la Bretagne pour le pays natal de Marie. Anciens bouquinistes à Quimper, ils ont en partie dédié leur chaleureux refuge à la littérature. Les Bretons seront choyés... les autres aussi ! Les repas du soir ne sont pas bon marché mais c'est de la fine cuisine. Forfaits avec repas.

|●| ***La Meunerie :*** 202, route 132, à Baie-des-Sables. ☎ 772-68-08. Installé dans un ancien moulin à farine, avec son joli petit cours d'eau derrière. Salle à manger aménagée avec goût et qui a su garder le cachet du lieu. À l'étage, un agréable salon tout en bois avec cheminée. Menu bon marché le midi, un peu plus cher le soir. Spécialités de fruits de mer et grillades. Accueil chaleureux. Une halte bien sympathique.

À voir

★ ***Les jardins de Métis :*** 200, route 132. ☎ 775-22-22. Ouverts tous les jours, de début juin à mi-octobre, de 8 h 30 à 18 h 30. 8 $Ca (5,2 €). Billet familial pour 20 $Ca (12,9 €). Continuons notre approche empirique de la langue indienne. Métis *(Mitis)* signifierait « petit peuplier ». C'est en tout cas le nom d'une rivière dont les saumons attiraient un riche aristocrate qui fit des lieux son domaine. Son héritière y fit dresser des jardins de style anglais, au milieu d'un bois où se mélangent harmonieusement plusieurs centaines d'espèces, en tout plus de cent mille plants. De petits ponceaux (ponts) franchissent, dans une ombre rafraîchissante, tous les ruisseaux qui courent entre les massifs. Ces jardins sont un enchantement pour les connaisseurs (encore plus lors des concerts de musique classique qui y sont organisés l'été). On n'en finit pas d'admirer les hémérocalles, les pavots bleus (emblèmes des jardins), les capucines, les pivoines qui se mêlent aux rhododendrons et aux sauges rouge vif tranchant sur la blancheur des alysses.
Au milieu des jardins, une somptueuse villa du XIXe siècle, dont 15 pièces ont été transformées en musée. Visite guidée (environ 1 h 30) des appartements et d'un certain nombre de lieux présentant divers métiers et occupations domestiques du temps passé.

|●| Restaurant dans 3 luxueuses salles à manger, à des prix étonnamment abordables (ouvert de 9 h 30 à 18 h 30). ☎ 775-31-65.

– Également dans la maison, un magasin d'artisanat présentant des productions locales fort belles. Un peu plus cher qu'ailleurs, mais qualité assurée.

★ ***Le Centre d'interprétation du saumon atlantique :*** 900, route de la Mer, sur la route 132, après Sainte-Flavie, côté gauche. ☎ 775-29-69. Ouvert tous les jours de mi-juin à fin octobre, de 9 h à 17 h ; horaires variables selon l'affluence en septembre. 1 h 30 de visite. 7 $Ca (4,5 €). Expos, films et aquariums nous disent tout sur ces beaux (et bons !) poissons... Sentiers écologiques également.

★ ***Le Grand Rassemblement :*** œuvre de Marcel Gagnon. 80 personnages de béton qui émergent des eaux du Saint-Laurent, à Sainte-Flavie.

MATANE 13 000 hab. IND. TÉL. : 418

Encore un nom amérindien (plus précisément micmac), qui signifie « vivier de castors »... Mais bon, il y en a moins qu'avant, la ville de Matane étant devenue industrielle ! À la place, beaucoup de traversiers, qui déchargent en Gaspésie les touristes venus de Baie-Comeau ou Godbout... Matane est néanmoins une ville relativement (très relativement) plaisante grâce à ses grandes places et ses couchers de soleil sur la mer. Attention, pas de bus à l'arrivée du traversier. Il faut appeler un taxi. À pied, compter au moins 30 mn jusqu'au centre.

Adresses utiles

Bureau d'information touristique : installé dans un mignon vieux phare, 968, av. du Phare Ouest (notez le jeu de mot involontaire), à l'entrée de la ville, côté mer (bien sûr). ☎ 562-10-65. Ouvert de 9 h à 20 h 30 de juin à début septembre ; en septembre et octobre, de 9 h à 17 h. Petit musée également.

Banque Nationale : 390, Saint-Jérôme.

Où dormir à Matane et dans les environs ?

– Pas d'AJ.

Camping Rivière-Matane : bd L.-F.-Dionne à Saint-Jérôme de Matane. ☎ 562-34-14. Ouvert de mi-juin à début septembre. À partir de 12 $Ca (7,7 €) pour une tente et 18 $Ca (11,6 €) pour une caravane. Pour se rendre au camping, du débarcadère, aller tout droit par la rive du parc industriel ; toujours tout droit, puis c'est fléché sur la droite. À environ 3 km du traversier. Dans la verdure, assez grand et agréable. Dépanneur et buanderie.

De bon marché à prix moyens

Gîte du Passant Le Panorama : 23, chemin Lebel, à Saint-Luc-de-Matane. ☎ et fax : 562-11-00. Comptez 50 $Ca (32,3 €). De Matane, prendre l'avenue Saint-Rédempteur. À 8 km, avant d'arriver à Saint-Luc, tourner à gauche (c'est indiqué) ; le gîte est 700 m plus loin sur la gauche. Maison récente mais agréable et bien située sur les hauteurs, dans la verdure et les bois. Du salon, superbe vue sur Matane et le fleuve (que l'on peut admirer avec un téléscope). 3 chambres confortables à prix doux. 2 salles de bains (dont une avec bain à remous). Tenu par un adorable couple de retraités, M et Mme Fortin, aimant bavarder. Patronne délicieuse. Café européen au petit déjeuner. À proximité, étang à castors et sentiers pedestres. Hector se fera un plaisir de vous faire découvrir les castors.

Le Lové du Pionnier : 1, rue Noël, Saint-Luc-de-Matane. ☎ 562-19-35. Fax : 562-62-38. 45 $Ca (29 €). Au cœur du village, dans une maison centenaire. 4 chambres bien tenues. Accueil chaleureux de Michel, passionné de la faune de sa région. Si vous le désirez, il vous fera observer les castors au travail dans sa réserve privée voisine. Il donne aussi de bons conseils pour aller voir les orignaux. En hiver, motoneige. Prix corrects.

■ ***Le Jardin de Givre :*** 3263, route du Peintre, Saint-Léandre, G0J-2VO. ☎ et fax : 737-44-11. Comptez 65 $Ca (41,9 €). À Saint-Ulric, sur la route 132 entre Rimouski et Matane, prendre la direction sud vers Saint-Léandre. Au village, tourner à droite et tout droit sur 2 km. Tourner ensuite à gauche à la route du Peintre et continuer encore 2 km. Maison aménagée dans un « décor d'époque, tout en boiseries et meubles anciens » au milieu de cent acres aménagés de sentiers de forêt, loin de l'agitation de la route côtière. 5 chambres décorées de façon à illustrer le poème accroché sur la porte. Ginette Couture est une hôtesse charmante, débordante de petites attentions qui font la différence avec un gîte ordinaire : fleurs sur les plats du petit déjeuner, aide pour préparer le pique-nique, etc. Son compagnon, Gérald Tremblay, forestier et écrivain à ses heures, pourra vous emmener faire une promenade à cheval. Quant au chien de la maison, il vous guidera jusqu'à la cascade voisine où les jours d'été on peut se baigner. Accueil très chaleureux. Petit déjeuner copieux. L'hiver, possibilité de faire de la motoneige.

Plus chic

■ ***Hôtel-motel Belle Plage :*** 1310, av. Matane-sur-Mer. À l'entrée de la ville, sur la route 132. ☎ 562-23-23 ou 1-888-244-23-23. Fax : 562-25-62. À partir de 64 $Ca (41,2 €). Hôtel-motel meublé style années 50. Gros avantage : c'est l'hôtel le plus proche du traversier (à 500 m). Ça permet de laisser sa voiture dans la file d'attente. Pas donné, mais grandes chambres pour 4 personnes avec coin salon et belle vue. Préférez celles de l'hôtel à celles du motel (plus chères et sans vue). À noter : un restaurant à découvrir.

■ ***Auberge La Seigneurie :*** 148, rue Druillette ou 621, rue Saint-Jérôme. Tout près de la route 132 mais dans le centre. 2 accès possibles. ☎ 562-00-21 ou 1-877-783-44-66. Fax : 562-44-55. • pages.infinit.net/mercanti/seigneurie • Ouvert à l'année. Comptez 70 $Ca (45,2 €). Cartes de crédit acceptées. Grande demeure victorienne imposante, meublée bourgeoisement, mais un rien vieillotte. Déco fleurie. Pas mal de charme. Pièces immenses au rez-de-chaussée. Chambres en étages, certaines pouvant accueillir 4 personnes. Lavabo dans les chambres mais sanitaires extérieurs. Excellent accueil. Le maître des lieux vous conseillera sur les visites dans les environs. Une adresse au charme un brin suranné.

■ ***Motel Marina :*** 1032, rue du Phare Ouest, GW4-3M9. ☎ 562-32-34 ou 562-32-35. À partir de 52 $Ca (33,5 €). Chambres spacieuses, propres et confortables donnant sur la plage. Bon accueil. Piscine chauffée. Possibilité de prendre son petit déjeuner pour 6 $Ca (3,9 €).

Où manger ?

|●| ***Café Aux Délices :*** 109, rue Saint-Jean. ☎ 562-05-78. Très grande fourchette de prix. Ouvert du dimanche au mercredi jusqu'à minuit ; du jeudi au samedi toute la nuit. Dans le centre, près du pont. Assez bon marché. Grand choix de snacks, pizzas, sandwichs, pâtes, grillades... Du jeudi au dimanche, de 17 h à 20 h, buffet chinois. Cadre banal, lumière blanche. Rien d'extraordinaire, mais cuisine honnête et pas chère. Service souriant.

|●| ***Café Bistro l'Estuaire :*** 50, rue d'Amours. ☎ 562-29-39. Ouvert jusqu'à 22 h (les samedi et dimanche, à partir de 16 h seulement). Environ 12 $Ca (7,7 €). Dans le centre. Salle correcte et propre. Sobre. Délicieux poissons et fruits de mer. Pizza cuite au feu de bois. Table d'hôte correcte. Accueil cha-

leureux de la patronne, mais prix un tantinet élevés.
– ***Les fumoirs Raoul Roux :*** 1259, rue Matane-sur-Mer. ☎ 562-93-72. Loin du centre, le long de la mer, entre le traversier et l'office du tourisme. Être motorisé. Vente de crevettes, truites, flétans fumés. Très bon. Parfait pour se confectionner un bon sandwich.

À voir. À faire

★ ***La passe migratoire :*** de début juin à fin septembre. En pleine ville, on peut assister à la remontée des saumons grâce à un aquarium par lequel ils sont obligés de passer. On aime cette bête exceptionnelle, grand migrateur devant l'éternel, capable de traverser les pires obstacles pour retrouver son lieu de naissance afin d'y pondre.
– ***La promenade du Capitaine :*** le long de la rivière Matane, sur la rue Saint-Jérôme, en plein centre. Promenade en bois avec explications de l'histoire maritime de la ville.

Festival

– ***Le festival de la Crevette :*** du 23 juin au 3 juillet (vérifier). 10 t de crevettes préparées de toutes les manières possibles et imaginables.

Dans les environs

★ ***La seigneurie du Chevreuil :*** à 5 km du centre, sur la route, le long de la rivière. ☎ 562-15-28. 3 $Ca (1,9 €). Ouvert de la mi-mai à la fin octobre Un parc où vivent 80 chevreuils. Sentiers pédestres où l'on est sûr d'en voir.

★ Matane peut aussi servir de base de départ pour des randonnées dans les ***monts Chic-Chocs.*** Le caribou, le chevreuil, l'ours, l'orignal en sont les locataires. Plus grosse concentration d'orignaux du Québec à l'*Étang-à-la-Truite.*

Traversier Matane – Baie-Comeau ou Matane – Godbout

Comptez environ 11 $Ca (7 €) pour un passager et 27 $Ca (17,4 €) pour une voiture. En été, vous risquez d'en louper un et de devoir faire plusieurs heures de queue, tant il y a du monde, d'autant qu'il n'y a que 2 ou 3 traversées par jour pour Godbout, et 1 ou 2 pour Baie-Comeau... Impératif de réserver par téléphone plusieurs jours avant quand on est sûr de l'heure de son passage. C'est le même prix. Se présenter plus d'une heure avant l'embarquement, sinon la réservation est automatiquement annulée. Sans réservation, arriver la veille vers 18 h, se garer dans la file d'attente des voitures sans réservation, passer la nuit chez l'habitant... Et revenir au moins 45 mn avant le 1er départ.
– ***Renseignements pour les horaires :***
• www.traversiers.gouv.qc.ca•
– *À Baie-Comeau :* 294-85-93.
– *À Godbout :* 568-75-75.
– *À Matane :* 562-25-00.
– ***Réservations pour tous véhicules ou groupes de passagers :*** ☎ 562-25-00 ou 1-877-562-65-60. Fax : 560-80-13. Comptez 2 h 30 de traversée environ. Il est fortement recommandé de réserver, on le répète.

LA GASPÉSIE

LA ROUTE MATANE-MONT-SAINT-PIERRE

★ *LES MÉCHINS*

Port de pêche dans une belle anse. Les Indiens Micmacs attribuaient leurs malheurs aux écueils dans la mer et surtout au géant Outikou qui arrachait les arbres pour les pourchasser. D'où les *Méchins,* corruption du mot « méchant ».

Où dormir ?

■ ***Gîte du Ruisseau à Sem :*** 808, Bellevue Ouest, G0J-1T0, à 6,5 km des Méchins en venant de Matane, sur la route 132. ☎ et fax : 729-34-84. • ruisasem@gîtes-classifiés.qc.ca • 50 $Ca (32,3 €). Un gîte situé exactement entre Grosses-Roches et Les Méchins, dans une belle maison bordant le Saint-Laurent. On est accueilli par Nicole et Richard, Vladimir le perroquet gris du Gabon, et Bébé Coco la perruche. 3 chambres toutes neuves, avec vue sur le fleuve. Excellent petit déjeuner. Un escalier de 93 marches conduit à la mer. Ce gîte est également le siège social du réseau des « gîtes classifiés », qui en regroupe plus d'une centaine au Québec. À ce titre (vous apercevrez un grand panneau Infogîte au bord de la route), Nicole et Richard donnent des renseignements sur ces possibilités d'hébergement.

■ ***Gîte La Vieille Maison :*** 170, rue Principale. ☎ 729-33-18. Comptez 45 $Ca (29 €). Maison du début du siècle, à l'écart de la 132, près de l'église. 4 chambres proprettes à prix doux. Accueil chaleureux de Marius, dont les ancêtres ont débarqué ici vers 1820.

★ *CAP-CHAT*

Un rocher suggérant un chat accroupi serait à l'origine du nom du village ! C'est du fleuve qu'on le voit le mieux. On y trouve la plus grosse éolienne à axe vertical du monde (110 m de haut). Une visite guidée (45 mn, du 24 juin à octobre) permet de découvrir ce « monstre » technologique qui ne fonctionne plus du tout. Explication : elle est tellement grosse qu'elle pourrait casser, les jours de grand vent... ☎ 786-57-19. À côté, près du phare et du rocher Cap-Chat, *Tryton, Centre d'interprétation du vent et de la mer* (☎ 786-55-43), où un spectacle multimédia raconte l'influence du vent et de la mer sur la nature et la vie, la vie de Cap-Chat, la légende du Rocher, ainsi que le fonctionnement du monstre Éole et de son éolienne géante. En fait, c'est toute une colonie d'éoliennes qui s'est installée sur la colline, autour de la mère défunte. Ouvert de juin à octobre, de 8 h 30 au coucher du soleil.

Où dormir ? Où manger ?

■ I●I ***Auberge Au Crépuscule :*** 239, rue Notre-Dame Ouest, route 132. ☎ et fax : 786-57-51. À partir de 55 $Ca (35,5 €). Table d'hôte à 20 $Ca (12,9 €). 5 chambres neuves et modernes dans cette grande maison en pierre, en bord de mer. Préférez celle sur l'arrière, plus claire et plus calme. Jean, le patron, est cuistot et peut préparer sur commande un bon dîner dans une salle de séjour très conviviale (soupe, gratin de poisson, dessert). Accueil aimable et impeccable, voire « pro ».

■ ***Gîte Rêve et Réalité :*** 216, rue Notre-Dame Est, G0J-1G0, route 132. ☎ et fax : 786-24-65. Comptez

50 $Ca (32,3 €). Dans une vieille maison située face au Saint-Laurent, 5 chambres très confortables. L'accueil de Jeanne et Pierre-Paul est délicieux, tout comme le petit déjeuner, un véritable festin : crêpes aux bleuets, œufs bacon, fromage, jus d'orange, etc. Que demander de plus ? Vraiment une très bonne adresse, d'un bon rapport qualité-prix.

★ *SAINTE-ANNE-DES-MONTS*

Côte rocheuse et découpée. Point de départ des excursions dans le *parc de la Gaspésie,* à 16 km.

Adresses utiles

- ***Kiosque d'information touristique :*** 96, bd Saint-Anne Ouest. ☎ 763-58-32. Ouvert de 8 h à 20 h de mi-juin à mi-août, de 16 h à 20 h début juin, et de 8 h 30 à 20 h de mi-août à mi-septembre.
- ***Épicerie Sobeys :*** à l'angle des routes 132 et 299. Bien pour faire ses courses avant d'entrer dans le parc de la Gaspésie.
- ***Quincaillerie Keable :*** 170, 1re Avenue. ☎ 763-23-45. Vend des recharges de camping-gaz.

Où dormir ? Où manger ?

Auberge de Jeunesse : 295, 1re Avenue Est, G0E 2G0. ☎ 763-15-55 ou 1-800-461-85-85. Fax : 763-92-29. À partir de 15 $Ca (9,7 €) pour les membres. Autour de 40 $Ca (25,8 €) pour une chambre privée. Forfaits possibles. Auberge toute récente. Bonne base de départ pour visiter le parc de la Gaspésie, été comme hiver. Chambres pour 4 personnes ou chambres individuelles avec salle de bains. 80 places. Bon accueil. Navette pour le parc. Nombreuses activités proposées : randonnées, observation, etc.

Gîte au Lever du jour : 313, 1re Avenue Est. ☎ 563-91-77. Pour une nuit, comptez 50 $Ca (32,3 €). Serge, votre hôte, très baba cool, saura tout de suite vous mettre à l'aise dans sa vieille maison au décor minimal mais chaleureux. Il vous parlera avec simplicité et passion de la mer, vous pourrez même naviguer avec lui, si le cœur vous en dit, sur son voilier de 26 pieds. En été, l'ambiance ressemble étrangement à celle d'une AJ : les 4 chambres sont souvent pleines à craquer et on s'endort bien tard au son de la guitare. Belle vue sur le Saint-Laurent. Le meilleur moyen pour apprécier l'esprit des gens du coin. Une bonne adresse.

Gîte l'Écume de Mer : 21, rue des Écoliers, La Martre. ☎ et fax : 288-52-74. • www.bbcanad.com/3202.html • Ouvert du 15 mai au 15 octobre. 55 $Ca (35,5 €). N'accepte pas les cartes de crédit. Perché sur une colline. Adorable maison jaune dans un jardin clôturé par une barrière en vieux bois, en hauteur du Saint-Laurent. Andrea est charmante et propose 4 jolies chambres qui invitent au repos. Intérieur vraiment très soigné, un peu rustique. Pour les âmes rêveuses, promenade dans la forêt privée et halte dans un petit chalet. De la terrasse, on profite d'un superbe panorama sur le fleuve et la route côtière qui s'étire au loin. C'est vraiment magnifique. Au petit déjeuner : spécialité de crêpes fourrées. Pour ceux qui veulent séjourner plus longtemps, la patronne a parfois besoin d'un petit coup de main : s'arranger à l'amiable.

Motel Beaurivage : 245, 1re Avenue Ouest (rue parallèle à la 132, le long du fleuve), à l'angle de la 5e rue Ouest. ☎ 763-22-91. Pour la nuit, comptez 65 $Ca (41,9 €). Chambres agréables donnant sur une pelouse. Vue sur le fleuve. Calme et propre.

Sous la Bonne Étoile : 30, 5e rue Est (accessible de la 132 ou de la 1re Avenue). ☎ 763-34-02. Comptez 50 $Ca (32,3 €). *Gîte du Passant* tenu par Denis Béchard. 4 chambres propres et agréables en entresol. 2 salles de bains. Petit déjeuner copieux (pain et confitures maison, entre autres). Excellent rapport qualité-prix-accueil.

Gîte des Deux Colombes : 996, bd Sainte-Anne Ouest. ☎ 763-37-56. Comptez 50 $Ca (32,3 €). Tout près du Cap-Chat. Ancienne petite maison blanche au toit rouge. Accueil très chaleureux. Tenu par deux sœurs, d'où le nom. Mais l'une des deux colombes s'est envolée. Ne reste plus que Julie qui sert un excellent et copieux petit déjeuner et ses produits faits maison.

Poissonnerie du Quai : 3, 1re Avenue Ouest (face à l'église). ☎ 763-74-07. Ouvert de juin à la mi-octobre de 11 h 30 à 14 h et de 17 h 30 à 22 h. Entre 10 et 30 $Ca (6,5 et 19,3 €) au resto. D'un côté la poissonnerie, de l'autre le restaurant : les produits ne risquent pas de se gâter entre les deux ! Petite salle agréable dans les tons bleus. Surtout du poisson et des fruits de mer, évidemment, mais aussi des viandes et desserts. Le tout assez bon marché. Dommage qu'ils soient assez vite débordés et que le service soit souvent très, très lent. Attention, ils n'acceptent pas les cartes bancaires.

Où dormir ? Où manger sur la route de Mont-Saint-Pierre ?

Chez Pierre : 96, bd Perron Ouest, Tourelle, G0E-2J0. ☎ 763-74-46. Ouvert de début juin à mi-octobre. À 1 km de Sainte-Anne, à l'est sur la route 132. Vue superbe sur le Saint-Laurent. Le patron est belge, il a fait ses classes à l'école hôtelière française et dans divers restaurants de la Côte d'Azur. Il travaille notamment avec les pêcheurs du coin. Sa femme française est très gentille. Spécialités de fruits de mer, homards, crabes, pétoncles, poissons fumés, poissons cuits ou en sauce. Table soignée, prix corrects. Très bon rapport qualité-prix.

Restaurant La Couquerie : à Marsoui, au bord de la route 132. Ouvert tous les jours jusqu'à 21 h. Maison blanche aux volets rouges ; c'est une sorte de cantine populaire tout à fait originale. Des assiettes de pâtisseries attendent les clients sur de grandes tables. Menu du jour très bon marché avec, par exemple, soupe de pois, poisson ou cipaille, puis dessert. Typiquement canadien.

LE PARC DE LA GASPÉSIE

Prévoir un minimum de temps pour le visiter, ça vaut vraiment le coup ! Mais il est quasiment obligatoire d'avoir une voiture (mieux, un 4 x 4, si vos moyens le permettent), car beaucoup de routes ressemblent à des « pistes » et les distances y sont étendues... Un autre conseil : le dépanneur du parc n'est ouvert que de juin à septembre, et ses rayons sont peu fournis, alors faites vos courses à Sainte-Anne. Pensez aussi à l'essence !

Le parc s'étend sur près de 800 km, comprenant les monts Chic-Chocs (nom qui signifie « Montagnes escarpées » en mic-mac) et les monts MacGerrigle. Paysage très alpin. Forêts denses qui abritent les derniers « caribous des bois ». En été, le Centre d'interprétation organise des excursions payantes (15 $Ca, soit 9,7 € par adulte) de 3 h ou plus avec un guide, ou gratuites de

1 h avec un naturaliste pour aller les voir sur le mont Jacques-Cartier. Attention, fermé jusqu'au 24 juin car c'est l'époque où les caribous mettent bas. Se renseigner également pour le mont Albert, fréquemment enneigé. Enfin, pensez à emporter une paire de jumelles avec vous. Flore très riche : on voit fréquemment des rhododendrons de Laponie et des azalées naines. La forêt y est étagée, allant de la sapinière à bouleaux jusqu'au paysage boréal.
L'époque idéale pour faire des randonnées dans le parc, c'est l'automne (septembre) car il y a beaucoup moins de mouches et la nourriture se conserve mieux. Prévoir quand même un produit antimoustiques (en été, c'est de la folie de partir sans).
– ***Renseignements :*** au *Centre d'interprétation,* ☎ 763-78-11 (de juin à mi-octobre ; accueil très sympa et efficace) ; ou auprès du *Bureau du parc*, 124 1ère Avenue ouest, à Sainte-Anne-des-Monts. ☎ 763-33-01.

Où dormir ? Où manger ?

Auberge-gîte du Mont Albert : dans le parc. ☎ 763-22-88 ou 1-888-270-44-83. Fax : 763-78-03. • wwww.sepaq.com • Comptez environ 115 $Ca (74,1 €) pour la nuit. Dans une auberge luxueuse, bien située, à proximité des sentiers de randonnées. Un vrai régal pour les sportifs. Réserver. Par ailleurs, chalets équipés, à tous les prix, dispersés dans le parc. Resto chic et cher mais cuisine raffinée. Propose des casse-croûte spécial randonneur très corrects.

Refuges en montagne : pour les randonneurs, se renseigner avant de partir auprès du Centre d'interprétation (à côté de *l'Auberge-gîte du Mont Albert*).

Camping Mont Albert : route 299. ☎ 763-22-88. À peu près 16 $Ca (10,3 €) pour planter la tente. Des 4 campings du parc, un des plus confortables : sanitaires bien équipés, téléphone, glace, laverie, piscine (pour 2 $Ca, soit 1,3 € de plus). Accepte les cartes bancaires (*Visa, MasterCard*...). Demandez un emplacement ombragé le long de la rivière, c'est le coin le plus sympa du camping.

Camping de la Rivière : peu après *l'Auberge-gîte du Mont Albert,* sur la gauche, au bord de la rivière, vous l'aurez deviné. ☎ 763-22-88. Plus sauvage que le précédent, mais bien équipé. *Dépanneur* juste à côté.

À faire

– Parmi les activités qu'offre le parc : VTT, pêche, canotage, ski (en hiver), observation des caribous sur les monts Albert et Jacques-Cartier en compagnie des naturalistes, etc.
– ***Grandes randonnées dans les monts Chic-Chocs :*** un petit paradis pour les adeptes de marche en pleine nature. On peut dormir dans des refuges bien aménagés. Se renseigner auprès du Centre d'interprétation. Durée moyenne des grandes randonnées : entre 2 et 7 jours, selon vos souhaits. Prévoir de bonnes chaussures et des vêtements chauds, même en juillet et août. Surtout : ne pas oublier votre produit anti-mouches (Muskol ou Région sauvage), à acheter dans une boutique de sport.
– ***Le mont Jacques-Cartier :*** 24 $Ca (15,4 €) en compagnie d'un guide. La randonnée la plus connue des marcheurs. On préfère celle du mont Albert (voir ci-dessous). Fermé jusqu'à fin juin à cause de la mise bas des caribous. Ouvert de 10 h à 16 h. Un ancien chemin militaire sert de sentier pour l'ascension du mont Jacques-Cartier qui culmine à 1 270 m. Bien pour observer les caribous. Beaucoup de monde au sommet certains jours. Au départ de la promenade, un bus (payant) est proposé toutes les demi-

heures, pour effectuer les kilomètres de piste. Attention, la dernière navette (aller) part à midi. Il reste ensuite 4 km de sentier à parcourir sous les feuillus, les épineux et enfin sur la pierre du dôme rasé par les vents froids et secs. Très beau panorama. Dernière navette (retour) à 16 h.
– ***Le mont Albert :*** dépaysement assuré. Il s'agit d'une réplique façon québécoise d'un plateau du Grand Nord, qui n'est pas sans rappeler non plus la toundra. Il y a des sources d'eau. Se munir d'une bonne carte. Partir très tôt le matin. Le départ se fait de *l'Auberge-gîte du Mont Albert*. Compter une bonne journée aller et retour. Le sentier balisé forme une boucle. Au début, on emprunte le sentier de la Montée et on revient ensuite par le sentier du lac du Diable. Superbe randonnée (17 km), vraiment, que l'on peut faire en principe à partir de fin juin, ***mais se renseigner avant car risque d'enneigement, même en été***.
– ***Le lac Paul :*** bien pour observer les orignaux. Pour s'y rendre, prendre la route 11 Ouest (celle du lac Cascapédia). Il y a un point d'observation (indiqué), mais il vaut mieux venir à l'aube ou au coucher du soleil pour admirer ces grosses bêtes aux bois superbes.
– ***Le lac aux Américains :*** 15 $Ca (9,7 €) la visite guidée. Pour randonneurs pressés. Le seul cirque glaciaire du Québec. Naguère, le seul endroit où les Américains avaient le droit exclusif de pêche (ah ces Yankees !). Prendre la route 299, puis suivre la route 16 pendant 15 mn. La promenade est franchement magnifique.

MONT-SAINT-PIERRE

IND. TÉL. : 418

Ô chaîne, ô troupeaux
Ô puissamment mer !
Que de vertiges amarrés
À même le coeur et la marée !
Voici que des mondes roulent
Du couchant rougi
Aux grèves d'Orient.

Noël Audet

Après *Ruisseau-à-Rebours*, coincé entre mer et montagne (la rivière qui traverse le village est tellement sinueuse qu'elle semble couler contre le courant), surgit Mont-Saint-Pierre, blotti au fond d'une large anse et entouré de hautes collines abruptes. Village minuscule dans un site assez exceptionnel. Un sentier grimpe au sommet du mont. On peut aussi y monter en bus (visites guidées par le bureau du tourisme).
i ***Bureau du tourisme :*** quelques infos. L'association *Chasseurs pêcheurs* vous renseigne également. ☎ 797-51-01.

Où dormir ? Où manger ?

⌂ |●| ***Auberge de jeunesse Les Vagues :*** installée dans un ancien motel, 84, rue Prudent-Cloutier. ☎ 797-28-51. Accepte la carte *Visa*. À deux pas de la plage. Chambres privées, très bien (mais on ne peut pas utiliser la cuisine), ou dortoirs de 4 personnes, sommaires mais corrects. Ne vous attendez pas à dormir beaucoup ou à vivre dans une propreté irréprochable. En été, c'est vraiment le fun, plein de jeunes de Québec, Chicoutimi ou Montréal qui font la fête et descendent les caisses de bière. Concert le soir en juillet et début août. Resto bon et pas trop cher. Possibilité de demi-pension. Location de VTT. Attention : lors de notre dernier passage, l'auberge était fermée et attendait un nouveau patron. Bien se renseigner.

🏠 ***Chalets Bernatchez :*** juste en entrant au village sur la droite de la route qui vient de Sainte-Anne-des-Monts. ☎ 797-27-33. 50 $Ca (32,3 €) dans les chalets et 25 $Ca (16,1 €) en chambre. Outre les chalets en dur équipés de cuisinette très sommaire (les moins chers du village !), Nicole Beaudin, la proprio, loue donc 6 chambres calmes, très simples (sans petit déjeuner) dans la petite maison principale à la déco un peu vieillotte. On peut discuter les prix avant.

🏠 🍽 ***Motel Mont-Saint-Pierre :*** dans la rue principale. ☎ 797-22-02. Comptez 60 $Ca (38,7 €). De 10 à 15 $Ca (6,5 à 9,7 €) pour le resto. Au bord de la route, face à la mer. Chambres potables, sans plus.

🏠 ***Camping Mont-Saint-Pierre :*** un peu éloigné de la route principale (direction : parc de la Gaspésie), il est situé à 3,5 km du village. ☎ 797-22-50. Pour la tente, 13 $Ca (8,3 €). Boisé, jouissant de beaucoup d'espace, c'est une bonne adresse (calme) pour les motorisés. Petite piscine chauffée, buanderie. Accueil très sympa.

🏠 ***Camping du Pont :*** à la sortie du village en allant vers Gaspé. ☎ 797-29-51. Ouvert du 1er juin au 30 septembre. Tente : 17 $Ca (10,9 €). Tarif de groupe. Carte *Visa* acceptée. Bien mais au bord de la route. Possibilité de faire du feu.

🍽 ***Les Joyeux Naufragés :*** 7, rue Pierre-Mercier. ☎ 797-20-17. Fax : 797-20-27. Ouvert tous les jours midi et soir, jusqu'à 23 h. À midi, entre 10 et 15 $Ca (6,5 et 9,7 €). Table d'hôte de 17 à 26 $Ca (10,9 à 16,7 €). À la sortie du village, un peu en retrait. Resto d'un côté, bar très sympa de l'autre. On y mange de bien bonnes choses : homard, crabe, escargots, crevettes, pizzas, langue de morue, aiguillet. Agréable terrasse. Service un peu lent.

Manifestation

– ***Championnat de deltaplane et de parapente :*** fin juillet-début août. ☎ 797-22-22. 100 $Ca (64,5 €) le vol. Grimper en haut de Mont-Saint-Pierre pour assister au départ des engins volants, faire des baptêmes en tandem. Merveilleux. Hélas, la descente est hyper chère et dangereuse (un mort en 1992 !).

LA ROUTE DE MONT-SAINT-PIERRE AU PARC FORILLON

Les villages de pêcheurs se succèdent dans des paysages progressivement plus doux, dans des anses de plus en plus étirées. C'est dans cette région que vous trouverez les catalognes les plus belles et les moins chères (info seulement pour ceux qui ont une voiture parce qu'elles prennent du volume). Possibilité de visiter les conserveries de poisson, notamment à ***Rivière-au-Renard.***

Où dormir ? Où manger en route ?

🏠 🍽 ***Auberge du Passant La Maison Lebreux :*** 2, Longue Pointe, Petite-Vallée. ☎ 393-26-62. Fax : 393-31-05. • bscetjoe@globtrotter.qc.ca • Comptez 50 $Ca (32,3 €) la chambre, 80 $Ca (51,6 €) pour les chalets de 6 personnes. Table d'hôte à 15 $Ca (9,6 €). Prix tout à fait honnêtes. On peut y souper le soir dans la nouvelle salle à manger. 8 chambres au 1er étage avec une vue superbe sur la mer. Au petit déjeuner : confiture de fruits sauvages, crêpes au sirop d'érable, céréales, crêtons et pain fait maison. Entre le 10 et le 30 juillet, réservation quasi obligatoire. C'est le village à côté de Grande-Vallée (logique!). *Gîte du Passant* idéalement situé, au pied d'une colline, sur une avancée de terre entourée d'eau. Des pelouses vertes, du vent, le calme! On voit des phoques bronzer devant la maison de temps en temps... Propriétaire très gentille qui donne plein d'infos sur la région. Loue aussi des chalets et tient un café-théâtre en été, le *Café de la Vieille Forge*. Spectacles tous les soirs. Renseignements : ☎ 393-22-22. Fax : 393-30-60. • fcpv@globtrotter.qc.ca • Extraordinaire! Un café-théâtre dans un endroit comme celui-là!

|●| ***Restaurant l'Étoile du Nord :*** à Pointe-à-la-Frégate, village situé après Petite-Vallée. Entre 10 et 23 $Ca (6,5 et 14,8 €). 8 petites chambres et resto tenus par la mère et la fille, charmantes. Petites salles avec vue sur l'eau. Spécialités : langue de morue et autres produits de la mer tout frais. Cuisine excellente à prix sages. Très bonne adresse.

LE PARC FORILLON

Un autre temps fort de votre voyage gaspésien. Les falaises abruptes et le littoral ciselé marquent la fin des Appalaches. Le climat est beaucoup plus doux qu'ailleurs. Assez difficile de s'y déplacer sans véhicule.

Vaste péninsule rocheuse qui s'est formée par couches successives au fond d'une mer ancienne et atteint parfois des altitudes de près de 600 m. Les couches inférieures sont formées de roches friables et les hautes terres de roches plus dures : la mer a sculpté le littoral de façon très variée en une succession d'escarpements, d'anses et de grottes souterraines. Flore et faune exceptionnelles. Plus de 200 espèces d'oiseaux. Le randonneur, très, très patient, pourra peut-être entrevoir l'ours noir, l'orignal, le renard roux, le castor ou le lynx... Au bord de la mer, on peut observer des phoques et, avec un peu de chance, des baleines à bosse. Des jumelles s'avèrent utiles pour ceux qui veulent vraiment faire de l'observation. Si proche de la mer, la végétation se caractérise pourtant par un mélange de forêt boréale et de toundra alpine.

Les autorités ont aménagé le parc sur le thème : l'harmonie entre l'homme, la terre et la mer. C'est incontestablement réussi; entrée payante. *Renseignements :* ☎ 368-55-05.

LA GASPÉSIE

Adresses utiles

🅘 ***Poste d'accueil du parc :*** situé sur la route 132, entre Rivière-au-Renard et L'Anse-au-Griffon (côte nord de la pointe de Gaspé et du parc). ☎ 892-50-40. • parccanadaque@pch.gc.ca • Ouvert toute l'année. Entrée à 4 $Ca (2,6 €). Abondamment fourni en littérature et cartes indiquant les sentiers de randonnée.

🅘 Autre ***centre d'accueil :*** à Penouille, au sud de la pointe. ☎ 892-56-61. Mêmes horaires que le précédent. Se renseigner pour connaître les activités organisées dans le parc.

– Pour les randonneurs, mieux vaut faire ses courses dans les villages voisins avant d'entrer dans le parc, car à l'intérieur il n'y a rien. Facile ensuite de faire du stop jusqu'au parc.

Où dormir ?

Auberge de jeunesse de Cap-aux-Os : 2095, bd Grande-Grève, G0E-1J0. Près de l'entrée du parc Forillon. ☎ 892-51-53. Fax : 892-52-92. Ouverte de mai à octobre. Le reste de l'année, uniquement pour les groupes de plus de 5 personnes. Couvre-feu à minuit. Prévoyez 16 $Ca (10,3 €) en dortoir, 19 $Ca (12,2 €) en chambre privée. Installée dans un ancien bar de danseuses nues. À 25 km de Gaspé, à Cap-aux-Os, localité située entre Penouille et Cap-des-Rosiers. C'est l'endroit le plus sympa pour dormir dans la région. Le bus d'*Orléans Express* vous y dépose de juillet à septembre. Équipe très accueillante autour de Gilles, le patron. Dortoirs de 4, 6 ou 8 personnes (27 au sous-sol). 4 chambres privées bon marché pour les familles, dont une avec salle de bains. La carte n'est pas obligatoire, mais la nuit vous coûtera 2 $Ca (1,3 €) de plus sans elle (comme dans toutes les AJ officielles). Draps disponibles. On peut manger à la cafétéria (de mi-juin à mi-septembre ; spécialité de homard en saison, pas cher) ou faire soi-même sa cuisine (quand la cafétéria est fermée). 3 petits déjeuners sont servis, au choix (canadien, anglais et européen), dont le prix n'est pas inclus dans la nuitée. Plein d'activités sur place : location de vélos, raquettes et ski de fond avec équipement de pro. Diaporama sur la faune et la flore du parc Forillon, 3 soirs par semaine. Vers 18 h, on vous emmène en voiture (avec un guide-naturaliste) voir les castors à la tombée de la nuit. Organise aussi des sorties guidées (à vélo ou à pied, 2 ou 3 par semaine) avec un naturaliste pour voir les ours, et des promenades (avec accompagnateur) d'observation (à marée basse) des baleines et des phoques de Cap-Gaspé avec lesquels vous pourrez peut-être nager (à partir de septembre, la 2e personne ne paie pas). Piscine à 3 km de l'AJ. Bref, de quoi s'occuper un moment.

Gîte Haut-phare : 1321, bd Cap-des-Rosiers. ☎ 892-59-58. Comptez 45 $Ca (29 €). Maison située au bord de l'eau, juste à côté du plus haut phare du Canada. Confort spartiate dans les 5 chambres. Déco sommaire. Grande véranda offrant une vue splendide.

Gîte aux Pétales de Rose : 1184, route 132, à Cap-des-Rosiers. ☎ 892-50-31. Comptez 40 $Ca (25,8 €) pour les chambres en sous-sol, 50 $Ca (32,3 €) pour les autres. Maison de look récent, au bord de la route. 3 chambres modernes et propres à la déco un peu cucul, mais accueil sympa.

Gîte des Trois Ruisseaux : 896, bd Griffon, Anse-au-Griffon, G0E-1A0. ☎ 892-55-28. Comptez 50 $Ca (32,3 €). Accueil très chaleureux de Micheline Deschênes, qui vous donnera de bons conseils de visite et vous racontera des anecdotes sur les us et coutumes de l'endroit. Déco kitschissime dans les 3 chambres. Petit déjeuner super avec confitures délicieuses et pain maison. Pour les routards que le mauvais goût n'effraie pas, une adresse sympathique.

Campings : bien aménagés, mais souvent complets et bondés en été (il faut réserver par téléphone 5 jours à l'avance : ☎ 368-60-50). Buanderie, cafétéria, piscine et tennis, mais seulement dans le secteur Sud. Celui du *Cap Bon-Ami* bénéficie d'une vue fantastique sur les falaises. Sur les 4 campings, un seul reste ouvert jusqu'à la mi-octobre ; les autres ferment début septembre. Celui de l'*Anse-au-Griffon,* en dehors du parc, a plus souvent de la place, mais il est petit. ☎ 892-51-00. Bien tenu. De certains emplacements, on peut voir des baleines. Solution de rechange si tout est complet : le camping *Baie de Gaspé,* à Cap-aux-Os, bénéficie d'un site agréable, aux portes du parc, pour un prix raisonnable.

Les Petites Maisons du Parc : 910, bd Forillon, face au centre d'accueil de Penouille. ☎ 892-58-73. • www.gesmat.ca • Autour de 550 $Ca (354,8 €) la semaine pour une famille. Prix variant selon la vue et la dimension du chalet. Au bord de la baie. Location de petits chalets tout équipés perchés sur une colline dans un bel endroit boisé. Intérieur simple mais spacieux. S'y prendre au moins 3 mois à l'avance. Possibilité de louer des TV.

Où manger ?

|●| ***Restaurant Mona*** : 1275, route 132 Est, Cap-des-Rosiers. ☎ 892-50-57. À 1 km du phare. Menu du jour à 8 $Ca (5,2 €) environ, table d'hôte entre 11 et 23 $Ca (7 et 14,8 €). Pour son excellente et copieuse bouillabaisse à prix modéré.

À voir. À faire

★ ***Le phare de Cap-des-Rosiers :*** malheureusement, on ne peut plus le visiter. Construit en 1858, c'est, paraît-il, le plus haut du pays, avec ses 37 m et ses 122 marches. Classé monument historique en 1977.

★ ***Centre d'interprétation de la nature du secteur Nord du parc :*** ouvert de 9 h à 18 h. Prix inclus dans le tarif du parc. Remarquablement conçu. On en ressort presque écolo ! Plein d'activités guidées, se renseigner au centre.

– ***Balade en bateau :*** à bord du *Félix-Leclerc* sur la côte nord de la presqu'île de Forillon, pour voir des colonies extraordinaires d'oiseaux et de phoques. Départ du secteur Nord du parc. En juillet et août, réservez la veille. Un guide fournit les explications. *Croisières Baie de Gaspé*, Gaspé. ☎ 892-50-00. Fax : 368-72-77. Autre adresse : *Croisières 3 D,* 2172, Grande-Grève, à Cap-aux-Os. ☎ 892-60-88 ou 368-63-74. Croisières d'une durée de 2 h 30.
– Faire la ***balade du cap Gaspé.*** Géniale. En passant, rendez visite à la jolie maison de pêcheur réaménagée pour les touristes (à Anse-Blanchette) afin de mieux faire comprendre ce qu'était la vie des pêcheurs.
– Se tremper les gambettes à la belle ***plage de Pointe-Penouille,*** sur la petite presqu'île du même nom.
– ***Randonnées pédestres :*** nombreuses possibilités de balades dans le parc. Voici quelques suggestions : le sentier de la Chute (boucle de 1 km, durée 30 mn), le sentier Les Graves (boucle de 13,2 km, balisé en rouge, durée 3 h 30), ou celui du mont Saint-Alban (boucle de 9 km, balisé en vert), notre préféré. Il y en a d'autres. Infos au Centre d'accueil du parc.

★ ***Les falaises du cap Bon-Ami :*** paysages splendides. Des dizaines d'étoiles de mer sur la plage. De là, montez au mont Saint-Alban (à partir du cap). Parcours magnifique. Un peu raide au début, mais en haut vous serez récompensé (3 belvédères et de superbes points de vue à 360°, on distingue le rocher de Percé, situé pourtant à 80 km).

GASPÉ 17 000 hab. IND. TÉL. : 418

Petite leçon de micmac : *Gaspé* vient de *gespeg* qui signifie « fin des terres ».
Voici l'endroit historique où, en fait, ce livre commence. Sur la montagne, la croix en granit, érigée à l'occasion du quatrième centenaire de la découverte du Canada, remet en mémoire celle que Jacques Cartier planta quand il prit possession du Canada, au nom du roi de France. Bon, cela dit, si la baie est assez pittoresque, la ville elle-même, surtout industrielle et commerciale, ne casse pas des briques.

Pour s'y rendre, il existe un train de nuit de la compagnie *Via* au départ de Montréal avec une halte à Rivière-du-Loup, histoire de gratter le dos des baleines (enfin presque !) de juin à octobre ; arrivée à Gaspé vers 11 h.

Adresses utiles

Bureau d'information touristique : 27, bd York, tout près du pont. ☎ 368-63-35. Ouvert de juin à mi-août de 8 h à 20 h. Bien documenté.

Gare Via Rail : 3, rue de la Marina. ☎ 368-43-13. Appel gratuit 24 h/24 : ☎ 1-800-361-53-90.

Autobus : 2, rue Adams. ☎ 368-18-88.

Où dormir ?

Camping municipal de Gaspé : 1029, Haldimand, route 132, à 10 km en direction de Percé. ☎ 368-38-20. Au bord de la route et de l'eau. Petit et peu ombragé.

CÉGEP de la Gaspésie : 94, rue Jacques-Cartier. ☎ 368-27-49. • residence@cgaspesie.qc.ca • Ouvert de mi-juin à mi-août. Environ 35 $Ca (22,5 €). Pour les groupes de 6 à 8 personnes, appartements bon marché. Résidences d'étudiants. Une cinquantaine de chambres avec salles de bains extérieures, ou des petits appartements de 6 ou 8 à tarif intéressant avec salle de bains et cuisine équipée. Draps et serviettes fournis. Déco évidemment pas super.

Motel Plante : 137, rue Jacques-Cartier. ☎ 368-22-54. Fax : 368-58-85. • www.motelplante.com • Ouvert toute l'année. À partir de 60 $Ca (38,7 €). Dans le centre. Un motel blanc et bleu avec un grand parc de stationnement devant, sans charme mais pratique. Pendant 9 mois de l'année, des étudiants y habitent. Dans le bâtiment annexe, chambres pour routards, assez bon marché, avec baignoire et w.-c. sur le palier et cuisine commune tout équipée. Sinon, bon motel classique. Chambres avec kitchenettes, TV et salle de bains. Pas de petit déjeuner.

Gîte La Normande de Gaspé : 19, rue Davis. ☎ 368-54-68. Fax : 368-73-36. • gitenord@globtrotter.qc.ca • Comptez 55 $Ca (35,5 €). Dans un quartier résidentiel, calme et très vert, une grande maison en brique, entourée d'un jardin. Il y a 5 chambres au 1er étage, disposées autour d'un grand palier où trône un beau divan sculpté. Ambiance de vieux manoir littéraire aux boiseries chaleureuses. Vue sur le jardin. Il est préférable de réserver. Petit déjeuner inclus. Pas très cher. Belle piscine avec tobbogan. Accueil moyen. Récemment le gîte était en vente. Renseignez-vous.

Gîte de Gaspé La Maison blanche au toit vert : 201, rue Guignion. ☎ 368-52-73. Fax : 368-01-19. Comptez 60 $Ca (38,7 €). Non fumeur. 3 chambres agréables et fraîches en entresol toutes avec salle de bains privée. Propre. Salon privé. Vue sur le parc Forillon et le Saint-Laurent. Au petit déjeuner préparé par Louisette, ancienne cuistot, produits de l'érablière familiale que vous pourrez visiter avec Gaétan, le charmant patron.

Le Gîte Terre et Mer : 562, montée Sandy-Beach. ☎ 368-13-35. • page.infinit.net/terremer • Comptez 55 $Ca (35,5 €). Maison blanche aux volets verts qui domine la baie. Dans un bel intérieur rustique, un couple charmant, très ouvert, offre 3 grandes chambres rénovées. Léo est passionné de plongée, Céline adore la musique. Ils peuvent gentiment venir vous chercher à l'aéroport de Gaspé. Véranda avec vue sur le Saint-Laurent et les monts du parc. Pas loin de la plage. Une adresse bien sympathique.

🏠 ***Gîte-auberge Le Fournil Rustique :*** 776, montée Sandy-Beach, à 8 km du centre-ville, sur la route 132. ☎ 368-13-94. Prévoir 30 $Ca (19,3 €). À la sortie de Gaspé, en allant vers Percé, prendre la route côtière, l'auberge se trouve sur la droite de la route, un peu en retrait (c'est mal indiqué). Ce chalet tout en bois, genre « Ma cabane bricolée au Canada », a été construit par son proprio, le jovial Denis Brodeur qui vous charmera avec son violoncelle. Chambres au rez-de-chaussée avec lavabo et w.-c. À l'étage, chambres avec des bardeaux de bois sur les murs. Déco rustique, sommaire et chaleureuse. Vraiment très bon marché. Endroit calme, à l'orée d'un bois. Bonne adresse pour routards motorisés. Ce gîte fonctionne plus comme une auberge de jeunesse.

🏠 ***Gîte du Passant Baie Jolie :*** 270, montée Wakeham, route 198. ☎ 368-21-49. À partir de 45 $Ca (29 €), 100 $Ca (64,5 €) pour l'appartement de 6 personnes au soussol. Maison récente sur une hauteur, bénéficiant d'une belle vue sur la baie. 3 chambres très bien tenues par un gentil couple âgé. Salle de bains commune. Impeccable et accueillant.

Où manger ?

🍴 ***Café des Artistes :*** 101, rue de la Reine. ☎ 368-36-66. En hauteur de la route 132, en direction du parc Forillon. Ouvert de juin à fin septembre. Table d'hôte à 25 $Ca (16,1 €). Dans un joli intérieur au charme d'antan, on déguste des plats savoureux issus d'une cuisine « évolutive » (délicieux croissants garnis, tarte au chèvre chaud, gâteaux à la banane nappés de crème au fromage...). L'idée du patron nous a plu : des œuvres d'artistes locaux sont exposées dans une belle véranda aux tons mauves, et à l'étage (où Jacques a mis un atelier à disposition). Entre deux plats, vous pouvez gribouiller sur les nappes. Excellent café torréfié sur place. Fait aussi des petits déjeuners. Service courtois.

🍴 ***Jardin Oriental :*** 110, rue de la Reine. ☎ 368-88-88. Prix très variés : de 5 $Ca (3,2 €) le plat simple à 40 $Ca (25,8 €) le menu. Buffet oriental à volonté. Les morfals pourront s'empiffrer allégrement pour une somme modique. Y aller quand il y a du monde, les plats sont meilleurs car renouvelés sans cesse, et chauds.

🍴 ***L'Ancêtre :*** 55, bd York, après le bureau d'info touristique. ☎ 368-43-58. Fax : 368-40-54. Ouvert le soir seulement (le midi réservé aux cars de touristes, hélas !). Entre 15 et 25 $Ca (9,7 et 16,1 €) pour la table d'hôte assez copieuse. Belle maison du XIXe siècle de style anglo-normand, dominant le fleuve. Accueil chaleureux de la patronne qui exerce ses talents aux fourneaux. Excellente cuisine à base de produits frais. Fruits de mer et poisson à l'honneur.

Où boire un verre ?

🍷 ***Brise-Bise :*** 2, côte Carter, ruelle qui descend en escalier vers le fleuve en partant de la rue de la Reine, au niveau du resto *La Belle Hélène*. ☎ 368-14-56. À partir de 7 $Ca (4,5 €). Plats communs (sandwichs, pizzas, viandes...). Bistrot-resto accueillant des expos, et surtout des concerts l'été à partir de 21 h. Blues, rock, jazz... québécois bien sûr. Déco moderne et sobre. Terrasse avec vue sur le Saint-Laurent.

À voir

★ ***Le musée de la Gaspésie :*** 80, bd Gaspé, à l'entrée de la ville en venant du parc Forillon. ☎ 368-15-34. Ouvert en été tous les jours de 9 h à 17 h. Le reste de l'année, en semaine seulement, de 8 h 30 à 17 h (et le week-end, de septembre à mi-octobre, de 13 h à 17 h). Entrée : 4 $Ca (2,6 €). Expo permanente sur les premiers Gaspésiens, les Micmacs, Jacques Cartier, la colonisation... Objets usuels liés aux métiers : pêcheurs, bûcherons, artisans, etc. Noter, parmi les objets d'art religieux (!), le calvaire en bois dans une bouteille qui, à notre avis, n'a pas dû contenir que de l'eau bénite. Beau panorama sur la baie.

★ ***Le monument*** érigé en l'honneur de ***Jacques Cartier :*** juste devant le musée. 6 stèles de fonte rappelant les menhirs bretons de la patrie de l'explorateur et illustrant les premières rencontres entre Européens et Amérindiens.

★ ***La cathédrale :*** édifice construit récemment, tout en bois (la seule du genre en Amérique du Nord) et d'architecture très moderne. Ouverte tous les jours de 8 h à 20 h.

★ ***Le site d'interprétation des Micmacs :*** juste avant Gaspé en venant du parc Forillon, tout de suite après le pont qui traverse le bras de mer, à Gespeg, 783, bd Pointe-Navarre. ☎ 368-60-05. • micmac@quebectel.com • Ouvert de juin à fin septembre de 9 à 17 h. 4 $Ca (2,6 €). Durée moyenne : 2 h 30. Assez mal indiqué.
Reconstitution d'un village micmac avec des Indiens qui expliquent les traditions de leurs ancêtres. Accueil plutôt sympa. Musée et boutique à l'entrée.

LA ROUTE DE GASPÉ À PERCÉ

La carte postale est résolument différente désormais. La mer pénètre profondément dans les terres et la découpe en petits lacs. Le paysage se fait plus doux, faiblement pentu, parfois très breton avec ses maisons blanches et ses mini-falaises, parfois avec un petit air de Finlande, lorsque les sapinières viennent faire trempette, alternant avec de riches prés vert acide et couverts de fleurs jaunes.

★ Après ***Barachois,*** petit centre de pêche dont le nom vient de « barro à choir » (mot qui désigne un banc de sable servant à échouer les barques), arrêtez-vous à ***Coin-du-Banc***. Quelques maisons au pied du col qui mène à Percé. Paysage grandiose.

Où dormir ? Où manger en route ?

■ ***Auberge Le Coin du Banc :*** à 7 km de Percé (voir à ce chapitre « Où dormir aux environs ? »).

PERCÉ 4 000 hab. IND. TÉL. : 418

Comme pour Étretat, on y venait déjà dans les années 30 et les artistes s'y donnaient rendez-vous. Aujourd'hui, c'est tout juste si on n'y débite pas les millions de tonnes du fameux rocher pour en faire des souvenirs. Cela dit, si les touristes rappliquent, il y a sûrement des raisons à cela. Alors, nous allons conserver les raisons et oublier le reste. Le site est vraiment exceptionnel. Le village se présente sous l'aspect d'un hémicycle bordé par le cap Blanc, le mont Sainte-Anne (375 m), le mont Blanc, les Trois-Sœurs et le cap Barré. De là-haut, superbe point de vue avant de descendre. Au milieu de l'eau, le rocher Percé, qui ne s'attendait pas à tant de gloire. Mais qui a quand même sa légende. Datant du XVIIIe siècle, celle-ci raconte que le rocher abritait une lionne à tête de sorcière qui, la nuit, enlevait les marins ayant osé y débarquer, et les précipitait du haut des falaises.

Adresses utiles

Kiosque d'information touristique *(plan B1, 1)* : 142, route 132. ☎ 782-54-48. Fax : 782-55-65. Dans le centre du village. Ouvert de fin mai à mi-octobre, de 8 h 30 à 17 h (20 h en juillet et août). Personnel efficace et souriant. Plein d'infos.

Gare Via Rail : 44, rue de l'Anse. ☎ 782-27-47. Appel gratuit 24 h/24 : ☎ 1-800-361-53-90. Ouverte seulement aux heures de départ et d'arrivée des trains (les lundi, jeudi et samedi de 9 h à 10 h et de 15 h à 17 h).

La Boîte à T-shirts *(plan B1, 2)* : sur la route principale, face aux restos *Les Fous de Bassan* et *Percé Brasse*. Ferme à 20 h. 12 $Ca (7,7 €) pour un T-shirt. L'originalité de cette boutique, c'est son propriétaire qui imprime lui-même les motifs sur les T-shirts et casquettes de votre choix, ceci à l'aide d'une sorte d'appareil chauffant. On choisit son modèle et son motif, et hop, en 2 temps 3 mouvements, votre T-shirt est imprimé. Pas cher, mais les motifs ne sont pas terribles. Comme les gaufres !

Où dormir ?

Plusieurs motels, nombreux gîtes et des campings : faites votre choix ! L'avantage c'est que, la concurrence jouant, les prix sont plus abordables que dans le reste du pays, surtout hors saison. En été, il y a beaucoup de monde et il est conseillé de réserver en téléphonant à l'avance.
À la descente du bus, il y aura souvent quelqu'un pour vous louer une chambre.

Campings

Camping du Gargantua *(plan A1, 25)* : route des Failles, à quelques kilomètres de Percé. ☎ 782-28-52. Pour tous les campings, prix à peu près équivalents : 18 $Ca (11,6 €) pour une tente et 22 $Ca (14,2 €) la caravane avec services. Site superbe, dominant la baie, vue imprenable sur l'île Bonaventure. Petit, calme et assez sauvage. Emplacements pas tous très ombragés. Sanitaires peu nombreux mais super bien entretenus. De loin le camping le plus agréable du coin. Pour routards motorisés seulement.

Camping Tête d'indien *(hors plan par A1, 26)* : sur la route vers Percé, à Saint-Georges-de-Malbaie. ☎ 645-38-45. Fax : 645-27-13. • danrose@bellsouth.net • 17 $Ca (11 €) pour la tente, 25 $Ca (16,1 €) pour la caravane. Doit son nom à un rocher ressemblant étrangement à un profil d'indien que l'on voit du camping (seul véritable intérêt du coin). Pas trop d'ombre. Patron anglophone.

D'autres ***campings*** dans Percé même, et 2 au cap Blanc, bénéficiant d'une belle vue. Tarifs et prestations à peu près équivalents, on n'a pas de préférence. À vous de choisir.

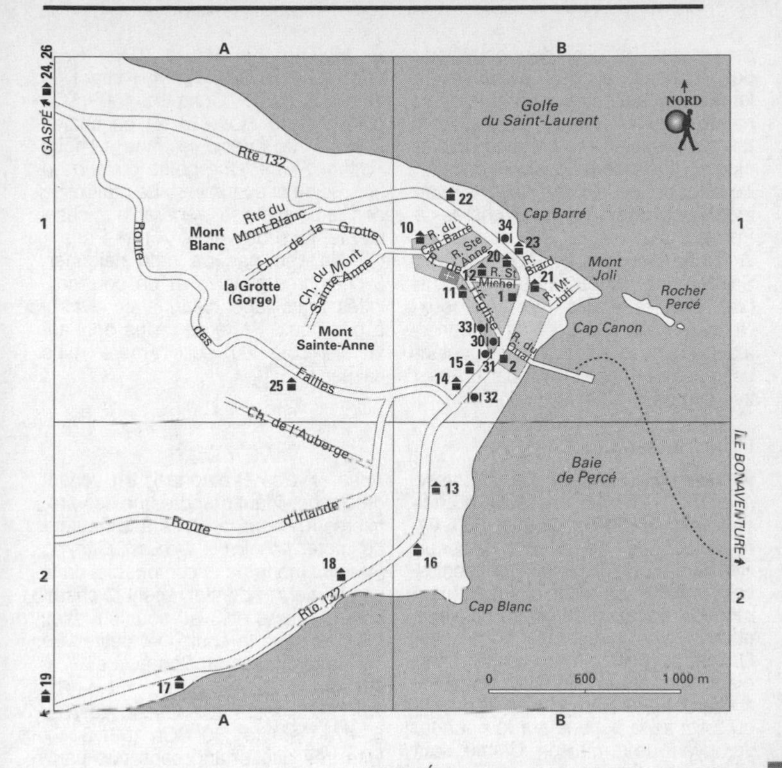

PERCÉ

Adresses utiles

1 Kiosque d'information touristique
2 La Boîte à T shirts

Où dormir ?

10 Gîte du mont Sainte-Anne
11 Maison Avenue House
12 Gîte du Passant La Rêvasse
13 Hôtel motel Pavillon Côte Surprise
14 Motel Le Macareux
15 Gîte L'Extravagante
16 Gîte du Capitaine
17 Chalets Rainbow
18 Gîte chez Despard
19 Gîte Les Jardins Levêque
20 Maison Le Havre (The Heaven)
21 Gîte La Maison Rouge
22 Gîte Marie-Josée Tommi
23 Hôtel et motel Rocher Percé
24 Auberge Le Coin du Banc
25 Camping du Gargantua
26 Camping Tête d'indien

Où manger ?

30 Percé-Brasse
31 Les Fous de Bassan
32 La Morutière
33 Le Matelot
34 Restaurant Biard

Bon marché

Maison Avenue House *(plan B1, 11)* **:** 38, rue de l'Église. ☎ 782-29-54. Comptez 35 $Ca (22,6 €). Dans un quartier calme et vert, à 1 mn du centre et de l'animation. Une jolie maison ancienne, en bois, avec une véranda, des plantes, des souvenirs, des tableaux et des meubles de famille. Vous êtes reçu par une charmante vieille dame anglophone. L'endroit respire une certaine désuétude non dénuée de charme (ancien). Tout est propre et bien rangé. Chambres d'hôte parmi les moins chères de Percé.

■ ***Chez Georges et Rita :*** 16, rue Sainte-Anne. ☎ 782-29-90. 3 chambres doubles à des prix très doux. Normalement, pas de petit déjeuner, mais cuisine à disposition et boulangerie juste en face. Tenu par un veuf très sympa.

■ ***Maison Le Havre (The Heaven)*** *(plan B1,* ***20****)* ***:*** 114, route 132. ☎ 782-23-74. Comptez 40 $Ca (25,8 €), 45 $Ca (29 €) en chalet. Dans la rue principale, face à l'hôtel *Rocher Percé*. Une petite maison en bois jaune et au toit vert. La maîtresse des lieux, anglaise, vénérable et charmante, rêve de voir le « gay Paris » (!). Ne sert pas de petit déjeuner. 5 chambres simples et un peu vieillottes, mais super *clean,* avec lavabo, à prix doux. Préférez celles donnant sur le côté ou sur l'arrière, plus calmes.

Prix modérés

■ ***Gîte du Passant La Rêvasse*** *(plan B1,* ***12****)* ***:*** 16, rue Saint-Michel. ☎ et fax : 782-21-02. 55 $Ca (35,5 €). À deux pas de *Maison Avenue House,* loin de l'agitation du centre, voici une maison en bois, entièrement rénovée, entourée de jardins paisibles et de prés soigneusement entretenus. On est accueilli par un couple charmant. Infos sur la ville et les environs. 4 chambres à l'étage avec lit double ou 2 lits séparés, vue sur le pourtour verdoyant de la maison. Calme, sauf si vos voisins ne le sont pas. Toilettes sur le palier. Lavabo dans certaines chambres. Bon petit déjeuner servi dans la cuisine.

■ ***Gîte Marie-Josée Tommi*** *(plan B1,* ***22****)* ***:*** 31, route 132 Ouest. ☎ 782-51-04. À la sortie de Percé, en direction de Gaspé, sur la droite dans une côte, à la hauteur du panneau vert marqué Percé (après Pétro-Canada). Comptez 45 $Ca (29 €). Il s'agit d'une grande maison d'artistes abritant une galerie-atelier. Céramiste peintre, Marie-Josée Tommi a donné un vrai caractère à l'intérieur de sa maison. 3 chambres très agréables, à l'étage ou au rez-de-chaussée. Salle de bains un peu « limite ». Salle à manger près de l'atelier. On regrette simplement la propreté, un peu négligée parfois.

■ ***Gîte du mont Sainte-Anne*** *(plan B1,* ***10****)* ***:*** 44, rue du Cap-Barré. ☎ 782-27-39. 55 $Ca (35,5 €). Audessus du cimetière et de l'église de Percé, à flanc de colline, près du point de départ du sentier du mont Sainte-Anne (vive la Bretagne !). En venant de Gaspé, il faut prendre une des premières rues sur la droite à la hauteur du motel *Les Trois Sœurs. Gîte du Passant* moderne et confortable, dans un quartier résidentiel récent. 3 chambres à l'étage et 3 au sous-sol avec toilettes dans le couloir et petite vue sur un jardin calme. Bon accueil.

■ ***Gîte L'Extravagante*** *(plan B1,* ***15****)* ***:*** 222, route 132 Ouest. ☎ 782-53-47. Compter 50 $Ca (32, 3 €). Gîte très accueillant, sans vue particulière mais calme, car situé en retrait de la route. Danielle, Denis, Léon et leur chatte Vénus y demeurent à longueur d'année. 2 chambres peintes avec fantaisie par la maîtresse des lieux. Pour non-fumeurs de préférence (vous irez tirer sur votre vieille bouffarde dehors...).

■ ***Gîte La Maison Rouge*** *(plan B1,* ***21****)* ***:*** 125, route 132 Ouest. ☎ 782-22-27. De 63 à 67 $Ca (40,6 à 43,2 €) la nuit, 93 $Ca (60 €) pour 4 personnes. Installé au beau milieu d'une prairie, en face du rocher. Très bon accueil dans cette jolie demeure bordeaux de style jerséen, tenue par 3 copines. Vous avez le choix entre les chambres de la maison ou celles de la grange, absolument charmantes, spacieuses et très rustiques. On y dort dans d'anciennes mangeoires aménagées en lits couchettes, les sièges sont bricolés à partir de pièces de tracteur (Ah, ce Mac Gyver...). Balançoire intérieure. Un super plan : venir avec ses potes et louer toute la grange... Dehors, terrasse pour les BBQ.

Gîte du Capitaine *(plan B2, 16)* **:** 10, rue du Belvédère, côte Surprise, près du Cap Blanc, G0C-2L0. ☎ 782-55-59. Fax : 782-51-71. • www.gites-classifies.qc.ca/cap.htm • Comptez 60 $Ca (38,7 €). Maison bénéficiant, à notre avis, de la plus belle vue sur le rocher Percé. 3 chambres très mignonnes, toutes au même prix, vue ou pas, puisqu'on peut en profiter pleinement du salon. Une salle de bains, à partager. Accueil de Réjeanne et du Capitaine Flynn, un personnage de roman à l'allure débonnaire. Dans le village, on l'appelle « la légende ». Petit déjeuner assez léger. Il est prudent de réserver, succès oblige. On vous recommande de faire la croisière autour du rocher et à l'île Bonaventure avec ce sacré bonhomme qui en connaît parfaitement toute l'histoire.

Hôtels et motels

Hôtel et motel Rocher Percé *(plan B1, 23)* **:** 111, route 132 Ouest (rue principale). ☎ 782-23-30 ou 1-888-467-37-23. 50 $Ca (32,3 €) en hôtel, et 70 $Ca (45,1 €) en motel. Douche sur le palier, mais w.-c. et lavabo dans la chambre. Gérante accueillante. Plus confortable en motel mais ça reste raisonnable. Petit déjeuner inclus.

Motel Le Macareux *(plan B1, 14)* **:** 262, route 132. ☎ 782-24-14. Comptez 55 $Ca (35,5 €). À la sortie sud du village. Un motel ordinaire mais bon rapport qualité-prix. Chambres très propres et spacieuses, avec TV. Les moins chères ont la salle de bains à l'extérieur, mais sont vraiment très bien pour le prix. Les plus chères disposent même d'une cuisine équipée. Patron prêt à discuter (surtout hors saison). Réductions à partir de 3 jours. Fait aussi boutique d'artisanat (touristique), prix intéressants.

Où manger ?

Les Fous de Bassan *(plan B1, 31)* **:** 162, route 132 Ouest. Dans le centre d'art du village, en retrait de la rue principale. ☎ 782-22-66. Resto-bistro. Ouvert de 7 h à 22 h. Fermé hors saison. 9 $Ca (5,8 €) le plat principal, et environ 12 $Ca (7,7 €) la table d'hôte. Spécialités de fruits de mer et crêpes. Grand choix. Chansonniers de 18 h jusqu'à la fermeture. Concerts en fin de semaine. Ambiance assurée ces soirs-là.

Percé-Brasse *(plan B1, 30)* **:** à la même adresse que *les Fous de Bassan.* ☎ 782-53-50. Le resto ferme à 22 h et le bar à 3 h. Dans une salle moderne et colorée, on mange des moules-frites à volonté pour 12 $Ca (7,7 €). Également poulet, pizzas, salade, filet de morue à la mode grand-mère. Le patron est délirant et a donné à son resto une ambiance de fête furieuse aux rythmes latinos.

Restaurant Blard *(plan B1, 34)* **:** 99, route 132 Ouest. ☎ 782-28-73. Fax : 385-22-60. Ouvert de mai à octobre. 11 $Ca le midi (7 €), table d'hôte entre 18 et 27 $Ca (11,6 et 17,4 €). Grand resto offrant midi et soir une formule buffet (chaud) à volonté à prix intéressant (évitez celui du midi, moins cher mais peu de choix). Attention : en été, pas de buffet le midi ! Table d'hôte également. Spécialités de poisson et fruits de mer, mais la bouillabaisse n'est pas terrible. On peut venir vous chercher gratuitement sur votre lieu d'hébergement (☎ 782-21-02).

Le Matelot *(plan B1, 33)* **:** 7, rue de l'Église. ☎ 782-25-69. De 16 à 30 $Ca (10,3 à 19,3 €) la table d'hôte. Beau restaurant, spacieux et agréable. Spécialités de poisson et fruits de mer : crabe, pétoncles, morue, excellent homard, coquilles Saint-

Jacques, etc. En été, chansonniers le soir et spectacle théâtral. Très bonne ambiance.

I●I *La Morutière* (*plan B1, **32***) **:** 249, route 132; dans le centre, en bord de mer. ☎ 782-28-02. Resto-café-terrasse ouvert midi et soir jusqu'à 22 h 30, un peu plus tôt hors saison. Entre 13 et 29 $Ca (8,4 et 18,7 €). Bonne cuisine assez réputée. Cadre agréable, terrasse et vue panoramique. Un peu de tout : truite arc-en-ciel farcie, spaghetti aux fruits de mer, assiette du pêcheur, pizzas, pâté de poisson, etc. Menus bon marché le midi.

Où dormir ? Où manger dans les environs ?

Bon marché

≜ ***Chalets Rainbow*** (*plan A2, **17***) **:** 511, route 132. ☎ 782-22-54 ou 782-23-18. À 2 mn à l'ouest du village. Comptez 35 $Ca (22,6 €) ou 65 $Ca (41,9 €) pour 5 personnes. Vraiment une adresse pour routard avec une vue splendide sur l'île de Bonaventure. Ici, ce n'est pas le confort que l'on vient chercher mais la tranquillité. Intérieur hyper sommaire, salle de bains et kitchenette limite, mais pour le prix, n'allez pas demander lc bon dieu. Le patron, un vieil Anglais, vous contera avec passion l'histoire de sa région.

Prix moyens

≜ ***Gîte chez Despard*** (*plan A2, **18***) **:** 468, route 132 Ouest. ☎ 782-54-46. Comptez 50 $Ca (32,3 €). Légèrement en retrait de la route, à 2 km du centre. Grande maison violette construite par le père de la patronne en 1920. Accueil très cordial. 4 chambres correctes, parties communes colorées et gaies. Lucile saura vous mettre à l'aise dès votre arrivée dans sa demeure familiale, un peu bohème. Vaste jardin fleuri.

PERCÉ

Plus chic

≜ ***Gîte Les Jardins Levêque*** (*hors plan par A2, **19***) **:** 931, rang 2, Anse-à-Beaufils, Cap-d'Espoir. ☎ 782-24-41. Fax : 782-51-47. • www.gites-classifies.qc.ca/jarl.htm • À partir de 65 $Ca (41,9 €), tarif intéressant pour 4 personnes. De Percé, prendre la 132 Ouest. Tourner à droite sur la route de l'Anse à Beaufils. Au bout, à droite au 2e rang. Continuer sur 300 m. Vous y êtes ! Sur une colline, un gîte perdu dans la verdure. De la terrasse, on voit la baie. Lyse Morneau a la main verte et possède volatiles, lapins et moultes petites bébêtes. Ses chambres bien décorées offrent une certaine indépendance. Cuisine à disposition. En été, elle vous laisse même sa maison... Sympa ! Barbecue dans le grand jardin. Vraiment génial pour les enfants, car en pleine nature.

≜ I●I ***Auberge Le Coin du Banc*** (*hors plan par A1, **24***) **:** 315, route 132 Est, à 7 km de Percé, sur la route de Gaspé, à Coin-du-Banc. ☎ 645-29-07. Prix identiques toute l'année : à partir de 42 $Ca (27 €) et jusqu'à 90 $Ca (58 €) pour les chambres ou chalets. Pratique pour les groupes. Sur réservation l'hiver. Bien située, sur un croissant de plage surplombant la baie des Morues. Autour du vieux poêle gaspésien s'ordonne une superbe salle à manger. Bric-à-brac étrange et chaleureux de cent objets et outils divers, genre brocante. Cuisine remarquable, assez chère quand même, mais de bon rapport qualité-prix. 11 chambres, avec ou sans salle de bains, dotées chacune d'une décoration différente, mais toujours dans le style rustico-bordélique sympa. Les 7 chalets (avec cuisine équipée) se situent au bord de la plage, ou à flanc de montagne. Une bien bonne adresse !

☗ ***Hotel Motel Pavillon Côte Surprise*** *(plan B2, **13**)* **:** 367, route 132. ☎ 782-21-31. Fax : 782-53-23. • www.quebectel.com/rest • Ouvert de juin à fin septembre. Vraiment intéressant à plusieurs dans le motel : 125 $Ca (80,6 €) pour 6 personnes avec le petit déjeuner (116 $Ca, soit 74,8 € pour 2 personnes). Propreté impeccable et grand confort. Vue sublime sur le rocher et l'île de Bonaventure : à vos appareils !

À voir

★ ***Le rocher Percé :*** immense muraille de roc de 433 m de longueur (et on ne compte pas le bout qui manque), composée de calcaire siliceux et pesant un peu plus de 5 millions de tonnes. Là, vous en savez autant que nous. Possibilité de s'y rendre à pied à marée basse, parfois en se mouillant jusqu'aux genoux. Beaucoup de volatiles. Bien se renseigner sur l'heure des marées, on tient à nos lecteurs !

★ ***Le Centre d'interprétation du parc de l'Île Bonaventure et du rocher Percé :*** 343, rang de l'Irlande, à la sortie sud du village. ☎ 782-22-40. Ouvert tous les jours de fin mai à la mi-octobre, de 9 h à 17 h. Gratuit. Expos très bien faites sur la faune et la flore du coin. Projection d'un document passionnant sur les mœurs des fous de Bassan, pas si fous que ça d'ailleurs (on n'a pas pu s'empêcher de la faire). De toute façon, il est préférable de visiter le centre avant de se rendre sur l'île, histoire de mieux comprendre l'importance de ce patrimoine naturel...

★ ***Le Chafaud-Musée :*** 145, rue Principale. ☎ 782-51-00. Ouvert tous les jours de juin à fin septembre, de 10 h à 22 h. 5 $Ca (3,2 €). Ce bâtiment historique, utilisé autrefois pour la transformation du poisson, abrite des expositions différentes chaque année, mais toujours en rapport avec Percé. Peinture, poésie, sculpture, pierres précieuses...

À faire

– ***L'observation des baleines :*** avec la société *Observation Littoral*. Petit bureau au 249, route 132, près du restaurant *La Morutière* (voir « Où manger ? »). 30 $Ca environ (19,2 €) avec tout l'équipement. Une jeune équipe sympa vous emmène en Zodiac pendant 3 h de mi-mai à fin octobre. Départ 3 ou 4 fois par jour (en saison). Même prix qu'à Tadoussac mais moins de bateaux, donc plus agréable. Tarifs étudiants, bien qu'ils ne l'affichent pas. Réservez 24 h avant : ☎ 782-53-59. Plusieurs espèces sont visibles dans le secteur : dauphin à flancs blancs (à partir de fin juillet), baleine à bosse, petit rorqual et rorqual commun mais aussi la baleine blanche, une question de hasard. Avec beaucoup de chance, vous verrez la baleine bleue ! Là, attention, si vous prenez des photos : vous pouvez compter 8 « respirations », avant qu'elle ne plonge. Le guide qui vous accompagne connaît parfaitement tous les animaux que vous verrez, y compris les phoques et les oiseaux, et peut répondre à toutes vos questions. De plus, ils ne prennent que 12 personnes par Zodiac, donc ce n'est pas l'usine...

– Possibilité de passer une journée en mer pour ***pêcher la morue.*** Pas très cher. Une chouette expérience. Précisez bien, avant d'embarquer, si vous voulez garder le poisson que vous aurez pêché.

– Belles ***randonnées*** dans les collines environnantes, avec superbes points de vue sur Percé. Sur le sommet aplati du mont Sainte-Anne, les Micmacs adoraient le soleil et lui présentaient les nouveau-nés.

Une excursion intéressante : *la Crevasse*. Un sentier part derrière le restaurant *Gargantua*. On marche 40 mn avant d'atteindre de larges failles naturelles.
– Nombreuses ***plages*** où l'occasion vous sera donnée de chercher les fameuses agates de Percé.
– Possibilité de louer des ***kayaks de mer*** et de faire de la ***plongée sous-marine :*** se renseigner à la piscine de Percé de mi-juin à mi-septembre : ☎ 782-54-03 de 8 h à 17 h ; et de mi-septembre à mi-juin : ☎ 534-38-00. Un conseil : louer un kayak avec jupette, sinon c'est la baignoire assurée pendant 2 h, à l'eau froide de plus !

L'ÎLE BONAVENTURE 3 000 hab.

Rendue célèbre par plusieurs films et livres (dont le roman *Les Fous de Bassan,* d'Anne Hébert), l'île est un sanctuaire pour plus de 200 000 oiseaux, dont un quart de fous de Bassan, curieux oiseaux aux yeux rieurs. L'observation de leur colonie, sur des falaises dominant la mer, représente un spectacle d'autant plus fascinant que le visiteur ne peut y accéder qu'à pied, au terme d'une longue et belle randonnée à travers bois et le long du littoral, ou en bateau. Ça vaut largement le coup d'emporter son pique-nique et de passer une journée sur cette île.
Bonaventure ! Pourquoi ce nom si sympathique ? Au début du XVIe siècle, des pêcheurs basques et bretons sillonnèrent la région où il y avait abondance de poissons : c'était donc une « bonne aventure » pour eux. Autre hypothèse : c'est le jour de la Saint-Bonaventure, le 15 juillet 1534, que Jacques Cartier (originaire de Rothéneuf, près de Saint-Malo, en Bretagne) mouilla près de l'île. Plus tard, après la conquête anglaise, des baroudeurs irlandais et anglo-normands s'y fixèrent.
En 1831, 35 familles y vivaient, contre vents et marées. Des courageux ! Aujourd'hui, plus personne n'y habite. Les derniers habitants permanents ont quitté l'île en 1963 et 1964, abandonnant derrière eux leurs chalets d'été en bois que l'on peut voir le long du sentier du Roy, demeures fantomatiques envahies par les herbes folles...
– Il n'y a aucun point d'eau potable le long des sentiers, prévoir une gourde d'eau avant de partir.

LA GASPÉSIE

Adresse utile

ℹ ***Centre d'interprétation du parc de l'île Bonaventure et du rocher Percé :*** à Percé, voir plus haut. Y passer avant de faire la balade sur l'île.

Comment s'y rendre ?

– ***En bateau :*** environ 4 compagnies privées racolent sur le port pour vendre leurs services. La plupart proposent de faire le tour de l'île (compter 1 h) avant d'y débarquer. Avantage : cela permet d'observer de la mer les falaises où vivent 7 espèces d'oiseaux (sur l'île même, on voit surtout les fous de Bassan). 2 compagnies, dont *Les Bateliers de Percé,* assurent la liaison simple entre Percé et l'île (se renseigner au resto *Les Fous de Bassan*, voir « Où manger ? »). Elle ne dure que 15 mn mais attention, les départs n'ont lieu qu'à 8 h et 9 h. Après, ce ne sont que des excursions avec tour de l'île. Tous les départs se font du quai principal du port. En été, toutes

compagnies confondues, compter à peu près un bateau tous les quarts d'heure. Après le 15 août, les liaisons continent-île sont plus espacées. S'informer la veille auprès de l'office du tourisme.
Pour revenir de l'île vers Percé, le dernier bateau est à 17 h. Notre conseil : y aller le plus tôt possible le matin pour éviter la foule.

Où manger ? Où boire un verre ?

Casse-croûte 3 « C » : 4, rue du Quai. Juste au-dessus du débarcadère, près du point d'information, c'est la buvette de l'île. Ouvert de début juin à début octobre, tous les jours de 8 h à 17 h. On y trouve des hambourgeois, de méchants chiens chauds (*hot dogs*) et un accueil sympa.

À voir. À faire

Transformée en parc en 1985, l'île est ouverte au public tous les jours de 8 h 15 à 17 h, de juin à la mi-octobre. Traversée payante.
Au débarcadère de l'anse à Buller (arrivées et départs se font là), des naturalistes vous accueillent et font un bref exposé sur l'île aux visiteurs avant la visite.

– ***Les sentiers de randonnée :*** du quai où l'on débarque, 4 sentiers différents permettent de se rendre à l'autre bout de l'île, où se trouve le sanctuaire des oiseaux marins. Le plus court, celui des Colonies, fait 3 km et passe à travers de jolis sous-bois. Le plus long (dans ce sens), le *sentier des Mousses* (3,5 km ; 1 h 15 de marche) traverse également de beaux sous bois et longe la côte nord-est de l'île (zone préservée) avant d'accéder au « royaume » des oiseaux marins. Superbe balade. Pour ceux qui ont un peu plus de temps.
Le *sentier du Chemin du Roy* longe la côte sud de l'île, entre le sanctuaire aux oiseaux et le quai. Ce sentier de 4,9 km, le plus long et le plus beau, se prend au retour, après la visite de la colonie d'oiseaux. Perspectives superbes sur les falaises et la mer. Escale fort sympathique dans la baie des Marigots, et découverte de ces étonnantes carcasses de maisons fantômes, autour du cimetière. Bref, le tour complet de l'île, par le chemin le plus long, fait 8,5 km et demande environ 3 h de marche (facile), dans le sens des aiguilles d'une montre.

★ ***La colonie des oiseaux marins :*** la zone dite « de préservation extrême » se trouve sur les falaises de la côte Est de l'île. Le sentier pédestre, jalonné par de nombreux panneaux explicatifs, permet de voir de très près les milliers d'oiseaux, et particulièrement les fous de Bassan. Spectacle étonnant que ces myriades d'oiseaux serrés les uns aux autres, agglutinés sur un si petit espace, toujours prêts à s'envoler et à partir vers le large...

★ ***Les fous de Bassan :*** quelques mots sur ce drôle d'individu ailé. En France, il est considéré comme le plus grand oiseau marin existant. Plus important que le goéland, le fou de Bassan peut même mesurer 2 m d'envergure, ailes déployées. Il est de couleur blanche avec un cou jaune et des pointes d'ailes noires. Il a de magnifiques yeux bleus cerclés de noir, et un long bec droit, son signe distinctif. Aux îles Galapagos, les fous de Bassan ont le même profil que leurs cousins du Canada, mais avec des pattes palmées bleues en plus ! Habitant toujours près de la mer, il ne s'en écarte jamais. On le voit rarement à l'intérieur des terres. Ceci s'explique par son régime alimentaire. Il ne se nourrit que de jeunes poissons ou de petites

anguilles, qu'il saisit avec son bec en plongeant dans l'eau glacée de façon spectaculaire. Après avoir piqué d'assez haut et pris son élan, il disparaît sous la surface de l'eau et pourchasse sa proie jusqu'à l'attraper. Puis il l'avale avant de redécoller. Ce plongeon un peu fou est sans doute à l'origine de son nom. Quant à « Bassan », ce mot vient d'une importante colonie européenne située à Bass Rock, en Écosse. Autre particularité : cet acrobate est aussi un grand migrateur, qui déteste la vie sédentaire. Un routard des mers, en somme ! Il passe l'été au Canada, et l'hiver au large des côtes de la Floride et du golfe du Mexique, le rêve de millions d'êtres humains qui n'ont pas les moyens de vivre de la sorte...
Ce qui frappe le plus, de prime abord, ici, c'est la promiscuité dans laquelle vivent les fous de Bassan, jeunes et vieux, sans distinction apparente. Vous êtes ici en présence de la 2e plus importante colonie d'oiseaux au monde, et surtout, la plus accessible. Mais attention : « touche pas à mon territoire vital », semblent-ils dire. Bien que proches les uns des autres, ils conservent des mœurs grégaires, marquant leur espace, défendant les limites de leur territoire, de façon parfois agressive. Il suffit de voir la manière dont ils s'affrontent, bec contre bec, pour le comprendre. Aspect moins romantique de cette immense colonie : elle sent mauvais ! Énorme avantage, on peut rester le temps que l'on veut à la regarder du sentier ou de la tour d'observation, à la photographier (téléobjectif nécessaire), à scruter les oiseaux aux jumelles, quand ils volent, etc. Bref, cette « flèche des mers » reste l'un des oiseaux marins les plus fascinants qui soient. Et si, une fois rentré en France, les fous de Bassan vous manquent, eh bien, prenez le bateau pour la réserve des Sept-Îles (Côtes-d'Armor) où vivent près de 10 000 oiseaux du même acabit !

★ ***La baie des Marigots :*** très jolie petite crique avec une plage de galets, située au sud de l'île, accessible par le sentier du Chemin du Roy. Du temps des grandes pêches à la morue, quand les morutiers français (bretons et basques pour la plupart) voulaient fainéanter et se dérober à leur boulot, ils allaient se cacher dans ce genre d'anse pour traîner, festoyer, boire, et oublier le quotidien. D'où l'expression argotique « Courir le marigot »...

★ ***Le petit cimetière :*** sur le sentier du Chemin du Roy, à 500 m environ avant d'arriver au débarcadère. Voici le cimetière le plus modeste, le plus émouvant du Québec. 6 petites pierres tombales grises, une grande croix de bois noir, quelques panneaux explicatifs, le tout éparpillé dans un pré d'herbe rase, entouré par des plantes sauvages, face à la mer. Y sont enterrées les familles de pionniers de Bonaventure, venus pour la plupart de l'île de Jersey.

★ ***Les maisons fantômes :*** éparpillées dans les prés sauvages, face à la mer, sur la côte Ouest de l'île, ces maisons, toutes couvertes de bardeaux de cèdre, appartenaient naguère aux familles d'émigrés de Jersey et d'Irlande, installés là au XIXe siècle. Aujourd'hui abandonnées, et en état avancé de délabrement, on ne peut pas les manquer sur le chemin du retour. Certaines, très modestes, ne sont que de petites « cabanes au Canada » où s'entassaient des familles de 9 à 12 enfants. D'autres, plus importantes, ont l'allure de chalets d'été, avec sanitaires et vue panoramique. Comme cette *maison Paget,* construite par Michel Pagé en 1858, qui servit même de pension dans les années 50. Pour squatters fauchés désireux de dormir clandestinement sur l'île (mais *attention :* c'est strictement interdit !). Depuis quelques années, certaines maisons sont en restauration.

LA BAIE DES CHALEURS

IND. TÉL. : 418

Un tout autre aspect de la Gaspésie. La montagne s'éloigne progressivement pour laisser se dérouler une bande de mousse verte, de plus en plus large, entre elle et la mer. Relief moins spectaculaire. L'industrie de la pêche est encore très active et étale ses « vigneaux » (séchoirs à morue) le long du littoral.

LA ROUTE JUSQU'À MATAPÉDIA

Deux sites intéressants à visiter avant d'arriver à Port-Daniel.

★ ***Le Centre d'interprétation du bourg de Pabos :*** 75, chemin de la Plage, à Pabos Mills. ☎ 689-60-43. Ouvert tous les jours de mi-juin à mi-septembre, de 9 h à 17 h. 5 $Ca (3,2 €) l'entrée. Visite guidée, ou libre avec livret explicatif. Site historique et archéologique racontant l'arrivée des premiers colons au XVIIIe siècle, le mode de vie des pêcheurs et le fonctionnement d'une seigneurie jusqu'à sa destruction par les Britanniques. Intéressantes explications concernant l'interprétation de la datation des objets découverts lors des fouilles, précieux indices permettant de reconstituer l'histoire.

★ ***Le site Mary-Travers, dite « la Bolduc » :*** 124, route 132, à Newport. ☎ 777-24-01. Ouvert de juin à octobre, de 9 h à 17 h. Entrée : 4 $Ca (2,6 €). Visite guidée. Musée consacré à la première et célèbre chansonnière québécoise, née à Newport (en 1894) qu'elle quitta à l'âge de 13 ans pour Montréal où elle épousa un certain Édouard Bolduc, d'où son surnom. Nombreuses photos. Textes de ses chansons, inspirées pour la plupart de thèmes quotidiens, aux titres évocateurs : *La Grocerie du coin, Sans travail, On déménage, Le Nouveau Gouvernement, Si j'pouvais tenir Hitler* (où elle parle de l'étouffer avec de la morue, de lui mettre une queue de vache à la place de la moustache et de le faire boucaner comme un vieux hareng fumé !)... Bref, elle avait de la gouaille. En en prime, vous aurez le plaisir d'entendre la belle Angèle Poirier interpréter quelques chansons de la Bolduc.

★ *PORT-DANIEL*

Du haut d'une colline, on débouche soudain sur Port-Daniel. Le village est bâti au fond d'une baie profonde parée d'une plage sablonneuse. Fait très rare en Gaspésie, la pêche au thon s'y pratique. La réserve faunique de Port-Daniel, pleine de petits lacs, peut être un agréable but de balade. En venant de Percé, prendre à droite au début du village, c'est à 8 km.

LA GASPÉSIE

Adresse utile

i Petit ***bureau d'information touristique :*** à l'entrée du village sur la gauche, juste avant le pont, en venant de Percé. ☎ 396-32-15. Ouvert tous les jours de 8 h à 20 h, en saison, jusqu'au 30 septembre.

Où dormir à Port-Daniel et dans les environs ?

⌂ Hébergement en ***chalet*** ou ***camping,*** dans la réserve faunique, pas cher du tout. Renseignements : ☎ 396-27-89 (en saison). Appel gratuit : ☎ 1-800-665-65-27 (on peut y faire uniquement des réservations). Camping très bien à tous points de vue (site, propreté, sanitaires, accueil). Pêche.

⌂ ***Gîte Les Âcres Tranquilles :*** 252, route 132 Ouest (route Lévesque). GOC2NO ☎ 396-34-91. Fax : 396-20-14. • mynor@globetrotter.net • Prévoir de 45 à 55 $Ca

(29 à 35,5 €) pour une nuit. Maison paisible au milieu d'un grand jardin soigneusement entretenu. Joli intérieur forestier, 4 chambres convenables. Belle cuisine toute en bois naturel, et salle de bains originale avec lavabo intégré à un tonneau ! Au petit déjeuner vous aurez l'agréable surprise de sentir la bonne odeur du pain que Myra fait elle-même.

■ ***Gîte à la ferme MacDale :*** 365, route 132, Hope West, Paspébiac. ☎ 752-52-70. • www.bbcanada.com/399.html • Ouvert à l'année. À partir de 45 $Ca (29 €). À 20 miles à l'ouest de Port-Daniel. Vous êtes nombreux à apprécier l'accueil d'Anne et Gordon dans ce *Gîte du Passant* situé en retrait de la route, au milieu d'une grande pelouse où se prélasser au soleil. 3 chambres pas très grandes mais propres, claires et à prix modique. La plus demandée est bien sûr la n° 4, plus grande, tout en bois, avec salle de bains privée de laquelle on voit la mer... Un must ! Excellent petit déjeuner maison. On peut aussi y dîner pour pas cher en réservant un peu à l'avance. Bien pratique : les proprios viennent vous chercher ou vous conduisent à la gare.

★ PASPÉBIAC

Le nom de ce havre naturel vient du mot micmac *Tcha kibiac,* signifiant la « batture rompue ». Le seul intérêt de ce village, c'est le site historique du Banc de Paspébiac, au bas du bourg, sur une langue de terre bordée par la mer. Sinon, pour les jeunes, un bar animé, le *Don Lynn,* dans la rue principale. Ouvert surtout le soir. Entrée payante en fin de semaine.

★ ***Le site historique du Banc de Paspébiac :*** route du Banc. ☎ 752-62-29. Ouvert tous les jours de juin à mi-octobre, de 9 h à 18 h (16 h à partir de septembre). Visite guidée ou libre. Surprenante « friche industrielle » consacrée à la pêche à la morue au siècle dernier, abandonnée et aujourd'hui reconvertie en une sorte d'écomusée en plein air. D'autant plus intéressant à visiter (comptez une bonne heure environ) que les différents bâtiments (la charpenterie, la forge, le hangar Le Boutillier, etc.) offrent un état de conservation assez remarquable.
L'ensemble a été construit à partir de la fin du XVIIIe siècle par Charles Robin, un commerçant aventureux émigré de Jersey. Deux puissantes compagnies, la *C.R.C.* et la *Le Boutillier Brothers* y furent fondées. Leur activité consistait à importer les denrées nécessaires aux habitants du golfe, mais surtout à pêcher la morue, la sécher, l'entreposer, puis à l'exporter à travers le monde. À l'époque, des centaines d'ouvriers travaillaient à Paspébiac, connu comme le centre névralgique de l'industrie de la pêche dans le golfe du Saint-Laurent. On pouvait y rencontrer des émigrés allemands, anglais, portugais, français, et même basques. D'ailleurs, plusieurs familles du village portent aujourd'hui encore des noms basques.

★ NEW CARLISLE

À 7 km de Paspébiac, sur la route de Bonaventure, un village anglophone peuplé en grande partie de descendants des loyalistes (qui quittèrent les États-Unis pendant la guerre d'Indépendance pour rester fidèles à la couronne d'Angleterre).

Où dormir ?

■ ***La maison du Juge Thompson :*** 105, rue Principale. ☎ 752-63-08 et 57-44 ; en été, ☎ 752-63-08. Pour la nuit, 60 $Ca (38,7 €). En venant de Paspébiac, elle se trouve sur la droite à l'entrée de la ville, près du palais de justice. Extérieurement, entourée d'un jardin et de pelouses bien vertes, elle n'a rien de particulier sauf sa jolie et sympathique véranda avec vue sur la mer. À l'intérieur, la décoration et l'ambiance vous plongent dans le passé (tableaux, gravures, bibelots, meubles de style victorien). Construite en 1844 par le juge John G. Thompson, la maison appartient aujourd'hui à Judy et Normand Desjardins, respectivement Gaspésienne de Miguasha et artiste de Montréal, et tous deux enseignants. 3 chambres spacieuses, arrangées comme des petits nids douillets et romantiques, donnant sur les arbres du jardin. Rien ou presque n'a changé depuis le siècle dernier. Notez, au rez-de-chaussée, le style et la grandeur des ouvertures : on les appelle des fenêtres françaises, une rareté en Gaspésie. Adresse plus chic pour une soirée exceptionnelle. Petit déjeuner copieux à l'anglaise, servi par des hôtes charmants.

La Clé des Champs : 254, route 132 Est, Hope Town. Paspébiac. ☎ 752-31-13 ou 1-800-693-31-13. Comptez 50 $Ca (32,3 €). Un *Gîte du Passant* très agréable, situé entre Port-Daniel (à 25 km) et Paspébiac. Propre, belle vue sur la baie. Accueil très attentionné et bon petit déjeuner. Les propriétaires ont reçu plusieurs prix pour la qualité de leur gîte. Bernard, ancien cavalier émérite, vous proposera un tour à bord de sa charette à travers la campagne environnante.

★ BONAVENTURE

L'un des derniers bastions acadiens de la Gaspésie.

Adresse utile

Bureau d'information touristique : juste à côté du musée. ☎ 534-40-14. Ouvert de mi-mai à fin août, de 8 h à 20 h.

Où dormir ? Où manger ? Où boire un verre ?

Le Rendez-vous : 108, rue de Grand-Pré (dans la rue à droite juste avant l'église, en venant de Port-Daniel). ☎ 534-34-99. Ouvert jusqu'à minuit. Resto au cadre moderne, sans grand charme, mais outre les habituels hambourgeois, pâtes et pizzas, bon choix de poisson, fruits de mer et viande à prix très doux.

Gîte au Foin Fou : 204, chemin de la Rivière. ☎ 534-44-13. • www.gites-classifies.qc.ca • Ouvert du 15 juin au 15 septembre. Comptez 50 $Ca (32,3 €). Dans un coin isolé, une charmante maison d'artistes-voyageurs bien sympathiques. Dans ce havre de paix les artistes viennent parfois travailler ; leurs oeuvres sont exposées et mises en vente. La patronne offre 5 chambres adorables et toutes différentes. Dans le salon, jetez un coup d'oeil au téléphone farfelu imbriqué à une vieille machine à coudre. La salle de bain, à l'étage vaut aussi le détour : l'eau s'écoule par un enchevêtrement de tuyaux en fonte et tombe dans un saladier en céramique ! Belle cuisine rétro. Au fond du jardin passe une rivière où l'on peut se baigner et faire du canoë. Salle de massage au rez-de-chaussée et agréable terrasse. L'été on se réunit autour d'un feu, près du tipi. Petit déjeuner bio (crêpes, œufs frais...). Notre meilleure adresse à Bonaventure.

Auberge du Café Acadien : 168, rue Beaubassin. ☎ 534-42-76. 50 $Ca (32,3 €) la nuit. À côté du camping municipal, face à la marina de Bonaventure. Maison fort sympathique et accueillante tenue par une famille. Repas assez copieux et pas chers : capelans, hareng, saumon fumé, morue, pâté acadien aux fruits de mer... À l'étage, 5 jolies petites chambres avec lavabo, mais douche et w.-c. sur le palier. 2 donnent sur les prés, le camping et la mer (au sud), les autres regardent le parc de stationnement, calme la nuit. Grand bar bien agréable au rez-de-chaussée.

Bistro Bar Le Fou du Village : 119, av. Grand-Pré. ☎ 534-45-67. Ouvert de 14 h à 3 h. Situé sur la rue avant l'église, un peu plus loin que le *Rendez-vous*. Un bar peinard avec billard, grande terrasse, mezzanine et des concerts plusieurs fois par semaine.

À voir

★ ***Le Musée acadien du Québec :*** 95, av. Port-Royal. ☎ 534-40-00. Du 24 juin à septembre, ouvert tous les jours de 9 h à 20 h ; le reste de l'année, de 9 h à 12 h (sauf le week-end) et de 13 h à 17 h. Entrée : 5 $Ca (3,2 €). Intéressant petit musée sur les mouvances des Acadiens à leur arrivée au Québec et après 1755 (le Grand Dérangement). Et aussi sur leurs origines et façons de vivre. Bonne entrée en matière si vous allez ensuite au Nouveau-Brunswick du côté de Caraquet, « le Pays acadien ».

★ ***La grotte de Saint-Elzéar :*** 198, route de l'Église. ☎ 534-43-35. Fax : 534-26-11. 37 $Ca (23,8 €) l'entrée. La plus vieille grotte du Québec (près d'un demi-million d'années), avec ses deux superbes salles hérissées de stalagmites et stalactites, à une vingtaine de kilomètres au nord de Bonaventure. Visite guidée d'une demi-journée environ, assez chère et sur réservation uniquement. Prévoir des vêtements chauds et des chaussures de sport. Casque et lampe de poche fournis.

Achats

Les cuirs fins de la mer : 76, av. Port-Royal ; juste avant le Musée acadien, au bord de la route (c'est fléché). ☎ 534-38-21. Ouvert tous les jours en saison, de 8 h à 20 h. Horaires variables le reste de l'année. Il s'agit d'une entreprise originale, qui produit des articles en cuir de poisson (morue et saumon) ! Porte-monnaie, étuis à lunettes, trousses à maquillage, cravates, vestes, mobiles, tableaux, bracelets, etc. Non seulement ce n'est pas un gag, mais c'est beau (enfin, faut aimer !), et aussi résistant que le cuir de vache. Mme Garnier a d'ailleurs beaucoup de succès. On vous prévient quand même, c'est cher, très cher.

★ *NEW RICHMOND*

Encore une autre petite ville typiquement anglo-saxonne de la Gaspésie. Nombreuses belles maisons cossues dans le centre-ville.
– *Kiosque touristique :* sur la route 132. ☎ 392-70-75.

Où dormir ?

Gîte du Passant Les Bouleaux : 142, route de la Plage. ☎ 392-41-11. Fax : 392-60-48. Prévoir entre 50 et 60 $Ca (32,3 et 38,7 €). À 1 km du centre. De la 132, tourner à gauche à la sortie de la ville, en venant de Percé, à l'intersection de la 299. Agréable maison en bois située dans la verdure... et les bouleaux, *of course!* Salon avec terrasse donnant sur la baie. 4 petites chambres très propres avec lavabo. 2 salles de bains. Préférez la grande chambre du rez-de-chaussée qui offre le plus beau point de vue. Petit déjeuner super. Tenu par un gentil couple très accueillant.

Gîte de la Maison Lévesque : 180, av. Leblanc.. ☎ 392-52-67. Fax : 392-69-48. 50 $Ca (32,3 €). 3 chambres. Excellent rapport qualité-prix. Mme Lévesque est très chaleureuse, disponible et elle cuisine à merveille. Petit déjeuner gargantuesque et délicieux.

Auberge La Maison Stanley : 371, bd Perron Ouest. ☎ 392-55-60. Fax : 392-55-92. Comptez 90 $Ca (58 €). Vraiment classe. Grande demeure de charme dégageant un cachet certain. Elle fut habitée par le Gouverneur général du Canada, Arthur Stanley. L'intérieur est rustique mais élégant. Vaste séjour meublé à l'ancienne. Belle véranda donnant sur une pelouse tondue méticuleusement. On aime le style colonial de cette demeure perdue au fond des bois, à l'embouchure de la rivière *Grande Cascapédia*. Classe et sans artifice. Plage privée sur la Baie des chaleurs.

À voir

★ Pour mieux mesurer l'importance des loyalistes dans la région, il faut visiter le ***Centre de l'héritage britannique de la Gaspésie :*** 351, bd Perron Ouest. ☎ 392-44-87. 6 $Ca (3,9 €) pour environ 2 h de visite. Ouvert tous les jours de juin à septembre, de 9 h à 18 h. Très belle reconstitution d'un village de pionniers loyalistes avec commentaire en anglais et en français. Les loyalistes, fidèles à la reine d'Angleterre et hostiles à l'indépendance des États-Unis, se réfugièrent au Canada. Beaucoup s'installèrent en Gaspésie et dans les provinces maritimes (Nouveau-Brunswick et Nouvelle-Écosse).

DE NEW RICHMOND AU FLEUVE SAINT-LAURENT

À New Richmond, possibilité de traverser la Gaspésie par la *vallée de la Cascapédia* pour rejoindre Sainte-Anne-des-Monts (rive sud du Saint-Laurent). Une autre solution consiste à descendre plus au sud et à emprunter la *vallée de la Matapédia* (ou parc de la Gaspésie) qui débouche sur Mont-Joli ou Matane.

Situation d'ailleurs cornélienne : à ma droite, Casca, dite route 299, massive et superbe ; à ma gauche Mata, dite route 132, surprenante et colorée. Combat en dix reprises... Il n'y aura pas de combat. Les deux parcours ont leur propre attrait. La vallée de la Cascapédia traverse de belles montagnes couvertes de sapins dans des paysages empreints de noble solitude ; cependant, on trouve qu'elle ressemble quand même un peu trop aux Alpes et qu'elle n'offre pas beaucoup de surprises. On a plutôt un faible pour la vallée de la Matapédia qui traverse des paysages plus divers, plus séduisants. À vous de choisir. Les deux parcours font sensiblement le même kilométrage.

★ À ***Maria,*** 18 km avant d'arriver à Carleton, allez voir l'étonnante église de la réserve micmac. De la 132, tourner à gauche juste avant la grande coopérative d'artisanat micmac, on aperçoit les reflets métalliques presque aveuglants que jette ce wigwam géant au soleil. L'intérieur est étrangement agréable et chaleureux. On y trouve un petit autel dédié à Catherine Tekakwitha, la Vierge iroquoise (cette jeune Mohawk – chantée par Leonard Cohen dans son livre *Les Perdants magnifiques* – qui avait quitté sa tribu pour se convertir au christianisme et suivre les missionnaires, et qui mourut en martyre en 1680, à l'âge de 24 ans, d'avoir trop fait pénitence!).

CARLETON-SUR-MER 3 000 hab. IND. TÉL. : 418

Oh ! Ce n'est ni Cannes, ni Nice, mais une gentille petite station balnéaire, étalée sur une langue de terre basse, au pied d'une chaîne de collines boisées. Un coin très agréable où il fait bon s'arrêter pour une ou plusieurs nuits, histoire de goûter à ce merveilleux microclimat d'une douceur extrême, de faire trempette et d'observer au passage quelques oiseaux migrateurs. Fondée par des Acadiens après le « Grand Dérangement » (la déportation de 1755), Carleton (on prononce « Carletonne », à l'anglaise) est quadrillé par des rues se coupant à angle droit. On s'en échappe très vite. Les champs cultivés cèdent la place à la ligne verte des forêts dès que l'on sort du village, en direction de l'arrière-pays : sensation très agréable de passer facilement de la mer à la montagne (montagnette disons...).

Adresses utiles

Bureau d'information touristique : 629, bd Perron (c'est la rue principale). ☎ 364-35-44.

Poste : 716, bd Perron.

Autobus : arrêt, infos et vente de billets au resto *Le Héron,* 561, bd Perron. ☎ 364-38-81.

Gare Via Rail : au bout de la rue de la Gare (à droite après le motel *Belle Plage,* en allant vers l'ouest). ☎ 364-77-34 ou 1-800-361-53-90. Ouverte seulement aux heures de passage des trains. 3 départs par semaine, le soir, vers Montréal.

Où dormir ?

Bon marché à prix modérés

Camping Carleton : sur la pointe Tracadigash, sur la gauche en arrivant à Carleton (de Percé). ☎ 364-39-92. Une vingtaine de dollars canadiens (autour de 13 €). Prix dégressifs si long séjour. Grand et peu ombragé. Pas de dépanneur ni de resto. Plage à deux pas.

Chambres du Café de la Baie : 608, bd Perron. ☎ 364-61-86. Comptez 40 $Ca (25,8 €). Les chambres les moins chères de la ville, situées à l'étage, au-dessus du resto. Elles donnent sur le côté de la maison. Un peu tristounettes et un peu bruyantes certains soirs. Salles de bains sur le palier. Cuisine à disposition.

Le Gîte chez Lulu : 21, rue de la Montagne. ☎ 364-60-80. Fax : 364-60-86. Comptez 55 $Ca (35,5 €). Notre adresse préférée pour son accueil et son bon rapport qualité-prix. Il s'agit d'une maison récente dans un quartier calme et résidentiel. Chambres impeccables à 1 ou 2 lits (toilettes et salle de bains extérieures). Petit déjeuner copieux. Gerry, le propriétaire, est un passionné de nature. Il chasse à l'arc dans les forêts du Québec. Sa femme, Lulu, reçoit chaleureusement ses hôtes (elle fait très jeune malgré son âge respectable). Et il y a même une petite piscine et pelouse derrière la maison. Initiation à la cueillette d'agates sur la grève de Carleton.

Gîte de la Mer-La Montagne : 711, bd Perron. ☎ et fax : 364-64-74. Ouvert toute l'année. À partir de 50 $Ca (32,3 €). À 300 m après l'église, sur la gauche de la route, en entrant dans la ville (quand on arrive de Percé). 4 petites chambres, et 1 suite avec balcon donnant sur la mer. Très propre, 2 salles de bains luxueuses. Accueil sympa. Prix gentils pour la qualité de l'endroit.

Auberge La Visite Surprise : 527, bd Perron. ☎ 364-65-53. Appel gratuit : ☎ 1-800-463-77-40. • lise lebl@globtrotter.net • De 48 à 60 $Ca (30,9 à 38,7 €) selon le confort. À l'embranchement de la route de l'embarcadère. 7 chambres fraîches et spacieuses mais sans charme. Certaines avec lavabo. 3 salles de bains. Accueil souriant et attentionné.

Gîte La Rêverie : 9, rue Gauthier. ☎ 364-75-25. • bady @globe trotter.qc.ca • À partir de 45 $Ca (29 €). Maison récente dans une rue résidentielle et calme, tenue par Alvilina et Donald, un couple vraiment charmant. Une grande chambre pour 3 personnes, une pour 2 et une single, à prix très modérés. Très propre.

Plus chic

Hôtel-motel de la Baie Bleue : 482, bd Perron. ☎ 364-33-55 ou 1-800-463-90-99. Fax : 364-61-65. Comptez 100 $Ca (64,5 €). Accueil aimable et chambres confortables. Piscine chauffée et court de tennis (on vous prête même l'équipement pour jouer!), golf et terrain de jeux. Table d'hôte le soir entre 15 et 25 $Ca (9,7 et 16,1 €). Le patron, Richard Gingras, adore la motoneige et peut vous en parler avec passion. Un peu cher mais services de qualité.

Où dormir dans les environs ?

Motel Leblanc : 1778, bd Perron (route 132). ☎ 364-73-70. À la sortie du village de Maria, 7 km avant Carleton. Chambres bien équipées, certaines avec cuisine. Prix moyens. Propio accueillant.

Gîte du Passant Wanta-Qo-Ti : 77, chemin Pointe-Fleurant, à Escuminac. ☎ et fax : 788-56-86. • bwafer@globtrotter.net • Ouvert toute l'année. À partir de 58 $Ca (37,4 €). Pour routards motorisés. Tout près du parc de Miguasha, au bord de la plage. À seulement 20 mn de Carleton, plus calme et nettement moins fréquenté. Le nom de cette adresse, un peu étrange, vient du mic-mac et signifie tranquillité, sérénité. Grande bâtisse en bois, chaleureuse et aménagée avec beaucoup de goût. 8 chambres confortables, avec ou sans salle de bains. On a un faible pour la n° 5, avec ses meubles écossais et son rocking-chair. Au petit déjeuner, profusion de muffins, crêpes, pains, confitures... le tout maison et servi par Bruce, un hôte absolument adorable et qui connaît bien le coin puisqu'il y est né. Le trèfle « géant » accroché au garage ne ment pas, Bruce a aussi quelques origines irlandaises. Prix un peu plus élevés que le précédent. Une super adresse.

LA GASPÉSIE

Où manger ?

Restaurant Le Héron : 561, bd Perron. ☎ 364-38-81. Entre 10 et 16 $Ca (6,5 et 10,3 €). En plein centre. Genre snack amélioré. Bonne petite cuisine. Plats de la mer : morue, truite, et bien d'autres poissons. Mets à emporter. Au bar, orchestre du mardi au samedi. Musique rock, blues ou folklorique. Agréable terrasse.

Le Marin d'Eau Douce : 215, route du Quai, sur la route de l'embarcadère. ☎ 364-76-02. Ouvert tous les jours de 7 h à 22 h. Entre 14 et 17 $Ca (9 et 11 €) le midi et jusqu'à 21 $Ca (13,5 €) pour la table d'hôte. Petit déjeuner et fast food moins cher. Atmosphère chaleureuse en salle, ainsi que sous la belle véranda donnant sur des prés marins. La serveuse Mimi est très joviale. Cuisine simple et savoureuse, à base principalement de poisson et fruits de mer. Plat du jour à midi (sauf le week-end) et table d'hôte tous les soirs. Salades, *sous-marins,* filets de sole, morue, saumon ou flétan en saison. Service peut-être un peu long.

Où manger dans les environs ?

Café du Vieux Quai : 192, bd Perron Est, à Saint-Omer. ☎ 364-62-04. À quelques kilomètres à l'ouest de Carleton, sur la route 132, un petit resto sympa avec mini-terrasse, tenu par la joviale et vive Suzanne. Bons petits plats à la carte ou table d'hôte, au choix, le tout à prix modérés. Éviter de régler par carte bancaire. Des lecteurs ont eu de mauvaises surprises en rentrant chez eux.

Où boire un verre ?

Bar Saint-Barnabé : juste à côté du *Café l'Indépendant'e*. ☎ 364-73-04. Ouvert de mi-mai à mi-août. Imaginez un vieux raffiot rouillé, échoué sur la plage, vous y êtes ! Cet ancien démineur américain rouge et blanc, mis à sec, a été transformé en bar branché. Y venir pour siroter une bonne bière. Bonne ambiance. Un naufrage réussi !

À voir. À faire

– **La plage de Carleton :** elle est située sur le côté sud de la pointe Tracadigash, près du camping. À l'extrémité de la pointe, le phare abrite un point d'information sur l'histoire des phares locaux et de leurs gardiens.
– **Observation des oiseaux :** le barachois (baie intérieure) de Carleton est le rendez-vous de plusieurs espèces d'oiseaux marins. Les grands hérons bleus, les goélands, les cormorans, les canards noirs, les mouettes, et surtout les sternes pierregarins (grands migrateurs qui volent d'un pôle à l'autre sans se soucier des distances !) y arrivent à la mi-mai pour pondre puis couver leurs œufs en luttant contre les vilains goélands prédateurs. Une balade très chouette à faire à pied par la route du Quai jusqu'au bout de la pointe où se trouve le sanctuaire des oiseaux. Une tour d'observation permet de mieux les voir et présente quelques infos sur la formation du barachois et les oiseaux. Piah ! Piah ! Piah !
– **Excursions en mer :** avec la compagnie *Mer Nature.* Réservations : ☎ 364-76-43 de 8 h à 18 h. Organise des sorties de pêche dans la baie des Chaleurs, de mi-juin à mi-septembre ainsi que des plongées. Durée : 2 h 30. Billets à la marina de Carleton. On pêche des maquereaux, des soles et même des morues (il en reste !).
– **Le mont Saint-Joseph :** droit d'accès : 3 $Ca (1,3 €). C'est la montagnette boisée qui domine la station balnéaire. De Carleton, prendre la rue de la Montagne et suivre le panneau « Oratoire Saint-Joseph ». En 10 mn de voiture, on atteint le sommet (555 m). La chapelle de 1935 n'a aucun intérêt (beaucoup de bondieuseries) mais la vue y est splendide, surtout au crépuscule. On surplombe Carleton, la baie des Chaleurs, ainsi que tout l'arrière-pays couvert de forêts. On peut aussi y aller à pied. Sentiers de randonnée pédestre qui conduisent au mont Saint-Joseph et au mont Carleton (613 m). Réseau de 15 km débouchant à l'arrière de Marie, ponctué de chutes, belvédères avec des panoramas super.

Festival

– ***Maximum Blues :*** pendant 5 jours, début août, Carleton vit au rythme du blues, accueillant des musiciens venus d'Europe, des États-Unis et du Québec, pour plus de 70 spectacles sous chapiteau et dans divers bars et restos de la ville. Renseignements : ☎ 364-60-08.

Dans les environs

★ ***Le parc de Miguasha :*** site fossilifère présentant une grande concentration de spécimens extrêmement bien conservés. Entrée gratuite. Renseignements : ☎ 794-24-75. Guides et naturalistes sympas délivrent des explications claires et simples. Le musée, très bien fait, abrite des fossiles d'une qualité remarquable (ouvert tous les jours de 9 h à 18 h, de début juin à fin septembre) et qui témoignent, chez certains poissons, du passage imminent de la vie aquatique à la vie terrestre. L'occasion ou jamais de découvrir que l'homme descend du poisson... eh oui!
– Un traversier relie Miguasha à Dalhousie au Nouveau-Brunswick. Plusieurs départs par jour en été.

POINTE-À-LA-GARDE

IND. TÉL. : 418

Village connu des routards pour son étonnante auberge de jeunesse, dont le responsable a construit un château Renaissance tout en bois.
Festivals à voir dans le coin (voir plus loin).

Où dormir? Où manger?

🏠 🍽 ***AJ :*** 152, bd Perron, au bord de la route 132. ☎ 788-20-48. Ouverte toute l'année. De 40 à 58 $Ca (25,8 à 37,4 €). À 100 m de l'arrêt du bus. Plus proche gare ferroviaire : Campbellton, à 18 km. Plusieurs possibilités de logement. Soit dans le bâtiment principal, tenu par une dame charmante, en chambre ou en dortoirs, avec petit déjeuner. Prix officiel. Un peu plus cher sans la carte des AJ. Soit, si on est à deux, dans le « château » Bahia (mais seulement de mai à octobre), situé dans les bois, sur une petite hauteur, à 500 m derrière l'auberge. Un curieux petit château commencé en 1983, dont l'architecture de conte de fées s'apparente à du Walt Disney mâtiné de « style château de la Loire »... Vraiment surprenant, du jamais vu! Jean y a aménagé des chambres assez jolies, avec ou sans salle de bains, et vient même de construire une nouvelle tour, à côté. Buanderie et téléphone. Réservez si possible. Un peu plus cher que l'AJ proprement dite, mais ça reste bon marché et le petit déjeuner (délicieuses crêpes aux bleuets) est inclus. Dîner assez quelconque. Parmi les activités : baignades dans les eaux « chaudes » (si, si) de la baie, sports, randonnées... plus une trentaine de fêtes spéciales à l'auberge, toute l'année : les pleines lunes, la fraise, l'éperlan, la Saint-Jean, etc. De mai à octobre, certains soirs, il y a de grandes fêtes « au château », comme le bal annuel en costume d'époque (celle de son choix), donné le dernier samedi de septembre.

À voir

★ ***Le musée de la Bataille de La Ristigouche :*** à Pointe-à-la-Croix. ☎ 788-56-76. Ouvert de juin à mi-octobre, de 9 h à 17 h. Bien aménagé. On peut y voir les vestiges étonnamment bien conservés du *Machault,* et de sa cargaison (armes, balles, boulets, chaussures, porcelaines, assiettes et cruches en terre...). Un film d'animation raconte comment ce navire fut coulé lors d'une bataille navale en 1760, entre Français et Anglais. Il fut renfloué en 1939. C'est un lieu historique national.

Festivals

– ***Festival du saumon :*** à Cambpellton, mi-juin.
– ***Festival acadien « le pistoli » :*** à Campbellton (Nouveau-Brunswick), autour du 15 août.

RESTIGOUCHE

Village dont le nom en micmac signifie « rivière divisée comme la main ». On y trouve la plus grande réserve d'Amérindiens de Gaspésie. Les Micmacs ont fait parler d'eux à propos d'un conflit de pêche au saumon et d'exploitation de bois avec les autorités. Cela avait donné l'un des meilleurs titres poétiques et musicaux de la presse de l'époque : « Le grand chef Alphonse Metallic des Micmacs de Restigouche dit non ! »

– L'***église*** de Restigouche pose par ailleurs une énigme. Elle n'eut pas moins de onze devancières qui toutes brûlèrent jusqu'à ce que la dernière reçoive un fragment d'os du bras droit de sainte Anne comme relique. Depuis, le feu ne frappe plus ! Qui peut dire pourquoi ?

★ ***Fort Listuguj :*** C.P. 214, Listuguj, G0C-2R0. ☎ 788-57-52. Fax : 788-21-20. • fort@nbnet.nb.ca • Ici a été récemment reconstitué un fort de 1760, où cohabitent des « Français » et des autochtones. Le propriétaire est un Indien marié à une « Blanche » qui a su dynamiser la réserve. En plus de la visite, on peut y manger pour un prix corect (caribou et saumon de la rivière voisine fumés dans le fumoir du fort) et y dormir, soit dans un tipi, soit dans une chambre en rondins. Comme on est dans une réserve indienne, les prix sont sans taxes. Le soir, Nugami raconte, sous le grand tipi, des contes indiens et l'on peut discuter avec des Indiens.

LA VALLÉE DE LA MATAPÉDIA

Sur près d'une cinquantaine de kilomètres, la route suit une ancienne piste indienne et s'engage tout d'abord dans la vallée de la rivière Matapédia, surnommée la « rivière aux 132 rapides ». Lit encaissé qui marque bien la frontière entre les derniers balbutiements des monts Chic-Chocs et les hautes terres de l'Ouest. Paysages absolument sublimes en automne : sur des dizaines de kilomètres, des deux côtés de la rivière, les collines boisées sont « en feu » (comme on dit ici) : les feuilles des arbres deviennent de fantastiques palettes de peintre : rouges, dorées, roses, orangées... À Routhierville, pont couvert de 80 m sur la rivière. Tout au long, la pêche au saumon est libre.
La vallée s'évase à partir de ***Causapscal,*** confluent de la rivière du même nom et de la Matapédia, et présente de beaux points de vue. Jolies fermes laitières sur les vallons et coteaux.

À ***Amqui,*** nécessité de prendre à droite la route 195 pour rejoindre Matane. Avant de tourner, prenez donc votre leçon quotidienne de micmac : *Amqui,* qui s'écrivait autrefois *Humqui,* signifie « Là où l'eau s'amuse ». La route traverse maintenant une vallée très large. Impression grandiose.

Où dormir ? Où manger ?

▲ ***Auberge de jeunesse :*** 13, rue des Saumons. ☎ 865-24-44. Réservation : ☎ 865-24-22. Comptez 13 $Ca (8,4 €) pour 1 nuit en dortoir, 30 $Ca (19,3 €) en chambre de deux. Juste après la voie ferrée. Dans un coin paumé, une AJ installée dans une baraque aux allures de bar-saloon du Far-West. La rue semble déserte. 2 dortoirs de 8 lits. Quelques chambres. Ensemble correct, sans plus. Resto et bar au rez-de-chaussée.

▲ ***Gîte du Passant Aux Bois d'Avignon :*** chez Laura Chouinard, 171, Rustico, à Saint-Alexis-de-Matapédia, village situé à 9 km de Matapédia. ☎ 299-25-37. Fax : 299-21-11. • boisdavi@globtrotter.qc.ca • Moins de 60 $Ca (38,7 €). Superbe maison moderne et lumineuse, extrêmement bien conçue. Située dans l'arrière-pays, il faut bon s'y arrêter avant de rejoindre la vallée de la Matapédia. Laura, la propriétaire, est une femme sportive et dynamique, quelle pêche ! Elle est aussi musicienne à ses heures et accompagne son copain à la basse. Très grande piscine. Location de vélos. Également une annexe familiale avec salle de bains privée.

▲ ***Gîte J.-A Dufour :*** 170, rue Principale, à Saint-Alexis-de-Matapédia. ☎ 299-30-40 ou 299-25-00. Fax : 299-25-02. Ouvert toute l'année. Comptez 50 $Ca (32,3 €). 5 chambres superbes, 2 salles de bains bien aménagées (1 décorée en cabine de bateau), accueil correct de Luce et Daniel. Petit déjeuner copieux avec beaucoup de choix. Balades d'observation de l'ours ou de l'orignal organisées à la demande en fin de soirée. Un peu trop fréquenté peut-être.

▲ |●| ***Auberge La Coulée Douce :*** 21, rue Boudreau, à Causapscal (dans le centre-ville). Indiquée de la route 132. ☎ 756-52-70. Fax : 756-52-71. On peut y manger et y dormir. Un peu cher, mais excellent accueil. Propose diverses activités telles que motoneige, randonnées à raquettes ou en calèche, ski, pêche au saumon ou à la truite...

▲ ***Domaine du Lac Matapédia :*** 780, route 132 Ouest, à Amqui. ☎ 629-50-04. Comptez 55 $Ca (35,5 €). Grande maison à 5 mn à pied du lac. 5 jolies chambres aux tons pastel, très propres. 2 salles de bains. Accueil très sympa. Cuisine immense où prendre un bon petit déjeuner.

▲ ***Camping Amqui :*** 686, route 132 Ouest, à Amqui. ☎ 629-34-33. Environ 16 $Ca (10,3 €) la tente, et 19 $Ca (12,2 €) la caravane. Au bord de la rivière Matapédia. Sanitaires et douches très propres. Nombreuses activités.

▲ |●| ***Pourvoirie du domaine du lac Malcom :*** 123, route du Lac-Malcoln, à Sayabec, entre Amqui et Mont-Joli. ☎ 536-33-22. Autour de 55 $Ca (35,5 €). À l'écart de la route 132, donnant sur un superbe lac. Spectacles le week-end. On peut y dormir, y manger, et même y camper, à des prix modérés. Bon accueil. On risque simplement d'être dérangé par le bruit des machines agricoles, en juillet. Terrasse flottante pour le petit déjeuner. La grande salle de resto dégage une étrange atmosphère de station thermale sur le déclin. Location de canots et pédalos. Étape sympa pour finir votre tour de Gaspésie.

SAINT-VIANNEY

De Saint-Vianney, la route va très rapidement rejoindre le cours de la rivière

Matane et paresser à ses côtés jusqu'au port. Petite vallée riante et pleine de charme. Villages agricoles serrés affectueusement autour de leurs blanches églises. Pont couvert à Saint-René.

Aller sur la côte nord

Du port de Matane, pour rejoindre la côte nord, on a le choix entre Godbout ou Baie-Comeau. Les pressés qui descendent la côte choisiront Baie-Comeau bien sûr... mais ils rateront la baie de Franquelin. Les stoppeurs qui n'ont pas beaucoup de temps n'ont pas à regretter de ne pouvoir monter plus haut, le paysage est assez semblable.

– LES ÎLES DE LA MADELEINE –

Aller sur les îles de la Madeleine, ça aussi, c'est un must ! Du moins pour ceux qui aiment les immenses plages désertes battues par les vents, les falaises de grès rouge, sauvages (fraises, framboises, bleuets, canneberges ; on trouve même des girolles !), les maisons en bois aux couleurs vives, les dîners de homard (pas cher !). Sur les 7 îles habitées, deux sont anglophones. L'*île aux Loups Marins* est envahie par les cormorans, l'*île Brion,* plus loin, est moins féerique : 450 naufrages ont eu lieu dans le coin ! Elle abrite aujourd'hui une réserve écologique, tandis que le *rocher aux Oiseaux* offre un refuge à plusieurs colonies d'oiseaux aquatiques.
Bien que fréquenté depuis longtemps par les pêcheurs micmacs, puis européens, ce n'est qu'en 1762 que l'archipel commence à se peupler de façon permanente. En 1798, il comptait 500 habitants. Aujourd'hui, environ 14 500, la plupart d'origine acadienne, hormis les 750 anglophones, de souche principalement écossaise. Francophones et anglophones restent « chacun chez soi ».
Ici, dans les années 50, on est passé subitement du XIXe au XXe siècle ! Chacun prend le temps de vivre, c'est d'ailleurs ce qui avait dû séduire les hippies, premiers « touristes » aux îles dans les années 70. Depuis, ils ont disparu, remplacés par de plus classiques vacanciers. L'infrastructure hôtelière n'étant pas hyper développée (et c'est tant mieux !), il est impératif de réserver un hébergement entre mi-juillet et mi-août. Juin ou septembre (la mer est plus chaude) sont des périodes plus calmes et très sympas pour explorer les îles. On vous recommande d'ailleurs *À la découverte des îles de la Madeleine* (de Georges Fischer), un ouvrage très bien fait qui propose de façon détaillée un certain nombre de balades à pied ou à vélo, de durée et difficultés variables, illustré de plans précis.
Une petite subtilité qui peut être déconcertante : chaque île comprend une localité portant le même nom qu'elle, la différence réside dans la présence ou non de tirets. On arrive par bateau sur l'île du Cap aux Meules dans le port de Cap-aux-Meules. Facile !
Post-scriptum : la plus grande prudence sur la question des bébés phoques, car les gens d'ici sont très susceptibles sur ce point. C'est vrai qu'on ne supprimera pas, par des campagnes d'opinion bonne conscience, une réalité vécue ici historiquement et économiquement. Il faut savoir qu'ici, au contraire de la Norvège, les lois et règlements sont assez restrictifs sur cette chasse cruelle.
Si vous arrivez du Québec, avancez votre montre de 1 h.

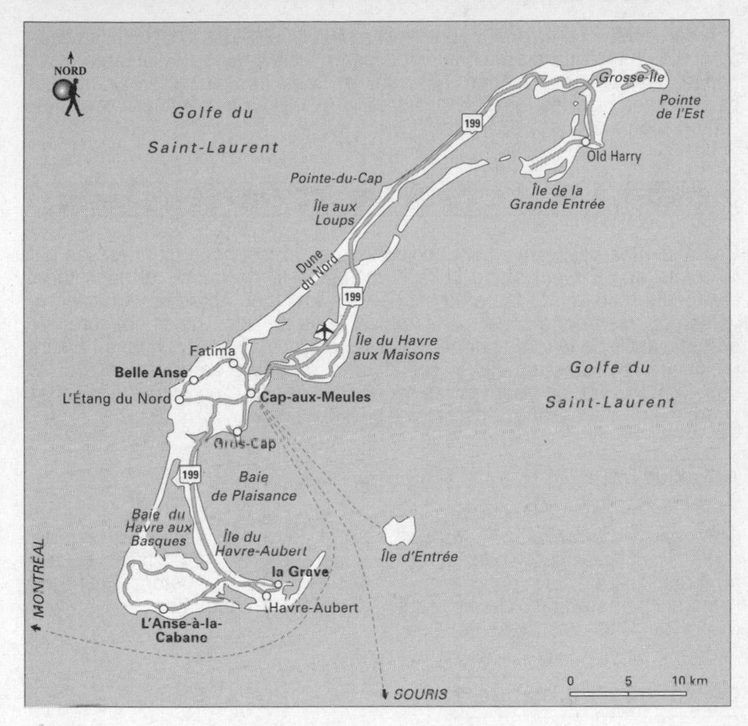

LES ÎLES DE LA MADELEINE

Comment s'y rendre ?

Par bateau

– ***De Montréal :*** un voyage hebdomadaire. Aussi cher que l'avion, mais on est nourri et la croisière de deux jours est sympa. Possibilité d'emmener son vélo (moins cher à louer à Montréal qu'aux îles). Renseignements et réservations à Cap-aux-Meules : ☎ (418) 986-66-00. Fax : 986-61-98. À Montréal : ☎ (514) 937-76-56.

– ***De Souris (île du Prince-Édouard) :*** liaison quotidienne en traversier (sauf le lundi ou le mardi). Les horaires varient selon les saisons. Pas de traversier en février et mars. En été, environ 2 départs par jour. Durée moyenne du voyage : 5 h. Arrivée à Cap-aux-Meules. Il arrive que l'attente au traversier soit longue en été. Réservation (pour les voitures) : ☎ (418) 986-32-78. Renseignements à Souris : ☎ (902) 687-21-81. À Cap-aux-Meules : ☎ (418) 986-66-00.

Par avion

Bien sûr, c'est cher. On peut obtenir des réductions en réservant à l'avance. Plusieurs vols quotidiens avec les compagnies suivantes :

– ***Air Alliance :*** ☎ (418) 969-28-88. Appel gratuit (du Québec) : ☎ 1-800-361-86-20.

– ***Inter Canadien :*** vol directs de Montréal et Québec, ou via Mont-Joli et Gaspé. ☎ (418) 692-10-31, à Québec; ☎ (514) 636-38-90, à Montréal. Appel gratuit (du Québec) : ☎ 1-800-665-11-77.

– ***Air Montréal :*** aller-retour pour environ 400 $Ca (258 €). 12 places seulement sur la tournée du courrier qui dessert, en semaine uniquement et au départ de Montréal, Québec, Mont-Joli et Baie-Comeau. Intéressant pour partir de ces localités-là. Sinon, compter 4 h 30 pour faire Montréal-les îles. Réservation : ☎ (514) 631-21-11.

GROSSE-ÎLE ET L'ÎLE DE LA GRANDE ENTRÉE 600 et 700 hab.

Ces deux îles, respectivement anglophone et francophone, sont reliées par la pointe de l'Est qui abrite la réserve nationale de faune, et constituent l'extrémité nord-est de la partie habitée de l'archipel. Après la véritable traversée du désert que constitue la longue Dune du Nord, hélas défigurée de part et d'autre de la route par de vilains poteaux électriques, Grosse-Île offre un contraste saisissant, avec ses douces rondeurs verdoyantes. Sur la droite en arrivant, on peut voir les mines Seleine d'où l'on extrait d'énormes quantités de sel destiné à déglacer les routes l'hiver.

Adresse utile

🛈 ***Bureau d'information touristique :*** sur l'île de la Grande Entrée, au bord de la route principale, à l'embranchement du chemin qui monte au *Club Vacances*. ☎ 985-23-71. Ouvert tous les jours en juillet et août, de 11 h à 20 h 30. Accueil très sympa et compétent. Petit livret d'info sur les deux îles.

Où dormir ? Où manger ?

Pas beaucoup de choix, toutes les adresses sont sur l'île de la Grande Entrée.

⌂ ***Gîte l'Émergence :*** 122, chemin des Pealey. ☎ 985-28-05. Tout au bout du chemin, difficile de trouver plus paumé et plus tranquille, et la vue est super. Grande maison centenaire un peu décatie mais à l'intérieur chaleureux. 3 ou 4 chambres mansardées, claires et agréables, bien qu'un peu rudimentaires. Accueil très sympa d'André, poète et musicien à ses heures, qui a quitté Montréal pour venir s'installer ici. Petit déjeuner différent chaque matin. Possibilité d'utiliser la cuisine. Prix modérés.

⌂ |●| ***Club Vacances Les Îles :*** 377, route 199. ☎ 985-28-33. Fax : 985-22-26. Ouvert toute l'année. En camping (pas ombragé, dépanneur à côté) ou en chambre, hébergement seul ou forfait incluant les repas et nombreuses activités offertes par le club (voir « À faire »). Ambiance un peu colo, mais sympa. On peut aussi y manger sans y loger, pour pas très cher.

|●| ***Le Délice de la Mer :*** 907, route 199, à la pointe de la Grande Entrée, près du port de pêche (le plus important de l'archipel : 110 homardiers). ☎ 985-23-64. Ouvert de 9 h à 21 h. Poisson et fruits de mer nature à prix très doux.

À voir. À faire

★ ***Le Centre d'interprétation du phoque :*** au *Club Vacances Les Îles*. ☎ 985-28-33. Ouvert tous les jours, en saison, de 10 h à 18 h 30. Visite payante, guidée ou autonome. Pour tout savoir de la vie et des mœurs de ces curieux mammifères marins qui, selon les espèces, se mettent en couple pour la vie, pour une saison, ou ont carrément un harem (ça ne vous rappelle pas d'autres mammifères ?). Une partie de l'expo est, bien sûr, consacrée à la chasse et à ses controverses.

★ ***La visite des grottes et falaises de l'île Boudreau :*** en combinaison isothermique, ballotté par le ressac dans ces 8 cavernes pendant 1 h 30 environ. Inoubliable ! 2 ou 3 sorties par jour en saison avec le *Club Vacances Les Îles*. Réserver. Le club propose aussi des sorties en kayak, vélo, planche à voile...

★ ***La réserve nationale de faune de la pointe de l'Est :*** dunes, lande, prés salés, marais, plages, étangs, on y trouve tout ! C'est également une halte migratoire importante et le refuge, en période de nidification, du pluvier siffleur qui fait partie des espèces protégées. Randonnées guidées, à thème ornithologique (avec le *Club Vacances Les îles,* encore lui !) ou autonomes. Mais n'allez pas batifoler hors des sentiers avec vos gros sabots, la végétation est fragile ! De la route panoramique qui longe la réserve, vous pouvez ainsi rejoindre la plage de la Grande Échouerie qui s'étend sur pas moins de 20 km de long. De quoi vous dégourdir les gambettes !
– D'autres chouettes ***balades*** à faire le long des falaises, au bout du chemin des Pealey, ou jusqu'à l'île Boudreau où vous pourrez sauter dans la boue (argileuse, c'est bon pour la peau !) avant de vous rincer dans la mer. Un conseil : rincez-vous côté bassin aux Huîtres, l'eau y est nettement plus chaude que côté golfe du Saint-Laurent.

★ Le long de la route 199, à ***Old Harry***, jolie petite église anglicane toute blanche, avec deux belles portes sculptées à l'intérieur. Le chœur est orné de scènes bibliques peintes sur fond de paysages des îles de la Madeleine. Un peu plus loin, l'ancienne école en bois rouge abrite un *musée* consacré à l'histoire de la petite communauté écossaise des îles. Ouvert tous les jours de 9 h à 16 h. Explications en anglais uniquement. Old Harry (la Grande Échouerie) fut longtemps le centre économique de l'archipel car on y abattait les morses, appelés aussi vaches marines, qui venaient se prélasser au soleil sur les rochers. Aujourd'hui, ce n'est plus qu'un petit village paisible. Noter, dans son minuscule port de pêche, la rampe de bois destinée au halage journalier des bateaux, faute d'un abri sûr où les ancrer.

Achats

♗ ***Au Tour de la Terre :*** une boutique d'artisanat originale, à la pointe de la Grande Entrée. ☎ 985-28-05. Bernard Langford, le proprio, travaille la porcelaine selon une technique inhabituelle qui lui donne un aspect mat. Les objets ainsi créés sont ensuite peints : œufs, nids, oiseaux (certains ont même de vraies plumes !), phoques se prélassant sur de vrais rochers... De bien jolis souvenirs à rapporter, bien qu'un peu chers, évidemment.

Entre Grosse-Île et Havre-aux-Maisons, ce ne sont que dunes et plages à perte de vue, où la petite tache verte de Pointe-aux-Loups apparaît comme une véritable oasis. On peut y acheter des coques, à moins d'aller les pêcher soi-même à marée basse dans le sable des lagunes. Juste avant le pont qui relie la Dune du Nord à la Dune du Sud, on aperçoit sur la gauche une grande éolienne à axe vertical, aussi efficace que celle de Cap-Chat en Gaspésie.

HAVRE-AUX-MAISONS 2 300 hab.

Un pont de fer relie l'île du Havre aux Maisons à Cap-aux-Meules. Avec ses falaises de grès rouge dominant la mer et ses buttes vertes tachetées de maisons aux tons vifs ou pastel, l'île offre de superbes points de vue et de magnifiques contrastes, surtout dans la lumière du couchant.

✈ L'***aéroport*** des îles se trouve au nord-ouest, juste avant la Dune du Sud.

Où dormir ? Où manger ?

🏠 ***Camping des Sillons :*** tout près de la route principale (la 199), au bord de la Dune du Sud, donc à côté de la plage. ☎ 969-21-34 ou 969-21-26. Assez bien équipé (buanderie, mini-*dépanneur,* resto, terrain de jeux...) et pas cher, mais pas ombragé ni abrité du vent. Loue également des chalets avec cuisine équipée.

🏠 ***Gîte chez Antoinette Leblanc :*** 507, route 199, juste à côté du grand supermarché Coop. ☎ 969-44-54. 3 chambres ultrapropres et vraiment pas chères. Le petit déjeuner est en plus. Tenu par un gentil couple de retraités.

🏠 |●| ***Au Vieux Couvent :*** 292, route 199. ☎ 969-22-33. Fax : 969-46-93. Cette grande bâtisse en pierre taillée était à l'origine un couvent. À l'étage, les classes ont été aménagées en chambres (avec douches ou bains), simples et toutes blanches, claires et agréables, jouissant d'une belle vue sur la mer ou les collines. Prix modérés. La seule ombre au tableau, c'est que l'ancien réfectoire, au sous-sol, abrite un bar à spectacles qui met de l'animation jusque tard dans la nuit. Dans ce qui était la chapelle et les appartements de la mère supérieure, on trouve aujourd'hui un resto-bar terrasse sympa. Moules-frites, calmars, bouillabaisse... Pas de la grande cuisine, mais copieux et pas trop cher.

Plus chic

🏠 |●| ***Auberge la P'tite Baie :*** 187, route 199, pas très loin du pont qui relie Havre-aux-Maisons à Cap-aux-Meules. ☎ 969-40-73. 5 chambres avec lavabo, pas très grandes mais confortables et décorées avec goût. Salle de bains commune. Petit déjeuner inclus, à choisir sur le menu du resto. Accueil très sympa, on peut même venir vous chercher au bateau ou à l'aéroport. Petite salle de resto chaleureuse servant une bonne cuisine traditionnelle à prix moyens. Table d'hôte copieuse (entrée, soupe, plat, dessert) à prix intéressant.

🏠 |●| ***Auberge de l'Islet :*** 1123, route 199, entre la Dune du Sud et la route de l'aéroport. ☎ 969-29-55. Fax : 969-47-36. Chambres très confortables avec salle de bains, TV, téléphone. Petit déjeuner non compris. Resto chicos et assez cher, avec musique certains soirs.

Où sortir ?

🍸 ***Chez Gaspard :*** l'ancien réfectoire du *Vieux Couvent* accueille des groupes de musiciens et des spectacles tous les soirs en été. Bonne ambiance, enjouée et bruyante. L'endroit où passer de folles soirées, quand vous aurez pris le rythme des îles. Ça commence par le 5 à 7 (modérez vos enthousiasmes, ce n'est pas ce que vous croyez !) où l'on se retrouve dans un bar autour d'une (ou plusieurs) bières(s). De 7 à 9, on va manger, puis on attaque la tournée des bars jusqu'à 3 h. Là, on va se sustenter quelque peu dans un resto, avant de regagner son lit pour un repos bien mérité. Beau programme, non?

À voir. À faire

★ ***La Méduse, verrerie d'art :*** 35, chemin de la Carrière. Indiqué de la route 199, à peu près au milieu de l'île. ☎ 969-42-45. Ouverte du lundi au samedi de 10 h à 17 h. Intéressant atelier-boutique où l'on peut voir une petite équipe de souffleurs de verre au travail. Malgré la chaleur ambiante, on pourrait passer des heures à regarder cette boule rouge, cueillie dans la grande marmite de verre en fusion, prendre peu à peu forme, vie et couleur sous les mains et le souffle experts de ces artistes-magiciens pour devenir presse-papier, vase, fruit, flacon, abat-jour... Si vous n'avez pas peur de la casse, les prix sont très abordables au regard de la qualité des objets proposés.

★ Histoire de vous parfumer un peu, allez voir la seule ***boucanerie*** encore en activité de l'archipel. Elle est située chemin du Quai, près du port de pêche de Pointe-Basse, au sud de l'île. Cette entreprise familiale ne produit plus que 350 caisses de hareng fumé contre 20 000 Il y a quelques années! Pour clore la visite, vous aurez même le droit de goûter. En repartant, vous pouvez suivre la jolie route panoramique du chemin des Échoueries, qui offre de beaux points de vue.

– ***Les Excursions de la Lagune :*** au kiosque en forme de phare à la marina de la Pointe, juste avant le pont qui relie l'île à Cap-aux-Meules. ☎ 969-45-50 et 969-20-88. Pour découvrir la flore et la faune de la lagune en bateau à fond de verre. Démonstration de pêche aux homards, palourdes, coques, et dégustation à bord. 3 départs par jour en saison, pour environ 2 h.

– Plein de ***buttes*** à escalader pour profiter de la variété et de la beauté des paysages (butte Chez Mounette, butte Ronde, buttes Pelées), et chouettes balades à faire à pied, à vélo ou même à cheval (renseignements auprès du centre équestre *Au Sabot d'Or* : ☎ 969-49-48).

CAP-AUX-MEULES 1 700 hab.

L'île la plus peuplée, centre administratif et commercial de l'archipel, regroupe 3 municipalités.

★ *CAP-AUX-MEULES*

C'est l'agglomération la plus importante des îles, mais pas la plus agréable ni la plus intéressante. C'est là qu'arrive le traversier, on y passe donc, mais pas de quoi s'y attarder.

Adresses utiles

■ ***Office du tourisme :*** 128, chemin du Débarcadère, à l'intersection de la route 199. ☎ 986-22-45. Ouvert tous les jours l'été, de 7 h à 21 h (23 h les jours d'arrivée du bateau de Carleton), et du lundi au vendredi le reste de l'année, de 9 h à 17 h. Accueil sympa et efficace.

■ ***Location de voitures :*** Jean-François Leblanc, 735, chemin Principal. ☎ 986-60-00 ou 937-53-75. Voitures récentes et moins récentes, à tarifs intéressants. Livraison sans frais à l'aéroport ou ailleurs si ce n'est pas trop loin.

■ ***Location de scooters :*** *Cap-aux-Meules Honda,* route 199, à La Vernière, à quelques kilomètres au sud-ouest de Cap-aux-Meules. ☎ 986-40-85. Le moyen idéal de découvrir les îles. Attention au vent, quand même, il est traître. Loue aussi des voitures.

■ ***Location de vélos :*** *Le Pédalier,* 365, chemin Principal. Aux feux, à l'angle du chemin Petipas. ☎ 986-29-65.

■ ***Aventure Plongée :*** sur la route 199, près de l'office du tourisme. ☎ 986-64-75. Pour plonger avec les phoques à l'île Brion, sur une épave à l'île d'Entrée, ou même sous les glaces en hiver ! Personnel compétent et sympa. Location de matériel neuf. Plongées d'initiation pour débutants.

■ ***Arrimage :*** infos sur toute la programmation culturelle des îles (expos, concerts, spectacles, festivals...) et vente de billets au *Dépanneur du Village,* 325, chemin Principal. ☎ 986-41-77.

Où dormir ? Où manger ?

🏠 ***Hébergement du Village :*** 385, chemin Petipas. ☎ 986-43-01. Grande maison blanc et marron, sur la gauche en venant de la route 199. Tenu par un couple de gens âgés. Petites chambres très propres et pas chères. Pas de petit déjeuner. Calme.

🏠 ***Auberge du Village :*** 205, rue Principale. ☎ 986-33-12. Fax : 986-39-28. Central et proche du débarcadère. Chambres sans caractère, propres et très confortables, avec salle de bains et TV. Prix assez élevés.

|●| ***Le Bistrot :*** 169, chemin Principal, face à la rue de l'embarcadère. ☎ 986-24-35. Grande bâtisse en bois bleu clair. Sous-marins, poutine et autres snacks bon marché. Ferme vers 20 h.

|●| ***La Table des Roy :*** 1188, route 199, à La Vernière, à quelques kilomètres au sud-ouest de Cap-aux-Meules. ☎ 986-30-04. Le soir seulement dès 18 h. Réservation recommandée. Petit resto agréable et assez chic, servant une cuisine inventive et raffinée où les produits de la mer sont à l'honneur. Évidemment, ce n'est pas donné. Bon accueil.

Où manger une glace ?

– ***Bar laitier Au Cornet :*** au bord de la 199, à la sortie du village, sur la gauche en allant vers le sud-ouest. Ouvert assez tard le soir. Excellentes glaces, « molles » ou « dures », servies en portions généreuses. Il y a une telle profusion de parfums que c'est difficile de choisir !

★ *FATIMA*

Si vous choisissez de loger à Fatima, mieux vaut être motorisé car il n'y a quasiment aucun endroit sympa où manger. Il vous faudra aller à Cap-aux-Meules.

Où dormir ?

▲ ***Camping Le Barachois :*** 87, chemin du Rivage, près de l'Anse des Baleiniers. ☎ 986-60-65 ou 986-45-25. Grand camping planté de petits conifères, donc assez ombragé et abrité du vent. Un seul bloc sanitaire. Buanderie, mini-*dépanneur,* resto et nombreuses activités.

▲ ***Chez Aurélienne Miousse :*** 66, chemin J.-Aucoin, rue qui relie le chemin du Grand-Ruisseau au chemin des Caps. ☎ 986-20-71. Très propre, même si la déco n'est pas géniale, mais à ce prix-là, on ne peut pas tout avoir ! Accueil très sympa. Petit déjeuner inclus.

▲ ***Oasis Laliberté :*** 462, chemin de l'Église, près du chemin du Grand-Ruisseau. ☎ 986-23-30. Très calme. Vous avez le choix entre la nuit avec petit déjeuner santé et le forfait incluant en plus un soin de 2 h avec bain aux algues et massage par les mains expertes de la charmante Suzanne. Chambres agréables, prix modérés.

▲ ***La Maison du Cap-Vert :*** 202, chemin L.-Aucoin, dans le prolongement du chemin Noël. ☎ 986-53-31. Jolie maison vert d'eau, tout près du cap Vert de la Dune du Nord, jouissant d'une belle vue. Chambres très propres, mais petites et un peu chères pour le confort proposé. Petit déjeuner inclus. Accueil adorable d'Irène et Jean-Marc.

À voir. À faire

★ ***L'église :*** au toit en forme de coque de palourde. De même, l'architecture et la décoration intérieures rappellent tout ce qui touche à la vie du pêcheur : portes de bateau avec hublot pour les confessionnaux, filet de pêche, fanal de chalutier... Un feuillet explicatif vous en révèle tous les détails plus subtils.

– À l'anse des Baleiniers, on peut louer des ***cerfs-volants :*** avec la « p'tite brise » qui souffle ici, c'est l'occasion ou jamais d'en profiter. On peut même prendre des cours d'initiation. C'est d'ailleurs là que se tient chaque année, à la fin du mois de juillet, le *Festival Sable Eau Vent*. Démonstrations et compétition de cerf-volant acrobatique, vols de nuit, combats de rokkaku, char à voile, concours de tableaux marins...

– Superbe ***balade*** à faire en suivant la falaise entre l'anse des Baleiniers et l'anse de l'Étang-du-Nord. Magnifiques formations de grès rouge sculptées par le vent et les vagues, creusées de grottes, d'arches, et qui s'embrasent dans les lueurs du couchant. Superbe. Sachez que la bien nommée Belle Anse n'attirera pas que vous au coucher du soleil, c'est hélas très fréquenté. Attention, la falaise est très friable, comme partout ailleurs dans l'archipel. Ne vous approchez donc pas trop du bord, on tient à nos lecteurs !

– L'autre must, c'est la ***butte du Vent,*** qui a des petits airs de Suisse, au milieu de toutes ces vertes collines fleuries et ondoyantes sur lesquelles paissent tranquillement des vaches. On y trouve même des fraises sauvages, en saison. Par temps clair, vue imprenable sur tout l'archipel.

★ *L'ÉTANG-DU-NORD*

Ce petit village abrite un port de pêche important. Près du havre, une imposante sculpture rend hommage au dur labeur des pêcheurs.

Où dormir ?

▲ ***Camping La Martinique :*** 37, chemin du Radar. ☎ 986-30-76. Assez loin du village, dans le sud de l'île, près de la route 199 avant qu'elle rejoigne la Dune du Havre aux Basques. Assez grand et bien abrité par des conifères par endroits. Petite piscine. Pas cher.

▲ ***Bourque Jeannine :*** 429, chemin Boisville Ouest, près du chemin Delaney et du cap à Savage. ☎ 986-26-26. Maisonnette blanche et verte proposant 3 petites chambres très propres à prix imbattable. Les moins chères de l'île !

▲ ***Auberge Chez Sam :*** 1767, chemin de l'Étang-du-Nord. ☎ 986-57-80. Superbe grande maison du siècle dernier, en bois gris et rouge. 5 chambres agréables et impeccables avec lavabo. 2 salles de bains. Prix très modérés. Petit déjeuner en plus.

▲ ***La Mouvée :*** 33, chemin Déraspe, entre le chemin du Phare et celui des Buttes. ☎ 986-38-55. Jolie maison vert d'eau. 4 chambres (2 petites et 2 grandes) très agréables, comme l'accueil. 2 salles de bains. Petit déjeuner copieux. Un peu plus cher que les adresses précédentes.

Où manger dans les environs ?

●| ***La Factrie :*** 521, chemin Gros-Cap, à la pointe sud-est de l'île. ☎ 986-27-10. Ouvert tous les jours de 11 h (16 h le dimanche) à 22 h. Au-dessus des *Pêcheries Gros-Cap*, grande salle, genre cantine améliorée, où l'on peut manger pour pas cher homard, poisson et fruits de mer tout frais pêchés. En sortant, empruntez le chemin Gros-Cap qui suit les falaises dont le relief tourmenté abrite de petites plages et qui offre de beaux points de vue.

Où sortir ?

🍸 ***Bar des Îles :*** ☎ 986-63-98. Grand bar accueillant des groupes (country, blues) le soir en été.

🍸 ***La Côte :*** ☎ 986-50-85. Sur le port. Le café propose concerts et spectacles payants le soir en été.

À voir. À faire

★ ***Le Centre d'interprétation du paysage des îles :*** à l'étage du grand bâtiment de bois *La Côte* dont le café propose concerts et spectacles (voir « Où sortir ? »). Ouvert de 9 h à 17 h 30. Visite guidée toutes les 45 mn. Pour tout savoir de la naissance et des transformations géologiques de l'archipel. Vidéos et maquettes.

– ***Aventure Plein Air :*** 1252, route 199, à La Vernière, face au magasin Coop. ☎ 986-61-61. Location de kayaks de mer, sorties guidées (dans les grottes et les falaises), forfaits aventure kayak-camping (circuits de plusieurs jours).

– **Balades** jusqu'à la butte du Vent, ou le long des falaises jusqu'au cap du Phare et Belle Anse, baignades sur les plages de la Dune de l'Ouest...

HAVRE AUBERT ET L'ÎLE D'ENTRÉE 2 500 et 180 hab.

L'île du Havre Aubert est reliée à Cap aux Meules par deux longues langues de sable, la Dune de l'Ouest d'un côté, la Dune du Havre aux Basques de l'autre, qui emprisonnent la lagune de la baie du Havre aux Basques, paradis des véliplanchistes (le vent y souffle constamment, mais on ne risque pas de se retrouver en pleine mer !). Quant à l'île d'Entrée, elle se distingue des autres îles habitées de l'archipel car elle n'est accessible qu'en bateau, et peuplée uniquement d'anglophones.

★ *HAVRE-AUBERT*

C'est le village le plus ancien de l'archipel et, bien que très touristique, il possède un charme incontestable. Il s'organise autour de *La Grave*, plage de galets jadis bordée des saloirs, magasins et entrepôts des pêcheries, aujourd'hui transformés en gîtes, cafés, restos et boutiques de souvenirs.

Où dormir ?

▲ *Camping Belle Plage :* 445, chemin du Bassin, au bord de la plage de la Dune du Bassin. ☎ 937-54-08. Terrain herbeux en pente et sans arbres. Pas cher mais pas terrible.

▲ *Club nautique de l'Istorlet :* 100, chemin de l'Istorlet. ☎ 937-52-66. De la 199, sur la droite en allant vers Havre-Aubert, après l'embranchement du chemin du Bassin. Centre de vacances proposant plein d'activités (voir « À voir. À faire »), donc ambiance en conséquence. Hébergement en camping, tente en bois, ou dortoir. Également 3 chambres agréables avec lavabo, donnant sur un balcon face à la mer. Sanitaires communs à toutes les formules. Camping bien abrité et ombragé.

▲ *Armand Leblanc :* 69, chemin Bouchard. ☎ 937-57-93. À la sortie de la Dune aux Basques, prendre la 1re rue à droite, puis encore à droite : la maison est sur la gauche, cachée derrière les pins. 4 chambres spacieuses, propres, claires et agréables. Calme et pas cher. Petit déjeuner sommaire inclus. Accueil sympa.

▲ *Gîte Le Berceau des Îles :* 701, chemin Principal. ☎ 937-56-14. Ouvert toute l'année. Grande maison en bois violet en retrait de la route, légèrement en hauteur. C'est André lui-même qui l'a construite petit à petit, et c'est plutôt réussi. Une chambre au sous-sol, très claire et agréable, avec salle de bains privée, et 3 chambres à l'étage, avec salle de bains commune, à prix modéré. Et notre préférée, la « suite », immense, avec son haut plafond de bois et ses grandes baies. Grande salle sympa où prendre le petit déjeuner. Accueil adorable d'André et Gisèle qui peuvent venir vous chercher au bateau ou à l'aéroport et vous organiser toutes sortes d'activités, y compris l'hiver : visite en kayak des grottes et falaises prises dans les glaces, excursion en hélico pour aller voir les blanchons (bébés phoques) sur la banquise (tarifs très intéressants). Louent aussi des voitures. Une excellente adresse.

▲ *Chez Charles Painchaud :* 930, chemin Principal. ☎ 937-22-27. Au cœur du village, 6 chambres confortables, avec lavabo. 2 salles de bains. Terrasse à l'étage où prendre le petit déjeuner (on se sert tout seul) et se prélasser au soleil. Cuisinette à disposition. Accueil sympa. Prix modérés.

Où manger ?

|●| *Auberge chez Denis à François :* 44, chemin d'En-Haut. ☎ 937-23-71. Ouverte de 7 h à 21 h. Salle agréable, vert pastel. Formule moules-frites à volonté pas chère le midi, table d'hôte le soir, et tout un tas de plats au choix à la carte. Bonne cuisine, à base de produits de la mer essentiellement. Un des rares restos où l'on peut goûter au loup marin (nom que les Madelinots donnent au phoque). On a essayé (que ne ferait-on pour nos lecteurs !). Viande très filandreuse, préparée un peu comme un bœuf bourguignon, avec un petit goût particulier en plus. En dessert, on vous conseille la « Sauterelle », délicieuse crème glacée à la menthe sur gaufre chocolatée. L'auberge propose quelques chambres à l'étage. Correct mais cher.

|●| ***La Saline :*** 1009, route 199, sur le site de La Grave. ☎ 937-22-30. Ouvert le soir seulement. Grand bâtiment en bois brut aux volets rouges, ancien entrepôt reconverti en resto agréable. Table d'hôte à prix modéré où l'on peut goûter, entre autres, au fameux *pot-en-pot* (tourte chaude aux fruits de mer et pommes de terre). On vous offre même un petit trou normand au brandy (!), avant de passer au dessert. Souvent complet.

Plus chic

|●| ***La Marée Haute :*** 25, chemin des Fumoirs (au sud de La Grave), à l'écart de la route principale et près de l'eau. ☎ 937-24-92. Ouvert toute l'année, le soir seulement. Petite salle chaleureuse tout en bois. Table d'hôte copieuse, offrant un grand choix d'entrées, plats et desserts. À la carte, pétoncles, crabe des neiges, magret de canard, loup marin (en brochette ou en tournedos, ici)... Le propriétaire, qui est aussi le chef, est originaire de Dijon. À l'étage, 2 chambres mansardées toutes mignonnes, avec jolie vue, à prix modéré. En bas, une grande chambre un peu sombre, plus chère, avec un gros poêle et une salle de bains privée. Possibilité de pension complète.

Où boire un verre ?

🍸 ***Le Petit Mondrain :*** sur la rue principale, face à l'aquarium. Petit bistrot rustique et sympa où l'on peut même déguster, nature, les fruits de mer les moins chers de l'archipel. Surtout fréquenté par les locaux. Musique certains soirs.

🍸 ***Le Café de la Grave :*** 969, route 199. ☎ 937-57-65. Situé dans l'ancien magasin général, ce café à l'ambiance chaleureuse expose les photos et peintures de nombreux artistes. Un endroit bien sympa pour le petit déjeuner, comme pour le thé de 4 h, l'apéro ou le pousse-café. Il y a même un piano à la disposition des amateurs. L'endroit incontournable pour rencontrer des gens.

🍸 ***Bar-terrasse La Saline :*** attenant au resto du même nom. Des groupes s'y produisent souvent le soir. Musique traditionnelle et populaire.

À voir. À faire

★ ***Le musée de la Mer :*** 1023, route 199, pointe Shea. ☎ 937-57-11. De fin juin à fin août, ouvert tous les jours de 9 h (10 h le week-end) à 18 h ; le reste de l'année, de 9 h à 12 h et de 13 h à 17 h (le week-end, l'après-midi seulement). Photos, maquettes de bateaux et de phares, ustensiles de navigation et de pêche, objets provenant de navires naufragés, oiseaux et phoques empaillés... Également un film récent sur les îles et les quatre saisons, et un sur la pêche, datant de 1956, quand la mer regorgeait encore de poissons.

★ ***L'aquarium :*** chemin de la Grave. ☎ 937-22-77. Ouvert de mi-juin à mi-septembre, de 10 h à 19 h (21 h de mi-juillet à mi-août). Pourquoi enfermer ces pauvres bêtes dans des cages de verre ? nous direz-vous. Oui, mais là, c'est différent : on les attrape au printemps, et on les relâche à l'automne, avant qu'elles aient perdu l'habitude de chasser pour se nourrir. Et on en attrape de nouvelles au printemps suivant.

– ***Les Artisans du Sable :*** 907, route 199. ☎ 937-29-17. Le sable comme vous ne l'avez jamais vu. Sculptés, travaillés au tour à bois ou à la fraiseuse de dentiste, châteaux, phoques, assiettes, vases, lampes... autant de souvenirs sympas et originaux à rapporter. Évidemment, ça pèse un peu, mais c'est beau, et de plus c'est du solide!

– ***Club nautique de l'Istorlet :*** ☎ 937-52-66. Kayak de mer, kayak de surf, planche à voile, vélo, excursions ornithologiques...

– ***Croisières*** en voilier vers l'île d'Entrée ou ailleurs au départ de la Marina de Havre-Aubert. ☎ 937-22-13.

– ***Lèche-vitrine et shopping*** dans les nombreuses galeries d'art et boutiques de la Grave.

– ***Balades*** dans le sable de la Dune du Bout du Banc, où a lieu le *concours des châteaux de sable*, tous les ans à la mi-août.

★ BASSIN

On atteint Bassin par une route panoramique qui se poursuit jusqu'à la Dune de l'Ouest. Le village en lui-même n'a guère d'intérêt, on préfère ***L'Anse-à-la-Cabane,*** mais la forêt alentour (la plus grande de l'archipel) offre des balades agréables.

Où dormir? Où manger?

🏠 🍽 ***Havre-sur-Mer :*** 1197, chemin du Bassin, à L'Anse-à-la-Cabane. ☎ 937-56-75. Fax : 937-25-40. Auberge de luxe, idéalement située sur la falaise, au-dessus de la plage. Grande étendue d'herbe épaisse et soyeuse où profiter de la vue. À l'étage, 8 chambres confortables, toutes avec salle de bains. Prix variables selon la taille et la vue, mais assez élevés dans l'ensemble. Au rez-de-chaussée, le resto *La Petite Spaghetta* propose, comme son nom l'indique, essentiellement des pâtes dans une petite salle agréable donnant sur la pelouse et la mer. Prix raisonnables.

🍽 ***Au Quai de l'Anse :*** 20, chemin du Quai, à L'Anse-à-la-Cabane. ☎ 937-53-46. Ouvert tous les jours de 11 h à 23 h. Minuscule resto installé dans un ancien bateau de pêche. Soles, pétoncles, *pot-en-pot* et autres produits de la mer à prix très doux.

À faire

– ***La chevauchée des Îles :*** chemin des Arpenteurs, près du chemin de l'Étang des Caps. ☎ 937-23-68 ou 937-34-53. Pour les grands galops échevelés sur la plage de la Dune de l'Ouest ou dans les bois. Balades en traîneau l'hiver.

– ***Club de tir des Îles :*** 150, chemin Massé, près de L'Anse-à-la-Cabane. ☎ 937-25-82. 40 cibles animalières de tir à l'arc pour jouer aux Indiens dans un cadre boisé et montagneux, en pleine nature. On s'y croirait!

– ***Balade*** sur le chemin de la Dune de l'Ouest au coucher du soleil.

★ L'ÎLE D'ENTRÉE

Les habitants de l'île d'Entrée, petit bastion anglophone isolé, ne quitteraient leur île pour rien au monde. Le gouvernement, trouvant trop onéreux d'équiper et d'alimenter la petite île en électricité et téléphone, a bien essayé de les rapatrier, mais personne n'a voulu déménager. Il faut avouer qu'elle ne manque pas de charme, avec ses hautes falaises escarpées (les plus élevées de l'archipel) et ses collines pelées battues par les vents.

Comment y aller?

De la marina de Cap-aux-Meules.
– ***Traversier Bonaventure :*** départ tous les jours à 8 h et 15 h, retour à 9 h et 16 h. ☎ 986-57-05.
– ***Excursions en Mer :*** en été seulement. Départ à 10 h 30, retour à 14 h 30. ☎ 986-47-45. La traversée prenant 1 h, ça laisse 3 h pour explorer l'île, à moins d'y passer la nuit. Un poil plus cher que le traversier.

Où dormir? Où manger?

Les amoureux de coins perdus peuvent séjourner sur l'île d'Entrée.

Chez McLean : ☎ 986-45-41. Gîte offrant des chambres assez bon marché, incluant le petit déjeuner.

Pour se sustenter, une ***cantine-resto*** et une ***épicerie.***

LE NOUVEAU-BRUNSWICK

Avec la Nouvelle-Écosse, l'île du Prince-Édouard et Terre-Neuve, c'est l'une des quatre « Maritimes », les provinces de la côte atlantique du Canada. Plus de 730 000 habitants, capitale *Fredericton*. La seule province officiellement bilingue du Canada avec près de 35 % de francophones. Les deux composantes historiques du Nouveau-Brunswick sont en effet les francophones de souche acadienne et les descendants des loyalistes anglais qui refusèrent l'indépendance américaine et se réfugièrent ici (avec un zeste d'émigrations irlandaise et écossaise plus récentes). On y parle d'ailleurs le « chiac », un dialecte mi-français mi-anglais.
De Campbellton, au nord, à Saint John, au sud, les principaux points d'intérêt se situent sur la côte avec, de temps à autre, quelques courtes incursions dans les terres. Régler sa montre, une heure de plus ici. Bien sûr, c'est *l'Acadie*, dont vous avez le plus entendu parler, qui vous attire, mais chez les « loyalistes » il y a aussi bien des choses intéressantes. Bon, allez donc « froliquer » un bon coup maintenant...

L'Acadie

Lorsqu'une quarantaine de familles arrivèrent du Poitou en 1632 pour fonder *l'Acadie,* qui eût cru qu'elles donneraient aussi naissance à l'une des civilisations les plus originales d'Amérique du Nord, à travers pourtant de multiples tribulations et tragédies ? Les Acadiens s'installèrent d'abord dans la baie de Fundy et dans ce qui est aujourd'hui la Nouvelle-Écosse. Bénéficiant de riches terres, les Acadiens ne tardèrent pas à obtenir des rendements supérieurs à ceux de la France et du Québec. Tant mieux pour eux, car ils durent rapidement compter sur eux-mêmes et pratiquer l'autosuffisance (la France étant en proie à de nombreux problèmes internes et s'intéressant plutôt au commerce des fourrures du Québec).
Premier coup dur, au traité d'Utrecht de 1713, l'Acadie fut cédée à l'Angleterre et prit le nom de Nouvelle-Écosse. Faisant preuve d'un grand sens de la diplomatie, les Acadiens réussirent à négocier un statu quo avec les Anglais, obtenant de rester sur leurs terres et de pratiquer leur religion. En échange, ils s'engageaient à demeurer neutres et à ne jamais prendre parti dans les conflits entre Français et Anglais. La cohabitation marcha bien une trentaine d'années. La souplesse des Acadiens, leur nombre et le faible rapport de force militaire des Anglais les mirent longtemps à l'abri des appétits de terres des colons britanniques. Cependant, à partir de 1744, l'Angleterre fit pression sur les Acadiens pour qu'ils prêtent serment d'allégeance à la Couronne. Ces derniers, bien sûr, refusèrent et réussirent à tergiverser une bonne dizaine d'années encore.
Pourtant, en 1755, le gouverneur de la Nouvelle-Écosse prit la décision d'expulser définitivement les Acadiens de leurs terres. Cette tragédie entra dans l'histoire sous le nom de *Grand Dérangement*. Plus de 6 000 d'entre eux furent arrachés à leurs villages (familles et couples brisés, enfants séparés de leurs parents), puis embarqués de force pour l'exil, prisonniers en Angleterre, déportés dans les États de la côte Est (Maine, Massachusetts), rejetés à nouveau par les populations locales. Des Acadiens revinrent en France (et peuplèrent notamment Belle-Île), d'autres errèrent longtemps avant d'échouer dans les marais inhospitaliers de Louisiane. Ils y fondèrent la fameuse communauté des *cajuns* (aujourd'hui, environ 800 000 Louisianais sont officiellement francophones). Enfin, 2 000 à 3 000 Acadiens s'enfuirent

et se réfugièrent dans les tribus indiennes, sur les côtes du Nouveau-Brunswick ou en Gaspésie. Après que tout le Canada (à l'exception de Saint-Pierre-et-Miquelon) fut cédé à l'Angleterre en 1763, les Acadiens survivants furent autorisés à rester sur leurs nouvelles terres d'accueil. Essentiellement une mince bande côtière de la baie des Chaleurs à Moncton. Le Nouveau-Brunswick devint alors terre acadienne. En 1847, le poète américain Longfellow contribua énormément à populariser la tragédie acadienne et à renforcer le sentiment national à travers le célèbre récit de *Gabriel et Évangéline* (des amoureux cruellement séparés et qui passèrent leur vie à se chercher). D'autres personnages de romans viennent contribuer à la conservation du passé : notamment, *la Sagouine,* héroïne de l'auteur acadien Antonine Maillet (prix Goncourt en 1979, pour *Pélagie-la-Charette*).

Les Acadiens s'enracinèrent profondément dans leur nouvelle patrie. Grâce à la solidité de leurs structures familiales, au poids de l'Église (qui assura comme au Québec l'enseignement) et, bien sûr, au ciment de la religion, ils réussirent à préserver leurs traditions, la langue française et leur identité. Celle-ci se consolide autour d'une devise : « L'union fait la force. » En 1884, ils adoptèrent le drapeau tricolore bleu-blanc-rouge orné d'une étoile jaune dans le bleu (la *Maris Stella,* étoile de la mer), représentation, pour les uns, de celle qui guida le peuple acadien vers son nouveau destin, pour d'autres, symbole religieux de Marie et de l'Assomption. Aujourd'hui, le drapeau flotte fièrement et abondamment dans les jardins et villages acadiens. À signaler que le Nouveau-Brunswick est la seule province canadienne où la population francophone ne soit pas en recul. Les anglophones le ressentent, et un nouveau parti politique, le COR (Confederation of Regions) est apparu lors des dernières élections dans cette province, qui proposait l'abolition du bilinguisme officiel dans la province. Le COR a pris assez d'importance pour devenir le parti d'opposition officiel à l'Assemblée législative.

Côté économie, l'agriculture joue encore un grand rôle : la « patate » acadienne est célèbre; l'industrie, elle aussi, est développée : la pêche, le homard particulièrement (« or » marin) qui était, au XIXe siècle, le plat du pauvre; au nord-est, exploitation de la tourbe; enfin, des minerais, notamment le charbon et le zinc (plus important gisement du monde).

– ***Fête nationale des Acadiens :*** le 15 août. À ne pas rater.
– ***New Brunswick Day :*** le 2 août.

Adresse utile

i ***Informations touristiques gratuites pour tout le Nouveau Brunswick :*** ☎ 1-800-561-01-23. À Campbellton : ☎ 789-23-67. Ouvert tous les jours de 8 h à 21 h. Le bureau d'information pour le Nouveau-Brunswick est situé à Campbellton, juste après le pont métallique sur la droite, près du grand magasin *The Met*.

DE LA GASPÉSIE À CARAQUET

La route côtière ne propose pas de grandes échappées spectaculaires, mais révèle nombre de détails pittoresques : groupes de fermes en bois typiques, hameaux anglophones enclavés dans de grandes régions francophones, vieilles églises, phares rutilants, etc. Par exemple, vous ne manquerez pas de voir, sur le bord de la route, cet agriculteur qui a rassemblé ses antiques machines agricoles et les a peintes tout en rouge.

★ *CAMPBELLTON*

Souvenirs de la fameuse *bataille navale de la Restigouche* (1760). Du *Sugarloaf* (parc provincial), une haute colline, beau panorama sur la Gaspésie.
– ***Festival du Saumon :*** fin juin-début juillet. ☎ 789-28-97.

Où dormir ?

☗ ***Auberge de jeunesse du Phare (Campbellton Lighthouse Hostel) :*** 1, Ritchie Street. ☎ (506) 759-70-44. Ouverte de juin à fin août. Réception ouverte de 16 h à minuit. Comptez 12 $Ca (7,7 €) pour les ajistes et 15 $Ca (9,7 €) pour les non-membres. 5 $Ca (3,2 €) pour 1 tente. Située non loin de la rivière Restigouche. Prendre la route 134 vers Dalhousie, passer Andrew Street, puis tourner à gauche un peu après cette intersection. L'AJ est installée dans un phare, ou plutôt dans la maison du gardien. Insolite ! 20 lits pour dormir. Dortoirs non mixtes. C'est propre et plutôt agréable. Cuisine, laverie.
☗ ***B & B Aylesford Inn :*** 8, MacMillan Avenue. ☎ 759-76-72. Fax : 759-85-57. ● www.bbcanada.com/2808.html ● Ouvert à l'année. Comptez 65 $Ca (41,9 €) ou 100 $Ca (64,5 €) pour la suite. *Visa* acceptée. Grande maison victorienne très confortable et spacieuse. Cossue. L'intérieur est un véritable *home sweet home* comme on les aime, à la fois douillet et charmant. 6 chambres agréables avec TV, petit déjeuner compris. La patronne, très gentille, possède une immense suite à l'étage avec salle de bains privée, salon, billard et un vieux *Jukebox* (qui fonctionne encore !). Fait aussi salon de thé les lundi, mercredi et vendredi, de 14 h à 16 h.

★ *DALHOUSIE*

Fondée par les Écossais au XIXe siècle, mais les Acadiens y sont redevenus majoritaires. Pour ceux qui viennent de Gaspésie, un ferry depuis Miguasha fait économiser 80 km.
– ***Festival du Bon Ami :*** la dernière semaine de juillet. ☎ 684-53-95.

★ *GRANDE-ANSE*

★ ***Le musée des Papes :*** 184, rue Acadie. ☎ 732-30-03. Ouvert de mi-juin à mi-août, tous les jours de 10 h à 18 h. 5 $Ca (3,2 €) l'entrée. À l'entrée de Grande-Anse, petite ville située entre Bathurst et à 18 km de Caraquet, sur la route 340. On met bien des militaires dans les musées, alors pourquoi pas des papes ? Voici le seul musée nord-américain consacré à la papauté et aux principes de l'Église.
Farouchement attachés à la religion catholique, les Acadiens ont voulu rendre hommage ici à cet héritage spirituel qu'ils ont toujours porté avec eux comme un flambeau, malgré les coups durs de l'histoire. Que l'on soit seul, à deux ou en groupe, un guide vous fait découvrir l'univers des papes, au travers d'une immense maquette de la basilique Saint-Pierre du Vatican, une galerie de 262 portraits (à donner le vertige) de tous les papes de l'histoire (de l'apôtre Pierre jusqu'à Jean-Paul II), une salle des trésors bien fournie (chasubles, ciboires, calices et compagnie). On y apprend que jusque vers l'an 1000 les papes avaient le droit de se marier. Dans une vitrine, ne manquez pas d'admirer un Jean-Paul II grandeur nature tout en caoutchouc, entouré de 2 gardes suisses ! Il y a quelque chose de surréaliste aussi dans

ces collections de mannequins couverts de soutanes et d'habits religieux : on se croirait dans un mini-musée Grévin dédié au prosélytisme catho. Un musée vraiment insolite et bien fait. Bref, une visite édifiante qui démontre l'influence énorme, quasi tyrannique, de l'Église et du clergé sur l'histoire des Acadiens. Dommage cependant que l'accent ne soit pas plus mis sur les erreurs historiques de la papauté.

★ *LE VILLAGE HISTORIQUE ACADIEN*

Renseignements : ☎ (506) 726-26-00. Fax : 726-26-01. • www.gov.nb.ca/vha • Situé quelques kilomètres avant Caraquet. Le village est ouvert tous les jours, du premier dimanche de juin au 4 septembre, de 10 h à 18 h et en basse saison, de 10 h à 17 h. Entrée : 10 $Ca (6,5 €). Pour dormir, quelques motels autour et hôtels à Caraquet. Une visite inoubliable !
L'un des endroits les plus beaux du Nouveau-Brunswick. Créé en 1977 dans une région symbole de l'acharnement et de la ténacité des Acadiens. Contraints de s'installer, après le *Grand Dérangement,* sur une contrée peu nourricière, ils créèrent, pour survivre et exploiter de nouvelles fermes, nombre de *levées* et *aboiteaux* (terres gagnées à la culture sur les marais par assèchement grâce à des digues) et y acquirent leur réputation de « défricheurs d'eau ».
Le village a été édifié dans un grand parc extrêmement agréable. Il est constitué d'une quarantaine de maisons originales et bâtiments civils provenant de toute la province, remontés sur place et disséminés dans le parc. Décoration intérieure reconstituée scrupuleusement. Par de petits chemins pleins de charme, vous visiterez de nombreuses fermes et ateliers typiques des 150 dernières années. Entre autres, la forge, le moulin à farine, la menuiserie, l'épicerie, l'échoppe du cordonnier, l'imprimerie, les granges et entrepôts, la taverne, l'école, l'église, etc.
Tous les animateurs du village continuent comme avant, en costumes d'époque et avec un stupéfiant naturel, à pratiquer leur métier respectif et à produire comme pour de vrai ! Chacun d'entre eux vous expliquera avec douceur et conviction ce qu'il fabrique. Ainsi, ce n'est pas du tout un musée, mais un authentique village traversé de réelles vibrations qui apportent un supplément d'émotion à la présentation ethnographique et à la démarche pédagogique. De jeunes lycéens viennent d'ailleurs, tout au long de l'année, se replonger dans ce passé bien vivant, participer aux tâches collectives et s'initier aux différents métiers.
– Grand parking et ***Centre d'accueil*** où l'on trouve cafétéria, restaurant, un diaporama, une très riche librairie et une boutique d'artisanat.

CARAQUET

IND. TÉL. : 506

Grand port de pêche et l'une des villes les plus acadiennes du Nouveau-Brunswick. Fondé en 1757 par quelques familles qui réussirent à échapper à la déportation. Faute de terres cultivables, les Acadiens se firent pêcheurs. C'est une ville plutôt agréable et une bonne étape pour la nuit. Grande *fête* le 15 août.

Adresse utile

ℹ ***Bureau d'informations touristiques :*** 51, bd Saint-Pierre Est. ☎ 726-26-76. Suivre les panneaux marqués du point d'interrogation.

Bureau situé dans le complexe Carrefour de la Mer, près du quai d'où partent les bateaux pour l'île de Caraquet.

Où dormir ? Où manger ?

Campings

■ ***Camping Colibri :*** à Bertrand, à 1 km à l'ouest de Caraquet. ☎ 727-22-22. • www.sn2000.nb.ca/comp/colibri • À partir de 14 $Ca (9 €) pour une tente. Le plus grand camping de la région. Saturé parfois en saison. Sanitaires négligés. Animation en juillet et août. Deux super glissades d'eau accessibles également aux gens de passage, ouvertes tous les jours de 10 h à 19 h. Très chouette pour les mômes.

■ ***Camping de l'île Caraquet :*** « Le remède à la civilisation ». Aucun habitant, aucune voiture. Pour y aller, prendre le traversier au départ du Carrefour de la Mer (office du tourisme). Théoriquement, 3 traversées par jour (11 h, 14 h et 16 h) à vérifier quand même avant. Camping au bord de l'eau avec des sanitaires très corrects. Une plage à proximité, et possibilité de se ravitailler sur place.

Bon marché à prix moyens

■ ***Auberge de jeunesse :*** 577, bd Saint-Pierre. ☎ 727-23-45. Ouverte du 23 juin au 2 septembre. À l'entrée ouest de Caraquet. Sur la côte. AJ sympa, dans un grand jardin, et très bon accueil.

■ ***Maison touristique Dugas :*** 683, bd Saint-Pierre Ouest. ☎ 727-31-95. Fax : 727-31-93. Ouverte toute l'année. Au moins 34 $Ca (21,9 €) et jusqu'à 45 $Ca (29 €) pour les suites ; 40 $Ca (25,8 €) pour les chalets de 4 places. Enfin 5 $Ca (3,2 €) pour planter la tente et 15 $Ca (9,7 €) pour les camping-cars. Accepte les cartes *Visa* et *MasterCard*. À 5,6 km du centre du village (église), sur la route de Bertrand et de Bathurst. Près de la route. Superbe demeure adorablement meublée avec de belles chambres à prix doux. Salle de bains sur le palier. Loue aussi des petites cabines avec un lit double. Possibilité de camper sur un site aménagé. Très bon accueil. Plage privée à moins de 10 mn à pied. Bonne adresse pour routards en voiture.

■ ***Gîte Paillasse et Croûte :*** 211, bd Saint-Pierre Est. ☎ 727-50-86. Comptez 50 $Ca (32,3 €). Anne-Marie vous propose 4 chambres au 1er étage de sa maison bleue au bord de la plage (2 ont vue sur la mer). Intérieur simple et correct. Honnête. La patronne vous mettra tout de suite à l'aise.

■ ***Gîte L'Auberge au Pignon Rouge :*** 338, bd Saint-Pierre Est. ☎ 727-59-83. À la sortie du village, à environ 3 km du centre, en direction de Bas-Caraquet. Entre 45 et 50 $Ca (29 et 32,3 €). Excellent rapport qualité-prix. On remarque immédiatement cette grande maison acadienne, en bois rougeâtre, faite de rondins et de troncs assemblés. Elle a été en grande partie aménagée par Raymond Albert, un homme très sympa, francophone, accordeur et musicien, descendant d'un lointain émigré normand (10 générations !). Intérieur en bois, chaleureux, avec une immense cuisine par laquelle on passe pour monter aux étages où se trouvent les chambres coquettes. Par un petit escalier en colimaçon, on accède plus haut encore à 2 autres chambres, nichées sous la charpente (avec 2 lits mais pas de vue). Salle de bains, jolie et bien équipée, sur le palier. Les mélomanes fervents iront rejoindre Raymond dans son salon-véranda, au 1er étage, pour se laisser bercer par la musique, face à la mer (et à la route qui passe devant la maison, mais très peu bruyante). Il s'agit en fait d'un adorable pigeonnier (avec AC !).

🏠 ***Gîte Chez Rhéa :*** 236, bd Saint-Pierre Ouest. ☎ 727-42-75. De 43 à 55 $Ca (27,7 à 35,5 €) selon salle de bains privée ou pas. Sympathique petite maison, non loin de l'église (difficile de déterminer le centre de cette ville qui s'étale sur des kilomètres le long de la route principale). Rhéa est une souriante Acadienne. Elle loue ses chambres (déco fleur bleue) à des prix assez bon marché.

Plus chic

🏠 ***Gîte du Passant Le Poirier :*** 98, bd Saint-Pierre Ouest. ☎ 727-43-59. Fax : 726-60-84. Ouvert toute l'année. De 65 à 70 $Ca (41,9 à 45,1 €). Belle petite maison construite en 1928 par Maître Poirier qui fut maître d'école, magistrat et juge. Vous pourrez y consulter les registres de lois de l'époque. 5 chambres confortables, très bien aménagées, toutes avec salle de bains privée (certaines avec lit *queen*). Bon accueil et petit déjeuner copieux.

🏠 ***Auberge de la Baie (motel Savoie) :*** 139, bd Saint-Pierre. ☎ 727-34-85. De 60 à 80 $Ca (38,7 à 51,6 €). En plein centre. Agréable motel proposant des chambres tout confort.

🏠 |●| ***Hôtel Paulin :*** 143, bd Saint-Pierre Ouest. ☎ 727-31-65 et 727-99-81. Fax : 727-33-00. À partir de 65 $Ca (41,9 €). Dans le centre. Un petit hôtel de charme, à l'architecture pittoresque et au décor intérieur agréable. En retrait de la rue. Calme assuré. Maison réputée aussi pour sa bonne table. Accueil moyen néanmoins.

Où boire un verre?

🍸 ***Bar Studio Au Vieux-Sage :*** 28, bd Pierre Ouest. ☎ 727-72-43. Dans une bâtisse rouge juste après le ciné *Bellevue*. Ouvert à l'année. Pour tous les goûts. Grande salle moderne avec piste de danse, billard. À l'étage, bar sportif pour se détendre. Concerts fréquents dans la salle au sous-sol (rock, musique alternative...). Vendredi et samedi, musique disco. Grande terrasse extérieure. Petit déjeuner et fast food en été. Vraiment sympa et pas du tout tape-à-l'œil.

À voir. À faire

★ ***Le Musée acadien :*** entre le quai et l'école des pêches, un peu plus bas que l'hôpital de l'Enfant-Jésus. Ouvert de juin à mi-septembre, de 10 h à 20 h (13 h à 20 h le dimanche). 6 $Ca (3,9 €). Petit musée en bois, sur pilotis. Collections ethnographiques évoquant la vie des Acadiens. Petit centre d'artisanat.

★ ***Le sanctuaire de Sainte-Anne-du-Bocage :*** à l'ouest de la ville, dans un très beau site, une blanche église de 1880 sur le modèle de la première chapelle édifiée un siècle plus tôt. Alexis Landry, l'un des fondateurs de la ville, y est enterré.

★ ***Écomusée de l'Huître :*** 675, bd Saint-Pierre Ouest. ☎ 727-32-26. Ouvert du 1er mai au 22 novembre du lundi au samedi de 10 h à 17 h 30. Fermé le 26 juillet et du 15 au 31 août. Gratuit. Histoire de l'huître de Caraquet, méthode de pêche d'antan, élevage et récolte d'aujourd'hui. Intéressant.

★ ***Tour Kayaket :*** 51, bd Saint-Pierre Est. Centre *Extravacance*. ☎ 727-69-09 ou 1-800-704-39-66. Forfait : 45 $Ca avec repas et guide (29 €). Sans guide, cela revient à 12 $Ca environ (7,7 €). Randonnées de 3 h en moyenne jusqu'à la Dune de Maisonnette, vers l'île de Caraquet ou vers les battures d'huîtres de la baie. N'oubliez pas crème solaire, chapeau et coupe-vent.

– ***Tours de pêche :*** 20 $Ca (12,9 €) pour une durée de 4 h environ. Départ à 5 h 45. On part traquer le maquereau ou la morue. Embarquement au *Carrefour de la Mer*. Renseignements : ☎ 727-08-13.
– Caraquet est aussi la capitale culturelle de l'Acadie. Vous y trouverez le ***théâtre populaire d'Acadie*** (situé derrière le Musée acadien), la troupe la plus importante (217, bd Saint-Pierre Ouest ; ☎ 727-09-20). Excellentes créations. Festival d'été et places bon marché dans sa pittoresque « boîte-théâtre ». Profitez-en !

Festival

★ ***Le festival acadien :*** pendant la 1re quinzaine d'août, Caraquet prend des couleurs. Musique, rires et animation ne quittent plus la rue. Bals, fêtes populaires, groupes folkloriques, culminant le 15 août avec *le Tintamarre,* défilé où l'on fait le plus de bruit possible. Bénédiction des bateaux également.

Dans les environs

★ *SHIPPAGAN*

Important port de pêche. Belles plages au *Goulet*.
– ***Festival provincial des Pêches :*** en juillet.

Où manger ?

🍴 ***Au Marinier :*** dans le centre, au sein de la grande station-service Ultramar. ☎ 336-87-75. Sert 24 h/24. Entre 7 et 16 $Ca (4,5 et 10,3 €). Populaire dans le coin. Très grand choix. Plats simples et fruits de mer à prix corrects.

À voir

★ Visiter le remarquable ***Centre marin.*** Ouvert pendant la saison tous les jours, de 10 h à 18 h. ☎ 336-47-71. Tout sur la vie des pêcheurs et des marins de la région. Superbe aquarium, avec des espèces marines du golfe du Saint Laurent et même des petits requins ! Repas des phoques à 11 h et 16 h.

★ *L'ÎLE DE LAMÈQUE*

Beau port de pêche très actif proposant aussi, dans la 1re quinzaine de juillet, un fameux *festival... de Musique baroque*. Habitants à 95 % francophones. On y accède par une digue. Balade sympa. Oh, rien de très spectaculaire, mais du charme et beaucoup de simplicité ! Bourgs acadiens typiques. Fête locale la 1re semaine de juillet. Adorable *Petite-Rivière-de-l'Île,* avec ses maisons toutes blanches ou pimpantes, son église colorée. Petit jardin zoologique à Pointe-Alexandre.

Grâce au nouveau pont, vous serez vite sur l'*île de Miscou*. Au retour de Miscou, plutôt que la route principale (la 113), empruntez celle de la côte, par *Pigeon Hill, Saint-Raphaël* et *Sainte-Marie-sur-Mer*. Gentils villages aux maisons disséminées.

Où dormir ? Où manger ?

- 2 ***campings*** dans l'île.
- ***Auberge des Compagnons :*** 11, rue Principale. ☎ 344-77-66. Réservations au ☎ 344-77-62. Fax : 344-08-13. • www.sn2000.nb.ca/comp/auberge-d-compagnons • Environ 95 $Ca (61,3 €). Sur la droite après le pont (en venant de la terre ferme), à l'entrée de l'île de Lamèque. Entièrement rénovée. Un décor luxueux, un intérieur confortable. Vous l'aurez compris, une adresse chic et choc... tenue par Yoland Chiasson. Au total, 16 chambres avec vue sur un bras de mer où errent des hérons ! Fait aussi restaurant.
- ***Au P'tit Mousse :*** 5182, route 113, Haut-Lamèque. ☎ 344-80-05. Comptez en moyenne 7 $Ca (4,5 €). Avant le pont, sur la droite, en venant de Caraquet. Très populaire. Clientèle familiale. Salle au décor quelconque. Pas cher du tout. Bonne nourriture : coques, pétoncles, sandwichs crevettes, homard sur pain, plateau capitaine, poulet, pizzas, etc.

★ *L'ÎLE DE MISCOU*

À la rencontre de la baie des Chaleurs et du golfe du Saint-Laurent.. Jacques Cartier fut le premier à en fouler le sol. Près de 1 000 habitants (dont 25 % d'anglophones). Calme, paisible, repos total et détente assurés, mais l'endroit a quand même un côté très ennuyeux. Trois belles plages et une côte bordée de lagunes et de tourbières. On y trouve le seul *phare en bois* de la province (1856).
Possibilité d'aller pêcher en mer.

- *2 campings, un gîte* (anglophone), *un resto.*
- Fin juillet ou début août, ***festival du Thon.*** Grande et sympathique animation.

L'INTÉRIEUR DE LA PÉNINSULE ACADIENNE

L'occasion de visiter de beaux villages essentiellement tournés vers l'agriculture.

★ ***Paquetville,*** village natal d'Édith Butler, la grande chanteuse acadienne. Imposante église (avec 2 pieds de plus, ce serait une cathédrale). Sous le bureau de l'office du tourisme se cache le temple de la Renommée qui rend hommage à certains habitants de la ville dont un champion mondial de kick-boxing, art martial où l'on n'utilise que les jambes !

★ Douces collines, paysage serein à ***Rang-Saint-Georges,*** baigné par la belle rivière Pokemouche.

★ À ***Saint-Isidore,*** petit *musée* sur l'histoire de la région (ouvert tous les jours de juin à septembre).

TRACADIE-SHEILA

IND. TÉL. : 506

Ces deux villes ont été réunies en 1992. Ici le bilinguisme est de mise, mais, phénomène remarquable, beaucoup d'anglophones se disent résolument acadiens (certains sont même de grands animateurs du mouvement acadien). Importante bourgade commerçante, *Tracadie* fut fondée en 1784 et signifie en indien micmac « Endroit idéal pour camper ».

Adresse utile

🅸 ***Office du tourisme :*** 3416, rue Principale, à gauche avant le pont en venant de Caraquet. ☎ 394-40-29. Fax : 394-40-25. Possibilité de téléphoner hors saison au 394-40-20. • www.rpa.ca/ts/• Ouvert de mi-juin à début septembre, de 10 h à 20 h. Le samedi l'office ouvre à 8 h (pas de grasse matinée!).

À voir

★ ***Le Musée historique de Tracadie :*** installé dans l'ancien couvent de la *congrégation religieuse des Hospitalières* (Académie de la Sainte-Famille) qui se voua longtemps aux soins des lépreux (d'ailleurs, un peu plus loin, à côté de l'hôpital, s'étend leur cimetière). ☎ 394-40 20. Ouvert tous les jours en été de 9 h à 18 h, de 12 h à 18 h les samedi et dimanche. Le musée se trouve au 2e étage de l'édifice, à l'architecture caractéristique du XIXe siècle. On peut y voir une section consacrée au traitement des lépreux (photos, pharmacie, etc.), ainsi que de nombreux objets et outils se rapportant aux Indiens micmacs et à la vie agricole et artisanale locales.

Où dormir ? Où boire un vrai café dans les environs ?

Vers le sud, parc agréable et ***camping*** à Val-Comeau.

À noter également qu'un sculpteur, Roger Godin, a ouvert un sympathique petit café : ***Art Café,*** rue Sam-Robichaud, à Val-Comeau. ☎ 395-30-42. On peut y savourer un vrai café (une trentaine de variétés), dans une région où le thé est davantage prisé, tout en admirant les sculptures sur bois ou pierre de l'artiste.

À voir dans les environs

★ ***Tabusintac :*** route 11, à la hauteur du n° 483, sur la gauche. ☎ 779-92-61. On y découvre, dans une jolie maison blanche entourée d'un jardin, un pittoresque petit *musée* sur la vie des gens qui colonisèrent la région : pionniers, bûcherons, pêcheurs, fermiers, etc.

★ ***Néguac :*** village sympathique. Beaux vitraux dans l'*église Saint-Bernard* (toute blanche à l'intérieur), en particulier quand le soleil donne à plein dedans. *Festival du Rendez-vous* fin juillet. Belle plage de l'*île aux Foins*.
– À côté, *Burnt Church* est une réserve d'Indiens micmacs.

★ ***Miramichi :*** son nom provient de la fusion en 1995 des deux villes Chatham et Newcastle, villes industrielles jumelles à majorité anglophone (communauté irlandaise importante). Lieu de naissance de Samuel Cunard qui créa la célèbre *Cunard,* compagnie maritime qui produisit, entre autres, le *Lusitania* (torpillé en 1915 par un sous-marin allemand), le *Queen Mary* et le *Queen Elizabeth*.

⌂ ***Auberge de jeunesse Beaubear Manor :*** à Nelson, à une dizaine de kilomètres de Newcastle. ☎ 622-30-36. En dortoir, 18 $Ca (11,6 €) pour les « ajistes » et 25 $Ca (16,1 €) pour les non-membres. 75 $Ca (48,4 €) pour deux en chambre avec déjeuner. Non loin de la rivière Miramichi. Très belle AJ, une des meilleures de la province, à 5 km des gares routière et ferroviaire, mais on peut venir vous y chercher. Charmant vieux manoir tenu par Father Mercereau, un prêtre à la retraite. Cuisine, coin-salon, bibliothèque. Canoës à louer. Plage privée.

★ Au nord de Chatham, à ***Bartibog*** (sur la 11), possibilité de visiter le *MacDonald Farm Historic Park*. Vieille ferme du XIXe siècle restaurée. Tout sur la vie des colons écossais du temps passé.

LE PARC NATIONAL DE KOUCHIBOUGUAC

Ceux qui ont un peu de temps peuvent s'y rendre par l'agréable route côtière qui passe par *Bay-du-Vin* et *Pointe-Sapin*. En chemin, quelques plages peu fréquentées.
C'est le plus grand parc du Nouveau-Brunswick. S'étend sur 26 km de bord de mer, avec forêts, dunes et superbes plages. Entrée principale sur la route 134 au sud du village de *Kouchibouguac* (si l'on vient directement de Chatham). Ceux qui arrivent de Pointe-Sapin par la 117 y pénètrent directement.
Impossible de tout décrire. C'est à l'évidence suivant vos goûts et intuitions que vous choisirez telle plage, tel site, tel resto. Bon, c'est ouvert toute l'année. Nombreux parkings pour abandonner la voiture. Sentiers de randonnée et chemins cyclables pour vivre pleinement le parc à travers tourbières, marais salés, bois, le long des multiples lagunes, étangs, rivières et estuaires. L'hiver, ski de fond.

– Passer absolument au ***Centre des visiteurs*** pour prendre leur excellent matériel. ☎ 876-24-43. Fax : 876-48-02. • parkscanada.pch.gc.ca • Ouvert de 8 h à 20 h, du 13 juin au 2 septembre, de 10 h à 18 h, du 19 mai au 13 juin et du 2 septembre au 12 octobre ; le reste de l'année, de 9 h à 17 h. Pour 1 journée dans le parc, comptez 4 $Ca (2,6 €). Il existe des forfaits.

Où dormir ? Où manger ?

Possibilité de camper de mai à octobre. Une vingtaine de dollars en saison (autour de 13 €). Toilettes, douches et abris pour la cuisine. S'inscrire au *Centre des visiteurs*.

⌂ Principaux *campings* : ***Kouchibouguac Sud,*** très bien aménagé et confortable. ***Camping de l'Étoile de Mer,*** à Pointe-Sapin (à 27 km au nord du parc). Près de la plage. ***Camping Park d'Aigle,*** à Saint-Louis-de-Kent (au sud). ***Camping du parc municipal Jardine,*** à Richibucto, à deux pas de la plage.
⌂ ***Camping sauvage :*** 13 $Ca (8,4 €). On peut camper « sauvagement » à l'intérieur du parc, en plantant sa guitoune dans l'un des trois sites « rustiques » suivant : *Sipu,* sur la rivière Kouchibouguac, le site de *Petit-Large,* accessible par une piste cyclable, le site de *Pointe-à-Maxime,* notre endroit préféré pour jouer les Robinson solitaires, à l'embouchure de la rivière Kouchibouguac. Situé dans la lagune Saint-Louis, ce dernier est le point de chute idéal, en pleine nature, pour ceux qui veulent observer les phoques en canoë ou les sternes, sur l'île voisine du même nom. Inutile de vous faire un

croquis pour vous faire comprendre que c'est là qu'il faut camper quand on veut vraiment sortir des sentiers battus.

|●| Quelques agréables ***restos*** bien répartis sur le littoral. Prix raisonnables. À l'intérieur du parc, petit resto à Ryans.

– ***Ravitaillement :*** rien, hélas, à l'intérieur du parc. Le premier point de ravitaillement se trouve à environ 1,2 km de l'entrée du parc. Cela dit, on peut acheter du pain et du lait à Kellys (dans le parc, près de la plage de Kellys Beach).

À voir. À faire

Nombreuses activités : canotage (7 $Ca, soit 4,5 €), kayak (7 $Ca, location à Ryans, dans le parc), baignade dans les chaudes eaux des lagunes, observation des oiseaux (pluvier siffleur, aigle pêcheur, etc.), terrains de jeux pour les enfants, golf (à l'extérieur du parc), location de matériel de pêche. Vélos à 5 $Ca (3,2 €) pour parcourir les 25 km de pistes cyclables dont 6 km pour V.T.T., etc. La *plage de Callenders* (non surveillée) propose son sable fin. Celle de *Kellys* est idéale pour les mômes. C'est une tranquille lagune. Tables pour pique-niquer. Programme d'interprétation intéressant et offert gratuitement aux visiteurs.

– ***Observation des castors :*** sur la rivière Kouchibouguac.

– ***Observation des phoques :*** la meilleure façon de voir de près ces gentilles bébêtes consiste à se déplacer dans un canoë sur la lagune Saint-Louis. Partir de la pointe à Maxime (camping primitif), traverser le bras de mer pour gagner les petits îlots situés juste en face, près de l'île aux Sternes. Croisière en bateau à bord du *Claire Fontaine* : 25 $Ca (16,1 €) par adulte, demi-tarif pour les enfants.

– ***Observation des sternes :*** aller en canoë jusqu'à l'île aux Sternes où s'ébattent près de 10 000 oiseaux (il n'y a pas que des sternes).

ROGERSVILLE

À l'ouest du parc, sur la route 126 Chatham–Moncton. Bourgade à ne pas manquer pour ceux qui souhaitent une connaissance approfondie du peuple acadien. C'est, en effet, la paroisse de Mgr Richard, le grand patriote acadien qui fit adopter le drapeau tricolore à étoile jaune. La ville fut fondée en 1869 par des ouvriers venus construire le chemin de fer « Intercolonial » entre Halifax, Québec et Montréal. On y trouve le ***monument national acadien Notre-Dame-de-l'Assomption***, édifié en 1955, pour le 200ᵉ anniversaire du Grand Dérangement, et en reconnaissance à la Vierge Marie pour sa protection accordée à l'Acadie. Évidemment, le catholicisme ayant, comme au Québec, joué un grand rôle dans la préservation de l'identité acadienne, le monument et tout son contexte sont très largement empreints de religiosité (ce qui pourrait éventuellement excéder quelque peu les plus agnostiques et intolérants de nos lecteurs). Style également très kitsch. Visite gratuite et instructive, pour comprendre un peu cette alliance complexe de la religion et du sentiment national en Acadie. À l'entrée du monument, petit *musée* avec quelques souvenirs et témoignages.
L'église et les bâtiments qui l'entourent composent un bel ensemble.

Renseignements utiles

ℹ ***Bureau du tourisme :*** ☎ 775-91-83. Fax : 775-20-90.

– ***Fête des Choux de Bruxelles :*** la dernière semaine de juillet.

BOUCTOUCHE

Patrie d'Antonine Maillet et de *la Sagouine,* le célèbre personnage du patrimoine culturel acadien qu'elle immortalisa. « Ah ! Vous v'la ! Y'a beau temps que j'vous espérions icitte au pays sus les côtes de la baie de Bouctouche. » C'est par ces mots savoureux, issus du parler acadien, que celle-ci vous accueille au musée du Pays de la Sagouine, l'endroit rêvé pour se plonger dans l'univers acadien du début du siècle.

Adresse utile

i ***Centre d'information touristique :*** ☎ 743-88-11. À la sortie de la ville, sur la gauche, après le pont qui traverse le bras de mer en allant vers le musée de la Sagouine. Efficace et aimable.

Où dormir ? Où manger ?

≜ |●| ***Gîte du Passant Domaine-sur-Mer :*** 3821, route 535 à Saint-Thomas. ☎ 743-65-82. Fax : 743-83-97. • sn2000.nb.ca/comp/domaine-sur-mer • Ouvert à l'année. Pour s'y rendre, prendre la direction de Shediac, sortie route 11 Nord Miramichi, sortie 15 (Cocagne/Notre-Dame), route 535 Nord. Grande maison bleu-vert, face à l'océan. À partir de 55 $Ca (35,5 €) ; la suite est plus chère mais vaut vraiment le coup (115 $Ca, soit 74,2 €). Intérieur frais et agréable, vraiment nickel. Toutes les chambres bénéficient d'une vue et possèdent une salle de bains privée. Voilà une bonne adresse pour les routards amateurs de homard puisque la patronne, Éveline, donne des leçons de cuisine et vous apprend à déguster ce fameux crustacé. On peut juste venir manger (et suivre un cours pratique d'environ 3 h), mais ça reste cher.

≜ ***Gîte du Passant Aux P'tits Oiseaux :*** 124, rue du Couvent. ☎ 743-81-96. • oiseau@nbnet.nb.ca • De 50 à 55 $Ca (32,3 à 35,5 €). Gîte très agréable et confortable. 2 chambres aux noms d'oiseaux mais la patronne reste polie... Excellent petit déjeuner. Recommandé aux amoureux de la nature, car la charmante hôtesse est passionnée par les oiseaux en liberté.

≜ |●| ***Bouctouche Bay Inn :*** à 5 km au sud de Bouctouche, sur la route 134, dans un site plutôt sympa, face à une baie. ☎ 743-27-26. Fax : 743-23-87. De 50 à 85 $Ca (32,3 à 54,8 €). Environ 15 $Ca (9,7 €) au resto. Une grande maison construite en 1850 par le colonel Sherredon, où l'on peut manger et dormir à des prix variables. Au restaurant, cuisine allemande (normal, les proprios sont des émigrés d'Allemagne), canadienne et européenne. 27 chambres avec lits simples ou doubles. Les moins chères avec 2 lits séparés et toilettes sur le palier sont au tarif des gîtes. Sinon, avec la salle de bains dans la chambre, prix d'un motel classique. Le petit déjeuner est en plus. On peut choisir de dormir soit dans la partie ancienne soit dans l'annexe « motellisée ». Les chambres de l'ancienne section auraient besoin d'un petit lifting.

À voir

★ ***Le musée Le Pays de la Sagouine :*** sur la route 134, au sud de la ville, après l'office du tourisme et le pont de Bouctouche, tourner à droite (c'est indiqué). ☎ 743-14-00. Ouvert de mi-juin à début septembre, de 10 h à 18 h. Comptez 10 $Ca (6,5 €). Il s'agit de la première reconstitution littéraire au Canada. L'univers romanesque de *La Sagouine,* un des livres écrits par l'Acadienne Antonine Maillet, originaire de Bouctouche, y a été fidèlement restitué à travers un petit village de pêcheurs, aux maisons colorées, sur un îlot (l'île aux Puces) relié à la terre ferme par une sorte de longue passerelle en bois, exclusivement réservée aux marcheurs. L'entrée est payante. Au centre d'accueil, infos générales sur l'Acadie et les Acadiens, et sur l'œuvre d'Antonine Maillet. Il faut le signaler : pour une fois un écrivain renommé est consacré de son vivant et quasiment immortalisé à travers des lieux sortis de son imagination. On devrait s'en inspirer plus souvent en Europe !
Ici, à Bouctouche, c'est une petite communauté de pêcheurs pauvres du début du siècle qui revit dans une sorte d'écomusée en plein air. Chaque petite maison, méticuleusement reconstituée et décorée, abrite un personnage du roman (Gapi, Sullivan, Mariaagélas...). On déambule ainsi au fil des commentaires et des histoires. Elles sont racontées avec talent par des interprètes vêtus en costume d'époque. La jeune femme présentant la maison dite de la Sainte (une bigote confite en dévotions et entourée de bondieuseries) se démène comme une vraie comédienne sur les planches. La balade sur l'île aux Puces se termine par un adorable petit phare blanc et rouge (reconstitué lui aussi). Visite particulièrement intéressante pour ceux qui ont lu le livre avant (il est entièrement écrit en « parler » acadien), et même pour ceux qui ne l'ont pas lu.

★ ***Le musée de Kent :*** sur la route 475. ☎ 743-50-05. Ouvert tous les jours de juin à septembre de 9 h à 17 h. En juillet et août, visite guidée jusque 17 h 30. En été, à partir de 12 h le dimanche. Comptez 3 $Ca (1,9 €). Installé dans l'ancien *couvent Immaculée Conception* datant de 1880. Intéressante architecture en bois. À l'intérieur, on remarquera les belles boiseries, les grands escaliers, la chapelle de style néogothique, etc. Tout sur l'histoire de la région à travers souvenirs et objets d'art.

SHÉDIAC

IND. TÉL. : 506

Capitale mondiale du homard (les habitants sont fiers d'avoir le plus gros homard du monde, à l'entrée du village), Shédiac est un lieu de villégiature extrêmement populaire du Nouveau-Brunswick. Bien sûr, très touristique et animé en juillet et août. Belles plages se déroulant jusqu'à *Cap-Pelé*. Nombreuses manifestations estivales : concours de sculptures de sable, le ***festival du Homard***, qui se tient généralement dans les dix premiers jours de juillet. C'est l'orgie de crustacés (moins chers que le steak). On jette les pinces qui résistent ! Pour se loger à cette époque, s'y prendre le matin de bonne heure. La ville connaît même, comme Saint-Trop', des embouteillages les soirs de week-end. Bref, une étape peu routarde, assez chère même, mais sympa pour sa plage.

Adresse utile

ℹ ***Bureau du tourisme :*** 229, Main Street, à 200 m avant *Chez Françoise,* en entrant dans la ville quand on vient de Bouctouche. ☎ 532-77-88. Fax : 532-61-56. Ouvert de 8 h à 22 h du 21 mai au 8 octobre. Fermé le 4 septembre.

Où dormir ? Où manger ?

Pas d'auberge de jeunesse, peu de gîtes. Nombreux campings de Shédiac à Cap-Pelé. La région étant une destination de vacances traditionnelle, ils sont bondés en été (surtout en juillet). Pour trouver un peu de calme, il est préférable de s'installer plutôt dans le coin de *Cap-Pelé*.

Campings

- ***Parlee Beach Provincial Park :*** à Shédiac même. ☎ 532-15-00. À partir de 19 $Ca (12,2 €). L'un des plus grands de la région. Ressemble trop à ceux de la Côte d'Azur. Intimité et calme pas vraiment au rendez-vous. Plage payante et accessible de 9 h à 19 h. Immenses parkings.
- ***Jason Riverside Trailer Park :*** beaucoup de monde aussi.
- ***Gagnon Trailer Park :*** à Cap-Pelé. À une douzaine de kilomètres à l'ouest de Shédiac. ☎ 577-25-19. Grand et populaire, mais déjà moins de monde. Voir aussi le ***Sandy Beach,*** pas loin. Sur la 950, après le pont, à l'entrée du village.
- ***Silver Sands Trailer Park :*** à Petit-Cap. ☎ 577-67-71. C'est le plus éloigné, mais aussi le plus tranquille. Surtout des *trailers* et caravanes, mais on y trouve quelques tentes. Belle plage à deux pas.

Prix moyens

- ***Auberge Chez Françoise :*** 293 Main Street. ☎ 532-42-33.. Ouvert à l'année. Entre 50 et 80 $Ca (32,3 et 51,6 €). Accepte la carte *Visa*. Dans le centre-ville. Dans une grande et magnifique demeure de style colonial, édifiée en 1911. Elle appartenait précédemment à une vieille famille écossaise. Vous trouverez ici une quinzaine de chambres très spacieuses, avec ou sans bains, à des prix étonnamment modérés eu égard à la qualité de l'établissement. Un charme énorme. Très bon accueil. Bien sûr, nécessité de réserver en saison. Sur demande et pour les groupes qui logent à l'auberge, les patrons proposent une nourriture réputée, servie dans un cadre vieillot élégant (25 $Ca, soit 16,1 €). Goûter à la crêpe de veau Oscar, au filet de flétan aux amandes et mandarines, aux crevettes géantes farcies au crabe et, surtout, aux *délices de la mer* (demi-homard, pétoncles au bacon, filet de sole, crevettes farcies, etc., hmm !). Assez cher pour la partie restaurant. L'une de nos meilleures adresses. Que d'espace !
- ***Hôtel Shédiac :*** parc Pascal-Poirier, en plein centre-ville. ☎ 532-44-05. Moins de charme et moins authentique que l'adresse précédente mais prix tout à fait honnêtes pour le cadre. À partir de 55 $Ca (35,5 €). Au resto, compter environ 20 $Ca (12,9 €) le midi et un peu plus le soir. Cette belle maison victorienne de 1853 a toute une histoire. Une grande fiesta s'y déroula en 1864 suite à la première réunion de la Confédération du Canada. MacDonald, le Premier ministre d'alors, y passa quelques nuits après avoir raté son train. Des hôtes célèbres y ont dormi, tels Clark Gable, Walter Pidgeon, Bob Hope, et même la reine Wilhelmine de Hollande, fuyant les nazis qui occupaient son pays. De ce passé prestigieux subsiste une atmosphère d'auberge d'antan aux chambres décorées à l'ancienne. L'ancien guichet de la diligence a été conservé à la réception. On ne peut le manquer. Pour le prix

d'un motel confortable, on a droit à un petit voyage dans le temps. Alors pourquoi ne pas en profiter ? Fait aussi resto : spécialités acadiennes, avec le homard en vedette bien sûr et des plats comme la chaudrée aux fruits de mer, le saumon de la Miramichi, le homard à la crème servi sur pain grillé. Jardin et piscine à l'arrière. On y parle le français.

■ ***Au p'tit Sommeil :*** 21, Hamilton Street. ☎ 532-35-46. Comptez 94 $Ca (60,6 €). Tout près de l'eau. De l'extérieur, la maison (assez basse) ne paye pas de mine, mais à l'intérieur, quelle surprise ! Décorées par une artiste, les pièces se révèlent fort agréables : les tons sont chauds, le cadre est très soigné. Tout est très confortable. À votre disposition, 5 chambres climatisées dont quelques-unes en entresol. Belle petite véranda à l'arrière de la maison où l'on prend son *breakfast*. Chic et cher bien sûr...

■ ***Gîte Maison Vienneau :*** 426, Main Street. ☎ 532-54-12. • mvienau@nbnet.nb.ca • À partir de 80 $Ca (51,6 €) et 85 $Ca (54,8 €) pour 4 personnes. Dans une belle maison jaune, 4 chambres bien aménagées (3 avec salle de bains privée), mais un peu vieillottes. Cuisine à disposition.

■ Nombreux *motels* entre Shédiac et Cap-Pelé. L'***Edco,*** sur la route 15, à 1 km de l'embranchement pour Cap-Pelé : ☎ 577-41-11. Correct, moderne. 36 à 40 $Ca (23,2 à 25,8 €) la chambre double. Le ***Neptune Motel*** est le plus proche de Shédiac, mais c'est un coin de grand passage. À Shédiac même, le ***Four Seas,*** dans le début de Main Street. Plus chic.

|●| ***Restaurant Four Seas :*** 762 Main Street. ☎ 532-25-85. Fax : 532-10-25. Compter au moins 15 $Ca (9,7 €) pour un plat de viande ou de poisson. Propose aussi des plats moins élaborés et donc moins chers. Grande salle au décor quelconque, mais bonne nourriture et moins de monde qu'au célèbre *Paturel* et au *Fisherman's Paradise,* à côté. Spécialités de poisson, crustacés, notamment le *Summer lobster special* (un homard de 500 g servi avec soupe aux palourdes, épi de maïs et pommes de terre au four, le tout à un prix très intéressant) et bonne viande. Pour un prix somme toute raisonnable, buffet de homards en quantité illimitée, servi de 16 h à 22 h, de début juillet à fin octobre.

|●| Intéressant *souper au homard* à la ***Maison du Homard,*** à l'édifice Bombardier (sortie 37 Parlee Beach), tous les jours de 16 h à 20 h. ☎ 532-68-16. Repas complet comprenant homard frais, salade, brioche, dessert et café à prix doux.

Plus chic

|●| ***Paturel (maison du Rivage) :*** à Barachois, à 7 km de Shédiac. ☎ 532-47-74. Entre 8 et 20 $Ca (5,1 et 12,9 €). Ouvre seulement à 16 h. Juste à côté d'une usine de transformation de poissons et de homards (la *Paturel LTD*). Grande maison en bord de plage, avec vue panoramique. Les couchers de soleil y sont somptueux. Très populaire dans la région. Ambiance assez relax. Réservation recommandée. Excellente nourriture. Goûter aux huîtres en coquille, à la « chaudrée aux fruits de mer ou aux coques », aux homards farcis, casserole de fruits de mer au gratin, « Paturel Seafood Platter », « combo en grande friture ». Il y a même quelques plats classiques pas chers du tout (genre poulet frit, spaghetti, etc.).

|●| ***Fisherman's Paradise :*** Main Street. À l'entrée de Shédiac. ☎ 532-68-11. Entre 20 et 35 $Ca (12,9 et 22,6 €). L'un des restos les plus chics. Conseillé de réserver. Décor cossu, atmosphère feutrée. Un peu guindée et formelle. Spécialités de poisson et fruits de mer.

À voir. À faire

Shédiac ne présente pas de charme particulier, ayant été ravagée par des incendies quand c'était encore une ville en bois.

★ ***L'église Saint-Martin-in-the-Wood :*** construite en 1821.

– ***La plage de Shédiac :*** à 3 km du centre-ville, à gauche de la route 133. Comptez 5 $Ca (3,2 €) la journée avec le véhicule. Parc de stationnement au pied des dunes. C'est « Moncton-plage », peuplée par des citadins en maillots de bain. Il s'agit d'une plage de sable fin, plutôt de couleur brune, agréable certes, mais très très civilisée et encadrée. Pour familles pépères !

Festival

– ***Festival du Homard :*** 1re quinzaine de juillet. Beaucoup d'animation. Des milliers de homards passent à la casserole. Dans le même temps, petit festival de théâtre et des arts et métiers.

À voir dans les environs

La région ne croule pas sous les grands monuments. C'est avant tout un ensemble de choses simples et chaleureuses, de petits détails typiques sympathiques à saisir au passage.

★ ***Barachois :*** à 7 km, sur la route de Cap-Pelé, petite *église historique* en bois (1824). Petit *musée* gratuit ouvert tous les jours de 11 h à 17 h. Belle plage de *Pointe-à-Bouleaux,* à Barachois (à 300 m de l'église).

★ ***Cap-Pelé et Petit-Cap :*** peu après *Dupuis Corner,* emprunter la petite route côtière, bordée de jolies maisons toutes pimpantes avec de petits jardins bien ordonnés. 99 % de la population est francophone. Cap-Pelé fut fondé en 1800. Le drapeau acadien flotte fièrement. On ne dirait pas que le village abrite plusieurs dizaines de fumoirs à harengs. Architecture basse et discrète, s'intégrant parfaitement au paysage. Nombreuses cultures encore. Pelouses impeccables. Le soir, les familles goûtent sous les vérandas la douceur vespérale. Tout est propre et harmonieux. Une intéressante tranche de vie acadienne. À *Petit-Cap*, plage peu fréquentée et reposante.

MONCTON

IND. TÉL. : 506

La « capitale » de la région ne présente pas de caractère ni de charme excessifs, mais elle mérite qu'on y passe quelque temps. C'est une ville universitaire, donc très jeune. La « Main », les soirs d'été, connaît une certaine animation. Quelques monuments, demeures et petits musées intéressants. Université de langue française créée en 1963 (et longuement réclamée) qui vient soutenir le combat des 35 % de francophones de la ville.

Adresse utile

ℹ ***Office du tourisme :*** à la mairie, 774, Main Street. ☎ 853-33-33. Fax : 856-43-52. Ouvert du lundi au vendredi de 8 h à 18 h. Au rez-de-chaussée de l'hôtel de ville. Accueil francophone.

Où dormir ?

Prix modérés

B & B Downtown : chez Jocelyne et John Harrisson, 101 Alma Street. ☎ 855-71-08. Comptez 60 $Ca (38,7 €). Maison en pierre de 1920, très centrale, où l'on est accueilli par des gens chaleureux parlant le français. Des Acadiens qui louent 4 chambres dont une avec 2 lits séparés. Prix très raisonnables pour un confort vraiment chouette. Endroit tranquille donnant sur une rue sans beaucoup de circulation. Bref, notre adresse préférée dans cette rubrique à Moncton.

Park View B & B : 254 Cameron Street. ☎ 382-45-04. Comptez 55 $Ca (35,5 €). Face à un grand parc (très sûr, même la nuit) au cœur d'un quartier résidentiel, à 10 mn à pied du centre-ville. Cette grosse maison en brique abrite un intérieur petit-bourgeois et très confortable. La patronne, une anglophone méticuleuse et aimable, vous donne plein de recommandations (téléphone, clefs, douche, chaussures...). Chambres avec TV et téléphone, chose rare dans un *B & B*, à des prix particulièrement doux. Il y a même la climatisation dans certaines chambres. Belle salle de bains mais sur le palier.

Jones Lake Motel : 1650 West Main Street. ☎ 389-17-18 ou 1-800-399-85-10. Fax : 854-90-34. • adsnb@istar.ca • Comptez 80 $Ca (51,6 €) pour 2 ou 4 personnes. Motel avec des chambres donnant sur un parking. Donc, demandez les chambres du fond (la 6 et la 12). Accueil anglophone. Pour motorisés pressés. À noter, un plus pour les fondus du combiné : 10 mn d'appel gratuit au Canada et vers les États-Unis.

Plus chic

Auberge Canadiana : 46, Archibald Street. ☎ 382-10-54. Comptez 80 $Ca (51,6 €) avec le petit déjeuner. Non fumeur. Très central. À deux pas de la « Main ». Dans un quartier sympathique de vieilles maisons. Un hôtel centenaire de 1898 qui fut d'abord une maternité, avant de devenir une auberge pleine de charme. Ce fut à l'époque l'une des plus grandes maisons de la région. À l'intérieur, jolie décoration. Boiseries d'origine, meubles anciens. Chambres agréables avec TV et salle de bains. Accueil chaleureux et francophone de Roland, le propriétaire.

Colonial Inns : 42, Highfield Street. ☎ 382-33-95. Fax : 858-89-91. • www.colonial-inns.com • Comptez 65 $Ca (41,9 €) minimum. Hyper central. À côté de la partie la plus vivante de la « Main ». Moderne et plaisant. Chambres impeccables.

Où manger ?

La Planche à Fromage : 581, Main Street. ☎ 859-74-87. Resto ouvert du lundi au mercredi de 10 h à 19 h, de 9 h à 21 h les jeudi et vendredi, et de 11 h à 17 h le samedi. Fermé le dimanche. Moins de 10 $Ca (6,5 €) le plat. Cuisine savoureuse qui change des fast-foods : poulet à la dijonnaise, pâtes aux fruits de mer, etc. Très bons desserts dont l'excellent gâteau au fromage. Beau choix de fromages également, dont certains arrivent tout droit de « chez nous ». L'accueil de

Gilberte Losier est très acadien, c'est-à-dire chaleureux et amical. Prix très raisonnables.

I●I ***Graffiti :*** 897, Main Street. ☎ 382-42-99. Un peu après *le Dooly's* (à la fin de Main Street). Ferme en général vers minuit. Moins de 10 $Ca (6,5 €). Petit resto proposant des spécialités grecques et méditerranéennes. Plats traditionnels (couscous, salade grecque) et originaux (poitrine de poulet grillé au parmesan et gâteaux au fromage faits maison : délicieux!). C'est guère trop *dispendieux* et le cadre est bien sympa (moderne et coloré).

I●I ***Pastalli :*** 611, Main Street. ☎ 383-10-50. Entre 10 et 15 $Ca (6,5 et 9,7 €) l'assiette. Bon resto italien, qui propose des plats excellents.

Où sortir?

– ***Spanky's :*** Main et Botsford Streets. Juste après le *Burger King.* ☎ 382-25-82. Ouvert de 8 h à 2 h du mercredi au samedi. Lieu de rencontre sympa des étudiants. Grande salle obscure. Musique rock et dance. Petite piste pour danser.

– ***Cosmopolitan :*** 700, Main Street. Ouvert du mercredi au dimanche, de 20 h à 2 h. Le jeudi, *Ladies'night* jusqu'à 23 h. Le vendredi, c'est au tour des hommes. *Live jazz* de 17 h à 22 h le même jour. Environ 4 $Ca (2,6 €) pour aller danser. À côté de *Crackers*. Le bar-boîte « in » de la ville, où l'on vient surtout pour montrer son joli minois. Avant de descendre dans la boîte, on traverse une terrasse bondée. Ambiance électrique. À l'intérieur, décor et lasers assez sophistiqués. Musique dance, techno et alternatif. La salle du bas est plus tranquille.

À voir

★ ***Le musée de Moncton :*** 20, chemin Mountain (fait l'angle avec av. Belleview). ☎ 856-43-83. De mi-juin à début septembre, ouvert du lundi au samedi de 9 h à 16 h 30 et le dimanche de 13 h à 17 h. Une curiosité : le bâtiment moderne a récupéré et intégré l'ancienne façade de la mairie. Petit musée ethnographique fort bien présenté sous la forme de vieilles boutiques et ateliers du temps passé. Objets domestiques, outils divers, etc. On y trouve même un petit bureau de gare de province. Très intéressantes expos temporaires.

★ ***Le Musée acadien :*** situé dans l'édifice Clément-Cormier de l'université de Moncton (dans le prolongement de la rue Archibald, vers Connaught). ☎ 858-40-88. En juin, juillet et août, ouvert du lundi au vendredi de 10 h à 17 h, et les samedi et dimanche de 13 h à 17 h; le reste de l'année, du mardi au vendredi de 12 h 30 à 16 h 30, et les samedi et dimanche de 14 h à 16 h, le mercredi soir de 19 h à 21 h, et fermé le lundi. 2 $Ca (1,3 €) l'entrée. Expo permanente de souvenirs et objets se rapportant à l'histoire de l'Acadie depuis le XVIIe siècle. Rappelons que l'université abrite également le *Centre d'études acadiennes*, ouvert à tout chercheur ou étudiant intéressé par le sujet. Importante bibliothèque, journaux, cartes, matériel généalogique, folklore, chansons, contes, etc. Renseignements : ☎ 858-40-85.

★ ***Free Meeting House :*** à l'intersection de Mountain Road et Steadman. Le plus vieil édifice de Moncton. Date de 1821. Possède l'originalité d'avoir abrité toutes les confessions religieuses ne possédant pas, au début, leur propre lieu de culte, et cela dans un total esprit œcuménique. À côté, un émouvant petit cimetière, le plus ancien du Nouveau-Brunswick. La pierre de *John Charters* est datée de 1816.

★ ***La résidence Thomas Williams :*** 103 Park Street. ☎ 857-05-90. Ouverte de juin à septembre du lundi au samedi de 9 h à 17 h, et le dimanche de 13 h à 17 h. Magnifique demeure de style victorien, construite en 1883. À l'époque, c'était une maison de campagne, assez éloignée de la ville. Intéressante visite qui donne une bonne idée de l'architecture et de la décoration intérieure d'une maison bourgeoise de l'époque. C'est Thomas Williams, comptable à l'*Intercolonial Railroad,* qui la fit donc construire pour sa femme Analena et ses nombreux enfants.

– Salon de thé de 11 h à 16 h (13 h à 15 h le dimanche).

★ ***Magnetic Hill :*** sortie 488 B de la transcanadienne, au nord-ouest de la ville. Entrée payante. Cette « colline magnétique » possède la propriété de faire remonter les voitures en marche arrière sans utiliser le moteur. Des piétons prétendent même que, lorsqu'ils la redescendent, ils se sentent tirés en arrière. Gisement d'uranium en dessous ou phénomène optique, nous, après avoir constaté le phénomène comme les autres, on n'a pas trouvé de réponse. 250 000 voitures font l'expérience chaque année!

À côté, grand *parc d'attractions* pour les enfants avec piscine « à vagues », une glissade d'eau « kamikaze » (on a l'impression de tomber dans l'eau à plus de 50 km/h!), toboggans pour les tout-petits, bien sûr. Bateau à aubes, restos, boutiques, etc. Également un jardin zoologique : ☎ 384-03-03.

– Pendant l'été, vous pouvez assister à de nombreux concerts et spectacles en plein air dans une espèce d'amphithéâtre naturel à l'intérieur du parc de *la côte magnétique*. Se renseigner au bureau du parc.

★ ***Le mascaret :*** possibilité d'observer les plus hautes marées du monde et leur choc avec la rivière *Petitcodiac*. Le meilleur endroit se trouve au *parc Bore,* dans le centre-ville. En un peu plus d'une heure, le niveau de l'eau peut monter d'une dizaine de centimètres! Pour les horaires : ☎ 856-43-99

Fête

– ***Frolic acadien du 15 août :*** série de festivités débutant le 14 au soir et se terminant 2 jours après. Danse, théâtre, chanson, etc. Aux environs du 15 août, en fin d'après-midi, grand *tintamarre* traversant la ville.

À voir dans les environs

Pour les routards motorisés, très chouette balade au sud-est de la ville, vers la Nouvelle-Écosse. Traversée de paysages très doux, villages acadiens et loyalistes alternant sans cesse, créant un rythme dans l'itinéraire. Nombreux points d'intérêt historique. À faire vraiment.

★ *SAINT-JOSEPH*

Sur une butte, la « capitale » de la *vallée de Memramcook,* située sur la route 925 à environ 30 km de Moncton. Un lieu important de l'histoire acadienne. En effet, la vallée fut l'une des rares régions du Nouveau-Brunswick à avoir été colonisée avant 1755 et, surtout, à avoir échappé au Grand Dérangement. Village tout pimpant, arborant massivement le drapeau tricolore (parfois peint sur les murs).

★ Visiter le ***Lieu historique national de l'odyssée acadienne :*** sur le campus de l'*Institut de Memramcook* (collège Saint-Joseph). Ouvert du 1er juin au 15 octobre, tous les jours de 9 h à 17 h. Assez fascinante et émouvante exposition sur l'histoire, les traditions et coutumes, la culture, etc., du peuple acadien. Accueil très chaleureux.

★ *DORCHESTER*

Situé sur la route 6, entre Moncton et Sackville. Ici, on change de camp. C'est un village *British* typique. Superbes *mansions* et églises noyées dans les arbres. On donne plus dans une certaine élégance teintée d'austérité que dans les couleurs vives acadiennes.

Où manger ?

🍴 ***Bell Inn Restaurant :*** au carrefour principal. ☎ 379-25-80. Ouvert du mardi au dimanche, de 11 h à 19 h. Installé dans ce qu'on pense être la plus ancienne maison en pierre du Nouveau-Brunswick (1811). Par endroits, les murs font 65 cm d'épaisseur. Dans cette demeure vraiment agréable, vous trouverez une bonne et saine nourriture à prix modérés : soupes, salades, sandwichs divers, poulet, lasagnes, etc. Excellents gâteaux maison (*carrot cake, sundae,* ah, les *cheese cakes!*).

À voir

★ ***La maison Keillor :*** datant de 1813, elle est ouverte au public du 1er juin à la mi-septembre, de 10 h à 17 h (13 h le dimanche). ☎ 379-66-33. Très intéressant ameublement intérieur. À côté, l'*église presbytérienne*.
Face à la caserne des pompiers, *maison Chandler* de 1831. Belle *église de la Sainte-Trinité* (sur le chemin de Sackville).

★ *SACKVILLE*

Agréable ville universitaire anglophone, reconnue principalement pour ses beaux-arts. C'est ici qu'en 1875 une femme obtint un diplôme pour la première fois dans l'Empire britannique. Campus à l'anglaise, disséminé dans les grands arbres. Nombreuses belles et imposantes demeures anciennes. Visiter la *galerie Owen* pour ses très intéressantes expos. ☎ 364-25-74.

Adresse utile

ℹ ***Centre d'informations touristiques :*** 6, King Street. Pour s'y rendre, allez au *Mac Do* du coin, c'est juste à côté. ☎ 364-49-67.

Où dormir ?

🏠 ***The Different Drummer :*** 7, West Main Street. Pas loin du Sackville Memorial Hospital. ☎ 536-12-91. Fax : 536-81-16. • hanrahan @nbnet.nb.ca • Comptez 65 $Ca (41,9 €) et environ 90 $Ca (58 €) pour 4 personnes. Splendide maison dans la verdure. 4 chambres élégantes, très *british,* toutes avec salle de bains privée. Dans l'annexe (une ancienne écurie réaménagée), 4 autres chambres, certaines pour quatre. Intérieur soigné et fleuri. Le patron est bien charmant.

🏠 ***Marshlands Inn :*** 55, Bridge Street. ☎ 536-07-21 ou 1-800-561-12-66. Fax : 536-07-21. • www.marshlands.nb.ca • À partir de 80 $Ca (51,6 €). Suite à 125 $Ca (80,6 €). Pour le resto, comptez entre 15 et 25 $Ca (9,7 et 16,1 €). Magnifique demeure au milieu d'une vaste pelouse. Ambiance d'époque assurée. Entrée en forme de rotonde avec colonnes ioniennes et tout. Toutes les chambres (ou presque) ont une salle de bains privée. En 1984, Elisabeth II fit une brève apparition dans la suite : la patronne prépara le thé mais son altesse se refusa à la tradition britannique et préféra un *Gin Tonic* (*Oh ! My God !*). La suite n'en devint pas royale pour autant...

★ *LE PARC HISTORIQUE NATIONAL DU FORT DE BEAUSÉJOUR*

Situé à *Aulac,* pas très loin de Sackville, à 40 km de Moncton. ☎ 364-50-80. Fax : 536-43-99. • fort-beausejour@pch.gc.ca • Ouvert du 1er juin au 15 octobre, tous les jours de 9 h à 17 h. Entrée : 2,5 $Ca (1,6 €). Fort construit par les Français en 1751. Capturé par les Anglais en 1755 sous la direction du colonel Monkton. Ce dernier donna son nom à la ville, mais dans l'acte officialisant la création de Moncton, le fonctionnaire fit une faute d'orthographe ! Rebaptisé *fort Cumberland* par la suite. Plusieurs bâtiments ont été restaurés. *Centre d'accueil* avec expo sur l'histoire du fort et de la région.

★ *CAPE TORMENTINE*

Peu d'intérêt de pousser jusque-là. Le pont de la Confédération, long de 12 km, inauguré en juin 1997, remplace l'ancien ferry (36 $Ca, soit 23,2 € pour la voiture). Péage au retour sauf si l'on prend le traversier entre Wood Bland et Caribou.

★ *HOPEWELL ROCKS*

À *Hopewell Cape,* à 35 km de Moncton sur la 114. Petit parc provincial proposant ses « pots de fleurs » : rochers complètement usés à la base (phénomène géologique semblable aux « cheminées des fées » de Cappadoce), laminés par les grandes marées de la *baie de Fundy*. C'est d'ailleurs d'ici que l'on peut le mieux les observer. Ce sont les plus hautes du monde. Elles arrivent parfois à monter de 14 m ! À marée basse, c'est un ravissement que de se promener entre les « pots de fleurs », passer sous les arches, visiter les grottes...

★ *LE PARC NATIONAL DE FUNDY*

Un petit parc offrant une belle côte sauvage, des criques mignonnes, forêt, lacs, nombreux ruisseaux, ponts couverts, sentiers de randonnées, etc. Grands campings, ça va de soi.

LE VILLAGE HISTORIQUE DE KINGS LANDING

Situé sur les rives du fleuve Saint-John, sur la route 2, à 37 km à l'ouest de Fredericton (sortie 259 de la transcanadienne) à Prince Williams. ☎ 363-49-99. Fax : 363-49-89. • www.gov.nb.ca/kingslanding • Ouvert tous les jours du 1er week-end de juin à mi-octobre, de 10 h à 17 h. Entrée : 10 $Ca (6,5 €) par adulte, et 25 $Ca (16,1 €) pour la famille.

C'est le pendant loyaliste du village acadien de Caraquet. Nombreuses maisons anciennes, boutiques, magasins, ateliers disséminés dans un grand parc. Intéressante visite de la scierie, du splendide moulin, de la forge, etc. Une centaine de personnes en costume d'époque assurent l'animation.

Où manger ?

Bons repas au restaurant ***Kings Head*** (avec menu XIXe siècle).

SAINT JOHN (SAINT-JEAN)

Point de chute inévitable pour tous ceux qui prennent le traversier Saint-John-Digby (Nouvelle-Écosse) ou dans le sens contraire. À l'embouchure d'un fleuve, la ville (75 000 habitants) se découvre facilement à pied, au fil des immeubles victoriens (très bien conservés), qui donnent un style rétro au centre ancien. C'est fou ce que ce coin ressemble aux vieilles cités britanniques. Allez traîner sur Prince William Street ou sur Germain Street, et vous comprendrez, surtout s'il y a de la brume ce soir-là...

Un peu d'histoire

À l'origine, Saint-Jean fut le premier campement des pionniers français en Nouvelle-France, avec celui d'Annapolis Port Royal, en Nouvelle-Écosse, sur la rive sud de la baie de Fundy. Le 24 juin 1604, l'explorateur Samuel de Champlain découvre le lieu pour la première fois et le baptise Saint-Jean, du nom du saint fêté ce jour-là. Ce n'est guère original mais c'était la mode à l'époque. L'hiver approchant, la petite colonie se replie plus au sud, sur l'île Sainte-Croix (aujourd'hui Deer Island). Hiver terrible, une hécatombe : 35 membres du groupe conduit par Champlain périssent, sur un total de 79 ! Malgré cela, la France vient de poser les pieds au Nouveau Monde. L'Acadie est née. 30 ans plus tard Saint-Jean prospère comme poste de traite tandis que la rivalité franco-anglaise s'accentue, pour dégénérer en conflit guerrier. Patatras, boum, boum ! En 1713, par le traité d'Utrecht, la France cède l'Acadie à l'ennemi d'alors, l'Angleterre. Saint-Jean devient ainsi Saint John. Les Acadiens déportés en 1755, la région accueille des flots de loyalistes venus des colonies américaines et restés fidèles à l'Angleterre. Ici, ne pas dire de mal de la reine d'Angleterre, vous vous feriez lyncher ! Une anecdote pour le plaisir : peu de célébrités ont vu le jour ici, hormis l'acteur Donald Sutherland, que l'on a vu dans *Casanova, M.A.S.H.* et *J.F.K.*

Adresse utile

Saint John Visitor and Convention Bureau : 16, Market Square. ☎ (506) 658-29-90. Ouvert toute l'année, du lundi au vendredi. Leur demander la brochure *Prince William's Walk* qui propose une visite à pied dans les vieilles rues victoriennes du centre-ville.

Où dormir ?

Bon marché

The Ym-YMCA : 19-25, Hazen Avenue. ☎ 634-77-20. Fax : 637-07-83. Environ 17 $Ca (11 €). Moche mais pratique car central. Chambres très très ordinaires, propres mais tristes. Piscine, salle de musculation et restauration sur place.

Prix modérés

🏠 ***Mahogany Manor :*** 220, Germain Street. ☎ 636-80-00 ou 1-800-796-77-55. • www.sjnow.com/mm • À partir de 65 $Ca (41,9 €). Accepte les cartes de crédit. Pas loin du centre. Une super adresse, pas chère du tout vu la qualité de l'endroit. Wayne et Ross vous reçoivent dans une vaste demeure centenaire, assez imposante avec ses jolies tourelles. Un charme tout britannique émane de cet intérieur élégant et harmonieux. Moquettes épaisses, boiseries en mahogany (bois d'Afrique et d'Amérique centrale). 5 chambres claires et confortables avec lit *queen ou king-sized* et salle de bains privée. Salon commun aux hôtes à l'étage. Jardinet fleuri. Accueil affable. Petit déjeuner abondant. Un chouette endroit pour dormir avant d'entamer le retour sur Montréal.

🏠 ***Garden House B & B :*** 28, Garden Street. ☎ 646-90-93. Entre 65 et 75 $Ca (41,9 et 48,4 €). • dianem@nbnet.nb.ca • Encore une belle demeure victorienne, dans un quartier un peu moins calme que la précédente adresse (car près d'une route assez passante). L'intérieur est gracieusement aménagé et bien confortable : grosse moquette moelleuse, murs fleuris et pièces parfumées... En plus, Diane est charmante et offre 5 grandes chambres avec salle de bains privée, lits *queen* et tout le tralala. Petit jardin.

🏠 ***B & B Earle of Leinster :*** 96, Leinster Street. ☎ 652-32-75. Fax : 652-76-66. • leinster@nbnet.nb.ca • À peu près 65 $Ca (41,9 €). Un des *B & B* les plus centraux que nous ayons vus en ville. En fait, cette bonne maison, tenue par Stephen Savoie (un nom d'origine française), oscille entre les chambres d'hôte et la petite auberge. Extérieur en brique. Intérieur avec un jardin calme où jouent des enfants. Dans chaque chambre, TV, magnétoscope et téléphone. Quelques chambres (calmes aussi) à 2 lits, douche et w.-c. Évidemment, tout ça est un peu cher mais il émane un certain charme de ces vieux murs. Au sous-sol, on peut se reposer dans une sorte de salon avec billard, vidéo, patati patata, ainsi que faire le plein d'infos sur la ville. Stephen accepte la carte *Visa*. Bref, bonne adresse, qui mérite une petite dépense, surtout si, comme nous, vous devez reprendre la route à 4 h le lendemain dans une brume humide, à couper au couteau...

Où boire un verre ?

🍸 ***The Well :*** Princess Street, à l'intersection de Water Street. Ouvert tous les soirs jusqu'à 2 h environ. Dans un immeuble en pierres. Grande salle chaleureuse avec billard. On y écoute surtout du rock. Patron sympa, genre « on fait copain-copain avec le client ». Ambiance conviviale. Idéal pour boire un verre peinard.

🍸 ***Darcy Farrow's Pub :*** 43, Princess Street. ☎ 657-89-39. Ferme en semaine vers minuit et à 2 h le week-end. Dans une ancienne maison particulière s'est installé un bar-concert des plus sympas. Plusieurs grandes salles à la déco banale mais largement compensée par la chaleur de l'endroit. Concerts toute l'année par des locaux (pour la plupart). Si vous venez en fin de semaine, vous aurez droit à d'excellents concerts de musique celtique traditionnelle dans une atmosphère sans prétention. À ne pas manquer !

– Plusieurs ***cafés avec terrasse,*** situés au rez-de-chaussée d'un ancien immeuble industriel en brique, juste en face de la place dite Loyalist Plaza, à l'intersection de Saint Patrick Street et de Water Street (entre l'Irlande et l'eau, mon cœur balance...). Traditionnellement interdites dans les provinces anglophones, les terrasses extérieures de ces troquets méritaient d'être signalées. Voir aussi Prince William Street et Princess Street.

Quitter Saint John

– ***Pour Québec :*** 709 km par la route (bonne et facile) principale n° 7 puis par la route transcanadienne n° 2, que l'on rejoint à Fredericton.
– ***Pour Digby :*** en Nouvelle-Écosse, de l'autre côté de la baie de Fundy, naguère appelée baie des Français (ah, ces *crazy Frenchies* !). Un traversier (un bac autrement dit) assure la liaison trois fois par jour entre le 24 juin et le 10 octobre. *Grosso modo,* un départ autour de 9 h 30, un autre vers 17 h, un autre encore vers minuit. Durée de la traversée : 2 h 45 en été, 3 h le reste de l'année. On gagne ainsi 582 km et 7 h de route. Comptez environ 90 $Ca (58,3 €) pour une traversée incluant une voiture et deux personnes. Réservations impératives en téléphonant à Saint-John, à la compagnie *Bay ferries,* ☎ 506-649-77-77 ou 1-888-249-72-45. • www.nfl-bay.com • En été (20 juin-15 septembre), comptez 55 $Ca (35,5 €) par véhicule, et 25 $Ca (16,1 €) par personne. Moins cher hors saison.

LA NOUVELLE-ÉCOSSE (NOVA SCOTIA)

Pour tous ceux qui ne souhaitent pas retrouver leurs voisins de palier pendant leurs vacances : voici la province idéale ! Un vrai bout du monde, fait pour et par la mer. Un signe ? Regardez bien la carte, vous trouverez dans cette forme étrange la silhouette d'un mammifère marin (baleine, requin ?) la gueule vers le bas, et la queue (le cap Breton) hérissée vers le haut (le nord). Mais certains croient y reconnaître une langouste. Peu importe. La Nouvelle-Écosse est belle, très belle même. Une province de la fin des terres – appartenant naguère à l'Acadie –, immense et peu peuplée (hormis les villes, bien sûr) avec de somptueux paysages boisés (le cap Breton encore !), et d'autres, plus humanisés, plus agricoles, comme cette merveilleuse plaine côtière baignée par les eaux de la baie de Fundy, de Windsor à Annapolis Royal. Incroyable de trouver là de tels vergers, des pommiers resplendissants et même deux petits vignobles. Oui, du vin, et pas mauvais du tout, preuve que Samuel de Champlain et les pionniers de la Nouvelle-France débarqués ici (bien avant les Anglais et les Écossais qui ne s'y installèrent qu'aux XVIIIe et XIXe siècles) avaient déniché le morceau de terre maritime le plus sympathique du Canada.
Ces Acadiens – comme ils s'appellent toujours aujourd'hui – avaient signé un contrat d'amour avec cette terre inconnue mais nourricière, qu'ils ont été les premiers à découvrir, à défricher, à cultiver, au prix des pires sacrifices. Car elle n'était pas facile, la vie par ici, à l'époque ! Tout allait plutôt bien pour eux donc, jusqu'au jour où la France perdit l'Acadie (1713, traité d'Utrecht). Un drame historique et humain ! Les Anglais, nouveaux maîtres des lieux, la baptisèrent Nouvelle-Écosse. Puis ils expulsèrent de force, entre 1755 et 1762, une grande partie de ses habitants, confisquant au passage leurs terres et leurs maisons, les chargeant sur des bateaux, les dispersant (au hasard des vents, pourrait-on dire) en France, dans les colonies américaines (hostiles la plupart du temps), aux Antilles et en Louisiane où les Acadiens sont devenus, avec le temps, des Cajuns. Quelle tragique épopée ! Cet exil collectif commença à Grand-Pré (dont on vous parle plus loin), un haut lieu de la mémoire acadienne.
Beaucoup moins francophone que le Nouveau-Brunswick voisin, la Nouvelle-Écosse a gardé malgré tout quelques îlots « acadiens » où nous vous invitons à passer au fil du voyage : Chéticamp, sur la côte ouest du cap Breton, la forteresse de Louisbourg (le « Gibraltar du Nouveau Monde », à voir absolument, coup de foudre total !) et Saint Peters (au sud du cap Breton).
Des descendants d'émigrés écossais (venus des Highlands au XVIIIe siècle), on en rencontre partout. L'esprit celtique, gaélique pour être plus juste, enveloppe tout : gens, maisons, culture, etc. D'ailleurs, c'est un Écossais d'Édimbourg, Alexander Graham Bell (devenu américain), l'inventeur du téléphone notamment, qui a dit les plus belles choses sur le joyau de la province : le cap Breton, sorte de Finistère du Nouveau Monde à découvrir par le « Cabot Trail », magnifique route de corniche. Passez à Baddeck où Bell se retira loin du monde... pour mieux connaître le monde et le transformer par son génie et sa générosité. Un grand homme, un vrai. Puis allez faire une cure de beauté naturelle et d'air pur dans les grands espaces du parc des Hautes-Terres du cap Breton, sans oublier bien sûr de vous payer une belle assiette de morue ou de homard au passage...
– Comptez 7 jours pour suivre notre itinéraire, à une allure normale (dont 2 jours au cap Breton) en entrant par Amherst (nord) sur la route 104 et Pic-

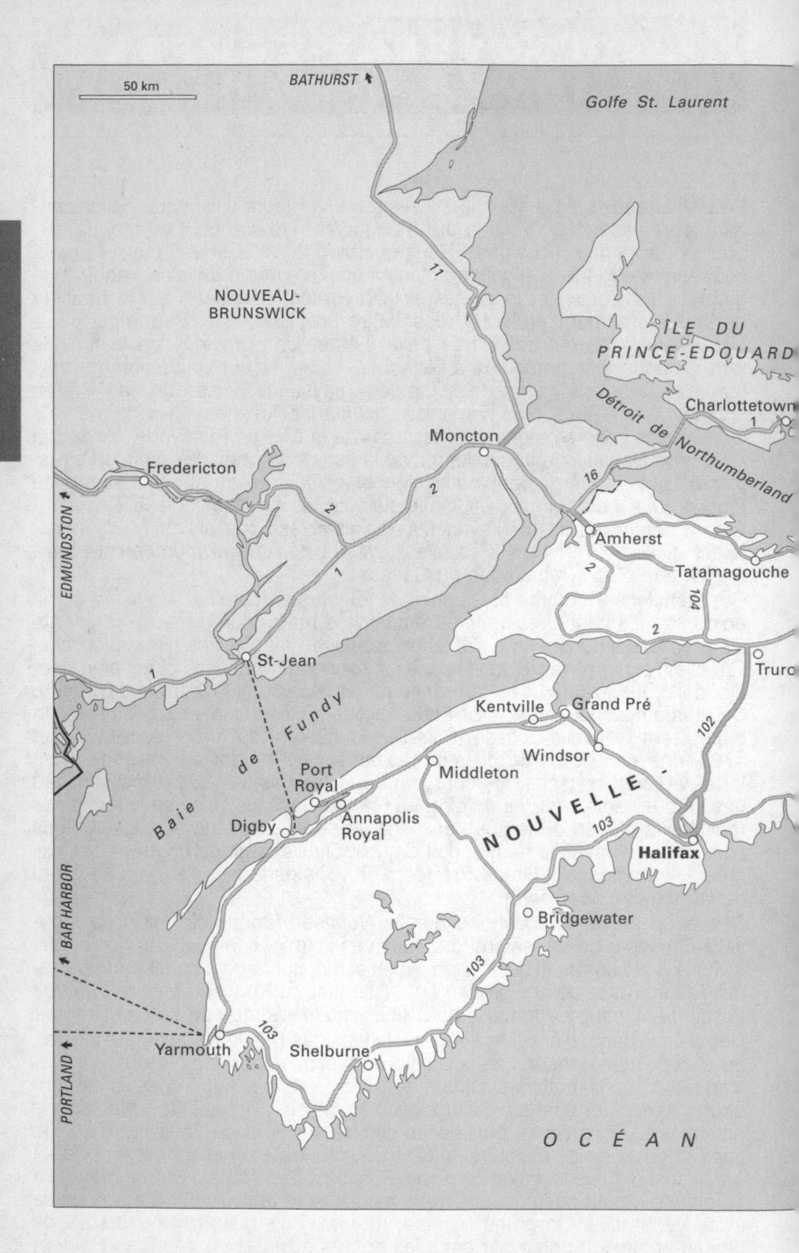
50 km
BATHURST
Golfe St. Laurent
NOUVEAU-
BRUNSWICK
ÎLE DU
PRINCE-EDOUARD
Charlottetown
Détroit de Northumberland
Moncton
Fredericton
EDMUNDSTON
Amherst
Tatamagouche
St-Jean
Truro
Kentville
Grand Pré
Windsor
Middleton
Baie de Fundy
Port
Royal
Annapolis
Royal
Digby
NOUVELLE-
Halifax
Bridgewater
BAR HARBOR
Yarmouth
Shelburne
PORTLAND
OCÉAN

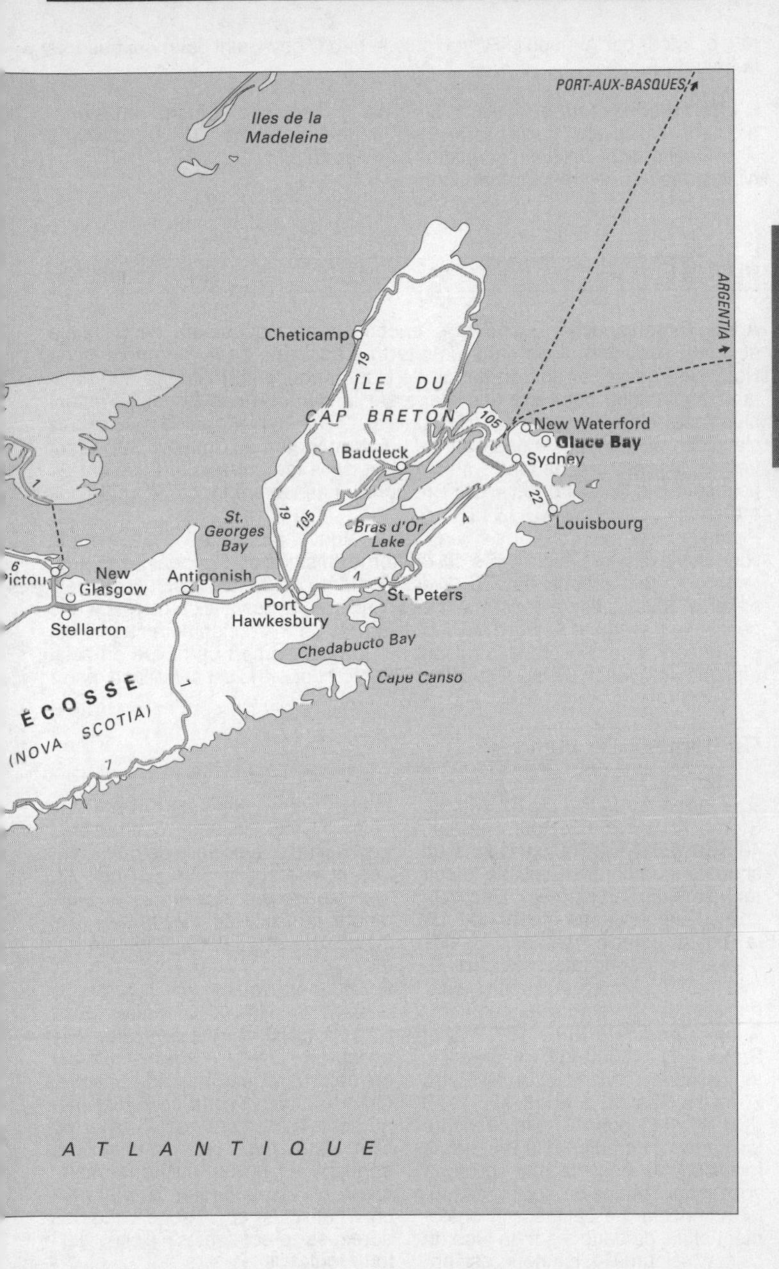

LA NOUVELLE-ÉCOSSE

tou, et retour par Annapolis Royal, puis le bac Digby-Saint John qui traverse la baie de Fundy.

Informations touristiques : se procurer l'excellent guide (gratuit) *The Doer's and Dreamer's*, disponible dans les centres d'information de la province. Sinon, renseignements au : ☎ 1-800-565-00-00 (n° gratuit).

PICTOU

IND : 902

Après Tatamagouche, voici Pictou, encore un nom qui sonne sympathique et drôle ! Petit port niché dans un site très agréable de la côte nord de la Nouvelle-Écosse, à l'abri du détroit de Northumberland. Pictou (4 500 habitants seulement) peut être une étape sur la route du cap Breton. D'autant plus que c'est mignon et très paisible. De belles maisons en bois s'accrochent aux pentes des collines qui descendent en douceur vers l'eau. Les seules maisons de pierre se trouvent dans le centre-ville. Elles ont un petit côté Old Scotland (ou « Old Bretagne ») assez prononcé. Et cela nous a bien plu.
Pictou est surnommé le « berceau de la Nouvelle-Écosse ». Ici a débuté l'une des aventures migratoires qui ont forgé l'histoire du Canada. Le 15 septembre 1773, le premier bateau, l'*Hector,* chargé de 33 familles et de 25 célibataires, tous d'origine écossaise (les Highlands) accosta ici, au terme d'une périlleuse traversée. Aujourd'hui, les habitants de Pictou, en hommage à cet événement fondateur, reconstruisent sur le quai du port un navire en bois, réplique de l'*Hector* de leurs ancêtres. Étonnant pour un si petit village, non ?

Où dormir ? Où manger ?

Linden Arms B & B : 62, Martha Street. ☎ 485-65-65. Pour une nuit, 40 $Ca (25,8 €). Toujours dans un chouette quartier très paisible le soir (et même dans la journée). Une maison en bois, comme d'habitude, de la fin du siècle dernier, où les 3 chambres sont interdites aux fumeurs (TV). Propre. Accueil chaleureux. Jardin et verdure autour.

Consulate Inn : 157, Water Street. ☎ 485-45-54. • www.pictou.nsis.com//consulateinn • Entre 55 et 75 $Ca (35,5 et 48,4 €). 120 $Ca (77,4 €) pour la suite. Accepte les cartes de crédit. Voilà un endroit fort original pour dormir puisque vous logerez dans un ancien consulat américain. Le bâtiment fit également office de banque, et un juge du coin y séjourna. L'intérieur est ancien comme il se doit et confortable. On y sent bien la patine du temps. Préférez la partie ancienne à la nouvelle construction sur le côté de la maison qui présente moins de charme. Elle possède 5 chambres genre studio avec salle de bains, privée et vue sur le port. Par ailleurs, les proprios proposent une table d'hôte de fruits de mer entre 14 et 20 $Ca (9 et 12,9 €). Agréable jardin.

Willow House Inn : 3 Willow Street. ☎ 485-57-40. Entre 55 et 65 $Ca (35,5 et 41,9 €). Carte *Visa* acceptée. Dans le même quartier calme, à deux pas du centre. Grande maison verte près d'un monument aux morts et à côté du *Consulate Inn.* Les 8 chambres donnent sur la rue, calme normalement, ou sur le jardin. Un peu plus chic, et plus cher donc, que les adresses précédentes. Déco vieillotte toutefois.

The Stone House Café : 12, Water Street, dans le centre du village. ☎ 485-68-85. Ouvert du lundi au samedi à partir de 11 h et le dimanche à partir de 12 h. Prix variant entre 7 et 20 $Ca (4,5 et 12,9 €). Surprenante maison tout en pierre, datant de 1815. Pendant longtemps, elle fut la plus vieille demeure du coin. Après avoir servi de magasin et de bureau, c'est aujourd'hui un resto. Le 3e étage n'a pas changé depuis la construction. Terrasse ensoleillée à l'arrière (rare). Bonne petite cuisine familiale et sans prétention : du poisson (aiglefin, flétan), du porc Schnitzel, et aussi des pizzas (bof), des casse-croûte (on dit sandwichs par ici...).

À voir

★ ***Hector Heritage Quay :*** sur le quai principal du port, on ne peut le manquer. ☎ 485-43-71. Ouvert de mi-juin à mi-septembre, de 9 h à 21 h (à partir de 10 h le dimanche). 4 $Ca (2,5 €) et 12 $Ca (7,7 €) pour la famille. C'est la reconstitution de l'*Hector,* le bateau des premiers pionniers écossais débarqués à Pictou en 1773. Travail de patience et labeur de fourmi au service de la mémoire collective. Du beau boulot, vraiment. Bravo! Centre d'interprétation bien fait.

★ ***Hector National Exhibit Centre :*** Old Haliburton Road. Ouvert du 1er juin au 15 octobre, du mercredi au samedi de 9 h 30 à 17 h 30 et le dimanche de 13 h 30 à 17 h 30. Centre d'exposition assez intéressant, selon l'expo évidemment.

SAINT PETERS

Le village, avec ses petites maisons éparpillées, n'a rien de particulier mais le site met déjà en appétit : un canal creusé entre deux flancs de montagnettes boisées relie l'océan Atlantique à une merveilleuse mer intérieure appelée le lac du Bras d'Or. Quel nom! Une invitation au voyage. Quelque chose de celtique plane dans l'air tonifiant, dans les nuages, dans les forêts. C'est vrai, dès Saint Peters, « Gateway to the Bras d'Or Lake », comme le dit l'excellente carte de la Nouvelle-Écosse, on entre dans ce monde à part du cap Breton.
Curieuse destinée que celle de ce petit patelin, peuplé de 730 bonnes âmes. Regardez : l'endroit fut découvert en 1521 par des pêcheurs portugais à la recherche de la morue. Ils le baptisèrent São Pedro. Puis un proche parent de Richelieu, Nicolas Denys, originaire de Tours, débarque en 1650, débaptise São Pedro en Saint-Pierre, construit le premier poste de traite de fourrure sur l'île Royale (ancien nom de l'île du cap Breton), marquant ainsi pour la première fois la présence française dans cette région excentrée. Mais pas excentrique. Il faut avoir les pieds sur terre, survivre en négociant âprement avec les Indiens micmacs. Ce que Denys fait, et bien. Audacieux, il crée Port-Toulouse à cet endroit de la côte. Non, ce n'est pas une marina du Grand Siècle, mais un comptoir de la Compagnie de la Nouvelle-France, d'où l'habile aventurier rayonne sur ses nouvelles possessions, du détroit de Canso jusqu'à Gaspé. Un énorme territoire. Une soixantaine de familles acadiennes vivaient ici. En 1713, après le traité d'Utrecht qui cède l'Acadie à l'Angleterre, Port-Toulouse devient Saint Peters, son nom actuel. L'établissement est pillé par les Anglais. Le rêve américain de Denys s'achève là.

Comment y aller?

Saint Peters se trouve au sud de l'île du cap Breton, sur la route 104, à 53 km à l'est de Port Hastings (détroit de Canso). Officiellement, cette très belle route a été baptisée *Fleur de Lis Trail* (bonjour les rois de France !), qui va du détroit de Canso (Canso Causeway) à Louisbourg. 220 km de « splendeur sauvage ».

Où dormir ? Où manger ?

Camping St Peters R.V. : à l'intersection des routes 4 et 247. ☎ 535-33-33. Fax : 535-22-02. Ouvert du 1er juin au 30 septembre. Beau camping à prix raisonnables dominant le lac du Bras d'Or. Douches payantes, piscine chauffée, pas mal d'espace.

Auberge de jeunesse : ☎ 535-24-04. Ce n'est vraiment pas une AJ comme les autres mais simplement un bungalow faisant partie du *Joyce's Motel and Cottages* (voir ci-dessous). Il se compose de 2 chambres. Dans la première, il y a un lit superposé et un lit double, c'est tout. Dans l'autre, un grand lit double (pour couple). Douche, lavabo et toilettes sur le palier. Vu la petitesse des lieux, mieux vaut téléphoner avant pour réserver. Le prix par personne correspond au prix normal des AJ. On peut laver son linge à la laverie du motel.

Joyce's Motel and Cottages : sur la route 4, vers Sydney et Louisbourg, à 1,5 km environ de Saint Peters, face au lac du Bras d'Or. ☎ 535-24-04. Toute une série de bungalows en bois, éparpillés sur un flanc de colline verdoyante, descendant doucement vers les eaux du lac. Bel endroit, donc. Plusieurs tarifs selon le confort. Les plus avantageux correspondent à des petites cabines abritant un lit et une salle d'eau, et disposant (ou non) d'une cuisine. Au motel, d'autres bungalows mieux arrangés et un peu plus chers. Piscine agréable quand il fait chaud (oui, ça arrive parfois !).

Petit ***resto*** bon et pas cher, dans le centre du village. Facile à trouver. À ne pas confondre avec le resto de l'hôtel *MacDonald,* ni avec celui de l'auberge *Inn On The Canal,* tous les deux un peu plus élaborés côté cuisine.

À voir

★ ***Le canal Saint Peter's :*** facile à trouver, car situé au pied de la butte où se trouve le musée Nicolas-Denys. C'est de là d'ailleurs que l'on a le meilleur point de vue. Ouvert au milieu du siècle dernier, le canal permet aux bateaux, de marchandises autrefois, de plaisance aujourd'hui, de passer de l'océan Atlantique au lac du Bras d'Or, sorte de mer intérieure très abritée et bordée de somptueuses forêts.

★ ***Le musée Nicolas-Denys :*** à l'est de la route 4, au bout de la rue Toulouse. ☎ 535-23-79. Ouvert tous les jours de juin à septembre, de 9 h à 17 h. Petite et modeste baraque abritant une ribambelle d'objets évoquant la vie de Nicolas Denys, pionnier méconnu de la Nouvelle-France. Son existence commence par l'aventure et se termine par l'écriture. Personnage intéressant, dans ce sens qu'il étudia et respecta les coutumes indiennes locales. Il est l'auteur de la première histoire de l'Amérique, parue avant 1672, sous le nom très rétro (mais on adore) : « *Description géographique et historique des costes de l'Amérique septentrionale avec l'histoire du pais* ».

LOUISBOURG

Louisbourg était le joyau américain le plus riche qui ait jamais orné la couronne française.

Victor Hugo Paltsits (1867-1952).

« Le Gibraltar du Nouveau Monde », c'est ainsi que l'on surnomma au XVIIIe siècle cette énorme place forte française, au bord de l'océan Atlantique, sur la côte sud de l'île Royale (aujourd'hui île du Cap-Breton). D'autres observateurs, plus franchement cocardiers, y virent « la Dunkerque de l'Amérique ». Toujours est-il que Louisbourg ne laissait personne indifférent, surtout pas les Anglais qui rasèrent la forteresse, symbole éclatant de la Nouvelle-France. Ce que l'on visite aujourd'hui est une très fidèle reconstitution qui a demandé 20 ans de travaux et coûté l'équivalent de 800 millions de francs au gouvernement du Canada, le maître d'œuvre. Un projet pharaonique, du jamais vu. Autant vous dire que la visite de Louisbourg figure parmi les incontournables de la Nouvelle-Écosse. En fait, il s'agit de la plus belle machine à remonter le temps que nous connaissions au Canada.

Un peu d'histoire

La pêche, le commerce, la stratégie, c'est pour ces trois raisons principales que la France fit construire, dans cet endroit, loin de tout, une forteresse d'une pareille importance. La pêche d'abord. En 1718, la valeur des exportations de morue de l'Isle Royale était trois fois supérieure à celle des exportations de fourrures du Canada. Cette année-là, suite au traité d'Utrecht (fin de la guerre de Sept Ans), la France cède Terre-Neuve et l'Acadie à l'Angleterre. Mais elle conserve ses ports de mer, du moins ceux de l'île Royale (Cap-Breton) et de l'île Saint-Jean (île du Prince-Édouard). Une petite colonie s'y installe, composée d'officiers, de soldats, de marins, d'artisans, de marchands, des hommes surtout; puis arrivent des femmes, et donc des enfants. Pour les basses besognes, on fait appel aux esclaves des Antilles ou aux Amérindiens. Construite en 1713, la forteresse abrite environ 2 000 âmes en 1744! Tout ça coûte beaucoup d'argent. À l'époque, on disait que Louis XV n'avait qu'un cauchemar : apercevoir de son lit versaillais les toits de Louisbourg!

Après trois décennies de prospérité et de paix relative, la guerre éclate à nouveau entre la France et l'Angleterre. Cette fois, les colons anglais de la Nouvelle-Angleterre voisine prennent Louisbourg afin de s'accaparer le « marché de la morue », et, par la même occasion, d'anéantir la puissance française en Amérique du Nord. En 1745, la ville tombe aux mains des Anglais (supérieurs en nombre) au terme d'un siège de 40 jours où les Français résistèrent vaillamment. Les fortifications sont rasées en 1760. Louisbourg, ville morte, tombe en ruine.

On aurait pu en rester là. On aurait visité aujourd'hui un champ de ruines. Mais le plus étonnant, c'est d'avoir eu l'idée de reconstruire à l'identique une cité rayée de la carte, près de 200 ans après sa destruction totale!

On savait les Canadiens capables de tout pour faire revivre leur histoire ou ressusciter leur passé. Avec le projet Louisbourg, ils ont fait très fort. L'économie locale, gravement atteinte par le déclin de l'industrie du charbon, y a trouvé son ballon d'oxygène.

Adresses utiles

🅘 ***Office du tourisme :*** en entrant dans Louisbourg, sur la droite, quand on vient par la route n° 22. À côté du *Railway Museum*. Plan de la ville bien fait.

■ ***Lieu historique national de la Forteresse de Louisbourg :*** CP 160, Louisbourg, Nouvelle-Écosse. ☎ (902) 733-31-00 (répondeur seulement) ou 733-22-80 (renseignements). Le centre d'information sur la forteresse est également l'endroit où se vendent les billets et où l'on prend les bus menant sur le site.

Où dormir ? Où manger ?

En été, particulièrement en juillet et août, la plupart des chambres sont prises d'assaut par les visiteurs de la forteresse. Il est plus prudent de réserver en téléphonant quelques jours à l'avance. S'il n'y a plus de place à Louisbourg, dormir à Sydney, à 32 km de là.

The Manse, Brooks B & B : 10 Strathcona Street. ☎ 733-31-35. Dans le centre, suivre Main Street en direction de la forteresse. Après la station Esso, une rue sur la gauche, qui descend vers le port. Jolie maison, couleur vert pastel, avec 3 chambres à lit double coquettement arrangées. Vue sur le bras de mer en face. Adresse centrale et calme. Bon accueil.

Wilson's B & B : 75 Wolfe Street. ☎ 733-26-59. Ouvert du 15 mai à fin septembre. À l'extérieur de la ville, à gauche de la route menant vers « the Royal Battery », juste après l'intersection avec la route conduisant au centre d'information de la forteresse de Louisbourg. Une maison isolée, dotée d'une vue superbe sur la baie et la forteresse, au loin. De gentils retraités, collectionneurs de petites cuillères, y proposent 2 chambres, une avec lit double, l'autre avec un lit simple. Douche et w.-c. à l'intérieur. Salon agréable. Accueil jovial. Prix raisonnables pour la qualité du lieu. Nuits calmes assurées.

Levy's B & B : 7 Marvin Street. ☎ 733-27-93. Dans le centre-ville mais au calme, au bord d'une petite rue à l'écart de la rue principale. En entrant dans Louisbourg par la route n° 22, c'est la 2ᵉ rue à gauche après l'office du tourisme. 3 chambres à lit double jouissant de la vue sur le port et la baie. Bonne adresse à l'ambiance familiale et *cosy*, comme la plupart des *B & B* de la région.

Cape Breton B & B : 81 Pepperell Street. ☎ 733-28-33. En entrant dans la ville, 2ᵉ rue à droite après l'office du tourisme. Petite maison au calme, posée sur un terrain en pente couvert de gazon. 3 chambres dont 2 petites avec vue sur le village et la baie. Douche et w.-c. sur le palier. Tarifs normaux. Accueil ni chaud ni froid : ordinaire.

|●| ***Fortress View Restaurant :*** rue Principale, après la *Banque Royale du Canada.* Ouvert de 7 h à 22 h. Bonne cuisine sans chichis, à prix modérés. Une première salle en entrant et, dans le fond, une autre salle, inondée de lumière : l'*Oceanview Dining room*. Bien aussi pour prendre un copieux petit déjeuner appelé le *King Louis special*. Ce n'est certes pas un festin louisquatorzien mais il est quand même copieux.

DANS LA FORTERESSE

Impossible d'y dormir, mais on peut y manger.

🍽 ***La Maison Destouches :*** sur le quai du port, face à la baie. Bien pour un casse-croûte sur le pouce. Pas cher.

🍽 ***L'hôtel de la Marine :*** auberge populaire du XVIIIe siècle, fort bien reconstituée, où l'on est servi par des femmes en costumes d'époque, dans une ambiance de taverne (la fumée de cigarette en moins !) assez conviviale. Anglophones et francophones s'y retrouvent au coude à coude sur des bancs en bois bien de chez nous, autour d'une table ronde (en bois elle aussi). Aux murs, des graffiti insolites comme ce Bacchus trônant sur son tonneau. La cuisine obéit aux recettes de l'époque : soupe, saucisses et choux, haricots, poisson, poulet en civet. On mange et on boit dans des bols, des assiettes et des gobelets en étain. Pas de fourchettes car il n'y en avait pas naguère, mais seulement des cuillères. Ce n'est pas toujours très pratique et ça fait sourire les Américains de passage, aussi dépaysés que dans une réserve d'Indiens ! Prix raisonnables et étape agréable à condition de parler avec ses voisins de table.

🍽 ***L'Épée Royale :*** juste à côté de l'*hôtel de la Marine*. L'auberge chic de Louisbourg, naguère fréquentée par les élégants (gantes) de la colonie. Endroit méticuleusement reconstitué, jusque dans le moindre détail. Pour routards aux bonnes manières. Eh Pierrot, passe-moi la moutarde !

À voir

★ ***La forteresse de Louisbourg :*** située sur une pointe fermant la baie de Louisbourg, face à la mer, à environ 4 km au sud de la ville. Attention, ici tout a été reconstruit (comme on vous l'explique plus haut dans l'introduction) entre les années 60 et 80. C'est la plus grande reconstitution historique jamais effectuée au Canada (sans doute dans le monde). Un endroit surprenant parce que vraiment vivant : dans cette ville close, symbole de la présence française au Nouveau Monde au XVIIIe siècle, plus de 100 animateurs costumés recréent la vie et l'ambiance de la cité en 1744. On a l'impression de pénétrer clandestinement dans un immense décor de film, de faire irruption sur un plateau de cinéma sans caméras ni réalisateurs, bref, de remonter dans le temps. Et là, pour une fois, ce n'est pas une blague. On s'y croit. Magique !

Tellement magique que tout y est interactif. Aux questions que nous avons posées aux « figurants » de Louisbourg, à chaque fois, on nous a répondu comme si on était des visiteurs de 1744. Ici, des soldats coiffés de tricorne montent la garde et font plus vrai que nature, là des sentinelles vont et viennent dans les rues, jouent du tambour, font des annonces publiques comme au bon vieux temps (« avé l'assent », s'il vous plaît !), arrêtent un prisonnier, rechargent leurs mousquets dans le corps de garde. Plus loin, une élégante joue du clavecin dans une belle maison, un notable à perruque écrit à l'aide d'une plume d'oie, un boulanger fabrique du vrai pain d'époque et le vend aux touristes, des enfants costumés (eux aussi) gambadent dans les jardinets... Incroyable musée vivant en plein air !

Ce qui fut l'un des ports les plus importants de la Nouvelle-France et la capitale (française) de la colonie de l'île Royale (aujourd'hui appelée île du Cap-Breton) parvient à revivre grâce à la volonté, à l'énergie, à l'imagination et à la passion d'une poignée de gens du pays, professionnels du maintien de la mémoire collective. Un routard de Saint-Malo ou de La Rochelle s'y sentira immédiatement chez lui. Et encore, il manque la forêt des mâts de bateaux qui couvrait naguère la baie de Louisbourg. Les vagues viennent lécher les quais en pierre et en bois. À voir ces maisons de style français et ces gros murs à la bretonne, on finit par croire que tout ça est vrai : mais non, c'est une copie, une merveilleuse copie, plus époustouflante sans doute que l'original, même si seulement un cinquième de la forteresse a été reconstruit.

– *Horaires d'ouverture :* tous les jours de juin à septembre, de 9 h 30 à 17 h; en mai et en octobre, mêmes horaires mais il n'y a plus d'animateurs; le reste de l'année, il faut réserver et l'accès à la forteresse est interdit en dehors des visites guidées à l'extérieur. Le plus étonnant, c'est le prix peu élevé du billet d'entrée : comptez environ entre 25 et 30 F (3,8 et 4,6 €) pour un adulte, et moins de 15 F (2,3 €) pour un étudiant.

– Prévoir 1 journée (sinon 2) pour visiter la forteresse.

– Le billet d'entrée comprend le transport en autobus (obligatoire) du centre d'information (*Visitor Reception Centre*), où on laisse sa voiture, jusqu'à la forteresse. Il inclut évidemment l'accès à tous les bâtiments et les visites guidées. Un billet acheté 2 h avant la fermeture est également valable pour le lendemain.

– *Centre d'accueil et d'information :* prenez le plan de la forteresse (bien fait). Pour plus de détails, se procurer un petit guide en français intitulé *La Forteresse de Louisbourg* (4 $Ca, soit 2,6 €).

– ***Visite à pied de la forteresse :*** impossible d'énumérer en quelques lignes les trésors qu'elle abrite. Il y en a trop. On vous indique quelques-uns de nos coups de cœur. À ne pas manquer donc, les lieux qui suivent.

• *La résidence du commissaire-ordonnateur Bigot :* la colonie était dirigée de ses bureaux où se cachait également le Trésor public. François Bigot, commissaire-ordonnateur de l'île Royale de 1739 à 1745, s'y tailla une réputation d'administrateur hors pair. Il fut le dernier intendant de la Nouvelle-France. Au fil des pièces admirablement reconstituées, on croise une femme jouant du clavecin et un comptable écrivant à la plume d'oie sur un épais livre de comptes.

• *La maison De La Plagne :* pour son film sur Louisbourg. Point de départ des visites guidées. Dans le jardin, les animateurs cultivent des légumes.

• *La maison Carrerot :* pour les techniques de construction à l'époque.

• *L'hôtel de la Marine :* auberge du XVIIIe siècle reconstituée, où l'on peut prendre un vrai repas populaire comme à l'époque. Voir plus haut la rubrique « Où dormir? Où manger? Dans la forteresse? ».

• *La maison De Gannes :* bien pour découvrir les secrets de la cuisine dans l'âtre ainsi que la fabrication de la dentelle.

• *La maison d'Étienne Verrier :* l'ingénieur du roi y habitait. On y rencontre son fils, Claude Verrier, qui vous parlera du génie des lieux à travers le plan de la forteresse, le style des fortifications et bien d'autres choses encore...

• *Le bastion du Roi :* le clou de Louisbourg. Sorte de mini-citadelle à l'intérieur même de la forteresse. Ne pas manquer l'admirable chapelle, les casernes et le musée racontant l'histoire (une aventure extraordinaire et unique en son genre) de la reconstitution.

• *La boulangerie du Roi :* ouverte seulement en été. Pour y acheter la ration quotidienne de pain d'un soldat de l'époque. Miam!

• *Le sentier des ruines :* sort de la forteresse et permet de musarder sur les dunes le long de la mer. Balade très tonique dans les ruines non reconstruites de la cité. Se prend derrière la maison De La Plagne, près du musée.

SYDNEY

Grosse ville administrative et industrielle, située au bord d'une large rivière où il n'y a apparemment rien à faire de spécial. Cela dit, on y trouve quelques adresses pour dormir, manger, boire un verre. Bref, un retour dans le monde citadin (très provincial malgré tout) après (ou avant) l'euphorie des grands espaces du cap Breton. Le centre-ville est plutôt agréable. Sydney a été fondée en 1785 par des loyalistes américains, très attachés à la monarchie : il n'est pas rare d'y voir encore aujourd'hui des portraits de la reine d'Angleterre accrochés aux murs des magasins.

Où dormir ?

Park Place B & B : 169 Park Street. ☎ 562-35-18. Au bord d'une longue avenue ombragée d'un quartier résidentiel et central, une gentille maison tenue par une dame quinquagénaire, rondelette et joviale. Bon accueil. Intérieur *cosy* avec de vieux meubles assez beaux. 3 chambres très correctes à prix doux. Endroit calme.

The Gathering House B & B : chez Jean et Ken Philips, 148 Crescent Street. ☎ 539-71-72. Dans un quartier résidentiel mais seulement à 5 mn à pied du centre de Sydney. Crescent se trouve entre Kings Road et Argyle Street, près des trois petits lacs, et non loin de la cour de justice (Court House). Grande et belle maison victorienne arborant une véranda à colonnes, façon Louisiane. Les cyclistes y sont les bienvenus, à plus forte raison les routards ! Prix peu élevés, contrairement à ce que laisse imaginer le genre de la maison. On est reçu par une dame aimable.

Royal Hotel : 345 Esplanade. ☎ 539-21-48. En plein centre de Sydney, au bord de l'avenue longeant la rivière. Pas difficile à trouver. Enfin quelqu'un qui parle le français dans ce bout du monde anglophone ! Ça fait plaisir. De plus, cette dame est très aimable. On a donc envie de faire un brin de causette avec elle. L'hôtel date de 1898. Dans l'entrée, une tête d'orignal et un tableau du *Titanic*. Les chambres, propres et non dénuées de charme (ancien), donnent sur la rue ou sur l'arrière (plus tranquilles la nuit).

Paul's Hotel : à l'angle de Pitt Street et de l'avenue Esplanade ; très central. ☎ 562-57-47. L'hôtel possède un certain charme 1900. Chambres avec ou sans douche et w.-c. Prix raisonnables, à peine plus élevés que les *B & B*.

Où manger ? Où boire un verre ?

Daniel's Bar and Restaurant : 456 Charlotte Street. Rue parallèle à Esplanade et à la rivière. Ouvert de 11 h à 22 h. Bar-resto à l'ambiance chaleureuse : billard, ventilos au plafond, musique et vidéo, plus un petit coin de jeux discret. Sert des soupes, salades, natchos, steaks, sandwichs, ainsi que des assiettes de homard. Sinon, la spécialité de la maison : l'*awsome blossom*, énorme oignon frit dans de l'huile végétale.

Smooth Hermans : immense bar situé sous le resto *Joe's Warehouse*, 424 Charlotte Street. En contrebas du bar, il y a une scène pour les petits groupes pop-rock du coin. Y venir plutôt en fin de semaine pour y faire connaissance avec les jeunes de Sydney.

Dans les environs

★ ***Lieu historique national Marconi :*** Timmerman Street, Table Head, à ***Glace Bay***, bourgade située à 23 km au nord-ouest de Sydney. Ouvert tous les jours du 1er juin au 15 septembre, de 10 h à 18 h. Entrée gratuite. Un petit musée très bien fait, consacré à Marconi, « le génie de la TSF ».
Né à Bologne (Italie du Nord) le 25 avril 1874, il rêvait adolescent de trans-

mettre des messages à distance sans l'aide de fils conducteurs. Cancre à l'école, autodidacte, il commença ses expériences dans la solitude du grenier familial. Comme dans les histoires romanesques du siècle dernier, le visionnaire introverti monta à Londres à 22 ans, où ses premières inventions suscitèrent l'admiration des ingénieurs de la British Post. Suivent plusieurs coups d'essai sur la côte de la Cornouailles. Puis Marconi traverse l'Atlantique et s'installe au sommet de Signal Hill à Saint John (Terre-Neuve). Pourquoi dans ce trou perdu? Eh bien! tout simplement parce que c'est le point des côtes d'Amérique du Nord le plus proche des côtes européennes. Eurêka! Le 12 décembre 1901, Guglielmo (c'était son prénom) parvient à discerner les trois battements à peine audibles de la lettre S en morse, transmis de la station de Poldhu (Cornouailles anglaise). Un exploit : pour la première fois l'Amérique et l'Europe communiquent sans fil, par-dessus l'océan. Guglielmo Marconi quitte Terre-Neuve et plante ses hauts pylônes métalliques ici, à Table Head, où, en octobre 1902, il réussit à transmettre un vrai message compréhensible. À 28 ans, il réalisait son vieux rêve. Il venait d'inventer la télégraphie sans fil (TSF). L'aventure des communications modernes, on peut le dire, a commencé dans ce bout du monde de l'île du Cap-Breton. Curieusement, le personnage n'avait pas l'air très communicatif, montrant sans cesse un air distant, renfermé sur lui-même, presque hautain. Son nom a été immortalisé auprès des jeunes surtout à travers la maison de disques Pathé-Marconi. Pourtant, il n'avait vraiment pas l'air d'un yéyé...

BADDECK

L'un des plus chouettes villages de l'île du Cap-Breton. Endroit vraiment croquignolet, tellement calme et beau qu'Alexandre Graham Bell, l'inventeur du téléphone, s'y installa dans une sorte de gros manoir. Histoire de ne pas être dérangé par la sonnerie du téléphone! Les eaux du lac du Bras d'Or et du Saint Patrick's Channel baignent le petit port, lui donnant un paysage somptueux (des forêts au loin sur les îlots) et une sorte de microclimat vraiment agréable (la mer sans les excès de la mer, pour résumer la situation).
Bref, un endroit sympa pour passer une ou deux nuits, au départ ou à la fin du tour de la pointe du cap Breton. Attention : beaucoup de monde en juillet et dans la première quinzaine d'août. Il vaut mieux réserver votre chambre, d'autant qu'il y a peu d'hôtels et de gîtes chez l'habitant.

Où dormir?

Campings

▲ ***Camping Baddeck Cabot Trail KOA :*** à 8 km à l'ouest de Baddeck, sur la route 105. ☎ 295-22-88 ou 794-79-52. Ouvert du 15 mai au 15 octobre. Le meilleur camping de la région. Dans un site ombragé au bord d'une rivière. Sanitaires impeccables, douches, laverie, bois et glace en vente. Il y a également une piscine et des jeux pour les enfants.

▲ ***Camping Bras d'Or Lakes :*** à 5 km à l'ouest de Baddeck, sur la route 105. ☎ 295-23-29. Ouvert du 15 mai au 30 septembre. Bien situé aussi, au bord du lac du Bras d'Or. Un peu moins cher que le précédent.

Prix modérés

▲ ***Restawyle Tourist Home :*** chez Peter et Patti MacAnlay, Shore Road, à la sortie de Baddeck, à droite de la route qui rejoint la 105. ☎ 295-32-53. Une haute maison en bois, peinte en blanc et en bleu, avec une jolie véranda en plein sud où il fait bon lézarder au soleil ou fumer une bonne pipe le soir (interdit de fumer à l'intérieur, eh oui !). Autour, du gazon bien vert. À l'intérieur, 4 chambres très bien décorées, dont 2 très grandes. Très bon petit déjeuner (excellents *muffins* aux bleuets). Vue superbe sur les prés et le lac. Beaucoup d'espace. Certains lecteurs ont eu des problèmes de réservation.

▲ ***Clan Cameron B & B :*** 282 Shore Road. ☎ 295-27-25. Sur la gauche de la route en sortant de Baddeck, petite baraque sans prétention avec 2 chambres donnant sur la route ou, mieux, sur le côté (plus calme). Très belle vue sur le lac du salon. Accueil tout ce qu'il y a de plus banal. À retenir quand même, faute de mieux.

Plus chic

▲ ***Duffus House Inn :*** Water Street. ☎ 295-21-72. 77 $Ca (49,7 €) la chambre. L'auberge de charme de Baddeck, tenue amoureusement par Judy Langley, une gentille personne. La partie la plus mignonne de l'auberge est la vieille maison où il n'y a malheureusement qu'une chambre. Les autres chambres se trouvent juste à côté, dans une annexe récente arrangée avec beaucoup de goût mais moins séduisante que la maison, pleine de bibelots, d'antiquités, de livres... Ambiance romantique à souhait. Déco intime et *cosy*. Superbe vue sur le bras de mer et un îlot boisé. Adresse très calme.

À voir

★ ***Le lieu historique national Alexander-Graham-Bell :*** situé à l'est de Baddeck, sur la route 205. ☎ 295-20-69. Ouvert de 9 h à 21 h, tous les jours de juillet à septembre, et de 9 h à 17 h, tous les jours d'octobre à juin. Très beau musée, bourré de souvenirs, de documents d'époque, de photographies relatant la vie extraordinaire (et méconnue) de l'inventeur du téléphone.
Alexander Graham Bell (1847-1922) était écossais d'origine. Né à Édimbourg, il commença sa carrière comme professeur pour les sourds-muets avant d'émigrer au Canada avec ses parents. Sa mère était partiellement sourde, son père fut professeur de diction et une sommité en matière d'orthophonie, et lui-même épousa une de ses élèves sourdes, Mabel. C'est en s'acharnant à percer le silence des mal-entendants qu'il eut l'idée de génie d'inventer un appareil capable de transmettre la voix à l'aide d'un simple fil : le téléphone, invention qui a bouleversé le monde.
Le musée présente merveilleusement toutes les facettes de ce « monstre sacré », un savant universel comme on en faisait à l'époque de Léonard de Vinci. Il parlait le dialecte des Mohawks, connaissait la médecine et la génétique, fit des recherches en agriculture, et se passionna pour l'aéronautique. Ce bouillant Protée, barbu comme Victor Hugo et les prophètes de la Bible, fut une sorte d'athlète complet de l'esprit et un farouche défenseur de ses brevets d'invention (c'est aussi pour cette raison qu'il a fait fortune !). En 1892, il s'installa à Baddeck dans son manoir de Beinn Bhreag (mot gaélique qui signifie « Belle Montagne ») où il passa les 30 derniers étés de son existence.
Très amusantes photos où on le voit testant près de chez lui des prototypes volants ou flottants dignes de Jules Verne. Voir ainsi, dans une grande salle

spéciale, la coque de l'hydroptère le plus rapide du monde, le cerf-volant à cellules triangulaires, les documents sur l'histoire du Silver Dart, le premier avion de l'Empire britannique à voler. Jusqu'à sa mort, Bell ne cessa d'inventer des engins nouveaux, tout en restant fidèle à son humanisme de toujours. Enfin, savez-vous quelle fut la première phrase prononcée dans l'histoire du téléphone ? « Monsieur Watson, veuillez venir dans mon bureau, s'il vous plaît ! »...

LE CAP BRETON

J'ai voyagé dans le monde entier, j'ai vu les Rocheuses canadiennes et américaines, les Andes, les Alpes et les Hautes-Terres d'Écosse, mais la beauté calme et simple du cap Breton les surpasse tous.

Alexander Graham Bell.

Mais que venaient-ils faire par ici, ces fous voguants de Bretons qui ont laissé leur nom à ce cap sauvage plus vrai que nature, sorte d'extrême « Finistère » de l'Amérique du Nord ? Eh bien, pêcher la morue pardi ! Les fonds de l'Atlantique grouillaient alors de ces gentilles bébêtes, très recherchées naguère pour les repas maigres du vendredi. Regardez bien la carte, elle nous fait même un clin d'œil. La Nouvelle-Écosse ressemble *grosso modo* à un gros mammifère marin tête en bas, avec sa queue hérissée vers le nord. Drôle, n'est-ce pas ? Donc, l'île du Cap-Breton ne serait en somme que la « queue » maritime du Nouveau Monde. Et le parc national des Hautes-Terres du cap Breton, sa plus brillante écaille. Oui !
Les paysages ? Un peu de Finlande dans ces forêts profondes parsemées de lacs où viennent s'abreuver des orignaux, des ours et des chevreuils. Une pincée d'Acadie francophone comme à Chéticamp où survit une des tribus perdues de ce vieux peuple migrateur. Beaucoup de celtique et de gaélique dans les falaises et dans les mœurs des habitants (il y a même un collège gaélique près de Baddeck).
Pour découvrir ce monde à part, après des journées de route interminable, il faut suivre le Cabot Trail, cette longue et merveilleuse route de corniche serpentant entre mer et forêts. Certains disent qu'elle serait le plus bel itinéraire maritime d'Amérique du Nord. Au fait, pourquoi « Cabot » ? À cause d'un sale cabot qui gênait les Bretons ? Non, pas du tout. Parce que le premier explorateur qui découvrit cet appendice inconnu en juin 1497 (4 ans seulement après l'arrivée de Christophe Colomb en Amérique) s'appelait Jean Cabot (1450-1499) : il était vénitien et cherchait le fameux passage du Nord-Ouest menant vers la Chine...
Le cap Breton : notre coup de cœur en Nouvelle-Écosse.

Adresses utiles

■ ***Parc national des Hautes-Terres du cap Breton :*** à Ingonish Beach. ☎ (902) 285-25-35 ou 224-23-06 (été et automne) et 285-26-91 (printemps et hiver).
i ***Centres d'accueil et d'information du parc :*** il y en a 2. L'un situé sur la route Cabot Trail, quelques kilomètres après *Chéticamp* en allant vers le nord. L'autre centre se trouve à *Ingonish*. Ils sont ouverts de 8 h à 20 h ; du 24 juin au 4 septembre, de 9 h à 17 h, entre le 20 mai et le 23 juin ainsi qu'entre le 5 septembre et le 10 octobre, de 8 h à 17 h, le reste de l'année (en semaine, renseignements au téléphone seulement). Au centre d'information de Chéticamp, on peut se procurer le permis de camping, visiter une expo,

voir un diaporama, prendre toute la doc nécessaire sur le parc (carte, guide des sentiers de randonnée, etc.) et traîner dans la plus grande librairie du Canada atlantique consacrée à la nature.

■ ***Location de vélos tout-terrain :*** on les appelle ici des bicyclettes de montagne. On peut en louer au Centre d'information du parc à Chéticamp.

Comment s'y rendre ?

– ***De Baddeck :*** idéalement situé, ce port adorable marque le début ou la fin du Cabot Trail, cette route qui fait le tour de la pointe du cap Breton. Au total, une boucle de 296 km. Compter une journée au pas de charge, 2 jours à une allure plus décente. Le parc conseille de faire la boucle en 3 ou 4 jours. Nous, on conseille de la faire dans le sens des aiguilles d'une montre en commençant par la côte ouest et en terminant par la côte est. De Baddeck, rejoindre Chéticamp en passant par Upper Middle River et Margaree Forks.
– ***En venant du Québec et du Nouveau-Brunswick :*** suivre la route transcanadienne 104 (Sunrise Trail) jusqu'au détroit de Canso (Canso Causeway), qui marque l'entrée de l'île du cap Breton (il y a un pont, rassurez-vous). Là, de Port Hastings, 2 solutions : rejoindre Baddeck par la route 105, puis faire la boucle au départ de cette bourgade ; ou bien rejoindre directement Chéticamp en suivant la route du Ceilidh Trail (120 km de Canso Causeway à Margaree Harbour) puis le Cabot Trail.

Quand y aller ?

– ***En été :*** juillet et août, les mois les plus chauds et les plus fréquentés, sont très agréables à cause du soleil, de la luminosité et de la possibilité de se baigner (pour les plus courageux). Le thermomètre oscille dans la journée entre 20 et 25 °C et entre 10 et 20 °C la nuit. Prévoir quand même un chandail et un vêtement imperméable (on ne sait jamais).
– ***Fin septembre et début octobre :*** époque merveilleuse pour les couleurs des forêts.

Où camper ?

Le camping est gratuit de la mi-mai à la mi-octobre, mais pour les campings « primitifs » il faut toutefois se munir d'un permis, disponible aux centres d'accueil et d'information (Chéticamp ou Ingonish). Tarifs par jour. Prix réduits à partir de 4 jours.

▲ ***Camping de Chéticamp :*** entrée ouest du parc. Juste après le centre d'accueil, le plus grand camping du parc avec celui de Broad Cove. Eau potable, toilettes et douches propres, abris-cuisine avec poêle à bois. 14 emplacements avec électricité, les autres sans.
▲ ***Camping Corney Brook :*** toujours sur la côte ouest, avant la montée vers le lac French. Situé au bord de la mer, dans une crique de galets. Eau courante, foyers, abris-cuisine avec poêle.
▲ ***Camping (« primitif ») de Fishing Cove :*** le camping « du bout du monde ». Accessible uniquement à pied par un sentier long de 8 km que l'on prend de la route principale, entre le lac French et Pleasant Bay. Pour les amateurs de camping sauvage, ou les Robinson solitaires.

Site sauvage au bord de la mer. Permis de camper nécessaire, à demander au centre d'accueil du parc.

☗ ***Camping de Broad Cove :*** près de l'entrée Est du parc. Grand et beau camping bien aménagé, situé près de l'anse de Broad Cove, à Ingonish.

Où dormir ? Où manger ?

À CHÉTICAMP

☗ ***Germaine Doucet B & B :*** sur la gauche de la route, à l'entrée de Chéticamp, en venant de Point Cross (sud). ☎ 224-34-59. Bonne maison tenue par un couple d'Acadiens très gentils (francophones). 3 chambres simples et propres. Juste à côté de la maison, un panneau indique « Wild herbs, Unusual art », une petite baraque face à la mer exposant des objets d'art brut assez curieux.

☗ ***Cheticamp Outfitters Inn :*** à Point Cross, à 2 km au sud de Chéticamp. ☎ 224-27-76. En venant de Margaree Harbour, après Point Cross, sur la droite, juste avant le *Club K et C* (mystérieux !), prendre un chemin de terre (400 m) qui conduit à une maison en bois marron, perchée sur une butte. Accueil chaleureux par un couple d'Acadiens francophones. Gilles est charpentier et pourra vous renseigner sur le parc du cap Breton. Endroit très calme avec des chambres au sous-sol, entièrement rénovées, claires et propres. Déco pas triste du tout. Douche et toilettes dans le couloir. Petit déjeuner copieux. Possibilité de participer à des journées de pêche au saumon (assez cher mais bien). Tarifs des chambres raisonnables. Acceptent la carte *Visa*.

☗ ***Albert's Motel :*** situé en face du *Restaurant Acadien,* à Chéticamp. ☎ 224-20-77. Motel ordinaire et bien tenu, à prix sages. *Muffins* au petit déjeuner.

|●| ***Restaurant Acadien :*** dans le centre du bourg. ☎ 224-32-07. Ouvert tous les jours de 9 h à 21 h. Géré par la coop artisanale de Chéticamp. Un îlot de gastronomie acadienne dans un océan anglophone, ainsi peut-on résumer l'esprit de cette bonne petite auberge bien de chez nous. Rideaux et robes (des serveuses) à petits carreaux rouge et blanc, chaises à la française en bois, personnel costumé à l'ancienne. À la carte, les spécialités acadiennes du cap Breton, bien sûr : fricot au poulet, chaudrée de poisson, fèves au lard, chiard à la viande et aux légumes, homard, morue... et le fameux gâteau aux bleuets et la tarte aux raisins. Bien aussi pour un petit déjeuner (copieux) ou pour un casse-croûte.

À DINGWALL

☗ ***The Inlet B & B :*** à l'écart de la route Cabot Trail, sur la gauche en allant vers le petit (minuscule même) port de Dingwall (au fond de la baie d'Aspy, nord-est de la pointe du cap Breton). ☎ 383-21-12. Petite maison sans frime abritant des chambres toutes simples, presque banales. Mais les prix sont doux. Vue sur une petite anse.

À WHITE POINT

☗ ***Two Tittle B & B :*** ☎ 383-28-17. Quel bout du monde ! Petite maison en bois, de couleur vert clair, surplombant un adorable petit port où quelques baraques colorées, elles aussi, s'accrochent à la pente de White Point. Au fait, où est-ce ? Au nord-ouest de la pointe du cap Breton et au sud de la baie d'Aspy, après South Harbour et Smelt Brook. Il est impératif de téléphoner avant pour réserver car il n'y a que 2 chambres, dont une seule *(Rose's Room)*, avec 2 lits, jouissant de la vue sur le port et la plage de galets. L'autre chambre avec un lit double se trouve au sous-sol, sans vue. Adresse simple et familiale.

DE CHÉTICAMP À INGONISH PAR LE CABOT TRAIL

Ce tronçon fait 106 km, autant vous avouer que c'est la partie la plus somptueuse, et certainement la plus fantastique route côtière que nous connaissons au Canada. Le « nec plus ultra » de ce tronçon étant le morceau compris entre Chéticamp et Neils Harbour.

★ Avant Chéticamp, à ***Cap-le-Moine,*** ne pas rater sur la droite en arrivant une curieuse collection d'épouvantails, tous plantés dans un pré au bord de la route. Des clowns, un golfeur, un mineur, Bush et lady Diana main dans la main, Reagan, Mitterrand, Thatcher, et une foule d'inconnus aux noms de bande dessinée, Kay, Walt, Nicky... Ils portent des masques en caoutchouc ou en plastique, et sont tous étiquetés. Insolite!

★ ***Chéticamp :*** le principal village francophone du cap Breton, fondé en 1755 par des Acadiens chassés par les Anglais de leurs terres d'origine et réfugiés sur ce bord de mer. On y vit essentiellement de la pêche. Voir le petit *Musée acadien* et la *coopérative artisanale.*

– ***Randonnée du Skyline :*** à la hauteur du lac French, dans un coin superbe. Une boucle de 7 km (2 à 3 h) qui passe par une falaise abrupte d'où l'on a une vue plongeante sur la mer. Avec un peu de chance, on peut voir des baleines ou des aigles à tête blanche.

★ ***Le lac Benjies :*** entre le lac French et Pleasant Bay. Un sentier (3,2 km aller et retour, 1 h de marche) traverse les landes humides et les forêts de résineux, avant d'arriver au lac. Un bon coin pour voir des orignaux et des oiseaux nordiques.

– ***Lone Shieling :*** dans le secteur du ruisseau Mac Intosh, ce sentier en pleine nature (800 m ; 20 mn de marche) mène à une hutte de berger écossais entourée de magnifiques érables vieux de 300 ans.

★ ***Dingwall :*** au nord-ouest du cap Breton. Rien de particulier à voir, hormis la mer. Une adresse de *B & B*, se reporter à la rubrique « Où dormir ? Où manger ? ».

– ***Scenic Loop :*** route panoramique à prendre après South Harbour, qui permet de rejoindre New Haven, en passant par des coins perdus mais beaux, comme *White Point* (possibilité d'y dormir chez l'habitant, voir plus haut). Cette route s'appelle aussi « Alternative Scenic Road ».

★ ***New Haven :*** une plage de sable aux eaux peu recommandées aux frileux...

★ ***Ingonish :*** point de sortie (ou d'entrée, si vous circulez dans l'autre sens) du parc. Un coin beaucoup moins sauvage et donc plus urbanisé que la côte Ouest. On a moyennement aimé la route après New Haven. Cela dit, les randonneurs pourront s'en donner à cœur joie sur le sentier du lac Warren, une boucle de 8,5 km (durée : 2 à 3 h) où l'on aperçoit de temps en temps des orignaux et des chevreuils.

HALIFAX

IND : 902

Capitale de la Nouvelle-Écosse (114 555 habitants, environ 350 000 pour l'agglomération), ville portuaire et universitaire, c'est « The old and new

Canada » réunis (en comptant Dartmouth, son annexe industrielle et commerciale) au bord d'une rivière débouchant très vite dans l'Atlantique. En une journée, on en fait le tour, à moins de tout visiter en détail. Inutile de s'y attarder. C'est ici que furent ramenés les corps des naufragés du *Titanic*. Fondée en 1749 comme bastion anglais destiné à contrecarrer la puissante forteresse française de Louisbourg, Halifax possède encore la plus vieille église protestante du Canada, ainsi que les restes du seul quartier d'esclaves des provinces maritimes, Africville, où est né George Dixon (1870-1909), un des plus fameux boxeurs mondiaux.

Comment s'y rendre ?

– ***En bus :*** de *Québec* à Halifax, il y a un bus direct, qui part à 1 h et arrive à 18 h. Durée : 16 h ! Bus aussi d'*Edmunston, Baddeck* (cap Breton) et *Sydney*. Le terminal de bus de Halifax se trouve au 6040 Almon Street, à l'angle de Robie Street.
– ***Par la route :*** *Digby-Halifax* (traversier pour Saint John), 235 km, soit 3 h 30 grand maximum. Ceux qui viennent de *Sydney* (cap Breton) auront 423 km à faire (durée : 6 h 30). Sinon, *Moncton* (Nouveau-Brunswick)-*Halifax*, 290 km, 4 h de route, toujours en roulant pépère (70 km/h de moyenne pour les Canadiens, mais les Français roulent toujours plus vite, c'est bien connu...).
– ***En avion :*** vols directs au départ de *Londres* et d'*Amsterdam*. Vols intérieurs de *Montréal*. L'aéroport est à 40 km de la ville, le long de la route 102.

Adresses utiles

ℹ ***Centre d'information Nova Scotia Tourism and Culture :*** au port, dans le quartier historique (Historic Properties). ☎ 424-42-47.
✉ ***Poste centrale :*** 1680 Bedford Row. ☎ 494-47-34.
■ ***Banque Royale du Canada :*** 5161 George Street. ☎ 421-83-30.
■ ***Location de voitures :*** *Rent-a-Wreck*, ☎ 454-21-21.
■ ***Alternative Passage :*** 1266 Hollis Street. ☎ 425-57-81. Agence du style d'« Allôstop », desservant Sydney, Digby, Moncton, Saint John, Montréal... Inscription : 7 $Ca (4,5 €). Le voyage en auto ici est moins cher que le bus.

Où dormir ?

Très bon marché

⌂ ***Auberge de jeunesse Halifax Heritage House Hostel :*** 1253 Barrington Street. ☎ 422-38-63 ou 1-800-663-57-77. Fax : 422-06-16. • www.goldeye.com/hostel • Ouverte de 7 h à 22 h. Un peu moins d'une vingtaine de dollars en dortoir (autour de 13 €). Environ 30 $Ca (19,3 €) pour les chambres particulières. On peut surfer sur le net pour 6 $Ca (3,9 €) l'heure. Très bien située, à 5 mn à pied du centre-ville et à 3 km de la gare routière. De celle-ci, prendre le bus n° 7 sur Robie Street (ou Almon Street) ; descendre à l'angle de Barrington et de South Street, près de l'AJ. Une bonne et sympathique AJ installée dans une maison de caractère, avec lits en petits dortoirs. Toutes les commodités : cuisine, laverie, infos touristiques. Location de vélos à côté chez *The bike people.* ☎ 420-07-77. Accepte la carte *Visa*.

YMCA : 1565 South Park Street. ☎ 423-96-22. Fax : 425-31-80. 28 $Ca (18 €). Très bon accueil, mais tarifs 2 fois plus élevés que l'AJ et chambres tristes et petites, sans lavabo. Mieux vaut se rabattre dans un *B & B* ; pour le même tarif, vous aurez la chaleur en plus.

Bon marché à prix modérés

Rebecca's B & B : 2719 Windsor Street. ☎ 455-58-02. Comptez 50 $Ca (32,3 €) pour deux et 60 $Ca (38,7 €) pour trois. Un peu excentré. Le quartier est plutôt calme, tout près d'un parc. Une très gentille dame vous accueille avec beaucoup de simplicité dans son home sweet home. 3 chambres un peu vielllottes à prix modique. Petit jardin avec patio.

The Fountain View Guesthouse : 2138 Robie Street. ☎ 422-41-69. Ouvert toute l'année. Environ 30 $Ca (19,3 €). En face du grand parc Commons, au bord d'une rue très passante, une maison de couleur bleu turquoise, avec 8 chambres (toilettes sur le palier) dont certaines donnant sur le jardin (en demander une de ce côté-là, beaucoup plus calme que le côté rue). Attention : pas de petit déjeuner, mais en ville ce ne sont pas les adresses qui manquent. Bien pour les motorisés.

Où manger ?

The Diamond : 1663 Argyle Street. ☎ 423-74-63. Avec 10 $Ca (6,5 €), vous irez à bout de la faim. Ce vaste restaurant d'inspiration mexico-provençale est situé sur l'artère la plus animée d'Halifax. Décor soigné, alcôve intime pour routard dragueur, lumière tamisée et agréable terrasse... À l'intérieur, on peut manger sous un arbre. Cuisine internationale sans grande particularité mais le cadre vaut vraiment la peine. Beaucoup de monde.

Mediterraneo Café : 1571 Barrington Street, en plein centre-ville, non loin d'un vieux et romantique cimetière. Entre 3 et 8 $Ca (1,9 et 5,2 €). Bien pour manger sur le pouce. *Falafels*, sandwiches, hambourgeois, etc., ainsi que quelques plats libanais et italiens. Cadre sympathique et coloré mais propreté limite.

The Atrium : 1740 Argyle Street. Resto boîte ouvert tous les jours ; le dimanche, de 16 h à 21 h. *Brunch* le samedi de 11 h à 15 h. Adresse simple et correcte. On y mange sous une grande verrière des soupes, salades, et des petits plats maison comme les *lemon pepper chicken, deep fried scallop, baked haddock*... À partir de 21 h, place à la musique (les succès du moment surtout). Piste de danse.

Un peu plus chic

Nemo's : 1865 Hollis Street. ☎ 425-67-38. Entre 10 et 23 $Ca (6,5 et 14,8 €). Enfin de l'excellente cuisine pour une addition finale qui reste décente. Ici, on s'amuse à jongler avec les pays, les cultures, les continents. La carte est un pot-pourri de plats canadiens, italiens, indiens et méditerranéens. On y trouve même des influences normande, provençale et milanaise. Tiens, tiens ! N'y aurait-il pas un marmiton français aux fourneaux ? On a aimé le *strudel* aux épinards, le poulet *aglio et olio,* le veau au vin blanc *(veal Bosco),* et les *shrimp puttanesca*. Vins blancs et rouges au verre ou à la bouteille. Allez-y si vous en avez marre de bouffer de la fast-cuisine. Ça réveillera vos petites papilles gustatives !

Où boire un verre?

– ***Info pratique :*** les noctambules invétérés pourront se procurer au centre d'information touristique le *Light Up The Town,* un petit guide très bien fait qui répertorie tous les bars et boîtes d'Halifax.

🍸 ***The Diamond :*** voir « *Où manger?* » Ferme à 2 h tous les jours.

🍸 ***Granite Brewery :*** 1222 Barrington Street. ☎ 423-56-60. Fax : 423-27-93. • www.interlog.com/£granite • Ferme vers 0 h30. Bar installé dans une grande maison en pierres de 1834. Ambiance assez celte-anglophone, même si ce n'est pas la Côte de Granit rose. Chaleureux. 3 sortes de bière maison : *Best Bitter*, *Peculiar* et *Keefes Irish Stout*. Possibilité d'y manger aussi. *Brunch* le samedi de 11 h 30 à 16 h, le dimanche à partir de midi.

🍸 ***Café Mokka ultra Bar :*** 1588 Granville Street. ☎ 492-40-36. En journée, c'est l'endroit idéal pour boire un bon café et le soir pour se prélasser en sirotant un *Martini* (spécialité du bar). Concerts tous les week-ends : jazz, hip-hop et rock (4 $Ca environ, soit 2,6 €). Le bar expose les oeuvres des jeunes artistes de l'école d'art d'Halifax. Décor très réussi, assez hétéroclite, genre récup' améliorée des sixties et seventies. À voir.

🍸 ***Breakers :*** 1661 Argyle Street. ☎ 425-42-97. • www.breakersbilliardclubs.com • Ferme à 2 h. Amateur de billard américain, *welcome!* Ici, on *snooke* dans 2 grandes salles modernes, très spacieuses et agréables : 9 $Ca (5,8 €) de l'heure. Ambiance décontractée et vraiment relax, même pour ceux qui viennent juste boire un verre. Dans une sorte de lounge des jeux d'échecs sont à disposition (chouette!), en plus les fauteuils sont confortables. Baby-foot, flipper, jeux vidéos. Pizzas en vente au bar.

🍸 ***Bearly's Bar et Grill :*** 1249 Burlington Street. ☎ 423-25-26. Ferme à 2 h. On se croirait dans une taverne, il y fait sombre et la musique est forte. Concerts du mercredi au dimanche : rock, blues. Ambiance décontract'. Public d'amateurs (la trentaine). Bluegrass le samedi. Le dimanche, les concerts débutent à 17 h 30.

🍸 ***Midtown Tavern :*** 1684 Grafton Street (en montant vers la citadelle, à l'angle de Grafton et de Prince Streets). ☎ 422-52-13. Salle très quelconque. Pas mal d'étudiants et d'amateurs de sport. On y mange pour pas cher une nourriture genre fast-food.

À voir

★ ***Le vieux quartier historique :*** situé sur le front de mer, au pied de la colline hérissée de tours et d'immeubles modernes, un petit coin sympa mais hyper touristique, où il fait bon flâner pour prendre la température et faire le plein d'infos à l'office du tourisme. En gros, il y a trois pâtés de maisons anciennes aux façades, paraît-il, exceptionnelles car elles mêlent les styles victorien et italien. La plupart datent du XIXe siècle. C'est le noyau dur de Halifax. Les pionniers ont débarqué là. La ville a pu s'étendre à partir de ce quartier aujourd'hui envahi par les boutiques, les pubs, les restos chic. Ne manquez pas la visite du *Bluenose II,* superbe bateau de course de 1921, symbole aussi précieux pour les Canadiens que la feuille d'érable. Il est ancré près de l'office du tourisme, à la hauteur de la maison Privateer's Warehouse.

★ ***Le musée maritime de l'Atlantique :*** 1675, Lower Water Street, dans le port, à la hauteur de Sackville Street. ☎ 424-74-90. Fax : 724-06-12. Ouvert toute l'année. Entre le 1er juin et le 15 octobre, ouvert du lundi au samedi de 9 h 30 à 17 h 30 et le dimanche de 13 h à 17 h 30.
Intéressant surtout pour les documents relatant le naufrage du *Titanic* au

large de Halifax. Les corps retrouvés des victimes de cette catastrophe sans précédent furent enterrés dans deux cimetières de la ville, celui de Mount Olivet à Fairview et le cimetière Baron de Hirsch. Documents aussi sur cette incroyable explosion, en 1917, d'un navire français (le *Mont-Blanc*), bourré de TNT et d'explosifs. L'équivalent d'une bombe A (un mini-Hiroshima). La moitié de la ville fut totalement anéantie. 2 000 personnes périrent, et plus de 9 000 furent blessées. Les vitres des fenêtres furent cassées jusqu'à 80 km autour de la ville. Et le choc de l'explosion fut même ressenti à Sydney, dans l'île du Cap-Breton !

★ ***La citadelle de Halifax :*** située sur une colline dominant le port, elle fut construite entre 1828 et 1856, en forme d'étoile, pour défendre la ville d'une attaque qui n'eut jamais lieu... En été, des guides en costume d'époque font revivre ce bastion, symbole de la puissance anglaise sur la côte atlantique. Tradition oblige : ils tirent le coup de canon à midi pile. Chouette balade à faire à pied, qui permet, du sommet, d'avoir une belle vue d'ensemble sur la ville. Notez la vieille tour de l'horloge *(Old Town Clock)* qui fut offerte à la cité par le fils du roi George III, le prince Edward (qui donna son nom à une île bien connue du nord de la province).

WINDSOR

Décidément les Windsor aiment bien semer leur nom. Comme ici, dans ce petit bled charmant et verdoyant, à un saut de puce de Halifax par la route 101 (80 km, 1 h de voiture, ce n'est rien !).

Typically British donc, avec partout, partout, l'empreinte des loyalistes américains (fidèles à la couronne d'Angleterre), réfugiés dans l'ancienne Acadie lors de la guerre d'Indépendance américaine. Tel ce Thomas Chandler Haliburton, fervent admirateur de la couronne anglaise et auteur du roman *Sam Slick the Clockmaker,* le bouquin humoristique du XIXe siècle que tout habitant du cru se doit de connaître. On peut visiter sa jolie mais quelque peu froide maison, ouverte du 1er juin au 15 octobre, du lundi au samedi de 9 h 30 à 17 h 30.

Windsor constitue une bonne petite étape sur la route d'Annapolis Royal, quand on ne veut pas dormir à Halifax.

Où dormir ?

🏠 ***B & B Clockmaker's Inn :*** 1399 King Street, à l'intersection avec la route 14 vers Chester. ☎ 798-52-65 ou 1-800-565-00-00. Comptez 65 $Ca (41,9 €). Non fumeur. Enfin une adresse de caractère et de charme d'un excellent rapport qualité-prix ! Il s'agit d'une très grande maison victorienne, typique et tout en bois, entourée d'arbres séculaires. À l'intérieur, on se retrouve dans un décor pour film d'Hitchcock, mais à taille humaine. On est reçu par un couple de retraités, lui très naturel et affable, elle plus stricte. Le grand escalier conduit au 1er étage avec son coin-salon (divan, livres, TV, vidéo) où Denis Connelly vous propose ses cassettes de musique classique et une tasse de thé. Superbes chambres à l'ancienne, toutes avec des noms : « Frederick Fraser » et « Joseph Howe » (lit en bois marqueté et cheminée originale) sont les deux plus belles. Les deux autres sont un peu moins épatantes mais elles sont plus calmes, sur l'arrière. Ambiance victorienne rétro-romantique assurée. Denis accepte la carte *Visa*. Pour une nuit d'exception qui vous fera remonter dans le temps. Old Canada !

GRAND-PRÉ

Petit village (325 âmes) mais grande réputation! Tous les Acadiens du monde connaissent Grand-Pré, y sont venus, y viennent ou y viendront en « pèlerinage », en quelque sorte, puisque c'est ici, au fond de la baie Minasbasin, qu'a commencé le Grand Dérangement, autrement dit leur déportation, et donc le début de leurs malheurs.

Rappel des faits et des méfaits : alors que les Acadiens sont implantés là depuis 1672, les Anglais (nouveaux maîtres en Acadie depuis le traité d'Utrecht en 1713) leur demandent en 1755 de prêter serment d'allégeance au roi d'Angleterre, donc de devenir anglais, et par conséquent de changer de religion (c'était tacite à l'époque!). Refus d'obtempérer, évidemment. Résultat : le 5 septembre 1755, le lieutenant-colonel John Winslow ordonne qu'ils soient rassemblés dans l'église Saint-Charles puis déportés (expulsés, dirait-on aujourd'hui), après que leurs terres, leurs habitations eurent été confisquées par la Couronne. Le Grand Dérangement se poursuivra jusqu'en 1762, dispersant près de 8 000 Acadiens à travers le monde, de Belle-Île-en-Mer (Bretagne) à la Louisiane, de la Virginie aux Antilles. Pour la suite de cette épopée douloureuse, on vous renvoie au village acadien de Lafayette (Lousiane) ou à Saint-Martinville (Louisiane aussi), en plein Pays cajun (voir *Le guide du Routard Floride, Louisiane*), où survit aujourd'hui la plus grande communauté née de cet exil forcé. Ainsi que le souvenir d'Évangéline, l'héroïne du poème de Longfellow, devenue l'emblème de la cause acadienne.

Où dormir? Où manger?

■ ***Évangeline by the sea Cottage & Motel :*** 127, Évangeline Beach Road, North Grand Pré. ☎ 542-20-39. De 48 à 52 $Ca (30,9 à 33,5 €). Ce petit motel a les pieds dans l'eau. Situé dans un quartier calme et très reposant, il dispose d'une grande piscine. Les chambres sont simples et le confort est spartiate mais on s'y sent vraiment à l'aise. Certaines chambres possèdent une cuisine. On vous conseille la 6 au charme rustique (parquet, cheminée en grosses pierres) et vue directe sur la plage. Même si vous ne dormez pas là, allez y faire un tour, c'est très curieux : on patauge dans une espèce de boue brunâtre où des myriades de bigorneaux ont élu domicile.

■ |●| ***Évangéline Snack-Bar et Motel :*** route 1, tout près de l'intersection avec la route conduisant au site national historique de Grand-Pré. ☎ 542-27-03. Ouvert de mai à octobre. Comptez 44 $Ca (28,4 €) pour 1 nuit. Sandwichs et petits plats tout simples. Au motel, chambres situées en retrait de la route, donc au calme. Sans charme particulier mais bien pour une nuit. L'accueil est vraiment très attentionné.

■ ***Inn the Vineyard B & B :*** 264 Old Post Road. ☎ 542-95-54 ou 1-800-565-00-00. • www.bbcanada/1584/html • Ouvert du 1er juin au 30 septembre. Entre 55 et 75 $Ca (35,5 et 48,4 €). Prendre la route du site de Grand-Pré, puis tourner à droite. C'est plus loin sur la droite de la route. Au milieu des vergers et des pommiers, dans une belle et opulente campagne au climat très doux en été (on entend même les cigales chanter!), voici une charmante demeure du XVIIIe siècle tenue avec soin et beaucoup de goût par un couple de Canadiens francophones habitant Montréal mais qui passent l'été ici. Ici, ça fleure bon la campagne! Chambres très authentiques, mais prix légèrement plus élevés que la moyenne, en raison du charme se dégageant de la maison. Petit déjeuner copieux. Très bon accueil.

À voir

★ ***Le lieu historique national de Grand-Pré :*** sur une route menant à la mer, très bien indiqué. ☎ 542-36-31. Ouvert tous les jours de la mi-mai à la mi-octobre, de 9 h à 18 h. Un des hauts lieux de l'histoire des Acadiens, sorte de mémorial en plein air comprenant une réplique de l'église Saint-Charles (l'originale fut brûlée par les Anglais) qui relate la tragédie acadienne, une plaque portant les 300 noms de familles déportées, une statue en bronze d'Évangéline, dans le jardin, et, plus loin, au bout du sentier, la croix de la Déportation plantée sur le site même où les Acadiens ont été embarqués de force sur des chaloupes, puis chargés dans des navires, destination l'exil...

WOLFVILLE

À 5 km de Grand-Pré, une toute petite ville universitaire aux rues bordées d'ormes géants (mais malades malgré les apparences...) et de somptueuses maisons victoriennes. Pourquoi une telle opulence dans un trou pareil de 3 500 habitants ? On n'a toujours pas bien compris ; sans doute à cause de la matière grise amenée par les étudiants et les profs qui séjournent à l'université. Rien à y faire, mais on peut s'y arrêter pour manger en passant, après la visite de Grand-Pré.

Où dormir ? Où manger ?

🏠 ***In Wolfville :*** 40 Main Street. ☎ 542-04-00. • in.wolfville@ns.sympatico.ca • Entre 85 et 125 $Ca (54,8 et 80,6 €). Belle grande maison toute neuve qui offre 4 chambres dont 2 vraiment immenses et arrangées avec classe (toutes avec salle de bains privée). Vous serez reçu avec beaucoup d'amabilité et de gentillesse par Ken et Sally. L'intérieur clair est meublé avec sobriété. Elégant salon et superbe plancher en bois blond qui provient de la région. Véranda assez plaisante. Ça reste un peu cher quand même.

🍽 ***Restaurant Acton's :*** 268 Main Street. ☎ 542-75-25. Ouvert tous les jours. En général, 15 $Ca (9,7 €) pour un plat, et 18 $Ca (11,6 €) pour les assiettes de poisson. Adresse assez chic, plutôt pour un dîner avec une bonne copine que l'on veut séduire que tout seul comme un pauvre hère. Le midi, buffet froid et chaud, sinon carte : moules de Honfleur, salades, *petatou* (gratin de pommes de terre). Cuisine plus élaborée que la moyenne, accompagnée de bons vins de la maison (chablis, chardonnay, cabernet-sauvignon). Terrasse agréable en été. Pour changer des hamburgers de Tim Horton, si vous n'avez pas dépensé vos économies, une bonne table.

À voir

★ ***Thomson's Barber Shop :*** dans une petite rue perpendiculaire à la rue principale. Au pied d'un grand arbre, la petite boutique d'un coiffeur qui aime les pendentifs bricolés et les objets rock'n'roll. Vaut le coup d'œil et le coup de ciseaux, si vos lianes de cheveux commencent à peser lourd...

ANNAPOLIS ROYAL

Drôle de nom quand même ! On s'attend à trouver une sorte de grande ville de province, en fait, rien de tout ça : c'est à peine un gros village, noyé dans la verdure, au bord d'une rivière dépendant de la baie de Fundy (autrefois appelée baie des Français, avant que la Grande Albion ne s'en empare, ah ! La méchante...). Et pourtant, elle fut la capitale de la Nouvelle-Écosse entre 1713 et 1749, avant Halifax !
Ô surprise ! Le matin, tout est noyé dans la brume jusqu'à 10 h-11 h, et après vient le soleil. Ô stupeur ! Voici les marées les plus rapides du monde, avec des flots écumants qui remontent dans les terres à une vitesse inouïe. D'ailleurs, c'est pour cela que les Canadiens y ont installé une usine marémotrice, la seule et unique centrale en Amérique du Nord fonctionnant avec l'énergie des courants marins (comme celle de la Rance, près de Dinard, en Bretagne, pour ceux qui ont barboté par là-bas).
Endroit très agréable donc, où une ribambelle d'arbres – ormes, chênes, érables, peupliers – noient les superbes maisons victoriennes dans un océan de verdure. Un bon plan, y dormir une nuit, avant la traversée Digby-Saint-John, si vous devez ensuite prendre le chemin du retour (vers Québec, ou ailleurs).
À ne pas manquer, sous aucun prétexte, la visite de l'habitation de Port-Royal, sur la rive opposée : le camp des pionniers français où commença cette superbe aventure de la Nouvelle-France en Amérique du Nord (cf. « À voir »).

Adresse utile

🛈 ***Centre d'information touristique :*** 236 Prince Albert Road. Ouvert de mi mai à mi octobre. ☎ 532-54-54.

Où dormir ? Où manger ?

⌂ ***Hébert House :*** 124, Victoria Street. ☎ et fax : 532-79-36. E-mail : areid@ns.sympatico.ca. • www3.ns.sympatico.ca/areid/ • Entre 60 et 70 $Ca (38,7 et 45,2 €). Accepte la carte *Visa*. De gros arbres dans un jardin entourent cette ancienne ferme aux murs bordeaux. Charmant intérieur rustique. Au choix : chambres rénovées avec salle de bains privée (formule *B & B* : plus cher) dans la maison ou chambres dans le motel à côté (petit déjeuner non compris dans ce cas). Accueil sympa.

⌂ ***The Turret B & B :*** 372 Saint-George Street. ☎ 532-57-70. Entre 60 et 70 $Ca (38,7 et 45,2 €) selon le confort. En face d'un vieux cimetière romantique avec d'énormes corneilles noires virevoltant dans les arbres. Tout comme *The Turret,* une belle maison vieille de plus d'un siècle, où l'on dort dans des chambres fort bien tenues (certaines avec lit *queen*). Confort bourgeois et accueil poli et gentil. On y est à l'aise. Les propriétaires, des retraités encore jeunes, servent un exquis petit déjeuner, très complet, avec du *porridge* (flocons d'avoine dans du lait avec du sucre), des œufs, des toasts, du bacon, etc.

|●| ***The Fat Pheasant :*** 200, Saint-George Street. ☎ 526-00-42. Plats entre 14 et 19 $Ca (9 et 12,2 €). Restaurant tranquille installé dans un édifice imposant à l'aspect austère qui contraste avec l'intérieur chaleureux (de style écossais). Vous pouvez manger en mezzanine. On y sert des plats sans particularité notable que l'on retrouve dans la plupart des restos du pays, mais c'est bon quand même. Le patron est décontracté et les prix sont doux.

Où boire un verre ?

🍸 ***The Olde Towne Pub :*** 9-11, Church, à deux pas du *Fat Pheasant*. L'un des seuls endroits pour sortir à Annapolis. Ce bar dispose d'une terrasse estivale. Intérieur chaleureux, genre pub irlandais en bois avec une déco marine. Bonne musique et service aimable. Vous pouvez consulter des livres sur place. Petits brunchs variés et bon marché.

À voir

★ ***Les Jardins historiques :*** 441, rue Saint-George. ☎ 532-70-18. Ouverts de 8 h à la tombée du jour, tous les jours de mi-mai à début octobre. Superbe promenade à faire en fin d'après-midi. Merveilleux jardins d'époque victorienne où l'on découvre, outre de très beaux arbres (et des fleurs, bien sûr !), un potager acadien comme au XVIIe siècle et une cabane acadienne reconstituée (preuve que la vie était très dure jadis par ici !). En contrebas des jardins, un sentier mène à une sorte de marais où l'on peut voir des hérons.

★ ***Le Fort-Anne :*** rue Saint-George. ☎ 532-23-21. Musée ouvert tous les jours du 15 mai au 15 octobre, de 9 h à 18 h. Tenu par les Français depuis ses origines (1635) jusqu'à sa prise par les Anglais en 1713, le fort consiste en une caserne (qui n'a rien d'une caserne, c'est une jolie maison en fait) baptisée ainsi en l'honneur de la reine Anne Stuart. Curieusement, cette maison disparaît derrière une série de monticules couverts de gazon, assez drôles à voir. Ils sont disposés en étoile et portent des canons. Ne pas rater le buste (monument) du sieur de Monts, avec sa moustache de mousquetaire et son grand chapeau à la Cyrano ! Pierre du Gua, sieur de Monts, arriva en Acadie en 1604 avec Champlain et Poutrincourt et 80 hommes. Il fut l'un des fondateurs de l'Habitation (camp fortifié en bois) de Port-Royal.

À voir dans les environs

★ ***L'Habitation de Port-Royal :*** à 10 km à l'ouest d'Annapolis Royal, sur la rive nord de la rivière Annapolis. ☎ 532-28-98. Ouvert tous les jours de la mi-mai à la mi-octobre, de 9 h à 18 h. Connue ici sous son nom officiel de « Lieu historique national ». Étonnante et émouvante reconstitution du premier campement fortifié (on disait « habitation » au XVIIe siècle) français en Amérique du Nord. Autrement dit, voici la réplique (admirable, il faut le dire) de la première colonie (1605) implantée par la France au Nouveau Monde. Ça mérite quand même un petit détour !
Ce n'est donc ni à Québec, ni à Gaspé (où débarqua Jacques Cartier) que l'aventure de la Nouvelle-France a commencé, mais bel et bien ici, dans ce site abrité mais perdu, hostile, loin de tout. Port-Royal avait son symétrique à Saint-Jean (Saint John, aujourd'hui) au Nouveau-Brunswick. Mais à Saint John, devenu une grande ville, on ne voit plus rien, alors qu'ici, c'est tellement bien fait, si bien préservé, si merveilleusement raconté, que la magie opère. Résultat : dépaysement total, grâce aux animateurs acadiens en costumes d'époque. C'est tout petit. Les maisons en gros rondins de bois sont disposées autour d'une cour intérieure (avec un puits) dans laquelle on pénètre par une simple porte. Voir la forge, la cuisine, la boulangerie, la cha-

pelle (dépouillée, monacale), les dortoirs sous les toits avec les matelas rembourrés de paille (pour les soldats) où l'on passerait bien la nuit, et la demeure, austère et sombre, des gentilshommes. C'est Champlain lui-même qui fonda Port-Royal. On peut même voir le plan de l'habitation qu'il dessina. Malgré les conditions de vie difficiles, la petite colonie trouva le temps de produire et d'écrire ici la première pièce de théâtre de l'histoire du Canada... Le fantôme de Champlain semble être revenu dans les palissades de Port-Royal ! Un endroit coup de cœur, que nous avons beaucoup aimé.

NOS NOUVEAUTÉS

SÉNÉGAL, GAMBIE (paru)

De Saint-Louis, ancienne capitale d'un passé colonial prospère, à la fois africaine et cosmopolite, à Ziguinchor, l'accueillante casamançaise, en passant par Gorée, l'île Rose, déjà réputée au siècle dernier pour la douceur de son air et son charme un tantinet méditerranéen, les amateurs de balades urbaines trouveront sans doute de quoi s'émouvoir.
Fous de nature, vous serez tentés par des curiosités comme celle du lac Rose, qui décline sa couleur sur tous les tons, ou celle de l'île aux Coquillages de Fadiouth. Mais aussi par les différents parcs nationaux du pays. Par manque de temps, il vous faudra sans doute choisir : celui du Djoudj, la troisième réserve ornithologique du monde, dans la mangrove du delta du fleuve Sénégal, où quelque 3 millions de migrateurs aiment faire escale ; ou bien le parc du Niokolo Koba, où de gros mammifères vagabondent au cœur de la savane. À moins que vous ne jetiez votre dévolu sur le parc naturel du Sine Saloum et son fouillis inextricable d'îles et bancs de sable, paradis là encore des oiseaux et des pêcheurs. Mais paradis aussi des campements-hôtels privés, harmonieusement intégrés dans la vie locale, auxquels on accède en pirogue.
Cependant, un des points forts du Sénégal, c'est sa population, véritable mélange d'ethnies plutôt métissées, dont les principales qualités sont le sens de l'hospitalité, l'humour et la communication. Les marchés se révèlent des grands moments de vie : palabres lors du marchandage, sourires, chatoiements et vêtements multicolores résument le charme irrésistible de ce peuple.

LYON ET SES ENVIRONS (paru)

Au cœur du Rhône, Lyon, étape entre Nord et Sud ? Embouteillages interminables ? Trop facile !
Au-delà des clichés habituels, on découvre une perle rare, une ville émouvante. Capitale des Gaules, de la gastronomie, de l'imprimerie, de la soie et des murs peints, Lyon ne se lasse pas d'être capitale.
Puis, plus on la découvre, plus elle se découvre. Alors on l'aime comme une jolie femme, d'un coup de foudre ; comme une vieille maîtresse aussi, qu'on apprécie avec le temps. Lyon a su se confectionner depuis 30 ans de nouveaux habits... des habits de soie évidemment.
À deux pas de là, le fascinant pays Beaujolais, où l'on se penche sur le berceau de cet étonnant breuvage qui, chaque 3e jeudi de novembre, est le centre d'une convivialité bachique et mondiale. Dans les monts du Lyonnais, on prend un grand bol d'air ; dans la Dombes, on s'attable à un bon buffet campagnard.
Le bon vin au nord, l'air pur à l'ouest, la bonne table partout. Quand on habite Lyon, il suffit de tendre le bras et piocher. Et c'est bonne pioche à tous les coups !

NOS NOUVEAUTÉS

INDE DU SUD (paru)

Les Zindes!... Oui, mais pas n'importe lesquelles. Des ethnies en grande quantité, oui, quelques millénaires d'histoire, oui, des religions en veux-tu en voilà, des vaches sacrées à tous les coins de rues, oui toujours... Et puis, et puis... L'Inde du Sud, ce sont surtout les paysages superbes du Kerala, État où l'analphabétisme est pratiquement inexistant, les rizières, les arbres à palmes, la végétation tropicale, les réserves d'animaux, mais aussi des plages gigantesques qui vous en mettent plein les yeux, les palais dravidiens, les éléphants... les saris multicolores, les odeurs, les marchés, la cuisine très épicée. Et puis, c'est « Bollywood » (Bombay, quoi!), la capitale du cinéma indien, celle qui offre à des milliers d'amateurs un nombre impressionnant de films *masala,* histoires à l'eau de rose entrecoupées de chants, de danses et de scènes d'action parfaitement stéréotypées; Madurai, la capitale du pèlerinage hindou, la cité la plus ancienne et la plus sainte du Sud, qui renferme l'un des temples les plus fascinants du pays. Tellement de richesses qu'un seul voyage ne vous suffira pas.

INDE DU NORD (paru)

Bienvenue au pays des Mille et une Nuits! Du Rajasthan au golfe du Bengale, en passant par l'Himalaya et la vallée du Gange, de Jaisalmer à Agra et de Darjeeling à Jaipur, voici l'Inde éternelle, celle des éléphants et des palais de maharajahs, des saddhus et des temples jaïns, des fêtes multicolores et du Taj Mahal. Voici aussi l'Inde des mégalopoles (Delhi, Calcutta), mélange indescriptible de Moyen Âge et de modernité, avec ses cortèges de misère et ses embouteillages! Voici encore l'Inde de toutes les folies et de tous les fantasmes, de toutes les croyances et de toutes les ferveurs, hallucinant pays où se côtoient mystiques, néo-hippies et commerçants prospères, mendiants et vaches sacrées. Une Inde d'une telle richesse et d'une telle diversité que vous n'en reviendrez pas intact!

NÉPAL, TIBET (paru)

Minuscule pays de légende coincé entre deux géants, carrefour mythique sur la route du sel, de la soie et des beatniks, le Népal est une terre où se côtoient, dans la paix et la tolérance, une multitude d'ethnies parlant 75 langues ou dialectes différents. Aucun pays au monde n'offre une telle variété dans un espace si restreint. C'est aussi ici que naquit le Bouddha, que réside l'unique déesse vivante au monde et que vit, paraît-il, « l'abominable homme des neiges » (le yéti, quoi!). Royaume magique où le quotidien est encore fait d'histoires de rois et de princesses, de divinités qui se transforment en animaux, de serpents qui se changent en dieux, de géants, démons et autres sorcières. Le charme de ce pays merveilleux, qui se ressent jusque dans l'amabilité et la chaleur de ses habitants, vous enchantera à jamais... Vous l'aurez compris, vous y reviendrez. Nous, en tout cas, on connaît peu de routards qui n'en soient pas revenus amoureux.

NOS NOUVEAUTÉS

RÉPUBLIQUE DOMINICAINE, SAINT-DOMINGUE (paru)

Premier pays d'Amérique, où furent construits la première cathédrale, le premier hôpital, la première université... Saint-Domingue est en passe de devenir la première destination touristique des Caraïbes, devant Cuba. Pourtant, on ne vient pas vraiment à Saint-Domingue pour ses trésors architecturaux (rares en dehors de la capitale), mais pour ses trésors naturels, à commencer par ses centaines de kilomètres de plages de sable blanc bordées de cocotiers. Ajoutez à cela beaucoup de soleil, quelques verres de rhum, l'omniprésente musique locale *(bachata, merengue),* des villages de pêcheurs, des baleines, des crocodiles, le plus haut sommet des Caraïbes (Pico Duarte)... et vous aurez tous les ingrédients pour des vacances de rêve!
Mais ce qui vous séduira avant tout, c'est cette subtile atmosphère africaine, faite de petites tranches de vie, de sourires éclatants, de regards chaleureux, d'images multicolores et d'une gentillesse de chaque instant.

ISTANBUL (paru)

Ici finit l'Europe, ici commence l'Asie... À cheval sur deux continents, Istanbul se souvient qu'elle fut la Byzance des Grecs, la Constantinople de l'Empire romain d'Orient et la capitale des sultans ottomans. Et vous serez séduit, à votre tour, par cette fabuleuse concentration de richesses et d'histoire, qui a ébloui l'humanité entière durant neuf siècles... À Istanbul, toutes les provinces et métiers de Turquie se fondent en un grouillement coloré : paysan anatolien poussant ses moutons entre les immeubles, Kurde en salvar venu voir la ville, artisans arméniens, portefaix et vendeurs d'eau, marchands et colporteurs de toutes sortes. Des dizaines d'ethnies différentes se bousculent dans les quartiers animés, sur les marchés et dans les ruelles étroites. Une agitation qui tranche avec le calme et la sérénité des palais de la ville et des nombreux lieux de culte. Autant de trésors qui vous donneront envie de partir à la découverte d'Istanbul, la ville aux mille facettes, sous l'œil bienveillant des dômes immenses et des minarets qui s'élèvent comme des chandeliers.

Le Web du Routard

Retrouvez le *Guide du routard* sur Internet, en version interactive et multimédia!
Pour chaque pays : nos meilleures adresses par type de famille, une sono mondiale, des photos, les anecdotes de l'équipe du *Routard*, des liens vers les meilleurs sites, des conseils pour mieux voyager, les bons plans des agences de voyages...
Mais aussi : la saga du Routard, le quiz « Quel routard êtes-vous donc? », les infos médicales, une météo mondiale, des petites annonces gratuites et des forums de discussions ouverts à tous!

www.routard.com

Les conseils *nature* du Routard

avec la collaboration du **WWF**

Fonds Mondial pour la Nature - France

Vous avez choisi le Guide du Routard pour partir à la découverte et à la rencontre de pays, de régions et de populations parfois éloignés. Vous allez fréquenter des milieux peut être fragiles, des sites et des paysages uniques, où vivent des espèces animales et végétales menacées. Nous avons souhaité vous suggérer quelques comportements simples permettant de ne pas remettre en cause l'intégrité du patrimoine naturel et culturel du pays que vous visiterez et d'assurer la pérennité d'une nature que nous souhaitons tous transmettre aux générations futures.

Pour mieux découvrir et respecter les milieux naturels et humains que vous visitez, apprenez à mieux les connaître.
Munissez vous de bons guides sur la faune, la flore et les pays traversés.

❶ **Respectez la faune, la flore et les milieux.**
Ne faites pas de feu dans les endroits sensibles - Rapportez vos déchets et utilisez les poubelles - Appréciez plantes et fleurs sans les cueillir - Ne cherchez pas à les collectionner... Laissez minéraux, fossiles, vestiges archéologiques, coquillages, insectes et reptiles dans la nature.

❷ **Ne perturbez d'aucune façon la vie animale.**
Vous risquez de mettre en péril leur reproduction, de les éloigner de leurs petits ou de leur territoire - Si vous faites des photos ou des films d'animaux, ne vous en approchez pas de trop près. Ne les effrayez pas, ne faites pas de bruit - Ne les nourrissez pas, vous les rendrez dépendants.

❸ **Appliquez la réglementation relative à la protection de la nature,** en particulier lorsque vous êtes dans les parcs ou réserves naturelles. Renseignez-vous avant votre départ.

❹ **Consommez l'eau avec modération,** spécialement dans les pays où elle représente une denrée rare et précieuse.
Dans le sud tunisien, un bédouin consomme en un an, l'équivalent de la consommation mensuelle d'un touriste européen !

Les conseils *nature* du Routard (suite)

5. **Pensez à éteindre les lumières, à fermer le chauffage et la climatisation** quand vous quittez votre chambre.

6. **Évitez les spécialités culinaires locales à base d'espèces menacées.** Refusez soupe de tortue, ailerons de requin, nids d'hirondelles…

7. **Des souvenirs, oui, mais pas aux dépens de la faune et de la flore sauvages.** N'achetez pas d'animaux menacés vivants ou de produits issus d'espèces protégées (ivoire, bois tropicaux, coquillages, coraux, carapaces de tortues, écailles, plumes…), pour ne pas contribuer à leur surexploitation et à leur disparition. Sans compter le risque de vous trouver en situation illégale, car l'exportation et/ou l'importation de nombreuses espèces sont réglementées et parfois prohibées.

8. **Entre deux moyens de transport équivalents, choisissez celui qui consomme le moins d'énergie !** Prenez le train, le bateau et les transports en commun plutôt que la voiture.

9. **Ne participez pas aux activités dommageables pour l'environnement.** Évitez le VTT hors sentier, le 4x4 sur voies non autorisées, l'escalade sauvage dans les zones fragiles, le ski hors piste, les sports nautiques bruyants et dangereux, la chasse sous marine.

10. **Informez vous sur les us et coutumes des pays visités,** et sur le mode de vie de leurs habitants.

LE GUIDE DU ROUTARD ET VOUS

Nous souhaitons mieux vous connaître. Vous nous y aiderez en répondant à ce questionnaire et en le retournant à :

Hachette Tourisme - Service Marketing
43, quai de Grenelle - 75905 Paris cedex 15

Chaque année, le 15 décembre, un tirage au sort sélectionnera les 500 gagnants d'un Guide de Voyage.

NOM : .... **Prénom :** ....

Adresse : ....

.... **Routard**

1 - VOUS ÊTES :

a - Qui êtes vous ?

❑ 1 Un homme ❑ 2 Une femme

b - Votre âge : ____ **ans**

c - Votre département de résidence : |__|__|

d - Votre profession :

____

e - Quels journaux ou magazines lisez-vous ?
Indiquez les titres.

____

____

f - Quelles radios écoutez-vous ? *Précisez*.

____

____

2 - VOUS ET VOTRE GUIDE :

a - Dans quel guide avez-vous trouvé ce questionnaire ? *Précisez le titre exact du guide.*

____

b - Où l'avez-vous acheté ?

❑ 1 Librairie ❑ 2 Fnac/Virgin/Grands mag. ❑ 3 Maison de la Presse ❑ 4 Hypermarchés
❑ 5 Relais H : ❍ aéroport ❍ gare ❑ 6 Ailleurs ❑ 7 On vous l'a offert

c - Combien de jours avant votre départ ? jours
Pour un séjour de quelle durée ? jours

d - Quels sont, d'après vous, les points forts du GDR : ________________

____

- Quels sont, d'après vous, les points faibles du GDR : ________________

____

e - Que pensez-vous du Guide du Routard ?
Notez les points suivants de 1 à 5 *(5 = meilleure note).*

Présentation 1 2 3 4 5 — Adresses 1 2 3 4 5

Couverture 1 2 3 4 5 — Cartographie 1 2 3 4 5

Informations culturelles 1 2 3 4 5 — Rapport Qualité / prix du livre 1 2 3 4 5

Précisez vos réponses ....

....

f - Depuis quelle année utilisez-vous le Guide du Routard ? ....

g - Parmi toutes les collections de guides de voyage proposées en librairies, quelle est, selon vous,

- la plus séduisante ________________
- la plus fiable, sérieuse ________________
- la plus actualisée ________________
- la plus complète (contenu) ________________
- la plus "pratique" (adresses) ________________
- la plus maniable ________________
- celle qui offre le meilleur rapport qualité/prix ________________

Remarques : ....

3 - VOUS ET LES VOYAGES :

a - Dans le cadre de vos voyages, utilisez-vous :

- ❑ **Le GDR uniquement**
- ❑ **Le GDR et un autre guide** **lequel ?** ....
- ❑ **Le GDR et 2 (ou +) autres guides** **lesquels ?** ....

Cochez, par destination, les voyages de 3 jours au moins, que vous avez effectués au cours de ces 3 dernières années et précisez les guides que vous avez utilisés (tous éditeurs confondus).

	Vous êtes allé...	avec quel(s) guide(s) ?
FRANCE		
Tour de France		
Alsace		
Auvergne		
Bretagne		
Corse		
Côte-d'Azur		
Languedoc-Roussillon		
Midi-Pyrénées		
Normandie		
Paris - Ile de France		
Pays de la Loire		
Poitou - Charentes		
Provence		
Sud-Ouest		
Autres :		
....		
EUROPE		
Allemagne		
Autriche		
Belgique		
Bulgarie		
Danemark		
Espagne		
Finlande		
Grande-Bretagne		
Grèce		
Hongrie		
Irlande		
Islande		
Italie		
Norvège		
Pays-Bas		
Portugal		
Rép.Tchèq./Slovaquie		
Russie		
Suède		
Suisse		
Autres :		
....		
AFRIQUE		
Maroc		
Tunisie		
Afrique Noire		
Autres :		
....		
PROCHE-ORIENT		
Egypte		
Israël		
Jordanie		
Liban		
Syrie		
Turquie		
Yemen		
Autres :		
....		

	Vous êtes allé...	avec quel(s) guide(s) ?
AMÉRIQUE		
Canada Est		
Canada Ouest		
Etats-Unis Est		
Etats-Unis Ouest		
Argentine		
Brésil		
Bolivie		
Chili		
Equateur		
Mexique - Guatemala		
Pérou		
Autres :		
....		
ASIE / OCÉANIE		
Australie		
Birmanie		
Cambodge		
Chine		
Hong-Kong		
Inde		
Indonésie		
Japon		
Laos		
Macao		
Malaisie		
Népal		
Sri Lanka		
Thaïlande		
Tibet		
Vietnam		
Singapour		
Autres :		
....		
ILES		
Antilles		
Baléares		
Canaries		
Chypre		
Crète		
Iles anglo-normandes		
Iles grecques		
Maurice		
Madagascar		
Maldives		
Malte		
Nlle Calédonie		
Polynésie-Tahiti		
Réunion		
Sardaigne		
Seychelles		
Sicile		
Autres :		
....		

INDEX GÉNÉRAL

– A –

ACADIE (l') 379
ALBERT (mont) 338
ALMA 273
AMÉRICAINS (AUX ; lac) 338
AMQUI 365
ANSE DES PILOTES 321
ANSE-SAINT-JEAN (l') 252
ANNAPOLIS ROYAL.......... 426

– B –

BADDECK.................... 414
BAIE (La)..................... 257
BAIE-COMEAU............... 305
BAIE-DES-ROCHERS........ 250
BAIE du HA ! HA !........... 321
BAIE-SAINTE-CATHERINE... 250
BAIE-SAINT-PAUL........... 225
BARACHOIS................. 345
BARACHOIS (Nouveau-Brunswick)................ 394
BARTIBOG 388
BAS-SAINT-LAURENT (le) ... 310
BASSIN 377
BATISCAN.................... 177
BEAUSÉJOUR (parc historique national du fort de) ... 399
BENJIES (lac)................ 419
BERTHIERVILLE 171
BIC (parc du) 319
BONAVENTURE 357
BONAVENTURE (île) 352
BOUCTOUCHE 390
BRETON (cap)............... 416

– C –

CAMPBELLTON.............. 381
CANTONS DE L'EST (les).... 169
CAP-À-L'AIGLE 246
CAP-À-L'ORIGNAL 321
CAP-AUX-MEULES.......... 371
CAP-AUX-MEULES (îles du).. 371
CAP-AUX-OIES 241
CAP-CHAT 334
CAPE TORMENTINE 399
CAP-LE-MOINE 419
CAP-PELÉ................... 394
CAP-SANTÉ 178
CARAQUET 382
CARLETON-SUR-MER....... 360
CAUSAPSCAL............... 364
CHALEURS (baie des)....... 354
CHARLEVOIX................ 224
CHARLEVOIX (domaine)..... 232
CHARLEVOIX (l'intérieur de).. 250
CHAUDIÈRE-APPALACHES.. 306
CHÉTICAMP................. 419
CHEVREUIL (seigneurie du) .. 333
CHIBOUGAMAU 281
CHIC-CHOCS (monts) 333
CHICOUTIMI................. 259
COIN-DU-BANC.............. 345
COUDRES (île aux) 235

– D –

DALHOUSIE 381
DESCHAMBAULT 177
DIGBY 402
DINGWALL 419
DONNACONA................ 178
DORCHESTER............... 398
DORÉ (La) 280
DUNES (maison des) 301

– E –

ÉBOULEMENTS (Les) 240
ENTRÉE (île d') 377
ESCOUMINS (Les) 304
ÉTANG-DU-NORD (L') 373
ÉTERNITÉ (cap) 256

– F –

FATIMA 372
FORILLON (parc)............ 340
FRASER (chutes) 246
FUNDY (parc national de) 399

– G –

GASPÉ....................... 342
GASPÉSIE (la).............. 327
GASPÉSIE (parc de la) 336
GLACE BAY (lieu historique national Marconi) 413
GRANDE-ANSE (musée des Papes) 381
GRANDE-ENTRÉE (île de la) . 368
GRANDES-BERGERONNES . 301
GRANDES-PILES 176
GRAND-MÉTIS.............. 328
GRAND-PRÉ................. 424
GRANDS-JARDINS (parc des).......................... 233

INDEX

GRONDINES 177
GROSSE-ÎLE 368

– H –

HALIFAX 419
HAUTES-GORGES-DE-LA-RIVIÈRE-MALBAIE (parc régional des) 251
HAVRE AUX MAISONS (île du) 370
HAVRE-AUX-MAISONS 370
HAVRE AUBERT (île du) 374
HAVRE-AUBERT 374
HOPEWELL ROCKS 399
HURONS (village des) 212

– I-J-K –

INGONISH 419
JACQUES-CARTIER (mont) .. 338
JONQUIÈRE 269
KAMOURASKA 310
KINGS LANDING (village historique de) 399
KOUCHIBOUGUAC (parc national de) 388

– L –

L'ÉTANG-DU-NORD 373
LA BAIE 257
LA DORÉ 280
LA MALBAIE 244
LA MAURICIE (parc national de) 176
LAMÈQUE (île de) 385
LAURENTIDES (parc des) 216
LES ÉBOULEMENTS 240
LES ESCOUMINS 304
LES MÉCHINS 334
LÉVIS 210
LONE SHIELING 419
LOUISBOURG 409

– M –

MADELEINE (îles de la) 366
MALBAIE (La) 244
MARIA 359
MARSOUI 336
MARY-TRAVERS (site) 355
MASHTEUIATSH (POINTE-BLEUE) 276
MATANE 331
MATAPÉDIA (vallée de la) 364
MAURICIE (parc national de La) 176
MÉCHINS (Les) 334
METABETCHOUAN 271
MIGUASHA (parc de) 363
MIRAMICHI 387
MISCOU (île de) 386
MONCTON 394
MONTMAGNY 306
MONTMORENCY (chute) 214
MONTRÉAL 122
MONT-SAINTE-ANNE (parc du) 215
MONT-SAINT-PIERRE 338
MONTS-GRANDS-FONDS ... 251

– N –

NÉGUAC 387
NEUVILLE 178
NEW CARLISLE 356
NEW HAVEN 419
NEW RICHMOND 358
NORMANDIN (Grands Jardins de) 280
NOTRE-DAME-DES-MONTS . 251
NOTRE-DAME-DU-PORTAGE 312
NOUVEAU-BRUNSWICK (le) . 379
NOUVELLE-ÉCOSSE (la) 403

– O-P –

OMEGA (parc) 168
ORLÉANS (île d') 217
PABOS (centre d'Interprétation du bourg de) 355
PAQUETVILLE 386
PASPÉBIAC 356
PAUL (lac) 338
PERCÉ 345
PÉRIBONKA 281
PETIT-CAP 394
PICTOU 406
POINTE-À-LA-GARDE 363
POINTE-AU-PÈRE (musée de la Mer) 327
POINTE-AU-PIC 242
POINTE-NOIRE (Centre d'interprétation et d'observation de) 250
POINTE TAILLON (parc de la) 283
PORT-AU-PERSIL 247
PORT-AU-SAUMON (centre écologique de) 248
PORT-DANIEL 355
PORTES DE L'ENFER (canyon des) 327
PORTNEUF 178
PORT-ROYAL (Habitation de). 427

– Q –

QUÉBEC 179
QUÉBEC (le) 122

INDEX

– R –

RANG-SAINT-GEORGES 386
RESTIGOUCHE 364
RIMOUSKI 321
RIVIÈRE-AU-RENARD 339
RIVIÈRE-DU-LOUP 312
RIVIÈRE-ÉTERNITÉ 255
RIVIÈRE-OUELLE 310
ROBERVAL 275
ROCHERS (baie des) 250
ROGERSVILLE 389

– S –

SACKVILLE 398
SACRÉ-CŒUR 287
SAGUENAY (le) 252
SAGUENAY (parc du) 255
SAINT-AIMÉ-DES-LACS 251
SAINT-AUGUSTIN-DE-DESMAURES 178
SAINT-FÉLICIEN 278
SAINT-FRANÇOIS 220
SAINT-GABRIEL-DE-RIMOUSKI 326
SAINT-GEORGES-DE-CHAMPLAIN 176
SAINT-HILAIRE (mont) 168
SAINT-IRÉNÉE 241
SAINT-ISIDORE 386
SAINT-JEAN 221
SAINT-JEAN (lac) 272
SAINT-JEAN-PORT-JOLI 307
SAINT-JOHN 400
SAINT-JOSEPH 397
SAINT-JOSEPH-DE-LA-RIVE . 233
SAINT-LAURENT 222
SAINT-PAUL-DU-NORD 305
SAINT PETERS 407
SAINT-PÉTRONILLE 223
SAINT-PIERRE 217
SAINT-SIMÉON 248
SAINT-URBAIN 251
SAINT-VIANNEY 365
SAINTE-ANNE-DE-BEAUPRÉ 216
SAINTE-ANNE-DE-LA-PÉRADE 177
SAINTE-ANNE-DES-MONTS . 335
SAINTE-FAMILLE 220
SAINTE-FLAVIE 328
SAINTE-JEANNE-D'ARC 281
SAINTE-LUCE 326
SAINTE MARGUERITE (rivière) 287
SAINTE-ROSE-DU-NORD 285
SAULT-AU-MOUTON 305
SCENIC LOOP (sentier du) ... 419
SHAWINIGAN (cité de l'Énergie) 175
SHÉDIAC 391
SHIPPAGAN 385
SKYLINE 419
SOREL 172
SYDNEY 412

– T –

TABUSINTAC 387
TADOUSSAC 288
TOURELLE 336
TRACADIE-SHEILA 386
TREMBLANT (parc du mont) . 168
TRINITÉ (cap) 256
TROIS-PISTOLES 317
TROIS-RIVIÈRES 172

– V –

VAL-JALBERT (village fantôme de) 274
VERTE (île) 315
VILLAGE HISTORIQUE ACADIEN (le) 382

– W –

WENDAKE 212
WINDSOR 423
WHITE POINT 419
WOLFVILLE 425

INDEX

INDEX DES CARTES ET DES PLANS

Baie-Saint-Paul 229
Canada (Le) .... **II-III**
Charlevoix 226-227
Chicoutimi (Plan I) 260-261
Chicoutimi (Plan II) 262-263
Communautés Autochtones du Québec 113
Île aux Coudres (l') 237
Île d'Orléans (l') 219
Îles de la Madeleine (Les) 367
La Gaspésie 328-329
Montréal - Accès (Plan I) et Métro .... **VI**
Montréal (Plan II) .... **VIII-IX**
Montréal (Le Vieux - Plan III) . **X-XI**
Nouvelle Écosse (La) 404-405
Percé 347
Provinces et Populations 103
Québec et provinces maritimes .... **IV-V**
Québec (Plan I) .... **XII-XIII**
Québec (Plan II) .... **XIV-XV**
Québec (Plan III) .... **XVI**
Rimouski 323
Saguenay - Lac Saint-Jean 254-255
Tadoussac 291

les **Routards** *parlent aux* **Routards**

Faites-nous part de vos expériences, de vos découvertes, de vos tuyaux pour que d'autres routards ne tombent pas dans les mêmes erreurs. Indiquez-nous les renseignements périmés. Aidez-nous à remettre l'ouvrage à jour. Faites profiter les autres de vos adresses nouvelles, combines géniales... On adresse un exemplaire gratuit de la prochaine édition à ceux qui nous envoient les lettres les meilleures, pour la qualité et la pertinence des informations. Quelques conseils cependant :

– Envoyez-nous votre courrier le plus tôt possible afin qu'on puisse insérer vos tuyaux dans la prochaine édition.
– N'oubliez pas de préciser sur votre lettre l'ouvrage que vous désirez recevoir.
– Vérifiez que vos remarques concernent l'édition en cours et notez les pages du guide concernées par vos observations.
– Quand vous indiquez des hôtels ou des restaurants, pensez à signaler leur adresse précise et, pour les grandes villes, les moyens de transport pour y aller. Si vous le pouvez, joignez la carte de visite de l'hôtel ou du resto décrit.
– À la demande de nos lecteurs, nous indiquons désormais les prix. Merci de les rajouter.
– N'écrivez si possible que d'un côté de la lettre (et non recto verso).
– Bien sûr, on s'arrache moins les yeux sur les lettres dactylographiées ou correctement écrites !

Le Guide du routard : 5, rue de l'Arrivée, 92190 Meudon

E-mail : routard@club-internet.fr
Internet : www.routard.com

36-15, *code* **Routard**

Les routards ont enfin leur banque de données sur Minitel : 36-15, code ROUTARD. Vols superdiscount, réductions, nouveautés, fêtes dans le monde entier, dates de parution des *GDR,* rancards insolites et... petites annonces.

Routard Assistance *2000*

Vous, les voyageurs indépendants, vous êtes déjà des milliers entièrement satisfaits de Routard Assistance, l'Assurance Voyage Intégrale sans franchise que nous avons négociée avec les meilleures compagnies, Assistance complète avec rapatriement médical illimité. Dépenses de santé, frais d'hôpital, pris en charge directement sans franchise jusqu'à 2 000 000 F + caution + défense pénale + responsabilité civile + tous risques bagages et photos + 500 000 F. Assurance personnelle accidents. Très complet ! Le tarif à la semaine vous donne une grande souplesse. Chacun des *Guides du routard* pour l'étranger comprend, dans les dernières pages, un tableau des garanties et un bulletin d'inscription. Si votre départ est très proche, vous pouvez vous assurer par fax : 01-42-80-41-57, mais vous devez, dans ce cas, indiquer le numéro de votre carte bancaire. Pour en savoir plus : ☎ 01-44-63-51-00 ; ou, encore mieux, Minitel : 36-15, code ROUTARD.

Imprimé en France par Aubin n° L 59789
Dépôt légal n° 1858-03/2000
Collection n° 13 - Édition n° 01
24/3262/3
I.S.B.N. 2.01.243262-X
I.S.S.N. 0768.2034